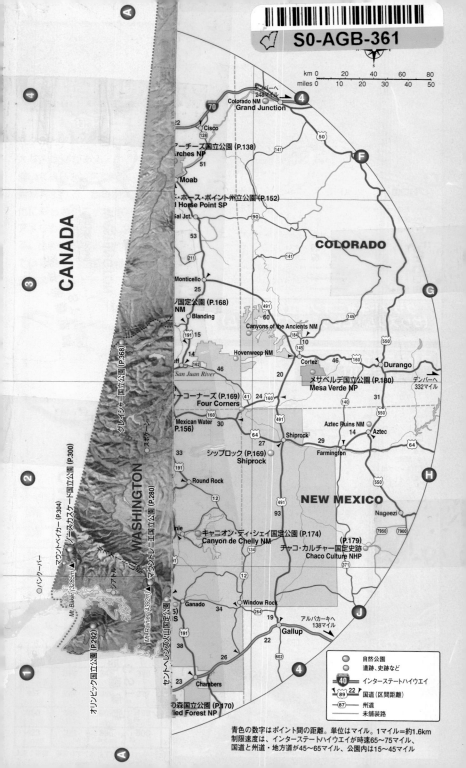

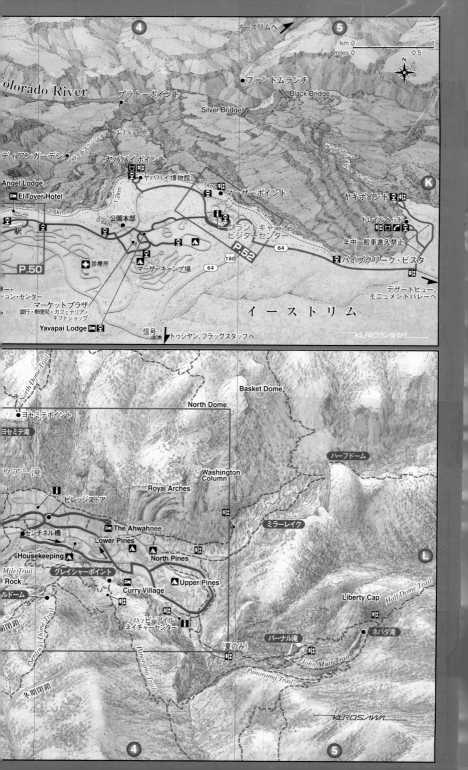

Map 1 (top):

④ ⑤

ノースリムへ

km 0 0.5
miles 0

N

Colorado River

プラトーポイント

ファントムランチ

Black Bridge

Silver Bridge

インディアンガーデン　オパハイアングル・トレイル

ヤバパイポイント

ヤバパイ博物館

マーザーポイント

ヤキポイント

Ⓚ

Angel Lodge

El Tover Hotel

1.2km

1.1km

2.1km

トレイルヘッド

年中一般車進入禁止

1.6km

0.6km

公園本部

駅

P.50

グランドキャニオン
ビジターセンター

診療所

マーザーキャンプ場

P.52

64

180

64

パイプクリーク・ビスタ

デザートビュー、
モニュメントバレーへ

ー・
ョン・センター

マーケットプラザ
銀行・郵便局・カフェテリア・
ギフトショップ

Yavapai Lodge

信号

トゥシャン、フラッグスタッフへ

イーストリム

KUROSAWA

Map 2 (bottom):

North Dome Trail

Basket Dome

North Dome

ヨセミテポイント

ハーフドーム

ヨセミテ滝

ウアー滝

Washington
Column

Royal Arches

ビレッジストア

The Ahwahnee

ミラーレイク

センチネル橋

Lower Pines

Housekeeping

North Pines

Ⓛ

Mile Trail

グレイシャーポイント

Rock

Curry Village

Upper Pines

Liberty Cap

Half Dome Trail

ルドーム

Sentinel Dome Trail

ハッピーアイル・
ネイチャーセンター

ネバダ滝

閉鎖

バーナル滝

冬期閉鎖

Panorama Trail

（夏のみ）

John Muir Trail

Panorama Trail

KUROSAWA

④ ⑤

地球の歩き方 B13 ● 2013〜2014年版

アメリカの国立公園
National Parks in the U.S.A.

地球の歩き方 編集室

3

出発前に必ずお読みください！ 旅のトラブルと安全情報…P.36、64、491、494

MAPS

本書で用いられる記号・略号

 UNESCOの世界遺産に登録されている

 大型野生動物との出合いが期待できる

 一面の花畑が楽しめる（季節による）

 車がなくても見学できる（季節による）

 熱中症に注意（春〜秋）

 低体温症に注意（特に秋〜春）

 崖からの転落に注意

 鉄砲水に注意

 ハイキング中の遭難に注意

住 住所

☎ 電話番号（一部を除き市内通話は最初の3ケタは不要）

Free アメリカ国内は料金着信者払いの無料電話で、1800、1888、1877、1866、1855で始まる番号。日本からは有料

FAX ファクス番号

URL ウエブサイトアドレス（http:// は省略）

開営 開館時間、営業時間

休 休館日

運航 バスなどの運行時間

所要 所要時間

料 料金

Ranger レンジャープログラム（→P.20）

Wi-Fi ワイヤレスインターネット
Ave. Avenue
Blvd. Boulevard
Dr. Drive
Hwy. Highway
Rd. Road
St. Street
E. East
N. North
S. South
W. West

308

West Yellowstone Airport (WYS)

本書では、National Parkを国立公園、National Monumentを国定公園と表記しています。山や川などは、なるべく現地での呼び方に近い音で表記しています。

キャニオン Canyon 峡谷
クリーク Creek 小川
グローブ Grove 森
ミドウ Meadow 草原、湿原
マウント Mount 山
マウンテン Mountain 山
オーバールック Overlook 展望台
ポイント Point 岬、突端
パス Pass 峠
リム Rim 断崖の縁

各公園の周辺マップです。ゲートシティやほかの公園との位置関係がわかります

アメリカ全図で詳しい場所を見つけやすいよう、公園のおよその位置を★で示してあります

各公園の基本データです。開園時間、入園料、面積などの情報を記載しています。**適期** は、一般的な観光で訪れるのに適した時期を示しています

宿泊施設

ロッジなどの料金は、特に表示がない限り1部屋あたり2人までの金額で、バス、トイレ付きです。なお、バス付きと表示してあってもバスタブはなく、シャワーのみの場合もあります。3人目から追加料金がかかります。ホテルタックス（宿泊税）は含まれていません。

on オンシーズンの宿泊料金
off オフシーズンの宿泊料金

シーズンは公園によって異なります。スキー場の近くなど、真冬の料金が最も高くなる場所もあります。

なお、「朝食付き」とあるのは、パン、ドーナツ、コーヒー程度の簡単な朝食のことです。「フルブレックファスト付き」とある場合は、さらにベーコン、卵、果物などが出されます（内容は宿によって異なります）。

地　図

40	インターステートハイウエイ
——	有料道路 Toll Road
30	国道 US Hwy.
5	州道 State Hwy.
——	未舗装路
⌷	料金ゲート
←—	一方通行
---------	ハイキングトレイル
══	鉄道
✈	空港
ℹ	ビジターセンター
🏠	ロッジ
⛺	キャンプ場
⛽	ガスステーション
🚢	遊覧船のりば
●	展望台
P	駐車場
🚻	トイレ
🚰	飲料水

トレイル

　本書では、ハイキングコースや遊歩道のことを**トレイル Trail**、その出発点を**トレイルヘッド Trailhead** と表記しています。所要時間は、平均的な体力の人が平均的なペースで歩いた場合を示しています。小休止の時間は含まれていますが、食事休憩などの時間は含まれていません。

初級 30分～1時間程度の短いコース、あるいは平坦でラクなコース

中級 数時間程度のコース、あるいは勾配があって少々体力を必要とするコース

上級 丸一日かかるロングコース、あるいは急勾配のコース、転落の危険がともなうコースなど

クレジットカード

Ⓐ アメリカン・エキスプレス
Ⓓ ダイナース・クラブ
Ⓙ JCB
Ⓜ マスターカード
Ⓥ ビザ
（カード会社との契約が解消されることもあります）

■掲載情報のご利用にあたって

編集部では、できるだけ最新で正確な情報を掲載するよう努めていますが、現地の規則や手続きなどがしばしば変更されたり、またその解釈に見解の相違が生じることもあります。このような理由に基づく場合、または弊社に重大な過失がない場合は、本書を利用して生じた損失や不都合について、弊社は責任を負いかねますのでご了承ください。また、本書をお使いいただく際は、掲載されている情報やアドバイスがご自身の状況や立場に適しているか、すべてご自身の責任でご判断のうえでご利用ください。

■現地取材および調査時期

本書は、2012年夏～2013年2月の取材調査データを基に編集されています。しかしながら時間の経過とともにデータの変更が生じることがあります。特にロッジやモーテルなどの料金は、旅行時点では変更されていることも多くあります。したがって、本書のデータはひとつの目安としてお考えいただき、現地では観光案内所などで、できるだけ新しい情報を入手してご旅行ください。

■発行後の情報の更新と訂正について

本書に掲載している情報で、発行後に変更されたものや、訂正箇所が明らかになったものについては『地球の歩き方』ホームページの「ガイドブック更新・訂正情報」で可能な限り最新のデータに更新しています（ロッジ料金の変更などは除く）。出発前に、ぜひ最新情報をご確認ください。

http://support.arukikata.co.jp

投稿記事について

投稿記事は、多少主観的になっても原文にできるだけ忠実に掲載してありますが、データに関しては編集部で追跡調査を行っています。投稿記事のあとに（東京都 ○○ '12）とあるのは、寄稿者と旅行年度を表しています。ただし、ホテルなどの料金は追跡調査で新しいデータに変更している場合は、寄稿者データのあとに調査年度を入れ［'13］としています。

アメリカ合衆国の基本情報

国 旗
Stars and Stripes　13本のストライプは1776年建国当時の州の数、50の星は現在の州の数を表す。

正式国名
アメリカ合衆国 United States of America
アメリカという名前は、イタリアの探検家でアメリカ大陸を確認したアメリゴ・ベスプッチのファーストネームから取ったもの。

国 歌
Star Spangled Banner

面 積
約962万8000km²。日本の約25倍（日本は約37万7900km²）

人 口
約3億130万人

首 都
ワシントン特別行政区 Washington, District of Columbia

全米50のどの州にも属さない連邦政府直轄の行政地区。人口は約62万人。なお、経済の中心は東部のニューヨーク市。

元 首
バラク・オバマ大統領 Barack H. Obama

政 体
大統領制　連邦制（50州）

人種構成
白人75.1%、アフリカ系12.3%、アジア系3.6%、アメリカ先住民0.9%など。

宗 教
キリスト教が主流（約76%）。宗派はバプテスト、カトリックが多いが、都市によって分布に偏りがある。少数だがユダヤ教、イスラム教など。

言 語
主として英語だが、法律上の定めはない。スペイン語も広域にわたって使われている。

通貨と為替レート

▶旅の予算とお金
→ P.466

通貨単位はドル（$）とセント（¢）。$1＝94.65円（'13年2月6日現在）。紙幣は1、5、10、20、50、100ドル。なお、50、100ドル札は, 小さな店では扱わないこともあるので注意。硬貨は1、5、10、25、50、100セント（＝$1）の6種類だが、50、100セント硬貨はあまり流通していない。

$1　　$5　　25¢　　10¢

$10　　$20　　5¢　　1¢

出入国

▶出発までの手続き
→ P.468

ビザ
90日以内の観光、商用が目的ならば基本的にビザは不要。ただし、頻繁にアメリカ入出国を繰り返していたり、アメリカでの滞在が長い人は入国を拒否されることもある。なお、ビザ免除者は

ESTAによる電子渡航認証の取得が義務づけられている。

パスポート
パスポートの残存有効期間は、入国日から90日以上あることが望ましい。

電話のかけ方

▶電話→ P.488

日本からの電話のかけ方　例ロスアンゼルス（213）123-4567 へかける場合

国際電話会社の番号		国際電話識別番号	アメリカの国番号	市外局番（エリアコード）	相手先の電話番号
001（KDDI）※1 **0033**（NTTコミュニケーションズ）※1 **0061**（ソフトバンクテレコム）※1 **005345**（au携帯）※2 **009130**（NTTドコモ携帯）※3 **0046**（ソフトバンク携帯）※4	＋	**010** ※2	＋ **1**	＋ **213**	＋ **123-4567**

※1「マイライン」の国際区分に登録している場合は、不要。
　詳細は URL www.myline.org
※2 au は、010は不要。
※3 NTTドコモは事前登録が必要。009130をダイヤルしなくてもかけられる。
※4 ソフトバンクは0046をダイヤルしなくてもかけられる。

直行便の場合、成田からロスアンゼルスまで約 9 時間 50 分、シカゴまで約 11 時間 30 分、アトランタまで約 12 時間 20 分、ニューヨークまで約 13 時間。

日本からのフライト

国立公園の場所や季節によって気候はさまざま。例えば、グランドキャニオンとデスバレーは北緯 36 度付近に位置しているが、標高が違うため、気候条件もかなり異なってくる。訪問する前に必ず気象情報を確認の上、条件に合った服装や装備の準備を行うこと。

気　候

▶ 各国立公園のデータをご参照ください

グランドキャニオン国立公園 (サウスリム) と東京の気温と降水量

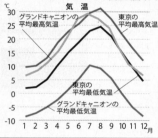

気　温

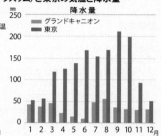

降水量

州によって祝日となる日（※印）に注意。なお、店舗などで「年中無休」をうたっているところでも、元日、サンクスギビングデイ、クリスマスの 3 日間はほとんど休み。また、メモリアルデイからレイバーデイにかけての夏休み期間中は、営業時間などのスケジュールを変更するところが多い。

祝祭日（連邦政府の祝日）

1 月	1/1		元日　New Year's Day
	第 3 月曜		マーチン・ルーサー・キング・ジュニア牧師誕生日 Martin Luther King, Jr.'s Birthday
2 月	第 3 月曜		大統領の日 Presidents' Day
3 月	3/17	※	セント・パトリック・デイ St. Patrick's Day
4 月	第 3 月曜	※	愛国者の日 Patriots' Day
5 月	最終月曜		メモリアルデイ（戦没者追悼の日）Memorial Day
7 月	7/4		独立記念日 Independence Day
9 月	第 1 月曜		レイバーデイ（労働者の日）Labor Day
10 月	第 2 月曜	※	コロンブス記念日 Columbus Day
11 月	11/11		ベテランズデイ（退役軍人の日）Veterans Day
	第 4 木曜		サンクスギビングデイ Thanksgiving Day
12 月	12/25		クリスマス Christmas Day

アメリカから日本へかける場合　例）東京 (03) 1234-5678、または (090) 1234-5678 へかける場合

| 国際電話識別番号 **011** ※ | ＋ | 日本の国番号 **81** | ＋ | 市外局番と携帯電話の最初の 0 を除いた番号 **3** または **90** | ＋ | 相手先の電話番号 **1234-5678** |

※公衆電話から、日本にかける場合は上記のとおり。ホテルの部屋からは、外線につながる番号を頭に付ける。

▶ **アメリカ国内通話**

▶ **公衆電話のかけ方**

市内へかける場合は市外局番は不要。市外へかける場合は最初に 1 をダイヤルし、市外局番からダイヤルする。
①受話器を持ち上げる。
②都市により異なるが、最低通話料 50¢ を入れ、相手先の電話番号を押す（プリペイドカードの場合はアクセス番号を入力し、ガイダンスに従って操作する）。
③「初めの通話は○分○ドルです」とアナウンスに従って、案内された額以上の金額を投入する。

ビジネスアワー

以下は一般的な営業時間の目安。業種、立地条件などによって異なる。スーパーは24時間、または24:00くらい。都市部のオフィス街、国立公園内のスーパーや売店は19:00頃に閉店する。

銀　行　月～金 9:00～17:00
デパートやショップ

月～金 10:00～19:00、　土 10:00～18:00、日 12:00～17:00
レストラン

朝からオープンしているのはレストランというより気軽なコーヒーショップ。朝食7:00～10:00、昼食11:00～14:00、ディナー17:30～22:00。バーは深夜まで営業。

電圧とプラグ

電圧とプラグ

電圧は120ボルト。3つ穴プラグ。100ボルト、2つ穴プラグの日本製品も使えるが、電圧数がわずかではあるが違うので注意が必要。特にドライ

ヤーや各種充電器などを長時間使用すると加熱する場合もあるので、時間を区切って使うなどの配慮が必要。

映像方式

映像方式

テレビ・ビデオは日米ともにNTSC方式、ブルーレイリージョンコードは日米ともに「A」なので、両国のソフトはお互いに再生可能。ただし、DVDリージョンコードはアメリカ

「1」に対し日本「2」のため、「ALL CODE」の表示のあるソフト以外はお互いに再生できない。

チップ

▶ チップについて
　→P.487

レストラン、タクシー、ホテルの宿泊（ベルボーイやベッドメイキング）など、サービスを受けたときにチップを渡すのが慣習となっている。額は、特別なことを頼んだ場合や満足度によっても異なるが、以下の相場を参考に。

レストラン

合計金額の15～20%。サービス料が含まれている場合は、小銭程度をテー

ブルやトレーに残して席を立つ。
タクシー

運賃の約10～15%（最低でも$1）。
ホテル宿泊

ベルボーイは荷物の大きさや個数によって、ひとつにつき$2～3。荷物が多いときはやや多めに。

ベッドメイキングは枕元などに$1～2。

飲料水

水道の水をそのまま飲むこともできるが、ミネラルウオーターを購入するのが一般的。スーパーやコンビニ、ドラッグストアなどで販売している。

郵　便

▶ 郵便→ P.490

郵便料金

日本への航空便は封書、ハガキともに$1.10。規定の封筒や箱に入れるだけの荷物を定額で郵送できるタイプもある。

町によって営業時間は多少異なる。一般的な局は平日の9:00～16:00くらい。

時差とサマータイム

アメリカ本土内には4つの時間帯がある。東部標準時 Eastern Time（EST：エバーグレーズ N.P.、ニューヨークなど）は日本時間マイナス14時間、中部標準時 Central Time（CST：シカゴなど）はマイナス15時間、山岳部標準時 Mountain Time（MST：イエローストーン N.P.、デンバーなど）はマイナス16時間、太平洋標準時 Pacific Time（PST：ヨセミテ N.P.、ロスアンゼルスなど）はマイナス17時間。夏はデイライト・セービング・

タイム（夏時間）を採用し、1時間時計の針を進める州がほとんど。なお、アリゾナ州は夏時間を採用していないため、夏時間中はMSTのグランドキャニオンとPSTのラスベガスは同時刻となる。ただしナバホ族居留地 Navajo Nation はアリゾナ州でも夏時間を採用。居留地内にあるモニュメントバレーは、夏時間中は同じアリゾナ州にあるグランドキャニオン（→ P.46脚注）やペイジ（レイクパウエル→ P.89脚注）より1時間進んでいる。

物を購入するときにかかるセールスタックス Sales Tax とホテルに宿泊するときにかかるホテルタックス Hotel Tax がある。また、レストランで食事をした場合はセールスタックスと同額の税金、またそれに上乗せした税金がかかる。率（%）は州や市によって異なる。

安全とトラブル

日本人の遭いやすい犯罪は、置き引き、ひったくりなど。犯行は複数人で及ぶことが多く、ひとりが気を引いているスキに、グループのひとりが財布を抜いたり、カバンを奪ったりする。日本語で親しげに話しかけ、言葉巧みにお金をだまし取るケースも多い。日本から1歩でも出たら、「ここは日本ではない」という意識を常にもつことが大切。

警察・救急車・消防署　911

▶旅のトラブルと安全対策 →P.491

年齢制限

州によって異なるが、飲酒可能な年齢はほぼ21歳から。場所によっては、お酒を買うときにも身分証明書の提示を求められる。ライブハウスなどお酒のサーブがあるところも身分証明書が必要。アメリカでは若年層の交通事故がとても多く、大手レンタカー会社では一部の例外を除き25歳以上にしか貸し出さない。21歳以上25歳未満の場合は割増料金が必要なことが多い。

▶マナーについて →P.487

度量衡

距離や長さ、面積、容量、速度、重さ、温度など、ほとんどの単位が日本の度量衡とは異なる。

長さ

センチメートル(cm)	メートル(m)	キロメートル(km)	インチ(inch)	フィート(feet)	ヤード(yard)	マイル(mile)
1	0.01	—	0.394	—	—	—
100	1	0.001	39.37	3.28	1.09	—
10万	1000	1	39370	3280	1094	0.62
2.54	—	—	1	0.083	0.028	—
30.48	0.305	—	12.00	1	0.333	—
91.44	0.914	—	36.00	3	1	—
—	1609	1.61	—	—	1760	1

面積

平方メートル(m²)	平方キロメートル(km²)	坪	スクエアフィート(ft²)	平方ヤード(yd²)	ヘクタール(ha)	エーカー(acre)
1	—	0.3025	10.764	1196	—	—
100万	1	30万2500	—	—	100	247.11
3.306	—	1	3万5586	3954	—	—
0.0922	—	0.028	1	0.111	—	—
0.08360	—	0.2529	9.00	1	—	—
—	0.010	3025	—	—	1	2.4711
—	0.004	—	—	0.4047	—	

重さ

グラム(g)	キログラム(kg)	オンス(oz)	ポンド(lb)
1000	1	35.27	2.205
28.3	0.0283	1	0.062
454	0.454	16	1

身長

フィート/インチ(ft)	5'0"	5'6"	6'0"
センチメートル(cm)	152.4	167.6	182.9

体重

ポンド(lbs)	100	150	180
キログラム(kg)	45.4	68.1	81.7

靴のサイズ (cm)

紳士用	サイズ	6	6½	7	7½	8	9	10	11
	cm	24	24.5	25	25.5	26	27	28	29
婦人用	サイズ	4.5	5	5.5	6	6.5	7	7.5	
	cm	22	22.5	23	23.5	24	24.5	25	

男性服のサイズ (cm)

サイズ	S	M	L	X-Large
首まわり	36~37	38~39	40~42	43~45
胸囲	86~91	96.5~102	107~112	117~122
ウエスト	71~76	81~86.5	91.5~96.5	101.5~106.5
袖丈	82.5~84	85~86.5	87.5~89	90~91.5

婦人用のサイズ (cm)

サイズ	S		M		L		X-Large		
	4	6	8	10	12	14	16	18	20
バスト	85	87.5	90	93	96.5	100	104	109	114
ウエスト	62	65	67	70	74	77.5	81	86	91
ヒップ	90	93	95	98	102	106	109	114	119

ワイシャツのサイズ (cm)

サイズ(inch)	14	14½	15	15½	16	16½
首まわり	36	37	38	39	40	42

インチ早見表

inch	20	25	30	35	40	45	50
cm	50.8	63.5	76.0	88.8	101.6	114.3	127.0

スーツ・コート類のサイズ (cm)

サイズ	S	M	L	X-Large
身長	160~171	172~181	182~192	193以上

温度

華氏＝（摂氏×9/5）＋32　　摂氏＝（華氏−32）×5/9

華氏／摂氏温度早見表　（氷点）　（沸点）

摂氏℃	−20	−10	0	10	20	30	40	100
華氏下	−4	14	32	50	68	86	104	212

長さ・距離
1インチ (inch) ≒2.54cm
1フィート (foot)＝12インチ ≒30.48cm
1ヤード (yard) ≒3フィート (feet) ≒91.44cm
(feetはfootの複数形)
1マイル (mile) ≒1.6km

重さ
1オンス (ounce) ≒28.35g
1ポンド (pound) ≒453.6g

体積
1パイント (pint) ≒473mℓ
1ガロン (gallon) ≒3.785ℓ

時差表

日本時間	0	1	2	3	4	5	6	7	8	9	10	11	12	13	14	15	16	17	18	19	20	21	22	23
東部標準時 (EST)	10	11	12	13	14	15	16	17	18	19	20	21	22	23	0	1	2	3	4	5	6	7	8	9
中部標準時 (CST)	9	10	11	12	13	14	15	16	17	18	19	20	21	22	23	0	1	2	3	4	5	6	7	8
山岳部標準時 (MST)	8	9	10	11	12	13	14	15	16	17	18	19	20	21	22	23	0	1	2	3	4	5	6	7
太平洋標準時 (PST)	7	8	9	10	11	12	13	14	15	16	17	18	19	20	21	22	23	0	1	2	3	4	5	6

※3月第2日曜から11月第1日曜まではデイライト・セービング・タイムを実施している。夏時間は時計の針を1時間進める政策。なお、赤い部分は日本時間の前日を示している。

AMERICA THE GREAT!

アメリカは、世界で初めて国立公園という概念を実現させた国であり、
自然保護運動発祥の地である。
大陸があまりにも巨大だったために発見が遅れ、
自然の厳しさゆえに開発から取り残され、
その結果、世界的にも比類のない貴重な自然と動植物が、
ほとんど手付かずのまま残された。
この驚くべき景観を造り出した大自然の力と、
大自然に畏敬の念をもって暮らしてきた先住民と、
150年以上前から、これを守ろうと尽力してきた人々。
本当に偉大なるアメリカの姿が、ここにある。

イエローストーン国立公園 (P.308)
©Tsuneo Yamamoto

アメリカの

ヨセミテ国立公園 (P.190)

オリンピック国立公園
(P.292)

グランドキャニオン国立公園 (P.42)

ウオータートン・グレイシャー国際平和公園 (P.368)

カールスバッド洞穴群国立公園 (P.434)

メサベルデ国立公園
(P.180

チャコ・カルチャー国定史跡 (P.179

世界遺産

レッドウッド国立＆州立公園 (P.258)

エバーグレーズ国立公園 (P.450)

そのほかの世界遺産

マンモスケイブ国立公園（ケンタッキー州）
グレートスモーキー・マウンテンズ国立公園（ノースカロライナ／テネシ
自由の女神（ニューヨーク州）
独立記念館（ペンシルバニア州）
シャーロッツビルのモンティチェロとバージニア大学（バージニア
プエブロ・デ・タオス（ニューメキシコ州）
カホキア墳丘群州立史跡（イリノイ州）

アメリカの国立公園は、単なる物見遊山のための観光地ではないということを知っておいてほしい。世界に先駆けて国立公園制度を発足させたアメリカ。その制度は現在も依然高いレベルを維持しており、その任務は大きく3つに分けられる。

1 原生自然景観の維持、保全

2 人々が平等に利用できる施設の運営

3 利用者に自然への理解を深めてもらう

ボランティア（右）のなかにはパークレンジャー（左）の片腕になるほどのベテランもいる

これらを実現するための努力を続けているのが、約2万人のパークレンジャーと、年間延べ22万人のボランティアだ。各分野のスペシャリストであるレンジャーは、入園者の質問に答えてくれたり、トレイル（ハイキングコース）の整備を行ったりするばかりでなく、警察権までももっている。私たちも国立公園の理念をしっかりと理解したうえで、ルールを守ってすばらしい自然を楽しみたい。

日本の国立公園とは全然違う！

VISITOR CENTER

矢じりをかたどった国立公園局のシンボルマーク

国立公園局は 59 の国立公園を含め 399 のエリアをもち、総面積は 34 万㎢（九州を除いた日本の面積に匹敵）。その 96％が国有地で、敷地内にあるものはレストランから教会にいたるまで、当局の厳重な管理下にある。どこかの国のように、派手な看板を掲げたみやげ物屋が軒を連ね、店頭に並んだ食品をサルが持ち去るなどということはあり得ない。景観を損ねる建物も、生態系に影響を及ぼす行為も厳禁。自然保護が最優先なのだ。

また、アメリカの国立公園は大変広く、1 日で歩いて回れるような規模の公園はひとつもない。すぐそこに見えるビューポイント（展望台）でも車で 15 分もかかるなど、見学には思いのほか時間をとられる。スケジュールには余裕をもたせよう。

なお、観光客が車で行ける場所などを**フロントカントリー**、トレイルを歩かなければ行けない奥地を**バックカントリー**、トレイルすらない原生地域を**ウィルダネス**という。

国立公園入場者数ランキング　(2011 年)

1	グレートスモーキー・マウンテンズ（ノースカロライナ／テネシー州）	901 万人
2	**グランドキャニオン (P.42)**	**430 万人**
3	**ヨセミテ (P.190)**	**395 万人**
4	**イエローストーン (P.308)**	**340 万人**
5	**ロッキーマウンテン (P.396)**	**318 万人**
6	**オリンピック (P.292)**	**297 万人**
7	**ザイオン (P.102)**	**283 万人**
8	**グランドティトン (P.348)**	**259 万人**
9	アケーディア（メイン州）	237 万人
10	クヤホガバレー（オハイオ州）	216 万人
11	**グレイシャー (P.368)**	**185 万人**
12	**セコイア＆キングスキャニオン (P.228)**	**157 万人**

世界初の国立公園、イエローストーン

ナショナルモニュメントとは

自然景観や科学的、歴史的価値が国立公園に準じる地域。システムは国立公園とほぼ同じで、観光客にとって両者の違いはない。本書では国定公園と訳しているが、都道府県が管理する日本の国定公園と異なり、アメリカの場合は国立公園局が管理している。ただし、一部に森林局や土地管理局が管理している国定公園もあり、これらの場所では天然ガスの掘削や樹木の伐採が行われることがある。

「世界遺産？ 何それ？」

日本では知らない人はいないユネスコの世界遺産は、アメリカ48州に17ヵ所ある。ところが、アメリカでは世界遺産そのものがあまり知られておらず、世界遺産のプレートも駐車場の片隅やトイレの脇など、人目につかない場所に設置されていることが多い。

アメリカの国立公園は世界最高水準の自然保護システムを誇っており、国立公園になることにこの上ない価値がある。一方、世界遺産に登録されても予算も何も変わるわけではなく、大きな意味をもたないのだ。

サワロ国立公園のように、まずナショナルモニュメントに指定されてから国立公園へ格上げされるケースが多い

交通機関

ボンネットバスで園内ツアーが行われているグレイシャー

園内の交通機関が整っているのはグランドキャニオン、ヨセミテ、イエローストーン、グレイシャーくらいで、ほとんどの公園は交通の便が悪いか、まったくない。レンタカー（→ P.22、478）またはバスツアー（→ P.480）を利用しよう。特にシーズンオフは前述の公園でさえ車がないとほとんど動けないので、レンタカーの利用を強くすすめる。いつでもどこでも動物を観察できる、天気によって行き先を変えられるなどメリットが大きい。

ただし、道幅の狭い箇所、崖っぷち、急カーブが多いので、山道の運転が苦手な人は、よく考えて行き先を選んだほうがいい。

入園料

アメリカの国立公園にはゲートがあり、入園料が必要。車での入園は乗車人数にかかわらず1台＄10〜25（人数によって課金される公園も稀にある）。バスや自転車、徒歩などでの入園は1人＄3〜12（16歳未満無料）。

7日間有効で、ゲートでレシートを見せれば出入り自由。公園によっては出る際にもレシートの提示を求められる。悪天候で何も見えなくても払い戻しはない。

なお例年、1月中旬、4月下旬、11月中旬の数日間、無料で入園できる期間がある。

入園ゲートでは園内で行われるイベントなど最新情報を記した新聞とマップがもらえる

アメリカ・ザ・ビューティフル・パス

名称があまりに長いので「年間パス」と呼ばれることが多い。2013年のパスは、キングスキャニオンの写真が採用された

数ヵ所の国立公園に行く人におすすめの年間パス。正式名称はAmerica The Beautiful— National Parks and Federal Recreational Lands Pass。わずか＄80で国立公園、国定公園、国立史跡などはもちろん、森林局や土地管理局、魚類野生生物局が管理する公園など**全米2000ヵ所以上に出入り自由**。1年間（2013年7月1日に購入したら2014年7月31日まで）有効。パス1枚で車の同乗者全員が入園できる。人数で課金される場合は16歳以上3名まで（バイクの場合は2台まで）。園内で行われるツアーなどには使えない。また、連邦政府が管轄する場所のパスなので、州立公園には使えない。

購入は各公園のゲートで。クレジットカードが使えるゲートは少ない。なお、このパスで入園する際にはパスポートの提示を求められることが多い。

旅の情報収集→ P.464、服装と持ち物→ P.465

日の出と夕日の楽しみ方
@グランドキャニオン・サウスリム

「死ぬまでに一度は見たい世界の絶景」というランキングがあったなら、
間違いなく上位に入るのがグランドキャニオンの日の出と夕日。
観光の中心であるサウスリムから見るキャニオンは東西に延びているため、朝夕どちらもオススメ！

ホピポイントの夜明け

観賞のポイント

サウスリムには数多くの展望台があり、一般的に東寄りの展望台（イーストリム）は日の出、西寄りの展望台（ウエストリム）は夕日に向いているといわれる。しかし、グランドキャニオンの醍醐味である岩壁の色彩と影のコントラストは、どの展望台からでも楽しめる。宿泊施設から便利に行ける場所で観賞すればいいだろう。

おすすめの観賞時間は、日の出の 30 〜 40 分前の朝焼けから、キャニオンの谷底に日光が届く約 1 時間後まで。夕方は日没の 1 時間前から 30 分後の夕焼けまで。あらかじめ P.51 などで時刻を確認し、暖かい格好で出かけよう。

人気ナンバーワンのマーザーポイント

宿泊施設から各展望台への行き方

※所要時間はおよその目安です。無料シャトルは乗り換えの待ち時間を含みません

展望台／宿泊施設		ウエストリム（→ P.56）		ビレッジ周辺（→ P.55）		イーストリム（→ P.57）	
		ピマポイント／モハーベポイント	ホピポイント	ヤババイポイント	マーザーポイント	ヤキポイント	グランド・ビュー・ポイント／リパンポイント
Bright Angel Lodge Thunderbird Lodge Kachina Lodge El Tover Hotel Maswik Lodge （→ P.76 〜 77）	3〜11月	無料シャトル 20 〜 30 分（ハーミッツレストルート）	徒歩 1 時間 無料シャトル 15 分（ハーミッツレストルート）※復路は停車しない	徒歩 40 分 〜 1 時間 無料シャトル 35 分（ビレッジルート＋カイバブ・リムルート）	徒歩 1 〜 1.5 時間 無料シャトル 25 分（ビレッジルート）	無料シャトル 50 分（ビレッジルート＋カイバブ・リムルート）	有料ツアー 2 時間（流動的なので要確認。要予約）
		車 不可	車 不可	車 10 分	車 10 分	車 不可	車 30 〜 40 分
	12〜2月		徒歩 1 時間	徒歩 40 分 〜 1 時間 無料シャトル 35 分（ビレッジルート＋カイバブ・リムルート）	徒歩 1 〜 1.5 時間 無料シャトル 25 分（ビレッジルート）	無料シャトル 50 分（ビレッジルート＋カイバブ・リムルート）	有料ツアー 2 時間（流動的なので要確認。要予約）
		車 15 〜 25 分	車 10 分	車 10 分	車 10 分	車 不可	車 30 〜 50 分
Yavapai Lodge （→ P.77）	3〜11月	無料シャトル 30 〜 40 分（ビレッジルート＋ハーミッツレストルート）	無料シャトル 25 分（ビレッジルート＋ハーミッツレストルート）※復路は停車しない	徒歩 20 分 無料シャトル 20 分（ビレッジルート＋カイバブ・リムルート）	徒歩 20 分 無料シャトル 10 分（ビレッジルート）	無料シャトル 35 分（ビレッジルート＋カイバブ・リムルート）	有料ツアー 2 時間（流動的なので要確認。要予約）
		車 不可	車 不可	車 3 分	車 3 分	車 不可	車 20 〜 40 分
	12〜2月			徒歩 20 分 無料シャトル 20 分（ビレッジルート＋カイバブ・リムルート）	徒歩 20 分 無料シャトル 10 分（ビレッジルート）	無料シャトル 35 分（ビレッジルート＋カイバブ・リムルート）	有料ツアー 2 時間（流動的なので要確認。要予約）
		車 20 〜 30 分	車 15 分	車 3 分	車 3 分	車 不可	車 20 〜 40 分
トゥシヤンのホテル （→ P.79）	3〜11月	無料シャトル 65 〜 75 分（トゥシヤンルート＋ビレッジルート＋ハーミッツレストルート）		無料シャトル 30 分（トゥシヤンルート＋カイバブ・リムルート）	無料シャトル 20 分（トゥシヤンルート）	無料シャトル 45 分（トゥシヤンルート＋カイバブ・リムルート）	有料ツアー 2 時間（流動的なので要確認。要予約）
		※ 無料シャトルのトゥシヤンルートは夏期 8:00 〜 21:30 の運行（2012 年）なので、日の出には間に合わない					車 30 〜 50 分
	12-2月	車 35 〜 45 分	車 30 分	車 20 分	車 15 分	車 不可	車 30 〜 50 分

国立公園の歩き方 Vol.2
ロッジの予約を取ろう

湖、山、氷河が一望できるグレイシャー国立公園の Many Glacier Hotel

園内に泊まろう

　人気の高い国立公園には、たいてい設備の整ったロッジがある。周囲の景観にとけ込むよう、その地域から産出した岩石や木材を使っているので、デザインにも注目したい。

　1部屋ごと、または2部屋続きの独立したキャビンも多い。バス・トイレ付きの快適なログキャビンから、フレームに帆布を張っただけのキャンバステントまでさまざま。床下にマーモットが住んでいたり、早朝、窓の外にシカが姿を現したりと楽しい体験もできる。

　動植物への影響を減らすため、ロッジやキャビンの周囲には照明設備がほとんどなく、夜は真っ暗。フロントロビーに行くにも懐中電灯は必携だ。

20世紀初頭に建てられたグランドキャニオンの El Tover Hotel

室内の設備

　日常とは異なる時間を楽しむため、テレビと電話がない客室がほとんど。

　風呂について特に表示がない場合、シャワーとトイレは各室内にある。シャンプーは備えられているが、ヘアドライヤーは期待できない。

　Room without Bath と表示された客室は、シャワールームとトイレは共同で、洗面台だけが室内にあるケースが多い。その場合でもバスタオル、フェイスタオル、ウォッシュタオル、石けんの4点は備えられているのが一般的。シャワールームは男女共同ということもあるが、脱衣所付きの個室なので、女性でもそれほど抵抗なく使えるだろう。バスなしキャビンの

キャビンは質素だが快適。窓や扉を開けっぱなしにしているとリスや野ネズミが入ってくることがある

場合、夜、トイレに行くにも懐中電灯を持って林の中を歩かなければならない。

　ロッジ内は禁煙で、山火事の危険が高まっているときなど屋外でも禁煙になることがある。

　また、どのロッジも建物が古いため、エレベーターがない、隣室の声が聞こえる、お湯の温度調節が難しい、などの問題はよくある。明治時代の旅館に泊まったと思って我慢するべし。

宿の確保が最大の難関

　自然保護のため園内の宿は数が限られており、部屋は慢性的に不足している。グランドキャニオンなど人気の高い公園なら、トップシーズンの客室は半年〜1年前に売り切れる。

　予約はインターネットで。時差を気にせず24時間利用でき、室内の写真を見ながらその場で確定できる。電話でのやり取りは何かと間違いが多いので、英語が堪能な人以外にはすすめない。

人気の公園は半年前にはすべて満室になってしまう

予約金の支払いとキャンセル

最終的な金額はチェックインの際に確認しよう

インターネットでも電話でも、部屋の確保にはクレジットカードが必要。予約確定と同時にカードから1泊分が引き落とされる公園と、宿泊後に引かれる公園がある。

何ヵ月も前に支払うのは不安かもしれないが、国立公園でのカード払いのトラブルは聞いたことがないので、おおむね信用していいのではないだろうか。

シーズン前に予約を入れた場合、料金は仮定のものなので値上げもあり得るが、せいぜい5%といったところ。差額は宿泊後に精算される。税金（10%前後）は含まれていないので覚悟しておこう。公園によっては$1の寄付金を求められることがある。

予約の際にはキャンセル条件 Cancellation Policy をしっかりと確認しよう。宿泊前日の16時までに電話をすれば無料でキャンセルできるロッジもあれば、予約確定から30日経つと手数料$15がかかるというロッジもある。タイムリミットを過ぎると1泊分を支払わなければならない。

どうしても取れなかったら

●無料キャンセルできるタイムリミットの直前に、もう一度トライしてみる
●公園の外で探す。国立公園のゲートシティにあるモーテルをあたる。ただし、トップシーズンはどこも満室になっている可能性が大きい
●ラスベガスなどの大都市から出ているツアーに参加する。日帰りバスツアー、ホテル宿泊付きツアー、ヘリツアーなどがある（各国立公園の項を参照）
●日本から予約できるツアーもある。4日〜1週間程度で数ヵ所の公園を巡るバスツアーや、キャンプなどのアクティビティツアーもある（→ P.480）。トップシーズンでもホテルが確保できるのは魅力だが、何しろ駆け足なので、半日かけてトレイルを歩くといった、ゆったりとした旅は望めない。

なお、宿が見つからなかったからといって、園内の駐車場などに止めた車内で夜を明かすことは禁じられている。

空からの景色も楽しめる小型機ツアーもおすすめ

一度は泊まってみたいロッジ

眺望でおすすめ（部屋の向きによる）

赤いビュートが客室の目の前にそびえる The View Hotel

歴史と雰囲気でおすすめ
（建物が古いので客室が快適とは限らない）

世界最大のログキャビンとして知られる Old Faithful Inn

とびっきりの トレイル TOP10

セカンドバロー
@マウントレニエ
中級 一周約4時間　　P.288

プラトーポイント
@グランドキャニオン
上級 往復7～12時間　P.68

ナバホループ
@ブライスキャニオン
中級 一周1～2時間　P.126

スカイライン
@マウントレニエ
中級 一周4～5時間　P.288

グリネル氷河
@グレイシャー
中級 往復6～8時間　P.386

ハイライン
@グレイシャー
上級 片道6～8時間　P.385

デビルスガーデン
@アーチーズ
中級 往復2～3時間　P.145

エンジェルスランディング
@ザイオン
上級 往復4～5時間　P.113

センチネルドーム
@ヨセミテ
初級 往復1～2時間　P.219

ハート・オブ・ロックス
@チリカワ
中級 往復約4時間　　P.433

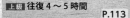

展望ポイントにはできるだけ人工物を造らず、ギフトショップなどはビレッジに集中させるのがアメリカ流

国立公園の歩き方 Vol.3
現地での楽しみ方

まずはビジターセンターへ

ビジターセンターは入園ゲートの近くかビレッジにある

国立公園には必ずビジターセンターがあり、天気予報などあらゆる情報が入手できる。「ビーバーの観察におすすめの場所は?」など、知りたいことがあればレンジャーに尋ねてみよう。野鳥や花のリストなども用意されている。さらに、その公園の自然環境についての展示やオリエンテーションフィルムの上映があり、来訪者の知識を深めるのに役立っている。

また、どんなに小さな公園のビジターセンターでも**トイレ、飲料水、公衆電話は必ずあり**、ビジターセンターが閉鎖していてもこれらは利用できる（一部例外あり）。

アクティビティを楽しもう

ビジターセンターでぜひもらっておきたいのが、園内の地図と最新情報を掲載した新聞（車で入園した場合はゲートで渡される）。いずれも無料。この新聞に、シャトルバスの時刻表やトレイル案内などが載っている。自分の足で森に分け入り、馬の背に揺られ、ボートで川を下り、それぞれの方法で大自然と一体になろう。

パークレンジャーのガイドによる**レンジャープログラム Ranger-led Program** もおすすめ。たいてい無料で、予約なしで誰でも参加できる。トレイルを歩きながら、その風景がどのように生まれたのか説明してくれたり、咲いている花について教えてくれたり、先住民の言い伝えを聞かせてくれたりする。歴史の話などは英語がわからないとつらいが、地理や動植物のプログラムは子供にもわかるように工夫されている。開始時間と集合場所は新聞で確認しよう。

子供向けプログラムも豊富に用意されている

園内での食事とショッピング

大きな公園にはセルフサービスのカフェテリアがある。ハンバーガー、サンドイッチ、ピザといったメニューが中心で、味も似たり寄ったりだ。園内のロッジには落ち着いて食べられるレストランが併設されている。カジュアルな服装で入れるが、ディナーはTシャツを避けて襟のあるポロシャツなどがいい。たいていステーキ、シーフード、ベジタリアンメニューが揃っている。

小さな公園の場合、ビジターセンター併設の売店にシリアルバーなどを置いてあるだけか、それすらなくて一切食べ物が入手できないこともある。

この売店はどんなに小さな公園にも必ずあり、関連書籍や美しい写真集、カードなどが揃っている。大きな公園ではさらに充実したギフトショップや、キャンプ用品からハイキングシューズまでズラリと並んだマーケットもある。

一度は入ってみたいレストラン

Metate Room @メサベルデ	P.182
Jenny Lake Lodge Dining Room @グランドティトン	P.364
Lodge Dining Room @グランドキャニオン・ノースリム	P.82
Lake Hotel Dining Room @イエローストーン	P.345
Paradise Inn Dining Room @マウントレニエ	P.282
Mural Room @グランドティトン	P.364
Mountain Room @ヨセミテ	P.200
El Tovar Dining Room @グランドキャニオン・サウスリム	P.53

地平線が広がるパノラマと本格的な味でおすすめの Metate Room

園内でのインターネット→ P.490

特集

国立公園で買うなら コレ！

トルコ石などを使ったインディアンジュエリー。ピアス$20 〜、ブレスレット$30 〜、ペンダント$100 〜 200くらい（グランドサークル）

カチナドール（→ P.178）。ホピ族のハンドメイドだと$100 〜800するが、みやげ物は$30からある（グランドサークル）

ドリームキャッチャー。大きさによって$5 〜25（グランドサークル）

ココペリ（→ P.50）のブックマーク$8.95（グランドサークル）

古代先住民の絵をモチーフにしたマグネット$3.95（グランドサークル）

パークレンジャーのユニホームを模した子供服。サングラスと双眼鏡付きで$39.95（ヨセミテほか）

アイロンワッペン$4（ヨセミテ）

物差し$3.99（アーチーズ）

ナバホ織をイメージしたラグのマウスパッド$19.99（メサベルデ）

BACK TO NATURE

ジョン・ウェインのマグカップ$14.95（モニュメントバレー）

アンティークポスターのデザインを使ったグリーティングカードのセット$13.99。ポストカードは1枚50¢からある

マグネット付きメモ$5.99（グランドティトン）

ヌイグルミ$17.99。コンパス、ライトなど7つの機能付き子供向けサバイバルツール$7.99（イエローストーンほか）

キャップ$17.99（グランドキャニオン）

ユタ州の奇岩をデザインしたトレーナー$39.95（ユタ州南部の公園）

21

レンタカーで巡る国立公園

　アメリカの国立公園は大きい。しかも公共の交通機関が非常に少なく、車がないと訪れることができない公園が多い。ぜひレンタカーを借りて、広大な大地を自由気ままに走り回ろう

Model Course 1 世界遺産巡り13日間

　フェニックスを起点にグランドキャニオン、メサベルデ、チャコ・カルチャー、カールスバッド、タオスプエブロの5つの世界遺産を訪れる。さらにホワイトサンズやサワロなどアメリカならではの絶景もめじろ押し

西部劇でおなじみの
モニュメントバレー

グランドキャニオンで
はぜひ現地で1泊して
夕日、朝日を見たい

先住民の断崖
住居が興味深
いメサベルデ

コロラド州

モニュメント
バレー
グランドキャニオン
国立公園
メサベルデ国立公園
デュランゴ
フォー
コーナーズ
タオスプエブロ
160
550
チャコ・カルチャー
国定史跡
サンタフェ
アルバカーキ

アリゾナ州

17
25
ニューメキシコ州

フェニックス

10
サワロ国立公園
82
ツーソン
10
ホワイトサンズ国定公園
カールスバッド
国立公園
180
チリカワ国定公園
エルパソ

巨大なサボテンがこれ
でもかというほど生えて
いるサワロ

ホワイトサンズでは、真っ白い車道が、
真っ白い砂丘の奥まで延びている

1日目	日本 ➡ フェニックス	
		（フェニックス泊）
2日目	➡ グランドキャニオン	
		（サウスリム泊）
3日目	グランドキャニオン見学	
		（サウスリム泊）
4日目	➡ モニュメントバレー	
		（モニュメントバレー泊）
5日目	➡ フォーコーナーズ ➡ メサベルデ	
		（メサベルデ泊）
6日目	メサベルデ見学	
		（デュランゴ泊）
7日目	➡ チャコ・カルチャー ➡ サンタフェ	
		（サンタフェ泊）
8日目	タオスプエブロ見学	
		（サンタフェ泊）
9日目	➡ ホワイトサンズ ➡ 移動	
		（カールスバッド泊）
10日目	カールスバッド見学 ➡ 移動	
		（エルパソ泊）
11日目	➡ チリカワ ➡ 移動	
		（ツーソン泊）
12日目	サワロ ➡ 移動	
		（フェニックス泊）
13日目	帰国	

Model Course 2 グランドサークル15日間

ラスベガス発着でグランドサークルをぐるりとひと回りするダイナミックなルート。11ヵ所の公園で、カラフルで多彩な岩の芸術を楽しもう。季節は春と秋がおすすめ

ザイオンはグランドサークルでは珍しく、みずみずしさにあふれた公園だ

キャニオンランズはグランドキャニオンに似ているが、その風景はバラエティに富んでいる

ユタ州

ネバダ州

ラスベガス

コロラド州

アリゾナ州

ゴブリンバレー州立公園
キャピトルリーフ国立公園
アーチーズ国立公園
キャニオンランズ国立公園
ザイオン国立公園
ブライスキャニオン国立公園
バレー・オブ・ファイヤー州立公園
レイクパウエル
モニュメントバレー
メサベルデ国立公園
グランドキャニオン国立公園
フォーコーナーズ
レインボーブリッジ国定公園

1 日目	日本 ➡ ラスベガス
	（ラスベガス泊）
2 日目	➡ ルート66 ➡ グランドキャニオン
	（サウスリム泊）
3 日目	グランドキャニオン見学
	（サウスリム泊）
4 日目	移動 ➡ 午後レインボーブリッジ
	（ペイジ泊）
5 日目	アンテロープキャニオン ➡ 移動
	（モニュメントバレー泊）
6 日目	モニュメントバレー見学
	（モニュメントバレー泊）
7 日目	➡ フォーコーナーズ ➡ メサベルデ
	（メサベルデ泊）
8 日目	移動 ➡ 午後キャニオンランズ
	（モアブ泊）
9 日目	アーチーズ見学
	（モアブ泊）
10 日目	➡ ゴブリンバレー ➡ キャピトルリーフ
	（トーレイ泊）
11 日目	UT-12 ➡ ブライスキャニオン
	（ブライスキャニオン泊）
12 日目	ブライスキャニオン見学 ➡ 移動
	（ザイオン泊）
13 日目	➡ ザイオン
	（ザイオン泊）
14 日目	バレー・オブ・ファイヤー ➡ ラスベガス
	（ラスベガス泊）
15 日目	帰国

砂岩の質感と色が魅力的なアンテロープキャニオンはレイクパウエルにある

レンタカーの選び方

　レンタカー会社は日本で予約できて信頼できるところを選びたい。故障などの事態を考えると、各地に営業所をもつ大手のほうが安心だ。

　ひとつの公園だけを訪れるなら小型車で充分だが、グランドサークルを巡るなど長距離ドライブになるときは、疲れの少ない中型車がおすすめ。トランクに全員の荷物が入るかどうかもチェックしよう。ただし国立公園には道幅の狭い山道が多いので、大きな車に慣れていないと扱いにくい。

　最近はGPSカーナビ装着車も増えている。ラスベガス、シアトルなど営業所によっては日本語音声で案内してくれるものもあるので、予約時に申し込んでおきたい。

レンタカー➡ P.478

23

Model Course 3 シエラネバダ横断7日間

北米大陸で最も海抜の低い谷を通った直後に、アメリカ本土最高峰のマウントホイットニーを見上げてシエラネバダ山脈を横断。最後に地上最大の生物セコイアの森を走り抜ける。ネバダ＆カリフォルニアは、レンタカー会社によっては乗り捨て料金がかからずお得！

セコイアのなかでも最大の「シャーマン将軍の木」

ヨセミテバレーは氷河に削られた典型的なU字谷だ

1日目	日本➡ラスベガス （ラスベガス泊）
2日目	➡デスバレー （デスバレー泊）
3日目	➡US-395 （モノレイク泊）
4日目	➡タイオガパス➡ヨセミテバレー （ヨセミテバレー泊）
5日目	➡グレイシャーポイント➡移動 （グラントグローブ泊）
6日目	セコイア見学➡移動 （ロスアンゼルス泊）
7日目	帰国

サンフランシスコ
ヨセミテ国立公園★　モノレイク
マンモスレイク
41
キングスギャニオン国立公園
180　395
セコイア国立公園★
ネバダ州
デスバレー国立公園★
99
95　ラスベガス
カリフォルニア州
5
ロスアンゼルス

Model Course 4 サウスダコタ＆ワイオミング8日間

大平原に点在する不思議な風景を堪能したあと、ロッキー山脈を横断して世界初の国立公園イエローストーンとグランドティトンを訪れる

イエローストーン国立公園★
デビルスタワー国定公園
サウスダコタ州
14
グランドティトン国立公園
90
ラピッドシティ
ジャクソン
マウントラシュモア国定記念物★
90
ウインドケイブ国立公園★
バッドランズ国立公園
ワイオミング州

イエローストーンには間欠泉と温泉が無数にある

本当にUFOが舞い降りそうなデビルスタワー

サウスダコタへ行ったらこの顔は見逃せない

1日目	日本➡ラピッドシティ （ラピッドシティ泊）
2日目	バッドランズ見学 （ラピッドシティ泊）
3日目	マウントラシュモア、ウインドケイブ見学 （サンダンス泊）
4日目	➡デビルスタワー➡移動 （コディ泊）
5日目	➡イエローストーン （キャニオン泊）
6日目	イエローストーン見学 （オールドフェイスフル泊）
7日目	グランドティトン見学 （ジャクソン泊）
8日目	帰国

Model Course 5 西部大周遊1ヵ月

真夏限定のおすすめコース。思いきって長い休みを取り、欲張り旅行に出てみよう。長期で借りるとレンタカーは驚くほど割安になる

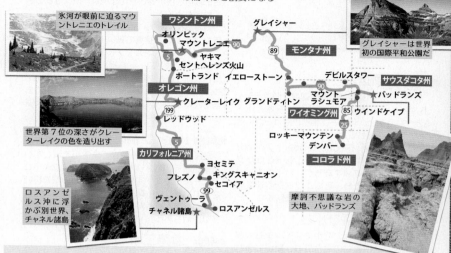

氷河が眼前に迫るマウントレニエのトレイル

グレイシャーは世界初の国際平和公園だ

世界第7位の深さがクレーターレイクの色を造り出す

ロスアンゼルス沖に浮かぶ別世界、チャネル諸島

摩訶不思議な岩の大地、バッドランズ

ワシントン州 / グレイシャー / モンタナ州 / オリンピック / マウントレニエ / 89 / ヤキマ / セントヘレンズ火山 / ポートランド イエローストーン / デビルスタワー / サウスダコタ州 / オレゴン州 / クレーターレイク グランドティトン / マウントラシュモア / バッドランズ / ワイオミング州 / 85 / ウインドケイブ / レッドウッド / 25 / ロッキーマウンテン / デンバー / コロラド州 / カリフォルニア州 / ヨセミテ / フレズノ キングスキャニオン / セコイア / ヴェントゥーラ / 99 / チャネル諸島 / ロスアンゼルス

1日目	日本 ➡ デンバー （デンバー泊）	16日目	➡ マウントレニエ（サンライズ）でハイキング （パラダイス泊）
2日目	デンバー見学 （デンバー泊）	17日目	マウントレニエ（パラダイス）でハイキング （パラダイス泊）
3日目	➡ ロッキーマウンテン （エステスパーク泊）	18日目	➡ オリンピック （ポートエンジェルス泊）
4日目	移動➡ウインドケイブ➡移動 （キーストーン泊）	19日目	オリンピック見学 （クラロック泊）
5日目	マウントラシュモア見学➡移動 （バッドランズ泊）	20日目	セントヘレンズ火山 （ポートランド泊）
6日目	バッドランズ見学➡移動 （サンダンス泊）	21日目	➡ クレーターレイク （クレーターレイク泊）
7日目	➡デビルスタワー➡移動 （コディ泊）	22日目	➡ レッドウッド （クレセントシティ泊）
8日目	➡イエローストーン➡グランドティトン （グランドティトン泊）	23日目	移動日 （ヨセミテバレー泊）
9日目	グランドティトンでハイキング （グランドティトン泊）	24日目	ヨセミテでハイキング （ヨセミテバレー泊）
10日目	➡イエローストーン （オールドフェイスフル泊）	25日目	➡ グレイシャーポイント➡移動 （フレズノ泊）
11日目	イエローストーン一周 （マンモス泊）	26日目	➡ キングスキャニオン （グラントグローブ泊）
12日目	移動日 （メニーグレイシャー泊）	27日目	セコイア見学➡移動 （ヴェントゥーラ泊）
13日目	グレイシャーでハイキング （メニーグレイシャー泊）	28日目	チャネル諸島クルーズ （ロスアンゼルス泊）
14日目	GTTS横断 （レイクマクドナルド泊）	29日目	➡ ロスアンゼルス見学 （ロスアンゼルス泊）
15日目	移動日 （ワシントン州ヤキマ泊）	30日目	帰国

走り方
Driving Around

制限速度

見通しのよい道路での制限速度は時速 55 〜 65 マイル（約 88 〜 104 km）と、日本と比べるとかなり速い。急カーブ手前ではカーブに合わせた制限速度が設定されている。

町に近づくと『Reduced Speed Ahead』の表示があり、45、25、15 と制限速度がダウンしていくので必ず守ろう。ハイウエイで飛ばしている車でも、町なかでは制限速度を守っているし、警察のチェックも厳しい。

動物の飛び出し

シカと衝突すれば、相手は即死、車も大破しかねない。小動物の場合でも、驚いて急ハンドルを切ったために大事故になるケースが多い。彼らのテリトリーに道路を造った人間が悪いのだから、『シカ飛び出し注意』などの標識を見たらスピードを落として走ろう。時間的には、早朝と日没前後が最も危ないといわれている。

夜間走行

よほどの事情がない限り、夜間走行は避けるべきだ。アメリカのいなかの道路には基本的に街灯というものがない。I-15 のような幹線道路でさえ、ほとんど明かりはない。周囲は荒野や山ばかりで人家も少ないため、夜は恐ろしいほど真っ暗。ヘッドライトに浮かび上がるセンターラインだけを頼りに走るのは、とても疲れるし危険だ。

荒天時走行とチェーンについて

グランドサークルやネバダなどでは砂嵐が多い。視界不良の中を無理して走らず、安全な場所に避難して治まるのを待とう。

冬のドライブは凍結、積雪、地吹雪の可能性があり、道路閉鎖などさまざまなリスクをともなう。公園内はもとより、ハイウエイも決して安全ではない。アメリカのドライブに慣れていない人は、冬のドライブは避けるべきだろう。

また、**レンタカーにはチェーンやスノータイヤを装着できないことが多い**ので、冬期にヨセミテなどを訪れるときには列車、バスなどの利用をすすめる。

緯度の高い地方（イエローストーン、バッドランズなど）や、標高の高い場所（ブライスキャニオンーキャピトルリーフ間の UT-12、ヨセミテのタイオガロードなど）は、5 月でも雪に降られることがある。緯度、標高ともに高いマウントレニエやグレイシャーでは、6 月末でもまだ残雪が多い。天候と道路状況を出かける直前にチェックしよう。

ドライブ情報ダイヤル「511」

「511」は州内の道路＆気象情報を流している電話番号。アメリカ西部では、カリフォルニアの一部とテキサスを除いてすべての州で実施されている。一般電話からは無料だが、公衆電話からは市内通話料金が必要だったり、つながらない州もある。

道路工事

国道でも州道でも補修工事は常にあちこちで行われている。日本と違って片側通行の工事区間が非常に長いのが特徴で、目の前で停止させられると 30 分も待たされることがある。スケジュールには余裕をもとう。

安全に気を配ろう

いなかは都会に比べて治安がよいとはいえ、やはりいつも銃社会アメリカにいるという意識を忘れずに。財布を人前で広げない、ひとけのない駐車場へは近づかない、車のドアは常にロックするなど、自分の身は自分で守ろう。

タイムゾーン

特に夏にグランドサークルを回る場合、何度も現地時刻が変わることになる。ラスベガスやロスアンゼルスは PST だが、ユタやアリゾナ州は MST だから 1 時間進んでいる。ただし 3 月第 2 日曜〜 11 月第 1 日曜までは、ネバダ州が夏時間を採用、アリゾナ州は不採用なので、ラスベガスとグランドキャニオンは同時刻だ。さらに、ナバホ族居住留地内は夏時間を採用しているため、同じアリゾナ州内でもグランドキャニオンとモニュメントバレーでは夏期は時刻が違うのだ。これを頭に叩き込んでおかないと、せっかくの朝焼けを見逃してしまったり、ボートツアーに乗り遅れたりすることになる。とにかく常に現地の現在時刻を確認しよう（→ P.11、46）。

アメリカの交通法規とレンタカーについては→ P.478

車ならスケジュールに
縛られない旅を満喫できる

ピークシーズンは、
園内の展望台やト
レイルヘッドの駐
車場は非常に混雑
する

©Tsuneo Yamamoto

そのほか

- ▶インターステートハイウエイの案内標識は通常緑地に白字だが、国立公園に関する標識はすべて茶色地に白字なので、覚えておくと便利
- ▶ 50kmもガスステーションがないということも珍しくない。早め早めの給油を心がけよう
- ▶坂道が連続するようなところではシフトダウンを。思っているより簡単にブレーキを焼けてしまう
- ▶歩行者優先は基本のキ。徹底しよう
- ▶いなかではカーラジオは入らないことが多い。お気に入りのCDを持って行くといい
- ▶いなかでは昼間もライト点灯が推奨されている（州によっては義務）。アクセルを踏むと自動的に点灯するレンタカーもある
- ▶ラスベガスはマナーの悪いドライバーが多い。飲酒運転も多いし、クレイジーなドライバーをよく見かける。「相手が譲ってくれるはず」などの見込み運転は禁物

公園内での注意点

- ▶公園の近くまで来たら、カーラジオを1610AMに合わせよう。最新情報を流している
- ▶園内のガスステーションは廃止傾向にある。公園ゲートをくぐる前に給油しておこう
- ▶入園者の多い公園ではゲートで大渋滞になることがある。このような公園では、一番端のレーンを支払いの必要のない車専用にしている。有効なレシートや年間パスを持っている人だけが利用できる
- ▶園内の最高速度は時速25～35マイル。ビレッジ内はさらに低く抑えられている
- ▶園内の道路はカーブや崖っぷちが多いが、ガードレールはほとんどない。くれぐれも運転は慎重に
- ▶園内には未舗装路も多い。普通車で入れることもあるが、**未舗装路を走行するとレンタカーの保険が契約違反で適用外になる場合が多いので注意**
- ▶夏のヨセミテやグランドキャニオンでは駐車スペースを探すのにひと苦労。いったん駐車したら、あとはシャトルバスを利用するのが賢明。また自然保護のため、駐車の際はバックではなく、頭から入れよう
- ▶西部山岳の国立公園ではクマに対する備えが必要。食料すべてをトランクに入れなければならない公園と、逆に絶対に車内に食料を残してはいけない公園があるので注意
- ▶サマータイムを導入していることもあって、夏の日没は遅い。カナダに近い公園では、暗くなるのは夜10時頃。夕焼けを堪能してからロッジに戻ると、レストランもストアも閉店した後だ。逆に、秋から冬は驚くほど日没が早い。早め早めに行動しないと夜間走行になってしまう

アメリカの おもな道路標識

一時停止

進入禁止

進入禁止

ゆずれ

踏切あり

ここから追い
越し禁止区間

まわり道

車線閉鎖中

LANE
ENDS
MERGE
LEFT
車線終了／
左に寄れ

路面
凹凸あり

DO
NOT
PASS
追い越し
禁止

NO
RIGHT
TURN
右折禁止

NO
TURN
ON RED
赤信号時
右折禁止

RIGHT LANE
MUST
TURN RIGHT
右車線は
右折のみ

左車線は2名
以上乗車のみ
通行可
（カープール
レーン）

27

国立公園の主役たち

ピューマ Mountain Lion
クーガ。体長1〜2m、尻尾の長さ55〜80cm、垂直ジャンプ力5m、水平10m以上。高山から砂漠まで広く生息しているが、滅多に人前に姿を現すことはない。寿命約12年

ミュールジカ Mule Deer
エルクよりひと回り小さく、大きな耳が特徴。オジロジカ（尻尾が白い）やオグロジカ（尻尾が茶色か黒）とよく似ているが、ミュールジカの尻尾は白くて先端だけ黒い。寿命約10年

ボブキャット Bobcat
体長1m弱のヤマネコ。全米の森や砂漠、人里近くまで広く生息しているが、夜行性なので目にする機会は少ない。途中で切れたような尻尾が特徴。寿命8〜12年

プロングホーン Pronghorn
エダツノレイヨウ、アンテロープ。体長1〜1.5m。アフリカのレイヨウとそっくりだが、学術的にはまったく異なる。北米固有種で1属1種というユニークな動物。西半球最速の足を持ち、トップスピードは時速110km！　オス、メスともに角がある。ロッキーからネバダ、アリゾナまでの草原に群れで住む。寿命約10年

ムース Moose
ヘラジカ。体長2〜3m。シカの仲間では最大。オスだけに手のひら状の角があり、12月に抜け落ちる。ロッキー地方の水辺にいる。寿命10〜15年

エルク Elk
ワピチ。西部の森に暮らし、秋になるとハーレムを作って谷に移動する。オスは枝状の角を持つが、早春には抜け落ちる。寿命約15年

バイソン Bison
バッファロー。体重400〜900kg。かつては全米の草原に広く生息していたが、乱獲され、20世紀初頭にわずか25頭にまで激減。現在は5万頭にまで回復しているが、多くは家畜との交配種といわれる。寿命約20年

約15cm

約28cm

約18cm

約25cm

約14cm

約12cm

ムース　　エルク

グリズリーベア　　ブラックベア　　バイソン

28

マウンテンゴート
Mountain Goat
シロイワヤギ。ロッキー山脈の標高の高い岩場に群れで住んでいる。寿命約10年

コヨーテ Coyote
キツネより大きく、オオカミよりは小さい。高山から森林、草原、砂漠と非常に広い範囲に生息しており、日暮れどきによく遠吠えする。寿命5〜10年

アカギツネ Red Fox
日本に生息するキツネと同種。赤褐色の毛とふさふさの尾が特徴。全米のあらゆる環境下で生きるたくましい動物だが、寿命はわずか3年

ビッグホーンシープ
Bighorn Sheep
オオツノヒツジ。オスは渦巻状、メスもカーブした角を持つ。高山の険しい岩壁などに住む。寿命約10年

ハイイロオオカミ Gray Wolf
体長1〜2m。毛色は黒、灰色、白など。家畜の敵として大量に殺され、今やロッキー山脈北部の森林や草原に残るのみ。寿命約10年 (→ P.338)

ブラックベア Black Bear
アメリカクロクマ。体長1.5〜2m。黒または茶褐色。好奇心旺盛なので人間とのトラブルが多い。寿命約20年 (→ P.206)

グリズリーベア Grizzly Bear
ハイイログマ、アメリカヒグマ。体長2〜3m。灰褐色または赤褐色で、肩の上が盛り上がっているのが特徴。寿命約30年 (→ P.393)

ミュールジカ	ビッグホーンシープ	マウンテンゴート	プロングホーン	ピューマ	ボブキャット	ハイイロオオカミ	コヨーテ	アカギツネ
約8cm	7〜9cm	6〜7cm	6〜7cm	8〜10cm	4〜5cm	8〜10cm	4〜6cm	3〜4cm

国立公園の主役たち

小動物 編

シマリス　Chipmunk
体長 15 〜 20cm。アメリカの子供たちのアイドル。顔にもシマがあるのが特徴。寿命 2 〜 3 年

プレーリードッグ　Prairie Dog
体長約 30cm。リスの仲間だが尻尾は短い。草原の地下に複雑なトンネルを作って生活している。寿命 3 〜 5 年 (→ P.120、417)

キンイロジリス　Golden-mantled Ground Squirrel
体長 20 〜 25cm。標高の高い西部の森で最もよく目にするリス。白いアイラインが特徴。寿命 3 〜 4 年

ワタオウサギ　Cottontail
体長約 40cm。アメリカで最もよく見られるウサギ。その名のとおり綿毛のような尻尾がキュート！寿命 1 〜 2 年

シマスカンク　Striped Skunk
体長約 40cm。肛門から強烈な悪臭を放って天敵から身を守るが、ワシなどの猛禽類には効果がないといわれる。寿命 1 〜 5 年

ジャックラビット　Jackrabbit
体長約 60cm。異様なほど長い耳が印象的なウサギ。トップスピードは時速 50km 以上。グランドサークルの荒野に数多く生息しているが、おもに夜行性なのであまり人前には姿を現さない。寿命約 5 年

キバラマーモット　Yellow-bellied Marmot
体長 50 〜 70cm。西部の山岳地帯でよく見かけるリス科の動物。冬になると、太い爪を使って深さ 5m 以上の巣穴を掘り、冬眠する。寿命 10 〜 15 年

カワウソ　River Otter
体長 1m 前後。日本では絶滅してしまったが、西部の川や湖に数多く生息している。遊び好きで活発。寿命 10 〜 15 年。ちなみに Sea Otter はラッコのこと

ビーバー　Beaver
体長約 1m。木をかじり倒して運び、川や池をせき止めてダムを作る。アメリカ全土の森に生息。寿命 15 〜 20 年

アメリカアナグマ　Badger
体長 80cm。イタチの仲間。毛が長くてふわふわしている。草原の地下に巨大な巣穴を掘る。夜行性なので人目に触れることは多くない。寿命 3 〜 10 年

30

ハチドリ
Hummingbird
体長 5 〜 21cm で世界最小の鳥。毎秒 20 〜 80 回もはばたいて蜂のような羽音を出し、空中で静止して花の蜜を吸う。足が極端に短く、まったく歩けないといわれる。亜種が非常に多く、色もさまざま。砂漠から高山まで全米各所で見られる。寿命 3 〜 5 年

カナダガン
Canada Goose
体長 65cm 〜 1 m。アメリカで最も親しまれている水鳥で、都会の池でも見かける。V 字に編隊を組んでの北帰行は春の風物詩になっている。寿命約 30 年

マウンテンブルーバード
Mountain Bluebird
ムジルリツグミ。体長約 16cm。西部の開けた草原に住んでいる。メスは地味な茶色。冬になると 100 羽以上の群れを作る。アイダホ、ネバダの州鳥。寿命 5 〜 10 年

ミサゴ Osprey
体長 50 〜 60cm。腹が白いのが特徴。魚しか食べないといわれ、水辺の岩や樹木の上に皿状の巣を作る。西海岸、東海岸、ロッキー山脈で見られる。寿命約 30 年

ステラーカケス Steller's Jay
体長約 30cm。西部の針葉樹林に広く生息。頭の飾り羽と、けたたましい鳴き声が特徴。寿命 4 〜 10 年

ロードランナー Roadrunner
ミチバシリ。体長 50 〜 60cm。こう見えてもホトトギスの仲間。飛ぶのは下手だが走るのは得意。乾燥した荒野を走り回ってトカゲなどを捕食する。トップスピード 20km 以上。ニューメキシコの州鳥。寿命 7 〜 8 年

ハイイロホシガラス
Clark's Nutcracker
体長約 30cm。ルイス・クラーク探検隊（→ P.500）に発見された。標高の高い公園でよく目にする警戒心の薄い鳥。主食はマツの種。寿命 10 年前後

ハクトウワシ Bald Eagle
体長 1m。羽を広げると 2m。アメリカの国鳥。ロッキー地方の川岸やオリンピック国立公園の海岸などが見やすい。幼鳥は頭が白くない。寿命約 30 年

カステラソウ
Indian Paintbrush

エフデグサ。赤い部分は包葉で、中に黄色い小さな花が隠れている。亜種が多く、砂漠から高山までの広い範囲でよく目にする。ワイオミングの州花

©Tsuneo Yamamoto

ジョシュアツリー
Joshua Tree

モハベ砂漠を代表するユニークな植物。高さ10m以上にもなるが、実はユッカの仲間で、樹木ではない。幹のように見えるのは繊維が固まったもの

ヤマヨモギ
Big Sagebrush

西部の荒野で最もよく目にする高さ1m前後の植物。先住民は食料、生薬、住居の材料などに利用した。ネバダの州花

ブルーベル
Bluebell Bellflower

イトシャジン（キキョウ科）。草丈15cm〜1m。道路沿いなどに群生する。亜種が非常に多い

ヤナギラン
Fireweed

亜高山帯の夏を彩るアカバナ科の多年草で、ランの仲間ではない。山火事のあと、真っ先に咲く花。車道沿いでもよく見かける

コロンバン
Columbine

セイヨウオダマキ。草丈60〜90cm。5〜7月、涼しい地方の草原や岩場に咲く。コロラドの州花。青、赤、ピンクの花もある。全草に毒があるので手を触れないようにしよう

ユッカ Yucca

イトランやキミガヨランの仲間。ヤッカと発音する。乾燥に強く、砂漠のど真ん中にも自生する。栽培種は日本の小学校の校庭などによく植えられている。ニューメキシコの州花

©Masatoshi Koide

パスクフラワー
Alpine Pasqueflower

オキナグサ（キンポウゲ科）の一種。草丈 10 〜 30cm。標高の高い砂礫地に咲く。白い花が咲き終わったあとのヒゲのような綿毛が印象的。全草に毒があり、触れるとかぶれることがある

カリフォルニアポピー **California Poppy**

ハナビシソウ。テキサスなどでメキシカン・ゴールド・ポピーと呼ばれているものも同種。花びらは 4 枚で、生育場所によってレモンイエローから濃いオレンジまであり、花期も 2 〜 9 月と幅がある。カリフォルニアの州花

ルピナス **Lupine**

ハウチワマメ、ノボリフジ。草丈 30 〜 70cm。ルーパンと発音する。高原に群生し、初夏には一面、青紫色の花畑になる。園芸種は日本でもすっかりおなじみ。亜種が非常に多く、ヨセミテだけでも 25 種類のルピナスが確認されている

シューティングスター
Shooting Star

カタクリモドキ。草丈 10 〜 30cm。シクラメンと同じサクラソウ科の植物で、流れ星という名前はその姿から。5 〜 7 月に湿原で見ることができる

グレイシャーリリー
Glacier Lily

キバナカタクリ。草丈 15 〜 30cm。雪解けの大地に真っ先に咲くレモンイエローの花。グレイシャーNP など。早春のマウントレニエ NP で見られるアバランチリリーは真っ白な亜種

ベアグラス **Beargrass**

グレイシャー、マウントレニエなどの高山で見られるユリの仲間。ひとつの株から花が咲くのは 5 〜 10 年に一度だけ。アメリカ南部などでベアグラスと呼ばれているのはまったく異なる植物

国立公園の主役たち

樹木 編

サワロ Saguaro
ベンケイチュウ。ソノラ砂漠に生えるサボテンで、大きなものは15mになる（→ P.431）。ちなみに、サボテンが木か草かについては議論があるが、「木でも草でもない」とする専門家が多いようだ

セコイア Sequoia
世界最大の樹木で、2種類ある。体積世界一のビッグツリーはヨセミテ、セコイア国立公園で、樹高世界一のコーストレッドウッドはレッドウッド国立公園などで見られる（→ P.213、238、263）

ウチワサボテン Pricklypear
アメリカ西部ではさまざまなサボテンが見られるが、最もよく目にするのがこれ。ほぼアメリカ全土に分布していて、亜種も非常に多い

アスペン Quaking Aspen
アメリカヤマナラシ、ハコヤナギ。群生全体が共通の根から増えるクローンなので、"世界最大の生物"といわれることもある。樹皮が白く白樺のようだが、ポプラの仲間。風にそよいでざわざわと音を立てる。丸い葉が秋には鮮やかな黄色に染まる

コットンウッド Cottonwood
アメリカクロヤマナラシ、樹皮が黒い。初夏、果実がはじけて綿毛が舞い散る様子は、まるでぼたん雪のよう

34

国立公園の歩き方 Vol. 5

覚えておきたい ルールと危険情報

国立公園で命を落とさないために

●景色のよい場所、遠くまで見晴らせる場所というのは、断崖絶壁の突端にあることが多い。**崖からの転落と落雷**には、特に気を配ってほしい。アメリカの国立公園では、自然環境へのインパクトを最小限に抑えるため、山道でもガードレールはないし、展望台に設けられた手すりも一部だけ。国立公園局は、注意を促すことはしても、安全を確保してはくれない。自分の身の安全は自分で守ろう

●**スピードの出しすぎや過労による交通事故**も多い。余裕のあるスケジュールを組もう

●アメリカでは気をつけるべき感染症がいくつかあるので、P.494 にも目を通しておいてほしい

●治安について。自然を愛する人に悪人はいないのか、それとも入園ゲートがあるためか、園内の治安はとてもよく、女性ひとりでも問題ない。しかし、夜間はゲートもフリーパスだし、やはり油断は禁物だ。ゲートシティの治安は場所によって大きく異なる。常に「ここはアメリカだ」という意識で行動したい

●残念なことに2010 年、国立公園内への銃器類の持ち込みが解禁された。もちろん園内での狩猟や射撃は禁じられており、レストランなどには持ち込み禁止だ。しかし、護身用の銃を身に付けている人や、車にライフルを積んでいる人が園内にもいるということは、頭の隅に入れておきたい

現地ツアーを利用するにあたって

アメリカの国立公園へ連れて行ってくれるガイドやツアー会社は数多く存在する。個人で訪れるのが難しい場所へ連れて行ってくれたり、面倒な手続きを代行してくれたり、アウトドアスポーツに精通している業者もある。しかし残念ながら、なかにはモグリのガイドもいるようだ。

園内でツアーを行う際にはラフティング、フィッシングなどの営業許可や、州の営業ライセンスが必要で、許可を受けていなければ違法営業となる。違法行為のもとで行われたツアーでは、その業者が保険に加入していても、万一のときに保険金が支払われない可能性がある。特にバックカントリー（奥地）を訪ねるツアーや危険をともなうアクティビティツアーに参加する際は、慎重にガイドを選んでほしい。

正規の営業許可をもった業者のリストは、公園のウエブサイトに載っているか、ない場合はメールなどで問い合わせれば教えてくれる。

とってもいいのは写真だけ！
残していいのは足跡だけ？

アメリカの国立公園は地球の財産だ。この財産を守るために、人間が生態系に及ぼす影響を最小限にくいとめようとレンジャーやボランティアが日夜頑張っている。以下のことを守る自信がない人は、公園ゲートをくぐるのはやめてほしい。

道路やトレイルから外れない。動物や花の写真を撮るために湿原に踏み込んだりしない。足跡すらも残してはいけないのだ

たとえ土に還るものでも、絶対にゴミや吸い殻を捨てない

花、木の実、化石、動物の角、野鳥の羽などを採らない、拾わない。枯れ枝も松ボックリもダメ。公園によって 500 〜 2万ドルの罰金＆懲役が課せられることもある

山火事の防止には細心の注意を払う

野生のものは野生のままに
Keep Wildlife Wild

アメリカの国立公園では動物に出合うことが多いが、どんなに人懐こくても、彼らは野生動物だということをお忘れなく。ビレッジにいるときも、トレイルを歩くときも、細心の注意を払って動物たちに接してほしい。

どんな動物でも近付きをすぎに注意。子育て中のメスは神経質だし、繁殖期のオスも気が立っている。バイソンを振り向かせたくて声を掛けたら、いきなり突進してきた、なんてこともある

果物を食べるときは種を落とさないよう気をつけて

屋外での食事のあとは、パンくずひとつ残さないようにすべて持ち帰ろう。食べこぼしたポテトチップスのかけらが、鳥や動物の健康に重大な影響を及ぼす

もしも匂いにつられて動物が寄ってきたら、速やかに食べ物を片付けてその場を離れよう。人慣れしたシカが多いが、おとなしそうに見えても角で突かれたら大ケガをする

人間の食べ物の味を覚えてしまった強引なリスに注意。バックパックだろうとジャケットだろうと、鋭い歯であっという間に穴を開けてしまう。ただし、たとえ追い払うためであっても、決してリスを叩いたりしてはいけない

どうしてエサをあげてはいけないの？

野鳥や動物にエサを与えるのは違法行為で、罰金は最高＄5000。落ちていた木の実をリスにあげるなど、たとえその動物が本来食べているものでも、決して与えてはいけない。人間を警戒しなくなり、人間に近付けば食事にありつけると学習した動物は……

食料を得る技術を子孫に伝えられなくなる

自力で食料を得る能力が鈍り、観光客の少ない時期に飢えて死んでしまう

栄養が偏る。塩分、糖分、香辛料、化学添加物など、ヒトの食べ物は動物の健康を害する

栄養過多によって出産頭数や回数が増え、生態系が狂う

太りすぎて動きが鈍くなり、天敵に襲われやすくなる

食品の匂いのするビニール袋などを食べるようになる

ヒトの手を恐れなくなると噛み付くことがあり、狂犬病（→ P.494）などの感染症をヒトに移す

車を警戒しなくなり、交通事故が増える

ヒトから動物へ、彼らにとって未知の菌や感染症が移ることもある

もっと食べたいと強引にヒトから食料を奪いとるようになる。そして、殺される

なお、ヨセミテ、グレイシャーなどクマ問題が深刻化している公園では、独自のルールを設けている。入園の際に配布される新聞をよく読んでおこう（→ P.206、393）。

アメリカの国立公園で天の川を見よう！

アメリカの国立公園を訪れたら、夜空を見上げてみよう。
園内のロッジは野生動物への影響を減らすために屋外の照明を極力抑えてあり、
そのぶん降るような星空を楽しむことができる

©Osamu Hoshin

バッドランズ国立公園も
おもしろいモチーフの宝庫だ

望遠鏡を使ったレンジャープログラムも
行われているので、ぜひ参加しよう

おすすめはグランドサークル

　アメリカでは、比較的都市に近いヨセミテでさえ、よく晴れて月のない夜なら天の川が見える。オリオン大星雲やプレアデス星団（すばる）も、まるでプラネタリウムのようにくっきりと見えるだろう。夜空を見上げていると航空機の多さにも驚かされるが、日没後の早い時間に、航空機のように動くけれどライトの点滅がないものを見つけたら、それはきっと人工衛星だ。

　大都会から離れたグランドサークルなら、星の数は飛躍的に多くなる。特にブライスキャニオン国立公園（→ P.118）とナチュラルブリッジ国定公園（→ P.168）は、町から遠くて空が暗い、標高が高く空気が澄んでいる、乾燥していて湿度が低い、と天体観測には絶好の条件がいくつも揃っている。

天体観測と写真撮影のポイント

　天体観測を阻むもの、それは雲、山火事の煙、砂嵐、そして月。新月前後に訪れるのがベストだ。また、夜間はサソリや毒ヘビ、ピューマなどが活動しているので気を付けよう。単独行動を避け、駐車場やトレールを外れないようにしたい。

　せっかくなら天体撮影に挑戦してみてはどうだろう。奇岩のシルエットを入れて撮ればカッコイイ写真になる。三脚さえあれば、カメラはコンパクトデジカメでも可能だ（マニュアル設定でシャッタースピードを8 ～ 30 秒程度まで遅くできるもの）。気温が低いと電池の消耗が激しいので、予備を忘れずに。また、本格的な天体撮影に挑戦している人もいるので、懐中電灯やストロボで邪魔をしないよう気を配ろう。

初めての天体撮影に挑戦！

　一眼レフカメラを使用したことはあったものの、自動で最適な設定をしてくれるモード以外で撮影をしたことがなかった。カメラの設定については予習していたが、撮影ポイントは真っ暗で手元が見えず、カメラの準備に時間がかかってしまった。しかし最初の 1 枚をプレビュー画面に確認したときは、「わあ！　本当に写っている！」と興奮した。満天の星空と大地が作り出す景色をカメラに納める楽しさを知ることができた。（渡辺彩子 '12）

アーチーズのバランスロックでオリオン座と飛行機を撮影。30秒露光でこれだけ撮れた（f3.5、ISO6400）

Grand Circle

グランドサークル

グランドキャニオン国立公園

アリゾナ州／ **MAP** 折込1枚目C-2、折込2枚目オモテH-1、折込2枚目ウラK

世界から集まってくる観光客に四季それぞれの顔を見せてくれる

©USPS
2006年発行の切手

ロッキー山脈に降った雨は、山肌を走り、仲間と出合いながら、小さな流れへと成長してゆく。小さな流れがいくつも集まり、大きな力をもつ流れが生まれる。やがてその流れは、500〜600万年という長い年月をかけて赤い大地を削り、途方もない谷を造り上げた。『グランドキャニオン』─大峡谷。まさしく、そう呼ぶほかにこの谷を表現する言葉はない。しかし、この谷は単に巨大なだけではない。ときの移ろいとともに、その表情を劇的に変化させてゆく。

ここに住む鳥たちが、シカが、リスが、この巨大な谷のさまざまな表情を見つめてきた。先住民も、白人の探検家たちも、そして世界中からの観光客も、その表情を見つめてきた。

一気に輝きにあふれる日の出。照りつける太陽にじっとたたずみ、通り過ぎる雲にほっとひと息つく午後。どこまでも赤く染まる夕暮れ。突然の稲光に暗黒のなかから白々と浮かび上がる夜……。どんな表情に出合ったとしても、悠々たるときの流れのイメージが、心に強く刻み込まれることだろう。

サウスリム　Grand Canyon National Park
South Rim

Arizona

グランドサークル

グランドキャニオン国立公園　サウスリム（アリゾナ州）

ACCESS　　行き方

　グランドキャニオンは東西約446km（東京と琵琶湖間の距離に相当）にわたって延びる長大な峡谷だが、実際に私たちが地上から見学できるのは東側のごく一部にすぎない。

　公園はコロラド川を隔てて北の**ノースリムNorth Rim**と南の**サウスリムSouth Rim**に分けられ、崖の上の向かい合ったところにそれぞれビレッジがある。ここではまず、交通の便がよく、入園者の9割が訪れるサウスリムへの行き方から紹介しよう（ノースリムは→P.80）。

　飛行機を使って短時間にアプローチしたいなら、ゲートシティはサウスリム・ビレッジから南へ15分の**トゥシヤンTusayan**。鉄道や長距離バスを使いたいなら、ビレッジから南へ1～2時間の**ウィリアムズWilliams**か**フラッグスタッフFlagstaff**。車に乗れる人には、ラスベガスで車を借りてグランドサークルを一周するドライブプランをおすすめする。

世界屈指の絶景を住みかとしていることを、おそらくカリフォルニアジリスも
Turpentine Bush（ヨモギの仲間）の花も知らない

DATA

時間帯▶山岳部標準時MST
（夏時間不採用）
☎(928)638-7888
緊急☎911
（客室からかける場合は9-911）
URL www.nps.gov/grca
開24時間365日オープン
適期▶年中
料ノースリムと共通で車
1台＄25／そのほかの方
法での入園は1人＄12
国定公園指定▶1908年
国立公園指定▶1919年
世界遺産登録▶1979年
面積▶4926km²
（福岡県とほぼ同じ）
入園者数▶約430万人
園内最高地点▶2690m
（ノースリム）
哺乳類▶90種
鳥　類▶341種
両生類▶9種
爬虫類▶49種
魚　類▶17種
植　物▶約1737種

交通図

ラスベガス	✈ 約1時間15分	グランドキャニオン空港
	✈ 約5時間	
	ツアー	🚌 15分
	🚐 約7時間	ツアー
	🚂 約8～10時間	ウィリアムズ
		🚂 約2時間15分
ロスアンゼルス	🚌 約12～14時間	🚌 約1時間
	🚗 8～10時間	フラッグスタッフ
		🚂 約1時間30分
	✈ 55分	日帰りツアー
フェニックス	🚂 3時間	
	🚌 約4時間	グランドキャニオン・サウスリム

ラスベガスからの航空機は19人乗り。翼が窓より上にあるため、眼下のパノラマがより楽しめる

飛行機 Airlines

Grand Canyon Airport (GCN)

サウスリム・ビレッジから南へ4マイル（6.4km）、**トゥシヤン Tusayan**という町にある小さな空港。おもに遊覧飛行用セスナとヘリのための空港だが、ラスベガスから**シーニック航空 Scenic Airlines**が1日2往復の定期便を飛ばしている。所要約1時間15分。ラスベガスではフーバーダムの手前にあるボウルダーシティ空港から発着する。ラスベガス市内のおもなホテルまで無料で送迎してくれるし、日本で予約できる。マッカラン国際空港へも送迎してくれるが、乗り継ぎには3時間以上の余裕が必要。

グランドキャニオン空港からサウスリム・ビレッジへはシャトルバスかタクシーで約20分。空港にレンタカー会社はない。

Flagstaff Grand Canyon Pulliam Airport (FLG)

フラッグスタッフ郊外にある市営空港。USエアウエイズがフェニックスから飛んでいるだけなので、日本から行くには利用しにくい。

Phoenix Sky Harbor International Airport (PHX)

アリゾナを中心にレンタカーで回る旅なら、フェニックスからアプローチしてもいい。全米各都市からのフライトが多数あり、各社のレンタカーも予約なしで借りられる。サウスリムまで約4時間のドライブ。

なお、空港からグランドキャニオンへのシャトルバスはなくなってしまった。**Open Road Tours**（→P.47）などのツアーを利用しよう。

長距離バス Bus

ロスアンゼルスやラスベガスからサウスリムを訪れる際、グレイハウンドを利用するのはあまりおすすめではない。なぜなら、グレイハウンドはフラッグスタッフには停車するがウィリアムズには停車しないのだが、フラッグスタッフからサウスリムまでのシャトルバス（4～10月のみ1日3便）はウィリアムズ経由なので、時間のロスが大きいのだ。さらに、シャトルバスはアムトラック駅に発着するので、荷物を抱えて約15分歩かなければならない。乗り継ぎもよくない。最もマシなのはラスベガス6:40発のグレイハウンド。フラッグスタッフで乗り継げば17:45にサウスリムのマズウィックロッジに到着できる（2013年5月の場合）。

GCN
☎(928)638-2446

Scenic Airlines
☎(702)638-3300
Free 1866-235-9422
日本支社
☎(03)5745-5561
日本 無料 0120-288-747
URL www.scenic.co.jp
営 月～土9:30～18:00
料 片道＄244、往復＄488
※冬期は悪天候による欠航が多い

GCNのタクシー
☎(928)638-2631
料 ビレッジまで1人＄10＋公園入園料1台＄6（タクシー用特別料金）＋チップ

シャトルについて
夏期8:00～21:30のみ。15分ごと。トゥシヤン→空港→トゥシヤン→ビジターセンター（→P.52）と循環している。無料だが、乗車前に空港内で入園料を支払っておくこと

PHX	☎(602)273-3300
Alamo	☎(602)244-0897
Avis	☎(602)261-5900
Budget	☎(602)261-5950
Dollar	☎(602)275-0011
Hertz	☎(602)267-8822

Greyhound →P.477
Free 1800-231-2222
URL www.greyhound.com
料 Las Vegas→Flagstaff片道＄50～
フラッグスタッフのディーポ
住 800 E. Butler Ave.
☎(928)774-4573
開 月～土9:00～17:30、18:30～翌5:15。日11:00～15:30、18:30～翌5:15

Arizona Shuttle
☎(928)226-8060
Free 1800-888-2749
URL www.arizonashuttle.com
料 片道＄29（インターネット割引＄4）

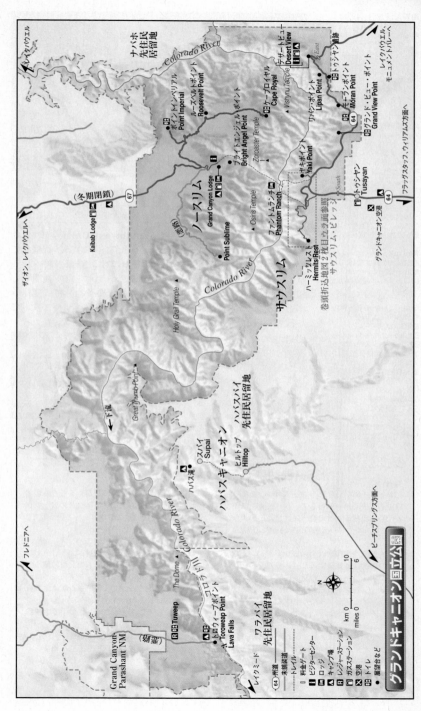

Colorado River

ナバホ先住民居留地

リトルコロラドへ

ポイントインペリアル
Point Imperial

ルーズベルトポイント
Roosevelt Point

East

デザートビュー
Desert View

グランドキャニオン遺跡

レイクパウエル、
モニュメントバレーへ

ブライトエンジェルポイント
Bright Angel Point

Zoroaster Temple

ケープロイヤル
Cape Royal

Vishnu Temple

リパンポイント
Lipan Point

モーランポイント
Moran Point

64

グランドビュー・ポイント
Grand View Point

64

ノースリム

グランドキャニオン空港

Grand Canyon Lodge

Osiris Temple

ヤキポイント
Yaki Point

（冬期閉鎖）

67

South

トゥサヤン
Tusayan

64

ブラックスタッフ、ウィリアムズ方面へ

カイバブロッジ
Kaibab Lodge

ザイオン、レイクパウエルへ

ポイントサブライム
Point Sublime

サウスリム

ファントムランチ
Phantom Ranch

ハーミッツレスト
Hermits Rest

Holy Grail Temple

巻頭折込地図２枚目に写真参照
サウスリム・ムービレッジ

Colorado River

フレドニアへ

下流

Great Thumb Point

ハバスパイ
先住民居留地

ハバスキャニオン

スパイ
Supai

ハバス滝

ヒルトップ
Hilltop

ビーチスプリングス方面へ

Colorado River

The Dome

Grand Canyon
Parashant NM

Tuweep

トロウィープポイント
Toroweap Point

Lava Falls

ワラパイ
先住民居留地

レイクミード

N

km 0   10

miles 0   6

グランドキャニオン国立公園

64　州道
未舗装路
トレイル

案内ゲート
ビジターセンター
ロッジ
キャンプ場
レンジャーステーション
ガスステーション
空港
トイレ
展望台など

木造駅は今や貴重な存在。鉄道を利用しない人もぜひお見逃しなく

鉄　道　　　　　　　　　　　　　　Amtrak

時差に注意
　アリゾナ州は夏時間を採用していないので、例えば夏にグランドサークルを回ると、こんなややこしいことになる。
ラスベガス（PST）
　↓　時計の針を
　　　1時間進める
ザイオン（MST）
　↓　1時間遅らせる
レイクパウエル（アリゾナ州は夏時間不採用なのでPSTと同じ）
　↓　1時間進める
モニュメントバレー（アリゾナ州にあるが、ナバホ族居留地内は夏時間なのでMST）　↓　1時間遅らせる
グランドキャニオン（アリゾナ州なのでPSTと同じ）
　↓　夏期は同時刻
ラスベガス（PST）
　このように、4回も時計の針を直さなくてはならない！

Amtrak　　　　　→P.476
Free 1800-872-7245
URL www.amtrak.com
料 コーチクラスでLAから
片道＄51

Grand Canyon Railway
☎ (303)843-8724
Free 1800-843-8724
URL www.thetrain.com
料 コーチクラス往復＄75、
2〜15歳＄45。入園料は1人＄8
休 12/25運休
※SLの運行日は5/4、6/1、7/6、8/3、9/7、9/21 のみ（2013年）。鉄道から峡谷はまったく見えない。ウィリアムズでの乗り換え時間は、駅前ホテルのロビーやレストランで過ごすことができる

　ロスアンゼルスとシカゴを結ぶ**Southwest Chief号**がウィリアムズジャンクションWilliams Junctionに停車する。待機している無料シャトルバスで**グランドキャニオン鉄道**の駅へ行こう。ここからサウスリム・ビレッジまで、ディーゼル機関車とSLが毎日1往復している。人気があるので要予約。特に夏休み中とイベントが行われるときは非常に混雑する。サウスリムでの観光や宿泊とのセット料金もある。

鉄道の時刻表

18:15	発	Los Angeles	着	8:15	
3:50	着	Williams Junction	発	21:33	
4:00	発	無料シャトルバス	着	21:20	
4:10	着		発	21:10	
9:30	発	Williams GC 駅	着	17:45	
11:45	着	Grand Canyon	発	15:30	

（2013年3月のスケジュール）

往復＄170の展望ドームシートもある

Column

蒸気機関車でグランドキャニオンへ

　ウィリアムズとグランドキャニオンとを結ぶ路線を蒸気機関車が運行している。機関車は1920年代製の正統派。その昔、先住民が山のような商品を運んだという伝説の道を通るSLの旅だ。

ときを超えた散策へいざなうウィリアムズ駅

　この路線に蒸気機関車が初めて運転されたのは1901年。当時、ほかの交通機関といえばフラッグスタッフから出ている揺れのひどい乗り合い馬車だけだったから、列車は人気を博した。
　ウィリアムズ駅のプラットホームは1908年に初めて使用されたもの。トレインルームには鉄道グッズがたくさん展示されている。出発の30分前からウエスタンショーが行われ、ニッカボッカー、ロングスカート、ペティコートといった昔の衣装を身に付けた人々が気分を盛り上げてくれる。
　乗り心地満点のハリマン型客車（プルマン社製）には、乗客のニーズにこたえるための客室係がいる。車内でもライブ演奏などのアトラクションがあり、約2時間の旅はあっという間だ。

いよいよグランドキャニオンへ

　サウスリム・ビレッジの駅舎は、リゾートブームに沸いた1909年に建造された。目の前にあるエルトバホテルの外観にマッチするようにデザインされたそうだ。丸太でできた駅は現在のアメリカには3ヵ所しか残されていない。
　到着前にグランドキャニオンについての情報がもらえるので、各自でバスツアーに参加したり、ハイキングをしたり、観光を楽しむことができる。
　グランドキャニオンを探検して回った後、再び汽車で帰路につく。ちなみに、この鉄道は帰路によく事件が起こる。カメラと小銭（チップ）を用意しておかないと後悔するかも!?

ツアー — Tour

アメリカを代表する観光地だけあって、さまざまなツアーが催行されている。ピークシーズンでも宿が確保できるのはうれしい。それぞれにメリット、デメリットがあるので、よく比較検討しよう。

ラスベガスから小型機でサウスリムへ

日帰り（＄250〜320程度）だとサウスリムでの見学は3時間ほどしかない。朝日や夕日を見られる1泊2日ツアーをおすすめしたいが、欠航によるキャンセルが多いせいか、残念ながら各社とも日帰りツアーだけに絞る傾向にあるようだ。日本で予約できる**シーニック航空**の日帰りツアーの場合、ラスベガス（ボウルダー空港）を発ち、フーバーダムやレイクミード上空を飛んで約1時間15分でグランドキャニオン空港に着陸。バスに乗り換えてビレッジへ向かい、ブライトエンジェル・ロッジとマーザーポイントを約3時間見学する。ラスベガスを6:15発→12:10帰着、9:15発→15:10着、12:30発→18:10着の毎日3回催行されている。おすすめは揺れの少ない早朝便か、日が傾いて陰影が際立ってきた峡谷を見られる午後便（夕日の時刻までは滞在しない）。ラスベガスではおもなホテルまで送迎してくれる。

ラスベガスからヘリ or セスナで GC ウエストへ

グランドキャニオン国立公園の敷地は広大で、サウスリム・ビレッジは東の端のほうにある。このあたりが最もダイナミックな風景を楽しめるからこそ、ここにビレッジが造られたのだ。パッケージツアーにはグランドキャニオン・ウエスト（→P.60。ウエストリムと表示されることもある）を訪れると謳ったものが多いが、これはサウスリム・ビレッジから無料シャトルが走っているウエストリム（→P.56）とはまったく違う場所。ビレッジから数百キロも西に離れていて、P.45の地図よりはるかに外側だ。ビレッジ付近の谷の深さは1500〜1800mあるが、GCウエストでは200〜1200mということを承知しておこう。

メリットは、ビレッジよりはるか手前にあるためラスベガスからの飛行時間が短いことと、先住民居留地に着陸するので、国立公園では厳禁の屋外バーベキューやスカイウオーク（→P.60）を楽しめること。

ラスベガスからバスでサウスリムへ

数多くのツアー会社が催行している。小型飛行機が苦手な人向けだが、上空からの景色が楽しめる飛行機と異なり、バスの車窓には延々と荒野が続く。往復だけで10時間かかるのだから、日帰りだと見学時間はごくわずか。普通は朝日も夕日も見られないので、1泊2日ツアーをぜひおすすめしたい。

フラッグスタッフからバスでサウスリムへ

Open Road Toursなど数社が催行している。インディアンショップに寄ってからデザートビュー、ヤバパイポイントを回って戻る日帰りコースが一般的。

グランドサークルを巡るバスツアー →P.480

展望台を確認しよう
ツアー選びで重要なのは、どこの展望台から見学するのか確認すること。どんなに急ぎ足のツアーでも、ヤバパイポイントorマーザーポイントは必須だし、夕日or朝日も外せない！（→P.16、P.51）

Scenic Airlines →P.44
🍴ランチ込み＄299〜319、2〜11歳＄279〜299＋Tax＄30

小型機ツアーの注意点
小型機でグランドキャニオンを訪れる場合、気流によってはかなり揺れる場合がある（特に午後が多い）ことと、悪天候による欠航（特に冬期が多い）を覚悟しておこう

Reader's Voice ツアー参加の際の注意
書かれている時間が飛行機の出発時間なのか、ホテルのピックアップ時間がよく確認を。飛行機の揺れが比較的少ないのは、気流が安定している早朝だそうだ。また、出発前に体重測定とパスポート提示を求められた。
（埼玉県 北原樹里 '06）['13]

Scenic Airlines →P.44
🍴ランチ、入園料、ロッジ1泊、Tax込み1人＄344〜、2〜11歳＄324〜
バスで往復するツアー。往路にルート66（セリグマン）に立ち寄る。ビレッジとマーザーポイントを巡り、チェックイン後は自由行動

Open Road Tours
☎(602)997-6474
Free 1855-563-8830
URL www.openroadtours.com
毎日9:00発。約8時間
＄95、11歳以下＄55
※フェニックス発着でセドナとグランドキャニオンを組み合わせたツアーもある

　グランドキャニオンだけを訪れるならレンタカーの利用はすすめない。サウスリムのビレッジには1日約6000台の車が流入し、渋滞、排気ガスなどの問題が深刻になっている。シャトルバスを走らせたり、一部の道路を進入禁止にしたり、2010年には駐車場を大幅に増設したりといった対策が講じられているが、それでもシーズン中は混雑していて車はかえって邪魔になることがある。

　そうは言っても、やはり車は便利だ。日の出前にロッジを出てイーストリムの展望台でご来光を迎えるなど、車のある人だけの特権も多い。モニュメントバレーほかグランドサークルの見どころを回るなら車に限る。10日～2週間ほどかけてぐるりと一周してこよう（→P.23）。

ラスベガスから

　マッカラン国際空港の南を走るI-215 EAST（インターステートハイウエイ215号線の東行き）に乗り、あとはI-515 SOUTH → US-93 SOUTH（国道93号線）と進む。約40分でフーバーダムを渡ったら、キングマンKingmanまで71マイル（1時間20分）。I-40 EASTに乗り、117マイル（1時間30分）でウィリアムズだ。Exit 165（インターステートハイウエイの出口165番）でAZ-64（アリゾナ州道64号線）に移れば、あとはサウスリムまで60マイル（1時間強）の一本道。ラスベガスから約5時間の道のり。

🚐 Side Trip

ルート66

　ラスベガスからグランドキャニオンへ向かうとき、退屈なのがI-40。そこでちょっと寄り道して、平行するUS-66を走ってみてはどうだろう。そう、これがかの有名なルート66の名残なのだ。
　あまり時間がない人におすすめなのはExit 121のセリグマンSeligmanとExit 139の間。古びたガスステーション、モーテルのネオン、うねうねと続く丘。セピア色の写真を見るようなノスタルジックな風景が続く。ルート66グッズを探したければセリグマンかキングマン、ウィリアムズで。ファン垂涎のショップが何軒もある。

セリグマンにはノスタルジックなダイナーもある

アイマックスで感動をもう一度！

　レンタカーを利用する人にぜひおすすめなのが、トゥシヤンにあるアイマックスシアター。超大画面に映し出されるグランドキャニオンはド迫力。空からのキャニオンや川下りのシーンなど臨場感たっぷりで、思わず手に汗握ってしまう。「こんな映像をどうやって撮ったの?」という疑問は最後に解ける。ナショナルジオグラフィックが制作した映像だ。
🕐3～10月8:30～20:30、11～2月10:30～18:30。

毎時30分。34分間　🎫 $13.72、6～10歳 $10.42

Reader's Voice
━━━アイマックスシアターには、国立公園の入場券の券売機がある。ここでチケットを入手しておくと、ゲートで入場する際、プリペイドレーンを利用できるので、混雑しているときでもスムーズに通過できる。
（東京都　浅野貴雄　'03）['13]

フェニックスから

　サワロ（ハシラサボテン）が生えるI-17を北へ140マイル（2時間弱）。フラッグスタッフでI-40 WESTへ移り、ウィリアムズのExit 165でAZ-64へ。あとは一本道。フェニックスから合計4時間弱。

　帰りにI-17のExit 337で下りてAZ-89Aを南下し、ヒーリングスポットとして人気のリゾートタウン、セドナSedonaに立ち寄るのもおすすめだ。

ビレッジの走り方

　最初の難関は入園ゲート。休日や週末の夕方は大渋滞になることもある。なるべく時間をずらして入園しよう。すでに入園料の有効なレシートやアメリカ・ザ・ビューティフル・パス（→P.15）を持っている人は、4

ビレッジでは車がないほうが動きやすい

車線のうち一番左側のプリペイドレーンを使うことができる。

　中へ入って10分ほど走るとビジターセンターがある。まずはここで情報収集。5分ほど歩いてマーザーポイントでキャニオンと対面したら、早速ロッジへ向かおう。

　ビレッジ中心部は一方通行のループになっている。ブライトエンジェル、サンダーバード、カチーナ、エルトバの4つのロッジ（→P.76）はまとめて『Village』という案内標識が出ている。これらのロッジは峡谷沿いにあるのが魅力だが、駐車スペースの確保が難題。それぞれ建物の前に駐車場はあるが、一般観光客も自由に止められるため、いつ行っても満車。路上駐車のスペースを見つけるのも運次第という状態だ。

　スーツケースなどがある場合、まず先にチェックインして荷物を部屋へ運んでから、落ち着いて駐車スペースを探すといい。マズウィックロッジの先を右折したバックカントリー・インフォメーション・センターの駐車場が比較的空いている。遠いけれど便利なのはマーケットプラザだが、夕方は満車になることが多い。荷物が軽いなら、最初からビジターセンター前の駐車場に止め、シャトルバスで各ロッジへ行くといい。滞在中はなるべく車は使わないようにしたい。

最寄りのAAA
AAAについては→P.478
路上救援
Free 1800-222-4357
Las Vegas
3312 W. Charleston Blvd.
☎(702)415-2200
月～金　8:30～17:30

サウスリム・ビレッジまでの所要時間
Williams	約1時間
Flagstaff	約1.5時間
Monument Valley	約4時間
Phoenix	約4時間
Las Vegas	約5時間
Los Angeles	8～10時間

冬は雪の覚悟を
　冬にグランドサークルを走るなら、雪や凍結を覚悟したほうがいい。特にサウスリムは標高が2000mを超えており、5月の降雪もあるほど。もしも吹雪になってしまったら、無理にハイウエイを走ったりせず、最寄りの宿へ飛び込んで除雪される時まで待つのが賢明。なお、レンタカーにチェーンを装着すると契約違反になることがある

ガソリンは満タンで
　ビレッジにはガスステーションがない。トゥシヤンかデザートビュー（夏期のみ9:00～17:00。カードでの給油は24時間）で必ず入れておこう。故障は下記へ
☎(928)638-2631

カーナビ利用の注意
　サウスリムのゲートシティであるトゥシヤンは独自の郵便番号をもたない。このためカーナビやスマートフォンのソフトによっては、郵便番号や住所を入力しても正しい位置が表示されないので、ホテル名から検索するといい

🚐 **Side Trip**

ウパキ国定公園　Wupatki National Monument

MAP 折込1枚目 D-3、折込2枚目オモテ J-2
⏰9:00～17:00　🚫12/25　💰1人$5

　先住民の遺跡を見てみたいけれど、メサベルデ（→P.180）やチャコ（→P.179）まで行く時間がないという人におすすめ。フラッグスタッフからUS-89を北上し、12マイル（約15分）で標識に従って右折。さらに21マイル（約45分）走ったところにビジターセンターがある。

　ここには約700年前、プエブロ族が定住し、農業を営んでいた。園内には5つの遺跡があり、見学には1、2時間を要する。

©NPS
モニュメントバレーからの帰りに寄るのも一案

GETTING AROUND　歩き方

感染症に注意
2007年11月、グランドキャニオンに滞在していた生物学者がペストで死亡した。また2008年8月、観光客のシャツに飛び込んできたコウモリを調べたところ、狂犬病を発症していたことがわかった。アメリカの国立公園を訪れる前に、ぜひP.494を読んでおいてほしい

♣ Native American
ココペリ
ギフトショップでよく見かける縦笛を吹いた男の子のようなモチーフがココペリ。古くから先住民（特にナバホ、ホピ、ズーニー族）の間でその存在を信じられてきた妖精のような生き物で、彼が笛を吹くと雨が降るといわれる。乾いた大地を潤し、豊作をもたらしてくれるのだ。背中に背負った袋の中には歌が詰まっているという
アリゾナ
アリゾナとは、先住民の言葉で「小さな泉」の意。現在、公園に隣接して3つの先住民居留地があり、ナバホ、ハバスパイ、ワラパイの3部族が暮らしている

　サウスリムの中心はロッジ、レストラン、キャンプ場などすべての施設が集まるビレッジ。ここを中心に、断崖の縁に沿ってたくさんの展望台が設けられていて、ビレッジより西を**ウエストリムWest Rim**（**MAP**折込2枚目ウラ面 K-1～3）、東を**イーストリムEast Rim**（**MAP**P.45）と呼ぶ。

　ウエストリムの道路（Hermits Road）は8マイル（約13km）で行き止まり。3～11月は一般車は入れないが、代わりに無料シャトルが走っている。12～2月は車のない人はツアーバスで見学することになる。

　イーストリムの道路（AZ-64）は26マイル（約42km）あり、年中通行できる。車がない人のためにツアーバスが走っている。この州道はそのまま園外へ出てモニュメントバレー方面のUS-89にいたる。

　ビレッジに着いたらまずやるべきこと、それは最新情報を網羅した新聞『The Guide』（日本語版あり）と地図を手に入れること。いずれも無料。車で訪れた人はゲートでもらえるが、そうでない人は各ロッジのフロントでもらうか、なければビジターセンターなどへ取りに行く。これを見ながら、貴重な滞在時間をどう過ごすかを決めよう。

角度を変えて見る

　グランドキャニオンのケタ違いのスケールや美しさを知るためには、1ヵ所にとどまっていたのではダメ。上下左右から角度を変えて眺めると、感動が10倍にも100倍にもふくらんでくる。サウスリムには断崖沿いにトレイル（ハイキングコース）と舗装道路が敷かれ、自然の岩を利用した展望台がたくさん造られている。東の端から西の端まで移動するだけでも、峡谷の様相はかなり違う。さらに峡谷内へ歩いて下るとか、セスナやヘリで空から見下ろすなどすれば理想的だ。

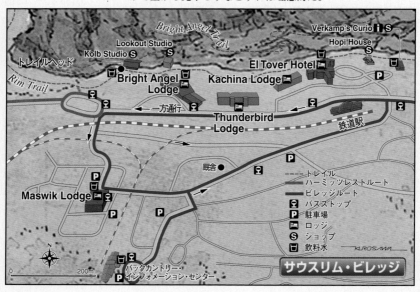

サウスリム・ビレッジ

サンライズ＆サンセットを見逃すな！

写真家にとってグランドキャニオンは日の出前後3時間と日没前後3時間が勝負といわれる。なるほど、昼間のグランドキャニオンはのっぺらぼうで、立体感や色彩に乏しい。それに夏は暑い！　こんなときは昼寝かショッピングに充てたほうが利口だ。

その代わり朝は頑張って早起きしなければ、三文どころか100万ドルの損！　千変万化の色と影はこの世のものと思えない神秘の世界を作り出し、夕暮れのすばらしさとともに世界の人々に絶賛されてきた。

8月中旬の朝6:30（上）と8:30（下）

日の出、日の入りの時刻は各ロッジのロビーに掲示されているので確認しておこう。ロッジから展望台まで歩く時間も忘れずに調べておきたい。一般に、イーストリムのポイントは日の出を見るのによく、ウエストリムは夕日を見るのによいといわれている。

シーズン　Seasons and Climate

断崖の上のビレッジは海抜2100mにあるため、春の訪れは遅い。4～5月上旬は谷底までのトレイルを歩くには最適の時期。リムでは雪が降ることもあるが、だいたい天候は安定している。朝霧がキャニオンからわき上がる幻想的な光景を見られる季節でもある。

夏、入道雲を背景にしたキャニオンはすばらしいが、ビレッジは各国からの観光客でごったがえす。昼夜の温度差が激しく、谷底では40℃以上の猛暑となる。午後には毎日のように強烈な雷雨にみまわれ、キャニオンの劇的な姿を見られる。

秋になると天候は安定し、気温も快適。日暮れが早いので、トレイルを歩く際には気をつけたい。

11～3月は最も厳しい季節。天候も荒れ気味となり、気流が乱れて航空便の欠航も多くなる。トレイルは積雪のために閉鎖されることもあるが、峡谷に降りしきる雪のほとんどは谷底まで舞い降りることはできない。途中で溶けて雨になってしまうのだ。吹雪の後、雪化粧したキャニオンの景観は格別。荘厳な美しさを味わうことができる。

おすすめ日の出ポイント
ヤバパイ、マーザー、ヤキ、グランド・ビュー、リパン

おすすめ夕日ポイント
ホピ、モハーベ、ピマ
日の出＆日没時間は下表参照。行き方は→P.16

昼間のほうがキレイ!?
「薄暗い朝よりも、谷底までよく見える昼間のほうがいい」と主張して日帰りツアーを売る会社があるが、そうだろうか？

"グランドキャニオンで朝日を見る"とは、日の出30分ほど前の朝焼けから、太陽が姿を現して1時間ほど経ち、谷底のコロラド川が朝日に輝く頃までをいう。この間に、無数の尾根が作り出す影と、岩の色彩の変化を堪能する。

日の出から3時間も経つと岩の陰影はほとんど消え、のっぺらぼうな1枚の壁となる。それがグランドキャニオンなのだ。

つまり、「朝日を見られる」というツアーでも、日の出後約1時間の見学時間がなければ、せっかくの"朝"の半分も楽しめない。逆に、日没の1時間ほど前から夕焼けまでたっぷりと見学でき、暗くなってからグランドキャニオンを離れるツアーなら、日帰りでも満足度は高いはずだ

名前は同じでも大違い
ブライトエンジェル・ロッジはサウスリムにある宿。そこから谷底まで続いているのがブライトエンジェル・トレイル。このトレイル沿いに対岸のノースリムまで延びる峡谷の名がブライトエンジェル・キャニオンで、その北端、ノースリムの崖っぷちにある展望台がブライトエンジェル・ポイント（→P.82）だ

グランドサークル　グランドキャニオン国立公園　サウスリム（アリゾナ州）

グランドキャニオンの気候データ

日の出・日の入り時刻は年によって多少変動します

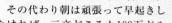

	月	1	2	3	4	5	6	7	8	9	10	11	12
サウスリム	最高気温（℃）	7	9	12	16	22	28	30	28	24	18	11	7
	最低気温（℃）	-8	-7	-4	-2	2	6	11	10	6	1	-4	-8
	降水量（mm）	43	38	46	23	15	7	48	56	36	32	30	32
ノースリム	最高気温（℃）	3	4	7	11	17	23	25	24	21	14	8	4
	最低気温（℃）	-9	-8	-6	-2	-1	3	8	7	4	0	-1	-5	-8
	降水量（mm）	89	83	81	41	22	15	47	64	43	41	41	72
ファントムランチ	最高気温（℃）	14	18	23	28	33	40	41	40	35	28	19	14
	最低気温（℃）	3	5	9	12	19	25	29	24	20	14	8	3
	降水量（mm）	26	24	22	12	9	5	24	34	24	20	20	21
マーザーポイント	日の出（15日）	7:39	7:16	6:40	5:56	5:23	5:11	5:23	5:47	6:11	6:35	7:05	7:32
	日の入り（15日）	17:36	18:09	18:35	19:02	19:27	19:47	19:46	19:19	18:37	17:54	17:21	17:15

マーザーポイント

野外集会所

ヤバパイポイントへ
マーザーポイントから1.1km

パイプクリーク・ビスタへ
（マーザーポイントから2.1km）

Rim Trail

ヤキポイント、
デザートビューへ

ヤバパイポイント、
ビレッジへ

- - - トレイル
━━ カイバブルート
━━ ビレッジルート
🚻 バスストップ
P 駐車場
🚻 トイレ
⛲ 飲料水

ツアーバス専用 P

グランドキャニオン
ビジターセンター

自転車レンタル

ブックストア

シャトルバス・ターミナル

**マーザーポイントと
ビジターセンター**

ヤバパイロッジ、
マーケットプラザへ

サイクリング
ロード

マーケットプラザへ

トゥシャン、
フラッグスタッフへ

64

KUROSAWA

情報収集 　　　　　　　　　　　　　Information

Grand Canyon Visitor Center

　グランドキャニオンの顔であるビジターセンターは、ビレッジよりはるか手前、マーザーポイントという展望台の近くにある。ビレッジにあふれるマイカー対策としてあえて離れた場所に建てられたもので、2010年には大きな駐車場が完成した。まずはここで『The Guide』という公園の新聞と地図、ハイキングマップなどを手に入れよう（いずれも無料）。ジオラマなど展示が充実していて、天気予報の掲示も役に立つ。広場を挟んだ正面には大きなブックストアがあり、書籍、写真集、ポストカードなどが豊富に揃っている。

　ここはまた無料シャトルバスの乗り換えポイントにもなっている。ビレッジルートに乗れば各ロッジへ、カイバブルートに乗ればリム沿いの展望台へ行くことができる。

　その前にビジターセンターの裏側へ5分ほど歩いて**マーザーポイントMather Point**（→P.55）へ行ってみよう。展望台の手前には2010年に新設された野外集会所がある。大峡谷を見ながらさまざまなレンジャープログラムが催される。よく見ると座席に化石が露出している。この野外集会場とマーザーポイントは車イスでもOKだ。

Grand Canyon VC
🕐 夏期8:00～18:00
　冬期9:00～17:00

Bookstore
🕐 夏期8:00～19:00
　冬期8:00～18:00
※ロッジやアクティビティの予約はここではできない。軽食や飲み物などは一切売っていない

**このほかの
ビジターセンター**
　滞在時間が短いなら、わざわざビジターセンターまで足を運ばなくても、ビレッジの東端にあるVerkamp's Curio（8:00～18:00）やヤバパイポイントのYavapai Geology Museum（8:00～18:00）がビジターセンターの役割を担っているし、翌日の天気など基本的な情報なら各ロッジのフロントでも案内している。またモニュメントバレー方面から来た場合は、デザートビューのビジターセンター（9:00～17:00）に立ち寄るといい

携帯とインターネット
　携帯電話はビレッジ周辺ならおおむね通じる（プロバイダーによる）。Wi-Fiはマーケットプラザの裏にある公園本部で8:00～17:00に無料で使える

ビジターセンターは屋外の展示も充実していて、閉館時もさまざまな情報を入手できる

園内の施設　Facilities

食　事

気軽に食べるならYavapai LodgeかMaswik Lodgeのカフェテリア（セルフサービス）か、Bright Angel Lodgeのカジュアルレストラン。この3軒はいつも混んでいるので行列覚悟で。予約はできない。

時間もお金もないときにはマーケットプラザ内のデリでサンドイッチ、ピザ、スープなどはいかが？　ホットドッグやアイスクリームならBright Angel Lodgeの峡谷側にあるファウンテンで。

ムードを楽しむならエルトバホテル内のダイニングルームか、ブライトエンジェル・ロッジ隣のArizona Roomがおすすめ。

ビレッジの外ではデザートビューとハーミッツレストで軽食がとれるが、このほかの場所では一切、食べ物も飲み物も買えない。

マーケットプラザ　Marketplaza

Yavapai Lodgeの隣にマーケットプラザという大きなジェネラルストアがあり、都会のスーパー並みに何でも揃う。キャンプ用品、アウトドア用品、ハイキング用の携帯食のコーナーもある。

店の一角にはデリもあって、ここで食べれば安くあがる。すぐ隣には郵便局と銀行もある。

なお各ロッジにも売店があり、おみやげやスナック、ハイキング用品、サングラスなどが購入できる。

診療所

診療所はビレッジの南の外れにある（MAP折込2枚目ウラK-4）。車がない場合、ブライトエンジェル・ロッジから歩くと20分くらいかかる（シャトルバスは通らない）。

Yavapai Lodge Cafeteria
営7:00〜20:00、夏期6:00〜21:00
Maswik Lodge Cafeteria
営6:00〜22:00
Bright Angel Fountain
営夏期のみ10:00〜19:00
Bright Angel Restaurant
営6:00〜22:00
Marketplaza Deli
営8:00〜18:00、
　夏期7:00〜20:00
休12/25
Arizona Room
営16:30〜22:00
休1〜2月中旬
El Tovar Dining Room
営6:30〜14:00
　16:30〜22:00

Marketplaza
営8:00〜19:00、夏期7:00〜21:00
休12/25

郵便局
営月〜金9:00〜16:30
　土　　11:00〜13:00

銀行
営月〜木9:00〜17:00
　金　9:00〜18:00
※外貨両替はできない。ATMは24時間利用できる

診療所
☎(928)638-2551
営月〜金8:00〜16:30、夏期は毎日8:00〜18:00
救急　911（客室からかける場合は9-911）

Column

コルブスタジオ　Kolb Studio

ブライトエンジェル・トレイルヘッドの隣にあるギフトショップ＆ギャラリー。1924年に作られたもので、もとはEmery & Ellisworth Kolbという写真家兄弟のスタジオだったものだ。

コルブ兄弟は1911年、2ヵ月かけてコロラド川を下り、その様子を収めたフィルムを全米で上映して回った。Ellisworthはこの後さらにコロラド川の河口まで旅をして、本も出版したという。

やがてふたりはグランドキャニオンにスタジオを建て、コロラド川探検のフィルムを観光客に見せたり、ミュールツアー参加者の記念写真やツアーの様子などを撮影して商売していた。

当時、リムでは充分な水が確保できなかったため、写真の現像はインディアンガーデンで行っていた。つまり、参加者の写真を撮ったらすぐにトレイルを下り、インディアンガーデンで現像し、できあがったプリントを携えてトレイルを上り、戻ってきたツアー客に売っていたわけだ。標高差約1000m、毎日約15kmを往復したことになる。

Emeryは1976年に亡くなるまでコロラド川探検の映画を上映し続けた。これは世界で最長の映画上映記録といわれている。営8:00〜18:00、夏期〜20:00

ギフトショップの一角にコルブ兄弟に関する展示がある

シャトルバスは環境に優しい天然ガスで走る。ほとんどの車両が車イス対応で、自転車も積める

最新情報を確認しよう

無料シャトル、ツアーバス、レンジャープログラムなどのスケジュールはよく変更される。必ず現地の新聞『The Guide』で確認しよう。日本語版あり

トゥシヤンシャトル

5月中旬〜10月中旬の8:00〜21:30のみ。15分ごと。トゥシヤン駐車場→アイマックスシアター→Best Western→空港→Grand Hotel→ビジターセンターと循環している。無料だが、乗車前にアイマックスシアターなどで入園料を支払っておくこと

無料シャトルのルート

MAP 折込2枚目ウラ K1〜5、P.50、P.52

Village Route

運行 日の出約1時間前〜22:00（6〜8月は〜23:00、12〜2月は〜21:00）
所要 ブライトエンジェル・ロッジからビジターセンターまで約30分

Kaibab Route

運行 日の出約1時間前〜日没約1時間後
所要 片道25分
※ヤキポイントは一年中一般車乗り入れ禁止

Hermits Rest Route

運行 日の出約1時間前〜日没1時間後。季節によって多少異なる
所要 片道40分
※3〜11月は、ウエストリムは一般車乗り入れ禁止

ツアーバスの予約

Xanterra Parks & Resorts
Free 1888-297-2757
カード A D J M V
現地での予約は各ロッジにあるツアーデスクで
Hermits Rest Tour
出発 9:00＆15:10発
料 $27、16歳以下無料
Desert View Tour
出発 9:00＆12:30発
料 $46、16歳以下無料

園内の交通機関とツアー　　　Transportation

無料シャトル

サウスリムには3ルートの無料シャトルバスが運行されている。各バスストップで乗り降り自由。いずれも朝晩は30分ごと、日中は15分ごとに運行されている。

●ビレッジルート　Village Route ➡ 年中運行

広大な森の中に点在するビレッジの施設とビジターセンター、マーケットプラザを一周50分で循環していて、足代わりに便利に使える。ただし、ビレッジ内など一部の道路は一方通行なので、場所によっては歩いたほうが早いこともある。なお、ヤババイポイントには停車しない。

●カイバブ・リムルート　Kaibab Rim Route ➡ 年中運行

リム沿いの展望台を結んで走るルート。ヤババイポイント、マーザーポイント、ビジターセンター、カイバブ・トレイルヘッド、ヤキポイントをつないで往復している。ビジターセンターでビレッジルートに接続する。

●ハーミッツレストルート　Hermits Rest Route ➡ 3〜11月のみ

ブライトエンジェル・ロッジの西側から出発し、ウエストリムにある9ヵ所の展望台を結んでハーミッツレストまで走る。適当な場所で下車し、リム沿いのトレイルを歩き、疲れたら次のポイントで再びバスに乗るといい。**復路はピマ、モハーベ、パウエルの各ポイントにしか停車しない**ため、日没後は非常に混雑する。乗りきれなかった場合は臨時バスを出してくれるが、かなり待たされることがある。

ツアーバス

ビレッジから離れた展望台を巡るツアーバスがある。車のない人には貴重な足だ。なるべく前夜までに予約を入れておこう。ビレッジの各ロッジへ送迎してくれる。

ハーミッツレスト・ツアー　Hermits Rest Tour

ウエストリムの各ビューポイントに停まりながらハーミッツレストまで行く2時間のツアー。上記の無料シャトルが運行されている時期には利用価値はあまりない。

デザートビュー・ツアー　Desert View Tour

イーストリムへ行く4時間のツアー。リパンポイントに寄ってからデザートビューまで行く。変化に富んだ眺望を楽しめるおすすめツアー。

POINTS of INTEREST　おもな見どころ

ビレッジ周辺　　　　　　　　　　Village

➡ブライトエンジェル・ロッジから歩いた場合の平均的な片道所要時間

ヤバパイポイント　Yavapai Point ➡ 40 ～ 60 分

　1540年、西洋人として初めてグランドキャニオンを発見した13人のスペインの遠征隊員は、ここでキャニオンと劇的な対面をした。我々のように、さまざまなメディアをとおして予備知識を得ていても驚嘆するのに、彼らの驚きは一体どれほどであったろう。

　展望台から見下ろすとトント台地Tonto Plateauの中に、プラトーポイント・トレイルが続いているのがわかるだろう。その手前に緑色に見えるのはインディアンガーデンIndian Gardenと呼ばれるオアシス。はるか下のコロラド川に架かる吊り橋と、その左の支谷にファントムランチも見つけられるはず。

　ここには展望台を兼ねた博物館がある。崖っぷちに建ち、大きなガラス越しに180度の展望を楽しめる。雷を見るのに絶好の場所だ。中にはグランドキャニオンの立体模型や化石の展示があり、レンジャープログラムも行われる。

マーザーポイント　Mather Point ➡ 60 ～ 90 分

　ビレッジから離れているが、ここからの眺望は数ある展望台のなかでも1、2を争うすばらしさ。旅行会社のパンフレットなどに登場するグランドキャニオンの写真は、ここで撮影したものが圧倒的に多い。キャニオンに張り出した自然の岩の展望台に立てば、断崖と残丘が幾重にも重なり、16km先に対峙するノースリムが青くかすんで一直線に見える。日の出を見るにもよいポイント。マザーポイントと誤って呼ばれることが多いが、MotherではなくMather。初代アメリカ国立公園局長スティーヴン・マーザーの名前から取ったものだ。ビジターセンターから徒歩5分。通路も展望台も車イスOK。

Yavapai Point
MAP 折込2枚目ウラ K-4
設備 トイレ・飲料水・博物館・売店

ビレッジからの行き方

　2010年からシャトルバスのルートが変わり、ビレッジルートはヤバパイポイントに停車しなくなった。ビレッジからは、まずビレッジルートでビジターセンターまで行って、カイバブ・リムルートのヤバパイ行きに乗り換えよう

Yavapai Geology Museum
時 8:00 ～ 18:00、夏期～20:00
Ranger Geology Walk
岩石に焦点を当てた地質学の話
集合 ▶ 10:00（60分）

Mather Point
MAP P.52
設備 トイレ（駐車場横）

リムトレイルを歩こう

　リム沿いには平坦なトレイルが整備されている。ビレッジを中心に東はヤキポイントの手前まで、西はハーミッツレストまで。ずっと車道に沿っているので、疲れたら無料シャトルで戻ればいい。ビレッジ周辺は舗装されていて車イスも可。
　ただし崖っぷちなので油断は禁物。水場はないので水筒を忘れずに

日の出から1時間後のマーザーポイント

⚠ **転落注意！ 落雷注意！**
展望台やトレイルは、自然へのダメージを抑えるため、手すりなどは最低限しか設けられていない。そのため、毎年のように観光客がリムから滑落して命を落としている。おしゃべりや写真に夢中になって転落しないよう、特に雪や氷で滑りやすい冬の朝は要注意。子供の行動にも充分に気を配ってほしい。また、雷雨のキャニオンは実にドラマチックだが、展望台や大きな木に近づかないようにしよう

⛰ GEOLOGY
グランドキャニオン豆知識
峡谷の深さ：ビレッジとコロラド川の標高差1524m。最も深いところは1829m
峡谷の幅：ビレッジからノースリムまで約16km。東京の山手線がすっぽり入る。最も広いところは29km、狭いところは8km
峡谷の長さ：約446km。ロッキー山脈に端を発し、メキシコのカリフォルニア湾に注ぐまで全長2333kmに及ぶコロラド川の、なんと5分の1近くを占めている
最古の岩：コロラド川が現在削っている岩壁は17〜20億年前の地層。世界最古の岩はカナダにあり、約40億年前のものだそうだ
最大の峡谷：メキシコのコッパーキャニオン、アイダホのヘルズキャニオン、チベットのヤルツァンポ峡谷、ペルーのCotahuas Canyon & Colca Canyonなどが、グランドキャニオンより長い、深い。しかし景観の美しさ、ダイナミックさにおいてはグランドキャニオンがナンバーワンといわれる

ウエストリム　　　　　　　　　　　**West Rim**

マリコパポイント　Maricopa Point ➡ 約30分

眼前に戦艦 Battleshipと呼ばれる岩山がそびえ、足元にはブライトエンジェル・トレイルが下っていくのが見える。19世紀末に銅の鉱山として開発されたところで、廃坑の跡も残っている。

パウエルポイント　Powell Point ➡ 約45分

もちろん名前はコロラド川を下った探検家J. W. Powell（→P.75）から取っている。展望台から見ると、正面にダナビュートDana Butte、対岸にはアイシス寺院 Isis Templeが北壁をバックに屹立している。この寺院の中腹にある石灰岩層は、夕日を浴びると鮮明な真紅に浮かび上がる。

ホピポイント　Hopi Point ➡ 約1時間

雄大な景観を望める日没ポイントとして見逃せない。クフ王のピラミッドCheops Pyramidと呼ばれる岩山の下を、コロラド川が蛇行して流れるのが見える。はるか東の断崖の上には、デザートビューのウオッチタワーがポツンと突き出ている。

モハーベポイント
Mohave Point ➡ 1.5〜2時間

アリゲーターAlligatorという尾根の左の谷間にコロラド川がはっきり見える。左の谷からコロラド川へ注いでいるのはソルトクリークSalt Creekの渓流。ホピポイントとの間の谷は、日が差すと炎のように赤く見えるため地獄Infernoと呼ばれている。ここは夕焼けのキャニオンだけでなく、地平線に沈む太陽を見るのにもgood。

はるか足元に流れるコロラド川。ラフティングボートが肉眼で見えることもある

ピマポイント　Pima Point ➡ 3〜4時間

180度開けたパノラマが楽しめて、コロラド川が最も近く、長く見渡せるポイント。川の中で白く見えるのは急流の部分。静かな日にはブーシェの急流Boucher Rapidsの音が聞こえてくる。対岸には勇壮なオシリス寺院Osiris Templeがそびえている。

ハーミッツレスト　Hermits Rest ➡ 4〜5時間

一般の観光客が行ける西の終点で、無料シャトルで40分かかる。遊覧飛行はここから西側を飛ぶため、1日中ヘリの音が響いている。1914年に建てられた石造りの小屋の中には、開拓時代を偲ばせるラウンジに暖炉がある。以前、カナダ人L. Boucherがこの奥に住み、仙人のような暮らしをしていたために「仙人の休憩所」という名が付いた。

1914年当時の姿がそのまま残されている

イーストリム　　　　　　　　East Rim

ヤキポイント　Yaki Point ➡ 約2時間

　ビジターセンターから無料シャトルのカイバブルートに乗って約25分。サウスカイバブ・トレイルの出発点に近く、午後になると谷底から戻ってきた人々やラバの姿を目にする。正面のノースリムを一直線にえぐっているのがブライトエンジェル・キャニオン。右手の奥にはウータンの玉座Wotan's Throneやヴィシュヌ寺院Vishunu Templeなどの岩峰が美しい。

グランド・ビュー・ポイント　Grand View Point

　標高2255mとサウスリムで最も高い展望台。その名のとおり、見晴らしがよく壮大な景観が見えるポイント。駅馬車の時代はここにホテルが建っていた。朝夕には崖の各層の細い線や割れ目が明瞭に浮かび上がり、まるで地層の標本を見るようだ。日の出を見るのによいポイントだが、車がないと早朝訪れるのは無理。

モーランポイント　Moran Point

　アメリカ大西部の景観を描いた画家T. Moranは1873年にここから『Chasm of the Colorado』という有名な絵を描き、グランドキャニオンの驚異を東部の人々に紹介した。シバ寺院Sheba Templeとソロモン寺院Solomon Templeの下の白く見える流れがハンス急流Hance Rapids。上流にグレンキャニオン・ダムが建設されるまでは、波頭が4mにも達するほどの激流だったという。

トゥシヤン遺跡と博物館
Tusayan Ruins and Museum

　約800年前の先住民プエブロ族の遺跡。彼らの集合住宅や、キバKivaと呼ばれる宗教儀式を行う円形集会所などが、ほぼ完全な姿で残っている。

リパンポイント　Lipan Point

　あまり知られていないが、数ある展望台のなかで最も美しいといわれる。谷の深くまで見通せる場所にあり、東西に延々と続くコロラド川と、カルディナスビュートCardenas Butte、エスカランテビュートEscalante Butte、ウェディングケーキWedding Cake、アポロ寺院Apollo Templeなどの巨大な岩峰とのコントラストがすばらしい。

車がある人には日の出ポイントとしてもオススメ

Yaki Point
MAP 折込2枚目ウラK-5
設備 トイレ

East Rim
MAP P.45
設備 トイレ（グランド・ビュー・ポイント＆トゥシヤン遺跡）

Wildlife
エルクの角は凶器！

　イーストリムにはエルクが多い。シカはおとなしいイメージがあるが、1mもある角で突かれて亡くなった人もいるので、近付きすぎないようにしよう。特に秋はオス同士が角を突き合わせて戦う季節。攻撃的になっているので気を付けたい。
　なお、動物に近付きすぎたり、エサを与えたりする人が後を絶たないため、違反者に最高＄5000の罰金が課されることになった。目撃した人は車のナンバープレートを通報してほしいと当局は呼びかけている

Wildlife
耳毛がかわいいリス

　Abert Squirrelは尻尾まで入れると50cmもある大きなリスで、長い耳毛が特徴。かわいいけれどエサを与えないで！　人間の食べ物はリスの健康を蝕むし、リスが狂犬病ウイルスや腺ペストをもっていることもある。
　一方、ノースリムにいる耳の長いリスは、近似種のカイバブリス。この2種類はもともと同種だったが、コロラド川がこの平原を浸食し始め、峡谷によって南北に分断されてから、種が分かれたものと考えられている

耳毛が長いアバートリス

Tusayan Museum
開 9:00〜17:00
料 無料
夏期11:00と15:30、冬期11:00と13:30からレンジャーによる説明が行われる。約30分

デザートビュー
Desert View

デザートビューを境にし
て峡谷の表情が変わる

ウオッチタワー内部は先住民の岩絵をモチー
フにしたアートで飾られている

　ビレッジから車で約30
分。イーストリムの終点で、
小さなビジターセンター、
食料品や衣料品が揃うスト
ア、カフェテリア、ガスス
テーション（夏期のみ）、
キャンプ場があり、すぐ東
側には東口ゲートがある。
コロラド川が大きくカーブ
する角にあるため見晴らし
は抜群。デザートビューの
名のとおり、断崖の向こう
にははるか地平線まで続く
砂漠が見渡せる。北側には
緑色をした支流リトルコロ
ラド川Little Colorado River
が、赤く濁った本流に合流しているのが見える。展望台に建つ
ウオッチタワーWatch Towerは、先住民の遺跡からデザイン
を写して1932年に造られたもの。塔は鉄筋とグランドキャニオ
ンの岩石でできており、中には先住民の壁画が描かれている。
上からの展望がまたすばらしいのでお見逃しなく。

ハバスキャニオン　Havasu Canyon

グランドキャニオンのオアシスといわれるハバスキャニオンは、コロラド川の支流ハバスクリーク沿いにあり、ビレッジから西へ約55km離れたハバスパイ族居留地にある。アクセスは極めて不便。ヘリコプターでさえ約20分かかる。しかし、それでも行ってみる価値のある美しい自然が待っているのだ。

峡谷には約500人の先住民が住む**スパイ村Supai Village**がある。村にはジェネラルストア、カフェ、ロッジがあり、1時間ほど歩いたところに人気の**ハバス滝Havasu Falls**がある。石灰岩を含む青緑の清流が魅力的な桃源郷だ。さらに3km先の**ムーニー滝Mooney Falls**も迫力があるが、濡れた岩壁のケーブルを伝って滝壺へ下りるので危険をともなう。

また、2008年の洪水によってスパイ村とハバス滝の間に新たな滝が3つも誕生した。いずれも小さなものだが美しい。トレイルから少々はずれるので、地元ガイドと一緒のときに連れて行ってもらうといい。

ドライブ＆ハイキング

サウスリム・ビレッジからのアクセスではない。西からならI-40のKingmanでガソリンを満タンにしてAZ-66に入り、55マイル走ってPeach Springsの先の地方道18を北へ。東から行くならI-40のSeligmanでガソリンを補給してAZ-66に入り、31マイルでハバスパイへの地方道18へ。68マイルでヒルトップHilltopに到着する。ラスベガスから5〜6時間。

ここに車を止め、スパイ村までの急なトレイルを下りる。事前に馬での送迎を頼んでおくこともできる。ロッジ（1軒のみ。24室）かキャンプ場の予約も必要だ。トレイル上に飲料水はなく、春〜秋の日中は非常に暑いので、日帰りは絶対にやめよう。

ヘリコプター

上記のヒルトップからスパイ村までヘリが往復している。予約不可。住民などが優先なので、かなり待たされることがある

ハバス滝を訪れる際の注意点

◎後半は日陰がないので真夏は非常に暑い。水を忘れずに

◎滝の下にある石灰岩のテラスでは泳ぐことができる。水着を持って行くといい

◎周囲にハイカーがいないと非常に寂しいトレイルなので、明るいうちに村へ戻ろう。昼間でも女性ひとりで訪れるのは避けたほうが無難だ

ヒーリングスポットとして世界から訪れる人が絶えないハバス滝

サウスリム・ビレッジとは異なる時間が流れるスパイ村

Havasu Canyon
MAP折込2枚目オモテH-1、P.45
※ハバスキャニオンは2008年と2010年の洪水で大きな被害を受け、長期にわたって村全体が閉鎖されました。2013年2月現在、観光設備やトレイルは再開していますが、グランドキャニオン空港からの日帰りヘリツアーはまだ運航していません。今後さらに状況が変わることもありますので、訪れる前に最新情報をご確認ください
☎(928)448-2180
URL www.havasupai-nsn.gov/tourism.html
なお、以下の情報は2013年2月のものですが、写真は洪水以前に撮影したものです

上級 Havasupai Trail
距離▶片道12.8km
標高差▶960m
所要▶下り3〜4時間、上り4〜6時間
出発点▶Hilltop

Airwest Helicopters
☎(623)516-2790
運航日・月・木・金（冬期は日・金のみ）の10:00〜13:00。要確認
料片道＄85

スパイ村のオフィス
圏4〜10月7:00〜19:00
11〜3月8:00〜17:00
入村料▶1人＄35
ロッジ▶(928)448-2111
URL www.havasupaitribe.com
料ツイン＄145　要予約
カード M V
キャンプ場 ☎(928)448-2141
料1人＄22。ハバス滝そば。トイレ、飲料水（ろ過したほうがいい）あり。要予約
馬による送迎
☎(928)448-2180
料ヒルトップからスパイ村まで往復＄187、滝まで往復＄60

Grand Canyon West
MAP 折込1枚目 CD-2
☎ (928)769-2636
Free 1888-868-9378
URL www.grandcanyonwest.
com
料 入園料税込＄44.05、ス
カイウオーク税込＄87.92
（入園料、グアノポイント
でのランチ含む）、キャビ
ン宿泊税込2食付き1人
＄152.35
車での行き方：ラスベガス
から2時間30分。US-93を
南下し、フーバーダムを過
ぎて40マイルでPierce
Ferry Rd.へ左折。28マイ
ル走って Diamond Bar
Rd.へ右折し、21マイルで
飛行場に到着。スカイウオ
ークへはここでシャトルバ
スに乗り換える

Scenic Airlines →P.44
料 ラスベガスから日帰り
＄299、2〜11歳＄279＋税
＄40（入園料、スカイウオ
ーク、昼食込み）
所要 約7時間
※コロラド川ラフティング
を組み合わせたコースあり

無料シャトルバス
　空港→イーグルポイント
→グアノポイント→空港と
循環している。約15分ご
と。空港とワラパイランチ
を往復するバスもある

グランドキャニオン・ウエスト　Grand Canyon West

　ラスベガスとサウスリムの中間、ワラパイ族居留地にある（→P.47）。よくも悪くも観光地化されており、自然保護の立場もラスベガスと国立公園の中間といった感じ。シーニック航空ほか多数の会社が、ラスベガスから小型機やヘリを使った日帰りツアーを催行している。峡谷の景観はサウスリム付近とはかなり異なるため、ここを訪れただけでは「グランドキャニオンを見た」ことにはならないと思うが、先住民の文化に触れられるというのは魅力だ。

イーグルポイント Eagle Point

　峡谷にせり出したU字型のガラスの橋、**スカイウオークSkywalk**がある。聖地が汚れる、景観を乱す、など物議を醸しているが、観光客には人気だ（カメラも含めて手荷物持ち込み禁止。小さめの財布のみOK）。コロラド川からの高さは1100mだが、支谷へ入ったところにあるので、足元に川が見下ろせるわけではない。振り向けば、ワシが羽を広げたような見事な岩壁がある。奇抜なアイデアの橋よりずっと美しい大自然の造形だ。隣にはワラパイ、ナバホなど各部族の住居が再現されたビレッジがあり、伝統的なダンスも楽しめる。

スカイウオークはスリル満点！
©Skywalk

グアノポイント Guano Point

　峡谷を見晴らす食堂がある。5分ほどトレイルを歩くと、高級肥料などに利用するコウモリの糞guanoを採取していた跡があり、コロラド川を足元に見下ろせる。

ワラパイランチ Hualapai Ranch

　空港の南にあるビレッジ。インディアンショップ、乗馬、ジープツアー、ラフティング、カウボーイショーなどが楽しめる。リム沿いにキャビンがあり、宿泊もできる。

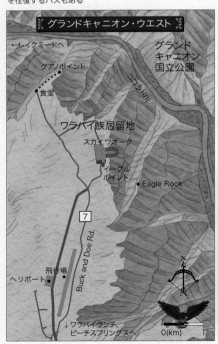

グランドキャニオン・ウエスト
←レイクミードへ
グアノポイント
食堂
グランド
キャニオン
国立公園
コロラド川
ワラパイ族居留地
スカイウオーク
イーグル
ポイント
● Eagle Rock
7
Buck and Doe Rd.
飛行場
ヘリポート ●
↓ワラパイランチ、
ピーチスプリングスへ
0(km)

コロラド川上空から遠望したグアノポイント（右下）とスカイウオーク（左上）。川からは距離があるのがわかる

Wildlife

キャニオンを滑空するコンドル

カリフォルニアコンドルCalifornia Condorは猛禽類としては世界で2番目に大きな鳥だ（最大は南米のコンドル）。体重7〜10kg。羽を広げたときの幅約3m。以前は北米最大の鳥と信じられていたが、現在ではそれは否定されている。体重はナキハクチョウのほうが少々重く、幅はアメリカシロペリカンのほうがわずかに大きいそうだ。

時速80kmの速さで1日に160km以上も谷を飛び回り、おもに大型哺乳類の死肉をあさる。翼の下側に大きな三角形の白斑がある。コンドルというと赤いハゲ頭が印象的だが、幼鳥は頭が黒く、3〜4歳になると赤くなる。オスとメスの見分けは素人には難しいとされる。

ほとんどの個体に識別番号と発信器が取り付けられており、その行動は詳細にフォローされている

帰ってきた空の王者

カリフォルニアコンドルの寿命は40〜60年。断崖の窪みに巣を作って卵を1個だけ産むが、巣立ちは約1年後と極めて遅い。さらに6〜8歳にならないと繁殖を始めないなど、殖えにくい種であり、絶滅の危機に瀕している。1987年にはわずか22羽にまで激減したが、保護活動が功を奏し、410羽にまで回復した。といっても、半数は動物園で飼われている個体で、野生のものは北アリゾナ、ユタ、カリフォルニア、メキシコの一部にいるのみだ。

1996年、動物園生まれの6羽のコンドルがバーミリオンクリフス国定公園（→P.100）に放たれた。国立公園に放鳥するのは法律的に難しいため、土地管理局の場所が選ばれたという。

ところが、あろうことかコンドルを撃ち殺すハンターがいたのだ。放鳥後初めてグランドキャニオンでの生息が確認された個体が、ラフティングをしていたハンターの手にかかるなど、3羽が園内で撃たれたことがわかっている。

もちろん、コンドルに限らず園内でのハンティングは犯罪だ。

放鳥から4年後、生き延びたコンドルがようやく繁殖活動を始め、巣の中に待望の卵が確認されたが、コヨーテに襲われてヒナは全滅。2003年になってようやくヒナが順調に育ち、グランドキャニオンの大空に、100年ぶりに自然繁殖した野生のコンドルがはばたいた。

現在、グランドキャニオンなど北アリゾナ＆ユタに77羽が生息しており、そのほとんどの個体に発信器が取り付けられている。

コンドルを襲うビーズのような弾丸

日本では、鉛の散弾で撃たれた小動物をワシなどが食べて中毒死する例が後を絶たないが、アメリカでもコンドルの鉛中毒が問題になっている。

園外ではハンティングに鉛弾（小さいものは直径2mm）が使われており、撃たれた鳥や小動物の死骸をコンドルが食べ、体内に鉛が蓄積される。コンドルは、カルシウムを補給するために骨まで食べるので、弾丸を骨のかけらと間違えることがあり、硬い異物でも吐き出すことが少ないのだという。野生のコンドルの血液中鉛濃度は、動物園のコンドルの約10倍。2000年以後、15羽以上が鉛中毒で死亡した可能性が高く、解毒治療が必要なコンドルは半数にのぼる。

2008年、カリフォルニア州ではコンドル生息域での鉛弾使用が禁止された。アリゾナでも自粛を呼びかけているが、効果が見られないため、禁止措置が必要との声が高まっている。

観察は極めて簡単！

カリフォルニアコンドルはとても容易に見ることができる。夏期なら、日没の1時間前くらいになるとサウスリム・ビレッジ上空を旋回しているからだ。特に見やすいのがブライトエンジェル・ロッジの裏にあるルックアウトスタジオで、足元の断崖にコンドルの巣がある。

また、ヤキポイント＆リバンポイントと、ノースリムの間はキャニオンの幅が狭いため、コンドルが横切る場所になっている。

秋〜春には峡谷内部の川の近くにいることが多い。ブラトーポイント（→P.68）などで間近に目にする機会があると思うが、エサを与えてはいけない。

キャニオン上空に飛んでいる「黒くて大きな鳥」には、次の3種類がある。

ワタリガラスRaven 日本のカラスよりひと回り大きく、翼の幅約1m。よくはばたき、急旋回などアクロバット的な飛び方をする

ヒメコンドルTurkey Vulture 幅約1.8m。V字に広げた翼が特徴

カリフォルニアコンドル 幅約3m。真一文字に翼を伸ばし、ほとんどはばたかず、グライダーのように静かに滑空する。近くへ来れば、成鳥ならば赤いハゲ頭が特徴的なのですぐにわかる。羽に発信器の白い数字が見えるだろう。

18億年の地球史博物館

展望台からグランドキャニオンを見渡すと、岩壁に水平に走る無数の線に気が付くだろう。線と線の間の層によって色や硬さなどが違うこともわかる。これが地球の歴史を物語る地層だ。グランドキャニオンの地層は、波瀾に満ちた地球の歴史を示している。大地は、あるときは海底に沈み、あるときは大森林に覆われ、またあるときは砂嵐の吹き荒れる砂漠であった。一つひとつの地層はその時代の堆積物（砂漠の砂や海底の泥の中に、その時代に生育していた植物や動物の化石を含んだもの）によってできている。いつの時代がどんな状態でどんな生物がいたのかという事実を、グランドキャニオンは明らかにしているのだ。それも18億年分いっぺんに！

18億年かかって堆積した膨大な厚さの地層は、今から約6000〜7000万年前に造山運動によって海抜8000m付近まで隆起した。やがて東側にロッキー山脈が誕生し、ユタの台地が隆起して川の流れが変わるとコロラド川による浸食が始まり、600万年（5500万年との説もある）のときをかけて、2億6000万年〜18億年前の地層がこうして整然と露出した（最深部の地層の年代は研究者によって17〜20億年と幅がある）。

化石の宝庫

ここはまた、世界で最も多くの化石が見つかっている場所のひとつでもある。コロラド川が深く削ってくれたおかげで、岩壁にはいたるところに化石が露出している。谷底近くの岩石は先カンブリア時代のもので、最も原始的な藻類の化石が出る。その上のカンブリア紀の地層からは三葉虫、デボン紀からは二枚貝などの化石が、さらに上に行くに従って珊瑚や鮫、爬虫類、両生類、樹木などさまざまな化石が発見されている。グランドキャニオンは生物の進化の過程をも我々に教えてくれているのだ。

足跡の謎

グランドキャニオンには恐竜の化石はない。最上部の"新しい"地層でも、恐竜が繁栄するより前のものだからだ。スパイ層からはトカゲなど爬虫類の足跡が数多く見つかっているが、これがすべて足跡ばかり。骨や歯の化石がないのだ。しかも足跡はすべて斜面の上に向かっている。この事実は研究者の間でも大きな謎となっている。

藻類と三葉虫の化石

谷底に生えるウチワサボテン

気候と動植物

キャニオン内部は一見不毛の地に見える。しかし、実際は5つの気候帯に多様な動植物が生息する、興味深い谷なのだ。

断崖の上や谷の上部は標高が高いので、カナダに近い気候。マツやモミ、アスペンなどの林が続き、エルクやピューマなどが生息している。

峡谷の中ほどまで下ると気温が高くなり、樹木が灌木に変わるあたりは半砂漠地帯。ネズミやトカゲ、そしてビッグホーンシープなども生息している。石灰層の壁には数多くの洞窟があり、コウモリたちが住みついている。

谷底は非常に暑くて乾燥した砂漠気候。夏は40℃を超え、冬でも2月には花が咲く。サボテン、ユッカ、そしてヘビやトカゲなど砂漠独特の生物が見られる。

このようにグランドキャニオンは、崖を登り下りするだけで針葉樹林地帯から熱帯までを体験できる、ユニークな場所でもある。

グランドキャニオンは
将来モニュメントバレーになる!?

今日も休みなく浸食を続けるコロラド川は、この先一体どうなるのだろうか。

グランドキャニオンは、かつて平坦な高原だった地域に1本の川が流れ、川岸が浸食されてできたもの。浸食が進むと峡谷は深くなり、何本もの支谷ができて、さらに複雑に刻まれていく。硬い地層は断崖に、軟らかい地層は緩斜面となって露出し、谷はどんどん広くなっていく。

将来、グランドキャニオンの末期には、もとの高原はわずかに残丘となって残り、現在のモニュメントバレーのような準平原となるだろうと予想されている。

とはいえ、現在コロラド川は頁岩、花崗岩など特に硬い地層を削っている最中。さらに、ダム（→P.72）の影響で浸食のスピードが非常に遅くなっているので、グランドキャニオンがモニュメントバレーになる日は、さらに遠くなりそうだ。

グランドキャニオンの地層と動植物

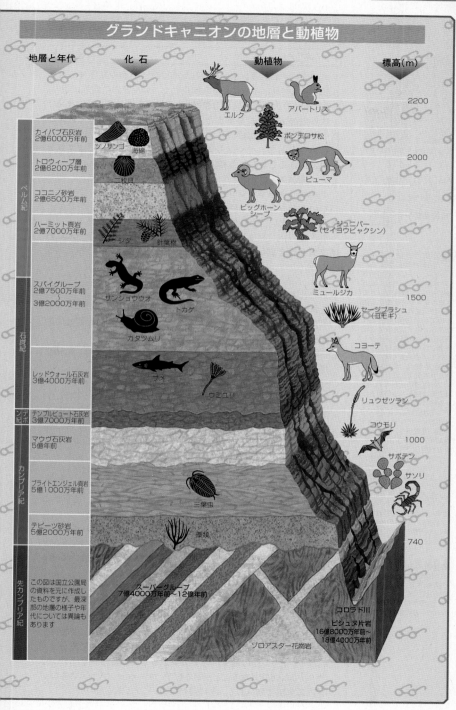

グランドキャニオン国立公園　サウスリム　（アリゾナ州）

地層と年代　　　　化 石　　　　　動植物　　　　　標高(m)

エルク
アバートリス
ポンテロサ松
2200

ピューマ
2000

ビッグホーン
シープ

ジュニパー
（セイヨウビャクシン）

ミュールジカ
1500

セージブラシュ
（ヨモギ）

コヨーテ

リュウゼツラン

コウモリ
1000

サボテン
サソリ

740

カイバブ石灰岩
2億6000万年前　ツノサンゴ　海綿

トロウィープ層
2億6200万年前　二枚貝

ココニノ砂岩
2億6500万年前

ハーミット頁岩
2億7000万年前　シダ　針葉樹

スパイグループ
2億7500万年前
〜
3億2000万年前　サンショウウオ　トカゲ　カタツムリ

レッドウォール石灰岩
3億4000万年前　サメ　ウミユリ

テンプルビュート石灰岩
3億7000万年前

マウヴ石灰岩
5億年前

ブライトエンジェル頁岩
5億1000万年前　三葉虫

テピーツ砂岩
5億2000万年前　藻類

この図は国立公園局
の資料を元に作成し
たものですが、最深
部の地層の様子や年
代については異論も
あります

スーパーグループ
7億4000万年前〜12億年前

コロラド川
ピシュヌ片岩
16億8000万年前〜
18億4000万年前

ゾロアスター花崗岩

ペルム紀　石炭紀　デボン紀　カンブリア紀　先カンブリア紀

水だけは決して忘れないで！

半日しかない人におすすめ
シーダーリッジ
1日中歩けるなら
プラトーポイント
2日間を費やせるなら
ファントムランチ（要予約）

川まで日帰りするのはやめよう！
　トレイルを下って川まで1日で往復するのは、体力はもちろん、天候などさまざまな条件が揃わないと無理。特に夏場は命にかかわるので絶対に避けるべき。グランドキャニオンでは年間平均400人がトレイルで救助され、平均12人が死亡している。多くは、自分の体力を過信したために脱水症状を起こしたり熱射病になったりしたもので、救助費用は数千ドルかかる。
　なかには「登山には慣れているから標高差1400mなんてへっちゃら」という人もいるだろう。でも、気温45℃で日陰がなくても、帰りが登りでも、へっちゃらなのだろうか？　救助された人の多くが「へっちゃら」なはずの20歳代の男性だということをくれぐれもお忘れなく。
　グランドキャニオンは18億年というときの流れを感じる場所。足元ばかり見て苦しさと戦うなんてナンセンスだ

峡谷内のトイレ
　いわゆるポットントイレで男女共同。有機物で分解させるコンポストなので、必ずフタを閉めよう。ペーパーは用意されている

ACTIVITIES　アクティビティ

ハイキング　　　　　　　　　　　Hiking

　グランドキャニオンをよく知るためには、上から見下ろしているだけではダメ。キャニオンを創造したコロラド川に間近に迫り、高さ1600mの大障壁を実感しよう。本当の楽しさは谷の中にある！
　峡谷内のトレイルを歩くと、下りるに従って少しずつ気温が高くなり、谷底では砂漠に似た気候になる。リムとの気温差は10℃前後もある。サウスリムとノースリムをつなぐのはコロラド川にかかる2本の吊り橋。橋の近くにファントムランチとキャンプ場がある。
　グランドキャニオンのトレイルは決して甘くない。夏は40〜45℃の灼熱地獄、冬は寒くて雪も降る。なにより帰りが急登というのは苦しい。それでも、下りてみる価値は絶対にあるのだ！
　なお峡谷内にはトレイルが16本あるが、**後述するコース以外は整備が行き届いておらず、ハイカーも極端に少ないのですすめない。**

トレイルを歩く際の注意事項
◎まずは天気予報を確認しよう。雨だったらハイキングは中止するべきだ。特に真夏の午後は落雷が怖いし、鉄砲水や崖崩れの心配もある。11〜5月には雪になることもある
◎日本から到着後すぐは避ける。時差、気温、湿度（乾燥）に体が慣れていないと、思わぬ事故につながることがある
◎絶対にゴミを捨てないで。もちろんタバコの吸いガラも！
◎ほんの2時間のハイキングでも、水と食べ物は必ず持って行こう
◎化石やシカの角、鳥の羽などを見つけても持ち帰ってはいけない
◎トイレの場所は限られている。歩き出す前に必ず済ませておこう。どうしてもというときには、汚物もティッシュもゴミ袋に入れてビレッジまで持ち帰らなければならない
◎スイッチバック（つづら折り）の場所では落石に気を付けて
◎狭い箇所では上り優先がマナー
◎ミュールツアーに出会った場合、彼らに優先権がある。速やかに山側に避けて待とう。ラバは崖っぷちでも大丈夫だ
◎動植物と、そして自分自身の命を守るためにも決してトレイルを外れてはいけない。峡谷内にはガラガラヘビもサソリもタランチュラもいる。普通は向こうが逃げてくれるので事故はめったにないが、木陰などに入るときには足元に注意を

持ち物と服装
◎ひとり2リットル以上の飲料水。水場のないトレイルを丸一日歩くなら4リットル用意したい。重くて嫌だと思うだろうが、少ないと必ず後悔するし、命にもかかわる。水筒はペットボトルで充分
◎スポーツドリンクの粉末。水をガブ飲みすると塩分が足りずに低ナトリウム血症になることがあるので、マーケットプラザや各ロッジ内の売店で購入して、水に溶かしてチビチビ飲むといい

◎食料。トレイルの途中には食事ができる小屋も自動販売機もない。塩分、糖分、ビタミン、ミネラルがバランスよく含まれている行動食で、消化吸収がよく、栄養をすぐに筋肉に伝えてくれるもの。高温でも変質しにくく、軽くてかさばらないものがベスト

◎ジッパー付きポリ袋。ゴミ持ち帰り用に

◎トレイルはよく整備されているが、それでも凹凸はけっこうある。スニーカーだと足への負担が大きいので、インディアンガーデン以下まで下りる人にはしっかりとしたハイキングシューズをすすめる。靴はゆるめ、靴下は厚めにするといい

◎夏はもちろん、春や秋でも紫外線遮断率の高いサングラスは必携

◎ツバが広く通気性のよい帽子。これがないと命にかかわるので、風で飛ばされないように気を付けよう

◎日が陰ると急激に温度が下がるので夏でも上着を用意したい。急な雨でも対応できる防水ジャケットだとなおいい。プラトーポイントやファントムランチまで下りるなら、レインパンツも用意したい。トレイルは狭いし、落雷の危険もあるので、傘は使えない

◎日焼け止めとリップクリーム。決してシミ対策ではない。激しい日焼けによる脱水とやけど防止のために、男女を問わず必要

バテないために

◎自分の体力を正確に知る。「スポーツで鍛えていた」という人があぶない。24 歳で亡くなったある女性は、その 3 ヵ月前にボストンマラソンを 3 時間で完走している。過信は禁物だ

◎できるだけ日陰を歩く。日の当たらない時間とルートを選ぶ。真夏の 10 ～ 15 時は峡谷内は歩けないと思ったほうがいい

◎意識してゆっくりと歩く。しゃべっても苦しくない速度がいい

◎他人と競わない。追い抜かれても気にしない

◎頻繁に立ち止まる。頻繁に水を飲む。頻繁にカロリーを補給する。30 分ごとに少量ずつ食べるのが理想とされる

◎水をガブ飲みしない。スポーツドリンクを少しずつ飲もう。スポーツドリンクがない場合は、必ず塩分のあるものを食べよう

◎上りは、下りの 2 倍の時間を要するので、予定時間の 3 分の 1 が過ぎた時点で引き返す

それでもバテてしまったら

◎トレイル上の日陰を探して横になる。岩や荷物に足を載せ、心臓より高くして休む

◎暑さが原因でバテた場合、首や脇の下などを水で濡らすといい

◎決してトレイルから離れてはいけない。万一のことがあっても誰も気づいてくれない

◎水や食料がなくなってしまったら周囲の人に頼んで分けてもらう。もちろん、相手に充分な余裕がある場合に限られるし、本来は自分で用意するべきなのだから、緊急手段と心得てほしい

◎それでも回復しない、頭痛やめまい、吐き気がする、顔色が悪い、手足がけいれんする、顔の紅潮や動悸が治まらないなどというときには救助を呼んでもらう。救助費用は非常に高いが、命には代えられない

おすすめの食料

●ゼリー飲料。暑さや過労で食べ物がのどを通らないときでもこれなら飲めるし、ポケットに入れて頻繁にカロリー補給できるのは便利。パワー主体でクエン酸入りの商品がおすすめ。日本から用意していこう

●トレイルミックス（ナッツ＆ドライフルーツ）

●シリアルバー（穀類＆ドライフルーツのクッキー）

休憩中や写真撮影中の転落事故が多いので気を付けて

万一に備えるおすすめサバイバルグッズ

●懐中電灯。暗くなってしまった場合だけでなく、ロッジや駐車場でも重宝する

●おでこに貼る冷却シート、冷却ジェル

●使い捨てカイロ

●緊急事態を伝える笛

●シグナルミラー（太陽光を反射させて遭難の合図を送る鏡）

●エマージェンシーブランケット（スペースブランケット。NASAが開発した手のひらサイズの超軽量保温シート）

サウスカイバブ・トレイル

ブライトエンジェル・トレイル　Bright Angel Trail

Bright Angel Trail
出発点 ブライトエンジェル・ロッジの西側
MAP P.50
※峡谷内のトレイルは集中豪雨や積雪のために閉鎖されることがある。また、特に6〜9月の10〜15時頃はあまりに暑すぎるし、急な雷雨も多いので避けるのが賢明

デビルスコークスクリュー

　ブライトエンジェル・ロッジのそばから始まる最もポピュラーなトレイル。2〜3時間でもいいから下りてみよう。きっと新しい感動があるはずだ。各自の体力と時計をにらみながら途中で引き返してくればいい。トレイルの大部分が峡谷の奥にあるため、朝夕なら日陰が多い。

　ブライトエンジェル・トレイルは、サウスリムからノースリムへと続く断層に沿っている。もともとハバスパイ族が交易ルートとして開拓したものだが、19世紀末にラルフ・キャメロンという男が観光の価値に目をつけてトレイルを買収。インディアンガーデンまでだったトレイルを川まで延長し、通行人から$1の料金を徴収した。

3マイルレストハウス

グランドキャニオンのトレイル

1919年、グランドキャニオンは国立公園に指定されたが、キャメロンはトレイルの所有権を手放そうとせず、観光客から通行料を取り続けた。そこで国立公園局は対抗措置としてサウスカイバブ・トレイルを開拓。観光客が無料でコロラド川まで下りられるようにしたのだ。キャメロンと当局はトレイルの所有権を巡ってその後長いこと法廷闘争を繰り広げたが、ついに1928年、所有権が国立公園局にあると認められ、キャメロンは去り、トレイルは開放された。

トレイルはよく整備されているが、ところどころ道幅の狭い箇所があるので転落しないように気を付けて。下りるに従って岩壁の色が変化し、踏みしめている土の色も変わる。トレイル沿いに化石を見つけることも珍しくない（採取は厳禁！）。周囲の植生の変化にも注目してゆっくり歩けば、帰りの急登も苦にならないだろう。

峡谷のオアシス、インディアンガーデン　Indian Garden

リムから2～3時間下るとインディアンガーデンがある。ここには貴重な清流があり、緑あふれるオアシスとなっている。20世紀初めまでハバスパイ族がここで豆やトウモロコシを栽培して暮らしていたが、国立公園指定とともに強制的に移住させられた。なお、せっかくここまで下りたなら、プラトーポイント（→P.68）まで行くことを強くすすめる。景色がまるで違うのだ。

インディアンガーデンから川を目指して下りてゆくと、デビルスコークスクリューという難所がある。勾配がキツイだけでなく、日陰がなく、夏は気温50℃を超えることもある。トレイル中で最も多くの死者を出しているといわれる場所なので、ファントムランチから登って来るときには、気温が上がる前の早朝にここを通過したい。

中級 **3 mile Rest House**
適期▶3～11月
距離▶往復9.6km
標高差▶652m
所要▶往復4～6時間

上級 **Indian Garden**
適期▶3～6月、9～11月
距離▶往復14.8km
標高差▶933m
所要▶往復5～9時間

宿の予約が絶対に必要
　ファントムランチかキャンプ場の予約をしていない人は、インディアンガーデンで引き返そう。日本の山小屋と違って、定員以上は泊めてくれない。川が見たい人には、プラトーポイントをおすすめ

上級 **Phantom Ranch**
適期▶3～5月、10～11月
距離▶片道15.4km
標高差▶1347m
所要▶下り4～6時間、上り6～10時間
※ファントムランチの予約を取って谷底まで下りるときは、サウスカイバブ・トレイルで下って、ブライトエンジェル・トレイルから登るといい。サウスカイバブは急で、水場も日陰もないため、上りには不向き。ブライトエンジェルなら水場もあり、登り切ったところがビレッジなので便利だ

峡谷内のトレイル

		所要時間	片道距離	標高	飲料水	トイレ	緊急用電話	レンジャーステーション	備考
ブライトエンジェル・トレイル	トレイルヘッド	—	—	2091m	●	●	●		水とトイレはブライトエンジェル・ロッジで
	1.5マイルレストハウス	往復2～3時間	2.4km	1743m	▲	●	●		水は5～10月のみ
	3マイルレストハウス	往復4～6時間	4.8km	1439m	▲		●		水は5～10月のみ
	インディアンガーデン	往復5～9時間	7.4km	1158m	●	●	●	●	木陰のピクニックテーブルあり
	プラトーポイント	往復7～12時間	9.8km	1152m	●				日陰ナシ。夏の日中は灼熱地獄！
	コロラド川岸	下り3.5～5.5時間　上り5.5～9.5時間	12.6km	744m		●	●		
	ファントムランチ	下り4～6時間　上り6～10時間	15.4km	780m	●	●	●	●	宿の予約は数ヵ月～1年前に！
サウスカイバブ・トレイル	トレイルヘッド	—	—	2213m					トレイルヘッドへはシャトルバスで
	シーダーリッジ	往復2.5～4時間	2.4km	1847m		●			
	スケルトンポイント	往復4～7時間	4.8km	1585m					
	トントトレイル・ジャンクション	下り2.5～5.5時間	7km	1219m		●			
	ティップオフ	下り2.5～5.5時間	7.4km	1180m		●	●		
	パノラマポイント	下り3～6時間	8.4km	1103m					
	ブラックブリッジ	下り3.5～6.5時間	10km	732m					
	ファントムランチ	下り4～7時間　上り6～12時間	12.2km	780m	●	●	●	●	宿の予約は数ヵ月～1年前に！

※ノースリムのトレイルについては→ P.84、P.86

上級 Plateau Point
適期▶3〜5月、10〜11月
距離▶リムから往復19.6km
標高差▶939m
所要▶往復7〜12時間
※インディアンガーデンとプラトーポイントの間は日陰ゼロ！ 気温も非常に高い場所なので、夏の日中はこの区間を歩くべきではない。春や秋でも正午前後は避けるべきだろう。また、身を隠す場所がまったくないので雷にも要注意。雲行きがあやしいときには、途中で引き返す勇気も必要

South Kaibab Trail
※日陰がなく、水場もないので、上りは特にハード！
出発点 ヤキポイントのすぐ手前。一般車進入禁止。ビジターセンターからシャトルバスのカイバブルートで
MAP 折込1枚目ウラ K-5

中級 Cedar Ridge
適期▶3〜11月
距離▶往復4.8km
標高差▶366m
所要▶往復2.5〜4時間

上級 Skelton Point
適期▶3〜5月、10〜11月
距離▶往復9.6km
標高差▶628m
所要▶往復6〜9時間

上級 Phantom Ranch
適期▶3〜5月、10〜11月
距離▶片道12.2km
標高差▶1481m
所要▶下り4〜7時間、上り6〜12時間

ハイカーズエクスプレス（急行シャトルバス）
ブライトエンジェル・ロッジ→バックカントリー・オフィス→ビジターセンター→サウスカイバブ・トレイルヘッドに停車。無料
6〜8月　4:00、5:00、6:00
5＆9月　5:00、6:00、7:00
4＆10月　6:00、7:00、8:00
3＆11月　7:00、8:00、9:00
12〜2月　8:00、9:00

コロラド川の展望台、プラトーポイント　Plateau Point

ブライトエンジェル・トレイルを下り、インディアンガーデンで左に折れて約1時間。コロラド川を間近に見下ろす展望台を訪れてみよう。ここはグランドキャニオンの数ある展望台のなかで、最も景色がよいといわれる。なにしろサウスリムとノースリムの中間にせり出した台地の突端にあるので、パノラマは文句なく360度。頭上には美しい岩峰、足元にはコロラド川が音を立てて流れている。運がよければラフティングボートも見えるだろう。

プラトーポイント。コロラド川の流れる音がはっきりと聞こえる

ただし、ここはまたサウスリムで最も厳しい日帰りトレイルでもある。難しいことは何もないのだが、往復約20kmと距離が長く、日陰がゼロで暑いのだ。必ず早朝まだ暗いうちにリムを発とう。

サウスカイバブ・トレイル　South Kaibab Trail

イーストリムの入口にあるヤキポイント近くからノースリムまで縦断するトレイル。コロラド川より南をSouth Kaibab、北をNorth Kaibabという（→P.84）。谷底でブライトエンジェル・トレイルと出合う。この全行程をたった4時間でやってのけた男がいるそうだが、凡人の足だと12〜18時間かかる。途中のシーダーリッジまでなら往復2.5〜4時間程度。ブライトエンジェル・トレイルよりずっと景色がよいので日帰りハイクにおすすめ。ただしコロラド川を見たいなら、サウスカイバブ・トレイルのスケルトンポイントよりも、前述のプラトーポイントのほうがずっと川に近く、風景がダイナミックだ。

景色がよいということは、日陰がないということ。そのうえ水場もまったくないので、飲料水はかなり多めに持って行こう。

シーダーリッジ手前のOoh Aah Point

Trail Guide

大峡谷を歩く―ファントムランチに泊まろう！

準備は1年前から

せっかくグランドキャニオンを訪れるなら、ぜひコロラド川まで下りて、谷底で一夜を過ごしてみたい……そう思ったなら、一刻も早くファントムランチの予約を取ろう。

峡谷内にある唯一の宿、ファントムランチは、世界中のトレッカー憧れの場所。80人しか収容できないこともあって1年中ほとんど満室で、ピークの予約は13ヵ月前の受付開始直後に埋まってしまう。**特に混雑するのは春と秋**。冬は比較的予約が取りやすいが、寒さへの備えを万全にしなくてはならないし、積雪による閉鎖も覚悟を。

ピークシーズンでも直前にキャンセルが出ることもあり、ビレッジへ着いてから翌日の予約が取れたという人もけっこういる。ダメモトでブライトエンジェル・ロッジへ行ってみるといい。

予約申し込み（→P.77）はインターネットからできるが、メールでの返事待ちになる。電話なら空室のある日を確認してその場で予約できる。その代わり聞き違いによるトラブルが多いので、予約ナンバーは何度も聞き返して確実にメモしよう。

めでたく予約が取れたら、同時に前後のビレッジの宿の予約も済ませてしまうといい。

部屋と食事

部屋は、2段ベッドの10人ドミトリーが男女各2棟。シャワー・トイレ・洗面所付き＄44.17。4人用キャビン（シャワー共同＄144.37）も11棟あるが、ミュールツアーが確保しているのでキャンセルが出ない限り個人の予約は無理。

予約の際、食事も一緒に申し込む。食堂が小さく、2回に分けて食べるため、その時間も予約時に決めてしまう。夕食は3種類あり、ステーキ＄44.17が17:00、ビーフシチューとベジタリアン＄27.61が18:30。シチューの評判がいいようだ。

朝食＄21.13は1種類なので、とにかく早い時間を確保しよう。4～10月が5:00と6:30、11～3月が5:30と7:00だ。またランチボックス＄12.39を頼むこともできるが、かさばるので、コンパクトな行動食を持っていく人には不要かも。

直前の準備

予約金がクレジットカードから引き落とされると、すぐに確認書が送られてくる。キャンセルや予約再確認の項目を注意深く読もう。

ビレッジへ着いたら、前日までにブライトエンジェル・ロッジのTransportation Desk（4～

広大なグランドキャニオンの峡谷内にある唯一の宿だ

10月5:00～20:00、11～3月6:00～18:30。マズウィック＆ヤババイロッジでも可）へ行って、宿泊＆食事チケットを発行してもらう。

ハイカーズシャトルのスケジュールと、天気予報の確認もお忘れなく。夜は早めに部屋へ戻ってデイバッグの中身をもう一度よく確認したら、ぐっすり休もう。

出発！

当日の朝は、まずチェックアウトから。スーツケースなどの荷物は車のトランクへ。車のない人は各ロッジのフロントで預かってくれる。

そして、まだ薄暗いうちにハイカーズエクスプレスに乗ってサウスカイバブ・トレイルヘッドへ向かおう。ここには水と簡易トイレがあるが、たいへん混雑する。ストレッチをして体をほぐしたら、いよいよ出発だ。

いきなり勾配のきついスイッチバックとなる。駆け下りるように急ぐ人も多いが、彼らは数時間でリムへ戻る観光客だ。マイペースを保ち、翌日に備えて足をいたわるように歩こう。

朝風が頬に心地よく、キャニオンの陰影も際立って美しい。トレイル沿いにはあちこちに貝やスポンジの化石が露出している。足元にも季節ごとにさまざまな花が咲く。

1時間ほどで平坦な**シーダーリッジ**に到着。悲しいことに、ここにいるリスは人間から食料を得ることを学習してしまっている。エサをもらいにくるだけでなく、荷物をかじって食べ物を盗み出す。人間が隣に座っていても警戒する様子もなく、頑丈なバックパックでも5秒で穴を開けてしまうので要注意。手を叩くなど、危害を加えない方法で追い払うしかない。

左／ボリューム満点のボックスランチ
右／シーダーリッジへのスイッチバック

上／ドミトリーは清潔に保たれている
左／ノースリムから下ってきたブライトエンジェル・クリーク

猛暑との闘い

　ひと休みしてトイレを済ませたら、目の前にそびえるオニールビュートの右手を巻くように進む。日帰りの人はたいていシーダーリッジで引き返すため、ここから先は今夜ファントムランチで同宿する人ばかり。そう思うと、「Hi！」のあいさつにも自然に心が込もる。大きな荷物を背負っている人はきっとキャンパーだ。

　ビュートの先へ出るとぐんと視界が開け、峡谷の巨大さが全身に迫ってくる。同時に、すっかり高くなった日差しもまた全身に降りかかってくる。地面からの照り返しも強く、まるで四方八方にいくつも太陽があるようだ。

　私たちがこうしてハイキングを楽しめる陰には、パークレンジャーたちの並たいていではない努力がある。ハイカーが投げ捨てたゴミを拾い、トイレを清掃し、化石や動植物に悪影響を与える不心得者がいないか目を光らせ、体調の悪いハイカーがいないか、トレイルが危険な状態になっていないか、崖崩れの心配はないかを確認しながら、毎日トレイルを往復しているのだ。

　そしてトレイルの修理は、パークレンジャーやボランティアが一つひとつ手作業でやってくれている。作業はもとより、こんなところまで毎日リムから往復するだけでも過酷な労働に違いない。

　約1時間で**スケルトンポイント**の標識がある。コロラド川を見下ろす岩棚で大休止しよう。ここで約半分まで下ってきたことになる。

　ここからしばらくだらだらと下り、急に勾配がなくなって広々とした荒野に出ると、行く手

に小さな小屋が見えてくる。そこが**トントトレイルとの分岐点**で、小屋はトイレだ。

　300m進むと断崖の縁に出る。ここは**ティップオフ**と呼ばれていて、手前に緊急用の電話がある。

　もしもラバに出合ったら山側に避けて待とう。ファントムランチで消費されるすべての食料は、ウマとラバが毎日運んでくれている。

　しばらく下ると再びコロラド川を見下ろせる場所がある。**パノラマポイント**だ。先ほどよりずっと近くに川が見えるのがうれしい。足元に光っているのはブライトエンジェル・ブリッジ（シルバーブリッジ）。明日の朝、帰り道に渡る橋だ。

　ここから最後のスイッチバックが始まる。疲労も暑さも頂点に達する頃だが、カーブを曲がるたびに大きく迫ってくる**カイバブブリッジ（ブラックブリッジ）**を目指して、もうひと頑張り！

　いつのまにか断崖の色が大きく変わっている。いかにも古そうな黒い壁は約18億年前のもの。大気中の酸素もまだ少なく、ごくごく原始的な生物しかなかった頃の地層だ。

　コロラド川への到着はちょっとドラマチック。最後がトンネルになっていて、暗闇の向こうに川がキラキラと輝いているのだ！

　好天が続いていれば、コロラド川はエメラルドグリーンのはずだ。吸い込まれそうな深い色だが、それは自然の姿ではない（→P.72）。赤茶色に濁って流れていなければコロラド（スペイン語で赤）ではないのだ。

　橋のたもとは小さなビーチになっているが、グランドキャニオンを削ったその流れはたいへん力強くて速いので、水に入ることはできない。ここは、はるか上流から激流下りをしてきたラフティングボートの船着場だ。ほてった足を冷やすなら、さらに10分ほど先へ進んだブライトエンジェル・クリークがおすすめ。

峡谷内にいるサソリは夜行性で、あたりが暗くなると岩影から出てくる。キャンプ場、ファントムランチなどで夜、岩などに腰掛けるときには充分に注意を。体長は5cmほどで、色は茶褐色。刺されても死にいたるほどの毒ではないが、ひどく痛く、腫れ上がってしまうそうだ

キャンティーンと呼ばれる食堂に世界の人々が集う

谷底の別世界ファントムランチ

トレイルはコットンウッドの緑がまぶしい川岸に沿って北へ方向を変える。対岸にキャンプ場を望み、レンジャーステーションを過ぎたら、ようやくファントムランチに到着だ。

1922年にメアリー・コルターがデザインしたメインビルディングは現在、食堂Canteenになっている。エアコンの効いた室内に入り、ファントムランチ名物の冷たいレモネードをいただく。至福のひとときだ！ チェックインの手続きを済ませたら早速、部屋へ。皆にあいさつし、ベッドを確保し、汗を流す。こんな辺ぴな場所なのに熱いシャワーに入れるのは、豊かな湧き水のおかげ（→P.72）。シーツ、毛布、バスタオル、フェイスタオル、ソープ兼シャンプーは用意されている。

まだ時間が早かったら、あたりを散策してこよう。猛暑の谷底に木陰を作ってくれるコットンウッドは、リゾートブームの時代に植えられたもの。ブライトエンジェル・クリークの河口には下水処理施設も作られている。

夕食の前後、16:00と19:30には食堂とレンジャーステーションの間にある野外劇場（木陰にイスが並べてあるだけ）でレンジャープログラムが行われる。ファントムランチやトレイルについての興味深い話を聞くことができる（春〜秋のみ）。

鐘の音が聞こえたらお待ちかねのディナータイム。酷暑のトレイルを制した仲間同士、山小屋の雰囲気で和気あいあい。あちこちのテーブルで全米各地の訛りが飛び交ってにぎやかだ。多くの人が、1年も前から予約を取って今日のこの日を楽しみにしてきたのだ。見知らぬ者同士でもすぐに打ち解けて、会話も弾む。

やがて周囲の岩壁に吹く風が変わり、大峡谷に壮大な夕暮れが訪れる。遠くサウスリムのてっぺんにヤババイポイントの展望台が鋭く光る。

あたりが闇に包まれる頃、後片付けを終えた食堂がバーとして再び扉を開く。明かりが灯ると岩壁の穴に住んでいるコウモリたちのお食事タイム。急旋回しながら窓際に集まってくる虫たちを捕らえる技は、ちょっとしたショーだ。

ところで、アメリカ人の宿泊客はファントムランチに2泊する人がけっこう多い。なるほど、1年も前から予約を取った貴重な宿だし、めったに来られない場所なのだから、1泊ではもったいない。疲れた体をゆっくり休めて登りに備える意味でも、賢い選択といえる。昼間はドミトリーを追い出されるので、木陰のベンチで昼寝をしたり、体力がある人はノースリムのリボン滝（往復6〜7時間。→P.87）を見に行くのもいいだろう。

出発は早朝に！

朝はスタッフがちゃんと起こしに来てくれる。とにかく涼しいうちにインディアンガーデンまで登ってしまいたいので、ボリュームたっぷりの食事を終え、水筒をいっぱいにしたら即、出発だ。

キャンプ場の先を右折してクリークを渡り、しばらく歩くとブライトエンジェル・ブリッジ（シルバーブリッジ）へ出る。橋の下には、サウスリム・ビレッジの水需要すべてをまかなっているパイプラインが取り付けられている（→P.72）。

橋を渡ってしばらくはコロラド川沿いに歩くが、川に別れを告げるといよいよ急登が始まる。このあたりでは、同時に歩き始めたハイカーが前後にたくさんいるし、まだまだ元気なこともあって、つい競争心が芽生えてしまうが、そこをぐっとこらえてスローペースで進もう。先は長い。

やがて、難所中の難所、デビルスコークスクリューのスイッチバックが現れる。とにかく暑くならないうちにここを登ってしまいたい。夏なら、朝8時にはもう日差しが厳しくなっているはずだ。

インディアンガーデンまでたどり着いたら、木陰でゆっくりと休もう。水とエネルギーを充分に補給してから後半の登りに挑戦する。もしもここでバテバテだったら、暑い時間に無理をして登らずに、夕方まで待つという手もある。

とにかく無理をせずにゆっくり行こう。周囲を見回せばミュールジカなどの動物がいるかもしれない。ヤコブのハシゴと呼ばれるスイッチバックを過ぎてしばらくすると3マイルレストハウス。ここからは軽装の観光客が増え、子供がはしゃぐ声も聞こえるようになるが、こちらにとっては最も苦しい場所。マイペースを保とう。

1.5マイルレストハウスを過ぎ、リムの上の展望台から人の声が届くようになったら、ゴールはもうすぐそこだ。 （横断トレイルについては→P.86）

Reader's Voice

ファントムランチは、13ヵ月前にとりあえず予約して、キャンセルする人が多いので、キャンセル待ちで予約が取れることが多いようです。

キャンセル待ちは翌日の分のみ登録できます。当日6:30に発表があり、私は6番目くらいでしたが予約が無事に取れました。

（埼玉県　CHIE　'11）['13]

GEOLOGY

ダムに挟まれたグランドキャニオン

コロラド川はかつて、グランドキャニオンよりずっと北を通っていたと考えられている。ユタ州南部から西へ流れ、ネバダ州を横断し、カリフォルニア州から直接太平洋へと注いでいたらしい（現在の河口はメキシコのカリフォルニア湾にある）。しかし、ユタ州付近のコロラド台地が隆起したことによってコースを南向きに変え、グランドキャニオンの浸食が始まった。

コロラド川は、ここを発見したスペインの探検隊によって名付けられた。**コロラドとはスペイン語で「赤い」という意味**。かつてのコロラド川は、ユタの赤い岩の色を反映していたのだ。

コロラド川は今もキャニオンの岩壁を削り続けている。削られた"岩壁のかけら"は小石や砂、泥になって川の水に流される。かつてのコロラド川は、こうした土砂をグランドキャニオン地域だけで1日50万トンも運んでいたといわれる。当然、これらは下流に1936年に造られたレイクミードの湖底に沈殿する。その量が予想を超えて早かったため、湖の貯水量が激減するのを防ぐために、1963年、上流にもうひとつのダム、グレンキャニオン・ダムが造られたのだ（実はこのときグランドキャニオンにも巨大な

ダムを造る計画があったが、自然保護団体の抵抗によって水没を免れている）。

グレンキャニオン・ダムの完成によって多くの沈殿物はレイクパウエルの湖底に沈み、グランドキャニオンのコロラド川は緑に近い色になった。同時に、水の勢いも衰えた。速度は5分の1から8分の1にまで落ち、水温も平均27℃から8℃へと大きく下がった。そのうえコロラド川の水量は毎日変わる。グレンキャニオン・ダムの発電所が、電力需要に合わせて放水量を変えるためだ。

その結果、コイの仲間など2種類の魚が絶滅危惧種となり、3種類の魚はすでに絶えた。流れが緩やかになったためにヤナギなどの樹木が増え、それをかじるビーバーの数も増え、川岸の生態系が大きく変わってしまった。

ここ数年グランドキャニオンでは、ようやく絶滅の危機を脱したといわれるハクトウワシの数が急激に増えた。これは、絶滅した魚に代わって低温に適したニジマスが増えたせいだと考えられている。驚くべきことに、そのマスはスポーツフィッシングのためにアリゾナ州が放流したものだそうだ。なんと皮肉な結果だろうか。

ビレッジとフラッグスタッフの水問題

ノースリムの標高はサウスリムより300〜600m高い。実はこのあたり全体が南から北へ向かって高くなっているのだ。そのため、ノースリムの北に広がるカイバブ台地に降った雨は南へ流れてきて、ノースリムの断崖を流れ落ちる。流れは川や滝となり、崖をどんどん削ってゆく。サウスリムから見た風景のほうがノースリムよりダイナミックだといわれるのは、北側の浸食が激しいためだ。

ノースリムに降った雨はまた、大地にしみ込み、石灰岩の地層にろ過されて、リムから930m下のRoaring Springs（→P.87）で豊富な湧き水となっている。一方、南へ傾斜しているサウスリムでは、降った雨が南へ逃げて行ってしまうので、サウスリム・ビレッジでは常に水の確保が難題だった。

そこで1970年、Roaring Springsにパイプラインが取り付けられた。湧き水はコロラド川を渡り、ブライトエンジェル・トレイル沿いに汲み上げられている。現在、ファントムランチ、インディアンガーデン、そしてサウスリムのすべてのロッジの水需要がこの湧き水でまかなわれている。しかし、この取水によってブライトエンジェル・クリークの水量が目に見えて減ってしまい、川岸の植生の変化など生態系に与える影響が懸念されている。

このようにサウスリムの水はノースリムから引

いてきたものだが、フラッグスタッフの水需要はサウスリムで確保されている。

フラッグスタッフからUS-180でサウスリムへ来た人なら、その間に湖や大きな川がないことに気付いただろうか。トゥシヤンやフラッグスタッフで使われている水は、サウスリムの南側で汲み上げたもの。すべてグランドキャニオンの石灰層にろ過された地下水なのだ。

この石灰層には335の鍾乳洞が発見されていて、研究者によって氷河期に絶滅した生物のミイラなどが見つかっている。地下水の汲み上げは、こうした鍾乳洞や、サウスリムを流れる数少ない清流にどれほどの影響を与えるのだろうか？　地下水自体がどれくらいあるのかも未知数で、将来、涸渇するのではないかと心配されている。

こんな細いパイプでサウスリム・ビレッジの水需要を支えている

一生に一度は体験してみたい

ミュールツアー　　　　　　　　**Mule Ride**

　　壮大な峡谷を3次元の感覚で楽しめるミュールツアーに挑戦してみよう。牧歌的なスタイルは、まさにグロフェの名曲『大峡谷』そのまま。一生思い出に残る1日になるだろう。

　　ミュール（ラバ）はロバと馬の交配種で、ロバよりひと回り大型でおとなしく、忍耐強くて人見知りをしない。ただ、「歩くよりも楽そう」なんて気持ちで挑戦するのはちょっと待って。ラバの背は意外に高く、崖っぷちスレスレを歩くので高所恐怖症の人にはとても無理。乗馬が初めてだったらなおさら怖いはず。ハイキングと違ってどんなに疲れても、お尻が痛くても勝手には休めないし、途中で何かを落としても拾えない。30〜45分ごとに休憩時間があるが、馬から下りるわけではない。インディアンガーデンまでの2時間半はトイレに行くことはできない。乗馬経験は不要だが、ガイドの説明や注意事項をちゃんと理解できる英語力が必要。また、ミュールはよく調教されているが、ごく稀に落馬事故もないわけではない。そのあたりもよく考えて挑戦したほうがいい。

　　非常に人気があるので、冬を除いて13ヵ月前の1日から予約でいっぱいになる。最後にガイドにチップを渡すのをお忘れなく。

参加条件と服装

◎身長138cm 以上。服を着た状態での体重が91 kg（3 時間ツアーは102kg）以下であること
◎ガイドの説明や注意事項を理解できる英語力があること
◎体調が整っていること。腰、ヒザ、呼吸器に不安がある人は要検討
◎日焼けと脱水防止のために、夏でも長袖シャツと長ズボン着用
◎手袋、厚いソックス、靴は底に凹凸のないスニーカーがいい
◎ヒモの付いた帽子。カウボーイハットがおすすめ。レンタルあり
◎砂ボコリがすごいので、鼻と口を覆うバンダナがあるといい
◎朝夕や天候による温度変化に対応できる服装を
◎雨の日はレインコートかウインドブレーカーが必要。ミュールツアーは雨で中止されることは稀だ

ミュールツアーの予約
Xanterra Parks & Resorts
☎(303)297-2757
Free 1888-297-2757
FAX (303)297-3175
URL www.grandcanyon
lodges.com
カード A D J M V
※予約再確認は2〜4日前に☎(928)638-3283で。チェックインは前日にブライトエンジェル・ロッジのTransportation Desk（4〜10月5:00〜20:00、11〜3月〜18:30）で

3時間ツアー
料 $ 112.81
ウエストリムのモハーベポイント近くにあるアビスAbyssという展望台まで往復する。松林のなかを行くので高所恐怖症の人でも（たぶん）大丈夫。なお、プラトーポイントへの日帰りツアーは現在催行されていない

1泊2日ツアー
料 1人 $ 506.82
　2人 $ 895.11
ブライトエンジェル・トレイルを下りてファントムランチに宿泊。3食込み

おとなしくて力持ちのラバは、馬とロバの交配種。ラバが子孫を残すことはごく稀だ

気流によっては揺れることもあるので酔い止め薬を忘れずに

遊覧飛行
※現地での申し込みは各ロッジで。園外に出るので入園料のレシートも必要

Grand Canyon Airlines
☎(928)638-2359
Free 1866-235-9422
URL www.grandcanyonair
lines.com
圏50分＄120（2～12歳
＄100）

**Papillon Grand
Canyon Helicopters**
☎(928)638-2419
Free 1888-635-7272
URL www.papillon.com
圏30分＄159～174（2～
11歳＄139～154）、50分
＄184～199（＄164～179）

©Tsuneo Yamamoto
コロラド川の壮大な彫刻
をたっぷりと堪能しよう

ラフトツアー会社のリスト
URL www.nps.gov/grca/
planyourvisit/river-
concessioners.htm
※稀にではあるが、ボートからの転落やボート転覆もないわけではない。毎年、数件程度の死亡事故は起きている

遊覧飛行　　　　　　　　　　　　　　　Flight Seeing

　グランドキャニオンほど遊覧飛行を推薦したい場所はない。広大な緑の台地から突然切れ落ちる断崖は圧巻！　峡谷の大きさを肌で感じられるし、地上からはなかなか近付けない場所へもひとっ飛びだ。グランドキャニオン空港からセスナ機とヘリコプターによるツアーが多数出ていて、ビレッジまで送迎してくれる。ただし、ビレッジから眺めている場所を飛ぶわけではない。ハーミッツレスト付近からモーランポイント付近までは飛行禁止だ。

Grand Canyon Airlines

　リトルコロラド川とコロラド川との合流点、ノースリムなどの上空を飛ぶ。19人乗り双発エンジン機が売り物。

Papillon Grand Canyon Helicopters

　観光用ヘリツアーでは世界最大の会社で、音の静かな機材が特徴。搭乗前のオリエンテーションフィルムは日本語版も用意されている。予約はシーニック航空日本支社（→P.44）でも可。

峡谷へ飛び出す瞬間がたまらない！

ラフティング　　　　　　　　　　　　　　Rafting

　コロラド川の激流下りはアドベンチャーツアーの真髄。本格的なツアーは3日～2週間かかる。アルミニウムの保護膜を張った頑丈なゴムボートを使用する。出発はレイクパウエル下流にあるリーズフェリーLees Ferryで、日程によってファントムランチまでのものや、レイクミード手前まで450kmを下るものなどがある。この間、大小200を超える急流を乗り切る。食事は仲間たちと手分けして作り、夜は川岸のテントで眠る。冒険を成しとげたときの感激はひとしお。

　人気抜群なので半年以上前からの予約が必要。ツアー会社はたくさんある。インターネットで選ぶのが簡単だ。4～10月まで催行されているが、夏は猛烈に暑い！

　　一生に一度の大冒険にトライしてみたい

スムースウオーター・ラフティングも人気

激流下りではなく、コロラド川を静かに下る日帰りツアーがある。往復バス送迎付きのコースもあるが、小型機でペイジまで飛んでアンテロープキャニオン（→P.95）を見てから川を下るシーニック航空（→P.44）の日帰りコース＄373もおすすめ。

レンジャープログラム　　Ranger-led Program

入園者に公園への理解を深めてもらうために、パークレンジャーがテーマに沿って解説してくれるプログラムが年間を通じて催されている。いずれも無料で、予約不要。ぜひ参加してみよう。

おもなレンジャープログラム　　　　　　　　　（2013年2月）

プログラム名	催行	所要	集合場所	内容
Fossil Walk	9:00	1時間	ブライトエンジェル・ロッジの峡谷側	化石の見つけ方を教えてもらいながらリム沿いを歩く。子供にもおすすめ
Condor Talk	夏期17:00	45分	ルックアウトスタジオ	カリフォルニアコンドルについてのトーク
History Program	夏期13:00 冬期10:30	20分	Verkamp's Curio	グランドキャニオンにおける人間の歴史のトーク
Rim Walk	冬期15:00	1時間	ビジターセンター	地理や歴史の話を聞きながらリム沿いを歩く

Column

グランドキャニオンの歴史

グランドキャニオンに人間が住み着いたのは2万5000年前くらいと推測されている。現存する証拠として最古のものは、サウスリムで見つかった柳の小枝を束ねて作った馬のオモチャで、放射性炭素測定の結果4000年前のものと判明した。

西洋人として初めてグランドキャニオンを発見したのは、金を探しにやってきたスペイン探検隊のカルディナス以下13名。1540年に現在のヤババイポイント付近に達し、眼前に広がる大峡谷に驚嘆したという。

18世紀後半には伝道師や毛皮商人、ハンターなどがやってきたが、西洋人が定住できる環境ではなかった。1857年にアメリカ陸軍の探検隊もグランドキャニオンを訪れているが、「何の価値も見出せない不毛の荒れ地」と報告されている。

1869年、南北戦争で片腕を失いながら武勲を挙げた**J・W・パウエル**を隊長とするコロラド探検隊が、激流を乗り切ってグリーン川からコロラド川、そしてグランドキャニオンへと達した。彼は生き生きとした文章でその壮大な景観を紹介した。

1873年、第2次パウエル探検隊に同行した画家の**トーマス・モーラン**は、現在のモーランポイントから見た風景を『Chasm of the Colorado』と題して描いた。この絵は政府に高値で購入され、上院議事堂のホールに飾られて、東部の有力者たちに西部の大自然のすばらしさを知らせた。

1880年には元鉱夫のJ・ハンスが北壁から下るトレイルを造り、観光ブームの波が及び始める。1890年には駅馬車ツアーも始まり、ほどなくグランドキャニオンの景観を保護しようという運動も始まった。1901年、サンタフェ鉄道がウィリアムズーサウスリム間に鉄道を開設。1905年には初代のEl Tovar Hotelが完成した。

この頃、Fred Hervey社はビレッジの建物のデザイナーとして**メアリー・コルター**を起用。彼女は先住民の伝統的なデザインを取り入れ、キャニオンの岩石を使って、ブライトエンジェル・ロッジ、エルトバホテル前にあるギフトショップHopi House、ハーミッツレスト、デザートビューのウオッチタワー、ファントムランチなど大自然の景観に調和するような建物を次々に建てていった。

1903年、セオドア（テディ）・ルーズベルト大統領が西部を巡る旅でグランドキャニオンを訪れ、1908年に国定公園に指定。1919年には国立公園に昇格し、アメリカのランドマークとなった。

戦後、モータリゼーションの波で観光の入園者は増えたが、一方で鉄道客は激減。サンタフェ鉄道は1954年に廃止となった（現在は蒸気機関車が走っている。→P.46）。

1965年、巨大なダムを造る計画が連邦議会で審議されたが、自然保護団体などの努力が実って廃案となり、グランドキャニオンは水没を免れた。

現在では、世界各国から年間約435万人の観光客が押し寄せている。

入園者数第1位の公園は？
テネシー州＆ノースカロライナ州にまたがるグレート・スモーキー・マウンテンズ国立公園。公園を横断する道路がアパラチア山脈を東西に横切っているので、通過する車が多いためだが、観光客だけでも901万人と、第2位のグランドキャニオンの倍以上。人口の多い東部に国立公園が少ないこと、アトランタやワシントンDCなどの大都会からマイカーで行けることが理由と思われる。なだらかな山が連なる風景は日本に似ているが、動植物の種類が非常に多く、なんと約2万種。世界遺産にも登録されている。
詳しくは『地球の歩き方B12アメリカ南部編』で

ACCOMMODATION 🏠 宿泊施設

園内で泊まる

園内の宿泊施設は8ヵ所。6軒はサウスリム・ビレッジに、1軒は谷底に、もう1軒はノースリムにある。どこも非常に混雑しており、ピーク時は半年以上前でないと予約が取れない。4～10月の長期にわたって満室が続くのもグランドキャニオンの特徴。一刻も早く予約を入れよう。最も簡単で確実な予約方法はインターネットだ。

予約が取れなかった場合はキャンセルを狙うしかない。とにかく何回もトライしよう。直接ロッジのフロントへ足を運んでもいい。予約システムはオンライン化されているので、1ヵ所で聞けばほかの宿の状況もわかる。2日前の16:00過ぎが狙いめ。ただし、キャンセルが出るかどうかは運任せ。当日の夕方になってもダメかもしれない。そんなときはトゥシヤンの宿もまた混んでいて、遅い時間に空室を探すのは困難だ。いつまで粘るか、どこで諦めるか、見極めが難しい。最後の手段はフラッグスタッフの宿。ここなら泊まれないことはめったにない。なお、車のない人はラスベガス発着のツアー（→P.47）に参加するという手もある。

ロッジの予約
Xanterra Parks & Resorts
☎(303)297-2757　Free1888-297-2757　7:00
～19:00(MST)　休11月第4木曜、12/25、1/1
当日☎(928)638-2631　FAX(303)297-3175
URLwww.grandcanyonlodges.com
カードADJMV
予約は13ヵ月前の1日から
●例えば2014年5/1～5/31までの予約は2013年5/1から受け付ける
●サンダーバード・ロッジとエルトバホテルは早々と満室になる
●ツアーのバラ売りやキャンセルがあるので、1ヵ月前～1週間前にもポッカリと空きが出ることもある
●キャンセルは2日前の16:00までに予約ナンバーを告げて申し出れば、予約金（1泊分）は全額返金される。電話で予約した場合は電話で、インターネットで予約した場合はインターネットでないとキャンセルできない。その時間を過ぎると予約金は没収となる
●ビレッジ内もキャンプ場も、動物への影響を最小限にするために街灯を極力控えている。そのため、モーテルタイプの客室棟やキャビンに泊まると、足元が真っ暗で、部屋の鍵も開けられないほど。ぜひ懐中電灯を持っていこう
●すべての宿は全館禁煙。駐車場無料

🏠 Bright Angel Lodge

ビレッジの中心に建つ1935年完成のロッジ。El Tover Hotelの外観に合わせてデザインされた。暖炉はグランドキャニオンのリムを構成しているカイバブ石灰石と、キャニオンの底の川沿いの地層を構成している石で造られている（公園敷地外で砕石したもの）。リム沿いにあってなにかと便利だが、部屋から峡谷が見えるわけではない。

エアコンあり。シャワー、トイレは共同の部屋もあるが、各棟に充分な数が用意されていて清潔。88室。

静かに過ごせるキャビンもおすすめ

グランドキャニオンで最もポピュラーなロッジだ

MAP P.50　on off $94、シャワー共同$83、キャビン$117、峡谷側キャビン$150～350

🏠 Thunderbird Lodge

味も素っ気もない鉄筋コンクリートで、客室にテレビまであって普通のモーテルと変わらない。客室以外何もなく、隣のブライトエンジェル・ロッジの新館と考えるべき施設。チェックインも同ロッジで。

部屋とキャニオンとの間には遊歩道があり、大勢の人が行き交う。夜明け前から騒々しいし、せっかくの峡谷もほとんど見えない。リム側の部屋を取るならぜひ2階を確保したい。55室。

都会と変わらない快適さを求める人向け

MAP P.50　on off $180、峡谷側$191

🏠 Kachina Lodge

Thunderbird Lodge とほぼ同じ造りの近代的なロッジ。リム側2階の部屋からはキャニオンが見える。客室以外何もなく、隣のエルトバホテルの新館と考えるべき施設。チェックインも同ホテルで行う。49室。

外観はThunderbird Lodgeとほぼ同じ

MAP P.50　**on** **off** $180、峡谷側$191

🏠 El Tovar Hotel

北アリゾナに初めて探検隊を送ったトーバー公爵の名を取った、アメリカ屈指のリゾートホテル。サンタフェ鉄道によって1905年完成。当時はミシシッピ川以西で最もエレガントなホテルとの評判だった。キャニオンの岩とダグラス樅で建てられ、ラウンジや大きな暖炉が開拓時代の大邸宅の雰囲気を醸し出している。キャニオンを望めるのはスイートルーム4室のみ。TV、電話、エアコンあり。78室。

1世紀以上にわたって峡谷を見つめてきたホテル

MAP P.50　**on** **off** $178〜440

🏠 Maswik Lodge

スイスシャレー風のロッジ。松林に面したSouthはテレビ、電話あり。Northはさらにエアコンもある。夏期のみキャビンあり。ブライトエンジェル・トレイルヘッドまで徒歩5分。駐車場も広いのでレンタカー利用者にも便利。ATMあり。278室。

Southのスタンダードルーム

MAP P.50　**on** **off** South$92、North$176、キャビン$92

🏠 Yavapai Lodge

松林の中に点在するロッジ。1階建ての旧館Westと2階建ての新館Eastがある。全室テレビ、電話、冷蔵庫あり。新館はエアコンあり。マーケットプラザの斜め前に建つカフェテリアの奥にレセプションがある。無料シャトルがロッジ棟を回っているほど広いため、場所によってはマーケットプラザにもリムにも遠く、車がない人には不便。358室。

Westのスタンダードルーム

MAP 折込2枚目ウラ K-4　**on** **off** West$120、East$166

🏠 Phantom Ranch

谷底にある唯一の宿。80名収容。ビレッジから下り4〜7時間、帰りは6〜10時間。必ず事前に予約を取ること。予約先はほかのロッジと同じだが、オンラインで予約確定はできず、メールでの返事待ちになるため、事実上、毎月1日の電話でほとんど売り切れてしまう。キャンセル待ちの受付は前日早朝から。冬なら当日の朝でも空いていることがあるので、各ロッジで尋ねてみよう。

ドミトリーは男女別10人部屋でシャワー、トイレ付き。キャビンはトイレ付き、シャワー共同。ただしキャビンはミュールツアーが確保しているので、個人客はほとんど泊まれない。食事も予約と同時に申し込む。夕食は楽しいし、疲れた体に本当においしい（詳しくは→P.69）。

ドミトリーは1棟に10ベッド。男女2棟ずつある

MAP 折込2枚目ウラ K-5、P.66　**on** **off** ドミトリー$44.17　夕食$27.61〜42.54　朝食$21.13　ランチパック$12.39
※4日前〜前日16:00までに予約再確認をしないとキャンセルとみなされる。前日にブライトエンジェル・ロッジにあるTransportation Desk（4〜10月5:00〜20:00、11〜3月〜18:30）へ行って、予約確認書をチケットに交換してもらおう。マズウィックロッジ、ヤバパイロッジのデスクでも可

©NPS
林のなかにゆったりと配置されたマーザーキャンプ場

リムのキャンプ場で泊まる

　設備の整ったキャンプ場は下記の2ヵ所で、どちらもたいへん混雑する。予約は早めに。サイト内の所定の場所での焚き火はできるが、枯れ枝を拾うのは禁止。薪はマーケットプラザで購入可。
　このほかにトゥシヤンの南側のAZ-64沿いにも民間のキャンプ場が数軒ある。

> キャンプ場の予約→P.482
> ☎(518)885-3639　Free 1877-444-6777
> URL www.recreation.gov　カード A M V

⛺Mather

　ヤバパイロッジの南にある。トイレ、シャワー、コインランドリーあり。キャンプ用品から冷凍食品までズラリと並ぶマーケットプラザにも近く、シャトルバスも停まるので便利だが、リムからは離れている。3～11月は要予約、12～2月は早い者勝ち。6ヵ月前の同日に予約受付が始まる。

> 年中オープン。$18。12～2月は$15。327サイト

⛺Desert View

　デザートビューにある。50サイト。昼過ぎにはいっぱいになってしまう。予約はできない。トイレあり、シャワーなし。キャンプフードなど簡単なグッズが揃うジェネラルストアあり。7連泊まで。

> 5月中旬～10月中旬オープン。$12。50サイト

峡谷内のキャンプ場で泊まる

　テントを担いでトレイルを歩いて行けるなら、キャニオン内部のキャンプ場に泊まってみるのもおもしろい。1泊$5。必ず事前に予約をして$10の許可証を取得する。年間を通じて非常に混雑している。予約はウエブサイトから申請書を印刷し、必要事項を記入してファクスを送信する。結果通知は郵送なので、1ヵ月近くかかることもある。
　オフシーズンならキャンセル待ちにトライしてもいいだろう。マズウィックロッジそばにあるBackcountry Information Center（シャトルバスのビレッジルートが停車する）へ行ってリストに記載する。毎朝8時に翌日分のリリースが始まり、その場にいないと無効になる。
　峡谷内のキャンプ場では、排泄物の始末などさまざまな規則があるので、しっかりと読んで確認を。また、生態系への影響を抑えるため、各サイトに金属製フードボックスが用意されている。ちょっとでもテーブルを離れるときには、すべての食品と生ゴミをここへ入れて、シカやリス、野鳥に取られないように気をつけよう。

谷底の渓流沿いにあるBright Angelキャンプ場

> Backcountry Information Center
> 開 8:00～12:00／13:00～17:00
> 申請書 URL www.nps.gov/grca/planyourvisit/upload/permit-request.pdf　予約　4ヵ月前の1日から　FAX (928)638-2125　問い合わせ
> ☎(928)638-7875（月～金13:00～17:00。MST）
> おもなキャンプ場
> （いずれも2連泊まで。11/15～2/28は4連泊まで）
> **Indian Gardens**　年中オープン。ブライトエンジェル・トレイルを下って約2時間。トイレ、飲料水あり。15サイト
> **Bright Angel**　年中オープン。ファントムランチの手前。水洗トイレ、飲料水あり。33サイト
> **Cottonwood**　年中オープン。ファントムランチとノースリムをつなぐノースカイバブ・トレイルの中間点。トイレあり。飲料水は夏のみ。12サイト

グランドサークル

グランドキャニオン国立公園　サウスリム（アリゾナ州）

近隣の町に泊まる

　公園南口ゲートから2マイルのトゥシヤンに5軒のモーテルがある。年間を通じて混んでいるせいか、やや高い。しかし、ここを逃すとウィリアムズかフラッグスタッフまでほとんど宿がない。

　フラッグスタッフには約80軒のモーテルがある。特にI-40のExit 195から北へ延びるMilton Rd. 付近に集まっている。

　ウィリアムズのホテルは約30軒。I-40のExit 163からグランドキャニオン鉄道駅へ向かうGrand Canyon Blvd. と、Exit 161で下りたルート66沿いに多い。ルート66は東行きと西行きで1ブロック離れているので、住所に注意。

　またフラッグスタッフからレイクパウエルへ延びるUS-89沿いのキャメロンとグレイマウンテンに1軒ずつモーテルがある。デザートビューに比較的近く、モニュメントバレーへドライブする人には便利。

クラシックなロビー。レストランも雰囲気がある

🏠 Grand Canyon Railway Hotel

　グランドキャニオン鉄道（→ P.46）が経営するホテルで、ウィリアムズの駅に隣接している。サンタフェ鉄道の開通にともなって1908年にオープンしたホテルを改装したものだ。暖炉のあるロビーは20世紀初頭のリゾートの雰囲気を残しているが、客室はモダンで快適。SLでサウスリムへ行くなら、前泊をここで過ごすといい。乗車券とのパッケージがあり、駅のレストランでの夕食＆朝食バフェ（バイキング形式）が含まれる。Wi-Fi無料。屋内プール、フィットネスルームあり。全館禁煙。297室。

🏠233 N. Grand Canyon Blvd., Williams, AZ 86046　☎(928)635-4010　Free1800-843-8724　on $169〜230 off $109〜179　パッケージ料金は乗車券＆2食込みで1人$288〜　カードAMV

注：トゥシヤンには独自の郵便番号がないため、ホテルの住所表記はGrand Canyonとなる

トゥシヤン	Grand Canyon, AZ 86023	サウスリム・ビレッジまで7マイル	5軒
モーテル名	住所・電話番号など	料　金	カード・そのほか
Canyon Plaza Resort	🏠406 Canyon Plaza Lane ☎(928)638-2673 FAX(928)638-9537 Free1800-995-2521 URLwww.grandcanyonplaza.com	on $179〜242 off $80〜143	ADJMV　レストラン、プールあり。Wi-Fi無料。空港送迎無料
Best Western Grand Canyon Squire Inn	🏠74 Hwy 64 ☎(928)638-2681 FAX(928)638-2782 Free1800-622-6966 日本無料0120-56-3200 URLwww.grandcanyonsquire.com	on $180〜200 off $100〜120	ADMV　コインランドリー、スパ、サウナ、ボウリング場あり。空港送迎可。朝食付き。Wi-Fi無料。全館禁煙
Holiday Inn Express	🏠226 Hwy 64 ☎(928)638-3000 FAX(928)638-0123 Free1800-465-4329 日本無料0120-455-655 URLwww.gcanyon.com	on $162〜319 off $98〜250	ADJMV　室内プールあり。朝食付き。Wi-Fi無料。全館禁煙
Red Feather Lodge	🏠300 Hwy 64 ☎(928)638-2414 FAX(928)638-2707 Free1800-538-2345 URLwww.redfeatherlodge.com	on $114〜140 off $66〜81	ADMV　レストランあり。Wi-Fi無料
Grand Hotel	🏠149 Hwy 64 ☎(928)638-3333 FAX(928)638-3131 Free1888-634-7263 URLwww.grandcanyongrandhotel.com	on $189〜289 off $109〜209	ADJMV　ステーキハウス、サルーン、室内プール、コインランドリーあり。全館禁煙。ギフトショップあり

キャメロン	Cameron, AZ 86020	デザートビューまで約30マイル	1軒
モーテル名	住所・電話番号など	料　金	カード・そのほか
Cameron Trading Post	🏠466 Hwy 89 ☎(928)679-2231 FAX(928)679-2350 Free1800-338-7385 URLwww.camerontradingpost.com	on $99〜179 off $59〜129	JMV　AZ-64の終点からUS-89を北へ2マイル。大きなインディアンショップとレストランあり

グランドキャニオン国立公園

アリゾナ州 ／ **MAP** 折込1枚目 C-23、折込2枚目オモテ H-2、P.45

ブラフマー寺院（左）と名付けられた岩が眼前に迫るブライトエンジェル・ポイント

©USPS
1934年発行の切手

サウスリムより標高が300〜600mほど高いノースリムは、北国の高原を思わせる自然を満喫できるところだ。針葉樹ばかりのサウスリムに対して、ノースリムではアスペンを中心とした広葉樹が混じり、夏には色とりどりの花も見られる。気候は、より涼しく、冬は積雪が多い。そのため例年10月中旬〜5月中旬は入ることができない。サウスリムに比べて訪れる人も少なく、グランドキャニオンの違った顔を静かに見ることができるだろう。

6月でも雪の覚悟が必要だ

80

ノースリム

Grand Canyon National Park
North Rim

Arizona

ACCESS　　行 き 方

　サウスリムのビレッジとは直線距離にして16kmほどしか離れていないが、間に横たわる大峡谷を渡るには約215マイル（344km）、車で4〜5時間も迂回しなければならない。むしろザイオン国立公園やレイクパウエルからのほうが容易にアプローチできる。

　車がない場合は下記のバスを利用するか、あるいはラスベガスなどから発着してグランドサークルを巡るツアーバスをおすすめ。

長距離バス　　　　　　　　　　　　Bus

　サウスリム・ビレッジから**Trans Canyon Shuttle**のバスが1日1往復している。車のない人には唯一の交通手段となる。要予約。

レンタカー　　　　　　　　　　Rent-A-Car

　サウスリムから行くなら、デザートビューから東へ走ってUS-89に突きあたったら左折。途中でレイクパウエル方面へ行くUS-89と分かれてUS-89Aに入り、ナバホブリッジでコロラド川を渡り、森の中のJacob LakeのジャンクションでAZ-67へ左折すれば、あとはノースリムまで一本道。4〜5時間で行けるが、途中、雄大で不思議な風景の連続なので、1日つぶすつもりで、ゆっくりと走ってみたい。

　ザイオン、ブライスキャニオン方面からは、US-89に出て南下。KanabでUS-89Aに入ればJacob Lakeへ出る。

　どこから訪れるにしても、春と秋は凍結や降雪を覚悟したほうがいい。あらかじめ道路情報を確認してから出かけよう。

DATA
時間帯▶山岳部標準時 MST
（夏時間不採用）
☎(928)638-7888
URL www.nps.gov/grca
開5月中旬〜10月中旬のみ
24時間オープン
適期6〜9月
料サウスリムと共通で車
1台＄25。そのほかの方
法での入園は1人＄12

ノースリムの地図→P.45

グランドサークルを巡
るバスツアー
　　　　　　→P.480

Trans Canyon Shuttle
☎(928)638-2820
URL www.trans-canyon
shuttle.com
料片道＄85、往復＄160
出発5/15〜10/31のみ。ノースリム7:00発（10/16〜10/31は8:00発）
　　サウスリム発13:30
所要4時間30分

ノースリムまでの所要時間

South Rim	4〜5時間
Zion	約3時間
Bryce Canyon	約3.5時間
Page	3時間弱
Las Vegas	5〜6時間

アリゾナ州の道路情報
Free 511
Free 1888-411-7623
URL www.az511.com

ユタ州の道路情報
Free 511
Free 1866-511-8824
URL www.commuterlink.
utah.gov

真冬は酷寒の地
　ノースリムで記録された最低気温は－30℃、降雪記録はなんと7m！

ケープロイヤル。北欧の神話に出てくるオーディン（ヴォータン）の玉座Wotans Throneと名付けられた岩が足元に延びる

GETTING AROUND　歩き方

　ノースリムを訪れるなら、ぜひ、唯一の宿グランドキャニオン・ロッジに滞在して、のんびりと大地との対話を楽しんでみたい。車ならケープロイヤルやポイントインペリアルへも足を延ばそう。翌日は早起きして、峡谷の朝焼けをお見逃しなく。

情報収集　Information

North Rim Visitor Center

ノースリムのすべての情報が集まる

　ロッジのすぐ手前。森の中を歩いたり、星空を観たりするレンジャープログラムが行われているので参加してみるといい。

園内の施設　Facilities

　食事はぜひロッジのダイニングルームへ。キャニオンの眺望がすばらしいのでいつも混雑している。ディナーは要予約。朝の陽光を浴びながらのバフェ（バイキング）がおすすめだ。

　気軽に食べるならロッジに隣接するデリかコーヒーハウス（夜は酒場になる）がいい。隣にギフトショップあり。

　郵便局の窓口はロッジ内にある（平日のみ）。ガスステーションとグロサリーストアはずっと手前のキャンプ場のそば。

Visitor Center
営8:00～18:00

Ranger **Nature Walk**
集合▶8:00
所要▶約1時間

Dining Room
営6:30～21:45
Deli
営7:00～21:00
Coffee Saloon
営5:30～10:30、
　11:30～23:00
Gift Shop
営8:00～21:00
Groceries Store
営7:00～20:00
Post Office
営月～金 8:00～12:00、
　13:00～17:00
Gas Station
営8:00～17:00（カードでの給油は24時間）

POINTS of INTEREST　おもな見どころ

夏の午後は雷雨が多い。ロッジのロビーに入ってドラマチックな峡谷を安全に眺めよう

ブライトエンジェル・ポイント
Bright Angel Point

　ロッジから歩いて10分ほどのところにある展望台。まるで人工的に造ったような形のよい石灰石のテラスを利用している。足元からコロラド川まで延びている支谷がBright Angel Canyon。パウエル将軍（→P.75）がミルトンの『失楽園』にちなんで名付けた。

　荒涼とした谷間から**ブラフマー寺院Brahma Temple**、**ゾロアスター寺院Zoroaster Temple**など大伽藍を思わせる残丘が屹立している。

　朝のほうが光と影のコントラストが強く、冴えた光景が見られる。晴れた日にはサウスリムの背後の高原の彼方にサンフランシスコ連峰のシルエットが美しい。

初級 **Bright Angel Point**
距離▶往復800m
所要▶往復15～30分
出発点▶ロッジ

ロッジから近いため、朝夕にはほとんどの宿泊客がこの展望台に集まる

（上）天使の窓は頭上が展望台になっている
（左）ヴィシュヌ寺院。奥に見える雪山はフラッグスタッフ近くにある Humphreys Peak（標高3851m）

ケープロイヤル　Cape Royal

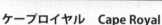

峡谷に深く突き出した断崖の端にあり、左右に大きく開けた眺望がすばらしい。デザートビューのウオッチタワーも小さく見える。駐車場から10分ほど歩く。

展望台の手前に**Angel's Window**という石灰石が浸食された自然のアーチがある。天使の窓から見えるのはコロラド川だ。ロッジからは車で約45分かかるが、見逃せないポイント。

Cape Royel
設備 トイレ

ポイントインペリアル　Point Imperial

ロッジから約20分。ケープロイヤルへ行く道路の途中から左へ入る。マーブルキャニオンと呼ばれるグランドキャニオン東部の眺望が開けた展望台で、サウスリムを含めたすべての展望台のなかで最も北にあり、最も標高が高い（2683m）。ほかのポイントと比べるとぐっと穏やかな景色が広がり、足元には**Mount Hayden**が印象的。周辺には野生動物が多く、ヤマアラシやリス、キツツキ、ライチョウなどを見かけることもある。

展望台の足元に屹立するマウントヘイデン

Point Imperial
設備 トイレ

大峡谷に消えた128人

グランドキャニオンで起きた史上最悪の事故は、遊覧ヘリの墜落でもボートの転覆でもない。旅客機の事故だ。1956年6月、LAからカンザスシティへ向かっていたTWA機と、その3分後にLAを飛び立ってシカゴへ向かっていたユナイテッド機が、ケープロイヤル北東（コロラド川の手前）の上空6400mで空中衝突して墜落、炎上。日中にもかかわらず目撃者がおらず、発見されたのは翌日だった。犠牲者は128人。生存者はいない。岩場のため残骸の回収は困難で、一部は今も現場に残っているという。

当時、ここは航空管制区域外であり、レーダー監視システムも整っていなかった。この悲劇をきっかけにして2年後、連邦航空局FAAが設立された

ケープロイヤルとポイントインペリアルの中間にあるルーズベルトポイント。グランドキャニオンの保護に大きな力を与えた大統領の碑がある

ハイキング　　　　　　　　　　　Hiking

各ポイントの周辺に往復20分～2時間程度のトレイルが整備されている。リスやシカを探して森を歩くのもいいし、少しだけキャニオンに下りてみるのもいいだろう。

ノースリムから峡谷へ下りる唯一のルート、**ノースカイバブ・トレイルNorth Kaibab Trail**は、コロラド川まで片道23km。サウスリムのトレイルよりずっと長く、しかも南向きの斜面なので非常に暑い！

ノースリムから下りてファントムランチかキャンプ場で1泊（要予約）。翌朝ブライトエンジェル・トレイルを上るのが一般的。逆コースは上りが長くなる。P.64とP.86をよく読み、宿を確保し、飲料水や食料をしっかり用意し、万全の体調を整えて出かけよう。

ファントムランチ
→P.69、77
峡谷内キャンプ場　→P.78

ハイカーズシャトル
トレイルヘッドはロッジより3マイル手前にある。ロッジからトレイルヘッドまで5:45と7:10にシャトルバスが走る。1人$7。チケットはロッジで前日までに購入しておく

ノースカイバブ・トレイル

	所要時間	片道距離	標高	飲料水	トイレ	緊急用電話	レンジャーステーション	備考
トレイルヘッド	—	—	2510m	▲	●			水は5～10月のみ
スパイトンネル	往復2.5～3時間	3.2km	2085m	▲	●			水は5～10月のみ
ローリングスプリングス	往復6～8時間	7.6km	1510m	▲	●	●		トレイルから片道10分水は5～9月のみ
コットンウッドキャンプ場	下り4～6時間	10.9km	1230m	▲	●	●	●	水は5～9月のみ
リボン滝	下り4.5～7時間	13.4km	1134m					トレイルから片道15分
ファントムランチ	下り7～11時間上り9～14時間	22.8km	760m	●	●	●	●	予約は1年前に！

ミュールツアー　　　　　　　　Mule Ride

ラバの背に揺られて峡谷へ下りるミュールツアーがある。ただし谷底まで下りるわけではない。ロッジにあるツアーデスクで申し込もう。

ミュールツアー
注意事項→P.73
☎(435)679-8665
半日コース
出発7:30＆12:30（10歳以上）
料$80

ACCOMMODATION　宿泊施設

園内で泊まる

🏠 Grand Canyon Lodge

ノースリム唯一の宿。メインビルディングは峡谷に張り出して建っており、キャニオンの眺望が見事。客室はキャビンとモーテル棟があり、よく設備が整っていて快適だ。5月中旬～10月中旬オープン。春と秋はほぼ満室なので予約は早めに。13ヵ月前から受付。

コの字型のメインビルディングは機能的にできている

Forever Resort
☎(480)337-1320　Free 1877-386-4383

当日☎(928)638-2611
URL www.grandcanyonlodgenorth.com
料$116～192　カード A D M V

キャンプ場に泊まる

ロッジの手前、徒歩15分ほどのところにある。5月中旬～10月中旬のみ。6ヵ月前の同日に予約受付が始まり、すぐにいっぱいになってしまう。シャワー、コインランドリーあり。また、次ページのKaibab LodgeとJacob Lake Innにもキャンプ場がある。

キャンプ場予約　　　　　　　　→P.482
Free 1877-444-6777　URL www.recreation.gov
受付8:00～20:00（MST）
料$18～25　カード A M V

グランドキャニオン国立公園　ノースリム（アリゾナ州）

近隣の町に泊まる

　下記の2軒を逃すと、あとはザイオン方面へ走ったユタ州Kanab（約30軒）か、レイクパウエルのペイジ（→P.99）の町まで宿らしい宿はない。

🏠 Kaibab Lodge

　リムから18マイル（約29km）北。5月中旬〜11月上旬オープン。レストラン、ガスステーションあり。電話、TVなし。26室。

MAP P.45
☎ (928)638-2389
URL www.kaibablodge.com
on **off** $ 85〜180　カード **M** **V**

🏠 Jacob Lake Inn

　リムから45マイル（72km）北、US-89の角。年中オープン。レストラン、グロサリーストア、ガスステーションあり。35室。

☎ (928)643-7232
URL www.jacoblake.com
on **off** $ 89〜138　カード **A** **M** **V**

🚙 **Side Trip**

トロウィープポイント Toroweap Point

　コロラド川を見下ろす絶景展望台。ノースリムのビレッジからは遠く離れているし（**MAP** →P.45の左端）、未舗装路を100kmも走らなければたどり着けないし、苦労して訪れる価値のある場所だ。
　突端の展望ポイントから見下ろすと、足元の岩がコロラド川まで見事に垂直に切れ落ちており、なんとその高さは900m以上。高所恐怖症の人でなくてもクラクラしそうだ。展望ポイントといっても手すりも何もないので、転落には充分に注意してほしい。どの岩がいつ崩れるかわからないし、足元はとても滑りやすい。
　トロウィープポイントへの未舗装路は、よく乾いているときなら普通車でも走れなくはないが、岩がゴツゴツしている最後の3マイルでタイヤがパンクすることが多い。また、レンタカーの場合、未舗装路での事故は保険適用外なので、なるべく後述のツアーに参加することをすすめる。
　途中にも展望ポイントにも飲料水は一切

通る車は1日に数台なので、故障やパンクはツライ

い。特に夏は多めに用意しておこう。食料、ガソリン、スペアタイヤとツールも忘れずに。入園料無料。途中にTuweepというレンジャーステーションがあり、緊急電話が使える。
MAP 折込2枚目オモテ H-1、P.45

行き方

　トロウィープポイントにいたる未舗装路は4本ある。最も状態がマシなのは、FredoniaからAZ-389を西へ7マイルの地点から入るBLM Road 109。片道61マイル、2〜3時間。特に最後の3マイルは路面が荒れている。雨のあとは4WDでも入らないほうが無難だ。

キャンプ場

　9サイト。無料。飲料水なし。ゴミはすべて持ち帰らなければならない。

Dreamland Safari
☎ (435)644-5506
URL www.dreamlandtours.net
🎫 $ 190（ボックスランチ込み）
所要 ユタ州カナブ発着7時間

Pink Jeep Tours
Free 1888-900-4480
URL www.pinkjeeptours.com
🎫 1人 $ 245（ボックスランチ込み）
所要 ラスベガス発着12時間

足を滑らせたら本当に川へ真っ逆さま。スカイウオーク（→P.60）よりずっとスリリングだ

大峡谷を歩く——グランドキャニオン大横断！

途中のキャンプ場を過ぎてから、後半の数時間がとにかく長い！ 暑い！

　世界で最もダイナミックな峡谷を自分の足で横断する——それは自然を愛する者にとって憧れのトレッキングだ。グランドキャニオンを横断することを**リム・トゥ・リムRim To Rim**、そのトレイルを**コリドー（回廊）トレイル Corridor Trail**という。コンドルが横断するなら距離は約16kmだが、人間の通り道は片道38.2kmある。なかには12時間で往復（Rim To Rim To Rim）してしまうトライアスロン選手のような人もいるが、ファントムランチ（→P.69）に1泊して2日で横断するのが一般的だ。

　Rim To Rimは、距離は長いし、勾配はきついし、夏は殺人的な暑さ＆冬は積雪が多いなど、厳しいトレイルではある。しかし、決して体を鍛え上げた上級者のためだけのトレイルではない。きちんとした知識を頭に入れ、必要なもの（→P.64）を過不足なく備え、体調を整えて歩き出せば、普通の人でもきっと完歩できる。

初めての挑戦は5月下旬に！

　Rim To Rimの一番の難関は、もしかしたらファントムランチの予約かもしれない。なぜなら横断に適している時期が非常に短く、予約が集中するからだ。その時期とはズバリ、5月下旬。

　グランドキャニオンのトレイルは、6〜9月は40℃以上はあたりまえ。10月は日没が早いのでおすすめできないし（5月に比べて2時間も日が短い）、10月下旬〜5月中旬はノースリムが閉鎖されてしまう。残るは5月下旬しかないのだ。

　ノースリムから下る場合、Grand Canyon Lodgeはファントムランチとは別会社の経営なのでチケット交換（→P.77）ができないが、予約再確認の際にノースリムから下ることを伝えておけばOK。

ルートの選択

　ノースリムのトレイルはノースカイバブ・トレイル（→P.84）1本のみ。サウスリムにはブライトエンジェル・トレイル（→P.66）とサウスカイバブ・トレイル（→P.68）の2本がある。

　ノースリムはサウスリムより標高が高いので、トレイルの勾配もより厳しく、リムから約8kmの間に一気に1000mも崖を下る。このため、南から北へ歩くと、30kmも歩いてきて疲れきっているところへ急な登りが待っていることになるし、終着点からビレッジまで離れているのも不便だ。

　そんなわけで、おすすめは北→南へ歩くルート。サウスカイバブは水場がないので、ブライトエンジェルを上るといい。

　あとは、サウスリムをベースにするのか、ノースリム（車のある人のみ）にするのかを決めて、前後泊のロッジも予約。出発の01ヵ月ほど前になったらTrans Canyon Shuttle（→P.81）も確保しよう。なお、2日目の早朝にファントムランチを発ち、13:30発のシャトルでその日のうちにノースリムへ戻る人もいるが、バスに乗り遅れまいとして無理なペースで歩くのは危険だ。

歩き始めは寒いくらいだが、ヒザをいたわるように意識してゆっくり進もう

出発！

横断前日、ビジターセンターでトレイルの状態について確かめよう。積雪がある、水場が故障して使えないなど、重要な情報が掲示してある。もちろん天気情報も忘れずにチェック。車がない人はハイカーズシャトル（→P.84）も予約しておこう。

トレイルヘッドはビレッジから5kmほど離れている。駐車場は狭いが、早朝なら空いている。まだ暗いうちに止めて、ストレッチを念入りに。空が明るくなったらすぐに歩き出そう。

最初の2〜3時間、ヒザが笑いそうなほどの急な下りが続く。アスペンの林、激しく浸食された断崖や奇岩など、サウスリムには見られない風景を楽しみながら、休み休み行こう。視界が開けたところが**ココニノ展望台**。ここからさらに勾配がきつくなる。やがて足元の土が白から赤に変わると**スパイトンネル**だ。トイレを済ませておこう。

トンネルからはるか下に見えていた橋を渡り、周囲の緑が色鮮やかになってくると、左から左／サボテンが見え出すと、いよいよ気温が上がってくる　下／年間約435万人に及ぶ観光客がこの流れのお世話になっている

さて、大変なのはここからだ。

滝の音が聞こえてくる。サウスリムの水源である**ローリングスプリングス**だ（→P.72）。朝食を取りながら大休止したい。ただしピクニックテーブルとトイレはトレイルから10分ほど離れているため、道端に腰を下ろして滝を見ながら行動食をほおばる人も多いようだ。

ここから先は谷底まで下る人ばかり。植物もサボテンなどが多くなる。しばらく下ると沢沿いにパイプラインの管理小屋がある。その先の橋を渡ると勾配が緩くなり、だらだらの下り坂がキャンプ場まで続く。

暑くて退屈な谷底歩き

Cottonwoodのキャンプ場は、ノースカイバブ・トレイルのほぼ中間点。木陰のテーブルでランチを取ったら、日焼け止めを塗り直して

滝壺の苔が美しいリボン滝

出発しよう。この先は水場がないので、水筒をいっぱいにするのも忘れずに。

しばらく行くと**リボン滝**の分岐点があるので、ぜひ寄り道して行こう。トレイルが荒れているので迷うかもしれないが、標識で右折して橋を渡ったあと、突きあたりの岩山を左側へ回り込むように進もう。往復約30分だ。

なお、ファントムランチから上ってきた場合、上記標識よりずっと手前に「Ribbon Fall via Bridge →」の標識がある。ここで標識が示す矢印とは逆に左の踏み跡をたどると滝への近道になるが、川を横切らなければならないため春先や雨の後などは危険をともなう。標識どおりにトレイルを進み、前述の橋を渡ることをすすめる。滝からトレイルへ戻るときも、来た道を戻って橋を渡ろう。

あまりに暑いときには、リボン滝で休憩して、涼しくなってからThe Boxを歩くといい

勾配はもうほとんど感じられない。谷底を流れる渓流に沿って進むだけだ。何度も橋を渡り、右岸、左岸と移りながら、ひたすら歩くだけだ。川は右に左に曲がりくねり、先がまったく見えない。いつのまにか両岸には高さ300mの岩壁が迫り、よけいに視界を狭めている。**The Box**と呼ばれるこのエリアは、ことのほか暑い。18億年ともいわれる古い地層は黒々としていて、ファントムランチまでの8.4kmがとても長く感じるだろう。

うんざりするほどカーブを曲がり、ようやく緑が見えてきたら、谷底のオアシスに到着。絶品のレモネードが待っている！

Grand Circle

グランドサークル

グランドキャニオン国立公園　ノースリム（アリゾナ州）

レイクパウエルと
レインボーブリッジ国定公園

ユタ州／アリゾナ州／ **MAP** 折込 1 枚目 C-3、折込 2 枚目オモテ GH-2

夕暮れのワーウィープ。レイクパウエル観光の拠点になるマリーナだ

©USPS
2006年発行の切手

グランドキャニオンの上流に、96もの峡谷が複雑に入り組んだ場所があった。その乾いた風景のなかに、コロラド川をせき止めてダムが造られ、アメリカで2番目に大きな人造湖レイクパウエルが誕生した。湖の長さは約300km（東京－名古屋間に相当）。峡谷は入江となり、湖岸線は3200kmにわたって迷路のように続く。満水になるのに17年もかかったという。空の青を鮮やかに映す湖水と、ココアパウダーをふりかけたような色の滑らかな岩肌。その不思議な景観は『猿の惑星』など数々の映画の舞台になってきた。

現在は湖の周辺一帯はグレンキャニオン国立レクリエーション地域として保護されており、入江の奥にある世界最大の自然橋、レインボーブリッジとともに一年中訪れる人が絶えない。『水をたたえたグランドキャニオン』と称される迫力の景観を、グランドサークルのドライブの途中にぜひ組み込みたい。そして、時間があれば、ボートをはじめとするウオーターアクティビティを楽しんでみたい。ここは、アメリカ西部におけるウオーターアクティビティのメッカなのだ。

Lake Powell & Rainbow Bridge National Monument

Utah/Arizona

ACCESS　行き方

　ゲートシティは、長さ300kmに延びる湖の南端にある**ペイジ Page**（印刷物のページと混同しないようCity of Pageと呼ばれる）。グレンキャニオン・ダム関係者の居住地として生まれた町だ。アリゾナ州だが、ユタ州境に近く、湖の大部分とレインボーブリッジはユタ州になる。メインストリートであるLake Powell Blvd.（US-89）沿いを中心にモーテルが並び、夏休み中は多くの観光客でにぎわう。

　町外れに小さな空港があり、一応、定期フライトもある。しかし、町の郊外に散らばった見どころを回る足がないので、むしろフラッグスタッフやラスベガス発着のツアーバスを利用したほうが便利だ。レンタカー派にはラスベガスなどで借りることをすすめる。

極端なまでに入り組んだ湖岸線が特徴的

©NPS

　なお、レインボーブリッジはレイクパウエル湖畔にあるが、ペイジからは遠く離れている。車道は通っていないので湖の南端から出ているボートツアーを利用して訪れることになる。

人気のアンテロープキャニオンは湖のすぐ近くにある

DATA

時間帯▶山岳部標準時MST
（アリゾナ州は夏時間不採用）
☎(928)608-6200
URL www.nps.gov/glca
（グレンキャニオン）
www.nps.gov/rabr
（レインボーブリッジ）
開24時間365日オープン
適期▶年中
料車1台＄15
そのほかの方法は1人＄7
国定公園指定▶1910年
（レインボーブリッジ）
面積▶約5075km²
（グレンキャニオン）
園内最高地点▶2181m
（Kaiparowits Plateau）
哺乳類▶64種
鳥　類▶301種
爬虫類▶28種
魚　類▶25種
植　物▶533種

⚠️**タイムゾーンに要注意！**
　この地域はナバホ族居留地に隣接している。居留地内では夏時間を採用しているが、ペイジの町やダム、ワーウィープマリーナは、いずれも居留地外のアリゾナ州にあるので夏時間は採用していない。つまり夏時間の間だけ、マリーナのすぐ北にあるユタ州やモニュメントバレーより1時間遅れていることになる

PGA ☎(928)645-4232
グレイトレイクス航空
Free 1800-554-5111
URL www.greatlakesav.com
Avis ☎(928)645-2024
タクシー ☎(928)645-6806

飛行機 Airlines

Page Municipal Airport (PGA)

　ペイジの町の北にある小さな空港。ユナイテッド系グレイトレイクス航空がロスアンゼルス（毎日1便。所要2時間30分）、ラスベガス（1便。1時間）などから小型機を飛ばしている。

　空港からホテルやマリーナまでの足は、宿泊するホテルに送迎を頼むかタクシー利用となる。レンタカー会社もあるが、台数が少ないので要予約。

ツアー Tour

Scenic Airlines
☎(702)638-3300
Free 1866-235-9422
日本 無料 0120-288-747
☎(03)5745-5561
URL www.scenic.co.jp
圏 朝食・昼食込み＄373、
4～11歳＄353（4歳未満参
加不可）

グランドサークルを巡
るバスツアー　→P.480

Scenic Airlines

　3～11月中旬のみ、グランドキャニオン・サウスリム発着のアンテロープキャニオン＆ラフティング日帰りツアーを催行している。往路は、トゥシヤンのグランドキャニオン空港（→P.44）から小型機でペイジへ。アンテロープキャニオンを見学したあと、グレンキャニオン・ダムの下からゴムボートに乗り込み、コロラド川を下る。リーズフェリーからはバスでサウスリムへ戻る。すべて日本語で予約できる。

レンタカー　　　　　　　　　　　　　　　　Rent-A-Car

ペイジへの行き方

　グランドキャニオン・サウスリムからは、デザートビューを通って
AZ-64を東に走り、US-89に突きあたったら左折。ナバホ族居留地
を走り抜け、US-89Aとの分岐を直進して北上する。所要約3時間。

　ノースリムからは、Jacob Lakeを右折してUS-89Aを東へ走
り、ナバホブリッジ（Marble Canyon）でコロラド川を渡り、
US-89と合流するジャンクションを左折して北上する。3時間弱。

　モニュメントバレーからなら、US-163でKayentaに出て、
US-160を西へ。標識に従ってAZ-98に入ればペイジにいたる。2
～3時間。

　逆に西側からレイクパウエルを訪れるなら、Kanabから
US-89を東へ走ればダムへ出る。ザイオンから約2時間。

　ブライスキャニオンから訪れる場合、4WD車ならCottonwood
Canyon Rd.（→P.131）経由もおもしろいが、普通車の場合は
US-89経由のほうが遠回りだが早い。

ブルフロッグへの行き方

　ペイジからはるか北東、レイクパウエルが細くなったところ
をUT-276が横断しており、北側の湖岸にある**ブルフロッグ
Bullfrog**と南側にある**ホールズクロッシングHalls Crossing**と
の間を夏期のみフェリーで渡れるようになっている（所要25分）。
キャビトルリーフ（→P.132）からナチュラルブリッジ（→P.168）
経由でモニュメントバレーへ抜けるのに便利なルートだ。

ペイジまでの所要時間

South Rim	約3時間
North Rim	3時間弱
Monument Valley	2.5時間
Zion	約2時間

アリゾナ州の道路情報
Free 511
Free 1888-411-7623
URL www.az511.com

ユタ州の道路情報
Free 511
Free 1866-511-8824
URL www.commuterlink.
utah.gov

ブルフロッグのフェリー
運航 Bullfrog発
10:00、12:00、14:00、16:00
Halls Crossing発
9:00、11:00、13:00、15:00
休 10月中旬～4月中旬
料 小型車 $25

湖の東岸に立つタワービュート

GETTING AROUND　歩き方

レイクパウエルでの足は車か船しかない。レインボーブリッジへの船や水上レクリエーションの起点になるのは、ダムの西にある**ワーウィープマリーナWahweap Marina**。ペイジから行くには、Lake Powell Blvd.を西へ進み、US-89に突きあたったら右折。坂を下って、ダムの前に架けられた**Glen Canyon Bridge**を渡る

全米第2位の規模を誇るグレンキャニオン・ダム

とすぐにビジターセンターがある。US-89をさらに少し進み、標識に従って右折。料金ゲートを過ぎ、右手に湖を見ながら約5マイル行くとワーウィープマリーナに到着。

シーズン中は広い駐車場もキャンピングカーや車でいっぱい。ロッジもレストランも大変な混雑だ。マリーナにはハウスボートがズラリと浮かび、水上長期滞在の優雅な休暇を過ごしている人々がいる。モーターボートや水上スキーなど"芸"のある人は心ゆくまで楽しむとよい。残念ながら何もできない人は、早速ボートツアーに参加しよう。

なお、レイクパウエル周辺では夏は35℃を超える日も多い。冬でもあまり気温は下がらず、雪が降ることはめったにない。

情報収集　Information

Carl Hayden Visitor Center

グレンキャニオン・ダムに隣接している。館内にはレイクパウエルのジオラマが設置され、1時間おきに15分間の映画も上映されている。ガラス越しに見下ろす巨大なダムが壮観で、夏期にはエレベーターで降りてダムを見学するツアーも行われる（→P.93）。

ダムの真上にあるビジターセンター

なお、ダムは原子力発電所と並ぶ重要施設であり、テロを警戒する当局は訪問者の挙動に神経を尖らせている。ビジターセンターへ入るにも金属探知器、ボディチェックがあり、カメラ、財布、水以外は持ち込むことができないので、バッグなどは車内に外から見えないように置いて行こう。

Powell Museum Visitor Information Center

ペイジの中心、Navajo Driveの角にある博物館。館内には、レイクパウエルが誕生する前の資料や、パウエル将軍がコロラド川を下ってこの地域を探検したときのボートの模型や写真、先住民の文化についての展示が充実している。町のビジターセンターも兼ねており、ホテルやツアーの予約、ハウスボートのレンタルも手数料無料で手配してくれる。とにかくペイジに着いたら真っ先に立ち寄ろう。ウエブサイトを通しての予約も便利だ。

夏は必ず予約を！
夏のレイクパウエルは混雑する。まずペイジの宿を確保することが重要。特に週末にかかるときは早めの到着を心がけたい。ボートツアーも前日までに予約を入れよう

橋の上は駐車禁止
グレンキャニオン・ブリッジは駐車禁止。橋の上からダムを見たければ、ビジターセンターの駐車場に車を置いて歩いて行く

パスポートを忘れずに
ワーウィープマリーナ手前の料金ゲートではパスポートの提示を求められる

Carl Hayden VC
☎(928)608-6404
🕐夏期8:00〜18:00
春・秋8:00〜17:00
冬期8:30〜16:30
🚫11月第4木曜、12/25、1/1

Powell Museum
🏠6 N. Lake Powell Blvd.
☎(928)645-9496
Free 1888-597-6873
URL www.powellmuseum.org
🕐月〜金9:00〜17:00、土9:00〜17:00（4〜10月のみ）
🚫11〜3月の土曜と日曜
💰博物館＄5。ホテルやツアーの予約手数料は無料

そのほかの施設
ワーウィープマリーナにはレストラン、ジェネラルストア、ガスステーションなどが整っている。ほかには湖北部のブルフロッグにビジターセンターとレストランがある

POINTS of INTEREST　おもな見どころ

グレンキャニオン・ダム　Glen Canyon Dam

　巨大なレイクパウエルを出現させたダムは高さ216m、幅475m、出力132万キロワットで、1956〜64年にかけて建設された。ラスベガス郊外にあるフーバーダムに次ぐ規模だ。

　1936年に完成したフーバーダムは、西海岸の水資源確保と、大恐慌後の雇用対策のために造られた。ところがロッキー山脈を削り、ユタの大地やグランドキャニオンを削って流れてきたコロラド川は、予想以上に大量の土砂を含んでいて、これがレイクミードの湖底にぶ厚く沈殿してしまった。放っておいたら湖が埋まってしまう！

　そこでグランドキャニオン上流に造られたのが、このグレンキャニオン・ダムである。「グランドキャニオンよりも美しい」と称えられたグレンキャニオンの峡谷は、水資源のためでも洪水対策でもなく、レイクミードの沈殿物対策のために姿を消した。フーバーダムという環境破壊が招いた、二次的環境破壊だったのかもしれない。

　しかし、このダムが出現したおかげで美しい湖とペイジの町が生まれ、全米から観光客が集まる一大レクリエーションエリアとなった。

川下りのボートはダムの真下から出発する

ダム見学ツアー
出発 夏期 8:30 〜 10:30、12:30〜16:00の30分ごと。冬期は1日4回程度。45分間
料 $5、7〜16歳半額
注意：国の重要施設なので政情によっては中止されることもある

Column　干上がる湖

　レイクパウエルの湖岸を見ると、岩壁の下が真っ白になっているのが目立つ。これは岩の表面に含まれる成分が水に溶け出したもので、色の境目が満水時の水位線ということになる。ここ数年、湖の水位は下がる一方で、水路が狭くなって通れなくなったり、2000万ドルをかけて船着場などの施設を移動させたりといった問題も出ている。

　原因は上流一帯の少雨傾向にある。レイクパウエルの湖水はロッキー山脈を中心に4州の山に降った雨と雪解け水を集めている。2002年の流入量は平年のたった14%だった。2013年2月現在、貯水量は満水時の50%にすぎない。

　どんなにレイクパウエルの水位が下がろうとも、ラスベガスやロスアンゼルスなど大都市の貴重な水源であるレイクミードの水位を下げるわけにはいかないので、グレンキャニオン・ダムは放水を続ける。皮肉なことに、この放水には、グランドキャニオンで絶滅の危機に瀕している動植物を保護する意味もある（→P.72）。通常の5倍の水を一気に放出して、川底に溜まった沈殿物を流し、河畔の植物を洗い、不自然に増えてしまったマスを一掃する作戦も試みられている。今では考えられないことだが、レイクパウエルが誕生した当時、国立公園局は釣り客の楽しみのために湖にマスなどを放流した。

　さらに驚くべきは、ダムの下流、グランドキャニオン国立公園との境界にあるリーズフェリーで、なんと1990年代までアリゾナ州の手によってニジマスの放流が続けられていたのだ。そして今、増えすぎたマスを駆逐しようとしている。マスにとっても在来種にとっても、人間ほど迷惑な生き物はいないだろう。

　一部の環境保護団体の中にはダム撤去を求める声もあるが、これに反対する人々も多い。「巨大な湖が干上がったら地球温暖化を悪化させる」「コロラド川が運んできた土砂が湖底に沈んでおり、湖が干上がれば粉塵となって舞い上がる」「せっかく増えたハクトウワシを殺すことになる」「人口が増えてしまった今、巨大な貯水池と電力を手放すのは無理」「ペイジの町は失業者だらけになり、不動産価格が下がる」などなど理由は限りなくあり、とても実現しそうにない。

水位によってボートツアーの時間も変わるので確認を

レインボーブリッジ国定公園　Rainbow Bridge NM

Rainbow Bridge Boat Tour
予約 Free 1888-896-3829
URL www.powellmuseum.org
運航 4～10月は毎日7:30 & 12:30、11～3月は土9:00（24時間前までに20人以上の予約がないと中止）
所要 5時間30分
料 $125
3～12歳 $90
（税込み。グレンキャニオン入園料は別料金）
注意：レインボーブリッジはユタ州にあるが、ツアーはすべてアリゾナ時間（MST。夏時間不採用）で進行する。また所要時間は湖の水位によって大きく変わることがある

　ユタ州にはアーチとかブリッジとか呼ばれる「穴のあいた岩」がうんざりするほどあるが、ナンバーワンを決めるとしたら、多くの人がこのレインボーブリッジかアーチーズのデリケートアーチのどちらかを選ぶだろう。世界最大のナチュラルブリッジで、穴の高さは75.6m、差し渡し84.7m。大きさもさることながら、その完璧な姿がいい。先住民ナバホの人々が、「虹が固まって石になってしまった」と言い伝えていたのも理解できる。コロラド川から分かれた峡谷の奥に、こんな大きな虹を発見した人の驚きはどんなだっただろう。

　レイクパウエル観光のハイライトともいうべきレインボーブリッジへのボートツアーは料金は高いが、クルーズ自体が最高のアトラクション。乗り逃したらきっと後悔する！

　乗船券は、マリーナのレイクパウエルリゾート（→P.99）のロビーにあるツアーデスクで受け取る。早めに並んでおかないと、人気のある上部デッキはすぐにいっぱいになってしまう。

　このクルーズの魅力は、グレンキャニオンと湖のすばらしさが同時に楽しめること。青い空、左右に展開するカラフルな峡谷、岩と小島が赤、茶、白など鮮やかな色彩とダイナミックな姿で迫ってくる。モーターボートがうなりを上げて遠ざかる。シュプールを描いて水上スキーを楽しむ人たちがすれ違う。船内にはレモネード、水、コーヒーが置いてあって自由に飲むことができる。

　出航してから約2時間半、船はForbidding Canyonに入り、スピードダウン。谷が急に狭くなり、左右に岩壁が迫る。船は峡谷の水路をうねるように奥へ奥へと進み、約20分で桟橋に到着する。

　ボートを降りると、レインボーブリッジまで30分ほど歩く。以前はブリッジのすぐ手前に桟橋があったが、湖の水位低下によって桟橋が後退してしまったのだ。スニーカーを履いて行こう。ここには簡易トイレ以外、キャンプ場、売店などの施設は一切ない。レインボーブリッジでの停泊時間は90分ある（水位による）。

　2002年、レインボーブリッジの真下へ近づくことを禁じる決定が裁判所によって下された。「聖なる場所を汚さないでほしい」というナバホの人々の訴えを認めたものだ。一時の訪問者である我々も、展望ポイントから静かに拝ませてもらおう。

左／満水時にはブリッジの真下まで水があった
右／西から見ることになるので午後がおすすめだが、夕方早い時間に周囲の岩の影に入ってしまう

峡谷内では50分ほど自由時間がある。通り抜けた先には、キャニオンを上から見下ろせるポイントもある

アッパー・アンテロープキャニオン
Upper Antelope Canyon

　レイクパウエルへ流れ込む支流のひとつが刻んだ小さな峡谷、アンテロープキャニオンは、極端なまでの幅の狭さと幻想的な造形で知られている。まるで水流の渦がそのまま岩壁に刻まれたような不思議な形は、砂丘が固まってできた砂岩が鉄砲水に浸食されたもので、スロット（細長い隙間の）キャニオン、コークスクリュー（らせん状の）キャニオンとも呼ばれる。

　場所はペイジの東側。ナバホ族居留地内にあり、勝手に見学することはできない。数社がツアーを催行しており、パウエル博物館（→P.92）へ行くと、希望の時間に合ったツアー会社を選んでくれる。また直接現地へ行ってガイド（＄30前後）を頼むこともできる。

　ツアーで行く場合、出発場所はペイジの中心にあるパウエル博物館かその周辺。荷台にイスを装備した改造トラックで出発だ。AZ-98を東へ10分ほど走り、もくもくと煙を上げる火力発電所の手前で右折して、ドライクリーク（普段は乾いていて、雨が大量に降ったときだけ現れる川）を2マイルほど進むと到着。

　前方に見える岩壁には割れ目のような細い入口があり、そこから中に入るとすべすべの岩肌に囲まれた細い空間がくねくねと続いている。全長150m。3分で歩けるほど短い。見上げると高さ20mの岩肌が渦巻き状に削られている。

　この幻想的な空間を造ったのは鉄砲水だ。砂漠にときおり降るスコールは、地面に浸透するよりも早く、転がるように低いところへ集まり、強力な勢いのついた鉄砲水となる。これが、比較的柔らかく赤いナバホ・サンドストーン（砂岩）を削り取ってできたのがアンテロープキャニオンなのだ。

　峡谷内はあまりにも狭く、空がわずかしかないので、谷底に日光が届くのは春～秋の正午前後しかない。写真を撮るならその頃のツアーを選ぼう。写真を見てもわかるとおり、いったん鉄砲水が流れてきたら逃げ場がなく、たいへん危険。そのため、はるか上流で雷が鳴っただけでも立入禁止になることがある。

Upper Antelope Canyon
圓 夏期8:00～17:00
　冬期9:00～15:00
圍 入場料 ＄6（ツアー参加の場合は料金に含まれている。直接現地へ行った場合、別途ガイド料要）

Antelope Canyon Tours
住 22 S. Lake Powell Blvd.
☎ (928)645-9102
URL www.antelopecanyon.com
予約 URL www.powellmuseum.org
1.5時間ツアー
出発 1日4～6回
圍 ＄35～46、6～12歳 ＄25～32（入場料＆税込み）
2.5時間ツアー
出発 11:30
圍 ＄80、6～12歳 ＄50（入場料＆税込み）

Reader's Voice

砂ぼこりに注意
　アンテロープキャニオンは砂の粒子が細かく、頭上からも降ってくる。カメラの溝に入ると壊れたり動作が遅くなったりするので、カバーをかけるなど注意が必要。また、受付からキャニオンまでジープで2マイルほど行くのだが、風とほこりがスゴイ！コンタクトの方は要注意だ。
（神奈川県　長野明子　'10）['13]

ロウアー・アンテロープキャニオン
Lower Antelope Canyon

　景観はアッパーとよく似ているが、こちらのほうがずっと長く、深く、狭い。ただし、より危険もともなう。1997年、鉄砲水によってここで11名が亡くなった。30分ごとに出発するガイドツアーで見学する。急な階段があるのでスカートやサンダルは不可。特に狭い箇所では服が汚れることもある。閉所恐怖症の人にはアッパーをすすめる。

最初と最後にハシゴがある

Lower Antelope Canyon
圏 夏期8:00〜17:00
　冬期9:00〜15:00
圉 入場料＄26、7〜12歳
＄18（カード不可）
行き方 ペイジからAZ-98を
東へ約10分（モニュメント
バレーから来た場合はペイ
ジの手前）、火力発電所の
すぐ手前でインディアンロー
ド222を左折する（正面
にロウアー・アンテロープ
キャニオン入口がある）。
500mほど走り、左の細い
道を鋭角に曲がったところ

アッパーより人が少なく、じっくりと見学できるのもうれしい

ホースシューベンド　Horseshoe Bend

　ダムの下流にあり、コロラド川が馬蹄形の急カーブを描く場所。そのダイナミックな風景は写真家に大人気だ。コロラドとは「赤い」という意味だが、川の水に含まれる岩石や砂はレイクパウエルに沈殿してしまうため、ここでは緑色の川となって流れている。よく見ると、ラフティングボートが行き交っているのがわかるだろう。

Horseshoe Bend
　ダムからUS-89を南へ約
5マイル。マイルマーカー
545を過ぎてすぐ右側。駐
車場からカンカン照りの砂
地を15分ほど歩く。展望ポ
イントは自然のままの断崖
（高さ約300m）なので、転
落、落雷には充分に注意を

砂のトレイルなので風が
ある日はツライ！

転落死亡事故も起きているので、
足元には充分に気を付けよう

96

グランドサークル欄外：レイクパウエルとレインボーブリッジ国定公園（ユタ州／アリゾナ州）

ACTIVITIES　アクティビティ

レイククルーズ　Lake Cruise

　レイクパウエルのクルーズは人気ナンバーワンのアクティビティ。特にアンテロープキャニオンが湖に流れ込む入江のツアーはエキサイティング。最奥はボートの幅すれすれなので、突端まで行ったらバックして戻るしかない。このツアーでは、ぜひボート最前部の座席を確保したい。

どの程度奥まで進めるかは湖の水位によって大きく異なる

ラフティング　Rafting

　コロラド川を下るラフトツアーが出ている。ペイジ市内に集合し、バスでダムの真下へ。ここからゴムボートに乗り込み、ホースシューベンドを通って24kmほど下流にあるリーズフェリーLee's Ferryまで下る。急流はなく、ゆったりと流れながらカラフルな岩をじっくり眺めることができる。前日までにパウエル博物館などで予約しておこう。グランドキャニオン発着コースや、数日かけてグランドキャニオンを下る激流下りのラフティングもある（→P.74）。

コロラド台地の赤い岩を存分に満喫できる

ボートツアー
Free 1888-896-3829
URL www.powellmuseum.org
Antelope Canyon（1.5時間）
運航 4～10月16:15、11～3月は水・金10:30
料 $41.77
3～12歳 $27.85
Canyon Adventure（3時間）
ナバホキャニオンとアンテロープキャニオンを訪れる
運航 4～10月9:00、11～3月13:00
料 $64.98、3～12歳 $41.77（グレンキャニオン入園料別）
注意：運航ルート＆所要時間は水位によって変わる。また、極端に乗客が少ないと中止されることがある

半日ラフトツアー
出発 5～9月7:00、13:00、春と秋11:00
所要 約5時間
料 $87、4～11歳 $77
予約 Free 1888-597-6873
URL www.powellmuseum.org
注意：日焼け止めとサングラスを忘れずに。飲み物はボートに用意されている。ダム構内へ入るときにセキュリティチェックがある。ナイフ類などは持ち込み禁止

ホースシューベンドの近くでトイレ休憩がある

夏休みにハウスボートを借りて長期滞在する人が多い

カヤックツアー
☎ (928)660-0778
URL www.kayakpowell.com
料 3時間 $90
6時間 $140（昼食込み）
いずれもカヤック、パドル、ライフジャケット、スプレースカートのレンタル込み

ハウスボートのレンタル
料 3日 $1696〜、
1週間 $3240〜
Free 1888-896-3829
URL www.lakepowell.com

フィッシングライセンス
ユタ州またはアリゾナ州のライセンスが必要。マリーナで購入できる
料 1日 $17.25、5日 $32

ハイキング
湖の周囲には数本のトレイルがあるが、どれも長距離で本格的な装備を必要とする

ウオータースポーツ　　　Water Sports

　レイクパウエルは水上レクリエーションのメッカ。モーターボート、水上スキー、ダイビング、パラセイリング、水泳などが楽しめる。マリーナでは各種道具のレンタルも行っている。静かなレイクパウエルの湖面へ漕ぎ出すガイド付きのカヤックツアーもある。支谷の狭い水路に入り、艇を降りて短いハイキングを楽しむ。ただ、あまりにも観光客が多すぎて環境汚染が問題になっており、今後、規制が厳しくなることが予想される。また冬期はサービスが限定される。

　湖面にキャンピングカーのような船が停泊しているのを見かけるが、これはハウスボートと呼ばれるもの。10人前後が寝起きできるようになっていて、トイレ、シャワー、キッチンなどが付いている。アメリカ人は家族ぐるみでこのボートに滞在して、長いバカンスを過ごすのだそうだ。レンタルもある。

フィッシング　　　Fishing

　レイクパウエルは釣り人の天国。トラウトやブルーギル、ナマズ、ブラックバスなどが釣れる。これらは生態系の保護という観念が薄かった時代に、国立公園局がレクリエーションのために放流したもの。大会が行われることもあり、大物も期待できる。

オフロード・ドライブ　　　Off Road Drive

　湖の両側にはたくさんのダートロードがあり、腕に覚えのあるドライバーがちょっとした探検気分を味わえるようになっている。特に人気があるのは、UT-12のエスカランテEscalanteから湖岸のHole in the Rockまでの92マイル（約147km）。ただし、どのルートもかなりの悪路と思ったほうがいい。

　ペイジの西からコダクロームベイスン州立公園（→P.130）へ抜けるCottonwood Canyon Rd.は状況によっては普通車でも走れるが、もしも途中で雨が降ったら悲惨。出発前に必ず道路状況を確認しておこう。

ACCOMMODATION 🏠 宿泊施設

園内で泊まる

🏠 Lake Powell Resort

ワーウィープマリーナにある。湖畔に建つ唯一の宿なので人気があり、数ヵ月前から予約でいっぱいになる。湖側の部屋は高いが、夜明けや夕暮れはすばらしい。夏期の夕方、ロビーでタペストリー織り、銀細工など先住民の文化を紹介するイベントが行われる。350室。

上／レストランからの眺望も抜群だ　下／ロケーションがすばらしいLake Powell Resort

🏠 100 Lakeshore Dr., Page, AZ 86040
☎ (928)645-2433　Free 1888-896-3829
FAX (928)645-1031　URL www.lakepowell.com
on $249〜400　off $71〜177
カード A D M V

🏠 Defiance House Lodge

ブルフロッグのマリーナに近く、湖を見下ろす絶景。レストラン、コインランドリーあり。冬期に休業あり。48室。

🏠 4055 Hwy 276, Bullfrog, UT 84533
☎ (435)684-3000
on $143〜175　off $92〜122
予約はLake Powell Resortへ

キャンプ場に泊まる

上記レイクパウエルリゾート内に大きなRVパークがあり、オンラインで予約できる。ほかにブルフロッグ（24RV用サイト）、ホールズクロッシング（78キャンプサイト＋24RV用サイト）にある。いずれも1泊$23〜43。

近隣の町に泊まる

ペイジにモーテルが20軒あり、ここで宿が確保できないとつらい。ザイオン方面へ73マイル走ったKanab、モニュメントバレー方面へ100マイル走ったKayentaまで町らしい町はない。特に夏休み中のペイジの宿は混雑するので、予約は早めに。

モーテル名	住所・電話番号など	料　金	カード・そのほか
ペイジ	Page, AZ 86040　ワーウィープまで2マイル　20軒		
Canyon Colors B&B	🏠225 S. Navajo Dr.　☎(928)645-5979 FAX(928)645-5979　Free 1800-536-2530　URL www.canyoncolors.com	on $145　off $130	A M V　パウエル博物館角を西へ入った静かな住宅街にある。全室に暖炉と冷蔵庫あり。フルブレックファスト付き。全館禁煙。
Courtyard Page at Lake Powell	🏠600 Clubhouse Dr.　☎(928)645-5000 FAX (928)645-5004 Free 1877-905-4495 日本 無料 0120-142-536　URL www.marriott.com	on $207〜299　off $89〜139	A D J M V　中心部からダムへ向かう途中にある。Wi-Fi無料。冷蔵庫、電子レンジあり。全館禁煙
Best Western at Lake Powell	🏠208 N. Lake Powell Blvd.☎(928)645-5988 FAX (928)645-2578 Free 1888-794-2888 日本 無料 0120-56-3200　URL www.bestwesternatlakepowell.com	on $250〜290　off $70〜90	A D J M V　中心部。近くにベストウエスタン系ホテルがもう1軒ある。フルブレックファスト付き。全館禁煙。Wi-Fi無料
Holiday Inn Express Page Lake Powell	🏠751 S. Navajo Dr. ☎(928)645-9000 FAX (928)645-1506 Free 1800-465-4329 日本 無料 0120-455-655　URL www.hiexpress.com	on $181〜200　off $76〜96	A D J M V　中心部。朝食付き。コインランドリーあり。全館禁煙。Wi-Fi無料
Super 8 Lake Powell	🏠649 S. Lake Powell Blvd.　☎(928)645-5858 FAX(928)645-0335 Free 1800-800-8000　URL www.super8page.com	on $94〜139　off $50〜74	A D M V　中心部。高速インターネット無料。ロビーにゲスト用PCあり。朝食付き。コインランドリーあり

バーミリオンクリフス国定公園 Vermilion Cliffs National Monument

©Osamu Hoshino

「世界で最も美しい自然の造形」と称えられることもあるザ・ウエーブ

🗺 折込2枚目オモテ H-2
☎ (435)688-3200
🔗 www.blm.gov/az/st/en/arolrsmain/paria/coyote_buttes.html

ペイジの西に広がる公園で、土地管理局BLMの管轄。舗装道路は1本もないという未開の地だが、ナバホ砂岩が造り出した名作の宝庫。特に、人気絶大の**ザ・ウエーブThe Wave**を擁する**ノース・コヨーテビュートNorth Coyote Butte**（パリアキャニオンParia Canyonと呼ばれることもある）と、奇岩の数も種類も多い**サウス・コヨーテビュートSouth Coyote Butte**がすばらしい。グランドサークルを知り尽くした人でも、きっと新たな感動を得られる岩の庭園だ。

ただし、手付かずのバックカントリーを何時間も歩かなければたどり着けない場所ばかりで、遭難などのリスクが高い。個人で訪れるのは危険をともなうため、公認ガイドの利用を強くすすめる。

なお、6～9月の日中は酷暑で、雷雨も多いので避けるべきだ。

ノース・コヨーテビュート（ザ・ウエーブ）

ノース・コヨーテビュートとサウス・コヨーテビュートを訪れるには許可証が必要。ノースは非常に人気が高く、取得は困難。めでたく許可証が取れてからガイドを探すといい。

許可証は＄7で、1日20名。1グループ6名まで。このうち10名はインターネットで抽選（参加料＄5）が行われる。4ヵ月前にウエブサイトから申し込み、結果はメールで通知される。例えば10月分の抽選は6月1～30日に受付、7月初旬に当落がわかる。最近は日本のTVで紹介されたり、恐竜の足跡の化石が大量に発見されたりした（のちに学者らによって否定されたが）ために競争率が上がり、春と秋は30～100倍と狭き門になっている。

残り10名はカナブ市内のBLMビジターセンター（Wendy'sそば）で、毎朝9:00にくじ引きによって翌日分が配られる（冬期は日・月曜分の抽選は金曜に行う）。こちらも春と秋には競争率が非常に高い。

サウス・コヨーテビュート

実は、ノースよりもサウスのほうがはるかに見どころが多く、10回通ってもすべての奇岩を回れないといわれるほど。許可証も取りやすいのでおすすめだ。あらかじめガイドとスケジュールを確認してから許可証を取るといい。許可証は＄5。1日20名。1グループ6名まで。10名は3ヵ月前の1日（例えば10月分の許可証は7/1）の12:00（MST）からインターネットで先着順に受付開始。残り10名は前日にBLMオフィスで毎朝10:00にくじ引き。

次から次へと不思議な岩が現れる

グランドサークル

レイクパウエルとレインボーブリッジ国定公園（ユタ州／アリゾナ州）

行き方

　ダムからUS-89を西へ34マイル（カナブから東へ38マイル）。国道が大きく右へカーブするところで未舗装のHouse Rock Valley Rd.へ入り、Wire Passまで8.3マイル。乾いていれば普通車でも走れるが、雨が降ると数日間通れなくなる。

　ザ・ウエーブはWire Passから片道4.8km。往復5時間以上みておこう。トレイルはないに等しく、方角を見失う可能性が高い。個人で訪れるのは避けたほうが無難。

　サウスへはWire Passからさらに奥へ走るが、道が入り組んでいるうえ、軟らかい砂地でスタックしやすい。そのうえ見どころが広範囲に散らばっているので、個人で訪れるのは無理だ。

そのほかの注意

　実に残念なことだが、薄い岩棚に大勢でよじ登って記念写真を撮る日本人グループがある。端を踏んだだけでも壊れてしまうほどもろい岩だからこそ、20名に立ち入り制限しているのだ。できるだけ壊さないように気を付けてほしい。

　なお、ゴミ、排泄物、トイレットペーパーなどすべて持ち帰らなければならない。

　ツアーガイドは、BLMのウエブサイトに掲載されている公認ガイドのリストから選ぼう。コヨーテビュートのような奥地を訪れるのは探検に近い行為だ。トレイルも道標もないに等しく、5月や10月でも非常に暑いため道に迷うと命にかかわる。

白い溶岩流のようなホワイトポケット

　BLMのサイトに記載されていない人と一緒に行く場合、公認されていないガイドが行っている違法なツアーではないかどうかよく確認しよう。

　なお、公認ガイドの分の許可証は不要だ。

ホワイトポケットWhite Pocket

　サウスコヨーテよりさらに奥にあり、コヨーテビュートとはまったく異なる不可思議な白い世界が広がる。許可証不要なので人気急上昇中だが、個人で訪れるのは無理。ツアーを利用しよう。

Circle Tours

☎ (928)691-0166　URL www.vermilioncliffs.net

￥ $199。ランチ込み。催行は2名以上

パリアリムロック　Paria Rimrocks

　規模はごく小さいが、ガイドなしでも手軽に訪れることができる場所を紹介しよう。真っ白な崖を背景に、マッシュルームロック、ETロックなどと呼ばれる岩がいくつも立っている。ほとんど観光客が訪れることもないマイナーな場所だが、なかなかの奇観。レイクパウエルからザイオン方面へ行く人はぜひ寄り道してみよう。

　行き方は、ダムからUS-89を西へ15マイルほど走り、マイルマーカー19と20の間、右側にある駐車スペースに車を置き、トレイルを1.2km歩く。整備されたトレイルではなく、ドライクリークの川底を歩くので迷わないよう注意。雲行きがあやしくなったら早く車へ戻ろう。

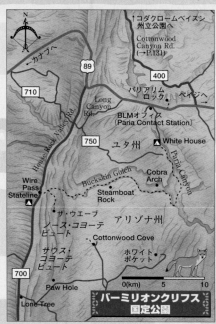

エノキダケのような岩がおもしろいパリアリムロック

ザイオン国立公園

ユタ州／**MAP** 折込1枚目 C-2、折込2枚目オモテ G-1

「天使の舞い降りる場所」と名付けられた岩が、ザイオンキャニオンを見下ろす

©USPS
1934年発行の切手

ユタ州南部、岩の芸術の宝庫ともいえるこの地域にあって、ザイオンはそのスケールで他を圧倒している。確かに巨岩群には驚かされる。しかし、それだけではない。さまざまな色彩の花々、大小多彩な鳥、道端にひょっこり現れる小動物。小さな自然の小さな営みを、巨大な岩々が見守っている。アンバランスなようでいて、実は絶妙のバランスを保っているこの姿が、ザイオンの魅力だ。

ザイオンはまた、私たちの冒険心にも訴えかけてくる。両岸にそそり立つ巨大な岩山を見上げながら川の中をジャブジャブと歩く、そんなハイキングがほかのどこで体験できるだろうか。木の杖をつき、ひざまで水に沈めて遡る。決して忘れ得ない一日になることだろう。

ザイオンキャニオンの中心に建つロッジ

Zion National Park ★

Utah

DATA
時間帯▶山岳部標準時 MST
☎(435)772-3256
URL www.nps.gov/zion
開24時間365日オープン
適期 年中
料車1台＄25
そのほかの方法は1人＄12
国定公園指定▶1909年
国立公園指定▶1919年
面積▶593km²
入園者数▶約283万人
園内最高地点▶2660m
（Horse Ranch Mtn.）
哺乳類▶69種
鳥　類▶291種
両生類▶6種
爬虫類▶29種
魚　類▶9種
植　物▶約900種

ACCESS　　行き方

ラスベガスとソルトレイク・シティを結ぶI-15。ユタ州南部の国立公園へは、この道路から入って行くことになる。ザイオンへのゲートシティは、公園から約43マイル西にあるセントジョージSt. George。

ラスベガスからも遠くないので日帰りも可能だが、せっかくここまで来たなら、ぜひもう一日を割いてブライスキャニオンも訪れたい。

飛行機　　　　　　　　　　Airlines

St. George Municipal Airport (SGU)

ユナイテッド航空がロスアンゼルスから土曜を除く毎日1便（所要1時間30分）、デルタ航空がソルトレイク・シティから毎日5便（所要1時間10分）の定期フライトをもっている。空港にはレンタカー会社が3社ある。

長距離バス　　　　　　　　　　Bus

ラスベガス～ソルトレイク・シティを結ぶグレイハウンドバスが1日2往復、ラスベガス～デンバー便が1日2往復、セントジョージに停車する。ラスベガスからなら所要約2時間、ソルトレイク・シティから約6時間。バスディーポはマクドナルドの中にある。

レンタカーを借りるなら、あらかじめ予約しておいて空港まで行くか迎えに来てもらう。借りないのであれば、次に紹介するラスベガス発着のバスツアーを利用したほうがいい。

SGU　☎(435)627-4080
Avis　☎(435)627-2002
Budget　☎(435)673-6825
Hertz　☎(435)652-9941

セントジョージのディーポ
🏠1235 S. Bluff St.
☎(435)673-2933
🕘9:00～14:30、17:30～18:30（日～18:00）

ツアー　　　　　　　　　　Tour

ラスベガスからバスツアーがいろいろと出ている。ザイオンだけを訪れる日帰りツアー、ブライスキャニオンと組み合わせた1泊2日ツアーなどがあり、日本語ガイド付きのコースも多い。なかにはバレー・オブ・ファイアー州立公園（→P.104）に立ち寄るものもある。

ただし、ラスベガスにひしめくツアー会社は、必ずしも評判のよいものばかりではない。ツアー会社を選ぶ際は、州政府の認可の有無、万一の際の保険の有無など、細かくチェックしよう。

峡谷の奥の奥まで分け入ったり、リムの上までトレイルを歩いて登ったり、さまざまな角度から楽しもう

ザイオンは入園者数が全米7位。特に夏休み中は非常に混雑する

時差に注意！
　ザイオンは、ラスベガスより1時間進んでいる。レイクパウエル（ページ）やグランドキャニオンとは、冬期は時差はないが、夏時間中はザイオンのほうが1時間進んでいる

ザイオンまでの所要時間

Las Vegas	2.5〜3時間
Bryce Canyon	約1.5時間
Page	約2時間
North Rim	約3時間
Salt Lake City	5時間

ユタ州の道路情報
Free 511
Free 1866-511-8824
URL www.commuterlink.utah.gov

ガスステーション
　園内にはない。南から入るときにはスプリングデールで、東から入るときにはMount Carmel Junctionで必ず入れておこう

レンタカー　　　　　　　　　　　Rent-A-Car

　ラスベガスからセントジョージへは、I-15をひたすら北へ約117マイル。砂漠の中の一本道を1時間40分ほど。
　セントジョージからザイオンへは、I-15をさらに北へ7マイル（約11km）ほど走り、『Zion National Park』の茶色い標識に従ってExit 16でUT-9に下りる。あとはUT-9を東に35マイル走れば**スプリングデールSpringdale**に到着。
　ザイオンの玄関口としてにぎわうスプリングデールは、洗練されたギフトショップやギャラリー、ロッジが軒を並べるおしゃれなリゾートタウン。公園内にガスステーションはないので、ここで必ず給油しておこう。ザイオンのゲートはすぐそこだ。

スプリングデールに滞在するなら、無料シャトルバスで公園へ入ろう

🚐Side Trip
バレー・オブ・ファイアー州立公園　Valley of Fire State Park

MAP 折込1枚目ウラ C-2
☎(702)397-2088
URL parks.nv.gov/vf.htm
料1台 $10

　グランドサークルを巡るドライブ旅行の幕開けに、真っ赤な奇岩が集まる公園をのぞいてみてはどうだろう。ラスベガスからI-15を走ってザイオンへ向かう途中、Exit 75で下りて、NV-169を東へ約30分走れば公園入口に到着する。
　ここはネバダ州で最初の、そして最大の州立公園。ハチの巣のようなビーハイブ、ゾウの鼻のようなエレファントロックなど道路の左右にさまざまな奇岩があり、特に夜明けや日没時は燃え上がる大地のよう。先住民が残した岩絵もある。ビジターセンタ

ーの裏側に続く道路も見逃せない。2時間ほどかけてざっと一周してくるといい。
　なお、NV-169をそのまま東へ抜けて直進すると、30分ほどでレイクミードの北端に出られる。

ラスベガスから日帰りで訪れる人も多い

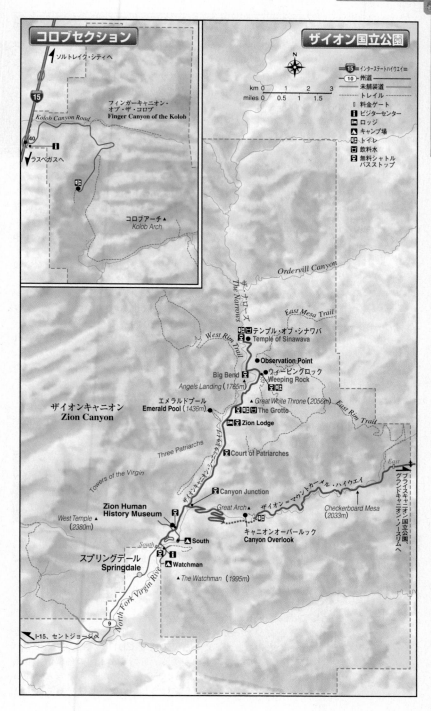

コロブセクション

ソルトレイク・シティへ

15

フィンガーキャニオン・
オブ・ザ・コロブ
Finger Canyon of the Kolob

Kolob Canyon Road

40

ラスベガスへ

コロブアーチ▲
Kolob Arch

ザイオン国立公園

N

15 インターステートハイウェイ
10 州道
未舗装道
トレイル
料金ゲート
ビジターセンター
ロッジ
キャンプ場
トイレ
飲料水
無料シャトル
バスストップ

km 0   1   2   3
miles 0   0.5   1   1.5

Ordervill Canyon

East Mesa Trail

ザ・ナローズ
The Narrows

West Rim Trail

テンプル・オブ・シナワバ
Temple of Sinawava

Observation Point

ウィーピングロック
Weeping Rock

Big Bend

Angels Landing (1765m)

▲ *Great White Throne* (2056m)

East Rim Trail

ザイオンキャニオン
Zion Canyon

エメラルドプール
Emerald Pool (1436m)

The Grotte

Zion Lodge

Three Patriarchs

Court of Patriarches

Towers of the Virgin

East

Canyon Junction

Great Arch ▲

ザイオン＝マウントカーメル・ハイウェイ

Checkerboard Mesa
(2033m)

ブライスキャニオン
国立公園、
グランドキャニオン・ノースリムへ

Zion Human
History Museum

West Temple ▲
(2380m)

South ▲ South

キャニオンオーバールック
Canyon Overlook

スプリングデール
Springdale

South

Watchman

▲ *The Watchman* (1995m)

North Fork Virgin River

I-15、セントジョージへ

9

ザイオンとは
　ザイオンとは、エルサレムにあるシオンの丘のことで、ヘブライ語で「隠れ家」の意。ほかにも旧約聖書から命名したと思われる岩がたくさんある

ザイオンで撮られた映画
　『アイガー・サンクション』(1975年)はクリント・イーストウッドが自ら主演、監督も務めた山岳アクション＆サスペンス映画。クライマックスはスイスアルプスのアイガー北壁登攀シーン。イーストウッドがスタントマンを一切使わずに挑んだことでも話題になった。
　ザイオン国立公園は、登攀技術の特訓を受けるシーンなどにたっぷりと登場する。また、ここで出会った宿敵を荒野に置き去りにして殺すシーンなどはモニュメントバレーで撮影された。
　ザイオンではこのほかにも『明日に向かって撃て！』『ナイルの宝石』『ロマンシング・ストーン／秘宝の谷』『出逢い』など多くのロケーションが行われている

Zion Canyon VC
☎ (435)772-7616
🕐 8:00 ～ 17:00。夏期～19:30、春＆秋～18:00
🚫 12/25

Ranger Shuttle Tour
　専用のバスでレンジャーと一緒にザイオンキャニオンを巡る。要予約
集合▶5～9月9:00、18:30
所要▶2時間
場所▶ビジターセンター

Zion Human History Museum
☎ (435)772-0186
🕐 夏期9:00～19:00
　春・秋10:00～17:00
🚫 11月下旬～3月上旬
💰 無料

そのほかの施設
　ザイオンにはビレッジといったものはないが、ザイオンキャニオンの奥にロッジがあり、レストラン(6:30～22:00、ディナーは要予約)とカフェ（夏期のみ）で食事が取れる。
　公園南口のすぐ外側（ビジターセンターから徒歩5分）にスーパーマーケットがあり、食料やキャンプ用品などが揃う。併設されたカフェテリアの食事も安くておいしい

　ザイオン国立公園は大きく3つのセクションに分けられる。ひとつは、バージン川に沿って巨岩が並ぶ**ザイオンキャニオンZion Canyon**。ビジターセンターやロッジがあり、川沿いにシーニックドライブScenic Driveという舗装道が通る。観光の中心となるエリアで、冬期を除いて一般車立入禁止となるので無料シャトルで回る。

緑豊かなシーニックドライブ

　ふたつめは、公園東口から**ザイオン・マウントカーメル・ハイウエイZion-Mt. Carmel Highway**（UT-9）に沿って広がる岩の庭園。ザイオンキャニオンの東側にそびえる崖の上に位置し、キャニオンとはトンネルで結ばれている。

　そして3つめは公園の北西部にある**コロブセクションKolob Section**。セントジョージとシーダーシティの間にあり、ザイオンキャニオンとコロブセクションを園内で結ぶ車道はないので、いったんI-15まで戻ってアプローチする。

　初めてザイオンを訪れたなら、まずは無料シャトルでザイオンキャニオンの見どころを回り、公園東部のUT-9を走ろう。急ぎ足なら、丸一日あればざっとひととおり見ることができるだろう。

　しかし、ザイオンの魅力は巨岩群だけではない。巨岩に守られた環境のなかで生きる多彩な動植物こそ、むしろ本当の魅力なのではないだろうか。ザイオンには半日から1日で歩けるトレイルがたくさんあるので、ひとつでもいいから歩いてみよう。そしてもちろん、川の中をジャブジャブ歩くナローズは絶対に外せない。

情報収集　Information

Zion Canyon Visitor Center

　公園南口を入ってすぐ右側にあり、無料シャトルの出発点になる。トレイル、キャンプなど豊富な各種情報のほか、大きなブックストアとロッジのデスクもあり、運よく空室やキャンセルがあれば予約もできる。

展示もショップも充実している

このビジターセンターは、季節による太陽の高度差を利用して、夏は太陽光をさえぎり、冬は太陽光を最大限取り入れるように計算された窓や、水と風の気化作用を利用した冷暖房システム、風力発電の利用などを取り入れており、エコ志向となっている。

Zion Human History Museum

　上記ビジターセンターの北にある。旧ビジターセンターを改装したもので、ザイオンと周辺地域における人間の歴史についての展示やフィルム上映がある。もちろん園内の各種情報収集もOK（ロッジの予約は上記ビジターセンターへ）。なんといっても建物の裏からの展望がすばらしいので、ぜひ立ち寄ろう。

園内の交通機関とツアー　　　　Transportation

無料シャトル

　交通渋滞、駐車場不足、違法駐車そして環境汚染などの問題を緩和するべく導入されている。無料シャトルが運行される4〜10月まではシーニックドライブへのマイカーの乗り入れは禁止となる。

　南口ゲートから入園して車をビジターセンターに止める場合、ゲートを通ってすぐに右折すると、右手に駐車場とビジターセンターが見えてくる。シーズン中は朝9〜10時頃には満車になることが多い。無事にスペースを見つけられたら、無料シャトルに乗る前にビジターセンターに立ち寄って情報を仕入れよう。

　もしもビジターセンターに止められなかったら、3分ほど奥へ走って博物館の駐車場を利用しよう。無料シャトルも停車する。

　ザイオン公園内のバスストップは博物館、ロッジ、おもなトレイルヘッド（ハイキングコース出発点）、ナローズへの入口など9ヵ所で、乗ったまま往復しただけで最低90分かかる。飲料水、帽子、日焼け止め、サングラスなどをお忘れなく。

　ちなみに、無料シャトルの車両はプロパンガスを使用しており、排気ガスによる環境汚染の軽減に貢献している。

園内に生息する動物が描かれた車体だ

シーズン　　　　Seasons and Climate

　公園は年中オープン。『どの季節に訪れてもザイオンの美しさは保証します』と公園の広報紙もうたっているように、四季それぞれのよさがあるが、色とりどりの花が咲き乱れる5月と、10月下旬〜11月上旬の黄葉の美しさには定評がある。

　ザイオンの夏は暑い。7月と8月には2日に1回の割合で雷雨があり、崖という崖に滝が現れるドラマチックな光景を見られる。ナローズを歩く際には要注意。この時期のザイオンは、無料シャトルを運行しなければならないほど入園者が多く、どこへ行ってもにぎやか。ロッジなどの予約を取るのが大変だ。

　冬（特に12〜1月）には降雪を見ることもあるが、雪のザイオンもまた魅力的。

真冬でも公園が閉鎖されることは稀

ザイオンの気候データ

月	1	2	3	4	5	6	7	8	9	10	11	12
最高気温（℃）	11	14	17	23	28	34	38	36	33	26	17	12
最低気温（℃）	-2	-1	2	6	11	16	20	19	16	9	3	-1
降水量（mm）	41	41	43	33	18	15	20	41	20	25	30	38

ザイオン国立公園（ユタ州）

無料シャトル

運行 3/30〜10/27（2013年）
日中7〜10分間隔
朝晩15〜30分間隔
夏期
ビジターセンター発
6:00〜21:30
テンプル・オブ・シナワバ
発最終は22:15
春＆秋
ビジターセンター発
7:00〜20:45
テンプル・オブ・シナワバ
発最終は21:30

ザイオンロッジに予約がある場合

　予約確認書と一緒に送られてくる赤い許可証を提示すれば、ロッジまでマイカー乗り入れ可。一度ロッジに到着したら、観光そのものはシャトルバスを使用しなくてはならない。もしも通行許可証の郵送が間に合わなかった場合、ビジターセンターのロッジのデスクにその旨を申し出よう

赤い許可証を提示しよう

スプリングデールに宿泊する場合

　スプリングデールのロッジに泊まっているなら、最初から車はロッジに置いてくるのが正解。町の通りを往復している無料シャトルがビジターセンター手前まで連れて行ってくれる

ザイオンキャニオン　　　　　　　　　　　　　　Zion Canyon

ウォッチマン　The Watchman

ザイオンを訪れて最初に目にする大岩壁。ビジターセンターの背後にそびえ立つ、頼もしい「見張り番」だ。夕日を受けて輝く姿がすばらしい。ビジターセンター裏手から始まるウォッチマントレイルを歩けば、ザイオンキャニオンやスプリングデールの町が一望できる。距離は短いが、けっこう急な部分がある（山頂まで登るわけではない）。

ザイオンキャニオンとスプリングデールの町を見下ろすウォッチマン

ウエストテンプル　West Temple

博物館の裏手にそびえる大岩壁を総称して**タワーズ・オブ・ザ・バージンTowers of the Virgin**という。そのうち、左手の一番高くて大きい岩山がウエストテンプルの大伽藍で、博物館から頂上までの標高差は1161m。東京タワーを3つ積み上げてもまだ余る高さだ！

タワーズ・オブ・ザ・バージンの伽藍に囲まれた博物館

司教の宮殿　Court of the Patriarches

博物館をあとにして奥へ進み、バージン川にかかる橋を渡ると、すぐ左に向かう道がある。これを入って峡谷へと進んでいこう。バージン川に沿って続く道の両側には高さ600〜800mの岩壁が迫っている。この峡谷を、涼やかに流れるバージン川が刻んだのだ。

やがて道の東側（右手）に3つの岩峰が見えてくる。右側の2つが**ツインブラザースTwin Brothers**、左が**太陽の山Mountain of the Sun**。朝、一番先に太陽の使者が降りてくる岩峰だ。

道の西側にそびえる3つの巨大な岩峰は司教の宮殿と呼ばれている。左からアブラハム、イサク、ヤコブと名付けられている。バスストップの裏手にある展望台から見る姿は圧巻。これぞザイオン！と満足できる眺めだ。

司教の宮殿は早朝が美しい。朝一番のシャトルバスで訪れたい

エメラルドプール
Emerald Pools

　ザイオンロッジでシャトルバスを下りたら、バージン川にかかる吊り橋を渡り、峡谷の奥にひっそりとある池を訪れてみよう。**ロウアー・エメラルドプールLower Emerald Pool**（下の池）は、残念ながら池の水がエメラルド色に輝いているのを見たことがないが、頭上に覆いかぶさる岩壁から落ちる滝が実に爽快。歩くのが嫌いな人もせめてここまでは行ってみよう。

　さらにトレイルを進むと滝の上へ出られる。ここにごく小さな**ミドル・エメラルド・プールMiddle Emerald Pool**（中の池）があり、さらにトレイルを登ると絶壁に囲まれた**アッパー・エメラルド・プールUpper Emerald Pool**（上の池）へ出られる。

エメラルドプール・トレイル

アッパー・エメラルドプール
ミドル・エメラルドプール
ロウアー・エメラルドプール
Upper Emerald Pool Trail
Middle Emerald Pool Trail
Lower Emerald Pool Trail
Kayenta Trail
バージン川
公園出口
ナローズへ
Zion Lodge
0　　500フィート
0　　200m

ザイオン国立公園（ユタ州）

エンジェルス
ランディング
Angels Landing

　バージン川が大きく蛇行する少し手前に、尖った赤い独立峰がある。これがエンジェルスランディングだ。「天使の舞い降りるところ」というロマンティックな名前が付けられているが、頂上までのトレイル（→P.113）はかなりキビシイ。断崖絶壁を登る区間や鎖場もあって、歩き慣れた人向け。下から見てもわかるように高所恐怖症の人は無理。もちろん頂上からのパノラマは天にも昇る気分だ。

頂上へのトレイルは見るからにスリリング

　なお、この頂上から谷に向かって落ちているパイプオルガンのような階段状の岩は**オルガンThe Organ**と呼ばれている。

ウィーピングロック　Weeping Rock

　大岩壁の一部がアーチ状に剥がれ落ち、そこから水がしたたり落ちている岩。峡谷の上で降った雨が岩壁の砂岩層にしみ込み、この岩のすぐ上で水を通さない泥岩にぶつかって表面にしみ出してきたものだ。展望台になっていて、左にグレート・ホワイト・スローン、右にエンジェルスランディングとオルガンの勇姿を、滝の裏側から見ることができる。清らかな空気のなか、美しい谷を望む見事な景観だ。

初級 Lower Emerald Pool
適期 ▶年中
距離 ▶往復1.9km
所要 ▶往復40分～1時間
標高差 ▶21m
出発点 ▶ザイオンロッジの対岸

中級 Upper Emerald Pool
適期 ▶3～11月
距離 ▶往復3.3km
所要 ▶往復約2時間
標高差 ▶61m
出発点 ▶ザイオンロッジの対岸
※いずれの池も遊泳禁止。冬は積雪や凍結によって閉鎖されることもある

ウィーピングロック

初級 Weeping Rock
適期 ▶年中
距離 ▶往復0.8km
所要 ▶往復約30分
標高差 ▶30m
出発点 ▶Weeping Rockバスストップ
設備 トイレ
※冬期は凍結して足元が滑りやすいので注意

ザイオンのトレイルでのガイドツアーは、エメラルドプールなどごく一部のみで許可されており、事前に許可証を発行してもらう必要がある。これをもっていないガイドはモグリだ（2010年12月にも違法営業のガイドが摘発されている）。ナローズなど危険をともなう場所へ行く際には、特に慎重に確認を

途中で雨に降られたら非常に危険！

バージン川は、雨が少し降っただけでも急激に水かさが増す。ナローズには川岸というものがほとんどなく、逃げ場がないので非常に危険。川に入る前に、天候と水量を忘れずに確認しよう。特に7〜9月の午後は急な雷雨が多い。入道雲が発達しようと、上流で雨が降ろうと、いちいちパークレンジャーが教えに来てくれるわけでも、サイレンが鳴るわけでもない。以前はトレイルヘッドに、川の深さや危険度を示す掲示板があったが、現在では「すべては自分の責任で判断を」という掲示になっている

他人につられないで！

自分より奥へ進んでゆく人がいると、つい「まだ大丈夫だろう」という気になるもの。しかし、ナローズを歩くのは日帰りの人ばかりではなく、奥でテントを張ってキャンプする人や、はるか上流のポイントに車を待たせておいて片道だけ歩く人もいる（事前に許可が必要）。つられて進んでしまうとたいへんなことになるので、常に引き返す時間を頭に入れながら、自分の判断で歩こう

普段は静かだが、いったん牙をむくと恐ろしい

玉座の名にふさわしいグレート・ホワイト・スローン

グレート・ホワイト・スローン
Great White Throne

エンジェルスランディングをぐるりと回り込んだところにあるビッグベンドというバスストップで下りて、ちょっと後ろを振り向いてみよう。思わずウォーッと叫びたくなるような迫力の、垂直のモノリス（一枚岩）、これがグレート・ホワイト・スローン。ザイオンの顔だ。世界最大級の一枚岩で、バージン川からの高さはなんと732m。周囲の赤い岩に対してここだけは青白く、どっかりと腰をおろした姿はさすがに貫禄がある。登山道はない。

ナローズ　The Narrows

ザイオンキャニオン・シーニックドライブの突きあたりが、**シナワバ寺院Temple of Sinawava**と呼ばれる駐車場。ここから峡谷の奥へRiverside Walkというトレイルが続いており、トレイルの終点から先が、ザイオン国立公園のハイライトとでもいうべきポイント。ここを歩かなければザイオンへ行ったとは言えない！

トレイルは川沿いに続く舗装路で、片道30分ほどで突きあたりとなる。ツアーバスなどで訪れた人は、残念ながらここが観光の終点。しかし、ここから本当のナローズが始まるのだ。すごい風景を見るためには、さらに川の中を歩いて進まなければならない。

バージン川は両側の岩壁いっぱいに流れているが、深さは通常、足首からひざくらいしかない。夏なら、短パン姿の観光客が何人も川上りに挑戦しているだろう。

流れをさかのぼって行くと川はどんどん細くなり、垂直の岩壁が両側に迫ってきて押しつぶされそうだ。流れは右に左に蛇行しながら延々と続く。やがて空も見えないほど岩と岩が接近するさまは圧巻！　奥のほうの狭いところでは、その幅たった6m。ふたりがつながって手を伸ばせば両側の壁に届いてしまう。しかも高さは600mもあるのだから、一日中、日が差さない場所もあるという。

ただし、ここまでさかのぼると丸一日かかってしまうし、天候の急変も心配だ。時間や体力と相談して適当なところで引き返して来よう。

Orderville Canyonとの分岐点（片道約2時間）で戻る人が多いようだ。たとえ1時間でも、30分でもいい。バージン川を歩けば貴重な体験になるだろう。

空が少ししか見えないので天候の急変に気付きにくい

©Masatoshi Koide

ナローズを歩く際の注意点

◎ 歩き出す前にトイレを済ませておこう（駐車場にある）

◎ けっこう流れが強いので、足をとられないよう気を付けて

◎ 川底は滑りやすい。しっかりとしたスニーカーが必要

◎ 転んだときのことを考えて、持ち物はすべてジッパー付きビニール袋に入れるなど工夫を

◎ ところどころに深みがあるため、小さい子供には危険

◎ 日が差さないほど谷が深いので、真夏でも意外と寒い。防水ジャケットがあるといい

◎ 長時間歩くつもりなら飲料水と食べ物を持っていこう。バージン川の水は飲めない

◎ 11～4月は水が冷たいので、ウエットスーツなどの装備がないと長時間歩くのは無理

ナローズの適期
　ナローズを歩くのに最適の時期は5月下旬～6月と10月上旬。7～9月頃の午後には急な雨が多いので要注意。
　年にもよるが、11～4月頃は水が冷たくて歩けない

ザイオン国立公園（ユタ州）

Trail Guide

ナローズ　The Narrows

適期▶ 5～10月
距離▶ 往復1～26km　**所要▶** 30分～1日
出発点▶ テンプル・オブ・シナワバ駐車場
設備 トイレ・飲料水

　Riverside Walkという舗装されたトレイルを約1.6km歩き、あとはバージン川の中をザブザブと歩いてさかのぼる、とにかく楽しいトレイルだ。あらかじめビジターセンターなどで雨の可能性をチェックしておきたい。通り雨や夕立ちの予報が出ていたら、決してナローズには入ってはいけない。

　舗装されたトレイルが終わり、川に入るところからは、適当なところまで行って引き返すことになる。夏以外は水がかなり冷たくなり、そのぶん体力も消耗するので、無理をしないように。水が濁ってきたり天候が悪化しそうになったら即、引き返すべきだ。川の両側に岩壁が迫っているので、ほんの少しの雨でも急に水かさが増し、逃げ場を失ってしまう。

　目安としては、約1時間30分から2時間歩くと、Orderville Canyonの支流が分かれている。これより上流は水位が高く、逃げ場のない部分が多くなる。日によっては、泳がなければ進めないことすらあるのだ（Orderville Canyonより上流は許可証の取得が必要）。

　とにかく歩きにくいので、あわてずゆっくりと歩こう。ところどころに深みがあるので気を付けよう。小さな岩がゴロゴロしていて、しかもコケが付着していてよく滑る。裸足やサンダルでは危険。歩きやすいスニーカーを濡らして

しまうのが一番だ。服装は濡れてもいいものを。短パンが望ましい。舗装されたトレイルの終点には木の杖が置いてあるので（入場者の多いときはないこともある）、これを持って行くといい。

Reader's Voice　ナローズを歩いた。真っ青な空だったので、ビジターセンターで天候の確認をせずに11時頃から歩き始め、岩が川に迫り日の差さないところまでさかのぼって、軽い食事を取った。若い人たちはさらに奥のほうへ向かって行ったが、我々はここで引き返し、川から上がったのは14時だった。

　夕方、バケツをひっくり返したような豪雨に遭った。あれほど穏やかだったバージンリバーは河岸の草や木をなぎ倒し、土砂を巻き込んで黄土色の濁流となり、水量は10倍以上に膨れあがって、電柱ほどもある大木を押し流している。我々がもし14時過ぎに川に入っていたら、この濁流を避けられただろうか？　どんどん上流へ向かって行った人たちは大丈夫だったろうか？

　空が暗くなったと気付いてから、ポツリと1滴の雨になり、岩壁という岩壁から何本もの滝が落ちるほどの豪雨になり、川の水が濁流となるまで、おそらく1時間とかかっていない。ナローズを歩くなら、必ず天候の確認をして、慎重に行動することをすすめる。

（神奈川県　小宮悠子）['04]['13]

ピューマの気配

ザイオンには、ピューマ（クーガ）が生息している。正式な名前はマウンテン・ライオンMountain Lion。アフリカライオンのメスによく似ている。夜行性で数も少ないため、見たことのある人は稀だ。でも、確かにいる。ザイオン全域をテリトリーとしており、闇に紛れてシカなどを襲うという。木登りと泳ぎが得意なので、もしかしたらどこかの木の上で昼寝しながら、ハイカーを見下ろしているかもしれない。

もしも出合ったとしても、通常は向こうから逃げてくれるが、捕食中や子連れの母親は危険。万一、接近遭遇してしまったら、クマの場合とは逆に、腕を上げて振り回し、大声で叫ぶのがいいそうだ

初級 Canyon Overlook
適期▶年中
距離▶往復1.6km
所要▶往復約1時間
標高差▶50m
出発点▶Zion-Mt. Carmel Hwy.のトンネルを出てすぐの駐車場

チェッカーボードメサ

Kolob Canyon VC
☎(435)772-3256
🕐8:00～17:00、夏期延長
🚫11/24、12/25
シーダーシティとセントジョージの間、I-15沿いにある。『Zion National Park』の茶色い標識に従ってI-15のExit 40を下り、すぐ右側

フィンガーキャニオンズ

トンネルを抜けるとこんな風景が広がる

ザイオン・マウントカーメル・ハイウエイ Zion-Mt.Carmel Highway

ザイオンキャニオンからUT-9を東へ走って、あの岩壁の上へ出てみよう。急坂を登る途中、正面の岩壁にボコッと大きな目を開けているのは**グレートアーチGreat Arch**。やがて道は長さ1800mのトンネルに入る。このトンネルは1930年に開通したもので、道幅が狭いため交互通行になる。

トンネルを抜けるとすぐ右手に駐車場がある。ここに車を止め、道路を渡って**キャニオンオーバールックCanyon Overlook**まで歩いてみよう。最初は登りだが、すぐに平坦になる楽なトレイルだ。展望台からはウエストテンプル、イーストテンプル、パインクリーク・キャニオンなどが眺められる。グレートアーチのすぐ上にあるのだが、足元にあるグレートアーチを望むことはできない。

再び走りだすと、そこは広々とした別世界。ザイオンキャニオンとはさほど離れていないのに、岩の形状も色も異なっている。カラフルな岩の展示会場、ロックガーデンといった感じ。マス目模様の大きな斜面**チェッカーボードメサCheckerboard Mesa**（標高2033m）をお見逃しなく。ここを過ぎると東口ゲートはもうすぐだ。

コロブセクション Kolob Section

公園敷地の北西端に位置し、いったんI-15まで戻ってアクセスする。ビジターセンターからコロブキャニオンKolob Canyonと呼ばれる峡谷に沿って全長5.5マイルのKolob Canyon Rd.が敷かれている。途中10ヵ所ほどある展望台で車を止めて雄大な景観を楽しもう。**フィンガーキャニオンズ Finger Canyons**と呼ばれる赤と黄のカラフルな岩壁が指のようにせり出し、その指と指の間に深いキャニオンが形成されているのもおもしろい。

なお、世界第2位の長さを誇るアーチ、**コロブアーチKolob Arch**へは車では行けない。Kolob Canyon Rd.の途中にあるLee Passに車を置き、丸一日トレイルを歩かないとその姿を見ることはできない（→P.114）。

ACTIVITIES　アクティビティ

ハイキング　Hiking

　ザイオンのトレイルはいずれも景色がよく、変化に富んでいるのでたいへん人気がある。しかし断崖が多く、毎年のように犠牲者が出ているので、足を滑らせたりしないよう充分に注意を。

　また、真夏はけっこう暑くなる。グランドキャニオンの峡谷内ほどではないが、P.64の注意事項を参考にしてほしい。最低でも、飲料水にスポーツドリンクの粉末を溶かしたものをぜひ用意したい。

転落には充分に注意を

オブザベーションポイント　Observation Point

　シーニックロードの突きあたり、ちょうどエンジェルスランディングやグレート・ホワイト・スローンと向かい合う断崖の上にある展望台。とにかくロケーションがすばらしく、眺望ではナンバーワンのトレイルだ。ただし勾配がきつく、後半は日陰がないので、夏の正午前後の時間帯に歩くのは避けたい。無料シャトルの始発に乗って歩き始めよう。展望台からはザイオンキャニオンが一望の下。すべては足元の谷に沈んでいる。落雷と転落には充分に注意しよう。

中級 Observation Point
適期▶4〜6月、9〜11月
距離▶往復約13km
所要▶往復5〜7時間
標高差▶655m
出発点▶Weeping Rockバスストップ
設備 トイレ

展望台から眺めるとグレート・ホワイト・スローン（左）も小さく見える

エンジェルスランディング　Angeles Landing

　オブザベーションポイントの足元、バージン川の対岸に立つ独立峰。標高が低いぶんだけ楽そうに思えるが、前半は厳しいスイッチバック、後半はスリリングなヤセ尾根が続く。特に最後の500mが狭く、鎖を伝いながらゆっくりと上る。滑りやすいので上りも下りも気を抜けない。毎年のように死者が出ているし、救助要請も多数ある。人気のルートなので週末などは鎖場で順番待ちの列ができるが、イライラせず、もちろんせかしたりせず、そして自分もあせらずに一歩一歩慎重に進もう。

上級 Angeles Landing
適期▶4〜6月、9〜11月
距離▶往復8.7km
所要▶往復4〜5時間
標高差▶453m
出発点▶The Grottoバスストップ
設備 トイレ・飲料水
※風が強い日や落雷の危険があるときには、途中で引き返す勇気が必要。もちろん岩が濡れているとき、積雪、凍結時は非常に危険

特に危険な箇所には鎖が取り付けられている

Reader's Voice　軍手が便利
　エンジェルスランディングの鎖場は想像以上に長いので、軍手を持参し、両手が空くスタイルをおすすめします。
（千葉県　露木飛鳥　'10）['13]

トレイルの状態について、前日にビジターセンターで確認しておくといい

上級 Kolob Arch
適期▶4〜6月、9〜11月
距離▶往復22km
所要▶往復8〜10時間
標高差▶316m
出発点▶Kolob Canyon Rd.のLee Pass

トレイルの終点から望遠レンズで撮影したもの、実際にはアーチまでかなり離れている

コロブアーチ　Kolob Arch

　幅87.5mで世界第2位といわれるアーチを見に行くトレイル。8時間はかかるので、天気がいいのを確かめて早朝に出発するようにしたい。帰路が上りになるので苦しいが、巨岩の眺めもいいし、最後にアーチを目にしたときの感激はひとしおだ。10kmほど歩くと分岐点があるが、そこから先はトレイルが荒れている。踏み跡をよく確かめながら進もう。距離が長いこともあってハイカーの数が極端に少ないので、単独で歩くのは避けたほうがいい。

　トレイルの終点は「Kolob Arch」の看板がある場所。アーチよりかなり手前の林の中にあり、アーチの真下まで行くことはできない。もっとアーチに近付こうと奥へ進んだハイカーの踏み跡があるが、急斜面で危険だし、眺めはたいして変わらない。

　なお、このトレイルはいくつもの小川と交差しながら続いているが、橋がない。春先や雨のあとには濡れる覚悟を。

乗馬　Horseback Riding

乗馬
☎(435)679-8665
URL www.canyonrides.com
1時間コース（7歳以上）
出発 9:30、11:00、14:00、15:30
料 $40
半日コース（10歳以上）
出発 9:00、13:30
料 $80

　3〜10月のみ、ザイオンキャニオンで乗馬を楽しむことができる。巨岩を見上げながらバージン川沿いを行くのは気持ちがよい。当日の申し込みはザイオンロッジでもOK。

川風が心地よい

バードウォッチング　Bird Watching

　園内にはツバメ、ミソサザイ、アオサギなど290種を超える鳥が生息しており、ロードランナーRoadrunner（→P.31）など砂漠に住む鳥からアオライチョウ Blue Grouseのような高山の鳥までバラエティに富んでいる。

　どのあたりに何がいるかというチェックリストをビジターセンターでもらっておこう。

ACCOMMODATION 🏠 宿泊施設

園内で泊まる

🏠 Zion Lodge

　園内唯一の宿。ザイオンキャニオンの奥にあり、赤茶色の巨岩の足元に建つ優美な外観のロッジ。気持ちのいい芝生の広場に面した2階建てのロッジと、40の木造キャビンからなる。年中オープン。全室エアコン、電話、コーヒーメーカー、ヘアドライヤーあり。Wi-Fi無料。ロビーにゲスト用PCあり。大変人気があり、夏は予約を取るのも至難の業だが、毎日2、3室のキャンセルは出るそうだ。一応尋ねてみるといい。121室。

Zion Lodgeのスタンダードルーム

Xanterra Parks & Resorts
☎ (303)297-2757　☎ (435)772-7700（当日）
Free 1888-297-2757　FAX (303)297-3175
URL www.zionlodge.com　on off ロッジ
$155.85、キャビン$192.85　カード A D J M V

キャンプ場に泊まる

　南口ゲートを入ってすぐ右に **South Campground** と **Watchman Campground** がある。ともにシャワーはないが、スプリングデールにシャワーだけ使えるキャンプ場がある。Watchmanのみ、3〜11月は予約できる。6ヵ月前の同日に予約受付が始まる（例：9月4日までの予約受付は3月4日開始）。

Free 1877-444-6777　URL www.recreation. gov　カード A M V　South（127サイト）3月上旬〜10月下旬　Watchman（171サイト）年中オープン　料 $16〜20

近隣の町に泊まる

　スプリングデールにモーテルが25軒ある。夏は予約を入れるか、午前中に到着を。また、東口ゲートからUT-9を走り、US-89に突きあたった角にあるマウント・カーメル・ジャンクションにもモーテルが2軒ある。ブライスキャニオンへ行く人には便利かもしれない。

スプリングデール		Springdale, UT 84767　公園南口目の前　25軒	
モーテル名	住所・電話番号など	料　金	カード・そのほか
Flanigan's Inn	住 450 Zion Park Blvd. ☎ (435)772-3244　FAX (435)772-3396 Free 1800-765-7787 URL www.flanigans.com	on $129〜299 off $59〜189	A M V　おしゃれなカフェと本格的スパを併設。室内もスタイリッシュで高級感たっぷり。Wi-Fi無料。全館禁煙。
Cliffrose Lodge	住 281 Zion Park Blvd. ☎ (435)772-3234　FAX (435)772-3900 Free 1800-243-8824 URL www.cliffroselodge.com	on $159〜419 off $119〜299	A M V　最も公園に近い宿。窓の外にウォッチマンが迫り、広い庭には花が絶えない。Wi-Fi無料。全館禁煙。
Bumbleberry Inn	住 97 Bumbleberry Ln. ☎ (435)772-3224　FAX (435)772-3947 Free 1800-828-1534 URL www.bumbleberry.com	on $108〜128 off $58〜78	M V　町の中心部。無料シャトルが目の前に停まる。電子レンジ、冷蔵庫あり。レストランあり。Wi-Fi無料。全館禁煙。
Canyon Ranch Motel	住 668 Zion Park Blvd. ☎ (435)772-3357　FAX (435)772-3057 Free 1866-946-6276 URL www.canyonranchmotel.com	on $99〜119 off $59〜79	M V　町の中心部。無料シャトルが目の前に停まる。Wi-Fi無料。全館禁煙。
Pioneer Lodge	住 838 Zion Park Blvd. ☎ (435)772-3233 Free 1888-772-3233 URL www.zionpioneerlodge.com	on $142〜330 off $69〜208	A J M V　町の南寄り。電子レンジ、冷蔵庫あり。全館禁煙。レストラン、ギフトショップあり。コインランドリーあり

マウント・カーメル・ジャンクション		Mt. Carmel Jcn., UT 84755　東口ゲートまで12マイル　2軒	
モーテル名	住所・電話番号など	料　金	カード・そのほか
Best Western East Zion Thunderbird Lodge	住 US-89 & Hwy.9　☎ (435)648-2203 FAX (435)648-2239　Free 1800-780-7234　日本 無料 0120-56-3200 URL www.bestwestern.com	on $116〜131 off $73	A D M V　Wi-Fi無料。全館禁煙。レストラン、コインランドリーあり

ザイオンの地質学

巨岩の展示場のようなザイオン。その色彩と迫力に驚いたら、次に疑問が生まれないだろうか。「どうやってこんな場所ができたのだろう……」。ザイオンの生いたちを概観してみよう。

岩の色も植物の色も豊富。実にカラフルな公園だ

長い長い堆積のとき

ザイオンができるまでには、おおまかにいって、①堆積、②石化、③隆起、④浸食という4段階を経ている。そのなかで時間的に最も長いのが堆積の過程だ。およそ2億5000万年前から5000万年前まで、約1億8000万年もの間、この地方は浅い海の底か海岸近くにあり、約5000mの厚さの地層が堆積した。

一番古い層は、カルシウム、炭酸塩の堆積によってできた石灰岩層で、**カイバブ・ライムストーンKaibab Limestone**と呼ばれる。グランドキャニオンのリムにあたる層だが、ザイオンでは地下にある（→P.123）。

次が石膏や泥岩を中心とした**モエンコピ層Moencopi Formation**。その次に堆積したチンリー層Chinle Formationがザイオンキャニオンの底部にある層だ。この層の下部にははけ岩層で、上部には火山灰層があり、樹木の化石がよく出る。

この上に来るのは**モエナビ層Moenave Formation**。公園南口付近などで見られる、深紅の砂岩層。次の**ケイエンタ層Kayenta Formation**は、三畳紀からジュラ紀へ移る頃に堆積した層で、恐竜の足跡がこの層から発見されている。水中で堆積した不透過性の赤い砂岩層だ。

次の**ナバホ砂岩層Navajo Sandstone Formation**が、ケイエンタ層と並んでザイオンを特徴づけている層といえる。最大で約670mの厚さをもつクリーム色やピンク色の砂岩層で、特にZion-Mt. Carmel Hwy.沿いに見える岩はほとんどこの層のもの。ジュラ紀の広大な砂漠が

酸化鉄や炭酸カルシウムの作用によって緩く固められてできた。風の作用で砂丘は起伏を生み、現在、公園東部の岩に見られる杉綾模様herringbone patternを造り出した。チェッカーボードメサの水平の線は砂丘が風向きの変化によって不連続となったところで、垂直の線は温度変化による岩の拡張収縮の結果できた割れ目だ。

この上に堆積したのが**テンプルキャップ層Temple Cap Formation**。短い間だが、水流によって赤い泥が流れ込んでできた泥岩層だ。グレート・ホワイト・スローンの上部などに見られる。さらに上にある**カーメル石灰岩層Carmel Limestone**が、ザイオンでは最上部になる層だ。ジュラ紀後期に再び海となり、ここに堆積したもので、海洋性生物の化石を多く含んでいる。

岩になる過程もいろいろ

堆積した砂や泥が、長い長い年月をかけて岩になるのだが、ここにはさまざまな力がかかる。

まずは上に積もった層の重みによる圧力。これに加えて浸透した水に溶け込んでいる鉱物（炭酸カルシウム、酸化鉄など）の作用も大きい。この結果、同じ砂岩でも、鉱物をあまり含まない白っぽい砂岩よりも、色のついた砂岩のほうが固いという現象が起きる。この差は砂岩を構成している砂粒の大きさによって決まる。粒が大きいほど粒と粒の間にすき間ができる。ここに鉱物が入り込み、結果的に強い岩を造るわけだ。ザイオンでも東部の白っぽい砂岩が緩やかなスロープを見せているのに対し、ザイオンキャニオンの赤い砂岩が垂直に近い断崖となっているのは、この岩石の強度によるもの。

©NPS

Crawford Archの有名な写真。このアーチは博物館の東側正面にあるが、小さいので肉眼で見つけるのは難しい

隆起と断層

　約4000万〜5000万年前（始新世）に、この地方は隆起を始める。ララマイド造山運動と呼ばれるもので、現在のロッキー山脈を形成した造山運動だ。このとき、おおむね現在のI-15に沿ってハリケーン断層Hurricane Faultができた。およそ1500万年前、西海岸のプレートの移動により、このハリケーン断層に沿って東側が大きく隆起する。

そして川による浸食

　この隆起した土地を川が削ってゆく。大河コロラド川はグランドキャニオンを削りあげた。コロラド川ほど大きくなかったバージン川が、巨大な岩を残してザイオンを削った。ブライスキャニオンは大きな流れがなかったため、上部の層も流されずに残ったわけだ。

　ザイオンの上部にある層、ナバホ砂岩層は、植生が貧弱で雨を蓄えておく力が低い。そのため、短時間で水は川へと流れ込み、急流を造り、結果的に深い谷を削った。

ザイオンの岩の色について

　石化の過程でも触れたが、岩の色の違いは含有する鉱物の量で決まる。特に鉄分の酸化によって黒、赤、黄、茶、ときに緑色さえ生まれる。

　ただし、岩石そのものの色ではなく、表面だけの色のこともある。これは、日照、風など、特定の条件が揃った岩の表面に生息するバクテリアの働きによるものだ（異論もあり）。バクテリアは風で運ばれてきたチリから鉄やマンガンを抽出し、岩の表面に定着させる。岩をコーティングしたような光沢は、これら鉱物の酸化によってできる。鉄分が多いと赤茶色に、マンガンが多いと黒紫色になる。ほかに表面に縞やしみがついている場合もある。例えばビジターセンター裏のAltar of Sacrificeには、鉄分を多く含んだ水が表面に黒い縞を描いている。

ザイオンの岩壁には滝が描いた縞模様が多く見られる

ザイオンの主役たち

　ザイオンは、その特異な地形から生物学的に非常にユニークな環境にある。

　まず、峡谷の上と下では植物も動物もまったく様子が違っている。峡谷の上の砂漠地帯にはガラガラヘビなどの爬虫類や、ウズラ、ワシなどが住み、サボテンやわずかな灌木が生えている。谷の底ではウサギ、スカンク、ミュールジカ、アオサギやカワガラスなどの水鳥が住み、川岸は多様な樹木に覆われている。

　垂直な岩壁の中の一部分だけ突出した部分には、ほかからほぼ完全に独立した世界がある。また、ザイオンキャニオンの奥の非常に幅の狭い谷は、それ自体が孤立した世界で、ここにしかいない固有種のカエルなど、とてもユニークな生物が発見されている。

　ザイオンの夏は非常に暑い。このため多くの植物は6月までに枯れてしまう。夏に咲くのはツユクサやツキミソウなど夜の花ばかりだ。

　動物にとっても夏は厳しい季節で、メスのハイイロギツネは夏の間だけ夜行性になるという。

　このように、生物はこの厳しい環境にもしたたかに順応してきた。しかし、ザイオンは今でも変化を続けているのだ。浸食は今日も休みなく続き、ときおり大きな崖崩れを起こす。バージン川は動物の排泄物で水が汚れて、飲料水としては使えなくなってしまった。また、この青い空でも、大気汚染が観測されている。

　このすばらしい景観と生物たちは、今後どのように変わっていくのだろうか。

乾燥した岩場でハイカーの目を楽しませてくれるエフデグサ

ブライスキャニオン国立公園

ユタ州 ／ **MAP** 折込 1 枚目 C-3、折込 2 枚目オモテ G-1

谷底へ下りるナバホループ・トレイル（右下）はグランドサークルで人気ナンバーワンのハイキングコース

©USPS
2006年発行の切手

早朝のサンライズポイント。東の空が少し白んで、朝の気配をはるかに漂わせている。稲妻が光る西の空は、いまだ夜の底に眠っている。

やがて東から光の筋が届き始めると、静止していた尖塔たちが生命を宿した。太陽の振るタクトに合わせるかのように、燃える赤へと染まっていく……。

ユタ州南部、穏やかな森や草原のなかに突然現れる断崖。そこに立ち並ぶ色も形もさまざまな岩の尖塔群フードゥーは、光によって刻々とその表情を変化させていく。

特に早朝、夕暮れどきに、ぜひこの断崖に立ってみたい。忘れ得ない強烈な印象を感じるために。

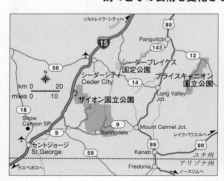

往復1時間あれば谷底まで下りられる

Bryce Canyon National Park ★

Utah

グランドサークル

ブライスキャニオン国立公園（ユタ州）

ACCESS　　　行 き 方

　ブライスキャニオンはザイオン国立公園から近いので、両方を一緒に訪れる人が多い。ゲートシティとなるのはセントジョージとシーダーシティだが、定期フライトをもつ空港やバスデディーポがあるセントジョージ（→P.103）を起点にしたほうが便利。実際には、ラスベガスからレンタカーまたはツアーバスで訪れる人が多いようだ。

　なお、公園ゲートから約4マイルのところに小さな飛行場があるが、チャーター機と自家用機用で定期便はない。

ツアー　　　　　　　　　　　　　　　　Tour

　ラスベガスからバスツアーがいろいろと出ている。日本人ガイド付きのコースもあるので、観光局などで資料を集めて検討するといい。なかにはザイオン＆ブライスキャニオン日帰りなどというコースもあるが、おすすめできない。ブライスキャニオンまで往復し、帰りにザイオンにちょっと寄り道するだけでも1泊2日は必要だ。オフシーズンの平日は人数が集まらずにキャンセルになることが多い。

レンタカー　　　　　　　　　　　　Rent-A-Car

　ザイオン国立公園からは、UT-9を東へ走り、突きあたりのUS-89を左折して北へ。Hatchという町を過ぎてしばらくするとUT-12が右へ分岐している。ここを曲がると、忽然と赤い奇岩や尖塔が現れる。これがレッド・キャニオンRed Canyon。さらに草原のなかの道を進み、標識に従ってUT-63を右折。無料シャトル（→P.122）の乗り場を過ぎ、Ruby's Innという大きなモーテルを過ぎれば公園ゲートはもうすぐだ。約86マイル。約1時間30分。

　シーダーシティからは地図で見るとUT-14経由が近そうに見えるが、この道はかなり急坂の峠になっているので時間がかかる。景色はいい。UT-14からUT-148へと左折してシーダーブレイクス国定公園（→P.128）に入り、さらにUT-143でパンギッチPanguitchに抜けるルートは最高の高原ドライブ。急がないならぜひこのルートを走ろう。

　時間がないならUT-20で。まずI-15を北上してUT-20を東へ入り、US-89に出たら南へ。パンギッチの町を過ぎたところでUT-12を東へ左折する。シーダーシティから90マイル、約1時間30分。

©NPS
標高が高く、冬は積雪が多い

DATA

時間帯▶山岳部標準時 MST
☎(435)834-5322
URL www.nps.gov/brca
開24時間365日オープン
適期▶年中
料車1台＄25
そのほかの方法は1人＄12
国定公園指定▶1923年
国立公園指定▶1928年
面積▶145km²
入園者数▶約130万人
園内最高地点▶2778m
（Rainbow Point）
哺乳類▶73種
鳥　類▶210種
両生類▶4種
爬虫類▶13種
植　物▶624種

ブライスキャニオンまでの所要時間

Salt Lake City	4～5時間
Page	約3時間
Zion	約1.5時間
Capitol Reef	3～4時間

夏期は無料シャトルで
　5月中旬～10月下旬は無料シャトルを利用することをすすめる　→P.122

ガスステーション
　園内にはないが、ゲートのすぐ手前のRuby's Inn（→P.129）にあるので、忘れずに給油しておこう

園内の施設

レストラン（4月上旬～11月上旬）はロッジ内にある。夕食は要予約。

食料品、フィルム、キャンプ用品などはサンライズポイント近くのジェネラルストアで（4～10月のみ8:00～21:00）。また、Ruby's Innにも大きなストアがあり年中営業している

ブライスキャニオンは南北に細長い公園だが、ビジターセンター、ロッジ、おもな見どころは、ほとんど北部の馬蹄形の壁に集中している。夏期はこのエリアを無料シャトルが往復している。

あとは、断崖に沿って約15マイル（24km）の舗装路が公園南端のレインボーポイントRainbow Pointまで続いている。この道路のところどころにある展望台から風景を楽しむわけだ。

断崖の上から眺めるだけでも強烈な印象を与えてくれるが、フードゥーと呼ばれる尖塔群をぬってトレイルを歩いてみれば、その印象はより立体的なものになる。1～2時間の短いトレイルでいいから、ぜひ断崖の下に下りてみよう。

また、道路や各種施設のある崖の上にも目を向けてみたい。ミュールジカやプレーリードッグが生息しているので、注意していれば見られるチャンスもあるだろう。

情報収集　Information

Visitor Center

Visitor Center

☎ (435)834-5322

夏期8:00～20:00
冬期8:00～16:30
春・秋8:00～18:00

11月第4木曜、12/25、1/1

Ranger Full Moon Hike
月明かりに浮かび上がる幻想的な尖塔群を見上げながら歩くツアー。5～10月の満月を挟んだ2日間のみ行われる。約2時間。定員30名。当日朝8:00にビジターセンターで予約を

料金ゲートを入ってしばらく行った右側。ジオラマやスライドによってブライスキャニオンの地質、自然、環境などが理解できる。小さなギフトショップも併設している。Wi-Fi完備。

Wildlife

絶滅の足音がしのび寄るユタ・プレーリードッグ

プレーリードッグにも数種あるが、世界でもユタ州南部にしか生息していないのが**ユタ・プレーリードッグ**Utah Prairie Dog。現在の生息数は3万頭前後で、1970年代の1/3と危機的な状況。数十年前から絶滅のおそれがあると警告されてきたにもかかわらず、ここまで数が減ってしまったのはなぜだろう？　彼らが生息するためには、次のような条件を満たす草原がなければならない。まず、草があまり密生していないこと、次に背たけの低い草であること。これらは、天敵を見つけやすい環境に住むためだ。そして水分を多く含み、栄養価の高い草である

こと。彼らが激減してしまったのは、気温の上昇によってこのような条件を満たす土地が減ってしまったことが理由のひとつ。さらには牧場の増加も食料となるイネ科の草を減らした。

また、彼らが巣穴を掘るために、巣穴に足をとられた家畜が骨折するという理由で、激しい毒殺が行われたことも大きい。環境保護団体は、農家の圧力に負けた政府が、ユタ・プレーリードッグを絶滅危惧種から準危急種に格下げしたことに猛反発している。これによって、一時は手厚く保護されていたユタ・プレーリードッグを、害獣として駆除することが可能になったのだ。

そんな状況にあるユタ・プレーリードッグを、ブライスキャニオンではビジターセンターの南、サンセット・キャンプ場の北の草原などで簡単に見ることができる。体長は約30～35cmで、背中の明るい毛の色と、目の上にまゆ毛のような黒い斑紋があるのが特徴。その啼き声から"dog"とはいうものの、分類上はリスなどと同じ齧歯目に含まれる。（関連コラム　→P.417）

大きな地下都市を作って群れで生活している

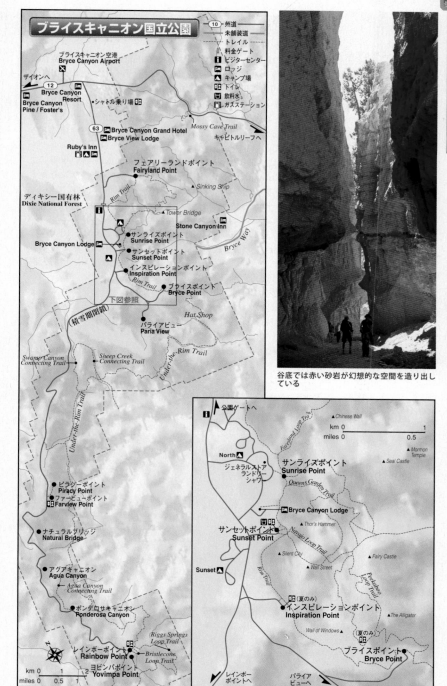

谷底では赤い砂岩が幻想的な空間を造り出している

無料シャトル
　5月上旬～10月上旬の8:00～17:50（夏期～19:50）まで10～20分ごと

レインボーポイントシャトル
　上記のシャトルバスとは別に、公園南端にあるレインボーポイントまで行くシャトルバスが運行されている。前日までにルビーズイン、電話などで要予約
☎ (435)834-5290
運行 5～10月のみ。1日2便
所要 約4時間
料 無料

園内の交通機関とツアー　　　　Transportation

無料シャトル ➡ 5月上旬～10月上旬

　展望台の駐車場不足を解消するため、北部の施設と展望台を結んで無料シャトルが運行されている。ザイオンと違ってこのシャトルバス利用は義務ではなく、マイカーで入園することも可能。しかし、園内の展望台はいつも駐車スペースを探すのにひと苦労。環境負荷の軽減にもつながるのだから、ぜひシャトルを利用したい。展望台をつなぐトレイルを片道だけ歩くときにも便利だ。

　乗り場は、UT-12からUT-63へ入ってすぐ左にある駐車場。ここから、Ruby's Inn、ビジターセンター、ロッジ、サンセットポイント、ブライスポイントなどを10～20分間隔で結んでいる。

シーズン　　　　Seasons and Climate

　公園の標高は約2000～2700mと、意外なほど高い。1000本にものぼる岩柱の間を風が吹き抜けることもあって夏でも涼しい。ザイオン同様、強いていえば夏は人が多過ぎる。年間入園者数のうち75%が6～8月の3ヵ月に集中するそうだ。

　黄葉の季節は9月下旬から10月中旬で、ザイオンよりずっと早い。冬は雪が多いが公園はオープンしており、銀世界の中に浮かび上がる幻想的な風景を楽しむことができる。

見上げてごらん星空を
　ブライスキャニオンは全米で最も空気が澄んだ場所のひとつとして知られている。標高が高く、町の明かりが少ないこともあって、夜空の美しさは格別。近年、車の排気ガスによる汚染が問題になっているが、それでも晴れた夜には満天の星空にきっと感激するだろう。5～9月の新月前後の夜には星空の観察会も行われる（→P.38）

ラスベガスからの団体ツアーが多いのでピークシーズンは騒々しい。春か秋がおすすめだ

ブライスキャニオンの気候データ　　日の出・日の入り時刻は年によって多少変動します

月	1	2	3	4	5	6	7	8	9	10	11	12
最高気温(℃)	4	5	8	13	19	24	28	27	23	17	11	6
最低気温(℃)	-13	-11	-8	-4	-1	3	8	7	3	-2	-7	-12
降水量 (mm)	43	36	36	30	20	15	36	56	36	36	30	41
日の出 (15 日)	7:43	7:19	7:40	6:55	6:20	6:07	6:20	6:45	7:11	7:37	7:08	7:36
日の入り (15 日)	17:34	18:07	19:36	20:04	20:31	20:51	20:50	20:22	19:38	18:53	17:14	17:12

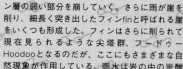
GEOLOGY

ブライスキャニオンはこうしてできた

堆積と隆起

　グランドキャニオンやザイオンに比べて、ブライスキャニオンの地層は新しい。最も古い層でも、ザイオンの最上部よりも新しいダコタ層Dakota Formationで、中心となっている層はクラロン層Claron Formationだ。クラロン層は、始新世初期（4000～5000万年前）にあった巨大湖に堆積した、石灰を多く含む砂や泥の層だ。湖の大きさは大雨や乾燥によって変化し、重い砂は岸近く、軽い泥は遠くに堆積することから、硬さの異なる複雑な層が形成された。そして、約1000万年前頃からコロラド台地が隆起する。ブライスキャニオン周辺では、ポーンソーガント・プラトーPaunsaugunt Plateauと、その東側に断層が形成された。

川と雨などによる浸食

　パライア川Paria Riverがポーンソーガント・プラトーの東側を浸食し、クラロ

今日も着実に浸食が進んでいる

ン層の弱い部分を崩していく。さらに雨が崖を削り、細長く突き出したフィンfinと呼ばれる崖をいくつも形成した。フィンはさらに削られて現在見られるような尖塔群、フードゥーHoodooとなるのだが、ここにもさまざまな自然現象が作用している。雨水は岩の中の炭酸カルシウムを溶かして岩をもろくするし、雪は溶けて岩の割れ目に入り込み、夜になって凍ると体積を増して割れ目を押し広げる。

　この浸食は現在も続いており、2万年後には、ブライスキャニオン・ロッジも崖っぷちになってしまうと予想されている。

巨大な階段、グランドステアケース

　アリゾナ州北部からユタ州南部にかけては、地層が北に向かって下がるように傾斜している。ところどころに地層の切れ目が露出し、全体として見ると図のように巨大な階段状の地形になっている。これをグランドステアケースGrand Staircase（大段丘）と呼んでいる。崖となった露出面は、その色によって以下のように呼ばれている。

●バーミリオンクリフ　Vermilion Cliffs

　三畳紀後期のモエナビ層、ケイエンタ層が露出した赤い崖。US-89のペイジ～カナブ間、US-89A沿いや、カナブの西に見ることができる。

●ホワイトクリフ　White Cliffs

　ジュラ紀のナバホ砂岩層を中心とした白っぽい崖。ザイオン東部のほか、US-89のマウント・カーメル・ジャンクション東側などに見られる。

●グレークリフ　Gray Cliffs

　白亜紀のワーウィープ砂岩層を中心とした灰色の崖。

●ピンククリフ　Pink Cliffs

　始新世（第三紀）のクラロン層が露出したピンクがかった淡い色の崖。ブライスキャニオンがまさにそれ。

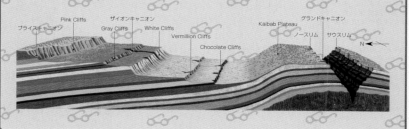

サンセットポイント。できれば朝、昼、夕暮れの3回訪れて、表情の変化を楽しみたい

Sunset Point
設備 トイレ・飲料水

Ranger **Rim Walk**
要所要所でレンジャーの説明を聞きながらリム沿いに歩く
集合▶夏期16：30
出発点▶サンセットポイント

サンセットポイントの足元にある雷神のハンマー
Thor's Hammer

Wildlife
巨大な鳥を探そう
　2003年、ブライスキャニオンで4羽のカリフォルニアコンドル（→P.61）の営巣が確認された。1996年に放巣された個体だという。この地域にはまた、農薬DDTによる絶滅の危機を脱したばかりのハヤブサや、アメリカの国鳥ハクトウワシなどの猛禽類もいる。断崖の下ばかりでなく、空も見上げてみよう

Inspiration Point
設備 トイレ（夏期のみ）

POINTS of INTEREST　おもな見どころ

サンセットポイント　Sunset Point

　ビジターセンターを過ぎるとすぐ左手に**サンライズポイントSunrise Point**、そしてサンセットポイントと続く。まずサンセットポイントへ行ってみよう。

　駐車場に車を置いて奥へ歩いていくと、妙な音が聞こえてくる。大きな滝でもあるようだ。音の正体は展望台に着いた瞬間にわかる。それまで閉ざされていた視界がパッと180度開け、足元にブライスキャニオンが現れる。滝のような轟音は、この何百何千という針の峰の間を吹き抜ける風の音だったのだ。オレンジ、ピンク、白、ラベンダーと実にカラフルな岩壁をこのように細く鋭く彫刻したのは、雨、霜、そしてこの風である。

　石灰岩や砂岩でできた岩峰の1本1本をよく見ると、尖塔や城、巨大なチェスの駒、そしてまた肩を寄せあって立つ亡霊たちに見えたりする。全体として見ると廃墟の町のようでもあり、SFの未来都市のようでもあり、実に幻想的だ。特に夜明けや夕暮れ、そして月の光に浮かぶ姿はすばらしいという。

　谷底へは何本ものトレイルがつけられているので、1時間でもいいから下りてみよう。下から見上げると1本1本の大きさが実感できる。

人気のナバホループ・トレイルへ下りてみよう

インスピレーションポイント
Inspiration Point

　サンセットポイントの南。パークレンジャーによると、夕日に染まる尖塔群を見るなら、サンセットポイントよりもこちらのほうがすばらしいとのこと。背後には穏やかな森が広がっているというのに、風が渡ってゆくこの谷の何とも不思議な表情。鳥がゆっくりと舞う。

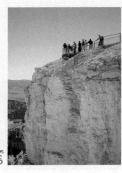

インスピレーションポイントで静かに日暮れを待とう

早朝に訪れてみたいブライスポイント

ブライスポイント　Bryce Point

　インスピレーションポイントからさらに南側。キャニオンをぐるりと回り込んだ終点がブライスポイントだ。ここからは馬蹄形をしたキャニオン北部がよく見渡せる。時間のない人でもぜひここまでは来てほしい。特に朝一番で訪れるのがおすすめだ。

フェアリーランドポイント　Fairyland Point

　ブライスキャニオンの北端にある展望台。ここへ行く道は園内に入ってすぐ左へと分岐している。

　最大の見ものは、**沈みゆく船Sinking Ship**という名の傾いた岩壁。タイタニックの最期のような姿だが、実は隆起によって生まれた地形。大地をこのように押し上げてしまう、おそろしいほどの自然の力を目のあたりにできる。

沈みゆく船

レインボーポイント　Rainbow Point

　前述の展望台はすべて公園北部の馬蹄形の断崖にあるが、そこから約15マイル離れた公園南端にあるのがレインボーポイント。途中、数ヵ所ある展望台からは、バラエティに富んだ尖塔の谷が眺められる。終点のレインボーポイントと、駐車場の反対側にある**ヨビンパポイントYovimpa Point**からは、ピンククリフと呼ばれるブライスキャニオン西壁の30マイルにも及ぶ壮大な絶壁を遠望できる。

Rainbow Point
設備 トイレ

積雪に注意
　レインボーポイントへの道は積雪期は閉鎖される

動物も迷い込む地獄？
　かつてこの地に住んでいたパイユート族は、ブライスキャニオンの尖塔群は、人間に化けようとした動物が固まって石になってしまったものと考えた。
　1875年、エベニザー・ブライスという男がやってきて、断崖の下に牧場を造った。彼に言わせると、ここは地獄だ。
　「牛がみんなどっかへ行っちまう！」
　こんなところで放牧するなんて、間抜けな男である

断崖の長さがよくわかるレインボーポイント

ハイキング　　　Hiking

キャニオン内にはたくさんのトレイルがつけられており、気軽に谷底へ下りられるようになっている。多くのコースが途中でつながっているので、さまざまな組み合わせが可能だ。尖塔の間をぬって谷底へ下りると、それまでとはまったく違った風景が目に飛び込んでくる。まず植物の多さに驚くだろう。上から見下ろすと不毛の地に見えたキャニオンに、実はアスペン、マホガニー、カエデなど多くの樹木が育っている。特に尖塔の隙間の狭い空間に生えた樹木が、光を求めて背伸びしている姿は感動的だ。

そして、上からだとどれも同じように見えた尖塔に個性豊かな表情を見つけることができるし、1本1本がこんなに大きいのかと驚きもするだろう。

なお、岩は非常にもろく崩れやすいので、手を触れたりトレイルをはずれたりしないよう注意。積雪時にはビジターセンターでスノーシューズを無料で貸してくれるが、トレイルが完全に閉鎖されてしまう場合もある。また、ブライスキャニオンのトレイルは、必ず最後に崖を登る急な登り坂が待っていることを忘れずに。

ナバホループ・トレイル　　Navajo Loop Trail

見どころの多い変化に富んだトレイルで、おすすめナンバーワン！ 特に**雷神のハンマーThor's Hammer**と名付けられた岩は必見。まるでE.T.とその三姉妹のようだ。**ウォール街Wall Street**という名の狭くて深い谷底へ下りたら、細くて高いダグラスファー（トガサワラ）の木をお見逃しなく。太陽を求めて生長するそのたくましい生命力に拍手！

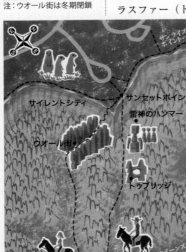

ナバホループ・トレイル

ウォール街の谷底から這い上がってきたダグラスファー

126

クイーンズ・ガーデン・トレイル　Queen's Garden Trail

　崖の下へ下りるものとしては最もラクなトレイル。**ガリバー城**Gulliver's Castleから短いトンネルをいくつか通ると、東のほうに**ビクトリア女王**Queen Victoriaの姿が見えてくる。ここまで往復してくるのがポピュラーだが、さらに東へ歩いてナバホループ・トレイルに合流し、サンセットポイントまで歩くと片道3時間ほど。

ピーカブー・ループ・トレイル　Peekaboo Loop Trail

　円形劇場Amphitheater（のような岩峰群）や**サイレントシティ**Silent Cityなどを通る美しいトレイル。ナバホ・ループ・トレイルと合流してサンセットポイントまで歩くと片道3～4時間。

ハット・ショップ・トレイル　Hat Shop Trail

　このトレイルでは、ほかでは見られない景色が展開する。ピンク色の塔の頂に大きな灰色の石が載っかっているのだ。『帽子屋』とはよくいったもの。上部にあった硬い地層が残ったものだが、塔はどんどん浸食されて細くなっているので、いずれは落下する運命にある。

何ともしゃれたネーミングだ

乗　馬　Horseback Riding

　4月上旬～10月下旬（積雪の程度による）の間、サンライズポイント近くの厩舎から、馬に乗って谷へ下りるツアーが出ている。2時間コースはクイーンズガーデンの下まで、半日コースはピーカブーループを訪れる。申し込みはブライスキャニオン・ロッジかRuby's Inn（→P.129）で。

遊覧飛行　Flight Seeing

　ヘリツアーも出ている。フェアリーランドポイント付近を回る35分コースのほか、ザイオンやモニュメントバレーを組み合わせたコースなどいろいろある。申し込み、出発はRuby's Innで。

クロスカントリースキー　Cross Country Ski

　ブライスキャニオンは、ユタ南部のほかの国立公園に比べて積雪が多い。クロカンには絶好のコンディションができあがり、専用のトレイルも整備される。スノーシュー（かんじき）も楽しい。2月中旬にはクロスカントリーのレースを中心としたWinter Festivalも行われる。こうしたウインターアクティビティの中心となるのがRuby's Inn。レンタルはもちろん、宿泊込みのパッケージ料金も用意されている。

車道はチェーンなしで大丈夫ということが多いが、訪れる前にウエブサイトなどで確認しよう

中級 **Queen's Garden Trail**
適期▶4～11月
距離▶往復2.9km
所要▶往復1～2時間
標高差▶98m
出発点▶サンライズポイント

上級 **Peekaboo Loop to Navajo Loop**
適期▶4～11月
距離▶片道8.8km
所要▶片道3～4時間
標高差▶479m
出発点▶ブライスポイントまたはサンセットポイント

上級 **Hat Shop Trail**
適期▶4～11月
距離▶往復6.5km
所要▶往復3～4時間
標高差▶328m
出発点▶ブライスポイント

乗馬
☎(435)679-8665
URL www.canyonrides.com
2時間コース（7歳以上）
9:00 & 14:00　　$60
半日コース（10歳以上）
8:00 & 13:00　　$80

Bryce Canyon Helicopters
☎(435)834-8060
URL www.rubysinn.com

Ranger **Snowshoe Walk**
集合▶冬期の水～日13:30
所要▶2時間
場所▶ビジターセンター

ACCOMMODATION 🏠 宿泊施設

園内で泊まる

🏠 Bryce Canyon Lodge

　園内で唯一のロッジ。4月上旬〜11月上旬オープン。サンライズポイントとサンセットポイントとの間の道を入る。フロントのあるロビーは大きな暖炉があり、ムード満点。部屋はモーテル棟70室と、松林の中に点在するキャビン40室がある。キャビンは石と丸太で組んであり、家族で泊まるにも充分の広さ。いずれに泊まっても、リムまでは歩いて行くことができる。電話あり。ロビーはWi-Fi無料。全館禁煙。予約は13ヵ月前から受付。6〜9月の予約は春にいっぱいになってしまう。

林の中に建つコテージ

Forever Resorts
☎(435)834-8700（当日）　Free 1877-386-4383
URL www.brycecanyonforever.com
on off モーテル$139〜243、キャビン$174〜
202　カード A D J M V

キャンプ場に泊まる

　ビジターセンター近くの**North Campground**が年中オープンしている。一部のサイトのみ5月上旬〜9月下旬は予約も可能（6ヵ月前から受付）。

　またサンセットポイント近くの**Sunset Campground**は4月下旬〜9月下旬のみオープン。予約不可。6月中旬〜9月中旬はほとんどいっぱいなので朝のうちに到着しよう。

　また、ゲート外のRuby's Innにもキャンプ場はあるが営業は4〜10月のみ。このほかUS-89沿いにも民間のキャンプ場がいくつかある。

North（99サイト）　Free 1877-444-6777
URL www.recreation.gov　料$15
Sunset（101サイト）　料$15
※いずれのキャンプ場もシャワーは4月中旬〜11月中旬のみ

近隣の町に泊まる

　ゲートのすぐ外に設備の整った大きなモーテルが3軒、UT-12とのジャンクション付近に数軒のモーテルがある。またUT-12を東へ15分ほど走ったトロピックTropicが小さなリゾートタウンになっていて、モーテルのほかB&Bも多い。このほかUT-12を西へ走ってUS-89を北へ行ったパンギッチPanguitchにもモーテルが15軒ある。

🚐 Side Trip

シーダーブレイクス国定公園
Cedar Breaks National Monument

MAP 折込2枚目オモテ G-1　☎(435)586-9451
URL www.nps.gov/cebr　料1人$4

　ブライスキャニオンを訪れるとき、ぜひ寄り道したいのがここだ。シーダーブレイクスの景観を指して、よく"できかけのブライスキャニオン"と表現される。ディキシー国有林の一画がすり鉢状に浸食され、ブライスキャニオンに似た尖塔がニョキニョキと生えている。断崖の白や黄色の地層と、ピンク色の尖塔とのコントラストが印象的。気の遠くなるような長い時間をかけて浸食された崖は幅4.8km、高さ600m以上にも及ぶ。

　ビューポイントは、ビジターセンター（夏期のみ）のあるPoint Supreme、標高3190mのChessmen Ridge、UT-143沿いにあるNorth Viewなど。

　行き方は、シーダーシティからUT-14を東へ18マイル。急坂を登り、UT-148で左折すると公園に入る。積雪期（例年11月中旬〜5月下旬）は閉鎖される。園内には食事ができる施設はない。高地のため気温は真夏でも10〜15℃程度で、夜は零下になることもある。防寒対策は万全に。

観光の中心になる
Point Supreme

ブライスキャニオンで
最も新しい宿、Bryce
Canyon Grand Hotel

グランドサークル

ブライスキャニオン国立公園（ユタ州）

ブライス

Bryce, UT 84764　公園ゲートまで 1〜5 マイル　5 軒

モーテル名	住所・電話番号など	料　金	カード・そのほか
Best Western Plus Ruby's Inn	🏠26 S. Main St. ☎(435)834-5341 Free1866-866-6616 日本 無料 0120-56-3200 URL www.rubysinn.com	on $145〜200 off $70〜130	A D J M V　ゲートまで車で 2 分。無料シャトルも停車する。レストラン、ジェネラルストア、ガスステーション、郵便局まで揃った便利で快適なモーテル。コインランドリー、ATM、屋内温水プールあり。全館禁煙
Bryce Canyon Grand Hotel	🏠30 N. 100 E. ☎(435)834-5700 Free1866-866-6634 日本 無料 0120-56-3200 URL www.brycecanyongrand.com	on $180〜290 off $90〜200	A D M V　Ruby's Inn 斜め前。朝食込み、レストラン、コインランドリーあり。Wi-Fi 無料。全館禁煙
Bryce View Lodge	🏠105 E. Center St. ☎(435)834-5180 FAX(435)834-5181 Free1888-279-2304 URL www.bryceviewlodge.com	on $85〜119 off $60〜70	A D M V　Ruby's Inn 正面。無料シャトル乗り場隣。コインランドリーあり。冬期休業。Wi-Fi 無料
Bryce Canyon Resort	🏠13500 E. Hwy. 12 ☎(435)834-5351 FAX(435)834-5256 Free1866-834-0043 URL www.brycecanyonresort.com	on $110〜255 off $70〜77	A M V　UT-12 の角。レストランあり。Wi-Fi 無料。コインランドリーあり。ATM あり
Foster's	🏠1150 Hwy. 12 ☎(435)834-5227 FAX(435)834-5304 URL www.fostersmotel.com	on off $79	M V　ゲートまで車で 5 分の UT-12 沿い。レストラン、マーケットあり。全館禁煙
Bryce Canyon Pines	🏠P.O. Box 43 ☎(435)834-5441 FAX(435)834-5330 Free1800-892-7923 URL www.brycecanyonmotel.com	on $110〜325 off $100〜200	A M V　ゲートまで車で 5 分の UT-12 沿い。レストラン、キャンプ場あり。コインランドリーあり。Wi-Fi 無料

トロピック

Tropic, UT 84776　公園ゲートまで 11 マイル　13 軒

モーテル名	住所・電話番号など	料　金	カード・そのほか
Stone Canyon Inn	🏠1220 W. 50 S. ☎(435)679-8611 Free1866-489-4680 URL www.stonecanyoninn.com	on $145〜275 off $100〜150	A M V　UT-12 から Bryce Way を西へ走った町外れで、公園敷地に隣接。フルブレックファスト込み
Buffalo Sage B&B	🏠980 N. Main St. ☎(435)679-8443 Free1866-232-5711 URL www.buffalosage.com	on $90〜95	M V　UT-12 沿い。全館禁煙。フルブレックファスト込み。冬期休業。4 月 1 日〜10 月 31 日営業
Bryce Country Cabins	🏠320 N. Main St. ☎(435)679-8643 FAX(435)679-8989 Free1888-679-8643 URL www.brycecountrycabins.com	on $109〜149 off $85〜125	A M V　UT-12 沿いのログキャビン。冷蔵庫、電子レンジあり。Wi-Fi 無料。全館禁煙
America's Best Value Inn Bryce Valley Inn	🏠199 N. Main St. ☎(435)679-8813 Free1888-315-2378 URL www.brycevalleyinn.com	on $80〜120 off $52〜65	A M V　UT-12 沿い。全館禁煙。レストラン、コインランドリーあり。夏期のみ朝食込み。Wi-Fi 無料
Bryce Canyon Inn	🏠21 N. Main St. ☎(435)679-8502 FAX(435)679-8577 Free1800-592-1468 URL www.brycecanyoninn.com	on $80〜109 off $65〜85	A M V　UT-12 沿い。朝食込み。レストランあり。Wi-Fi 無料。冬に長期休業あり
Bryce Pioneer Village	🏠80 S. Main St. ☎(435)679-8546 URL www.brycepioneervillage.com	on off $72〜100	M V　UT-12 沿い。ウエスタンスタイルのレストランあり。冷蔵庫あり。全館禁煙

パノラマ街道─ユタ州道12号線

「日本の道100選」のアメリカ版というべき、国立シーニックバイウエイ（全米に96ヵ所）のひとつに選定されている。ブライスキャニオンからキャビトルリーフまで3〜4時間の、変化に富んだ景勝ドライブルートだ。Cannonvilleを過ぎたあたりから広大な荒野が広がり、大褶曲の大地がはっきりと見える。Escalanteの町を過ぎて坂を上ると、荒野に突き出したメサの頂上を走るようになる。足元にはCalf Creekが流れ、複雑な地形が遠く地平線まで続く。Boulderを過ぎるとガラリと風景が変わり、さわやかな森を走る高原ドライブ。高度はぐんぐん上がり、最高地点は2865m。新緑と黄葉の頃は特にすばらしいが、10〜5月はいつ雪が降ってもおかしくないので、道路情報に気を付けよう。峠の展望台からは、眼下にキャビトルリーフ国立公園を望める。背骨のような岩の連なりが指し示す方角にレイクパウエルがある。

通行量は極めて少ない。のんびり走ろう

🚐 コダクロームベイスン州立公園
Kodachrome Basin SP

MAP 折込2枚目オモテ G-2
☎ (435)679-8562　**圏** 6:00〜22:00
URL www.stateparks.utah.gov
圏 車1台＄6、キャンプ場 ＄16〜25

ブライスキャニオンのすぐ東にあり、赤、ピンク、茶、白、黄とカラフルな岩壁に囲まれた谷に煙突状の岩が連なる。その色彩の豊かさからコダック社の許可を得て同社のフィルム名を公園に付けたという。中心にあるGrand Parade や、ここから未舗装路を東に走った平原にニョキッと生えたChimney Rock、Shakespeare Arch などが見どころ。1時間もあればざっと回れるだろう。

行き方は、ブライスキャニオンからUT-12を東へ約15マイル、Cannonvilleから南へ入って約7マイル。

©Garfield County CVB

煙突状の岩が60以上ある

🚐 グランドステアケース・エスカランテ国定公園
Grand Staircase-Escalante NM

MAP 折込2枚目オモテ G-2
☎ (435)644-4300　**圏** 無料
URL www.ut.blm.gov/monument

Escalante Visitor Center **圏** 8:00〜16:30

ブライスキャニオンからキャビトルリーフへ向かう人におすすめ。UT-12沿いに広がる、アメリカ本土で最も広大な国定公園だ。

グランドステアケース（→P.123）は、三畳紀やジュラ紀をはじめとする5つの地層が傾き、巨大な階段状になっていることから名付けられたもので、地球の歴史博物館とも表現される。総面積は東京都の約3.5倍。西はブライスキャニオン、北東はキャビトルリーフに接し、南東はレイクパウエルの近くまで迫っている。

国定公園に指定された区域には整備された道はわずかで、ほとんどは未開のまま。米国本土で最も孤立した土地といわれる荒野が広がり、2億年以上かけてできた峡谷、色とりどりの岩壁など、変化に富んだ原生の自然美にあふれる。時間のない人でも、UT-12を走り抜ければ魅力の一端に触れることができるだろう。

バックカントリーにはワイルドな景観が多く、人ひとりがやっと通れる狭い峡谷（スロットキャニオン）などが人気を集めている。しかし、整備されたトレイルなどほとんどなく、そこまで行くには時間と労力、そして遭難や鉄砲水といったリスクもともなう。相応の準備を整え、ビジターセンターで状況を確認してから出かけよう。

風景は変化に富んでいて退屈知らず

デビルスガーデンの奇岩は必見

整備されたトレイルがあるGrosvenor Arch

Cottonwood Canyon Rd.

　コダクロームベイスン州立公園から南下し、巨大なダブルアーチ、Grosvenor Archを経て47マイルでレイクパウエル手前に出られる未舗装路。乾いていれば普通車でも走れなくはないが、もし途中で雨にあったら4WDでも立ち往生してしまうので、覚悟を。積雪期は通行不可。

Hall in the Rock Rd.

　Escalanteのすぐ東側から未舗装路に入り、モルモン教徒の史跡が残るレイクパウエル湖畔まで約56マイル。普通車で入れるのは最初の20マイルほどで、あとは4WDのみ。12マイル地点に奇岩やアーチが集まる**デビルスガーデンDevils Garden**がある。雨のあとや積雪期の通行は無理。

Burr Trail Rd.

　Boulderから東へ続く舗装道路。31マイル走ってキャピトルリーフ国立公園に入ると未舗装になる。乾いていれば普通車でも通行できる。そのまま進むとストライクバレー展望台（→P.136）の分岐点を過ぎ、スイッチバックで急坂を下ってNotom-Bullfrog Rd.に突きあたる。ここまで36マイル。左折すればキャピトルリーフの中心部、右折すればレイクパウエルへ出る。

Lower Calf Creek Fall

　UT-12のすぐ脇にある美しい滝。ただし断崖を下りる道がないため、片道3〜4時間歩かなければならない。トレイルヘッドはEscalanteの東約15マイルのCalf Creekキャンプ場。砂地で歩きにくい箇所があり、日陰も少ないので飲料水は多めに持参しよう。トレイルの終わりに高さ約38mの滝が突如現れる。断崖に囲まれているため、午前中の短い時間しか日が差さない。ベストシーズンは春と秋。6〜8月は天候の変化が激しい時期なのでおすすめできない。

秘密のオアシスといった風情の滝だ

キャピトルリーフ南部への近道、Burr Trail Rd.

キャピトルリーフ国立公園

ユタ州／**MAP** 折込 1 枚目 C-3、折込 2 枚目オモテ G-2

ダイナミックな景観が広がる公園南部のストライクバレー

　キャピトルリーフの景観を造り上げた最大の功労者は「水」。Waterpocketと呼ばれる砂岩にできた何千もの水たまりと、水の力によってできた複雑怪奇な岩の数々。これらは、今から6500万年前の地殻変動によって誕生したもので、ここからレイクパウエルまで160kmにもわたって延々と続いている。ワシントンDCの国会議事堂を思わせるドーム状の岩や、巨大な落ち葉のような平らな巨岩の連なりがあったりして、ナバホの人々がこの地を"眠れる虹の大地"と呼んだのもうなずける。

公園北部のカテドラルバレーも見逃せない

Capitol Reef National Park ★

Utah

ACCESS　行き方

　かなり辺ぴな場所にある国立公園で、公共の交通機関などは一切ない。グランドサークルのドライブの途中で、ブライスキャニオンとアーチーズの間に立ち寄るのがよい。

　ブライスキャニオンからUT-12を東に約120マイル、UT-24にぶつかったら東へ約5マイルでビジターセンターに出る。3〜4時間。峠を越えるので距離のわりに時間がかかる。春や秋には雪に注意。

　アーチーズからはUS-191、I-70、UT-24と進めば約145マイル、約3時間。どちらの国立公園からも変化に富んだ景色が望める、まさに景勝ルートだ。

　なおキャピトルリーフからレイクパウエルへの近道であるNotom-Bullfrog Rd.は大変景色のよい未舗装路だが、必ず直前にキャピトルリーフのビジターセンターか、レイクパウエルのブルフロッグ・レンジャーステーションで道路状況を確認しよう。

DATA

時間帯▶山岳部標準時 MST
☎(435)425-3791
URL www.nps.gov/care
開24時間365日オープン
通期年中
料シーニックドライブのみ
車1台＄5
国定公園指定▶1937年
国立公園指定▶1971年
面積▶約979km²
入園者数▶約67万人
園内最高地点▶2207m
（Brimhall Bridge）
哺乳類▶82種
鳥　類▶225種
両生類▶5種
爬虫類▶26種
植　物▶465種

GETTING AROUND　歩き方

　公園敷地は南北に細長いが、見どころは中央部を横切るUT-24沿いに集まっている。この周辺を見るだけなら半日〜1日あれば充分。夏の日中は40℃を超える暑さとなるが、夜は急激に冷え込む。雷や夕立ちが多く、乾いた大地にあっという間に激流が現れる。ナローズのような峡谷を歩くときや、未舗装路を走るときには充分に注意を。

　なお、園内にはグロサリーストアなどがないので、公園に入る前に食料を調達しておきたい。空気が乾燥しているので水は必携。

キャピトルリーフまでの所要時間
Bryce Canyon　3〜4時間
Arches　3時間
Salt Lake City　約4時間

ガスステーション
　園内にはない。UT-24を西へ8マイル走ったところにあるガスステーションが一番近い

情報収集　Information

Visitor Center
　UT-24沿い、シーニックドライブの入口にある。特に未舗装路の状況と雨の予報をしっかりと聞いておきたい。シーニックドライブやハイキングトレイルのパンフレットも入手しておくといい。

Visitor Center
開8:00〜16:30
（夏期〜18:00）
休冬期の祝日

ザ・キャッスルと呼ばれるこの岩がシーニックドライブ入口の目印

州道24号線を走るだけでも奇岩が次々に目に飛び込んでくる

ダイナミックな風景が広がる

シーニックドライブ　Scenic Drive

　岩壁に沿って走る片道約10マイルのドライブルート。幅はとても狭いが、一応舗装されている。ところどころにナンバープレートがあり、そこでビジターセンターでもらったパンフレットを広げれば周囲の地形などについて理解できるようになっている。Y字路に出たら左折し、未舗装路を突きあたりまで走れば、Capitol Gorge（→P.136）のトレイルヘッドに出る。

荒天時には入らないほうが無難だ

フルータ　Fruita

　キャピトルリーフには国立公園としては珍しいアトラクションがある。19世紀にモルモン教の開拓者が始めた果樹園、鍛冶屋、学校などが残っていて、季節にはフルーツ狩りが楽しめるのだ。2700本に及ぶフルーツの収穫期は、サクランボやアプリコットが7月頃、モモ、ナシ、リンゴが8〜9月頃。収穫OKの標識が出ていたら、自由に果樹園に入って食べてよいことになっている（有料。料金箱あり）。

先住民の岩絵　Petroglyphes

　ビジターセンターから東へ1マイルのUT-24沿いにある。グランドサークルではこうした岩絵をあちこちで見る機会があるが、ここの岩絵は、宇宙人のような奇怪な描写が一見の価値あり。

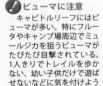

今から1000年以上前のものと考えられている

サンセットポイント　Sunset Point

　ビジターセンターより1マイル西。UT-24に小さな標識が出ている。駐車場から10分ほど歩くと眺望が開け、日没時には遠くキャピトルリーフの岩壁がドラマチックに色を変えてゆく。距離は短いが迷いやすいトレイルなので、暗くならないうちに戻ろう。

　なお、同じ駐車場から**グースネックポイントGooseneck Point**へも徒歩5分で行ける。川が蛇行する様子がよく見えるが、転落には充分に注意を。

🔦 **ピューマに注意**
　キャピトルリーフにはピューマが多い。特にフルータやキャンプ場周辺でミュールジカを狙うピューマがたびたび目撃されている。1人きりでトレイルを歩かない、幼い子供だけで遊ばせないなどに気を付けよう

たいていキャンプ場周辺にいるミュールジカの群れ

フルータの果樹園は専門のスタッフが手入れをしている

カテドラルバレー　Cathedral Valley

　公園の北側に広がるエリアで、高さ約120mの一枚岩**Temple of the Sun & Moon**が荒野に立つ風景で知られる。Caineville Wash Rd.はかなり条件がよければ普通車でも入れることもあるが、Hartnet Rd.は川の横断があるので4WDが必要。いずれも雨が降ると道路全体が濁流にのまれ、完全に乾くまで4WDですら走れなくなる。通る車は1日数台。スタックしても助けを呼ぶこともできないので、トーレイの町から出ている日帰りツアーに参加することをすすめる（要予約）。

　自分で4WDを運転して行く場合は、ビジターセンターで詳しい地図をもらい、路面状況をよく聞いておこう。食料、水、予備のガソリンなどの準備も忘れずに。冷え込みに備えて防寒具も必要だ。ビジターセンターからCaineville Wash Rd.入口まで18.6マイル、Temple of the Sunまでさらに18マイル、いくつもの一枚岩が列をなす**Upper Cathedral Valley**まで13マイル。4WDでぐるりと一周すると約60マイルで、丸一日かかる。

できれば早朝か夕暮れどきに訪れたい

未舗装路を走る前に
　大手レンタカー各社には4WD車もあるが、たとえジープでも、未舗装路を走ると保険が適用されないことが多い。借りる前によく確認を

Hondoo Rivers and Trails
Free 1800-332-2696
URL www.hondoo.com
図 カテドラルバレー $125、ストライクバレー $125、グレートギャラリー（→P.154）$150。いずれも昼食込み。最少催行人数2名

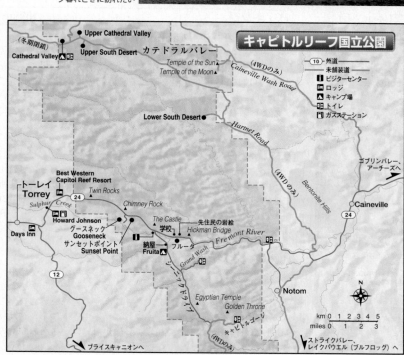

Burr Trail Rd.のスイッチ
バックからの景色もまた
ダイナミックだ

龍のような見事な褶曲がレイクパウエルへ続いている

ストライクバレー　Strike Valley

　ビジターセンターから東へ9マイル走り、Notom-Bullfrog Rd.へ右折。レイクパウエルへと続くこの道は整備されたダートロードで、乾いていれば普通車でOK。ストライクバレーの両側にはWaterpocket Foldと呼ばれる褶曲地形が連なっていて壮観だ。途中のジャンクションで「Boulder」の標識に従ってBurr Trail Rd.へ右折し、スイッチバック（つづら折り）を上りきってしばらく走ると「Upper Muley Twist Canyon」の標識がある。これを右折して3マイル走ると谷を一望できるポイントがある。ただし悪路なので、普通車は無理。途中の駐車場に車を置いて約3マイル歩いて行くか、前述のツアーを利用しよう。

ACTIVITIES　アクティビティ

ハイキング　Hiking

キャピトルゴージ　Capitol Gorge

　シーニックドライブの舗装路の終点を左折し、未舗装路を2マイルほど走ると駐車場に出る。ここから約2km歩き、The Tankと呼ばれる小さな池を訪れる。両側の壁が頭上に迫って迫力満点。途中に先住民の岩絵もある。ほとんど標高差のないラクなトレイルだが、普段は干上がっている川底を歩くことになるので、雨が降りそうなときは決して入ってはいけない。

グランドウォッシュ　Grand Wash

　ナローズというものを見たことがない人に入門編としておすすめのトレイル。両側に高さ150m以上の岩壁が迫り、狭い箇所では幅5mもない。トレイルはUT-24まで続いているので、UT-24側から歩いて来てもいい。高低差はほとんどない。ただし、鉄砲水が流れる場所なので、歩き出す前に必ず天候を確認しよう。

ヒックマンブリッジ　Hickman Bridge

　ビジターセンターの東2マイルにある駐車場から出発。川のせせらぎを聞きながらサボテンだらけのスイッチバックを上がり、眼前にそびえるキャピトルドームなどの岩峰を眺めながら歩いて、ヒックマンブリッジまで行く。途中、トレイルがはっきりしない箇所があるので注意。日陰がないコースなので夏の日中は避けよう。

初級 Capitol Gorge
適期▶年中
距離▶往復4km
所要▶往復約1時間
出発点▶シーニックドライブ終点の駐車場
設備トイレ

初級 Grand Wash
適期▶年中
距離▶往復7.2km
所要▶往復約90分
出発点▶シーニックドライブの途中から未舗装路を入ったところ。またはビジターセンターからUT-24を東へ5マイルの駐車場
設備トイレ

急な雷雨に要注意

中級 Hickman Bridge
適期▶10〜6月
距離▶往復3.2km
標高差▶122m
所要▶往復約2時間
出発点▶ビジターセンターより東へ2マイルのUT-24沿い
設備トイレ

グランドサークル キャピトルリーフ国立公園（ユタ州）

ACCOMMODATION  宿泊施設

園内には宿泊施設はない。ビジターセンターの西側に数軒のモーテルがあり、いずれもキャピトルリーフに続く赤い岩山が背後に迫っていい景色。あとはUT-12とのジャンクションに1軒、**トーレイTorrey**の町に約10軒のモーテルがある。予約は特に必要ないだろう。

近隣の町に泊まる

🏠 Best Western Capitol Reef Resort

ビジターセンターから西へ約3マイルのUT-24沿いにあり、赤い岩壁に囲まれている。年中オープン。レストラン、温水プール、コインランドリーあり。Wi-Fi無料。

🏠 2600 E. Hwy. 24, Torrey, UT 84775
☎ (435)425-3761　Free 1800-780-7234
日本 無料 0120-56-3200
URL www.bestwestern.com
on $ 102～160　off $ 59～99
カード A D J M V

🏠 Howard Johnson

ビジターセンターから西へ4マイル、ベストウエスタンの近くにある。ガスステーションとジェネラルストアがあるので便利。朝食込み。Wi-Fi無料。冬に長期休業

あり。40室。

🏠 877 N. Hwy. 24, Torrey, UT 84775
☎ (435)425-3866　Free 1800-221-5801
FAX (435)425-2150　URL www.hojo.com
on $ 76～109　off $ 59～80
カード A D J M V

キャンプ場に泊まる

シーニックドライブ入口の**Fruita Campground**に71サイトあり、年中オープンしていて＄10。公園北部の**Cathedral Valley**と南部の**Cedar Mesa**にもキャンプ場はあるが、水は出ない。無料。いずれも予約はできない。

特に春と秋は家族連れでにぎわう

🚐 Side Trip

ゴブリンバレー州立公園　Goblin Valley State Park

MAP 折込2枚目オモテ F-2
☎ (435)275-4584
URL www.stateparks.utah.gov
料 $7。キャンプ場$16

キャピトルリーフからアーチーズへ行く途中にあり、規模は小さいながらも、ほかのどの公園ともまったく異なる摩訶不思議な景観が広がる。

入口はUT-24のHanksvilleの北22マイル地点。ここから12マイル走るとゲートに着く。

展望台から谷を見下ろすと、丸く浸食された岩が無数に横たわっていて壮観。まるで小鬼goblinたちの集会場のようだ。

谷に下りて歩いてみればその大きさが実感でき、マッシュルーム状に浸食された様子もよくわかる。場所によっては、ダンスをしているような小鬼がいたり、1匹だけそっぽを向いていたり、豊かな表情が見えてくる。1時間もあればざっと見学できるだろう。

州道から近いので、ぜひ寄り道してみよう

アーチーズ国立公園

ユタ州／**MAP** 折込1枚目 C-3、折込2枚目オモテ F-3

世界最大のアーチ、ランドスケープアーチは、平坦なトレイルを30分ほど歩いて見に行く

ユタ州南部は『カラーカントリー』『キャニオンカントリー』と呼ばれ、ザイオン、ブライスキャニオンなど岩の芸術作品が集中している地域だ。そのなかにあって、決して忘れてはならないのがアーチーズ。ここは世界で一番たくさんのアーチ＝穴のあいた岩が集ま

デリケートアーチ

るところで、東京23区の約半分にあたるごく狭い地域に、確認されているだけで約2000のアーチ型をした岩が点在している。長い長い地球の歴史と、自然の力の巨大さ、不可思議さを、まざまざと見せつけてくれる光景だ。太陽の角度によってアーチが刻々と色彩を変化させていくさまは、いかなる芸術作品にも勝る美しさ。特にデリケートアーチは、ユタ州のシンボル的な存在になっている。

この驚異の公園を訪れるときには、デジカメのメモリーをたっぷりと用意しておこう。

Arches National Park ★

Utah

ACCESS　行き方

　アーチーズのゲートシティは、公園ゲートから南に5マイルのユタ州**モアブMoab**。アーチーズとキャニオンランズのふたつの公園の入口であり、オフロードドライブやラフティングなどアクティビティのメッカとしてにぎわっている。春と秋にはジープサファリやモトクロス大会も行われ、小さな町は人であふれかえる。しかし残念ながら、町の規模のわりには交通の便はよくない。コミューター機かバスでモアブまで行くことはできるが、アーチーズを回るツアーバスはごく限られている。やはりラスベガスなどでレンタカーを借りて、グランドサークルを回る途中で立ち寄るのがおすすめだ。

飛行機　Airlines

Canyonlands Field Airport (CNY)

　モアブの北16マイルにある小さな空港。ユナイテッド系列グレートレイクス航空の定期便がある。デンバーから2便（土曜1便）。小型機なので要予約。

　空港からダウンタウンへはRoadrunner Shuttleのバンが送迎してくれる。レンタカーを借りるなら空港内にエンタープライズのカウンターがある。台数が少ないので要予約。4WDやジープも借りられる。

長距離バス　Bus

　ソルトレイク・シティから**Moab Luxury Coach**社のバスが走っている。1日1往復。

　なお、グレイハウンドがI-70を走っており、US-191とのジャンクションまたはGreen Riverで降りることもできるが、そこからモアブまでの足がなく、レンタカー会社もない。

DATA

時間帯 ▶ 山岳部標準時 MST
☎(435)719-2299
URL www.nps.gov/arch
開 24時間365日オープン
適期 年中
料 車1台＄10
そのほかの方法は1人＄5
キャニオンランズ、ナチュラルブリッジとの共通パス＄25（1年有効）
国定公園指定 ▶ 1929年
国立公園指定 ▶ 1971年
面積 ▶ 310km²
入園者数 ▶ 約104万人
園内最高地点 ▶ 1723m
（Elephant Butte）
哺乳類 ▶ 50種
鳥　類 ▶ 273種
両生類 ▶ 7種
爬虫類 ▶ 15種
魚　類 ▶ 10種
植　物 ▶ 391種

CNY ☎(435)259-4849
URL www.moabairport.com
Great Lakes Airlines
Free 1800-554-5111
URL www.flygreatlakes.com
Roadrunner Shuttle
☎(435)259-9402
URL www.roadrunner
shuttle.com
Enterprise
☎(435)259-8505
Free 1800-261-7331
URL www.enterprise.com

Moab Luxury Coach
☎(435)940-4212
URL www.moabluxurycoach.com
出発 ソルトレイク・シティ
空港を14:00、ダウンタウン14:15発
モアブ
おもなホテルを7:00発
所要 4時間
料 片道＄149

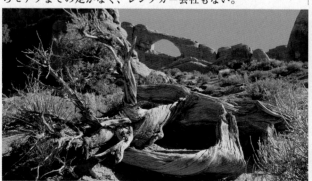
ファイリーファーニスの近くにあるスカイラインアーチ

ツアー | Tour

Tag-A-Long Expeditions
☎ (435)259-8946
Free 1800-453-3292
URL www.tagalong.com
運行 4〜10月7:30 & 13:00、11〜3月9:00。入園料別。催行は4名以上
料 $80.89、16歳未満 $70.10

キャニオンランズを回る4WDのツアーは人気があるが、アーチーズはマイカーで回るのが一般的なのでツアーバスはごく限られている。そんな数少ないツアーのひとつが**Tag-A-Long Expeditions**の半日ツアーだ。モアブのダウンタウンにあるオフィスから4WD車でアーチーズを訪れ、バランスロック、ウィンドーズセクションなどを巡ったあと、未舗装路を走行する。涼しい季節なら、参加者の希望によっては短いハイキングをプラスすることもある。なお、夏期は夕方発のツアーが催行されることがあるのでウエブサイトでチェックを。

レンタカー | Rent-A-Car

アーチーズまでの所要時間
Capitol Reef 約3時間
Monument Valley 約3時間
Mesa Verde 約3時間
Salt Lake City 4〜5時間

ユタ州の道路情報
Free 511
Free 1866-511-8824
URL www.commuterlink.utah.gov

ガスステーション
園内にはないので、モアブで満タンにしてから入園しよう

モニュメントバレーからはUS-163、US-191と北上してきて約166マイル、約3時間。メサベルデからはUS-491、US-191と走って約149マイル、約3時間。キャピトルリーフからはUT-24、I-70、US-191と走って約142マイル、約3時間。

モアブのほとんどのモーテルは、町の中心を走るUS-191（Main St.）に沿って並んでいる。アーチーズやキャニオンランズへは、このUS-191を北に走る。コロラド川に架かる橋を渡ると、やがて右にアーチーズの入口がある。モアブから約5マイル。

なお、モアブで4WDを借りてアーチーズとキャニオンランズを回るというのも楽しい。レンタカー会社はエンタープライズ（→P.139）など6社あるが、台数が少ないので必ず予約を。

Reader's Voice

まだまだあるアーチとタワー

モアブ郊外に、コロラド川に沿って走るScenic Bywayがある。東に走るUT-128は切り立った崖に挟まれた道路で迫力満点。夕日に照らされる光景が有名なFisher Towerがある。西へ走るUT-279（Potash Rd.）はUT-128に比べると迫力には欠けるが、途中にCorona Arch、Bowtie Archという大きなナチュラルアーチへ続くトレイルヘッドがあり、さらに進むとJug Handle Archが道路から見える。アーチハンターには堪えられないエリアだ。
（東京都　森安徹 '05）

注：いずれの道路もモアブの北、アーチーズ国立公園の手前から入る。交通量が少ないので、特に雨のあとなどはモアブのビジターセンターで道路状況を確認したほうがよい。

Fisher TowerへはUS-191からUT-128へ入って21マイル走り、右折して未舗装路を2マイル。トレイルは往復7km、約4時間かかる。

一方Corona ArchへはUS-191からUT-279へ入って約10マイル。トレイルは往復4.8km、所要約2時間。
['13]

©BLM Utah
「もうひとつのレインボーブリッジ」と呼ばれるコロナアーチ

©BLM Utah
フィッシャータワーは車道からも見える

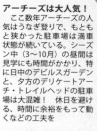

GETTING AROUND 　歩 き 方

US-191が公園の南を走り、入口はここからの1ヵ所のみ。園内にはおもな見どころを結んで全長約21マイルの舗装道路が敷かれている。この道路を走りながら、途中にあるビューポイントに立ち寄ったり、トレイルを歩いたりしてみよう。

特にトレイルを歩くことは重要だ。歩くことを嫌っていてはアーチーズの魅力は1割も味わえないだろう。数多いアーチのほとんどは、舗装道路から外れたところにひっそりとかかっている。どのトレイルもそれほど長くはない。水を持って歩こう！

見どころが集中しているのは、南部のCourthouse Towers、バランスロックから東に入ったWindows Section、中央部のFiery Furnace、北部のDevils Gardenなどだ。

アーチーズは大人気！
　ここ数年アーチーズの人気はうなぎ登りで、もともと狭かった駐車場は満車状態が続いている。シーズン中（3〜10月）の昼間は見学にも時間がかかり、特に日中のデビルスガーデンと、夕方のデリケートアーチ・トレイルヘッドの駐車場は大混雑！　休日を避ける、時間に余裕をもって動くなどの工夫を

園内の舗装路は1本のみ。この道を往復することになる

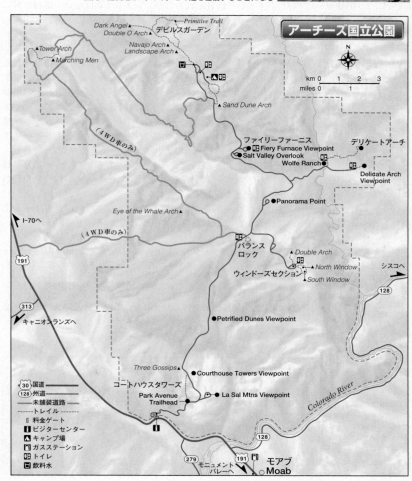

アーチーズ国立公園

Dark Angel▲
Double O Arch▲　*Primitive Trail*
デビルスガーデン

Tower Arch▲　Navajo Arch▲
Landscape Arch▲
▲Marching Men

N
km 0　　1　　2　　3
miles 0　　　　1

Sand Dune Arch

（4WD車のみ）

ファイリーファーニス
🅿️🚻 Fiery Furnace Viewpoint　デリケートアーチ
Salt Valley Overlook
Wolfe Ranch

Delicate Arch
Viewpoint

Eye of the Whale Arch▲

（4WD車のみ）
●Panorama Point

バランス
ロック
▲*Double Arch*
ウィンドーズセクション　▲*North Window*
South Window

I-70へ
191
シスコへ
128

313
キャニオンランズへ

●Petrified Dunes Viewpoint

Three Gossips▲　●Courthouse Towers Viewpoint
コートハウスタワーズ
●La Sal Mtns Viewpoint
Park Avenue
Trailhead

Colorado River

30 国道 ━━━━
128 州道 ━━━━
未舗装道路 ━━━━
トレイル ┄┄┄┄
料金ゲート
🏛 ビジターセンター
▲ キャンプ場
🅿️ ガスステーション
🚻 トイレ
💧 飲料水

128
279　191
モニュメント　モアブ
バレーへ　Moab

Moab Information Center
🏠 Main & Center Sts.
Free 1800-635-6622
URL www.discovermoab.com
🕐 夏期8:00～19:00
　（日9:00～18:00）
　冬期9:00～17:00
　（火13:00～17:00、水9:00～14:00）
🚫 11月第4木曜、12/25、1/1

Visitor Center
☎ (435)719-2299
🕐 4～10月7:30～18:30
　11～3月8:00～16:30
🚫 12/25

そのほかの施設
　ビジターセンターとキャンプ場以外、園内には何の施設もない。食事、軽食、売店、ガソリンなど、すべてはモアブで

Reader's Voice
地ビールが飲める Moab Brewery
🏠 686 S. Main St.
🕐 11:30～22:30、金・土～23:30
　10種類の地ビールと料理がおいしいレストラン。コースターは絵葉書になっている。ショップに売っているビールグラスもおみやげにいい。
（福岡県 板屋克朗 '11）['13]

情報収集 —— Information

Moab Information Center

　町の中心、US-191沿いにあるビジターセンター。国立公園局、国有林局など5つの組織が共同して運営していて、資料や写真集などがとても充実している。アーチーズ、キャニオンランズの天候やトレイルの情報もここでわかる。

アウトドアスポーツの町、モアブ

Visitor Center

　US-191から園内へ入り、料金ゲートを通るとすぐ右にビジターセンターがある。周囲の景観に溶け込んだ建物は2005年に完成したもの。まずは15分間のオリエンテーションフィルムを観るといい。トイレと飲料水はあるが、レストランはない。建物の外にも展示プラザがあり、閉館後も情報を得られるようになっている。

シーズン —— Seasons and Climate

バランスロック。団体バスが入れるのでいつも混雑している

　アーチーズの夏は猛烈に暑く、40℃を超えることもある。トレイルを歩く際には必ず飲料水を持っていこう。また、車用の水の用意も忘れずに。園内の道路はアップダウンが多く、オーバーヒートしやすい。一方、冬は寒く積雪もある。この激しい温度差がアーチを造ってきたのだから、まぁガマンしよう。
　観光シーズンで人も多いのは3～10月。特にメモリアルデイ（5月最終月曜）やレイバーデイ（9月第1月曜）の前後はひどく混雑する。
　冬はオフシーズンで宿泊費も安くなる。寒いが、ラサール山地に積雪があり、赤茶色のアーチとのコントラストが美しい。

アーチーズの気候データ　日の出・日の入り時刻は年によって多少変動します

月	1	2	3	4	5	6	7	8	9	10	11	12
最高気温（℃）	7	11	18	22	28	34	38	36	31	23	13	7
最低気温（℃）	-6	-2	2	6	11	16	19	19	13	6	-1	-5
降水量（mm）	15	16	20	20	19	12	17	21	23	29	15	11
日の出（15日）	7:35	7:10	7:30	6:42	6:07	5:53	6:06	6:31	6:59	7:27	7:01	7:28
日の入り（15日）	17:22	17:55	19:25	19:55	20:23	20:45	20:43	20:14	19:28	18:41	17:05	16:57

🚐 **Side Trip**

恐竜の化石を見られるミルキャニオン

　モアブから車で30分ほどのところに、発掘したままの状態の恐竜の化石を間近に見ることができる場所がある。モアブからUS-191を北へ15マイル走り、マイルマーカー141を過ぎたらすぐに左折。未舗装路を2マイルほど走ると到着だ（雨のあとや積雪期は入れない）。
　ミルキャニオンMill Canyonと呼ばれる峡谷に、1億5000万年前に堆積したアロザウルス、ステゴザウルスなどの恐竜の骨や、岩の斜面に残された恐竜の足跡、そして珪化木（→P.172）などが散在していて、トレイルを歩きながら自由に見学できる。フェンスも何もないが、もちろん化石を持ち出したりすることはできない。
☎ (435)259-2100　🎫無料

142

今にもポキンと折れそうな摩天楼だ

インディ・ジョーンズ
　映画『インディ・ジョーンズ～最後の聖戦』の冒頭、若き日のインディのエピソードが描かれている。ここでパークアベニュー、バランスロック、ダブルアーチなどアーチーズの大地が登場している

グランドサークル　アーチーズ国立公園（ユタ州）

初級 Park Avenue	
適期	▶年中
距離	▶片道1.6km
所要	▶片道約45分
標高差	▶98m
出発点	▶Park Avenue

POINTS of INTEREST　おもな見どころ

パークアベニュー　Park Avenue

　ビジターセンターからスイッチバックの急坂を登った左側にある。パークアベニューといえば、道の両側に摩天楼が並ぶマンハッタンの目抜き通りだ。ユタの大地になぜ、そんな名前が付いているのか。トレイルヘッドに立ってみればすぐに納得がいくだろう。トレイルが通る谷の両側に、フィンと呼ばれる巨大なつい立て状の岩がビル群のように並んでいる。その迫力と美しさは、本家パークアベニューなど足元にも及ばない。谷に下りて見上げるとさらに迫力満点。トレイルの終点はコートハウスタワーズの展望台なので、ドライバーが残って、ここまで車を回しておいてもいい。

左がスリーゴシップス、右がシープロック

コートハウスタワーズ　Courthouse Towers

　パークアベニューの北端付近には巨岩が集まっている。堂々たる迫力の**オルガンThe Organ**、天を指す**バベルの塔Tower of Babel**、シルエットが羊の頭のような**シープロックSheep Rock**、3人寄って内緒話をしているかのような**スリーゴシップスThree Gossips**などを探してみよう。

バランスロック　Balanced Rock

　ビジターセンターから9マイルほど。アーチではないが見逃せないポイントのひとつ。頂上に乗った岩が今にもゴロンと落ちてきそうだ。隣にバランスロックの赤ちゃんのような岩（Chip-Off-the-Old-Block）があったのだが、1976年の冬、嵐のために崩れてしまった。バランスロックが崩れる日もそう遠くないだろう。写真で見て想像するよりずっと大きくて驚かされる。周囲を回る約30分のトレイルがあるので、ぜひ歩こう。一番格好がいいのはトレイルヘッドから見る姿だが、下まで行くと大きさがよくわかる。

バランスロックは角度によって大きく形が変わる

Balanced Rock
設備 トイレ

143

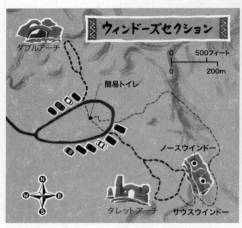

ウインドーズセクション　Windows Section

バランスロックの少し先で右折すると、ウィンドーやアーチが集中したウィンドーズセクションだ。突きあたりの駐車場に車を止め、トレイルを少し歩くと、**北の窓North Window**、**南の窓South Window**がある。正面にあるタレットアーチTurret Arch

あたりから見ると、間に立つ岩を鼻として両目のように見えるので、別名メガネSpectaclesとも呼ばれる。

駐車場まで戻ったら、反対側の短いトレイルを歩いて**ダブルアーチDouble Arch**を見に行こう。1ヵ所から2本のアーチがV字型に架かってい

メガネの真下まで行ってみよう

る珍しいアーチで、そのダイナミックな姿が人気を集めている。

初級 Windows Section
適期▶年中
距離▶一周1.6km
所要▶一周30～45分
出発点▶Windows Section
設備 トイレ

初級 Double Arch
適期▶年中
距離▶往復1km
所要▶往復約30分
出発点▶Windows Section
設備 トイレ

Ranger Fiery Furnace
距離▶一周3.2km
所要▶約3時間
出発点▶Fiery Furnace Viewpoint
設備 トイレ
料金 ＄10、5～12歳＄5
※5歳未満不可。予約は下記サイトで6ヵ月前～4日前まで受付。空きがあれば当日ビジターセンターでの申し込みも可
URL www.recreation.gov
　なお、個人で入る場合は事前に許可を取得しなければならない

迷子になると危険なので勝手に入るのはやめよう

ファイリーファーニス　Fiery Furnace

『燃えたつ焦熱の地』『溶鉱炉』というような意味。灼熱の大地にジッと座ってラサール山脈を見つめている岩の群像がなんとも印象的。展望台から奥へ続くトレイルは、2～11月に1日2回行われるレンジャーツアーに参加することが強く推奨されている。トレイルといってもほとんど目印もなく、迷いやすくて危険だからだ。ちょっとした岩登りもあるので、動きやすい服装としっかりとした靴で参加しよう。

デビルスガーデン　Devils Garden

『悪魔の庭』などという名が付いているが、実際には多彩なアーチが楽しめる『夢の庭』だ。園内の舗装道路を一番奥まで走り、トレイルを歩いてみよう。シーズン中は駐車場のスペースを探すのがひと苦労なので、早朝訪れることをすすめる。

出発してすぐに右に分岐するとトンネルアーチTunnel Archと、アーチの窓の部分に小さな松の木が生えているパイン・ツリー・アーチPine Tree Archがある。トレイルに戻ってさらに進むと、左手に**ランドスケープアーチLandscape Arch**が見えてくる。差し渡し88.4mと世界最長。第2位のザイオンのコロブアーチ（→P.114）は岩壁から一部がはがれただけで、展望台からは穴の向こうに空が見えない。一方、ランドスケープアーチは最も細いところが1.8mと今にも崩れ落ちそうで、見る者に強烈なインパクトを与えてくれる。近年、何度も大きな崩落があり、危険なのでアーチの真下まで行くトレイルは閉鎖されている。バランスロック同様、いつ消えてもおかしくない造形なのだ。

さらに奥へ歩くと、2008年に崩壊したウオールアーチWall Arch、ナバホアーチNavajo Arch、そして大小2つの窓が上下に開いた**ダブル・オー・アーチDouble O Arch**、そして一番奥にタワー状の岩、ダークエンジェルDark Angelがある。ただし、散策気分で歩けるのはランドスケープアーチまで。人気の高いダブル・オー・アーチまで行くには時間もかかるし、両側が切り立った岩の背も通る。特に風のあるときには注意しよう。

時間と体力があれば、ダブル・オー・アーチからの帰路にプリミティブトレイルPrimitive Trailへ回り道するといい。プリミティブとは「整備されていない」「原始的な」という意味。つまり、ワイルドなコースだから覚悟して歩きなさい、ということだ。滑りやすい岩肌をよじ登ったりするので、しっかりとした登山靴で。雨のあとや凍結時、積雪時は避けたほうが無難。またトレイルの目印を見失わないように気をつけよう。

初級 Landscape Arch
適期▶年中
距離▶往復3.2km
所要▶往復約1時間
出発点▶Devils Garden Trailhead
設備トイレ・飲料水

中級 Double O Arch
適期▶3〜6月、9〜11月
距離▶往復6.4km
所要▶往復2〜3時間
出発点▶Devils Garden Trailhead
設備トイレ・飲料水

上級 Primitive Trail
適期▶3〜6月、9〜11月
距離▶一周11.5km
所要▶一周3〜6時間
出発点▶Devils Garden Trailhead
設備トイレ・飲料水
※足を滑らせると危険な箇所があるため、岩が濡れているとき、風が強いときには入らないほうがいい

Reader's Voice　出発は朝早くに！
プリミティブトレイルは高い壁が幾重にも重なり迷路のよう。岩をよじ登ったりしながら美しく迫力のある景色が続く。小石を積んだトレイルの目印は見つけにくく、行き止まりに入ってしまったりして6時間もかかった。
（東京都 安部ひろ美 '05）['13]

ウオールアーチ（上）は2008年8月、突然崩れてしまった（下）

©NPS

砂の多いトレイルなので歩きにくい。水は多めに持って行こう

©NPS

グランドサークル　アーチーズ国立公園（ユタ州）

歩かずに見る方法

ウォルフェランチからさらに道路を1.2マイル走ると、デリケートアーチのビューポイントがある。歩かずにアーチが見られるわけだが、はるか遠くにポツリと見えるだけ。さらに奥へ続くトレイルを15分ほど登ると、谷を隔ててデリケートアーチが見える

Reader's Voice

先住民の岩絵を見よう

デリケートアーチへのトレイルヘッド、ウォルフェランチを出発してすぐ小さな木橋を渡ると、左側に入る道がある。歩いて数分のところに先住民が描いたビッグホーンシープなどの岩絵が残されている。

（福岡県 板屋克朗 '10）['13]

デリケートアーチ・トレイル

わかりにくい場所では目印のミニケルンを探しながら歩こう

デリケートアーチ　Delicate Arch

数あるアーチのなかでも真打ちといえるのがこのデリケートアーチ。偶然の産物とは信じ難いほどの完成された姿だ。赤茶色の滑らかな砂岩が円形劇場のように曲線を描くその突端に、オペラ座のステージに立つプリマドンナのごとく気品と荘厳さを漂わせたアーチがスポットライトを浴びている。足元は断崖絶壁。背後には、まさに絵に描いたようなラサール山脈の雪が光る。

ただし、このアーチにはそう簡単には出会えない。公園のメインロードから標識に従って東へ折れて約3分。ウォルフェランチWolfe Ranchからトレイルを2.4km歩く。距離はさほどでもないが、勾配があるので意外ときつい。雨上がりなどは滑りやすいので、トレイルから外れないよう注意。しんどいけれど、片道1時間ほどかけてアーチにたどり着けば、きっと疲れなど吹き飛んでしまうだろう。

Trail Guide

デリケートアーチ

中級 Delicate Arch

適期 ▶ 3～6月、9～11月
距離 ▶ 往復4.8km　**所要** ▶ 往復2～3時間
標高差 ▶ 146m　**出発点** ▶ Wolfe Ranch
施設 トイレ　※日中は1リットル以上の水、夕方は懐中電灯を忘れずに持ってゆこう

トイレを済ませ、目の前の小川を渡って歩き始める。しばらくは野原を歩いているような気楽なトレイルだが、途中から巨大な一枚岩の上を登るようになる。この部分はけっこうきつい。歩幅を小さく、リズムよく歩くことだ。積んである石を目印に登るのだが、ところどころ目印がわかりにくい。とにかく、正面の岩を左から回り込むように進むのが正解だ。

岩を登り切ると、粒子の細かい砂場や岩のゴロゴロしたところがあり、やや歩きにくい。左側にスベスベの奇妙な岩を見ながら進むと、やがて幅の狭い断崖を歩くようになる。風のある日など気をつけよう。突然、右側の壁が切れる

と、デリケートアーチがその端正な姿を見せる。

写真を撮りたいなら、午前中は逆光になる。できれば日没時、夕日に赤く染まるデリケートアーチを見たいもの。ビジターセンターで日没時刻をチェックし、1時間前までにアーチに着くように計画するといい。早めに行かないと駐車場がいっぱいになってしまう。

なお、日没を待つと帰りはかなり暗くなる。もともと滑りやすい岩なので足元には細心の注意を。

ラサール山脈の雪とのコントラストがすばらしい

デリケートアーチ

0　500フィート
0　200m

断崖、転落注意

デリケートアーチ

一枚岩の急斜面。
途中から左寄りに上るので、
ケルンを目印に進もう

牧場跡＆岩絵

アッパー・ビューポイント

↑デリケートアーチが遠くに見える

ロウアー・ビューポイント

ウォルフェランチ

アッパー・ビューポイントまで上がると、デリケートアーチの背後にある断崖がよく見える

ACTIVITIES　　アクティビティ

ハイキング　　　　　　　　　　Hiking

　各ビューポイントから離れたところにあるアーチを見に行くトレイルなど、園内には数多くのトレイルが整備されている。なかでもデリケートアーチへのトレイルを歩かないと、きっと後悔する！

　おもなハイキングトレイルについては、前記のおもな見どころの欄外情報を参照。暑く乾燥した公園なので、水は必ず携帯しよう。ビジターセンターにキンキンに冷えたミネラルウオーターの自動販売機がある。食べ物は園内では一切売っていない。

おもなアーチ＆ナチュラルブリッジの大きさ比べ

（青字はナチュラルブリッジ）		穴の幅 (m)	穴の高さ(m)
Shipton's Arch	（中国）	45.7	365.8
Aloba Arch	（チャド共和国）	76.2	120.0
Landscape Arch		88.4	23.6
Kolob Arch	（→ P.114）	87.5	31.9
Rainbow Bridge	（→ P.94）	83.8	75.6
Sipabu Bridge	（→ P.168）	81.7	67.0
Kachina Bridge	（→ P.168）	62.2	64.0
Owachomo Bridge	（→ P.168）	54.8	32.3
Double Arch	（南側）	44.4	34.1
	（西側）	18.3	26.2
South Window		35.1	17.1
North Window		27.4	14.6
Double O Arch	（上部）	20.3	10.8
Skyline Arch		21.1	13.7
Turret Arch		11.9	19.5
Delicate Arch		10.0	13.7

Shipton's Arch の高さは National Geographic の計測（幅は推定値）、
Aloba Arch は The Natural Arch and Bridge Society の計測による

わずか1.8mの細さで全長88.4mの橋を支えているランドスケープアーチ

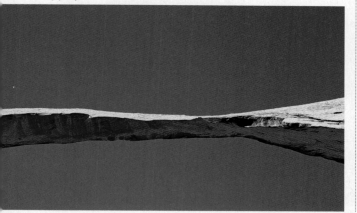

トレイルを外れないで
　アーチーズには、シアノバクテリアと呼ばれるコケや地衣類に覆われた特殊な土壌があちこちにある。まるで黒い霜柱が立ったようなデコボコの地面で、風化を防ぐなど、アーチーズの生態系のなかでさまざまな役割を担っていると考えられている。しかし現在、入園者に踏み潰され大きなダメージを受けた土壌が問題になっている。回復にはなんと250年かかるそうだ。トレイルを外れないよう、くれぐれもご注意を

アーチ＆ナチュラルブリッジ

「穴のあいた岩」の呼び方はいろいろあり、基準についてもさまざまな意見がある。3mより大きければアーチArch、小さければ穴Holeだという人もいれば、縦に長い穴があいている場合が窓Window、横に広がっていればアーチと考える人もいる。アーチーズ国立公園では最短方向の長さが3フィート（約91cm）以上あればアーチと呼んでいる。

ではアーチとナチュラルブリッジNatural Bridgeはどう違うのだろうか。地質学者は「化学的、物理的浸食作用によってできたのがアーチ、川や水の流れで浸食されたものがナチュラルブリッジ」としている。例えば川の水量が増えたとき、川がカーブしているところでは、その外側の壁に流れがぶつかって、しだいにすり減っていく。やがて穴があくと新しい流れができて、さらに浸食は進む。こうしてできたのがナチュラルブリッジだ。ユタ州南部には4つのナチュラルブリッジがあるが、レイクパウエルのレインボーブリッジRainbow Bridge（→P.94）は世界最大のものといわれる。

そして、アーチーズ国立公園にあるような、雨、風、霜、太陽熱などの総合的な作用でできたものがアーチというわけ。詳細な測量によって認められたものとしては、アーチーズのランドスケープアーチが世界最大で、2番目がザイオンのコロブアーチということになっている。ユタ州は世界的にも珍しい「穴のあいた岩」の宝庫なのだ。

アーチのできるまで

太古の海

2億5000万年前頃、この地方には大きな内海があった。当時は、現在よりもずっと赤道に近く、高温で乾燥していたために、海水は容易に蒸発し、塩分が堆積。海面水位の変化により、海水の流入と蒸発がくり返され、結果的に約1500〜1800mの塩が堆積した。やがて水位が安定すると、塩の層の上に土砂などの堆積が始まる。この圧力（重さ）を受けて、塩の層は氷河のように動き始めた。より圧力の弱い部分を求めて、ある部分は横へ、ある部分は表面に向かって、約2億年の間動き続け、背斜構造と呼ばれる丘の列を造り出した。

今から約1億年前、塩の層は動きを止め、上部には、砂など別の堆積物が地層を形成した。

水による浸食

今からおよそ4000万年前の地殻変動によって、この地方一帯が隆起。コロラド川やグリーン川による浸食が始まった。上部の層は浸食され、塩の背斜構造が地表近くに露出する。水は塩の層に浸透してこれを溶かし、支えを失った上部の層には谷や割れ目が生じる。

アーチーズでは、この上部の層が赤っぽいエントラーダ砂岩層Entrada Sandstone。下部のナバホ砂岩層Navajo Sandstoneよりももろく、アーチの多くがこの層に形成されている。

このエントラーダ砂岩層にできた割れ目は、さらに雨などの力で広げられ、フィンfinと呼ばれる薄い板状の岩を形成した。現在でも、ファイリーファーニスやデビルスガーデンなどで典型的なフィンを見ることができる。

いよいよアーチの完成

フィンに穴があいたものがアーチだ。ではどうやって穴があいたのか。ここではふたつの力が作用している。

ひとつは酸の力だ。雨は大気中の二酸化炭素を含んで弱酸性になっていたが、これがエントラーダ砂岩層の粒と粒を結合している炭酸カルシウムと反応して岩を崩していった。

もうひとつは霜の影響。岩の弱い部分に水が入り込んで凍結し、体積を増してくさびのように岩を崩した。エントラーダ砂岩層のなかでも、柔らかいデューイブリッジ層と硬いスリックロック層の接するところで、この過程はよく起こった。

ひとたび穴があいてしまうと、岩は内側から崩れ始める。だから、アーチの形成は現在も続いている。あるアーチができるのに1000年かかることもあれば、一夜にして倍の大きさになることもある（スカイラインアーチは1940年に倍の大きさになったし、最近では1991年にランドスケープアーチから長さ18m、幅3.4m、厚さ1.4mの岩板が崩落した）。アーチの物語に終わりはないのだ。

1940年の崩落で、一夜にして穴が2倍の大きさになったスカイラインアーチ

ACCOMMODATION　宿泊施設

キャンプ場に泊まる

デビルスガーデンの駐車場近くに**Devils Garden Campground**がある。電源、ゴミ捨て場、シャワーなし。年中オープンしているが、冬期は水道水が凍ってしまうこともある。1日＄20。全部で50サイトあり、ほとんどのサイトは3〜10月のみインターネットまたは電話で予約できる（手数料＄9）。11〜2月は約半分のサイトがオープンしており、早い者勝ち。

なお、モアブの町には民間のキャンプ場やRVパークが14ヵ所ある。

キャンプ場の予約（3〜10月のみ）
☎ (518)885-3639　Free 1877-444-6777
URL www.recreation.gov
受付は6ヵ月〜4日前まで

近隣の町に泊まる

🏠 Ramada Inn Moab

町のど真ん中の国道沿いに建つ大型モーテル。室内は広さ充分で、コーヒー＆ティーメーカー、大きな冷蔵庫と電子レンジ付き。Wi-Fi無料のほか、ロビーに日本語表示できるPCもある。

広くて使いやすいレストルーム

周囲にはショップやレストランが軒を連ねている

隣にパンケーキハウス、斜め前に中華レストランがあって便利。全館禁煙。

🏠 182 Main St., Moab, UT 84532
☎ (435)259-7141　Free 1888-989-1988
URL www.ramadainnmoab.com
on ＄100〜340　off ＄59〜97
カード A D J M V

🏠 Apache Motel

町の中心からBWの角を東へ4ブロック。国道から離れているぶん、格安で泊まれる。客室は質素で少々古い。コーヒーメーカーなし。ヘアドライヤーあり。朝、ワッフル＆コーヒーのサービスがある。全館禁煙。

冷蔵庫と電子レンジがあって便利

🏠 166 S. 400 E., Moab, UT 84532
☎ (435)259-5727　Free 1800-228-6882
URL www.apachemotelinmoab.com
on off ＄45〜175　カード M V

国道から離れた住宅街にある

モアブ	Moab, UT 84532　公園ゲートまで5マイル　約40軒		
モーテル名	住所・電話番号など	料　金	カード・そのほか
Best Western Greenwell Inn	🏠105 S. Main St. ☎(435)259-6151　FAX(435)259-4397 Free 1800-780-7234　日本 Free 0120-56-3200 URL www.bestwesternmoab.com	on ＄190〜340 off ＄80〜104	A D J M V　町の中心にある。全館禁煙。電子レンジ、冷蔵庫付き。Wi-Fi無料。コインランドリー、中華料理店あり
Rodeway Landmark Inn	🏠168 N. Main St. ☎(435)259-6147　FAX(435)259-5556 Free 1877-424-6423 URL www.rodewayinn.com	on ＄154〜214 off ＄51〜69	A D J M V　中心部。全室冷蔵庫、電子レンジ付き。朝食込み。コインランドリー、全館禁煙。Wi-Fi無料
Bighorn Lodge	🏠550 S. Main St.　☎(435)259-6171 Free 1800-325-6161 URL www.moabbighorn.com	on ＄110〜130 off ＄60〜90	A M V　町の南端。全室冷蔵庫、電子レンジ付き。Wi-Fi無料、ステーキハウス併設。全館禁煙
Red Stone Inn	🏠535 S. Main St.　☎(435)259-3500 Free 1800-772-1972 URL www.moabredstone.com	on ＄90〜100 off ＄40〜96	A M V　町の南端。全室冷蔵庫、電子レンジ付き。高速インターネット無料

キャニオンランズ国立公園

ユタ州／**MAP** 折込 1 枚目 C-3、折込 2 枚目オモテ G-3

公園北部で最も人気のある展望台、グランド・ビュー・ポイント

　　　赤茶けたコロラド川の水が大地を削り、緑茶色のグリーン川の水も
また深い谷を造る。ふたつの異なる水が出合い、さらに深く大地を削
ってゆく。そんな壮大なドラマの舞台となっているのがキャニオンラン
ズ。アーチーズ国立公園のすぐそばにありながら、景観の差はあま
りにも大きい。キャニオンランズはまた、オフロードドライブのメッカ
でもある。腕に自信のある人は、モアブでジープや4WDのレンタルを
行っているので、チャレンジしてみるのもおもしろい。

未舗装路を走るツアーもある

Canyonlands National Park ★

Utah

キャニオンランズ国立公園（ユタ州）

ACCESS 行き方

ゲートシティはアーチーズと同じく**モアブMoab**（→P.139）。
園内でY字型に合流するコロラド川とグリーン川によって、公園
は3つのセクションに分かれている。北の**アイランド・イン・ザ・
スカイIsland in the Sky**、南東の**ニードルスNeedles**、南西の
メイズMazeだ。園内には川を横切る橋は一切ないので、3つのセ
クションをつなぐ道路もトレイルもない。初めて訪れたなら、まず
は一般車でも簡単に走れるアイランド・イン・ザ・スカイを見学
しよう。時間があればニードルスにも寄ってみたい。メイズは不
便な奥地にあり、未舗装路を延々と走らなければたどり着けない。

ツアー Tour

Tag-A-Long Expeditions

モーターボートでデッド・ホース・ポイントを下り、キャニ
オンランズでジープに乗り換えてアイランド・イン・ザ・スカ
イの未舗装路を走る。ポピュラーな展望台を回るわけではない
が、違った視点で楽しめる。モアブの各ホテルに送迎あり。ほ
かにもニードルスのツアーや本格的なラフティングなど、さま
ざまなコースがある。

レンタカー Rent-A-Car

モアブからアイランド・イン・ザ・スカイへ行くには、町か
らUS-191を北上し、アーチーズの入口を通り過ぎてしばらくし
たらUT-313を左折する。モアブから約40分でビジターセンター
に到着する。

ニードルスへは、モアブからUS-191を南へ走り、UT-211を右折。
ニュースペーパーロック州立公園を通って1時間ほどでビジターセン
ターに出る。モニュメントバレー方面へ行く途中で立ち寄るといい。

DATA

時間帯▶山岳部標準時 MST
☎(435)719-2313
URL www.nps.gov/cany
圏24時間365日オープン
圏休年中
圏車1台＄10
そのほかの方法は1人＄5
（メイズ地区は無料）
アーチーズ、ナチュラル
ブリッジとの共通パス
＄25（1年有効）
国立公園指定▶1964年
面積▶1366km²
入園者数▶約47万人
園内最高地点▶2170m
（Cathedral Point）
哺乳類▶約50種
鳥　類▶273種
両生類▶7種
爬虫類▶21種
魚　類▶54種
植　物▶570種

Tag-A-Long Expeditions
☎(435)259-8946
Free 1800-453-3292
URL www.tagalong.com
出発 3～10月の7:30
圏＄149.65、16歳未満
＄128.87（昼食、入園料込み）

Reader's Voice おすすめの トレイル

メサアーチ近くの分岐
をアプヒーバルドーム方
面に曲がってすぐのとこ
ろにAztec Butte Trailがあ
る。往復3kmのトレイル
で、先住民の穀物倉庫の
遺跡を見ることができる。
頂上から見下ろすキャニ
オンも迫力満点。ただし、
ビュートに上がるトレイル
は標識もなく急で滑りや
すい。しっかりとしたシュ
ーズと軍手をオススメ。
（千葉県 露木飛鳥 '12）['13]

ニードルスの奇岩の間を走り抜
けるオフロードドライブが人気

GETTING AROUND　歩き方

　景観を楽しむだけなら、アイランド・イン・ザ・スカイとニードルス、それぞれ半日から1日あれば充分。しかし、この公園の本当の魅力はアクティビティにある。マウンテンバイクで岩の上を走ったり、オフロードを走ったり、遊覧飛行に参加したりして楽しみたい。

POINTS of INTEREST　おもな見どころ

アイランド・イン・ザ・スカイ　Island in the Sky

　『天空の島』というロマンティックな名前をもつエリア。ビジターセンターから12マイル走った**グランド・ビュー・ポイントGrand View Point**に立ってみれば、その名のイメージがわいてくることだろう。

　このポイントへの道沿いにいくつかの展望台がある。**メサアーチMesa Arch**とアーチ越しのパノラマは日の出の名所。**グリーンリバー展望台Green River Overlook**は夕日を眺めるのにおすすめ。

　ほかとは違った風景が広がるのが**アプヒーバルドームUpheaval Dome**。短いトレイルを登ると火口クレーターのような複雑な地形が見渡せる。隆起説と隕石孔説があり、いまだに結論が出ていないそうだ。

上／グランド・ビュー・ポイントの手前にあるバックキャニオン展望台　下／朝日に染まるメサアーチ

デッド・ホース・ポイント州立公園
Dead Horse Point State Park

　モアブから45分。アイランド・イン・ザ・スカイへ向かうUT-313の途中、標識に従って左折する。180度のカーブを描くコロラド川の流れによって形成された半島はガチョウの首Goose Neckと呼ばれ、特に朝夕の色彩は独特。かつて地元のカウボーイがグースネックに野生の馬を追い込み、幅27mしかない半島の首の部分に柵を設けて馬を捕獲していた。しかしあるとき、カウボーイがなぜかどこかへ行ってしまい、馬たちは後日、白骨化して発見された。それからデッド・ホース・ポイントと呼ばれるようになったといわれている。

　馬が死んだといわれる断崖は現在、イヌワシやハヤブサが多いことで知られている。カリフォルニアコンドル（→P.61）も目撃されているので、運がよければ見られるかもしれない。

時間とともに変化する色彩も見どころのひとつ

園内の施設
　3つのセクションそれぞれの入口にビジターセンターがあるが、そのほかは売店もレストランもガスステーションもない。ビジターセンターを離れると飲料水すらもない。すべてはモアブで調達しておこう

Island in the Sky Visitor Center
☎ (435)259-4712
営 夏期8:00～18:00、冬期9:00～16:00
休 11月第4木曜、12/25、1/1
※飲料水は自動販売機で購入する

初級 **Grand View Point Trail**
適期▶9～6月
距離▶往復3km
所要▶往復約1時間
出発点▶Grand View Point

初級 **Mesa Arch**
適期▶年中
距離▶一周800m
所要▶一周30分
出発点▶Mesa Arch駐車場

初級 **Upheaval Dome - First Overlook**
適期▶年中
距離▶往復1.5km
所要▶往復30分
出発点▶Upheaval Dome駐車場

Dead Horse Point SP
MAP 折込2枚目オモテ FG-3、P.153
☎ (435)259-2614
ビジターセンター
営 夏期8:00～18:00、冬期9:00～17:00（公園ゲートは6:00～22:00オープン）
料 車1台につき＄10
※国立公園ではないのでアメリカ・ザ・ビューティフル・パスは使えない

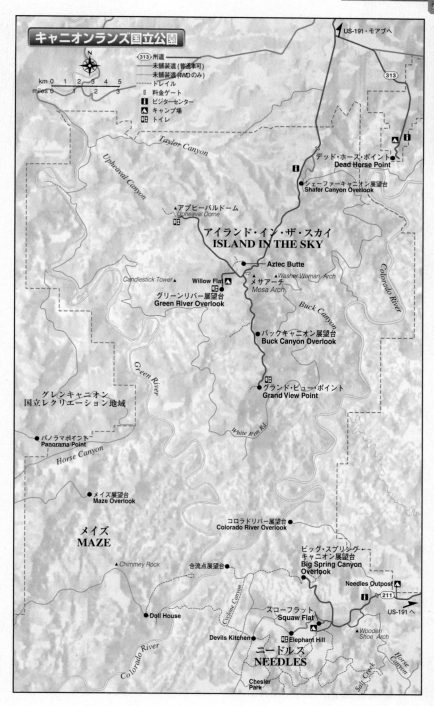

キャニオンランズ国立公園

N

州道
未舗装道（普通車可）
未舗装道（4WDのみ）
トレイル
料金ゲート
ビジターセンター
キャンプ場
トイレ

km 0 1 2 3 4 5
miles 0 1 2 3

Taylor Canyon

Upheaval Canyon

US-191・モアブへ

313

デッド・ホース・ポイント
Dead Horse Point

シェーファーキャニオン展望台
Shafer Canyon Overlook

▲アプヒーバルドーム
Upheaval Dome

アイランド・イン・ザ・スカイ
ISLAND IN THE SKY

Aztec Butte

Candlestick Tower ▲   Willow Flat

グリーンリバー展望台
Green River Overlook

▲ *Washer Woman Arch*

メサアーチ
Mesa Arch

Colorado River

Buck Canyon

バックキャニオン展望台
Buck Canyon Overlook

Green River

グレンキャニオン
国立レクリエーション地域

グランド・ビュー・ポイント
Grand View Point

White Rim Rd.

パノラマポイント
Panorama Point

Horse Canyon

メイズ展望台
Maze Overlook

コロラドリバー展望台
Colorado River Overlook

メイズ
MAZE

ビッグ・スプリング・
キャニオン展望台
Big Spring Canyon Overlook

▲ *Chimmey Rock*

合流点展望台

Needles Outpost

211

US-191 へ

● Doll House

Cyclone Canyon

スローフラット
Squaw Flat

▲ *Wooden Shoe Arch*

Colorado River

Devils Kitchen ●

エレファントヒル
Elephant Hill

ニードルズ
NEEDLES

Salt Creek

Horse Canyon

Chesler
Park

ニードルスのスコーフラット。針のような岩山の足元にキャンプ場がある

Needles Visitor Center
☎ (435)259-4711
🕐 9:00～16:00
🚫 11月第4木曜、12月上旬～2月中旬

エレファントヒル
　ニードルスのエレファントヒルは世界のオフロードドライバーの憧れ。経験の浅い人が安易に入るとひどい目に遭うので注意。ハイキングトレイルもあるが、非常に迷いやすいので気を付けよう

エレファントヒル

Tag-A-Long Expeditions
　　　　　　　　→P.151
ニードルス日帰りツアー
　4WD車でソルトクリークなどの遺跡を訪ねる
🚌 毎日7:15
💰 $145.60（昼食込み）

Hans Flat Ranger Station
🕐 8:00～16:30
🚫 11月第4木曜、12/25、1/1

🦅 Native American
グレートギャラリー
　先住民が遺した巨大な壁画グレートギャラリーGreat Galleryはメイズにあり、未舗装路を走ったあと、さらに往復13km歩かなければならない。Hondoo Rivers and Trails（→P.135）が日帰りツアーを行っている

グレートギャラリー

©NPS

ニードルス　Needles

　赤茶けた砂岩が針のようにニョキニョキと並ぶ不気味な景観。ビジターセンターから7マイル奥にある**ビッグ・スプリング・キャニオン展望台 Big Spring Canyon Overlook**まで舗

ニードルス手前にある先住民の岩絵
Newspaper Rock

装道路が敷かれているが、あとはほとんどダートロード。オフロードを走ったりトレイルを歩いたりする時間のない人でも、**エレファントヒルElephant Hill**のトレイルヘッドまで行ってみるといい。最後の1マイルは未舗装だが普通車で走れる。ビジターセンターから走り出してすぐ左手に見えるオランダの木靴のようなWooden Shoe Archもお見逃しなく。

メイズ　Maze

　コロラド川の西側エリアで、岩峰やメサが複雑な迷路を形作っている。映画『明日に向って撃て！』で知られる強盗ブッチ・キャシディが隠れていたというが、現在でも未開の奥地というべきエリア。UT-24（ゴブリンバレー州立公園入口のすぐ南側）から東へ46マイル走った地点にレンジャーステーションがあるが（公園敷地外）、その先は4WDでないと走れないし、高度な運転技術を要する箇所も多い。遊覧飛行で訪れるか、あるいはツアーに参加するのが一般的だ。

ACTIVITIES　アクティビティ

　モアブはアクティビティのメッカだ。車や用具を借りて自分で楽しむのが最高だが、初めて挑戦するなら、まずはツアーに参加しよう。マウンテンバイクやキャンプ用品をレンタルしている会社も多い。
　なお、モアブには15のツアー会社があるが、国立公園内で営業する許可をもっている会社は少なく、しかもボート＆ジープの両方の許可をもっているのはごくわずか。ツアーに参加する際には具体的にどこを訪れるのか、よく確かめよう。

ラフティング　　　　　　　　　　　Rafting

　モアブからグリーンリバー合流点までラフティングすると2～3日かかる。合流点から下のCataract Canyonは急流が続くので人気があるが、道路からアクセスする場所がないため、さらに数日かけてレイクパウエルまで下るか、あるいはモーターボートでモアブまで川をさかのぼるしかない。後者の許可をもっている大手のツアー会社を紹介しておく。

オフロードドライブ　　　　　Off Road Drive

　モアブには4WDをレンタルできる会社がエンタープライズほかたくさんある（→P.139）。ジープ1日＄100～150程度で借りられる（保険料別）。台数が少ないので春～秋には必ず予約を。なお、ここでいうオフロードドライブとは4WD車でダートロードを走ることで、道路から外れることは禁止されている。

　比較的やさしいのはアイランド・イン・ザ・スカイの断崖の下を川に沿って走るWhite Rim Road（一周12時間以上かかる）。特に高度な技術を要するのはニードルスのエレファントヒルやメイズといわれる。公園敷地外にもたくさんのコースがある。レンタカー会社で詳しい地図をもらえる。

　なお、こうしたルートは、ドライクリークと呼ばれる干上がった川底を走るものが多い。はるか上流で雨が降るとおそろしいスピードで濁流が襲ってきて、あっという間に深さ2m以上になる。ルート沿いには柳の枝などにたくさんの枯れ草がからまっているのが見えるが、その高さまで濁流が押し寄せたということだ。雲行きに気を配るのもたいせつだが、はるか上流に降った雨に気付くのは難しい。事前にビジターセンターで天候の確認を。急に水の流れが現れたら、即刻メインロードへ戻るか、間に合わなければ車を捨ててでも高所へ避難しよう。

遊覧飛行　　　　　　　　　Flight Seeing

　キャニオンランズは、グランドキャニオンと並んで遊覧飛行をおすすめしたい公園だ。特にメイズなどは地上からは簡単に近寄れないし、空から見下ろして初めてわかる地形も多い。モアブからはたくさんのツアー会社がセスナやヘリによるツアーを催行している。モニュメントバレー、レイクパウエルまで回るツアーもある。

Tag-A-Long Expeditions
　　　　　　　　　　　　→P.151
日帰りリッツアー（国外）
　危険度の低い急流をゴムボートで下る
出発 3～10月の7:30
料 半日＄75
1泊2日ツアー
　レイクパウエルまで通常なら4日以上かかるコースを、モーターボート利用によって時間短縮。難度の高い28の激流を楽しむ。復路は、モアブまで車で送ってもらう、遊覧飛行して帰る、自分の車をレイクパウエルまで回してもらうの3つから選ぶ（別料金）
出発 4～9月
料 ＄550

環境破壊にNO！
　キャニオンランズは、ほかの国立公園が神経質になっているオフロードドライブに寛大な公園だ。こんなにたくさんの未舗装路が4WD車に開放されている国立公園は珍しい。普通車以上の排気ガスと爆音をふりまくわけだから、当然のように自然破壊の問題が浮上。単なる荒地に見えた地面が実はコケや地衣類に覆われていて、生態系のなかで重要な役割を担っていることもわかってきた（→P.147）。そして数年前、保護団体から訴訟を起こされ、ニードルスの一部が閉鎖された。今後、ほかのルートでも許可制などの措置がとられるので、事前にビジターセンターで確認を

Redtail Aviation
☎ (435)259-7421
Free 1800-842-9251
URL www.moab-utah.com/redtail/
料 1時間＄173

ACCOMMODATION　　　　宿泊施設

　園内に宿泊施設はない。モアブのホテルについては→P.149。

　キャンプ場はアイランド・イン・ザ・スカイの**Willow Flat**とニードルスの**Squaw Flat**の2ヵ所。いずれも先着順で、春と秋は早い時間にいっぱいになる。またデッド・ホース・ポイント州立公園にもキャンプ場があり、予約もできる。3～10月は混雑するので早めに確保しよう。もちろんモアブには数多くのキャンプ場がある。

Willow Flat（12サイト）
料 ＄10　トイレあり。飲料水なし
Squaw Flat（26サイト）
料 ＄15 トイレ＆飲料水あり
Dead Horse Point（17サイト）
料 ＄20　トイレ＆飲料水あり。シャワーなし
Free 1800-322-3770

モニュメントバレー

アリゾナ州／ユタ州／ **MAP** 折込 1 枚目 C-3、折込 2 枚目オモテ H-3

最も有名なビュートは、左からレフトミトン（左の手袋）、ライトミトン（右の手袋）、メリックビュートと名付けられている

Butte in early morning fog

©USPS

2012年発行の切手

アメリカの原風景ともいわれるモニュメントバレーは、ユタ州とアリゾナ州の州境にある。ここはナバホネイション（ナバホ族居留地）内で、Monument Valley Navajo Tribal Parkが正式名称。ナバホの人々が管理、運営する、ナバホの人々の公園だ。透き通るように青い空と赤茶けた広漠たる荒野のコントラスト。それを際立たせるかのように立つ高さ300m以上もあるビュートbutte（残丘）。これほど印象的なシーンには、そうそうお目にかかれるものではない。映画やCMなどにたびたび登場するが、実際に見るモニュメントバレーは、四角い画面におさまりきるような風景ではないことを思い知らせてくれる。

ビュートと向かい合って座り、静かな大地と対話してみよう。偉大な精霊の力を感じることができるかもしれない。

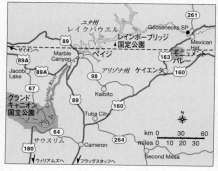

バレーの入口にそびえるミッチェルビュート

Monument Valley ★

Arizona/Utah

ACCESS　　行き方

　モニュメントバレーはアリゾナ州とユタ州にまたがっており、グランドキャニオンと合わせて訪れる人が多い。ラスベガスやペイジから出ているツアーを利用するか、ラスベガスかフラッグスタッフからレンタカーで。グランドキャニオン同様、朝晩がすばらしいので、ぜひ現地で1泊することをすすめる。ツアーを利用する場合、バレードライブ（後述）も含まれているコースを選ぼう。

ツアー　　Tour

Scenic Airlines

　ラスベガスからバスでグランドキャニオン、モニュメントバレー、レイクパウエルを訪れる2泊3日ツアーを週3回催行している。小型機と違って冬でも欠航によるキャンセルが少ないのが魅力。

　早朝ラスベガスのホテルを出発。レイクパウエルへ向かい、アンテロープキャニオン（→P.95）とホースシューベンド（→P.96）を見てからモニュメントバレーへ。宿泊は原則としてThe View Hotelだ。夏期はイブニングツアー、冬期は翌朝バレードライブを楽しむ。2日目はサウスリムのデザートビュー、ヤバパイポイントへ寄り、夕日を見てからトゥシャンのホテル泊。3日目は日の出を見たあと午前中は自由行動。夕刻までにラスベガスへ戻る。

レストラン前のテラスは最高のビューポイント。夕方には大勢の観光客が集まる

DATA

時間帯▶山岳部標準時 MST（ナバホ族居留地内は夏時間採用）
☎(435)727-5874
🗓5〜9月6:00〜20:30
10〜4月8:00〜17:00
（バレードライブ）
📅年中
💰（1台ではなく）1人＄5。9歳以下無料（キャッシュのみ）
※アメリカ・ザ・ビューティフル・パスは使えない

グランドキャニオンとは時差がある！
　アリゾナ州は夏時間を採用していないが、モニュメントバレーのあるナバホネイションには夏時間がある。つまり3月第2日曜〜11月第1日曜は、アリゾナ州内にあるケイエンタKayentaもモニュメントバレーもユタ州と同時刻になり、グランドキャニオンより1時間進んでいることになる

Scenic Airlines
☎(702)638-3300
Free 1866-235-9422
日本 無料 0120-288-747
☎(03)5745-5561
URL www.scenic.co.jp
💰ツイン1人＄955。催行は原則として日・火・木のみ。最少催行人数2名

Wildlife
サワロはどこに？
　アリゾナ州のシンボルとなっているモニュメントバレーとサワロ（ハシラサボテン→P.431）。このふたつを組み合わせてイラストなどに使われることが多い。しかし、実はこのふたつは同時に見ることはできない。モニュメントバレーはユタ州境に近い北アリゾナにあり、サワロが生える南アリゾナよりずっと寒いのだ

レンタカー　Rent-A-Car

　フラッグスタッフから約180マイル、約4時間。US-89を北へ約1時間走ってUS-160を右折。ナバホネイション（ナバホ族居留地）を走り、**ケイエンタKayenta**の町に入ったらUS-163を左折。右にAgathlan(El Capitan)と呼ばれる一枚岩を眺めながら走り、ユタ州に入ってすぐ右に公園の入口がある。

　グランドキャニオン・サウスリムからは、AZ-64を東へ走り、デザートビューから東口ゲートを出てUS-89に突きあたったら左へ。あとは前述のフラッグスタッフからの行き方と同じ。サウスリム・ビレッジから197マイル、約4時間。

　アーチーズから南下する場合、急ぐならBluff経由で3時間ほどだが、途中、US-191からUT-95へ右折して、ナチュラルブリッジ国定公園などに寄り道しながら丸一日かけて行くのもおすすめ（→P.168）。

GETTING AROUND　歩き方

　US-163から園内に入って約4マイル走った突きあたりにビジターセンターがある。3つのビュートが並ぶおなじみの風景はここからのもの。時間のない人はこの風景を堪能するしかないが、できればバレー内の未舗装路、バレードライブを走るツアーに参加しよう。自分の車でバレー内に入ることも可能だが、路面の状態は悪く、立ち往生することもあるし、ツアーでしか入れないエリアもある。

情報収集　Information

ツアーの申し込みもここで行う

Visitor Center

　モニュメントバレーの地理やナバホの人々の暮らしについての展示がある。2階は大きなインディアンショップになっている。

シーズン　Seasons and Climate

　公園は年間をとおしてオープンしている。夏は人も多いし、日中はかなり暑い！　日陰の少ない公園なので帽子とサングラスを忘れずに。冬は雪が降ることもある。雪原に立つ荘厳なビュートに出合えたらラッキーだ。

大きな駐車場だが朝のうちに満車になる

モニュメントバレーの気候データ　　日の出・日の入り時刻は年によって多少変動します

月	1	2	3	4	5	6	7	8	9	10	11	12
最高気温 (℃)	5	9	14	20	25	31	33	32	27	20	11	5
最低気温 (℃)	-4	-2	2	6	12	17	20	18	14	7	1	-4
降水量 (mm)	7	4	5	7	8	3	14	22	20	17	8	5
日の出 (15日)	7:33	7:10	7:32	6:47	6:13	6:00	6:13	6:37	7:02	7:28	6:59	7:26
日の入り (15日)	17:27	18:00	19:27	19:55	20:21	20:41	20:40	20:13	19:29	18:45	17:11	17:05

モニュメントバレーまでの所要時間

Flagstaff	約4時間
South Rim	約4時間
Page	約2.5時間
Arches	約3時間
Mesa Verde	3～4時間
Las Vegas	7～8時間

アリゾナ州の道路情報
Free 511
URL www.az511.com
ユタ州の道路情報
Free 511
Free 1866-511-8824
URL www.commuterlink.utah.gov

ガソリンの残量をチェック
　モニュメントバレーの周辺は、ぽつんぽつんと小さな集落があるだけの寂しい荒野が続く。ガスステーションの看板が見えたら必ず残量をチェックし、早め早目の給油を心がけよう

アルコール禁止！
　ナバホネイションではアルコールは一切禁じられている。レストランのメニューにはビールもワインもないし、商店での販売もない

Visitor Center
開 5～9月8:00～20:00
　　10～4月8:00～17:00、
　　11月第4木曜8:00～12:00
休 12/25

そのほかの施設
　ガスステーション（7:00～22:00）そのほかの施設はすべてUS-163の北にあるグールディングスロッジで

眺望抜群のレストランは7:00～21:30オープン

写真撮影に気をつけて
　モニュメントバレーには約100人のナバホ族が生活しているが、住民や住居にやたらとカメラを向けるのは失礼だし、トラブルの元なのでやめよう。観光客向けのデモンストレーションなど撮影OKの場合でも、チップを忘れずに

映画などでおなじみのポイントは園外にある。国道を北上して坂を登ったところにある小さな駐車スペースを利用しよう

バレーツアー

　ビジターセンターで、ナバホの人々が行っているバンやジープによるツアーの申し込みを受け付けている。内容、料金には大差ないので、時間の都合に合わせて選べばいいだろう。

　ツアーは、バレードライブをバンで走り、数ヵ所のビューポイントでストップ。一般車立入禁止の道にも入ってくれるし、ナバホ族の伝統的な住居を訪ね、織物などのデモンストレーションを見られるコースもある。1時間30分コース（＄60前後）、2時間30分コース（＄70前後）、半日コース（＄80～90前後）などがある。早朝から夕方まで催行しているが、やはり朝一番か、日没時のツアーがおすすめ。

　US-163の北にあるグールディングスロッジからも、4WD車にカートを連結したオープンカーの**Goulding's Tour**が出ている。ほこりがひどいが、見晴らしはいい。1日ツアーならミステリーバレーも訪れる。

　5～10月のみだが、**Monument Valley Balloon Company**がケイエンタ発着で気球とジープを組み合わせたツアーを行っている。Monument Valley Innに泊まり、朝早くバレーへ行って1時間の気球フライト。着陸後、朝食を取ってから、ミステリーバレーへのジープツアーに参加する。4名以上集まらないと催行されないので、週末が中心となるだろう。要予約。

Goulding's Tour
☎(435)727-3231
URL www.gouldings.com
圏3時間半＄55、8歳未満＄35。1日2回催行。1日ツアー＄100、8歳未満＄80。昼食、入園料込み

Monument Valley Balloon Company
☎(623)847-1511
Free 1800-843-5987
URL www.monumentvalley
ballooncompany.com
圏宿泊込みシングル＄615、ダブル1人＄505。宿泊なし＄395

開放感が味わえるが、砂ぼこりがひどいのでコンタクトレンズの人にはツライとの投稿多数

中級 **Wildcat Trail**
距離▶一周5.1km
標高差▶274m
所要▶一周約2時間
出発点▶駐車場からバレーへ下りてすぐの十字路を直進する。
　バレーで唯一、個人で自由に歩けるトレイルで、Left Mittenを一周する。夏の猛暑、午後の雷雨、冬の降雪に注意。早朝がおすすめ

POINTS of INTEREST　おもな見どころ

バレードライブ　Valley Drive

　バレー内には全長17マイル（約27km）の未舗装路が敷かれているので、ビュートの間をぬってひと回りしてみよう。谷底から見上げるビュートは迫力満点。300mの高さを実感させてくれる。**ジョン・フォード・ポイントJohn Ford's Point**は、巨匠がしばしばカメラをセットした地点。フォード映画のシーンを重ね合わせて景色を眺めたい（→P.163）。3人の修道女のようなスリーシスターズThree Sisters、ラクダ（orスヌーピー）が休んでいるように見えるキャメルビュートCamel Butteなどを見ながら、赤い土煙を上げて進む。セージブラッシュ（ヨモギ）の荒野をぬって続く道の先には、岩のアーチも見える。

　なお、バレードライブの路面は荒れていて、乾いているときには砂ぼこりがひどいし、雨が降るとぬかるんでタイヤがスタックしてしまう。普通車でも入れないことはないが、ツアー参加をすすめる。

ライトミトンはイーストミトンと呼ばれることもある

バレーツアーのすすめ

ビジターセンターで夕方予約。翌朝一番のツアーに参加した。ガイドはハリー。名前は西洋風だが立派なナバホの青年だ。『バック・トゥ・ザ・フューチャー』にインディアン役で出演したとのこと。そんなハリーのおしゃべりもうわの空で巨大なビュートを見上げる。ビジターセンターから見たときのような美しさは消え、迫力が勝っている。同行のデンマーク人青年、サンフランシスコからのカップルもビュートを見上げている。ジョン・フォード・ポイントでは何かの撮影が行われていた。CMらしい。

バンはデコボコ道をさらに進む。途中で何度か車を降りてみる。朝の冷んやりした空気が心地よい。サボテンの花が朝露にぬれて輝いている。もうかなりバレーの奥まで来ている。ナバホの伝統的住居、ホーガンを訪れた後、ハリーはナバホの伝統について語った。老人は今でも伝統の暮らしを守っているが、若者はアメリカ化してナバホの心を忘れかけている……と。かく言うハリー自身、英語を話し、ジャンパーを着て車を運転する。そう自嘲気味に言うハリーだが、彼に「日本は伝統文化をもち続けているのか」と尋ねられ、答えを見つけられなかった私には、ナバホの若者のアメリカ化をとやかく言う資格はないと思った。

そんな話をしていると、バンがガクンと止まった。昨日の大雨でできた路上の溝にはまってしまったのだ。客もすべて降りてバンを押すのを手伝う。路面は柔らかく、エンジンをふかせばふかすほどタイヤは空回りし、地面にめり込んでゆく。砂だらけになりつつ約30分格闘。結局ハリーが仲間を呼びにどこへともなく消えて行った。静かなバレーに残された4人の客の間には妙な連帯感が生まれ、そこには不思議なことに怒りはなかった。私も黙ってバレーを渡る風を感じていた。

やがてハリーが仲間の車で戻って来た。その車でビジターセンターに帰る。予定は2時間近くも狂ってしまったけれど、そんなものとは比べられない大きな何かを得たような気がした。

（東京都　岩井克則）

ビジターセンターで申し込み、ジープによるバレーツアーに参加した。オフシーズンの朝一番に出かけたため、客は私と主人のみ。冬場は空いているし、空気も澄んでいて景色もよく見えるのでおすすめとのことだった。

ガイドをしてくれた先住民のおじさんビリーは『バック・トゥ・ザ・フューチャー』に首長役で出演したとか。最近メディスンマン（呪術師）の試験にパスしたそうで、今でも儀式が行われる場所へ案内してくれて、私たち夫婦のために歌を歌ってくれた。これが日本の民謡にも通じるかのような不思議な余韻の残る音色で、周りのビュートの風景とともに今も私の頭に焼き付いている。昔、ナバホの人々は本当に風や自然や動物と自由に話をしていたのだと感じることができた。

（ニュージャージー在住　ババジアン裕子　'02）

ジープツアーに参加したが、窓のないバレーに入ると赤茶色の砂塵がいやおうなく入ってくる。風がひどいと砂嵐で目も開けられないとのこと。肩からカメラをかけていたが、レンズが砂粒で覆われてしまった。カメラは撮影時以外はケースかバッグに入れておくのがいい。

（埼玉県　横須賀篤　'04）

バレーツアーのなかには2人1組で催行されるプライベートツアーもある。金額は若干高いが、ゆっくりとマイペースで回れるのでオススメ。私は朝8時と早かったため、ひとりで催行してくれ、しかも、ほかのツアーもいなかったので、私とガイドのふたりだけでモニュメントバレーを独占できた。

（千葉県　露木飛鳥　'07）

どのツアーに参加しても必ず立ち寄るジョン・フォード・ポイント

ミステリーバレーの
Honeymoon Arch

印象的なナチュラルアーチのひとつ、Ear of the Wind

Goulding's Museum
夏期 8:00～20:00、
冬期12:00～20:00。昼休みなどのレストランのメニューで見かけたら、ぜひ一度お試しあれ
寄付金随意

夫妻がこよなく愛した風景

ナバホの揚げパン
　Navajo Breadは、インドのナンを油で揚げたようなパン。外側がカリカリ、中はふわふわ。これに挽き肉や野菜を挟んで、タコスのようにして食べる。1枚が大きいのでかなりのボリューム。モニュメントバレーなどのレストランのメニューで見かけたら、ぜひ一度お試しあれ

ミステリーバレー　Mystery Valley

　バレードライブの奥にあり、個人では入ることができない。古代先住民の遺跡が残っていることと、美しいアーチがいくつも見られること、そして観光客が少なくて静かなのが魅力。ビジターセンターから出ているバレーツアーのうち、半日以上のコースなら訪れることが多い。確認してから参加しよう。

　ここに住んでいた先住民は、ある時期突然いなくなってしまった。その理由がわからないのでミステリーバレーと名付けられたそうだ。夏の日中は40～45℃、冬の夜にはマイナス30℃になることもある。日差し除け＆防寒の両方の意味で長袖がおすすめ。

グールディングス博物館　Goulding's Museum

　公園を出てUS-163を横切り、2マイルほど行ったグールディングスロッジにある博物館。

　1923年、モニュメントバレーの景観に魅せられた白人のグールディング夫妻がこの土地を購入し、小さなストアと宿屋を開業。誠実な人柄でナバホの人々に徐々に受け入れられていった。そして大恐慌が居留地内にも深刻な影を落としていた1938年、何とかこの不況を乗り切ってナバホが職を得る方策はないかと考えていた夫妻は、ハリウッドの映画会社がロケ地を探しているとの話を耳にする。そこで、なけなしの旅費を握りしめてハリウッドへ出かけ、門前払いされても何度も交渉し、ようやくジョン・フォード監督にモニュメントバレーの写真を見せることに成功。監督は写真をひと目見て気に入り、なんと3日後から『駅馬車』のロケが開始された。こうして多くのナバホが映画に出演、または裏方としてギャラを手にし、グールディングの宿屋もロケ隊の拠点としてにぎわうこととなった。

　現在、グールディングスロッジは隣の建物に移っているが、当時宿屋だった建物が博物館として公開されている。1920年代の交易所を復元した部屋から始まり、ナバホの暮らしを記録した写真の部屋などが続く。もちろんハイライトはモニュメントバレーで撮影された映画に関する展示だ。ジョン・フォード愛用のディレクターチェアがものものしく飾られ、ジョン・ウェインらのスチール写真が並ぶ。日本語の『駅馬車』のポスターもある。

Column

ジョン・フォード監督とモニュメントバレー

名匠ジョン・フォードは数多くの作品をモニュメントバレーで撮影した。初めてロケ地として選んだ作品は、ジョン・ウェインの出世作にもなった西部劇『駅馬車』。1938年10月のことである。冬は厳しく冷え込み、夏は猛暑、しかも不便このうえないこの土地でのロケーションは大変だったが、台地と岩山からなる景観がもたらす映像上の効果は、苦労が充分報われてあまりある、とフォードは考えていた。

モニュメントバレーはナバホ族の居留地で、彼らは羊を飼い、泥とワラで造った半球状の住居（ホーガン）に暮らしていた。フォードは、当時寒波に見舞われ、苦境に置かれていたナバホの人々を現場の裏方として雇う。その後、映画を制作するたびにナバホ族との信頼関係は強いものになり、ジョン・フォードの西部劇ロケの強力なメンバーとして力を貸すことになる。

ジョン・フォードのロケ隊は、いつもグールディングスロッジに本部を置いた。このロッジは交易所を兼ねるため、毎朝、フォードは経営者のハリー・グールディングのステーションワゴンに乗ってロケ現場に出かけたという。赤い岩壁を背にモニュメントバレーを一望できる高台にあるロッジは現在でも営業している。夕日に染まるバレーを部屋から眺めることができるので、ぜひ1泊することをおすすめする。

名作『黄色いリボン』は『アパッチ砦』にひき続き、騎兵隊三部作のひとつとしてモニュメントバレーでロケが行われた。カラー映画制作の要請を受けて1948年、当時としては一級のカメラマン、かつて化学者だったウィントン・C・ホッチを起用した。完全主義者のホッチは有能である一方、機転をきかせる柔軟さに欠ける男であった。ロケ現場でのふたり（フォードとホッチ）の伝説的なエピソードがある。

モニュメントバレーで撮影中のある日。騎兵隊のシーンで、突然砂嵐が巻き起こり、怒れる雲で空が覆われた。フォードは、それがかえってドラマチックな効果になると考えて、カメラを回し続けるよう指示。職人肌のホッチは光量不足を理由に撮影の中止を迫ったが、フォードは是が非でも撮影続行の監督命令を譲らなかった。ホッチは渋々カメラを回したが、同時にアメリカ映画カメラマン協会にあてて、そのシーンは自分にとって「受け入れ難い」ものだが、命令によって撮影せざるを得なかった旨の公式文書を送った。

ところが、皮肉なことにその問題のシーンは作品の中で最も美しいショットとして評価され、さらに『黄色いリボン』におけるホッチにアカデミー撮影賞が与えられてしまうことになる。

前述したモニュメントバレーの宿、グールディングスロッジには、『黄色いリボン』撮影のために建てられたといわれているステージ・コー

チ・ダイニングルームという食堂がある。また併設の博物館には、ジョン・フォード映画のモニュメントバレーのシーンに関する写真が展示されている。その1枚1枚を眺めていると、活気あるロケ現場の雰囲気が伝わってくるようだ。

まだまだある！ バレーで撮影された映画

モニュメントバレーで撮影された映画は、ざっと40本以上。厳密にはパーク外で撮影されたものも含まれているが、おもな作品を紹介する。

『駅馬車』1939年
監督：ジョン・フォード 主演：ジョン・ウェイン
『荒野の決闘』1946年
監督：ジョン・フォード 主演：ヘンリー・フォンダ
『アパッチ砦』1948年
監督：ジョン・フォード
主演：ジョン・ウェイン／ヘンリー・フォンダ／シャーリー・テンプル
『黄色いリボン』1949年
監督：ジョン・フォード 主演：ジョン・ウェイン
『幌馬車』1950年
監督：ジョン・フォード 主演：ベン・ジョンソン
『捜索者』1956年
監督：ジョン・フォード
主演：ジョン・ウェイン／ナタリー・ウッド
『リオ・グランデの砦』1950年
監督：ジョン・フォード 主演：ジョン・ウェイン
『2001年宇宙の旅』1968年
監督：スタンリー・キューブリック
『イージー・ライダー』1969年
監督：デニス・ホッパー
主演：デニス・ホッパー／ピーター・フォンダ／ジャック・ニコルソン
『アイガー・サンクション』1975年
監督＆主演：クリント・イーストウッド
『バック・トゥ・ザ・フューチャーⅢ』1990年
監督：ロバート・ゼメキス
主演：マイケル・J・フォックス
『テルマ＆ルイーズ』1991年
監督：リドリー・スコット
主演：スーザン・サランドン／ジーナ・デイビス
『フォレスト・ガンプ 一期一会』1994年
監督：ロバート・ゼメキス 主演：トム・ハンクス
『ため息つかせて』1995年
監督：フォレスト・ウィティカー
主演：ホイットニー・ヒューストン
『M:I-2（ミッション・インポッシブル2）』2000年
監督：ジョン・ウー 主演：トム・クルーズ
『バーティカル・リミット』2000年
監督：マーティン・キャンベル
主演：クリス・オドネル
『ウインドトーカーズ』2001年
監督：ジョン・ウー
主演：ニコラス・ケイジ

ACCOMMODATION 🏠 　　宿泊施設

園内で泊まる

🏠 The View Hotel

ビジターセンターに隣接して建ち、世界でも屈指の絶景が部屋の窓いっぱいに広がる（見えない部屋も数室ある）。高さを抑え、外壁を岩の色に合わせるなど景観に配慮したデザインになっているが、それでもモダンな外観はバレーの中で異質な存在だ。

ナバホ族が経営しており、全室コーヒーメーカー、TV、冷蔵庫、電子レンジあり。ロビーと一部の客室は Wi-Fi 無料。ロビーにゲスト用 PC、ATMあり。宿泊者はレストラン＆ショップ割引あり。全館禁煙。非常に混雑しているので予約は早めに。

部屋の目の前にビュートが迫る

ロケーションは申し分ない

🏠Monument Valley, UT 84536
☎(435)727-5555
URL www.monumentvalleyview.com
on $169〜329　off $99〜229
カード A M V （キャッシュ不可）

キャンプ場で泊まる

バレードライブの入口にキャンプ場がある。駐車場からバレーへ下りる道路へ入ってすぐの十字路を400m直進した右手。先着順で、受付はビジターセンターで。1泊＄10。**現在工事中で、再開は2013年6月の予定。**

設備の整ったキャンプ場は Goulding's Lodge にある。インターネットで予約できる。

Goulding's Campground （50サイト）
URL www.gouldings.com　📷 $20〜45
シャワー、トイレ、コインランドリー、ストアあり

近隣の町に泊まる

🏠 Goulding's Lodge

US-163 からモニュメントバレー入口と反対側へ入り、北へ2マイルほどのところ。モーテル、ロッジ、キャビン形式の部屋があり、どの部屋からも大平原とモニュメントバレーの遠景が望める。室内もとてもキレイだ。屋内温水プール、コインランドリー、ギフトショップのほか、近くにスーパーとガスステーションもある。レストランの窓ぎわの席からは、レンガ造りの博物館と大平原に並ぶビュートという絵のような風景が楽しめる。

人気があって夏はいつも満室。日本のパッケージツアーにもよく利用される。オフシーズンなら予約なしで泊まれることが多いようだ。Wi-Fi 無料。ゲスト用 PC あり。62 室。

調度品はシックで高級感がある

ガスステーションなどの設備が揃っていて便利

🏠P.O. Box 360001,Monument Valley, UT 84536
☎(435)727-3231　Free 1800-874-0902
URL www.gouldings.com　on $155〜230
off $78〜98　カード A D J M V

Native American

アメリカの中の独立国

　全米最大の先住民居留地、ナバホネイション Navajo Nationは、東北6県に相当する広さがある。約30万人のナバホ族のうち約20万人がナバホネイションとその周辺に住み、季節により30〜100人がモニュメントバレーで生活している。

　ナバホネイションは日本によくあるジョーク半分の独立国ではない。合衆国公認の"国"であり、ちゃんとナバホ独自の法律、国旗、大学、警察、裁判所もある。普通の病院とは別にメディスンマンと呼ばれる呪術師のいる診療所があり、病気になったときだけでなく、人生のさまざまな場面で儀式を行ってもらうという。自然と一体となったナバホ独特の世界観は、民族を超えて多くの人々の共感を呼んでいる。

　彼らが話す言葉は、アラスカのアサバスカ族の言葉とよく似ているため、かつては同じ部族だったのではないかといわれるが、16世紀頃には、すでにアメリカ南西部に定住していたと考えられている。

　ナバホの人々は、あるときは断崖に粘土で造った家を建て、平原に住むようになってからはホーガンと呼ばれるお椀型の家を造るようになっている。バレードライブの入口ゲートの隣に再現されているので、ちょっと中をのぞいてみるといい。

　彼らは特に美術工芸の分野で高く評価されており、彩色土器や銀細工、砂絵などの技術は今に受け継がれている。幾何学模様を配した織物、ナバホ織りも世界的に有名だ。さらに、

石油や天然ガス、そして何よりすばらしい観光資源に恵まれているにもかかわらず、ナバホネイションの経済は決して豊かではない。国道を除けばまだ未舗装路が多く、電話がない家庭も少なくない。先住民の収入は、一般的なアメリカ人の7割程度という統計もある。

お祭りを観に行こう

　毎年9月に行われるNavajo Nation Fairは、さまざまなダンスやパレード、ライブを楽しめるにぎやかなお祭り。ナバホ料理を食べさせる店や、ジュエリーを売る店などがたくさん出店し、ロデオ大会やパレードなども行われて実ににぎやか。場所はキャニオン・ディ・シェイの南東、アリゾナとニューメキシコの州境にあるウインドウロックWindow Rock。ここがナバホの国の首都だ。

ナバホの女性が民族に伝わる風習などを見せてくれる

ケイエンタ
Kayenta, AZ 86033　公園ゲートまで 23 マイル　5 軒

モーテル名	住所・電話番号など	料金	カード・そのほか
Wetherill Inn	住100 Main St. ☎(928)697-3231　FAX(928)697-3233 URLwww.wetherill-inn.com	on $136 off $78	AJMV　US-163 沿い。屋内温水プールあり
Kayenta Monument Valley Inn	住P.O. Box 307 ☎(928)697-3221　FAX(928)697-3349 URLwww.kayentamonumentvalleyinn.com	on $189〜209 off $139〜159	ADJMV　US-160 と US-163 の角。レストランあり
Hampton Inn Kayenta	住P.O. Box 1219 ☎(928)697-3170　FAX(928)697-3189 Free 1800-426-7866　日本 無料0120-489-852 URLwww.hilton.com	on $210 off $106	ADJMV US-160 沿い。US-163 との交差点より西側。朝食付き、コインランドリーあり。全館禁煙

メキシカンハット
Mexican Hat, UT 84531　公園ゲートまで 24 マイル　4 軒

モーテル名	住所・電話番号など	料金	カード・そのほか
San Juan Inn	住US-163 FAX(435)683-2210 Free (1800)447-2022 URLsanjuaninn.net	on $84〜98 off $62〜76	AMV　バレーから行くと橋を渡ってすぐ左にある。レストラン、コインランドリーあり
Hat Rock Inn	住120 US-163 ☎(435)683-2221　FAX(435)683-2246 URLwww.hatrockinn.com	on $145 off $109	AMV　町の中心にある。冷蔵庫あり。アルコール OK。11〜2 月休業
Mexican Hat Lodge	住P.O. Box 310175 ☎(435)683-2222　FAX(435)683-2203 URLwww.mexicanhat.net	on off $84〜175	MV　ステーキハウスあり。11〜2 月休業

パノラマ街道—フォーコーナーズエリア

メキシカンハット Mexican Hat

MAP 折込2枚目オモテ H-3

　モニュメントバレーからUS-163を北上してメキシカンハットへ向かう途中、ちょっと車を停めて後ろを振り返ってみよう。直線道路の彼方にビュートがそびえる風景は、テレビCMなどでもよく使われる絶景ポイントだ。

　左に古城のようなAlhambra Rockを見ながら走り、約20分でMexican Hat。この先当分の間ガスステーションはないので、必ずここで満タンにしておきたい。

　町を過ぎてすぐ、Mexican Hat Rockの標識を右折して未舗装路へ入ると、町のシンボルである岩の真下まで行くことができる。

マントをかぶったメキシコ人のようなメキシカンハット・ロック

グースネック州立公園 Goosenecks State Park

MAP 折込2枚目オモテ GH-3

　Mexican Hatから片道約15分。US-163を北上し、UT-261へ左折してすぐにUT-316へ左折。4マイルほど走った突きあたりにある。ここではサンファン川が大きく蛇行するダイナミックな風景を望むことができる。ところによってはわずか90mの距離を4.8kmも迂回している。はるかにモニュメントバレーのビュートも見えている。入園無料。トイレはあるが、飲料水も売店もない。

ホースシューベンド（→P.96）、デッドホースポイント（→ P.152）と見比べてみよう

モキダグウエイ Moqui Dugway

この断崖を一気に上るのだ！

　グースネックからUT-261へ戻って北上すると、行く手にシーダーメサの断崖が立ちはだかる。間違いなく断崖に向かっているこの道路は、一体どうなっているのだろう？　驚いたことに、UT-261はこの断崖を登るのだ。道路沿いには、大型車や車長の長い車は国道へ迂回するようにとの指示標識が何本も立てられていて、ちょっと緊張する。

　やがてシーダーメサの絶壁の麓に着くと、道は未舗装となる。急坂急カーブの連続なので運転初心者はやめたほうがいいし、日本の山道に慣れている人なら難なく走れるはず。路肩ももろいので注意。また、路面が乾いているときなら普通車で大丈夫だが、天候の悪いときや夜間の通行は避けたほうが無難だ。

未舗装路といっても比較的凹凸が少なく、よく整備されている

ミューリーポイント
Muley Point

MAP 折込2枚目オモテ G-3

モニュメントバレーから約1時間で行ける絶景ポイント。モキダグウエイを上りきったところ、舗装路との境目を左折する。ここから砂利道を走る。道幅は広いが状態のよくない道なので、濡れているときには普通車での進入はすすめない。約10分走ると、左手に車10台ほど止められる広さの天然の岩棚と、大きな三角岩がある場所へ出る。そこがミューリーポイントだ。

足元には蛇行するサンファン川が光っているが、そこはレイクパウエルへと続くグレンキャニオン国立レクリエーション地域の端っこ。地平線上に蜃気楼にようにゆらめいているのは、モニュメントバレーのビュートだ。

ミューリーポイントは特に整備された展望台ではなく、標識すら出ていない。トイレも飲料水もない。手すりもなく、崖っぷちで足を滑らせたらまず命はないし、ケガをしても助けを呼ぶ手段もない。特に風のある日など充分に気を付けよう。

道路はさらに奥へ延々と続くが、ここから先はさらに路面の状態が悪い。4WD車以外は入らないほうがいい。

左／グースネックとモニュメントバレーを上から見下ろせる　右／この岩がミューリーポイントの目印だ

ユタ州道95号線 UT-95

MAP 折込2枚目オモテG-23

ミューリーポイントからUT-261へ戻って30分ほど北上するとUT-95に突きあたる。ここを左折してキャピトルリーフへ抜けるルートは、知る人ぞ知るパノラマ街道だ。

3分ほどでナチュラルブリッジ（→P.168）の入口があり、さらに10分ほど走るとUT-276との分岐がある。ここを左折するとレイクパウエルのブルフロッグ（→P.91）まで1時間強で行ける。

分岐を過ぎると、やがて眺望がどんどん開けてくる。雄大な荒野が延びたその先に、カラフルな地層が露出したビュートが次々に現れる。交通量は限りなくゼロに近い。

左右にカラフルな岩が続く

40分ほど走るとレイクパウエルの北端に到着。標識に従って左へ入った所にハイトHiteのレンジャーステーションがある。トイレ、飲料水、ガスステーションあり。

UT-95へ戻り、坂を下ってコロラド川を渡ろう。運がよければ激流下りを制したラフティングツアーのボートが見えるかもしれない（→P.155）。橋には駐車場がなく、停車もできないが、赤い岩山の裾野を回り込んでしばらく進むと展望台があり、レイクパウエル（といっても川にしか見えないが）とハイトのマリーナを見下ろせる。

その先、景色はさらにダイナミックさを増し、退屈する間もなく約1時間でハンクスビルHanksvilleの町に到着（モーテルあり）。UT-24を左折すればキャピトルリーフまで約45分のドライブだ。

> **Reader's Voice**
>
> **州道95号線もオススメ**
> メキシカンハットから UT-261 を北上し、UT-95 にぶつかったら左折してキャピトルリーフへ向かった。レイクパウエルの手前、Hite のレンジャーステーションから 3 マイルほど進んだところを左へちょっと入ると、グランドキャニオンに似た絶景ポイントがある。はるか眼下に UT-95 の橋や湖などの眺望が広がる。トイレ、売店など一切ないのがまたいい。眺望をひとり占めできる。UT-261、UT-95、UT-12 は恐怖を覚えるほどの絶景の連続。ぜひ走ってみてほしい。
> （埼玉県　草野須美子　'12）['13]

🚐 ナチュラルブリッジ国定公園
Natural Bridges National Monument

右／最も人気があるオワチョモブリッジ　左／オワチョモブリッジは展望台からもよく見えるが、けっこう離れている。ぜひトレイルを下って間近で大きさを感じてほしい

MAP 折込1枚目 C-3、折込2枚目オモテ G-3
🏛 ビジターセンター5〜9月　8:00〜17:00、10〜4月 9:00〜17:00　**休** 11月第4木曜、12/25、1/1
料 車1台$6、そのほかは1人$3。アーチーズ、キャニオンランズとの共通パス$25（1年有効）

モニュメントバレーから片道約2時間、モアブからも約2時間。アーチーズやキャピトルリーフへ行くときに立ち寄りたい公園だ。

モキダグウエイからUT-261を27マイルほど北上し、突きあたりのUT-95を左折するとまもなく標識

が出ている。まずはビジターセンターで地図をもらい、一周9マイルの一方通行路（夜間閉鎖）を走ろう。世界でも最大級のナチュラルブリッジ（→P.147）が3つあり、それぞれトレイル（積雪期閉鎖）を歩いて見に行く。長さ81.7m、高さ67mの**シパブブリッジSipabu Bridge**と、長さ62.2m、高さ64mの**カチーナブリッジKachina Bridge**へはそれぞれ往復1時間ほど。最も手軽なのは**オワチョモブリッジOwachomo Bridge**で往復30分ほど。ほかのふたつに比べると小さいが、わずか2.7mの厚みしかなく、見応えがある。いずれも帰りは標高差55mを登ることになるが、間近に見ないことにはブリッジの大きさが実感できないので、ぜひ歩いてみよう。

飲料水とトイレがあるのはビジターセンターのみ。園内にも周辺にもレストラン、ストア などまったくない。ガスステーションは、東へ40マイルのBlandingか、西へ20マイルのFry Canyonにしかない。

なお、ナチュラルブリッジは夜空の暗さが際立っており、International Dark-Sky Associationという団体から世界初の International Dark Sky Parkに認定された。現在、アメリカの国立公園で認定されているのはナチュラルブリッジとビッグベンド国立公園（テキサス州）の2ヵ所のみだ。5〜9月の水・木の夜には望遠鏡をのぞかせてくれるレンジャープログラムが行われている（スケジュールは要確認）。

KACHINA BRIDGE　.75MI-1.3KM
SIPAPU BRIDGE　3MI-5KM
OWACHOMO BRIDGE　3MI-5KM

左／ホピ族の言葉で「出現の地」と名付けられたシパブブリッジ　右／時間があれば谷を一周するトレイルを歩いてみたい

モニュメントバレー（アリゾナ州／ユタ州）

🚐 フォーコーナーズ・モニュメント
Four Corners Monument

MAP 折込2枚目オモテ H-3　⏰6〜9月7:00〜20:00 10〜5月8:00〜17:00　💰1人$3

　モニュメントバレーから東へ約2時間。メサベルデやキャニオン・ディ・シェイへ行くときに立ち寄りたいポイントを紹介しよう。

　ちょっとアメリカの地図を開いてみてほしい。アメリカの州はわりと単純に直線的に区切られているのだが、4州の境界線が十字に交わっているところというのは1ヵ所しかない。それがフォーコーナーズ。コロラド、ユタ、アリゾナ、ニューメキシコの州境にあたる場所だ。メサベルデとKayentaを結ぶUS-160がこの地点を通っていて、モニュメントと測量標がある。

　US-160から少し入ると料金ゲートがある。モニュメントでは4州をまたにかけて記念撮影をする人々が絶えない。また周囲には、ナバホやホピ、ユートの人々が、さまざまな手工芸品などを売る店を出している。

ナバホの人々は「翼を広げた岩」と呼んでいる

上／4つの州をひとまたぎ！　下／トルコ石のインディアンジュエリーとドリームキャッチャーが人気

🚐 シップロック Shiprock

MAP 折込2枚目オモテ H-4

　グランドサークル巡りのドライブをしている"奇岩フリーク"に抜群にカッコイイ岩峰を紹介しよう。

　フォーコーナーズ・モニュメントからUS-160を南へ戻り、US-64を東へ。ニューメキシコ州へ入ってしばらくすると右に見えてくる。

　シップロックは、地層の割れ目にマグマが貫入して板状に固まり、それが地表に現れて浸食されたもので、古くから先住民に聖なる山として崇められてきた。1939年に初登頂を成功させたのは、のちに環境保護活動家として名を馳せたデビッド・ブラウアー。その後、ナバホの人々の反対をよそにロッククライミングが盛んに行われていたが、現在は禁止されている。

　荒野に屹立するシップロックはUS-64や東側のUS-491からも見えるが、せっかくここまできたら、ぜひ南側へ回ってRed Rock Hwy. 13を走ってみよう。恐竜の背骨のように延びる"翼"を横切ることができてドラマチックだ。

　なお、岩から北東10マイルのところにナバホ族居留地最大の町、シップロックがある。

化石の森国立公園

アリゾナ州／**MAP**折込1枚目 D-3、折込2枚目オモテ J-3

文字通り宝石がちりばめられているクリスタルフォレスト

　　アリゾナの荒野にはすごいものがある。宇宙からも見えるという深い深い峡谷、赤い大地に鎮座するビュート、巨大隕石の爪痕、それから今度は地平線まで続く丸太の原っぱだ。直径1m以上もある大きな丸太がごろごろ転がっている。叩くとコンコンと冷たい音がする。よく見ると、鈍い輝きを放つ石である。見渡す限り、無数の丸太のどれもが化石、いや宝石なのだ。

　　すべては2億2500万年前にしみ込んだ水による化学反応のなせる技。大自然は、ときに木を石に変え、石を砂に変える。化石の森は、2019年までにユネスコの世界遺産に登録することを目指した「世界遺産暫定リスト」に掲載されている。

　　化石の森にはまた、不可思議な色をした砂丘の連なりがある。柔らかい岩が浸食された奇岩群がある。古代先住民の住居や岩絵などの遺跡もある。

　　化石の森は訪れた人の体にも何かをしみ込ませるようだ。

Petrified Forest National Park

Arizona

ACCESS　　行き方

　グランドキャニオン、ラスベガス、フェニックスなどを起点に、北アリゾナの見どころを一周するドライブがおすすめ。

レンタカー　　Rent-A-Car

　フラッグスタッフからI-40を東へ120マイル。2時間弱。Exit 311で標識に従って出口を下りれば、そこが公園ゲート。アリゾナ大隕石孔と合わせてフラッグスタッフからの日帰りドライブにちょうどいい。

GETTING AROUND　　歩き方

　南北に細長い公園の中を27マイルの道路が貫いている。ゲートは南北両端にある。北端に**Painted Desert Visitor Center**があり、南口の外側にギフトショップがあるので、北から南へ走るのが正解。南口を出たらUS-180を右折すれば19マイルでI-40へ戻れる。

シーズン　　Seasons and Climate

　春から初夏は非常に乾燥していて暑いが、晩夏に雨期が到来する。午後になると激しいスコールと雷に襲われ、この時期に年間降雨量の半分が降る。化石を運び、粘土層を押し流して不思議な光景を作り出した雨だ。園内のあちこちに川が出現し、サボテンなどの植物はここぞとばかりに花を咲かせる。化石の森では、花は春ではなく晩夏に多い。冬は意外と寒く、吹雪のために閉鎖されることもある。

DATA

時間帯▶山岳部標準時 MST
（夏時間不採用）
☎(928)524-6228
URL www.nps.gov/pefo
開 夏期7:00～19:00
　春・秋7:00～18:00
　冬期8:00～17:00
休 12/25
適期 年中
料 車1台 $10
そのほかの方法は1人 $5
国定公園指定▶1906年
国立公園指定▶1962年
面積▶897km²
入園者数▶約61万人
哺乳類▶40種
鳥　類▶227種
両生類▶7種
爬虫類▶17種
植　物▶327種

開園時間に注意
　化石の盗難を防ぐため、公園は夜間は閉鎖される。開園時間は日没に合わせて頻繁に変更されるので要確認。また12/25は閉園になる

化石の森までの所要時間
Flagstaff　　　約2時間
Canyon de Chelly 約2時間

Painted Desert VC
☎(928)524-6228
開 夏期8:00～18:00
　冬期8:00～17:00
※レストランとガスステーションあり

採取厳禁！
　園内の珪化木や化石は、どんな小さなかけらでも持ち出してはいけない。ゲートを出る際にチェックがあり、罰金は最低 $325。ギフトショップで売られているものはすべて園外の私有地で採取されたもの。これらを購入して持ち込む場合は、必ず入園する際にレンジャーに申告して預けよう

手を触れることは許されている。ぜひ感触を確かめてみよう

ペインテッドデザート　Painted Desert

Painted Desert Inn Museum
圏9:00〜17:00
囲無料
設備トイレ

　9ヵ所の展望台から、鉱物を含んだカラフルな地層と豪快なフォーメーションを眺めることができる。カチーナポイントKachina Pointには、1920年代のホテルを改築した**博物館Painted Desert Inn Museum**がある。

プエルコ先住民遺跡　Puerco Indian Ruin

Puerco Indian Ruin
設備トイレ・緊急用電話

　14世紀頃のもので、日干しレンガで造った集合住宅の跡や岩絵が残されている。夏至の頃の8:30になると反対側の岩にあけた穴から日が差し込むものもあるという。

ブルーメサ　Blue Mesa

初級 **Blue Mesa Trail**
適期▶年中
距離▶一周1.6km
所要▶一周約1時間
設備緊急用電話

　いよいよ丸太の登場だ。最初の展望台から真正面に見える尾根には、足元の砂岩を浸食されて今にも崩れそうな巨木が横たわっている。次の展望台からはバッドランズと呼ばれる丘を望む。延々と続く砂山にはカラフルな縞模様が付いているが、この層が珪化木を造り出した火山灰や砂岩や粘土だ。今も無数の珪化木や化石が埋まっており、やがて丘が浸食されれば姿を現す日が来るだろう。

アゲートブリッジ　Agate Bridge

Agate Bridge
設備トイレ

　小さな川をまたいで横たわる長さ12mの珪化木がある。いくつもの亀裂が入っているにもかかわらず奇跡的なバランスを保っていたが、国立公園に指定される数年前に、倒壊を心配した人々がコンクリートで無理やり土台を作ってしまった。

クリスタルフォレスト　Crystal Forest

初級 **Crystal Forest Trail**
適期▶年中
距離▶一周1.2km
所要▶一周30〜45分
設備 緊急用電話

　見渡す限りの草原にずらりと並んだ珪化木が圧巻。19世紀に宝石採掘のために粉砕されたものだという。

ロングログ　Long Logs

初級 **Long Logs Trail**
適期▶年中
距離▶一周2.6km
所要▶一周約1時間

　比較的平らな場所なので、背の高い針葉樹全体の形が崩れずに残っている珪化木が多い。

ジャイアントログ　Giant Logs

Rainbow Forest Museum
☎(928)524-6822
圏 夏期8:00〜18:00
　 冬期8:00〜17:00
囲無料

　一周20分と短いが、見応えのあるトレイルがある。トレイルヘッドに**レインボーフォレスト博物館Rainbow Forest Museum**があり、南口のビジターセンターも兼ねている。ここには三畳紀に栄えた巨大な爬虫類や、両生類の化石などが展示されている。

初級 **Giant Logs Trail**
適期▶年中
距離▶一周640m
所要▶一周約20分

宿泊施設
　園内にも近隣にもホテルやキャンプ場は一切ない。最も近いのはホルブルックHolbrook。モーテルが約15軒ある

一周20分と短いが、見応えがある

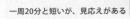

Geology

木を宝石に変える水のマジック

今からおよそ2億2500万年前の三畳紀の頃、この地方は緑豊かな土地だった。ゆったりと流れる川には魚が泳ぎ、森にはマツやスギが繁茂していた。この木が嵐などで倒れ、洪水によって下流へ押し流されてこのあたりに集まり、砂と泥に埋もれた。普通はこの段階で腐敗するが、上流からどんどん運ばれてくる泥が丸太の上に数百メートルも堆積したため、酸化から免れた。また、当時この近くには火山があり、泥の中に大量の火山灰が含まれていたため、水の中に溶け出した珪素（シリカ）が木の細胞と反応して石英の結晶を造り出した。結晶は少しずつ成長して丸太全体を包み、ついには木を石に変えてしまった。

やがて大地が浸食され、固い石となった珪化木だけが残ったのが、現在の化石の森の風景だ。今まさに地表に顔を出したばかりの丸太から、足元の土まで洗い流されてしまった丸太までさまざま。この地層は地下600mまであるといわれ、時を経ればさらに数多くの化石が露出することになる。

長い丸太はたいてい輪切りになっている。大地が隆起したときの圧力や地震によってひびが入り、その割れ目に入った水が凍り、膨張して割れ目を広げ、やがて自然に裂けたものだ。いずれはもっと細かく粉砕され、砂に戻る運命にある（一部には先住民が道具として利用するために割ったり、19世紀に宝石を採るためにダイナマイトで爆破したものもある）。

木の化石が見られる場所はほかにもあるが、これだけの数が集中していることと、石の多彩さでは世界でもほかに類を見ない。これは木の種類によるものではなく、水に含まれる成分の違いのせいだという。石化した後で、割れ目に入り込んだ別の化学物質によって描かれた模

年輪がそのまま残っている珪化木も多いが、当時は四季がなかったので年輪の数＝樹齢ではない

様や、年輪がそのままシリカに置き換えられた模様もある。赤褐色や白い縞模様のメノウ、オニキス、緑色のジャスパー、クオーツ、紫水晶（アメジスト）など、宝石としておなじみの石ばかり。このため、20世紀初頭には、大量の丸太が宝石商などに持ち去られた時代もあった。

化石の森から発掘されたのは木の化石ばかりではない。貝殻や爬虫類の骨など数百種類に及ぶ。そのほとんどは三畳紀、つまり恐竜が登場する直前のものであるため、恐竜が地球上に生まれた理由を知る手がかりになっている。公園では今でも化石の発掘作業が進められている。

Side Trip

アリゾナ大隕石孔国定記念物　Meteor Crater National Natural Landmark

ミディアあるいはミーティアクレーターと発音する。別名バリンジャー隕石孔。世界で唯一、ほとんど風化されずに残っている隕石孔。フラッグスタッフからI-40を東へ走り、Exit 233で下りる。約50分。化石の森へ行く途中にある。

今から5万年前のある日、直径約45mの巨大な流れ星が降ってきた。時速約7万kmで大気を突き抜け、地表に激突。周囲160kmの動植物を、一瞬にして死滅させた。展望台からは直径1300m、深さ170mの巨大な衝突の跡が一望できる。足元の土は、衝突時にクレーターの底から巻き上げられたものだ。

クレーターの底に採掘坑が見えるが、これは1903年にバリンジャー博士が「隕石本体は地下に埋まっている」と確信して採掘を試みた跡。今日では、超音波や磁気の測定によって彼の説が正しかったことが裏付けられている。ただ

©Meteor Crater, Northern Arizona, USA

直径約45mの隕石が衝突してできた穴だし、隕石本体は衝突時にほとんど気化し、地下にあるのは10%程度とみられている。

MAP 折込1枚目 D-3、折込2枚目オモテ J-2
料 $16。6〜17歳 $8　**圏** 夏期7:00〜19:00、冬期8:00〜17:00、11月第4木曜〜13:00　**休** 12/25
Free 1800-289-5898　**URL** www.meteorcrater.com

キャニオン・ディ・シェイ国定公園

アリゾナ州／**MAP** 折込 1 枚目 CD-3、折込 2 枚目オモテ H-3

峡谷内で唯一、個人で訪れることができるホワイトハウス

キャニオン・ディ・シェイとは、スペイン語から変化した言葉で、「岩の峡谷」という意味。ディネ（ナバホ族の人々）の肌に似た色をした高さ300mの垂直の断崖が、42kmの長さにわたって続いている。グランドキャニオンに比べればずっと小さいが、とても明るく、柔和な表情をした美しい峡谷だ。

谷を渡る風に乗って悠然とワシが舞う。谷底から馬のいななきが響いてくる。誰が吹いているのか、笛の音も聞こえる。

ここはモニュメントバレーと同じくナバホ族居留地の中。ディネにとって大切な聖地になっている。そのため、国定公園に指定されたあとも人々は土地を手放さず、現在でも国有地がまったくないという珍しい公園でもある。かつて、争いが絶えなかった時代に断崖に隠れ住んだ人々の遺跡も興味深い。

グランドサークルのドライブプランに、ぜひこの峡谷を加えてほしい。

Canyon de Chelly National Monument ★

ACCESS　行き方

　キャニオン・ディ・シェイはアリゾナ州の北東の端に位置する。かなり辺ぴな場所だが、そこへ向かう途中の景観はなかなかのものだ。フラッグスタッフから日帰りもできるが、せっかくなら化石の森やメサベルデと合わせて数日かけて回ってくるといい。峡谷の麓に広がる**チンリーChinle**の町がゲートシティになる。

レンタカー　Rent-A-Car

　化石の森からは、I-40を東へ走ってChambersで下り、あとはUS-191の標識をたどればいい。約112マイル、約2時間。

　モニュメントバレーからは、Kayentaへ戻ってUS-160を東へ。44マイル走りMexican WaterでUS-191へ入る。約136マイル、約3時間。

GETTING AROUND　歩き方

　キャニオン・ディ・シェイは東西にV字型に延びる峡谷だ。チンリーChinleの町の中心にある交差点からIndian Route 7を東に3マイル坂を登ると、V字の付け根にあたる場所に出る。ここに**ビジターセンター**とサンダーバードロッジThunderbird Lodgeとキャンプ場があり、すぐ横から道が分かれていてサウスリム、ノースリムそれぞれ崖に沿って道路が敷かれている。時間のない人にはサウスリムをすすめる。

　谷底には未舗装路があるが、許可なしで走ることはできない。ジープによる**キャニオンツアー**（→P.177）に参加しよう。半日コースと1日コースがあり、後者ならスパイダーロックも間近で見ることができる。

DATA

時間帯▶山岳部標準時 MST
（ナバホ族居留地内は夏時間採用）
☎(928)674-5500
URL www.nps.gov/cach
開24時間365日オープン
適期年中
料無料
国定公園指定▶1931年
面積▶339km²
入園者数▶約83万人
園内最高地点▶2094m
（Spider Rock Overlook）

キャニオン・ディ・シェイまでの所要時間
Petrified Forest　約2時間
Monument Valley　約3時間
Mesa Verde　3～4時間
South Rim　約5時間

Visitor Center
☎(928)674-5500
開8:00～17:00
休12/25

そのほかの施設
　園内には何もない。入園は無料で、入園ゲートもない。ガスステーションなどの施設はすべてチンリーで

Column

ハベル交易所国定史跡 Hubbell Trading Post National Historic Site

MAP 折込2枚目オモテ J-3
開夏期8:00～18:00、冬期～17:00
休11月第4木曜、12/25、1/1　料1人＄2

　1878～1965年までジョン・ハベルと息子が経営していた交易所。彼はナバホ語を身に付け、ナバホ族と白人との間に立って和解に尽力した。当時、強制収容所から故郷へ戻ってきていたナバホの人々は、抑留中に白人の生活や習慣を取り入れていた。ハベルの店ではそんな彼らが新たに必要とした食材や衣類、器具などを取り揃え、同時にナバホから工芸品を買い取って、その優れた技術を広く社会に紹介した。ハベルが

買い集めた陶器、銀製品、織物、写真などは現在、貴重な資料として保存、展示されている。場所はキャニオン・ディ・シェイと化石の森の中間。Ganadoより1マイル西のAZ-264沿いにある。

現在も交易所として機能している（ストア）と

彩色したシカの岩絵があるアンテロープハウス

時差に注意
キャニオン・ディ・シェイはナバホ族居留地内にあり、アリゾナ州であっても夏時間を採用する。この期間はグランドキャニオンや化石の森より1時間進んでいる

| シーズン | Seasons and Climate |

ベストシーズンは初夏。雪解け水が川となって峡谷を潤し、花が一斉に咲き競い、断崖のあちこちに滝が出現する。真夏は40℃を超える暑さとなる。標高が2000m近くあるので、冬は積雪の覚悟が必要。

POINTS of INTEREST　おもな見どころ

サウスリム　South Rim

片道18マイルの道路に沿って8ヵ所の展望台があり、車を止めて谷を見下ろせば家々や畑が見える。谷底では数家族の先住民が、リンゴやアプリコットを栽培して暮らしている。牧畜も行っていて、目のいい人なら木陰で休んでいるウシやヒツジの群れ、リンゴ畑を歩く白いウマを見つけることができるだろう。

数ある遺跡の中で特に見逃せないのが**ホワイトハウスWhite House Ruin**。ぜひ遺跡まで下りるトレイルを歩いてみたい。ここは許可なしで峡谷へ下りられる唯一の場所でもある。

サウスリムの終点は**スパイダーロックSpider Rock**。244mの高さに屹立する岩峰で、先住民に聖なる岩と崇められている。

中級 White House Trail
適期▶4～10月
距離▶往復4km
所要▶往復約2時間
標高差▶152m
出発点▶White House Overlook
設備谷底に簡易トイレあり

Native American
スパイダーロック
スパイダーとは、ディネの創造主とされているおばあさんグモのこと。太陽の光は彼女の織物の一部として考えられていて、有名なナバホ織りの織り方を教えてくれたのも彼女だという

ノースリム　North Rim

キャニオン・ディ・シェイという名は、正確にはV字になった峡谷のサウスリム側だけを指す。ノースリム沿いの峡谷はキャニオン・デル・ムエルトCanyon del Muerto（死の谷の意）と呼ばれている。

17マイルの道路沿いに4ヵ所の展望台がある。ノースリムドライブのほとんどは厳密には園外で、沿道には一般の住居もある。3つ目の展望台から見える**マミーケイブMummy Cave**は4世紀頃から14世紀頃まで使われていたという断崖住居。ミイラが発見されたことからこの名が付いた。

ACTIVITIES　アクティビティ

キャニオンツアー　Canyon Tour

キャニオンの谷底を走るツアーに参加してみよう。峡谷の風景や先住民遺跡はもちろん、オフロードドライブそのものも実に楽しいアトラクションだ。

キャニオン・ディ・シェイのふたつの峡谷は、V字の根元の部分は高さがなく、簡単に谷へ入ることができる。東へ進むに従って断崖がぐんぐん高くなっていくのだ。

上から見ているとなだらかそうに見えるが、谷底は意外に起伏があり、かなりワイルドなドライブ。なにしろ、道といえるほどの道はない。雨が降ったあとなどは谷の半分が川となるので、何十回も流れを横切り、ときにはジャバジャバと水しぶきをあげて川をさかのぼる。

ナバホのガイドが興味深い話を聞かせてくれる

時折、馬に乗ったインディアンとすれ違う。この土地で牧畜をしている羊飼いだろう。

半日ツアーはサウスリム、ノースリムそれぞれの途中まで訪れる。1日ツアーは、午前中にノースリムの最奥にあるマミーケイブを訪れてから、午後にサウスリムのスパイダーロックまで行く。もちろんおすすめは後者だ。出発はビジターセンターから。夏の予約は早めにしよう。前日までにはいっぱいになってしまうことが多い。

キャニオンツアー
☎(928)674-5433
出発 3〜10月の9:00、13:00、16:00発
料 $82.50
1日コース（春〜秋のみ）
料 $250〜（要相談）
（昼食込み）

スパイダーロックの足元まで行くには1日かかる

雨のあとには谷全体が川となる

キャニオン・ディ・シェイ国定公園（アリゾナ州）

ACCOMMODATION 🏠

園内にサンダーバードロッジが、チンリーに2軒のホテルがあるが、あとは近隣の町にもまったく宿がない。3軒ともシーズン中は混雑するので予約をしておいたほうがいい。キャンプ場はビジターセンターの隣にある。年中オープンしていて先着順。

🏠 Thunderbird Lodge

ビジターセンターのすぐそばにあるリゾートホテル。いわゆるサンタフェスタイルの建物だ。キャニオンツアーもここから

調度品もナバホテイストでまとめられている

出発するので便利。エアコン、TVあり。レストランあり。

住 PO Box 548, Chinle, AZ 86503
☎ (928)674-5841
Free 1800-679-2473
URL www.tbirdlodge.com
on $ 115〜171　off $ 75〜95
カード A D M V

エアコン完備で快適に過ごせる

チンリー		Chinle, AZ 86503　公園ゲートまで3マイル　2軒	
モーテル名	住所・電話番号など	料　金	カード・そのほか
Holiday Inn Canyon de Chelly	住 7 Garcia Trading Post ☎ (928)674-5000　Free 1800-465-4329 日本 無料 0120-677-651　FAX (928)674-8264 URL www.holidayinn.com	on $ 97〜139 off $ 85〜104	A D J M V　公園とチンリーの中間。レストランあり。コインランドリーあり。Wi-Fi 無料
Best Western Canyon de Chelly Inn	住 100 Main St. ☎ (928)674-5875　FAX 928-674-3715 日本 無料 0120-56-3200　Free 1800-327-0354 URL www.canyondechelly.com	on $ 108〜135 off $ 81〜105	A D M V　US-191 から Route 7 を東へ1ブロック。公園へ行く途中。レストラン、屋内プール、ジャクージあり。Wi-Fi 無料。全館禁煙

🪶 Native American

ホピ族 Hopi

　12世紀頃、現在のアリゾナ州にやってきて、グランドキャニオンとキャニオン・ディ・シェイの中間にある3つのメサ（台地）の上に定住。現在でもナバホ族居留地の中にあるSecond Mesaの周辺に約7000人が暮らしている。

　ホピとは「穏やかな人々、平和的な人々」の意味で、その名のとおり、紛争の和解に努めてきた歴史がある。ホピ族の昔からの言い伝えでは、人間は自然とのバランスをとりながら生きていかないと、将来、大洪水など自然の報復があると警告している。

　儀式を重んじる部族で、男性は春から夏にかけて毎週末カチナダンスを踊って、魂が天に届くように祈るという。カチナドールと呼ばれる木彫りの人形や、銀細工のジュエリーも有名。

　キャニオン・ディ・シェイからグランドキャニオンへ行くなら、遠回りをしてAZ-264を走ってみるといい。途中に博物館やギフトショップがいくつかあり、ホピの文化に触れることができる。

　ちなみに、ナバホ族居留地内は、アリゾナ州であっても夏時間を採用しているが、ホピ族居留地では採用していないので、常にグランドキャニオンと同時刻ということになる。

カチナドール

Side Trip

世界遺産 チャコ・カルチャー国定史跡　Chaco Culture National Historical Park

かなり辺ぴな場所にあるが、はるばる訪れる価値のある遺跡だ

MAP 折込1枚目 D-3、折込2枚目オモテ H-4
☎ (505)786-7014　**URL** www.nps.gov/chcu
圏 車1台$8。キャンプ場$10
圖 日の出～日没（ビジターセンター8:00～17:00）

　メサベルデとサンタフェのちょうど中間にある、知られざる世界遺産を紹介しよう。メサベルデの断崖住居とは対照的な荒野の住居跡で、プエブロ、ホピ、ナバホの人々にとっては今も大切な聖地。その規模と独特の景観は、はるばる足を延ばすだけの価値がある。

　場所はニューメキシコ州の北西。メサベルデからデュランゴ経由でUS-550を南下して約4時間。US-550は快適なハイウエイで、そのまま南下すれば約4時間でサンタフェorアルバカーキに出る。

　公園へは、Bloomfieldの南41マイル地点（Nageeziの町から南へ3マイル）から地方道7900へ入る（角にガスステーションあり）。5マイル走ったところで地方道7950へ右折。あとは砂利道を18マイル走ると公園に着く。途中、ごく浅い川を渡る箇所もあるので、雨天時、積雪時は普通車では無理。また、周辺

左上／路面の状態がよくないときには無理せずに諦めよう
右上／キャンプ場は遺跡の真ん前だ
右下／最も美しいといわれる遺跡、プエブロボニート

には未舗装路がほかに何本かあるが、路面の状態がさらに悪いため、前記以外のルートは使わないよう当局も呼びかけている。

　園内の道路は舗装されている。入口にビジターセンターとキャンプ場があり、一周9マイルのループロード（夜間閉鎖）に沿って5つの遺跡が見学できるようになっている。最も有名なのは**プエブロボニートPueblo Bonito**。断崖を背にした半円形の集合住宅で、直線部分は春分＆秋分に太陽が昇る位置と沈む位置を結んだ線上にある。遺跡同士も東西または南北に正確に並んでいるそうだ。

　高度な石積みの技術にも驚かされる。よく見ると遺跡ごとに異なる技法で積まれているのがわかる。壁の下半分が黒いのは、彼らがこの住居を捨てるときに、キバで何かを燃やしたからではないかと考えられている。

　チャコの遺跡は西暦850～1250年頃のもので、当時、ここは交易の中心として栄えた大きな町だった。一時はプエブロボニートのような大きな集合住宅が150もあったという。

　園内にはロッジはない。最も近い宿はBloomfieldの4軒のモーテル。Farmingtonには約20軒ある。

　あとは、US-550を南へ1時間30分走ったCubaに3軒のモーテルがある。

メサベルデ国立公園

コロラド州 ／ **MAP** 折込 1 枚目 C-3、折込 2 枚目オモテ G-4

夏期のみ見学できるロングハウスのレンジャーツアーは、朝のうちにチケットが売り切れてしまう

©USPS
1934年発行の切手

コロラド州の南西、ロッキー山脈の端にあるメサベルデ国立公園は、アメリカ西部で唯一の自然公園以外の国立公園であり、1978年にはアメリカで初めてユネスコの世界文化遺産にも登録された。

今から約1400年前、「緑の台地」と呼ばれる独特の地形をもつこの地域に住みついた人々がいた。彼らは高度な文明をもち、繁栄したが、約700年の後、14世紀に忽然と姿を消してしまった。すべては白人がアメリカ大陸に到着するはるか以前のことである。

園内には多くの遺跡が保存されており、特異な地形を利用して建てられた断崖住居は壮観。標高2000mを超える山上にあるので、広大な眺望と豊かな緑も楽しめる。ぜひ旅程の1日を割いてメサベルデを訪れてみよう。ほかでは味わえない強い印象を受けるに違いない。

左に見えるビュートが公園入口の目印だ

Mesa Verde National Park ☆

Colorado

ACCESS　　行 き 方

　ゲートシティは、公園の東36マイルにある**デュランゴDurango**と、北西10マイルにある**コルテスCortez**。デュランゴはSLが走る狭軌鉄道で知られる観光の町なので、こちらを拠点にしたほうが見どころも多いし、何かと便利。ただし、どちらの町からも公園への交通機関はなく、レンタカーを借りることになる。もちろん、アーチーズなどと一緒にグランドサークルを回るプランに組み込むのもおすすめだ。

飛行機　　　　　　　　　　　　　　　　Airlines

Durango - La Plata County Field Airport（DRO）

　デンバーからユナイテッドエクスプレス航空が1日6便（所要約1時間）、フェニックスからUSエアウエイズが1日2便（1時間30分）飛んでいる。

Cortez Municipal Airport（CEZ）

　デンバーからユナイテッド系列グレートレイクス航空が1日2便（所要1時間20分）飛んでいる。空港にはレンタカー会社が2社ある。要予約。

レンタカー　　　　　　　　　　　　Rent-A-Car

　デュランゴからメサベルデへはUS-160を西に36マイル。公園入口まで所要約50分、ビジターセンターまで約90分。

　アーチーズからはUS-191、US-491と走り、コルテスを経由して約149マイル。モニュメントバレーからはUS-163、US-160を通って約141マイル、キャニオン・ディ・シェイからはUS-191、US-160経由で約150マイル。いずれも所要3時間くらいだ。

200以上の部屋があるクリフパレス。文字通り断崖の豪邸だ

DATA

時間帯▶山岳部標準時 MST
☎(970)529-4465
URL www.nps.gov/meve
開園365日。冬期は夜間閉鎖
混雑期6〜9月
料金車1台 $15（冬期 $10）。それ以外の方法は1人 $8（冬期 $5）
国立公園指定▶1906年
世界遺産指定▶1978年
面積▶212km²
入園者数▶約57万人
園内最高地点▶2613m
（Park Point）
哺乳類▶74種
鳥　類▶218種
両生類▶5種
爬虫類▶16種
植　物▶約1000種

DRO　☎(970)382-6050
Avis　　☎(970)375-7831
Budget　☎(970)259-1841
Hertz　　☎(970)247-5288
National ☎(970)259-0068

CEZ　☎(970)565-7458
Budget　☎(970)564-9012
Hertz　　☎(970)565-2001

メサベルデまでの所要時間
Arches　　　　　　3時間
Monument Valley　3〜4時間
Canyon de Chelly　3〜4時間
Chaco NHS　　　約4時間
Santa Fe　　　　約8時間
Albuquerque　　約6時間

コロラド州の道路情報
Free 511 ☎(303)639-1111
URL www.colorado.dot.info

メサベルデ国立公園（コロラド州）

落石注意

園内の道路は落石が多い。公園ゲートからビジターセンターまでの間など、落石注意の標識が出ている場所では、「もしかしたらカーブの先で石が道路をふさいでいるかも」という意識で走ろう。落石を見つけたときには、決して自分でどかしたりせずに、レンジャーに報告。落石箇所では停車しないのが大原則だ

山火事に注意

メサベルデ国立公園は山火事が多く、過去100年で公園敷地の70%が焼失している。火災の場所によっては公園全体が閉鎖されることもあるので、訪れる直前にウェブサイトなどで最新情報を確認するといい

Mesa Verde VRC
🕐 夏期7:30～19:00
　冬期8:00～16:30
🚫 11月第4木曜、12/25、1/1
ビジターセンターは2012年末に仮オープンしたばかり。おもな設備はすでに機能しているが、まだ工事中。完成は2013年5月の予定

レンジャーツアー
料金は各$3。2日前から購入できる。混雑時にはクリフパレスとバルコニーハウスは同日に参加できない

そのほかの施設
モアフィールド
(5月中旬～10月上旬のみ。Wi-Fi無料)
カフェテリア　7:00～22:00
ストア　　　　7:00～21:30
ガスステーション
　　　　　　　7:00～21:00
ファービュー
(5月上旬～10月上旬のみ)
カフェテリア　7:00～20:00
ロッジ内レストラン
Metate Room
17:00～21:30 (春と秋は7:00～10:00も)
※チェイパンメサ博物館の前にあるカフェテリアは年中オープンしている

園内のいたるところに焼け焦げた林が広がっている

GETTING AROUND　歩き方

入園ゲートはUS-160沿いの1ヵ所のみ。まずはゲートの手前にあるビジターセンターで遺跡見学ツアーのチケットを購入してしまおう。クリフパレス、バルコニーハウス、ロングハウスの3ヵ所の遺跡はレンジャーツアーでしか入れないので、ツアーが取れた時間に合わせてほかの遺跡を見学することになる。

ゲートを過ぎると急な上り坂が続く。標高をかせぐに従って眺望が開けてきて、雪を被った山々やフォーコーナーの荒野が右に左に現れる。やがてロッジとカフェテリアがある**ファービューFar View**に到着。道路はここでふた手に分かれる。直進すれば**チェイパンメサChapin Mesa**（年中オープン）、右折すれば**ウェザリルメサWetherill Mesa**（5月下旬～9月初旬以外は閉鎖）。遺跡の数はチェイパンメサのほうが多い。ここから

緑のテーブルの上を走り、断崖の突端にある遺跡を見に行くことになる。

公園の中心、ファービューに建つ
園内唯一のロッジは眺望抜群

情報収集　　Information

Mesa Verde Visitor and Research Center

US-160から園内へ入った所にある。断崖住居や先住民についての展示はもちろん、ビジターセンターの最新エコロジー技術についての展示もある。クリフパレス、バルコニーハウス、ロングハウスのチケットはここで購入する。夏の日中は混んでいて希望する時間は取りにくい。朝一番か前日が入手しやすいだろう。

シーズン　　Seasons and Climate

公園は年中オープンしているが、ロッジやカフェテリアなどの施設は冬期には閉まってしまうし、クリフパレスのレンジャーツアーも行われない。5月、10月でも雪が積もることがあり、雪の状態によって遺跡を回る道路も閉鎖されるので注意。冬期は、夜間は全面的に閉鎖される。訪れるなら基本的に夏期だが、日中は暑く、7、8月の午後には雷雨が多い。

メサベルデの見学には動きやすいパンツとしっかりとしたスニーカーが必要だ

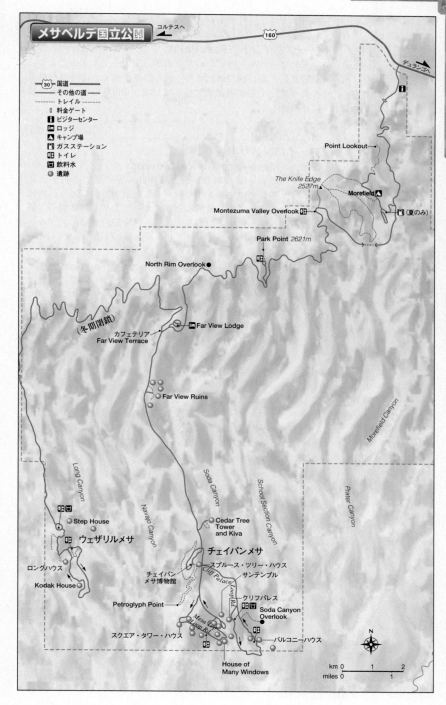

メサベルデ国立公園

コルテスへ

160

デュランゴへ

凡例
- **30** 国道
- その他の道
- トレイル
- 料金ゲート
- ビジターセンター
- ロッジ
- キャンプ場
- ガスステーション
- トイレ
- 飲料水
- 遺跡

Point Lookout

The Knife Edge
2527m

Morefield

Montezuma Valley Overlook

（夏のみ）

Park Point *2621m*

North Rim Overlook

（冬期閉鎖）

Far View Lodge

カフェテリア
Far View Terrace

Far View Ruins

Long Canyon

Navajo Canyon

Soda Canyon

School Section Canyon

Prater Canyon

Morefield Canyon

Step House

ウェザリルメサ

Cedar Tree
Tower
and Kiva

チェイパンメサ

ロングハウス

Kodak House

チェイパン
メサ博物館

Cliff Palace

スプルース・ツリー・ハウス

サンテンプル

クリフパレス

Petroglyph Point

Soda Canyon
Overlook

Mesa Top Loop Rd.

バルコニーハウス

スクエア・タワー・ハウス

House of
Many Windows

N

km 0 1 2
miles 0 1

遺跡見学の際の注意
　遺跡に行くときは、水以外の飲み物や食べ物を持って行ってはいけない。壁に登ったり、触ったり、寄りかかったりするのも不可。もちろん禁煙。ハシゴを登って見学する遺跡もあるので、それなりの服装を

**Chapin Mesa
Archelogical Museum**
⊞夏期8:00〜18:30
冬期9:00〜16:30
カフェテリア（年中オープン）
⊞9:00〜18:00
㊡11月第4木曜、12/25、1/1

初級 **Spruce Tree House**
オープン▶夏期8:30〜18:30、
春・秋9:00〜17:00
距離▶往復1km
所要▶往復45分〜1時間
標高差▶30m
出発点▶チェイパンメサ考古学博物館の裏

Ranger **Spruce Tree House**
集合▶10:00、13:00、15:00
㊋無料（予約不要）
※11月上旬〜3月上旬のみ。夏期は見学自由

Ranger **Cliff Palace**
集合▶4月上旬〜11月上旬
9:00〜16:00（1時間ごと）
夏期9:00〜18:00（1時間ごと）
所要▶1時間
㊋$3
注意：ツアーは駐車場ではなく、展望台から出発する。ハシゴを使って登るので、スカートやサンダルは不可

パークポイント　Park Point

　モアフィールドのビレッジを過ぎ、山道を上りきったところで脇道へ入る。2613mと園内で最も標高が高く、山火事を見張る火の見やぐらが展望台になっている。360度の大パノラマに気分爽快！

チェイパンメサ　Chapin Mesa

チェイパンメサ考古学博物館
Chapin Mesa Archelogical Museum

　ファービューから車で15分。遺跡群の中に建つ考古学博物館。メサベルデで発掘された数々の品が展示されており、古代先住民の生活、文化、習慣などがわかってとても興味深い。斜め前にはカフェテリアがある。また、博物館の裏手はスプルース・ツリー・ハウスの展望台＆トレイルヘッドになっている。

スプルース・ツリー・ハウス　Spruce Tree House

　最もよく保存されている住居跡で、8つのキバ（儀式用の部屋）と114の居室がある。西暦1200年頃に建築され、当時は100人以上が住んでいた。崖の上で畑を耕して農業を営んでいたと考えられている。ここの特徴は、キバの内部に入れること。古代先住民も同様にハシゴを使って出入りしていたそうだ。夏期は自由に見学できるが、冬期は1日3回行われるレンジャーツアーに参加しないと入れない。

クリフパレス　Cliff Palace

　ファービューから車で25分、博物館から10分。一方通行のCliff Palace Loop Rd.へ入ってすぐにある。園内で最大規模の遺跡で、部屋は217室、壁は高いところで4階建ての高さがある。当時の豪華マンションといったところだ。
　レンジャー引率ツアーでしか内部は見学できないが、外から眺めるだけならいつでも可。展望台から眺めると、全体の様子がよくわかる。右端の4階建ての部分はオリジナルではなく、あとから修復したものだ。

スプルース・ツリー・ハウス。午前中は
断崖の影になるので、午後の見学がおすすめ

クリフパレスも午後のほうが内部までよく見える

バルコニーハウス　Balcony House

　Cliff Palace Loop Rd.の奥にあり、ファービューから車で30分ほどかかる。道路からはまったく見えないので、レンジャーツアーに参加しよう。「どうしてこんなところに……」と考えてしまうほどの断崖絶壁に建っており、見学も容易ではない。ここのハシゴは高さ10mもあるので高所恐怖症の人にはすすめない。また幅46cm、長さ4mの穴を這って進む箇所もあるため、汚れてもいい服装で行こう。持ち物も最限に。東を向いているので午前中の見学がおすすめだ。

このハシゴがちょっと怖い

　なお、ツアーが取れなかった人、遺跡の全体像を見たい人は、さらに1マイルほど車を走らせて、Soda Canyonの駐車場から平坦なトレイルを片道20分ほど歩くと、峡谷の向かい側からバルコニーハウスを眺められるポイントがある。

メサ・トップ・ループ・ロード　Mesa Top Loop Road

　一周約10kmの一方通行路で、いくつかの住居跡や展望台がある。なかでも、メサベルデで一番美しいとされる**スクエア・タワー・ハウス**Square Tower Houseは見逃せない。これは西暦1200年から100年間ほど使われており、当時は80以上の部屋をもつ高層建築物だったとか。塔の高さはこの種の遺跡のなかでは国内最高で、約8mある。展望台から見下ろすだけで、内部へ入ることはできない。

　しばらく進むと**サンポイント**Sun Pointという展望台がある。ここからはクリフパレス、オークツリーハウスOak Tree Houseなど6つの断崖住居跡がいっぺんに見渡せる。

　最後の見どころ、**サンテンプル Sun Temple**は、ほかの遺跡と違って台地の上に造られている。何かの儀式のために建てられたのではないかと考えられており、石を正確に積み上げる技術がすばらしい。建物の内部は多くの部屋と廊下からなる迷宮だ。しかし、13世紀後半頃、突然の移住によって建築途中で捨てられてしまった。

メサベルデ国立公園（コロラド州）

Ranger Balcony House
集合▶4月下旬～5月中旬は1日4回、5月中旬～10月中旬9:00～17:00（1時間ごと。夏期は30分ごと）
所要▶1時間
料▶$3
場所▶Balcony House駐車場北側
注意：ハシゴを登るのでスカートやサンダルは不可。高所&閉所恐怖症の人も要検討

これをくぐれない人は参加不可

初級 Soda Canyon Overlook Trail
時▶8:00～日没
適期▶5～10月
距離▶往復2km
所要▶往復45分～1時間
出発点▶バルコニーハウス駐車場より北へ1マイル

Mesa Top Loop Road
時▶8:00～日没。積雪により閉鎖されることもある

高さ8mのタワーが印象的なスクエア・タワー・ハウス。ここもまた西向きの遺跡なので午後がいい

Native American

クマの踊りを舞う人々

　メサベルデの西に住むユート族には、こんな言い伝えがある。その昔、いつまでも冬眠から覚めずに餓死しそうになっていたクマを、ユートの人々が起こして命を救った。クマはお礼に冬の終わりを告げる踊りを教えてくれた。

　以来、ユート族の人々は、毎年春になるとベアーダンスを踊って春の到来を祝うのだそうだ

謎に満ちた迷宮、サンテンプル

バイオディーゼルによるトラムが観光客を運んでいる

Wetherill Mesa Road
圏5/24～9/2（2013年）の9:00～16:15のみ。そのほかの時期は通行止めになる。自転車は一年中通行禁止

Ranger Long House
集合▶5月下旬～9月初旬10:00～16:00。ほぼ1時間ごと
所要▶1.5時間
圏$3
場所▶キオスク
設備トイレ・飲料水・売店

初級 Step House
オープン▶10:00～17:00
距離▶往復1.2km
所要▶往復約1時間
出発点▶キオスクの向かい側
※トレイルヘッドから真っすぐに進むと、急な階段を経てステップハウスへ。途中で左折すると、遠回りになるがなだらかな坂道を下ってステップハウスへ行くことができる
設備トイレ・飲料水・売店

ウェザリルメサ　　　　Wetherill Mesa

　5月下旬～9月初旬のみオープンするドライブコース。狭い急カーブが続くが、すれ違う車も少なく、静かでのんびりとしたドライブが楽しめる。ひととおり見学するなら半日を予定しておきたい。
　ファービューから45分ほど走ったところにキオスク（軽食スタンド）とトイレがあり、そこから先はマイカー乗り入れ禁止なので、トラムに乗り換えて見学する。

ロングハウス　Long House

　レンジャーツアーでしか入ることができないので、あらかじめビジターセンターでチケットを購入してから向かおう。キオスクに集合し、レンジャーと一緒にトラムに乗って訪れる。メサベルデで2番目に大きな遺跡で150～160人が暮らしていたと考えられている。ハシゴあり。

数ある遺跡のなかでも特に見応えがあるロングハウス

ステップハウス　Step House

　トラム出発点がトレイルヘッドになっており、ここから急な坂道を20分ほど下りて断崖住居を見に行く。各自、自由に見学できる。西暦626年頃に使われていた住居と、13世紀に使われていた住居がはっきりと分かれているのが特徴。

キッチンの跡など非常に良い状態で残っている

ACCOMMODATION 🏠　　　宿泊施設

園内で泊まる

🏠 Far View Lodge
　園内で唯一の宿。ビジターセンターのそばにあり、4月中旬～10月下旬のみオープン。電話やテレビはないが、全室にバルコニーがあり、広大な緑の風景はまさに絶景。160km先まで見渡せるそうだ。電話、冷蔵庫、コーヒーメーカーあり。TV なし。Wi-Fi無料。150室。全館禁煙。シーズン中の予約は早めに。ロッジ内のレストラン
インテリアは先住民アートをモチーフにしている

ARAMARK
☎(602)331-5210　Free 1800-449-2288
FAX (970)564-4311　URL www.visitmesaverde.com
on off $98～183　カード A M V

Metate Room（17:00～21:30）は、味も雰囲気も夕暮れの眺望も抜群！

キャンプ場に泊まる

　モアフィールドに設備の整ったキャンプ場がある。5月上旬～10月上旬のみ。とても広くて満杯になることはまずない。レストラン、ガスステーション、ストア、コインランドリー、シャワーあり。435サイト。
Free 1800-449-2288　圏 $27.16～37.64

近隣の町に泊まる

　US-160沿いにモーテルやゲストランチ、B&Bがけっこうある。コルテスかマンコスで見つからなかったらデュランゴまで走ればいい。町の内外に約50軒あるので、ピークシーズンでも何とか見つかるだろう。

マンコス

Mancos, CO 81328　公園ゲートまで8マイル　5軒

モーテル名	住所・電話番号など	料　金	カード・そのほか
Flagstone Meadows Ranch	住38080 Road K4　☎(970)533-9838 FAX(970)533-9702　Free1800-793-1137 URLwww.flagstonemeadows.com	on off $ 115 ～ 125	MV　町の西側3マイル。US-160に標識あり。全館禁煙。フルブレックファスト付き
Mesa Verde Motel	住191 W. Railroad Ave.　☎(970)533-7741　Free1800-825-6372 URLwww.mesaverdemotel.com	on $ 70 ～ 90 off $ 55 ～ 75	AMV　US-160とCO-184の角

コルテス

Cortez, CO 81321　公園ゲートまで10マイル　17軒

モーテル名	住所・電話番号など	料　金	カード・そのほか
Holiday Inn Express	住2121 E. Main St.　☎(970)565-6000 Free1800-626-5652　FAX(970)565-3438 日本無料0120-455-655 URLwww.coloradoholiday.com	on $ 155 ～ 182 off $ 119 ～ 137	ADJMV　US-160沿い。町の東端。屋内温水プール、コインランドリーあり。朝食込み。全館禁煙
Best Western Turquoise Inn	住535 E. Main St.　☎(970)565-3778 FAX(970)565-3439　Free1800-780-7234 日本無料0120-56-3200 URLwww.bestwesterncolorado.com	on $ 120 ～ 160 off $ 80 ～ 110	ADJMV　ダウンタウン。US-160沿い。コインランドリーあり。朝食付き。Wi-Fi無料
Econo Lodge	住2020 E. Main St.　☎(970)565-3474 Free1877-424-6423　FAX(970)565-0923 日本無料0053-161-6337 URLwww.econolodge.com	on $ 105 ～ 110 off $ 70 ～ 80	ADJMV　ダウンタウンの東寄り、US-160沿い。朝食込み。コインランドリーあり。Wi-Fi無料

🦅 Native American

断崖に生きた先住民

メサベルデの歴史は西暦550年頃に始まる。それまで遊牧生活を送っていた先住民のあるグループがこの地へやってきて定住し、農耕生活を始めた。彼らはトウモロコシや豆、カボチャなどを作り、すばらしい籠を編む技術をもっていた。この頃に住居として使われていたのがピットハウスPit House だ。地面を四角く掘って柱を立て、天井を木やしっくいで覆ったもので、崖のくぼみやメサ（台地）の上に建てられた。

西暦750年頃になると、メサの頂上に柱と泥を使って本格的な家を建て始め、1000年頃には石を積み上げる技術を身につけた。厚い二重の壁は、ときには2階、3階建てとなった。

1100年頃、人口は数千人に達しようとしていた。彼らは小さな村に集中して住み、石の壁に囲まれた中にキバKivaが建てられた。キバは教会のようなものだったと考えられている。ここで雨乞いや豊作の祈願をしたり、ときにはハタ織りなどが行われた。儀式のために火を使っても大丈夫なように、換気システムまで備えられている。

崖の住人たちの日常生活

西暦1200年頃、大きな変化が起こる。彼らはメサの上に建てた住居を捨て、断崖の洞窟へ移ってきたのだ。理由はわかっていないが、このときに断崖住居が誕生し、その後75～100年も崖での生活が続くことになる。

断崖住居のおもな材料は砂岩で、これを小さな長方形のブロックにして正確に積み上げていく。しっくいは泥と水を混ぜたもので、内部の壁は絵で飾られていた。部屋は2、3人用のスペースがあり、必要に応じて横へ縦へと新たに建て増していった。食料はメサの上の畑でとれた穀物やシカ、ウサギなどの動物。犬と七面鳥を飼っていた。

驚くべきことに、彼らは西海岸の先住民などと交易を行っている。輸出品は織物や陶器、革細工、宝石など。輸入品は貝殻、トルコ石、綿など。これらを担いで村々を歩く商人がいたらしい。

冬になると寒さと湿気対策にあちこちで火を燃やしていたらしく、壁や天井はススで黒くなっている。それでもやはり生活は厳しく、平均寿命は32～34歳といわれている。メサベルデの住居跡を訪れると、建物のドアが小さいことに気づくだろう。当時の住民の平均身長は男性が163cm、女性が152cmだったそうだ（当時のヨーロッパ人とほぼ同じ）。

ある文明社会の消滅

西暦1300年後半、クリフハウスでの生活は破局を迎え、人々はメサベルデを捨てて去って行ってしまう。理由はよくわかっていない。おそらく干ばつや樹木の過剰な伐採、動物の乱獲などが原因だろう。ここを出た人々は南へ移り、その子孫が現在のプエブロ族であると考えられている。

こうしてメサベルデは600年にわたる長い眠りについた。コロンブスの新大陸発見より200年も前のことだ。

1888年、地元のカウボーイWetherillの家族がメサベルデを発見、1906年に国立公園に指定されて現在にいたっている。

古代先住民を指すアナサジAnasaziという言葉は、ナバホの言葉で「昔の敵」という意味があるため、現在ではプエブロ族の先祖Ancestral Puebloという呼び方が一般的になっている

メサベルデ国立公園（コロラド州）

   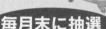 

West Coast

西海岸

ヨセミテ国立公園

カリフォルニア州 ／ **MAP** 折込 1 枚目 C-1、折込 2 枚目ウラ L

夏だけ上がれる絶景展望台、グレイシャーポイント
©Tsuneo Yamamoto

©USPS
1934年発行の切手

　春。雪解け水が滝となって谷に落ち、その音に眠りを覚まされた
かのように、生き物たちが活動を始める。
　夏。ヨセミテバレーの主役は人間になる。都会の重圧から少しで
も逃れようと谷に遊ぶ人々。喧噪のなかにあって、ヨセミテの自然
は威厳を失ってはいない。
　秋。引き締まった空気が谷に満ち、ヨセミテは静寂を取り戻す。
木々は美しく着飾ったその姿を川面に映し、滝はその落下を止める。
　冬。白いベールに覆われた谷は、神々が集い、遊ぶ場所になる。
神々に見守られ、地上の生命は、新たな
躍動のときまで安らぎのなかにある。
　西海岸から数時間というアクセスの容
易さもあって、ヨセミテは全米で最も人
気のある国立公園のひとつだ。そのた
め、夏のビレッジは大変な混雑となる。
しかし、ビレッジを一歩出て、トレイル
を歩いてみよう。雲によって、太陽の光
によって、そして風によって多彩な表情
を見せてくれる自然が、教えてくれるだ
ろう。人間にとって一番大切なものは何
かということを……。

190

Yosemite National Park

California

ACCESS　　　行　き　方

　ヨセミテ国立公園はカリフォルニア州の東端にあり、サンフランシスコから車で約5時間、ロスアンゼルスからは約7時間で行ける。SFから日帰りツアーバスが出ているほどだから、夏は混雑するのも無理はない。交通機関もバス、航空機、列車、レンタカー、どれも可能なので、各自の日程と興味に合わせて選ぼう。

　ヨセミテへのゲートシティは北西の**マンテカManteca**、西の**マーセドMerced**（発音はメルセッに近い）、南西の**フレズノFresno**、東の**リーバイニングLee Vining**の4つ。北西ゲートへの公共交通機関はないが、サンフランシスコから車で来るなら最も近道だ。列車やバスを使うなら、西のマーセドからのアプローチとなる。飛行機を使うなら、南西ゲートから。東ゲートからは、夏期のみアプローチすることができる。

飛行機　　　　　　　　　　　　　　　Airlines

Fresno Yosemite International Airport（FAT）

　モダンな地方空港で、ユナイテッドエクスプレスがサンフランシスコから1日3便（所要1時間）、ロスアンゼルスからも1日2便（1時間）、ラスベガスから1日4便（1時間40分）飛んでいる。またシアトル（アラスカ航空）、ソルトレイク・シティ（デルタ航空）などからも各社の直行便がある。レンタカーは大手各社すべて揃っている。

　なお、"太った空港"と笑われやすい空港略号FATは、ヨセミテの頭文字を含むFYIに変更してイメージアップを図ろうとしている。フレズノ市と空港、地元ホテルなどでは日常的にFYIを使っているが、IATA（国際航空運輸協会）の正式な空港コードはFATのままなので注意。

DATA

時間帯▶太平洋標準時 PST
☎(209)372-0200
URL www.nps.gov/yose
圏 一部を除いて24時間
365日オープン
休園 年中
駐車 車1台＄20
そのほかの方法は1人＄10
景観保護区指定▶1864年
国立公園指定▶1919年
世界遺産登録▶1984年
面積▶3081km²
（東京都の1.4倍）
入園者数▶約395万人
園内最高地点▶3998m
(Mt. Lyell)
哺乳類▶90種
鳥　類▶264種
両生類▶12種
魚　類▶16種
爬虫類▶22種
植　物▶約1500種

レシートをなくさずに
ヨセミテではゲートを出る際にも入園料のレシートをチェックされるので、なくさないようにしよう。7日間有効で出入り自由だ。なお、ヨセミテの各ゲートでは Ａ Ｍ Ｖ のカードでも支払うことができる

FAT 　　☎(559)621-4500
Alamo 　☎(559)251-5577
Avis 　　☎(559)454-5030
Budget 　☎(559)253-4100
Dollar 　☎(559)458-7239
Hertz 　☎(559)251-5055

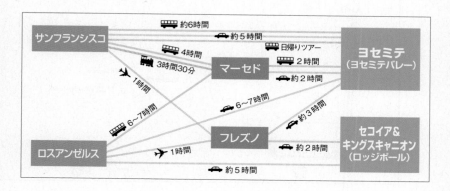

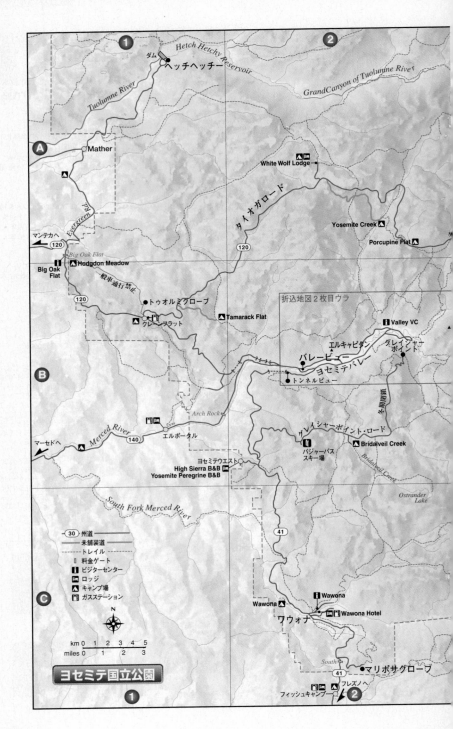

ヨセミテ国立公園

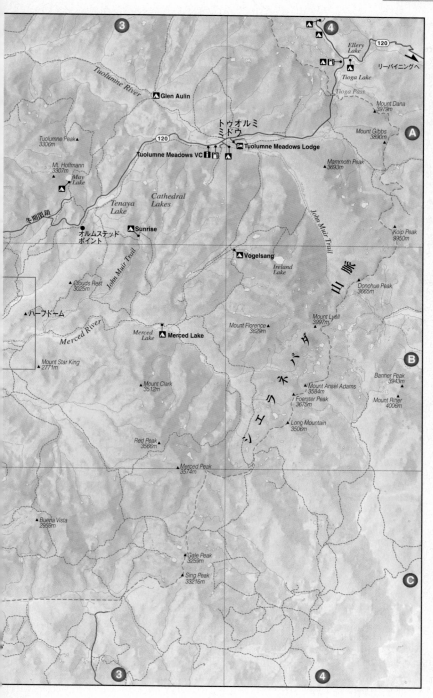

ヨセミテ国立公園（カリフォルニア州）

リービイニングへ

3
4

Tuolumne River

Glen Aulin

Ellery Lake

Tioga Lake

120

Mount Dana
3979m

Tioga Pass

トゥオルミ
ミドウ

120

Tuolumne Meadows Lodge

Tuolumne Meadows VC

Mount Gibbs
3890m

A

Mammoth Peak
3693m

Tuolumne Peak
330m

Mt. Hoffmann
3307m

May
Lake

Tenaya
Lake

Cathedral
Lakes

John Muir Trail

Koip Peak
3950m

冬期閉鎖

オルムステッド
ポイント

Sunrise

Vogelsang

Ireland
Lake

山脈

Donohue Peak
3665m

Clouds Rest
3025m

ハーフドーム

Merced River

John Muir Trail

Merced
Lake

Merced Lake

Mount Florence
3829m

Mount Lyell
3997m

B

Mount Star King
2771m

Mount Clark
3512m

シエラネバダ

Mount Ansel Adams
3584m

Foerster Peak
3675m

Long Mountain
3506m

Banner Peak
3943m

Mount Ritter
4006m

Red Peak
3566m

Merced Peak
3574m

Buena Vista
2959m

Gale Peak
3259m

Sing Peak
33216m

C

3
4

California Parlor Car Tours

California Parlor Car Tours
☎ (415)474-7500
Free 1800-227-4250
URL www.calpartours.com
料 片道 $95、往復 $180
（入園料、税込み）
※11～4月の平日はアムトラック利用になる場合がある

　サンフランシスコ発着のデラックスバスを利用できる。値段は割高になるが、乗り換えゼロがうれしい。日本から予約できる。本当はツアーバス（→P.195）なのだが、バスだけの利用もできる。サンフランシスコを7:00に出発し、ヨセミテロッジに13:45着。復路はヨセミテロッジを15:45発で、SFに20:30頃に帰着する。

Greyhound + YARTS

グレイハウンド →P.477
Free 1800-231-2222
URL www.greyhound.com
マーセドのディーポ
住 710 W.16th St.
☎ (209)722-2121
開 月～金　8:00～17:30、
　　土　　8:00～15:00
休 日・祝
料 SF→マーセド片道 $32～
　　LA→マーセド片道 $43～

YARTS
Free 1877-989-2787
URL www.yarts.com
料 マーセド→ヨセミテ往復
$25、子供 $18
（入園料込み）

　グレイハウンドで行くならマーセドで**YARTS**に乗り換える。サンフランシスコからマーセドへは約4時間。1日2便。ロスアンゼルスからは所要6～7時間で、直行便が1日4便ある。

　マーセドのディーポからはYARTSのバスが年中運行しており、マーセド発6時～18時頃まで夏は1日8往復走っている。VIA社のバスが来る便もあるが、運行ルートも料金も同じだ。

　ヨセミテバレーではビジターセンター、カリービレッジ、アワニーホテルを経由し、ヨセミテロッジまで所要2時間ほど。予約不要。

　なお11月上旬～5月中旬はYARTSが3便のみになり、いずれの便もグレイハウンドとの接続が悪い。冬期は鉄道利用をすすめる。

車ナシで訪れるなら必ずお世話になるYARTS

©Tsuneo Yamamoto

ヨセミテバレーではぜひ早起きをして散策してみたい

鉄　道 Amtrak

　とても快適で、時間的にも一番速く、料金も安い。乗り換えが多いのが難点だが、列車を選べば接続はよい。

　サンフランシスコまたはロスアンゼルスから**サンホアキン号 San Joaquins**に乗ってマーセドへ。ここでYARTS（またはVIA）のバスに乗り換える。このバスはアムトラックの接続バスとして運行されているので、乗車券もヨセミテロッジまで通しで購入できる。すべてのサンホアキン号に接続しているわけではないので、目的地をマーセドではなく、「Yosemite」と入力してスケジュールを調べるといい。

　サンフランシスコから行く場合、SF〜EmeryvilleまたはStockton間は連絡バスによる接続となる。バス乗り場はSF市内数ヵ所にあるが、ユニオンスクエアの場合は、Powell St.と4th St.の間のMarket St.沿い（住835 Market St.）、サンフランシスコ・ショッピングセンターの前に小さなバスストップがある。またフィッシャーマンズワーフの場合はピア39の水族館外側。いずれの場合も事前に乗車券を購入しておかなければならない。乗車券がない場合はフェリービルディングのアムトラックオフィスで購入してからの乗車となる。待合室もあってわかりやすい。

　ロスアンゼルスから行く場合も、ユニオン駅〜Bakersfield間は連絡バスによる接続となる。

アムトラック・サンホアキン号& YARTS （2013年5月までのスケジュール）

4:10		7:35		発	Los Angeles	着 ▲	18:40		0:30	2:20
↓	7:05	↓	9:35	発	San Francisco (Ferry Bldg.)	着 ↑	16:40	22:15	↑	↑	0:35
10:08	10:31	13:08	12:59	着	Merced	発	12:59	13:08	18:42	19:06	20:47	21:15
	11:00		13:30	発		着	12:17		18:02		20:17
	13:25		16:05 ▼	着	Yosemite Lodge	発	10:00		15:45		18:00

ツアー Tour

　ヨセミテは、夏に限らず宿の確保が難しい。そこで考えたいのは宿泊がセットされたツアーの利用だ。サンフランシスコから日帰りバスツアーを催行している会社はたくさんあるが、往復10時間もバスに揺られ、ヨセミテバレーをざっとひと回りしてくるだけのツアーはおすすめできない。ぜひ、現地で1泊以上するバスツアーを選ぼう。

California Parlor Car Tours

　園内のロッジを確保しているのが魅力。サンフランシスコを7:00に出発し、昼過ぎにヨセミテに到着。13:45にロッジにチェックイン。2日目の午前中はグレイシャーポイントを訪れる（冬期はバレーフロア・ツアーになる）。帰りはヨセミテロッジ15:30発、SF着は21:00時頃になる。夏期のみ、カリービレッジ宿泊コースもある。

　現地に到着してからの予約は難しいので、事前にインターネットで予約を入れるか、日本の旅行会社で尋ねてみよう。

アムトラック →P.476
Free 1800-872-7245
URL www.amtrak.com
マーセドの鉄道駅
住324 West 24th St.
☎(209)722-6862
営7:15〜21:45
料SF→ヨセミテ片道＄37〜
　LA→ヨセミテ片道＄57〜
　（入園料込み）

サンホアキン号

California Parlor Car Tours
☎(415)474-7500
Free 1800-227-4250
URL www.calpartours.com
料ヨセミテロッジ1泊＄369
ヨセミテロッジ2泊＄529
アワニーホテル1泊＄569
アワニーホテル2泊＄929
カリービレッジ1泊＄349
カリービレッジ2泊＄489
※ダブル利用の1人料金。
入園料、税込み。11〜4月
の平日はアムトラック利用
になる場合がある

カリフォルニア州の道路情報
Free 1800-427-7623
URL quickmap.dot.ca.gov

最寄りのAAA
路上救援 Free 1800-222-4357
Fresno
5040 N. Forkner Ave.
☎(559)440-7200
月～金　　8:30～17:30
San Francisco
2300 16th St.(Potrero Center)
☎(415)553-7200
月～金　　8:30～17:30
土　　　　10:00～14:00
※園内での故障、事故は
☎(209)372-8320へ

ガソリンは満タンで
　ヨセミテバレーにはガスステーションがないので、公園へ入る前に満タンにしておこう

チェーン規制
CHAINS REQUIRED
　ヨセミテの気温はサンフランシスコよりはるかに低い。園内にスキー場があるくらいなのでチェーン規制がかかることも多い。11～3月はもちろん、5月や9月にチェーン規制が出ることもある。規制には3段階あり、以下の表示が出る。
R1：Autos & Pickups Snow Tires OK
　スノータイヤ（溝の深さなどに規定あり）でも可
R2：4W Drive with Snow Tires OK
　4輪すべてにスノータイヤを履いた4WD車でも可
R3：No Exceptions
　全車両チェーン装着が義務。ゲートでチェックがあり、チェーンがないと入園できない。レンタカーの場合、チェーンやスノータイヤを装着すると契約違反となる場合がある

タイオガロード
　冬期は閉鎖される。開通日は積雪によって4/29から7/1まで幅がある。2011年は6/18、2012年は5/7だった。閉鎖時期は10月中旬～11月下旬頃

Reader's Voice
春の雪に注意
　4月中旬にヨセミテに行ってきた。マンテカ経由にしたところ途中で雪が降り始め、公園入口でチェーンが必要だといわれ、10マイル以上戻ってチェーンを手に入れた。マーセド経由ならば問題なかったようだ。
（名古屋市 匿名希望 '10春）

レンタカー　　　　　　　　　Rent-A-Car

サンフランシスコから　Big Oak Flat Entrance (CA-120)

　SFからベイブリッジを渡りI-580を東へ。I-205 EAST、I-5 NORTHと移り、すぐにExit 461でCA-120へ降りるとマンテカ。ここまで約75マイル。さらにCA-120を東に約115マイル走ればヨセミテバレー。SFから約5時間。後半は急な山道になり、冬は積雪も多く、11～3月はチェーン規制が出ることも多い。

マーセドから　Arch Rock Entrance (CA-140)

　CA-140をひたすら東へ走ると約70マイルでヨセミテバレー。約2時間。年中通行できるが、ちょっとした山道もあり、冬はチェーンが必要な場合もある。

フレズノから　South Entrance (CA-41)

　フレズノは中央カリフォルニアの中心都市で、大気汚染が深刻な問題になっているほどの大都会。セコイア＆キングスキャニオンへのゲートシティでもある。ヨセミテへはCA-41をひたすら北へ。2時間ほどで南ゲートをくぐり、すぐに右折すればマリポサグローブ、左折すればヨセミテバレー。フレズノからバレーまでは95マイル、約3時間。年中通行できるが、10～4月はチェーン規制が多い。また道が狭いうえに急カーブの連続なので、運転は慎重に。

ロスアンゼルスから　South Entrance (CA-41)

　LAからはI-5を北へ。山間部を過ぎたところでCA-99へ移ってフレズノへ。あとはCA-41を北上すれば公園にいたる。合計6～7時間。

デスバレーから　Tioga Pass Entrance (CA-120) ⇒ 夏期のみ

　シエラネバダ山脈の眺望がすばらしく、見どころも多いおすすめルート（→P.226）。CA-190を西へ走り、CA-136を北へ。US-395にぶつかったら北へ。リーバイニングまで178マイル、約5時間。ここからCA-120へ入って東ゲートをくぐり、**タイオガロードTioga Road**経由でヨセミテバレーまではさらに約60マイル、2～3時間かかる。

バレー内の道路はほとんどが一方通行だ

Wildlife

ヨセミテの四季

ヨセミテは、どの季節にも捨て難い魅力がある。気候は全般にマイルドだが、山岳地帯であることを忘れずに。天気は変わりやすいし、冬にはかなりの降雪がある。また、標高の高いハイカントリーやグレイシャーポイントは、バレーとの温度差が10℃近くある。重ね着などの工夫を。

入園者数がピークに達するのは6〜9月。西海岸から気軽に来られるので4〜11月にかけての週末も混雑する。宿の予約は早めに。

春 春のヨセミテバレーはソフトフォーカスの世界。春霞が谷にたちこめ、やわらかな青空に青灰色のドームや絶壁が浮かび上がり、柳がレースのようなシルエットを造りだす。氷に閉じ込められていた滝にも春の光が射し、南に面したヨセミテ滝が最初に落下を始める。小川は絹のように滑らかな流れとなって峡谷を潤し、花々の固いつぼみもほころび始める。谷全体が生命への賛歌を奏でるシンフォニーホールと化す。運がよければこの時期、満月の夜にロウアーヨセミテ滝で月夜の虹が見られることがある。

5月上旬、バレーはドッグウッド（ハナミズキ）の大きな白い花で満たされる。その花が散る頃、春は山の上へと駆け上がる。

夏 6月、残雪の岩峰が青空に浮かび、暗緑色のマツやスギの常緑樹と萌葱（もえぎ）色にわき立つアスペンやカシワが絶妙のコントラストを見せる。無数の滝は爆音をこだまさせながら落下する。野草は一斉に花を開き、動物たちは子育てに忙しい。峡谷が自然景観と生き物の一大ページェントを開くベストシーズンだ。しかしヨセミテバレーや湿原地帯では非常に蚊が多いので、虫除けスプレーをお忘れなく。

7〜8月、トゥオルミミドウなどハイカントリーにようやく花の季節が訪れる。この時期、バ

冬に訪れた人にしか見られないヨセミテの顔がある

レーではほとんどの滝は涸れてしまい、公園中に観光客があふれて都市化する。それでもなお、積乱雲をバックに黒々とした絶壁が鎮座するさまは、夏ならではの趣がある。

バレーの夏はTシャツに短パンで充分。ただし夜は薄手のジャケットなど羽織るものが欲しい。

秋 ひんやりとした身を引き締める大気が峡谷に満ち、バレーフロアの草原は黄金色に輝く。カエデやカシなどの落葉樹は緑から朱、紅、ブロンズ色へと変化して巨大な錦絵を描き出す。自然は、生物が長い眠りにつく生命の循環のひと区切りを、万華鏡にも勝る華麗さで彩る。

秋のバレーフロアは日暮れが早く、温度は急激に下がる。セーターも必要だ。

冬 白い峡谷はアンセル・アダムスの写真そのままのモノトーンの世界。樹氷の森、凍てついた絶壁と岩峰が青空に浮かび上がるさまは、銀のエッチングを見るようだ。とりわけ吹雪の去ったあとの朝はすばらしい。梢に積もった新雪が風に吹かれてダイヤモンドダストのように散っていく。交通が不便になるなどのデメリットもあるが、冬のヨセミテバレーこそ、本当の「神々の遊ぶ庭園」なのかもしれない。

サイクリングやラフティングは夏期ならではの楽しみだ

ヨセミテバレーの気候データ

日の出・日の入りの時刻は年によって多少変動します

月	1	2	3	4	5	6	7	8	9	10	11	12
最高気温（℃）	9	11	14	18	22	27	32	32	28	22	13	8
最低気温（℃）	-2	-1	1	3	7	11	14	13	11	6	1	-2
降水量（mm）	160	170	130	71	44	18	10	3	18	53	120	142
日の出（15日）	7:13	6:49	7:10	6:24	5:50	5:36	5:49	6:14	6:40	7:06	6:38	7:06
日の入り（15日）	17:03	17:36	19:05	19:33	20:01	20:22	20:20	19:52	19:07	18:22	16:48	16:40

ヨセミテの歴史

ヨセミテの最初の住人はアファニチ族と呼ばれる先住民。彼らは外界から隔絶されたこの美しい峡谷で、長い間平和な生活を営んでいた。

バレーが白人の目に触れたのは19世紀に入ってからだ。猟師や毛皮商人たちがシエラネバダ山脈の奥へ入り込み、「ナイフでまっぷたつに切り落としたような岩山を見た」とか「何百メートルも空にそびえる巨木を見た」などと伝えられたが、このときはまだ誰も信じる者はいなかった。

1849年、ヨセミテの運命を変える事件が起きた。ゴールドラッシュにわくカリフォルニアへ向かっていた幌馬車隊が、ヨセミテの近くで先住民と衝突。政府の命を受けてマリポサ大隊が出動し、ヨセミテへ向かう。彼らは苦難の末にワワォナ高原を縦断して、ついにトンネルビュー付近に達した。そして峡谷を一望したとき、誰もが天国の門の前へ来たと思い、静かに銃を地面に置いたという。

1862年、伝説の風景を求めて3名の画家がヨセミテへ入り、多くの作品を描いた。そのなかの1枚が後にセオドア・ルーズベルト大統領に贈られ、彼にヨセミテ行きを決意させたといわれる。

こうしてヨセミテの神秘的な美しさは、たちどころにアメリカ全土に知れ渡っていった。

この頃、マリポサグローブのセコイアの森に魅せられ、その景観を守ろうと奔走する男が現れる。ゲーレン・クラークGalen Clarkだ。その努力が実って1864年、ヨセミテはアメリカ初の景観保護区となり、クラークは管理官となった。

そのすぐ後、のちにヨセミテで最も重要な役割を演じることになるジョン・ミュアもヨセミテを訪れる。彼もまた、この地にたちまち魅せられ、ヨセミテの保護運動に奔走することになる。そして1890年、ヨセミテは国立公園となった。

1903年、ルーズベルト大統領がヨセミテを訪問。この年、ヨセミテの美しさを世界に広めた写真家アンセル・アダムスが峡谷を訪れる。このとき彼は14歳であった。後年、彼はヨセミテに住んで幻想的な写真を次々に生み出していくことになる。

1927年にマーセドからヨセミテバレーへの道路が完成。'56年にヨセミテロッジ、'66年にはタイオガロードもオープンして施設のよく整った便利な国立公園ができあがった。しかし、それでも増え続ける入園者には追いつかず、現在では慢性的な宿泊施設不足に悩まされている。

国立公園の父、ジョン・ミュアJohn Muir

国立公園の父と称えられるジョン・ミュアは1838年スコットランド生まれ。11歳のときに両親に連れられてアメリカへ移住し、農作業を手伝いながらウィスコンシンの自然の中で過ごした。

29歳のとき、仕事中に目にケガを負い、1ヵ月間ほど視力を失った。これがきっかけとなって「本当に自分が見たいものを見に行こう」と

1903年、ジョン・ミュア（右）とともにグレイシャーポイントに立ったルーズベルト大統領は、「今日は我が人生最良の日だ」と言ったそうだ

決意し、放浪の旅に出る。インディアナポリスからフロリダまで1600kmを歩き、船でキューバへ。当初は南米を目指していたがマラリアにかかって断念し、パナマ海峡経由でサンフランシスコへ。そして、ヨセミテを見に行く。そこで彼は倒木を使って水車を造り、小屋を建て、羊飼いなどをしながら自然を観察。約5年間の滞在中に、ヨセミテバレーが氷河の浸食でできたとする説を発表する。地震による沈下説が有力だった当時、ミュアの説はバカにされたが、やがて彼は氷河の痕跡を見つけ、全米にその名を知られることになった。

ヨセミテを離れた後もミュアは自然保護を訴える文章を次々に発表。やがて結婚し、安定した生活を送っていたが、51歳のときに再訪したヨセミテで、保護区とは名ばかりで自然破壊の進んだ悲惨な園内を目にし、保護活動のために立ち上がる。その運動は政治家のみならず市民を巻き込むことに成功。翌年、ヨセミテは国立公園に指定された。

1892年、世界初の本格的な自然保護団体といわれるシエラクラブを創設。グランドキャニオンやマウントレニエなどの国立公園制定にも大きな力を発揮し、国立公園の父と呼ばれるようになった。

1901年、ヘッチヘッチー峡谷（→P.214）にダムを作る計画がもち上がり、シエラクラブの反対運動が始まる。その2年後、ミュアの著書に興味をもった大統領ルーズベルトが、馬車に乗ってヨセミテを訪問。ふたりはキャンプをしながら3日間を過ごし、自然保護のあり方についておおいに議論したという。ルーズベルトの自然保護政策はこの旅が原点といわれる。この年ミュアは、世界の森を巡る旅に出て、日本へも立ち寄っている。

ミュアとシエラクラブは大統領や議員に対するロビー活動などでヘッチヘッチーを水没の危機から救おうと尽力したが、1913年にダムの建設が決定。その翌年、ミュアは肺炎で死亡した。

ミュアが亡くなった翌年、彼の愛したシエラネバダに全長340kmのジョン・ミュア・トレイルを作ることが決まった（完成は1938年）。

GETTING AROUND 歩き方

公園はほぼ円形をしており、その中央に氷河に削られたU字谷が東西に延びている。谷底にあるのが**ヨセミテバレーYosemite Valley**で、高さ1000m前後の断崖の上には広大な森林地帯が続く。森を東西に貫いて**タイオガロードTioga Road**（積雪時閉鎖）が走っているが、それでも公園の94%は森と湖と花崗岩が支配する、手つかずのバックカントリー。東にはシエラネバダ山脈がそびえ立ち、南の端にある**マリポサグローブMariposa Grove**には巨木セコイアの森が見られる。

おもな見どころは、ヨセミテバレー周辺、タイオガロード沿い（ハイカントリーと呼ぶ）、マリポサグローブの3ヵ所に大別される。

公園の中心はヨセミテバレー

おもな観光ポイントはヨセミテバレーとその周辺に集中している。また、バレーフロア（谷底）にはあらゆる施設が整っているので、できればここに宿を取りたい。バレー内には1日中、そして1年中、無料のシャトルバスが循環しており、さらにバレーの外側にある見どころへは、夏のシーズン中、毎日ツアーバスが運行される。

バレーの中心はヨセミテビレッジ

バレーはマーセド川に沿って延びる細長い谷で、その中心となるのが**ヨセミテビレッジYosemite Village**。ビジターセンター、スーパーマーケット、カフェテリア、郵便局などが集まっている。

ヨセミテビレッジから少し離れた対岸には**カリービレッジCurry Village**がある。キャビンなどの宿泊施設が木立ちの中に並び、こちらも設備は充実している。

バレー内はけっこう広い。移動にはシャトルバスが便利だが、サイクリングもおすすめ

日程の立て方

ある女性が、ベテランのレンジャーに尋ねた。「ヨセミテで費やせる時間が1日だけあったら何をしますか？」 レンジャーは答えたという。「マーセド川の川辺に腰かけて泣きますよ」

確かにヨセミテには見るものがたくさんあって、1日や2日ではとても足りない。丸一日しかないなら、ヨセミテバレーを一周するだけでやっとだろう。ツアーをうまく利用し、できれば短いトレイルを歩いてみよう。2日間あるならグレイシャーポイントやマリポサグローブまで行ってみるといい。もし3日間あるなら、ぜひハイカントリーまで足を延ばそう。少々長めのトレイルを歩いてみるのもおすすめだ。

バレーの走り方

バレー内の道路は、マーセド川の南岸が東行き（往路）、北岸が西行き（復路）の一方通行になっている。それぞれ2車線あり、眺望のよいところには駐車スペースが設けられている。

ロッジなどの予約があるなら、まずチェックインを済ませてから、バレーシャトル（→P.202）で観光して回ろう。そうでない人はセンチネル橋を渡り、Day Parkingに駐車することになる。

なお、カリービレッジより奥（ハッピーアイル、ミラーレイク方面）は一般車進入禁止になっている

混雑を覚悟して！

夏のピーク時、バレー内の道路は渋滞し、駐車スペースを探すのも大変になる。いったん駐車したら、あとはバレーシャトルを使おう。また、混雑の激しいとき、園内に宿かキャンプ場の予約をもたない車は入園を制限されることもある。6〜9月上旬の、特に週末に訪れる計画の人は注意が必要

🚸 スピードダウン！

ヨセミテには車に対する警戒心を失ったクマが非常に多く、毎年数多くのクマがバレー内で車に轢かれている。2012年には17頭も犠牲になった。シカの飛び出しも多いので、昼も夜もスピードダウンを！

バレーに着いたら、まず
最初に訪れたい

#の数字はバレーシャトル
（→P.202）のバスストップ

Valley VC #5, 9
MAP P.202
☎ (209)372-0299
🕐 夏期9:00～18:00
　　冬期9:00～17:00
Ranger Ranger Walk
集合▶夏期8:15、冬期14:00
所要▶1時間30分
場所▶ビジターセンター
※曜日と時間は頻繁に変更
される。新聞で確認を

**Big Oak Flat
Information Station**
MAP P.192 B-1
☎ (209)379-1899
🕐 夏期のみ8:00～17:00

Waona VC
MAP P.192 C-2
☎ (209)379-9531
🕐 夏期8:30～17:00
　　冬期9:00～16:00

Tuolumne Meadows VC
MAP P.193 A-3
☎ (209)372-0263
🕐 夏期9:00～18:00

Degnan's Deli #2, 4, 10
🕐 7:00～17:00

Village Grill #2, 10
🕐 夏期11:00～17:00

Food Court #8
🕐 6:30～20:00

Pavilion Buffet
#13B, 14, 20
🕐 7:00～10:00
　　17:30～20:00
　　（冬期は週末のみ）

Pizza Patio #13B, 14, 20
🕐 夏期12:00～21:00
　　（冬期は週末のみ）

**Ahwahnee Dining
Room** #3
予約 (209)372-1489
🕐 7:00～20:00

Mountain Room #8
🕐 17:00～20:30

情報収集　　　　　　　　　　Information

　施設のほとんどが集中するヨセミテバレーのほか、広大な園内の各所に情報収集できる施設が点在している。入園したらまず最寄りの施設に立ち寄って、これからの予定を立てよう。バスなどで来た人は『Yosemite Guide』という新聞と地図、ハイキングコースのパンフレット（いずれも無料）を入手しておくといい。

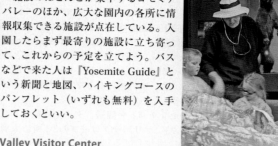

ジオラマで再現されたバレー

Valley Visitor Center

　ビレッジの中心にある園内最大のビジターセンター。さまざまな展示や『Spirit of Yosemite』というオリエンテーションフィルムの上映、書籍などの販売も行っている。**駐車場はない**。Day Parkingに駐車し、バレーシャトルに乗って#5か#9で下車する。

Big Oak Flat Information Station

　CA-120の北西ゲートを入るとすぐにある。週末にサンフランシスコ方面から車で来た人は、まずここに立ち寄って情報収集しよう。

Wawona Visitor Center

　南口ゲートに近いワウォナにある。フレズノからCA-41で訪れた人向け。マリポサグローブの情報はここが一番詳しい。

Tuolumne Meadows Visitor Center

　タイオガロードにある山小屋風の建物で、ハイカントリーの中心。シエラネバダ山脈のトレッキング情報などに詳しい。

園内の施設　　　　　　　　　Facilities

食事

　時間もお金もないときにはビレッジのDegnan's Deliが手っ取り早い。サンドイッチやスープがおいしい。夏期にはビレッジストア隣にファストフードのVillage Grillもオープンする。家族連れに人気なのはヨセミテロッジのフードコート（セルフサービス）だ。

　カリービレッジには食べ放題のPavilion Buffetがあり、夏にはピザ屋Pizza Patioもオープンする。

　お財布に余裕があるなら、一度はアワニーホテルでディナーをいただいてみたいもの。大きな窓からの眺めも最高だ。ドレスアップは不要だが、ディナーの場合はTシャツや短パンは避けよう。要予約。またヨセミテロッジのMountain Roomも雰囲気がよい。

　バレーの外では、ワウォナホテル、ホワイトウルフ・ロッジ（夏期のみ）、トゥオルミミドウ・ロッジ（夏期のみ）にレストランがあるほか、グレイシャーポイントでも軽食が買えるが、このほかの場所では一切、食べ物も飲み物も入手できない。

食料品・雑貨

　ビレッジのVillage Storeはスーパーマーケット並みの品揃え。食料品からギフト、衣類、書籍まで何でもある。カリービレッジのストアもなかなか充実している。そのほか、ギフトショップと小さなグロサリーストアはすべてのロッジやホテルにあり、スナックや懐中電灯、虫除けスプレーなどが手に入る。

　バレーの外では、グレイシャーポイントとワワォナに小さなストアが1軒ずつ、夏はトゥオルミミドウにも1軒オープンする。

　アウトドア用品の専門店はビレッジストアの隣、カリービレッジ、ヨセミテロッジにある。

アンセル・アダムス・ギャラリー
The Ansel Adams Gallery

　バレーにあるビジターセンターの隣。ヨセミテの四季を美しいモノクロ写真で世界に紹介した写真家、アンセル・アダムスの仕事場を改造したもので、彼の写真集、プリント、ポスター、カード類を中心に、高品質のギフトが揃っている。銀塩フィルムの販売やカメラのレンタルも行っている。

ポスターを見るだけでも楽しい

ヨセミテ博物館 Yosemite Museum

　バレーのビジターセンター隣にあり、ヨセミテの自然と歴史についての展示がある。外へ出ると、昔、このあたりに住んでいて白人に追い出されたミウォーク族やパイユート族の暮らしを再現した庭があり、先住民がバスケット作りなどの手工芸を見せてくれる。皮肉なことにここは真夏でも空いていて、バレーで最も静かな場所となっている。

ハッピー・アイル・ネイチャー・センター
Happy Isles Nature Center

　バレーの東端、バーナル滝へのトレイルヘッドにある自然博物館。グレイシャーポイントの真下に位置するため1996年の崖崩れによって潰されてしまい、新しく建て直された。ヨセミテの動植物に関する展示が豊富。サトウマツの巨大な松ぼっくりをお見逃しなく。簡単な資料も揃っており、ビジターセンターとしても機能している。

そのほかの施設

　入園者の多い人気の国立公園だけに、郵便局から診療所までひととおりの施設が揃っている。ガスステーションは1ヵ所（夏期2ヵ所）あり、いずれもカード払いなら24時間給油できる。ただしヨセミテバレーにはないので注意。ビレッジストアの裏には自動車修理工場もあり、故障、事故時のけん引は24時間対応してくれる。

Village Store　#2, 10
夏期8:00〜22:00
冬期8:00〜20:00

Curry Village Grocery
#13B, 14, 20
夏期8:00〜22:00
冬期8:00〜20:00

インターネットコーナー
Degnan's Deliで3分＄1。
Wi-Fiはヨセミテロッジで
24時間＄5.95（宿泊者無料）

Ansel Adams Gallery　#5, 9
夏期9:00〜18:00
冬期10:00〜17:00
Ranger Camera Walk
集合▶夏期の月・火・木・土8:30
所要▶1時間30分
場所▶ギャラリー前
各自カメラ持参。前日に名前を登録しておく

Yosemite Museum#5, 9
9:00〜12:00
13:00〜17:00
冬期の月・火
無料

Happy Isles Nature Center　#16
9:30〜12:00
13:00〜17:00
無料

郵便局
ビレッジ
月〜金8:30〜17:00
土　10:00〜12:00
ヨセミテロッジ
月〜金12:30〜14:45

ATM
ビレッジストア、ヨセミテロッジのロビー、カリービレッジのグロサリーストア内の3ヵ所にある

診療所　#4
☎(209)372-4637
急患☎911
月〜金9:00〜17:00
アワニーホテル手前にある

ガスステーション
ワワォナ
8:00〜18:00
トゥオルミミドウ（夏期のみ）
9:00〜18:00

自動車修理工場　#2, 10
☎(209)372-8320

コインランドリー　#12
8:00〜22:00
ハウスキーピングにある

バレーシャトル ➡ 年中運行

　バレー内を無料のシャトルバスが循環している。下記の番号順に一方向のみに走っており、＃21の次は、また＃1から順に停車する。地図を片手にとりあえず一周（所要約1時間）して、バレーのおおよそのイメージをつかむといい。移動手段としてももちろん充分に活用しよう。特に夜になってからは、安心してホテルやキャンプ場へ帰れるので利用価値大。7:00〜22:00、10〜20分ごとの運行。

左／バスストップの地図をよく見て乗ろう
右／シャトルバスはすべてハイブリッドカーだ

＃1	ヨセミテビレッジ（駐車場 Day Parking）	＃13A	カリービレッジ（レンタルセンター）
＃2	ヨセミテビレッジ（ビレッジストア）	＃13B	カリービレッジ（フロントデスク前）
＃3	アワニーホテル	＃14	カリージレッジ（駐車場）
＃4	ヨセミテビレッジ（Degnan's Deli）	＃15	キャンプ場 Upper Pines
＃5	ヨセミテビレッジ（ビジターセンター）	＃16	ハッピーアイル／
＃6	ロウアー滝入口		ネバダ滝トレイルヘッド
＃7	キャンプ場 Camp 4	＃17	ミラーレイク・トレイルヘッド
＃8	ヨセミテロッジ	＃18	厩舎
＃9	ヨセミテビレッジ（ビジターセンター）	＃19	キャンプ場 Lower Pines & North Pines
＃10	ヨセミテビレッジ（ビレッジストア）	＃20	カリービレッジ（駐車場）
＃11	センチネル橋	＃21	カリービレッジ（レンタルセンター）
＃12	ハウスキーピング		

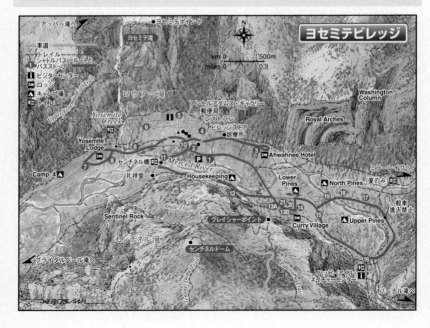

ツアーバス

車がない人に大変重宝なツアーバスが走っている。ピーク時に訪れるなら、事前に電話で予約しておくか、現地に到着したらすぐに翌日の予約を入れるというのが望ましい。出発はヨセミテロッジから。

Valley Floor Tour ➡ 年中運行

バレービュー、ブライダルベール滝、トンネルビューなどをオープントラム（冬はバス）で回る。レンジャーがガイドしてくれる。乗り降り自由なので、短いハイキングと組み合わせて利用するといい。

Valley Moonlight Tour ➡ 6〜9月の満月前後の夜

バレーフロア・ツアーと同じルートを、オープントラムで夜間に回る。満月前後の夜のみ催行される。催行日など詳しくは現地で。

Glacier Point Tour ➡ 5月下旬〜10月下旬

自然の展望台グレイシャーポイントから渓谷やハーフドームを一望する。途中、トンネルビューにも立ち寄る。片道のみの利用もできるので、フォー・マイル・トレイルを歩いて帰るのがおすすめ。

Grand Tour ➡ 5月下旬〜10月下旬

トンネルビュー、グレイシャーポイント、マリポサグローブを組み合わせたおすすめツアー。昼食（$12.50）はワウォナホテルで。

トゥオルミミドウ・シャトル ➡ 7月上旬〜 9月初旬

ヨセミテバレーからタイオガロードを走ってトゥオルミミドウ・ロッジまで毎日1往復している。途中、クレーンフラット、ホワイトウルフ、オルムステッドポイント、テナヤレイクに停車する。乗り降り自由なので、短いハイキングと組み合わせて利用するといい。

トゥオルミミドウ・シャトルに乗って、バレーの頭上にそびえる崖の上を走ってみよう

ツアーの予約方法

● ☎ (209)372-4386
7日前から受付
●園内のロッジやホテルの内線電話で
●ヨセミテロッジのフロント隣のツアーデスク
営年中7:30〜19:00
●バレーストアの駐車場側にあるキオスク
営夏期7:30〜15:00
●カリービレッジのバスストップ#13Bのそばにあるキオスク
営夏期7:30〜15:00

Valley Floor Tour
出発10:00、11:00、13:00、14:00。冬期1日2便
所要2時間
料$25、5〜12歳$13

Glacier Point Tour
出発8:30、10:00、13:30
所要4時間
料$41（片道$25）
5〜12歳$23（$15）

Grand Tour
出発8:45
所要8時間
料$82、5〜12歳$46

Tuolumne Meadows Shuttle
運行カリービレッジのバスストップ#13B 8:00発
↓
ビレッジストア#2 8:05発
↓
ヨセミテロッジ#8 8:20発
↓
トゥオルミミドウ・ロッジ10:35着／14:05発
↓
ヨセミテバレー 16:00着
料テナヤレイク往復$22
トゥオルミミドウ往復$23
5〜12歳半額

ツアーに参加する人へ

ヨセミテロッジのツアーデスクは、参加の最終確認をする人でかなり混雑する。早めに行って受付を済ませるといい。グランドツアーに参加するなら、ぜひランチ付きをすすめる。ワウォナホテルでのランチは$12.50の値打ち以上に、とても気持ちがよかった。（大阪府 後手万年 '10）['13]

ヨセミテバレーの主役たち

動 物

　ヨセミテの広大な敷地には、標高などによってさまざまな種類の動物が生息している。特に森林の中に草原が散在し渓流が流れるヨセミテバレーは、動物や鳥たちの格好の住みかとなっていて、旅人の目を楽しませてくれる。

　ヨセミテロッジに宿を取り、朝ゴトゴトッという音で目を覚ましてみると、木の若葉を食べに来たミュールジカの角がロッジの壁に当たる音だったりする。夜になるとかわいいアライグマもロッジのそばへやって来るし、リスならいつでもお目にかかれる。カリービレッジでは、夕方になるとたくさんのコウモリが飛んでいる。

　開拓者がカリフォルニアを見つけた頃、ヨセミテの生態系の頂点に立っていたのはグリズリーベアだった。しかし害獣として徹底的に殺され、1920年代にこの地域からは絶滅してしまった。現在のヨセミテの主役はブラックベア。ヨセミテ

のブラックベアは茶色の個体が圧倒的に多く、黒いブラックベアはここでは珍しいそうだ。

　園内にはほかにヤマアラシporcupine、カワウソotter、テンfisher、ヤマネコbobcatなども生息しているが、いずれも滅多に人の前に姿を現すことはない。また、標高の高いハイシエラのトレイルではナキウサギpikaの姿を見ることもある。

野 鳥

　ヨセミテには264種の鳥が住んでいる。なかでも最も頻繁に姿を現すのは、コバルトブルーの鮮やかな羽をもったステラーカケス。また、世界で最も小さな鳥として知られるハチドリも花から花へと忙しく飛び回っているし、森の奥ではキツツキwoodpeckerのあのノックが響き渡っている。

英名のとおりジェイジェイとけたたましいステラーカケス

左上／大きな耳が印象的なミュールジカ
左下／バードウォッチングなら春と秋がおすすめ
右上／セコイアは園内の3ヵ所に生えている
右下／ノボロギクの仲間、Arrowleaf Groundsel

西海岸

ヨセミテ国立公園（カリフォルニア州）

低地の水辺から乾燥した亜高山帯まで、多様な植物が見られる

植物

　初夏のヨセミテは色鮮やかな花の群落で埋まる。オレンジ色のカリフォルニアポピーCalifornia Poppies、アザミThistle、湿地帯に咲くシューティングスターShooting Starは流れ星のようにスーッと伸びた茎の先にシクラメンに似た可憐な花をつける。白くて大きな花が見事なハナミズキDogwoodやライラックLilacなど、美しい花を咲かせる樹木も多い。

　しかし、何といってもヨセミテの植物といえば巨木セコイアだろう。公園南部のマリポサグローブにあるセコイアの森をお見逃しなく（→P.213）。

GEOLOGY
ヨセミテバレーの地理

　ヨセミテバレーはシエラネバダ山脈のほぼ中央に位置するU字型の谷で、深さは約1000m、幅1600m、長さは約11.5km。公園面積のたった数パーセントにすぎないこの谷の中に、ジョン・ミュアが言ったように「自然の造った最高の宝物が詰まっている」。氷河の彫刻した巨大な岩峰、清冽な雪解け水を集めた大小無数の滝と渓流、氷河の名残の湖などと、どれをとっても神秘的な雰囲気をもっている。

　この美しい景観ができるまでには、膨大なときの流れと想像を絶するエネルギー、そしていくつかの偶然が作用した。

　今からおよそ2500万年前、このあたりはなだらかな山で、そのなかをマーセド川がゆったりと流れていた。200万年前頃になるとマーセド川の浸食が進み、ヨセミテバレーは深いV字谷となった。やがてシエラネバダ山脈が隆起を始め、V字谷はますます深くなっていった。

　約7万年前、この渓谷は厚さ1000mの氷河に覆われた。氷河は東から西へ流れ、V字谷は氷河に削られて幅の広いU字谷に変化していった。

　約2万年前、地球は急速に温暖になって氷河は後退し、谷底に大きな湖が出現した。また、氷河がなくなって足場を失った河川は、氷河が削った1000mの絶壁から流れ落ちる滝となったのである。

　このようにして「神々の遊ぶ庭」といわれる現在の美しい姿ができあがったのだ。

ヨセミテアスターと呼ばれることもあるWestern Mountain Aster

FIRE INFORMATION

MANAGEMENT FIRE DO NOT REPORT

わざと山火事を起こして植物の生育を促すこともある

ブラックベアを殺さないで！

クマが殺されている。誰かが飲み残したジュースのせいで。誰かが置き忘れた口紅のせいで。

国立公園はどこも生態系の破壊に頭を悩ませているが、特にヨセミテではブラックベアが大問題になっている。人間の食べ物の味を覚えてしまったクマが、ビレッジやトレイルに頻繁に出没。やがてだんだん攻撃的になり、最悪だった2002年には、年間約1300台以上の車が原形をとどめないほどに壊された。

夜間だけでなく、キャンプ場などでは白昼堂々、人がいても闊歩している。そしてとうとう、座っているキャンパーの背後から手を伸ばしてテーブル上の食べ物を奪い去るクマまで現れた！ またカリービレッジでは、すぐそばに母子グマが住みついていて、多くのビジターが行き交う夜9時にシャワールームの前を歩いていたり、大きな子グマがテントキャビンひとつひとつの匂いを嗅いで回っていたりする。もしもその子グマが、ビレッジで食べ物を得られない日が何日も続けば、やがて必ず木の実などを探しに森の奥へ戻って行くだろう。しかし食べ物が手に入った場合、成長するに従ってさらに人間を恐れなくなり、そう遠くない将来、殺されることになるだろう。

今のところ、クマが人を襲ったことはほとんどなく（ひっかかれてケガをした人はいる）、人がいるときにテントやテントキャビンを破いて侵入したこともあるので、怖さはある。しかし、だからといって至近距離でクマが見られるなどと喜んではいけない。人間に近付きすぎたクマには哀しい最期が待っているのだ。

レンジャーは、いったんはクマを捕らえて山奥へ返すなどの措置を取るが、それでもビレッジに戻ってきたクマや、人を威嚇するなど危険と判断されたクマには、致死量の睡眠薬を投与している。レンジャーにとって最も過酷な業務だという。

いうまでもなく、問題はクマにあるのではない。彼らを死に追いやったのは私たちなのだ。ヨセミテを訪れる人すべてが、いくつかのことに気を配るだけで、数年と経たないうちにクマは山へ帰って行くはずだ。

特にテントキャビンに泊まるときには、食品の保管方法の規則を厳重に守ろう

重要！ 必ず守らなければいけないこと

まず、クマの嗅覚がとても発達していることを肝に銘じておこう。食品はもちろん、匂いのするものを夜間車内やキャンプ場に置きっぱなしにするのは厳禁。甘党の彼らは、ジュースの空き缶やガムにも興味を示す。セッケン、シャンプー、化粧品、歯みがき粉も×。食品を入れていた空のポリ袋などのゴミもダメ。チャイルドシートは食べ物やミルクの匂いが染み付いていることがあるので外しておこう。レンタカーの場合、前の使用者が食べ物のかけらを残していないか、トランクの中まで徹底的にチェックしよう。万一、匂いのするものを車内に置き忘れた場合、車をクマに壊されるだけでなく、**最高＄5000の罰金**も待っている。

危ないのは車だけではない。ピクニックテーブルでランチを食べるときや、ハイキング中の休憩でも、食べ物やバッグから目を離さないで。食べこぼしやゴミの始末にも気をつけよう。

口うるさいようだが、いずれもたいした手間がかかることではない。木の実や昆虫など本物のナチュラルフードの味をクマに思い出させるために、ぜひ実行したい。

もしもクマに出合ったら

カリービレッジやキャンプ場では、毎日毎晩クマが現れる。公園規則では50ヤード（45.7m）以上クマから離れなければいけないのだが、テントの前を悠然と歩いていたりするのだから、そうもいかない。ヨセミテのクマは冬眠中でも時々穴から出てくるので、冬も油断できない。

クマを見つけたときには金属の音を立てたりして追い払ってほしい、とレンジャーは言う。たとえ深夜でも、クマを追い払うための騒音なら遠慮なくどうぞ、というのがヨセミテのルールだそうだ。ただし、この方法はヨセミテのクマが極端に人馴れしているからこそ効果がある。ほかの場所では、騒音でクマを興奮させるとかえって危険なことが多いので、おすすめできない（→P.393）。また、ヨセミテの場合でも至近距離で出合ってしまったとき、特にこちらが1人きりのときには、興奮させないほうが無難である。

なお、大勢のパークレンジャーが頻繁にバレー内をパトロールしており、ゴム弾などを使ってクマを追い払っている。真夜中に叫び声や銃声が響くことがあるが、驚かないように。

グッドニュース！

パークレンジャーによる必死の啓蒙活動が功を奏し、訪問者の意識が向上したことによって、2012年のクマによる被害は1998年に比べて90％も減少した！ とはいっても、まだクマはビレッジを闊歩しているし、人間を恐れると

西
海
岸

ヨセミテ国立公園（カリフォルニア州）

本当においしくて安全な食べ物を森で探してね
©Tsuneo Yamamoto

キャンプ場などでは必ずフードロッカーを利用しよう

いうことを学んでいない。2012年のクマによる被害は114件あった。二度とブラックベアを殺さなくて済むように、ちょうどよい距離で彼らと付き合える日まで油断せずに頑張ろう。

ピューマの悲劇

　2003年10月、カリービレッジに2頭のピューマ（マウンテンライオン）が姿を現すようになった。本来ピューマは警戒心が強く、滅多に人の前に姿を現さないのだが、2頭はアライグマなどを獲ることを目的に頻繁にビレッジをうろつき、やがて人間を恐れなくなっていった。そしてある日、ピューマが人間にしのび足で近寄って行くのが目撃されたため、公園当局はこの2頭は危険と判断し、捕らえて安楽死させた。幼獣と母親だったという。

　ビレッジには、生ゴミを目当てに多くのアライグマが集まってくる。カリービレッジのテラスで食事をしていて、足元に突然、愛嬌のある顔が現れたという経験をもつ人も少なくないはず。そんなアライグマを目当てに、ピューマもやってきてしまったわけだ。ピューマを殺したのは、パンくずやビスケットのかけらを落とし

たり、ゴミを捨てたりした私たちなのだ。まして、食べ物を与えるなどもってのほか。ヨセミテのアライグマはペットではない。

リスにも気を付けて

　ヨセミテのリスはかなり強引になってきている。エサを与えるつもりがなくても、ほんの一瞬バッグを地面に置いただけで、あっという間に穴を開けて中から食物を奪われることがある。また、不用意に食べ物を持っていると手を噛まれることがあり、狂犬病も心配だ（→P.494）。ただし、追い払うときに、意図的でなくても危害を加えてしまうことのないよう、充分に気を付けたい。手を叩く、大声を出す、などが無難だろう。

カリフォルニアジリスは最も身近な野生動物だ

バレーとその周辺　　　　　　　　Yosemite Valley

双眼鏡をのぞいたらクライマーが見えるかもしれない

©Tsuneo Yamamoto

El Capitan
MAP 折込2枚目ウラ L-2
設備 トイレ

飛び降り禁止！
　エルキャピタン頂上からの飛び降りは禁止されている。といっても、パラシューティング（ベースジャンプ）の話だ。大変危険で事故が絶えないために禁止になったが、それでもレンジャーの目をかいくぐって飛び降りる挑戦者もいる。2004年9月に成功した2人の若者は、無事に着地できたものの、その場でレンジャーに逮捕され、すべての機材や撮影したビデオを没収されたうえ、1人＄2000の罰金刑を言い渡された

エルキャピタン　El Capitan

　バレー入口に君臨する、花崗岩としては世界最大の一枚岩。バレーに入り、ブライダルベール滝（CA-41）方面と分岐するとすぐに正面に見えてくる。谷底から1095mの高さに垂直にそびえているため、ロッククライマーの憧れの的にもなっている。夏には岩肌にへばりついているクライマーがたくさんいるが、岩壁があまりに大きいので、双眼鏡がないとほとんどわからない。普通は3〜6日かけて登攀するが、最短記録はなんと2時間23分！　最高齢記録は、10日間かけて登った81歳の男性だという。

　なお、春先に訪れたら、エルキャピタンのすぐ左側の絶壁から流れ落ちている**リボン滝Ribbon Fall**（落差491m）をお見逃しなく。リボンのようにねじれながら落下する美しい滝で、別名『処女の涙』とも呼ばれている。直瀑（→P.210）としては世界第4位の高さだが、流れる期間が5月中旬から6月上旬までと短いのが残念だ。

エルキャピタンはロッククライマーの聖地。日本人が最短登攀記録をもっていたこともある

🐾Native American
エルキャピタンを登ったシャクトリムシ　　～先住民の伝説より～

　ある暑い日、2頭の子グマが母グマに内緒で川へ泳ぎに行き、平たい岩の上で休んでいました。子グマたちが寝込んでしまうと、突然その岩がゆっくりと静かに、天に向かって伸び始めたのです。背の高い木を越え、雲を越えて……。
　一方、2頭がいないことに気づいた母グマは、あわてて動物たちに尋ね歩きました。するとツルが、岩の上で熟睡している子グマたちを見つけてくれました。母親は、2頭が目を覚ましたら驚いて岩から転げ落ちてしまうのではないかと、さらに心配になりました。
　哀れに思ったほかの動物たちが岩に登ろうと試みましたが、とても滑りやすく、登れる者は誰もいませんでした。みんなが諦めかけたとき、1匹のとても小さなシャクトリムシが名乗りを上げました。動物たちは、シャクトリムシが子グマを助けられるわけがないと思いましたが、シャクトリムシは、すぐさま岩を登り始めました。
　「トゥータック、トゥータック、トゥトカン・

オーラー」と口ずさみながら、つるつるした崖にひっつき、みるみる登っていったのです。地上からシャクトリムシの姿が見えなくなると、もはや彼を嘲笑する者はいませんでした。
　シャクトリムシが途中まで来たとき、突然、岩が燃え出しました。するとシャクトリムシは体をよじらせてジグザグに進みました。
　やがてシャクトリムシは頂上にたどり着き、2頭を起こすと、奇跡ともいえる誘導で子グマたちを母親の元まで送り届けたのでした。動物たちはこれを心から喜び、シャクトリムシの口ずさんだ歌を大きな声で歌いました。そして、シャクトリムシの功績にちなんで、この巨大な岩をトゥトカン・オーラーと名付けたということです。

絵本にもなっている有名な話だ

滝壺は足元が滑りやすいので充分に気を付けよう。ヨセミテに数ある滝のなかでも特に水量が多いため、秋でも涸れず、冬でも滅多に凍らない

西海岸

ブライダルベール滝
Bridalveil Fall

　エルキャピタンの向かい側にある。落差189m。細く柔らかな流れなので、風で吹き上げられると白い霧となって広がる。その様子が花嫁のベールのようなので、こんなロマンティックな名前が付いた。駐車場から10分ほど歩くと滝の真下へ出られる。途中のトレイル沿いに流れる絹のような渓流もまた美しい。

初級 Bridalveil Fall
適期▶3〜12月
距離▶往復800m
所要▶往復約20分
出発点▶バレーへ入って一方通行が始まったらすぐにCA-41へ右折し、すぐ左手の駐車場
MAP 折込2枚目ウラ L-2
設備 トイレ

バレービュー　Valley View

　ヨセミテを代表する絶景ポイント。マーセド川の流れを前景に、エルキャピタンとブライダルベール滝が絶妙のバランスで配されている。滝の奥にそびえる岩壁は**カテドラルロック Cathedral Rock**。その上に頭をのぞかせているのがセンチネルロック。氷河の彫刻の見事な業に心打たれる思いだ。

写真を撮るなら夕方がおすすめ

Valley View
MAP 折込2枚目ウラ L-1
設備 トイレ
　バレー入口にあるが、展望台はバレードライブの西行き（北岸）沿い。ごく小さな駐車場で、標識もないので見過ごさないよう注意。バレーフロア・ツアーなどでは必ず立ち寄る

センチネルロック　Sentinel Rock

　ビレッジの入口にそびえる巨大な一枚岩。春、バレーから見上げると岩壁の右手に**センチネル滝Sentinel Falls**が流れ落ちる。直瀑ではなく、急斜面を滑り落ちる滝だが、落差610mもある。バレードライブやフォー・マイル・トレイルからよく見えるが、たいへん細い流れで、初夏には姿を消してしまう。

Sentinel Rock
MAP 折込2枚目ウラ L-3

夕日に輝くセンチネルロック

春に訪れた人だけがお目にかかれるセンチネル滝

ヨセミテ国立公園（カリフォルニア州）

209

初級 Lower Yosemite Fall
適期▶年中
距離▶往復1.6km
所要▶往復約30分
出発点▶バレーシャトル#6
MAP P.202
設備 トイレ

夜の虹
　春の満月の頃にヨセミテを訪れたなら、夜、ロウアー滝へ行ってみるといい。運がよければ滝壺にLunar RainbowまたはMoonbowと呼ばれる夜の虹が現れることがある。滅多に見られるものではないが、とても幻想的な光景だそうだ

ヨセミテ滝　Yosemite Falls

　アメリカ最大の落差を誇る滝で、バレー全体に轟音をとどろかせる初夏の姿は、ヨセミテのシンボルの名に恥じない大迫力。岩壁の氷をバリバリと剥がしながら落下する春もダイナミックだ。アッパー滝（落差436m）、カスケード（206m）、ロウアー滝（97m）に分かれていて、合計すると落差739mで世界第8位。ヨセミテロッジのすぐ裏にあり、10分も歩けばロウアー滝の滝壺へ出る。ただし、真夏にはほとんど水量がなくなり、秋には涸れてしまうことが多い。

　バレー各所から眺められるが、特におすすめはロウアー滝トレイルヘッド。ここからだと3つの滝が縦に並んで見える。また、ビレッジ入口の**センチネル橋Sentinel Bridge**のすぐ北側や、グレイシャーポイントからも美しく見える。時間と体力があるなら、滝の上まで登ってみるのもいい（→P.220）。

上／水量の少ない時期には滝壺まで近付ける
右／落差だけを比較するとナイアガラの10倍以上ある

GEOLOGY

ヨセミテバレーの滝

　あまり知られていないことだが、世界の落差の大きい滝ベスト100のうちの5つが、ヨセミテバレーにある。なかには数段に分かれているものや、季節によって涸れてしまうものもあるが、とにかくヨセミテには大きな滝が多いのだ。雪解け水で水量が増える5、6月には、大小無数の滝が1000m近い絶壁のあちこちから流れ落ちて迫力満点。滝によって表情豊かなのもおもしろい。

世界でもトップ20に入るアッパー滝

落差の大きい滝トップテン

1.　979m　Salto Angel（ベネズエラ）
2.　948m　Tugela Falls（南アフリカ）
3.　818m　Utigordsfossen（ノルウェー）
4.　773m　Mongefossen（ノルウェー）
5.　771m　Catarata Gocta（ペルー）
6.　762m　Mtarazi Falls（ジンバブエ）
7.　755m　Kjelfossen（ノルウェー）
8.　739m　Yosemite Falls
9.　715m　Kjeragfossen（ノルウェー）
10.　671m　Salto Yutaj（ベネズエラ）
17.　580m　Sutherland Falls（ニュージーランド）
番外350m　称名滝（富山県）

　垂直に落下する直瀑がない滝や、極端に流れの細い滝、落下する期間が短い滝は除く。ひとつの直瀑だけで比較するとリボン滝（→P.208）が世界第4位、ヨセミテ滝のアッパー滝は18位

ハーフドーム　Half Dome

　ビレッジの奥に鎮座する、丸いドームを縦半分にスパッと切り落としたような岩壁。麓から頂上まで1443mもあり（標高は2693m）、見る角度によってかなり趣が違う。氷河に削られた岩肌には2万年の風雪に耐えてきた貫禄と存在感があり、喧噪のヨセミテバレーをじっと見下ろしている。バレー内では、センチネル橋からの眺めがいい。マーセド川とハーフドームが見事な調和を見せており、特に夕方には多くのカメラマンが集まる。もちろんグレイシャーポイントからの眺めは圧巻。東側から頂上へ登るトレイルがある（→P.218）。

ミラーレイク　Mirror Lake

　バレーの東端、最も奥にひっそりとたたずむ小さな湖。渓流に沿った平坦なトレイルを30分ほど歩くと、Mt. Watkinsを湖面に映す静かな湖に着く。湖岸から屹立する障壁はハーフドーム。見上げると首が痛くなるほどの高さだ。ここは、にぎやかなビレッジと、人間を容易に寄せつけないバックカントリーとの境界にある。ビレッジでは姿を見かけない動物たちに出合うチャンスも多く、さまざまな鳥のさえずりが耳に心地よい。特に早朝がおすすめ。ただし夏〜秋にかけて干上がってしまうことが多い。

風のない日には本当に鏡のよう

ハーフではなかった？

　きれいに半分に削ぎ落とされたように見えるハーフドームだが、地質学者の計算によると、氷河に削られた部分はドーム全体の8分の1にすぎないそうだ。
　なお、ハーフドームは氷河に削られたのではないという説がある。「氷河の厚みは最大でも1200mだったので、ハーフドームの頂が氷河に覆われたことはない。あの形のおもな成因は、凍結作用による岩盤の剥落」とする研究者もいる

初級 Mirror Lake
適期▶年中
距離▶往復3.2km
所要▶往復約1時間
出発点▶バレーシャトル#17
※湖を一周する平坦なトレイルは所要約2時間
MAP P.216、折込2枚目ウラ L-5
設備 トイレ

Reader's Voice

ミラーレイクに午前中に行くなら
　午前中にミラーレイクの「鏡」を感じたいのであれば、ぜひ、湖の南側のトレイルを歩いてみてください。太陽が南側にあるため、反対側の山々の景色が湖に写り込み、きれいなミラーを見ることができます。5月は水量も多いため、中州から南側は流れがほとんどなく、くっきりと見えました。
（愛知県　うさ　'12）

🪶Native American
ハーフドームの涙　〜先住民の伝説より〜

　大平原にティスザアクという女と、夫ナンガスが住んでいました。美しくて豊かな土地があると聞いたふたりは、ある日旅に出ました。ナンガスは弓と矢と棍棒を、ティスザアクはバスケットと赤ん坊を入れるゆりかごを持って。
　険しい山を越え、密林を抜け、幾日もかけてやっとの思いでヨセミテバレーにたどり着いたとき、疲れて果てたナンガスは自制心を失い、ティスザアクを棍棒で殴ったのです。突然の仕打ちにティスザアクは驚き、東のほうへ走り出しました。彼女が逃げた道を神は小川にし、バスケットから落ちた実を頑丈な樫の木にしました。
　ミラーレイクにたどり着いたティスザアクは、湖の水を1滴残らず飲み干しました。後から追いかけてきたナンガスは、これを見て呆然としてしまいました。そう、彼ものどが渇いていたのです。彼の怒りは頂点に達し、再び棍棒で妻を殴りました。逃げるティスザアクを執拗なまでに追いかけて殴り続ける姿を見て、神は嘆きました。そこでふたりは、神に問いかけました。
　「どうぞ神様、私たちをこの崖にして、しかも永遠に別れていられるよう、お互いの顔をそむけるようにしてください」
　ティスザアクがバスケットを放り投げると、落ちた瞬間、それはバスケットドームになりました。次にゆりかごを北側の渓谷に向かって投げると、それはロイヤルアーチへと姿を変えたのです。ナンガスはワシントンコラムとなり、ティスザアクはハーフドームになりました。ハーフドームの崖に残る筋は、ナンガスの虐待から逃れるときに流した、ティスザアクの涙のあとといわれているのです。

夕暮れどきは特に涙が際立つ

氷河が去った谷に深い深い森が
生まれた

Tunnel View
MAP 折込2枚目ウラ L-1

歩行者に注意
　CA-41でフレズノ方面か
ら来る場合、トンネルを出
てすぐ両側に駐車場があ
る。急停止することのない
よう、また横断する歩行者
にくれぐれも注意を

Glacier Point
MAP 折込2枚目ウラ L-4、
P.217
設備 トイレ、売店
　バレーから車で片道約1
時間15分。夏ならバスツア
ーも出ているし、半日がか
りでフォー・マイル・トレ
イルを歩いて登るという手
もある。展望台のはるか足
元にはビレッジやトレイル
があるので、石などを落と
さないように気をつけて。
また、ビレッジよりずっと
標高が高く、風も強いので、
真夏でも上着を忘れずに

ドライバーの方へ
　グレイシャーポイントへ
の道路は11〜5月頃の積雪
時は閉鎖される。開通は
2011年は5/27〜11/19、
2012年は4/20〜11/8だっ
た。また、急カーブが多く、
狭い箇所もある。大型バス
も通る道だが、山道に慣れ
ていない人が大きな車で
走るのは少々しんどいかも

Ranger Sunset Talk
集合▶夏期19:45
所要▶30分
場所▶グレイシャーポイン
ト
※時間は日没に合わせて変
更される。新聞で確認を

ハーフドームは角度によって鳥のヒナに見
える

トンネルビュー　Tunnel View ➡ 年中オープン

　バレーからグレイシャーポイントや公園南口へ向かう道（CA-41）を上って行くとワウォナトンネルWawona Tunnelがある。この入口にある展望台。バレーを埋める緑の木々と、ブライダルベール滝、エルキャピタンが一幅の絵のような風景を造り出している。アメリカでも指折りの絶景ポイントといっても過言ではない。足元に広がる大きな谷を、深い深い森を、銀色に輝く巨大な岩を、隅から隅までじっくりと眺めてみよう。そして気付いてほしい。トンネルビューからの比類のない美しさは、谷にひしめいているはずの人の気配がまったくといっていいほど感じられないことにあるのだと。

グレイシャーポイント　Glacier Point ➡ 積雪時閉鎖

　カリービレッジの頭上にそびえる絶壁のてっぺん。自然が造った標高2199mのパノラマ展望台だ。とにかく眺めは最高！正面にハーフドームが迫り、眼下には箱庭のようなバレーが広がる。春には、ハーフドームの向かいにそびえる**ノースドームNorth Dome**から雪解け水が落ち、虹の形をした**ロイヤルアーチRoyal Arch**で小さな滝となる。

　ハーフドームの後ろには**ネバダ滝Nevada Fall**（落差181m）と**バーナル滝Vernal Fall**（97m）が遠望できる。上流のネバダ滝は水量が多くて迫力がある。下のバーナル滝は爽快感がある。滝の背後に延々と続く白い山脈はシエラネバダ。バレーが公園面積のたった数パーセントにすぎないことを思い出させてくれる。

　ここはまた夕焼けスポットとしても人気だ。壮大なスペクタクルが終わると皆ぞろぞろと引き上げて行くが、ちょっと待って。闇に沈む前のほんの一瞬、ハーフドームの頂だけに紅が差すことがある。Sunset Talkに参加すると、この現象やヨセミテに伝わる伝説などについてレンジャーが説明してくれる。月に照らし出されたハーフドームがまた絶品なので、車がある人はお見逃しなく。

そのほかのエリア　　　　Outside of Valley

マリポサグローブ　Mariposa Grove ➡ 積雪時閉鎖

　バレーから南へ約1時間15分。公園の南端にある巨木セコイアの森。500本ある巨樹のなかでも**グリズリージャイアントGrizzly Giant**と名付けられた木が有名で、根元の直径8.7m、周囲28m、推定樹齢は2700年。この樹が芽を出した頃、日本はまだ縄文時代だったのだ！　何度も落雷を受けたために高さ63.7mで生長が止まり、17度傾いている。

　一般車は森の入口までしか入れない。あとは歩くか、トラムを利用する。トラムは駐車場から森の奥にあるミニ博物館まで往復している。たくさんのトレイルがつけられているので、帰りは巨木を見上げながら歩いて下りるといい。樹の精霊の声が聞こえるかもしれない。

　なお、マリポサグローブの駐車場は狭く、ピークシーズンには満車状態が多い。このため、公園南口ゲートとワウォナストアに予備の駐車場が設けられており、マリポサグローブまで無料のシャトルバスが往復している。ぜひ利用しよう。

少し離れて見ると傾きがよくわかる

Mariposa Grove
MAP P.192 C-2
設備 トイレ、売店、ロッジ
→P.223あり

Big Trees Tram Tour
予約☎(209)372-4386
運行 5～10月9:30～17:00まで20分ごと。所要1時間
料金 ＄26.50、5～12歳 ＄19。日本語ヘッドホンガイドあり

初級 **Grizzly Giant**
適期 ▶4～10月
距離 ▶往復2.6km
所要 ▶往復約1時間
標高差 ▶122m
出発点 ▶駐車場の奥

初級 **Grove Museum**
適期 ▶4～10月
距離 ▶片道3.5km
所要 ▶下り約1.5時間
標高差 ▶292m
出発点 ▶ミニ博物館

Ranger **Nature Walk**
集合 ▶夏期10:00、14:00
所要 ▶1.5時間
場所 ▶駐車場の奥

ヨセミテ国立公園（カリフォルニア州）

Wildlife

セコイア豆知識　その1

©NPS Historic Photograph Collection

マリポサグローブにあったトンネルツリー（1929年撮影）

　百科事典などで、根元をくり抜いて自動車が通っているセコイアの大木を見たことがあるだろうか。あのトンネルツリーはマリポサグローブにあったのだ。1875年に開けたトンネルのおかげですっかり有名になった代わりに、木は急激に弱ってしまった。そこへ1968年に2度の落雷を受け、翌年の大雪の重みでとうとう倒れてしまった。2000年もの長い間、森の王者であったセコイアの天敵、それはやはり人間だったのだ。

　この**Fallen Tunnel Tree**はミニ博物館のさらに奥にあり、トラムツアーで前を通る。

　また、グリズリージャイアントの近くには、やはり19世紀に根元に穴を開けられた**California Tunnel Tree**があり、哀れなことに、こちらは現在でも観光客が穴に入って記念撮影ができるようになっている。

火災とともに生きる森

　山火事はセコイアの天敵ではない。むしろセコ

イアの生長にとって山火事は欠かせないものなのだ。セコイアの樹皮はもともと燃えにくく火災に強い。幹には黒く焼け焦げた跡がたくさん見られるが、これは山火事に耐えて生き残ってきた証拠。さらに山火事は、森に密生した小さな植物や、地面に積もった枯れ枝を焼き払って、セコイアの苗に日光を浴びせる働きもしてくれる。

　ところが国立公園初期の頃、管理官たちは懸命になって山火事を消していた。その結果、日陰に育つ樹木が大きくなり、セコイアが生育しにくい環境になってしまった。

　そこで現在では、自然に起きた山火事は基本的に放置する姿勢をとっている。

　ただし、長期間にわたって火災が起きていない場所は、枯れ草が分厚く積もって森の活力が損なわれている。そのため、国立公園局が計画的に野焼きをして、樹木の世代交代を促進させることがある。春先の野焼きは、在来種より先に芽吹くことが多い移入種を駆逐する効果もあるという。

　このような野焼きが行われているときには、炎や煙が見える場所のあちこちに看板が立てられている。山火事と間違えて慌てないようにしよう。

（→P.239、263へ続く）

「独身貴族と三美神」と名付けられたセコイア

サイドバー（左列）

初級 Grove Museum
適期▶6〜10月
距離▶往復3.2km
所要▶約2時間
標高差▶150m
出発点▶駐車場

Tuolumne Meadow
MAP P.192 A-34
設備 ビジターセンター→
P.200、ロッジ→P.223あり

無料シャトルについて
バレーからのシャトルバスとは別に、トゥオルミミドウ・ロッジとオルムステッドポイントを結んで、夏の間だけ無料シャトルが走る。各展望台の混雑を緩和するための措置で、ビジターセンター、キャンプ場、テナヤ湖にも停車する

Hetch Hetchy
MAP P.192 A-1
CA-120のBig Oak Flat Entranceのすぐ外側からEvergreen Rd.へ入り、細い山道を30分ほど走るとダムへ出る。年中オープンしているが、10〜4月はチェーン規制が多い。夜間閉鎖

中級 Wapama Falls
距離▶往復8km
所要▶往復約3〜4時間
標高差▶ほとんどない
出発点▶ダム手前に車を置き、ダムを歩いて渡ったところにあるトンネル

峡谷の再生なるか？
現在、アメリカ各地でダムを撤去する動きが広がっているが、このヘッチヘッチー峡谷も元の姿に戻そうという運動がある。アメリカの自然保護運動の失敗のシンボルだが、自然再生のシンボルとなる日が来るのだろうか？ 詳細は
URL www.hetchhetchy.org

トゥオルミグローブ　Tuolumne Grove ➡ 積雪時閉鎖

マリポサグローブまで行く時間がない人におすすめ。バレーから北へ走り、クレーンフラットからタイオガロードへ入ってすぐ左。駐車場からだらだらの坂を下ると、セコイアの巨木が25本集まる森に出る。一周800mのトレイルを歩いてみよう。規模は小さいが、そのぶん静かに巨木と対話できるだろう。

トゥオルミミドウ　Tuolumne Meadow ➡ 積雪時閉鎖

花崗岩の山に囲まれたテナヤ湖

タイオガロード沿いに広がるハイカントリーと呼ばれる高原地帯。その中心となり、夏の間ハイカーでにぎわうのがトゥオルミミドウだ。バレーからのバス（→P.203）を上手に利用して、周囲の森に点在する湿原や、小さな湖を訪れてみよう。タイオガロードの途中にある**オルムステッドポイントOlmsted Point**からの雄大な風景や、澄みきった**テナヤ湖Tenaya Lake**もお見逃しなく。

ヘッチヘッチー　Hetch Hetchy ➡ 年中オープン

公園の北西の端にあるもうひとつの峡谷。ヨセミテバレーに劣らない美しい峡谷だったといわれるが、現在は半分が湖底に沈んでいる。北西ゲートから車で30分ほど走ると、1923年に完成した**オショーネシーダムO'Shaughnessy Dam**とトゥオルミミドウの水を集めた湖、ハーフドームに似た岩、湖に落ちる2本の滝などを見ることができる。

1901年、サンフランシスコの水需要に応えるためにダム計画がもち上がったとき、ジョン・ミュア（→P.198）らによって創設されたばかりのシエラクラブなど自然保護団体は猛反発。開発か保護かで全米の世論を二分する大論争となった。T・ルーズベルト大統領は保護派だったといわれるが、1913年、新たに大統領となったウィルソンがダム法案に署名。10年以上にわたった保護運動は敗北に終わった。

しかしこの失敗によって、当時の国立公園システムの欠陥が注目を浴び、1916年に国立公園局が発足する大きなきっかけになったといわれている。

20世紀に誕生したヘッチヘッチー貯水池。Tueeulala Falls（左上部）とWapama Falls（中央）まではトレイルもある

©Sierra Club

左上／1908年頃のヘッチヘッチー峡谷
左下／ダムの上は歩いて渡ることができる

ACTIVITIES アクティビティ

ハイキング — Hiking

ヨセミテはハイキングのメッカだ。花咲く湿原を歩く初心者コースから、何日もかけてシエラネバダ山脈を縦断するトレイルまで、全長1300kmのコースが整備されている。ビジターセンターではエリアごとに分けたハイキングガイドを配っているし、詳細なコースガイドが載った出版物も数多く売られている。ぜひ旅の1日を割いて、ハイキングコースのどれかを歩いてみよう。

バーナル＆ネバダ滝トレイル / Vernal & Nevada Falls Trail

ハーフドームの裏手にあるバーナル滝（落差97m）とネバダ滝（落差181m）まで歩いてみよう。ずっと渓流沿いの林を進むので、マイナスイオンとフィトンチッドがたっぷり！ ヨセミテバレーで最もポピュラーなコースなので夏は騒々しいほどだが、それでも歩く価値のある気持ちのよいトレイルだ。

青春の滝と呼ばれるバーナル滝

積雪と凍結に注意

ヨセミテのトレイルは、冬は積雪が多くて歩けないコースがほとんど。春や秋には凍結にも気をつけよう

中級 Vernal Fall Trail
適期▶5〜10月
距離▶往復4.8km
所要▶往復3〜4時間
標高差▶366m
出発点▶バレーシャトル#16
※このルートは別名、霧のトレイルMist Trailと呼ばれ、足場が濡れていることが多い。特に春から初夏にかけて、全身びしょ濡れになることもある
MAPP.217
簡易トイレ3か所（冬期閉鎖）

中級 Nevada Fall Trail
適期▶5〜10月
距離▶往復8km
所要▶往復5〜7時間
標高差▶580m
出発点▶バレーシャトル#16

ヨセミテ国立公園（カリフォルニア州）

Trail Guide

バーナル＆ネバダ滝トレイル

ヨセミテでちょっと長めのハイキングを楽しみたい、という人におすすめの手頃な人気コース。とはいっても後半にはかなりの急坂もあって、歩きごたえは充分ある。

バレーシャトル#16で降りたらマーセド川に架かる橋を渡り、右折してJohn Muir Trailを歩き始める。ここは48州最高峰ホイットニー山まで続くロングトレイルの起点でもあるのだ。

道は川に沿ってダラダラとした上りが続く。右前方の岸壁からはイリルエット滝Illilouette Fall（落差113m）が落ちているのが見えるだろう。やがて再びマーセド川を渡る橋に出る。簡易トイレがあり、目指すバーナル滝が上流に見えている。まだ序の口だが、体力に自信のない人、時間のない人は、このあたりで引き返すとよい。

この少し先でトレイルの分岐がある。直進して川沿いに登るMist Trailへ進もう。川が近づくにつれて上りは急になり、このトレイルのクライマックスが近づく。バーナル滝が轟音を響かせて落ちるすぐ目の前の急斜面に石段が刻まれており、滝の水しぶきを全身に浴びながら登って行く。ビショビショになっても天気がよければすぐに乾くが、カメラなど荷物があるときは、防水の備えは必須だ。足元は大変滑りやすく、特に下りはあぶ

ない。足回りには充分に注意を。これを登り切るとバーナル滝の上へ出る。大休止しよう。

時間があれば、ぜひネバダ滝まで行ってみたい。ここも初めはダラダラ坂、後半は急なスイッチバック。ハーフドーム・トレイルとの分岐点を過ぎるとまもなくネバダ滝の上に到着だ。バーナル滝の2倍の落差があって吸い込まれそうな迫力。手すりは最低限しかないのでくれぐれも注意を。

帰路は、滝の奥へ進んでジョン・ミュア・トレイルを下ろう。ネバダ滝＆リバティキャップがカッコよく見えるポイントがあり、高山植物も楽しめる。ミストトレイル経由より時間がかかるが、特に水量が多い時期のミストトレイルを下るのは危険をともなうので、こちらを通るのが賢明。

ネバダ滝の上まで上がってみよう

グレイシャーポイントからのパノラマ。ハーフドームのケーブルは岩の向こう側にある

ヨセミテバレーのトレイル

- シャトルバス
- 車道
- トレイル
- ビジターセンター
- ロッジ
- エルキャピタン・シャトルのバスストップ
- 展望台
- キャンプ場
- トイレ

Little Yosemite Valley
John Muir Trail
Half Dome Trail
ハーフドーム 2693m
ケーブル（夏のみ）
Basket Dome
ミラーレイク
North Dome
Washington Column
North Dome Trail
North Pines
Royal Arches
Lower Pines
Ahwahnee Hotel
Housekeeping
ビレッジストア
ヨセミテポイント
センチネル橋
ヨセミテ滝

KUROSAWA

ヨセミテ国立公園 （カリフォルニア州）

Merced River
ネバダ滝
リバティ
キャップ
2157m
橋
エメラルドプール
バーナル滝
クラークポイント
Mist Trail
John Muir Trail
Panorama Trail
橋 （夏のみ）
パソラマポイント
イリルエット滝
ハッピーアイル
ネイチャーセンター
（夏のみ）
グレイシャーポイント
2199m
▲ Upper Pines
Curry Village
Panorama Trail
ウオシュバーンポイント
Sentinel Dome Trail
（積雪期通行止め）
センチネルドーム 2476m
タフトポイント駐車場
Four Mile Trail （夏のみ）
Pohono Trail
Taft Point Trail
センチネルロック 2145m
タフトポイント
センチネル滝
Yosemite
Lodge

217

上級 Half Dome Trail

適期▶6〜9月
距離▶往復22.4km
所要▶往復10〜14時間
標高差▶1463m
出発点▶バレーシャトル#16
※頂上は落雷が多く、電流がケーブルを伝うので大変危険。また花崗岩は濡れると滑りやすく、ケーブルが滝と化すので、途中で雨に降られるのも怖い。天候には充分に注意を。例年、5月中旬〜10月中旬以外はケーブルが撤去され、一般の人には登攀は無理になる。
　なお、トレイルの後半は水場がないので、飲料水は多めに持とう。暗くなった場合に備えて懐中電灯と予備の電池を忘れずに
MAP P.216〜217

Half Dome Permits

☎(518)885-3639
Free 1877-444-6777
URL www.recreation.gov
　プレシーズン許可証（1日225名）は3/1〜3/31（2013年の場合）に申し込み、4/15に抽選が行われる。結果はメールなどで知らされる。第7希望まで選択できる。2012年の例だと、特に混雑している日（6月下旬の週末）は競争率14倍、空いている日（9月の平日）は競争率2倍以下だった。
　キャンセルが出た場合、ハイキング日の2日前の0:00〜13:00に抽選の受付が行われ、その日の夜に結果連絡メールが届く。毎日50〜80人程度はキャンセルが出るようだ
　抽選参加料はウエブサイト$4.50、電話$6.50。当選した場合、許可証$8。2日前までにキャンセルした場合、または当日にケーブルが架かっていなかった場合は、許可証代のみ払い戻し可

Reader's Voice

ハーフドームに登るなら
シャトル＃16手前のトレイルヘッドパーキングに車を止めて行くことをおすすめする。シャトルの運行を待たずに、夜が明ける前から歩けるし、12時間前後かかる行程でも、帰り道に日が暮れて焦ることにならずに戻れる。私は朝5時過ぎにパーキングに着いたが、満天の星を見ながら歩き始めるのも楽しかったし、ほかにもけっこう人がいて、暗くても怖いということもなかった。ヘッドライトを忘れずに。
（埼玉県　ゆみゆみ　'12）

218

ハーフドーム・トレイル　Half Dome Trail

　本書で紹介するトレイル中、最も厳しいコース。必ず事前に許可を取得し、早朝に出発しよう。ミストトレイル、バーナル滝を通ってネバダ滝を目指し、滝のすぐ手前で左折する。ほかのハイカーがくたびれて休んでいる地点だが、ここからが本格的なスタートとなる。

　ドーム頂上へのアプローチはとても急でハード。特に最後の120mは垂直かと思うほどで、幅90cmに設置された2本のケーブルをつかんで登ることになる。革手袋を持って行こう。昼前にはケーブルに挑むハイカーで大混雑するので、なるべく早い時間に上ってしまいたい。

　頂上は広く平坦で、もちろんバレーが一望できる。

ハーフドーム許可証 Half Dome Permits

　ハーフドーム・トレイルは非常に混雑しており、それまで20年以上にわたってケーブルでの死亡事故はなかったにもかかわらず、近年、死亡事故が相次いでいる。このため2010年から週末の許可制が導入され、現在は平日も含めた許可制が実施されている。

◎ハーフドーム手前のサブドーム以後の進入には事前に許可証取得が必要。現地では取得できない。レンジャーの目をかいくぐって許可証なしで入ると罰金＄5000以下、懲役6ヵ月以下

◎申し込みは左記ウエブサイトか電話で。日帰りハイカー用の許可証は1日225人分が発行される

◎許可証は譲渡禁止。もちろん売買やオークションも禁止

◎抽選の際に申告した名前は変更できない。当日ハーフドーム手前でレンジャーがチェックするので、パスポートを持参しよう

◎キャンセルは2日前まで可。キャンセル分の抽選は2日前に行われる

◎悪天候によってハーフドームに登れなくても、ケーブルが架かっていなくても、日付の変更や再発行はできない。ケーブルの設置・撤去日は流動的なので、5月、10月に行く人は注意しよう

◎ロッククライマーおよびバックカントリー・パーミットを取得している人は許可証不要

◎この制度は2014年夏も実施される予定だが、発行開始スケジュールは流動的なのでウエブサイトで確認しよう

左に見えるサブドームの手前でレンジャーのチェックがある

パノラマトレイル　Panorama Trail

グレイシャーポイントをスタートし、東側にあるパノラマピークやネバダ滝を経由してハッピーアイルまで下る展望コース。

行きはフォー・マイル・トレイルまたはツアーバスでグレイシャーポイントへ上り、帰りにこのトレイルを歩くのが一般的。3kmほど歩いたところにイリルエット滝の展望ポイントもある。

ネバダ滝からは、ミストトレイル経由でも、ジョン・ミュア・トレイル経由でも下りられる。

はるか足元にバーナル滝を見下ろして歩く

フォー・マイル・トレイル　Four Mile Trail

バレーからグレイシャーポイントまで上り3〜4時間、ひたすらスイッチバックが続く。キツイけれど、適度に日陰もあるし、エルキャピタンやヨセミテ滝がだんだんと目の高さに迫ってくる快感が味わえる。頂上での感激はひとしおだ。靴はしっかりしたものを、上着を1枚持って行こう。ラクをしたい人は片道だけツアーバスを使うといい。逆にもっと歩けるなら、帰りはパノラマトレイルで下ろう。

タフトポイント・トレイル　Taft Point Trail

高低差の少ないラクなトレイルで、レンタカー派におすすめ。グレイシャーポイントの少し手前にある駐車場から歩き出す。右へ歩くとセンチネルドーム、左へ歩くとタフトポイントだ。森の中をしばらく行くと、やがて視界が開け、エルキャピタン真正面の崖っぷちに飛び出る。勇気がある人は足がすくむほどの絶壁の縁に立つこともできるが、風のある日などはくれぐれも注意。

センチネルドーム・トレイル　Sentinel Dome Trail

標高2476mとグレイシャーポイントよりずっと高く、360度のパノラマが広がる絶景ポイント。最後に花崗岩のドームを登るが、ほかはほぼ平坦なトレイル。ただし日陰がないので真夏は暑い。なだらかな山頂にはアンセル・アダムスの写真で有名になったジェフリーパインがぽつんと立っていて、1977年に枯れたあとも絶好のオブジェクトとして写真家らに愛されていたが、2003年、ついに倒れてしまった。

センチネルドーム山頂からは、ハーフドームの向こうにハイシエラの山並みが遠望できる

中級 **Panorama Trail**
適期▶ 6〜10月
距離▶ 片道13.7km
所要▶ 下り5〜6時間
標高差▶ 975m
出発点▶ グレイシャーポイント
MAP P.217
設備 トイレ、売店

中級 **Four Mile Trail**
適期▶ 6〜10月
距離▶ 片道7.7km
所要▶ 上り3〜4時間
　　　下り2〜3時間
標高差▶ 975m
出発点▶ バレーのフォー・マイル・トレイル駐車場。エルキャピタンシャトルが停車する。歩いて行くなら、ヨセミテロッジから細いトレイルを進んで歩行者用の橋を渡り、突きあたりの車道を右折。しばらく行くとトレイルヘッドの駐車場に出る
MAP P.202、P.217
設備 トイレ

初級 **Taft Point Trail**
適期▶ 6〜10月
距離▶ 往復3.5km
所要▶ 往復2時間
出発点▶ グレイシャーポイント・ロードのタフトポイント駐車場
MAP P.217

Ranger **Ranger Walk**
集合▶ 夏期の水14:00
所要▶ 2時間
場所▶ タフトポイント駐車場

初級 **Sentinel Dome Trail**
適期▶ 6〜10月
距離▶ 往復3.5km
所要▶ 往復1〜2時間
標高差▶ 140m
出発点▶ グレイシャーポイント・ロードのタフトポイント駐車場
MAP P.217

ヨセミテ国立公園（カリフォルニア州）

上級 Upper Yosemite Fall Trail
適期▶4〜11月
距離▶往復12km
所要▶往復6〜9時間
標高差▶823m
出発点▶バレーシャトル#7
MAP P.202
設備 トイレ

Reader's Voice アッパー滝を近くで体感！
アッパーヨセミテ滝トレイルを途中まで登った。コロンビアロックまでだとアッパー滝は見えないが、さらに30分程度登ると、水しぶきを感じるほど近くに滝が見えて感動した。コロンビアロックまでは傾斜が急だが、コロンビアロックから滝が見えるまでの30分程度は最初の傾斜ほどきつくはないため、ぜひ、ここまで登ってみてほしい。
（愛知県 うさ '12）

初級 May Lake Trail
適期▶7〜10月
距離▶往復3.8km
所要▶往復2〜3時間
標高差▶145m
出発点▶オルムステッドポイントより3マイルほど西側から標識に従って側道へ入り、2マイルほど走った突きあたり
MAP P.193 A-3

中級 Cathedral Lakes Trail
適期▶7〜9月
距離▶往復11.3km
所要▶往復5〜8時間
標高差▶305m
出発点▶トゥオルミミドウ・ビジターセンターから西へ800mの駐車場
MAP P.193 A-3

アッパーヨセミテ滝トレイル　Upper Yosemite Fall Trail

　Camp 4の駐車場から出発し、世界で8番目に高い滝の頂上まで登るコース。1873年から4年をかけて造られたヨセミテ最古のトレイルのひとつだ。時間がなければ、約1.6km登った**コロンビアロックColumbia Rock**からバレーを一望して戻ってきてもいいだろう。
　トレイルは全体にスイッチバックの急坂が続く。滝に落ちて亡くなった人もいるので、トレイルを外れるのはあぶない。また後半は日陰がなく、夏はとても暑さが厳しいため、必ず飲料水を持参しよう。滝の真上へ着いてまだ余裕があったら、さらに1.6km先にある**ヨセミテポイントYosemite Point**まで往復してくるといい。

メイレイク・トレイル　May Lake Trail

　ハイカントリーで最も人気のあるトレイルで、タイオガロードの北側にひっそりとたたずむ湖を訪ねる。上り坂のトレイルを歩いて行くと、マウントホフマンMt. Hoffmann（標高3307m）を湖面に映す静寂に満ちた湖に出る。積雪が多く、シーズンが短いので注意。

山上の湖で静寂を満喫しよう

カテドラルレイクス・トレイル　Cathedral Lakes Trail

　トゥオルミミドウの奥にあるふたつの湖を巡るコースで、ジョン・ミュア・トレイルの一部でもある。奥にあるアッパーレイクはトレイル上にあるが、手前のロウアーレイクはトレイルから800mほど外れたところにある。**カテドラルピークCathedral Peak**（標高3335m）の鋭鋒がすばらしく、ハイシエラの雰囲気を味わうには絶好のコースだ。

Column

歩き出す前に心得ておきたいこと

　年間395万人の観光客が訪れるヨセミテでは、環境への悪影響が深刻化している。かけがえのない宝物が地球上から消えることのないよう、一人ひとりが細心の注意を払おう。P.36「とってもいいのは写真だけ。残していいのは足跡だけ？」とP.37「野生のものは野生のままに」を、ぜひもう一度読んでみてほしい。
　しつこいようだが、ブラックベア対策もお忘れなく。クマはトレイル沿いにも多数生息して

いる。ネバダ滝の近くでハイカーが目を離したすきに、食べ物の入ったリュックをクマに奪われる事件も起きているので気を付けよう。

野生の領域にお邪魔させてもらうという姿勢で歩こう

レンジャープログラム　　　Ranger-led Program

　年間を通してさまざまなレンジャープログラムが行われているので新聞で確認を。おすすめは、水彩やパステルなどテーマを決めて屋外で絵を描くArt Class、満月前後の夜にバレーを歩くFull Moon Walkなど。子供向けプログラムも多い。たいてい無料で参加できるが、なかには自然保護団体が主催する有料プログラムもあり、専門家を招いて行われるので人気が高い。一部、予約が必要なものもある。

サイクリング　　　Biking

　バレーには全長20kmのサイクリングトレイルが整備されている。ハーフドームやエルキャピタンを見上げながらペダルをこぐのは気持ちがよい。ビジターセンターでサイクリングマップをもらって走ろう。

ラフティング　　　Rafting

　マーセド川を6人乗りゴムボートで下るラフティングは、初夏だけの楽しみ。6〜7月（年による）に訪れたらぜひ挑戦してみよう。

川の水位によっては禁止されることもある

乗　馬　　　Horseback Riding

　4〜10月の間、ヨセミテバレー、トゥオルミミドウ、ワワォナからガイド付きの乗馬ツアーが出る。夏は混雑するので前日までに各ホテルのツアーデスクで予約を入れよう。

フィッシング　　　Fishing

　園内ではニジマスなどのフィッシングが楽しめるが、魚自体の数はあまり多くはない。マーセド川やタイオガロード沿いの湖などが狙い目。ライセンスはビレッジストア隣にあるスポーツショップなどで。

ロッククライミング　　　Rock Climbing

　カリービレッジのマウンテンショップでロッククライミングスクールを開催しており、岩登りの基礎から教えてくれる。エルキャピタンを見て闘志がわいてきたら、思いきって挑戦してみては？　要予約。

ウインタースポーツ　　　Winter Sports

　12月中旬〜3月下旬、グレイシャーポイントへ行く途中にある**バジャーパスBadger Pass**にスキー場がオープンする。州内最古のスキー場だそうだ。バレーから無料シャトルあり。リフト5本の初中級者向けゲレンデで、スノーボードも可。レストラン、スクール、レンタルあり。ガイド付きクロスカントリーツアーや、スノーシュー（カンジキ）を履いて森を散策するレンジャーツアーも人気。満月前後の夜にも行われる。いずれも用具一式は現地で借りられる。

　また、11月中旬から3月上旬まで、バレーのカリービレッジに**アイススケートリンク**がオープンする。月の光に照らし出されたハーフドームを眺めながらのひと滑りはよい思い出になるだろう。

Ranger　**Art Class**
集合▶夏期の金〜日 10:30
所要▶4時間
場所▶ビレッジストアの南隣にあるArt Center。要予約

Rental Bike
　貸し自転車はヨセミテロッジか、カリービレッジのレンタルセンター（バレーシャトル#13A）で。1時間 $11、1日 $31.50。4〜10月のみ。ハイキングトレイルなどをマウンテンバイクで走るのは禁止。また車道に出ると危険な箇所もあるので注意

Rafting
　カリービレッジのレンタルセンター（#13A）で。ライフジャケット込みで1人 $28.50、12歳以下 $23.50。体重22.7kg未満の子供は不可

Horseback Riding
　バレーの厩舎（#18）
予約☎(209)372-8348
料2時間 $64、4時間 $85
※7歳未満、身長134cm未満、体重102kg以上不可

Fishing
　シーズンは4月最終土曜〜11月中旬。漁獲量や場所などに制限があるので、ビジターセンターで確認を

Mountaineering School
☎(209)372-8344
時4月中旬〜10月上旬の毎日8:30から約7時間
料1人 $148〜

Badger Pass Ski Area
料リフト1日券 $47
ゲレンデ情報
☎(209)372-8430
道路＆気象情報
☎(209)372-0200

Ranger　**Snowshoe Walk**
集合▶10:30
所要▶2時間
場所▶スキー場

Ice Skate Rink #13A、21
時月〜金　15:30〜18:00
　　　　　19:00〜21:30
　土・日・祝　8:30〜11:00
　　　　　12:00〜14:30
　　　　　15:30〜18:00
　　　　　19:00〜21:30
料 $9.75、12歳未満 $9、シューズレンタル $4

ACCOMMODATION 🏠 宿泊施設

園内で泊まる

ヨセミテの宿泊施設は超一流ホテルからテントキャビンまでいろいろあり、予約は下記で1年前から受け付けている。夏は非常に混雑し、ピークシーズンの予約は半年前にはいっぱいになってしまう。

ロッジではバルコニーに食べ物を置かない、ドアや窓を開けっぱなしにしない、というのがヨセミテの鉄則。また、ロッジ周辺には人なれしたアライグマが多いが、アライグマはアメリカでの狂犬病感染源ナンバーワンなので、子供が手を出したりしないように注意を。

DNC Parks & Resorts ☎ (801)559-4884
URL www.yosemitepark.com
受付 月〜金 7:00〜20:00／土・日 7:00〜19:00(PST) カード A D J M V
※2012年夏、Curry Villageのテントキャビン宿泊客がハンタウイルス肺症候群(→P.495)に感染し、2名が亡くなった。園内では2000年と2010年にも感染者が出ており、客室のドアを開けっぱなしにしないなどの注意が必要。もしもキャビンやテントの中で野ネズミを見つけたら、自分で追い出したりせず、すぐにスタッフに報告しよう

🏠 Ahwahnee Hotel

1927年に完成したアメリカ屈指のリゾートホテル。ハーフドーム、ヨセミテ滝両方が見える最高の位置に建つエレガントなホテルで、デザインも素敵。花崗岩やマツ、モミなど、すべてヨセミテバレーで調達できる材料で造られている。アメリカ人でも「一生に一度は泊まってみたい」と憧れの的だが、料金があまりに高いこともあって比較的予約は取りやすいようだ。Wi-Fi無料。123室。

MAP P.202 on off $443〜523

シャトルバスに乗ってわざわざ見に行く価値のある、威厳に満ちたホテルだ

確かに重厚な造りで雰囲気はいいが、税込1泊$500以上の値段に見合うかは疑問。部屋は広いわけではないし、掃除も雑でホコリが溜まっていた。しいてよい点を言うなら、アフタヌーンティーと朝のコーヒー、紅茶のサービスがあるくらいだ。(静岡県 匿名希望 '12)

🏠 Yosemite Lodge

ヨセミテ滝に近くて便利。園内で最大の収容人数をもつロッジで、エアコンがないことを除けば、一般のホテルと変わらない設備が整っている。部屋のタイプも多彩。Wi-Fi無料。250室。

MAP P.202 on off $123〜220

バルコニーからヨセミテ滝が見える部屋もある

🏠 Curry Village

グレイシャーポイントの足元に広がる林の中にキャビンがずらりと並ぶ。ツアーデスク、カフェテリア、ストア、プールまであってにぎやか。駐車場やキャビン周辺は真っ暗なので懐中電灯は必携だ。共同トイレとシャワー(部屋の鍵を見せれば無料)は2ヵ所にある。

●**ホテルルーム**
18室。バス付きのダブルルーム。暖房あり。
●**キャビン** 木造のシンプルなキャビンで、バス付き56棟、バスなし80棟。バス付きキャビ

ヨセミテらしさを感じられるおすすめの宿

ンは非常に人気
が高く、夏でも
暖房が使える。
バスなしキャビ
ンにはベッドが
あるだけで、洗
面台も何もな

なんと19世紀から営業している

い。シーツ、毛布、バスタオルは用意され
ている。暖房はあるが、夏期は使えない。
●**テントキャビン** 319棟。木製フレーム
にキャンバス（帆布）をかけたもので、中
にはベッドがあるだけ。シーツ、毛布、バ
スタオルは用意されている。チェックイン
すると、入口の南京錠の鍵と、クマ対策の
鉄製フードロッカーの鍵を渡される。夏で
も明け方は冷え込むので毛布1枚では寒
い。着込んで寝る、寝袋を併用するなど工
夫を。ヒーター付きテントキャビンもある
が、5月中旬〜10月上旬は暖房は利用で
きない。また、電灯はあるが、ほかの電気
製品は使えない。

MAP P.202　ホテルルーム **on** $192　**off** $145〜
165　バス付きキャビン **on** $196　**off** $147
バスなしキャビン **on** $147　**off** $120　テント
キャビン **on** $80〜124 **off** $40〜70
※クマの出没が多いため、屋外での飲食は禁止。
　ホテルルームとキャビンの場合、食品や化粧
　品はすべて室内に持ち込まなくてはならない。
　決して車内に残してはならない注意。逆に
　テントキャビンの場合、室内に食品などを置
　きっぱなしにするのは禁止。また決してテント
　キャビン内外で飲み食いしてはいけない。次に
　使う人の命がかかっていると心得よう。　フー
　ドロッカーはシャワー室の周囲などにまとめて
　設置されており、各テントキャビンの番号に対
　応している。大きさは奥行52cm×幅90cm×高
　さ58cm。この中にすべての食品と化粧品など
　が入るように、荷物を調整しておこう

🏠 Housekeeping Camp

ヨセミテビレッジとカリービレッジの中
間の川沿いにある。キャンプ場に準ずる施
設で、ヨセミテで最も安く泊まれるところ。
壁3面と床がコンクリート、壁1面と天井
がキャンバスという建物で、中には2段ベ
ッドとテーブルがあるだけ。雨がしのげれ
ばいいという人向け。シャワーとコインラ
ンドリーはいつも混雑している。266棟。

MAP P.202　**on** 4人まで$100　夏期のみオープン。
貸し毛布＆シーツあり。各サイトにクマ対策のフー
ドロッカーと調理用グリルあり

🏠 White Wolf Lodge

タイオガロードの途中にある。木製フレー
ムにキャンバスをかけたテントキャビン
が24棟ある。電気はなく、代わりに薪ストー
ブとロウソクがある。シーツ、毛布、バ
スタオルは用意されている。

MAP P.192 A-2　テントキャビン **on** $124　6月下
旬〜9月上旬のみオープン。レストランあり。フー
ドロッカーの大きさは奥行43×幅124×高さ43cm

🏠 Tuolumne Meadows Lodge

タイオガパスの近くにあり、バレーから
車で1時間30分ほどかかる。4人まで泊
まれるテントキャビンが69棟。木製フレー
ムにキャンバスをかけたもので、電気はな
く、代わりに薪ストーブとロウソクがある。
シーツ、毛布、バスタオルは用意されてい
る。

MAP P.193 A-4　**on** $124　6月上旬〜9月上旬のみ
オープン。レストランあり。フードロッカーの大き
さは奥行43×幅124×高さ43cm

🏠 Wawona Hotel

ヨセミテバレーから車で南へ45分。マリポ
サグローブの手前にある。1日1便、ヨセミテロッ
ジから無料シャトルあり。1879年建造という
園内最古の木造ホテルで、白いビクトリア調。
ロマンティックな雰囲気をお好みの方には最
適。4〜11月のみオープン。電話、TVなし。朝
食バフェ込み。Wi-Fi無料。ゴルフ場あり。104
室。

MAP P.192 C-2　バス付き **on** $227　**on** $180
バスなし **on** $154　**on** $110

バレーから離れているが、落ち着いたリゾートの雰囲気
で根強い人気がある

キャンプ場に泊まる

　ヨセミテはキャンプ天国。バレー内に4ヵ所（414サイト）、公園全体で13ヵ所（1410サイト）ものキャンプ場がある。しかし、それを上回る人気で、予約ができる6ヵ所のキャンプ場は予約初日からいっぱいになるという。

　早い者勝ちのキャンプ場も朝のうちにいっぱいになってしまうので、とにかく早く着くことだ。

MAP ☎ (518)885-3639　Free 1877-444-6777
URL www.recreation.gov　3〜10月7:00〜21:00、
11〜2月7:00〜19:00(PST)
※予約は5ヵ月前の15日から（例えば7/15〜8/14の予約は3/15から）。詳しくは→P.482

●クマに厳重注意!!
　キャンプ場には昼間でもクマが現れるので、決して油断してはいけない。匂いのあるものはすべてフードロッカーへ。大きさは、奥行83×幅114×高さ45cm。

ヨセミテのキャンプ場 （2013年）

キャンプ場名（# はバレーシャトル）		シーズン	バレーからの距離（マイル）	サイト数	期のみ要予約	予約要または夏	1泊料金	は要煮沸	水道	は要煮沸トイレ	トイレ	ゴミ捨て場	シャワー	ランドリー	ストア
バレー内	North Pines (#18)	4月上旬〜9月下旬	0	81			$20		●		●		●	●	●
	Lower Pines (#19)	3月〜10月	0	60			$20		●		●		●	●	●
	Upper Pines (#15)	年中オープン	0	238	▲		$20		●		●		●	●	●
	Camp 4 (#7)	年中オープン（テントのみ）	0	35			$5		●		●		●		●
Wawona（ワウォナ）		年中オープン	27	93	▲		$20		●		●	▲			●
Bridalveil Creek(グレイシャーポイント手前)		7/12〜9/9	25	110			$14		●		●				
Hodgdon Meadow（北西ゲート近く）		年中オープン	25	105	▲		$14		●		●	▲			
Crane Flat（CA-120沿い）		7/12〜10/15	17	166	▲		$20		●		●				●
タイオガロード	Tamarack Flat	6月下旬〜9月中旬	23	52			$10	▲		▲					
	White Wolf	7月上旬〜9月上旬	31	74			$14		●		●				●
	Yosemite Creek	7月上旬〜9月上旬	35	75			$10	▲		▲					
	Porcupine Flat	7月上旬〜10月中旬	38	52			$10	▲		▲					
	Tuolumne Meadows	7/12〜9/26まで	55	304	※		$20		●		●		●		●

▲夏期のみ　※ Tuolumne Meadows は 50%が要予約、残りは先着順

近隣の町に泊まる

　最も近いのは、ヨセミテバレーからワウォナへ向かい、グレイシャーポイントへの分岐を過ぎてすぐに右へ入ったYosemite West。公園に隣接した私有地に9軒のB&Bなどがある。車がないと行けないが、静かな森の中にあるので散策も楽しい。

　車がない人はCA-140沿いのEl Portal、Midpines、Mariposaが便利。バレーとの間をYARTSのバス（→P.194）が走っている。また70マイル離れたマーセドにも約20軒のモーテルがある。

　南口ゲートの外側、CA-41沿いにはFish Camp、Oakhurstに数軒ずつ、フレズノまで行けば50軒以上のモーテルがある。

ヨセミテウエスト　Yosemite West, CA 95389　ヨセミテバレーまで約10マイル　9軒

モーテル名	住所・電話番号など	料金	カード・そのほか
Yosemite Peregrine B&B	住7507 Henness Circle ☎(209)372-8517　Free 1800-396-3639　FAX (209)372-4241 URL www.yosemiteperegrine.com	on off $250〜280	M V 全3室だが、隣に家族向けロッジあり。朝食込み。Wi-Fi無料。全館禁煙。2泊以上のみ
Yosemite West High Sierra B&B	住7460 Henness Ridge Rd. ☎(209)372-4808 URL www.yosemitehighsierra.com	on off $260〜310	M V フルブレックファスト付き。全館禁煙

エルポータル
El Portal, CA 95318　西口ゲートまで1～8マイル　3軒

モーテル名	住所・電話番号など	料　金	カード・そのほか
Cedar Lodge	住9966 Hwy.140　☎(209)379-2612 FAX(209)379-2818　Free1888-742-4371 URLwww.stayyosemitecedarlodge.com	on $160～200 off $80～120	AMV　YARTSが停車する
Yosemite View Lodge	住11136 Hwy.140　☎(209)379-2681 FAX(209)379-2818　Free1888-742-4371 URLwww.stayyosemiteviewlodge.com	on $189～469 off $179～459	AMV　YARTSが停車する

ミッドパインズ
Midpines, CA 95345　西口ゲートまで23マイル　3軒

モーテル名	住所・電話番号など	料　金	カード・そのほか
Bear Creek Cabins	住6993 Hwy.140　☎(209)966-5253 Free1888-303-6993 URLwww.yosemitecabins.com	on off $99～139	エルポータルとマリポサの間。YARTSが停車する。4室。キッチン付き
Yosemite West/ Mariposa KOA	住6323 Hwy.140 ☎(209)966-2201　Free1800-562-9391 URLkoa.com/campgrounds/yosemite-west	on off $68～155	AMV　3月中旬～10月下旬の営業。4人～6人泊まれるキャビンのみ。トイレ別もあり。キャンプサイトとRVパークあり
Yosemite Bug Lodge & Hostel	住6979 Hwy.140　Free1866-826-7108 ☎(209)966-6666　FAX(209)966-6667 URLwww.yosemitebug.com	on off $75～155 テントキャビン$45～75 ドミトリー$25	AMV　YARTSが停車する。森の中にさまざまな客室棟が点在する。キッチン、レストラン、スパ、コインランドリーあり。Wi-Fi無料

マリポサ
Mariposa, CA 95338　西口ゲートまで30マイル　18軒

モーテル名	住所・電話番号など	料　金	カード・そのほか
Mariposa Lodge	住5052 Hwy.140　☎(209)966-3607 FAX(209)742-7038　Free1800-966-8819 URLwww.mariposalodge.com	on $129～149 off $59～69	AMV　町の中心部にある。Wi-Fi無料
Best Western Plus Yosemite Way Station	住4999 Hwy.140　☎(209)966-7545 FAX(209)966-6353　Free1800-780-7234 日本Free0120-56-3200 URLwww.yosemitebestwestern.com	on $152～160 off $70～80	ADJMV　CA-140 & CA-49の角。朝食付き。Wi-Fi無料。全館禁煙
Miners Inn	住5181 Hwy.140　☎(209)742-7777 FAX(209)966-2343　Free1888-516-1372 URLwww.yosemiteminersinn.com	on $159～199 off $65～103	AMV　CA-140とCA-49の角。朝食付き。レストランあり。Wi-Fi無料

フィッシュキャンプ
Fish Camp, CA 93623　南口ゲートまで2マイル　7軒

モーテル名	住所・電話番号など	料　金	カード・そのほか
Tenaya Lodge	住1122 Hwy.41　☎(559)683-6555 Free1888-514-2167 URLwww.tenayalodge.com	on $315～520 off $129～225	ADMV　高級リゾートホテル。スパあり。冷蔵庫あり
Narrow Gauge Inn	住48571 Hwy.41　☎(559)683-7720 FAX(559)683-2139　Free1888-644-9050 URLwww.narrowgaugeinn.com	on $145～248 off $79～109	AMV　南口から5マイル。全館禁煙。朝食付き。本格的なレストランあり

オークハースト
Oakhurst, CA 93644　南口ゲートまで12マイル　18軒

モーテル名	住所・電話番号など	料　金	カード・そのほか
Days Inn	住40662 Hwy.41　☎(559)642-2525 FAX(559)658-8481　Free1877-642-2525 URLwww.daysinn.com	on $170～188 off $62～70	AJMV　町の北外れ、CA-41沿いにある。朝食付き。Wi-Fi無料。全館禁煙
Comfort Inn	住40489 Hwy.41　☎(559)683-8282 FAX(559)658-7030　Free1877-424-6423　日本Free0053-161-6337 URLwww.comfortinn.com	on $170～250 off $70～100	ADJMV　町の北、CA-41沿い。朝食付き。冷蔵庫あり。Wi-Fi無料。全館禁煙
Best Western Yosemite Gateway	住40530 Hwy.41　☎(559)683-2378 FAX(559)683-3813　Free1888-256-8042 日本Free0120-56-3200 URLwww.yosemitegatewayinn.com	on $150～210 off $65～110	ADJMV　町の北、CA-41沿い。室内温水プール、スパ、コインランドリーあり。Wi-Fi無料。全館禁煙

リーバイニング
Lee Vining, CA 93541　東口ゲートまで10マイル　7軒

モーテル名	住所・電話番号など	料　金	カード・そのほか
Lake View Lodge	住51285 Hwy.395　☎(760)647-6543 Free1800-990-6614 URLwww.bwlakeviewlodge.com	on $122～269 off $59～139	AMV　US-395 & CA120の角。コーヒーショップあり。コインランドリーあり
Murphey's Motel	住51493 Hwy.395　☎(760)647-6316 Free1800-334-6316 URLwww.murpheysyosemite.com	on off $58～133	AMV　町の中心、US-395沿いにある。全館禁煙

パノラマ街道——国道 395 号線

　ヨセミテのタイオガロードから東へ走ると、US-395に突きあたる。この国道沿いには数多くの見どころがあり、デスバレーに抜ける人はもちろん、ここだけを目的に訪れる人も多い。シエラネバダ山脈の眺望がすばらしいので、ただ走り抜けるだけでも気持ちのよいドライブが楽しめる。

Lone Pine付近からはマウントホイットニーを眺められる。登山口 Whitney Portalまで車で上がるともっとよく見える

🚐 ボディ Bodie

☎ (760)647-6445　URL www.parks.ca.gov
🕐 夏期9:00〜18:00、冬期9:00〜15:00　💰1人$7、16歳以下$5

　西部劇の世界へタイムスリップしたようなゴーストタウン。1880年代にゴールドラッシュに湧いた町で、住宅、酒場、教会など200もの建物が残っている。行き方は、リーバイニングからUS-395を18マイル北上し、CA-270へ右折して13マイル。片道約45分。最後の3マイルは未舗装だが、夏なら普通車でOK。ただし標高2500mもあり、夏以外は積雪や凍結が多いので事前に確認を。

1万人もの金鉱掘りがひしめき、殺人も強盗も日常茶飯事だったという

🚐 ジューン・レイク・ループ・ロード June Lake Loop Road

☎ (760)648-7584
URL www.junelakechamber.com

　シエラネバダの山裾に延びる周遊道路。ルート沿いに4つの湖があり、湖畔には別荘が点在する。リゾートホテルなど宿泊施設も19軒ある。秋にはアスペンの黄葉が見事。リーバイニングからUS-395を南へ5マイルほど走ったところでCA-158へ。14マイルで再びUS-395に合流する。

シエラネバダに雪がある季節に走ってみたいジューン・レイク・ループ・ロード

🚐 モノレイク Mono Lake

☎ (760)647-6331　URL www.parks.ca.gov
💰1人$3

　四方を山に囲まれ、流れ出す川がないために塩分濃度が高く、特殊なエビやハエだけが生息する。南岸のSouth Tufaに立ち並ぶ奇岩、**トゥーファータワー Tufa Tower**で知られる。このタワーはもともと湖

石灰分の堆積によってできたタワーは、高さ10メートルにもなる

©Masatoshi Koide

中で成長していたが、1941年、ロスアンゼルスの水需要をまかなうために湖からの取水が始まり、水位が半分に下がったために湖上に姿を現したもの。同時に塩分濃度は2倍になり、生態系は大きく崩れてしまった。現在は環境を元に戻す取り組みが行われている。

リーバイニングからUS-395を南へ5マイルほど走り、June Lake Loop Rd.のジャンクションを過ぎたらすぐにCA-120へ左折。5マイルほど走り、未舗装路へ入ったところにある。

ちなみに、US-395をさらに125マイル南下してLone Pineを過ぎると、左手に白い砂漠が現れるが、これは取水のせいで干上がったOwens Lake。現在では砂嵐の被害を軽減するため、逆にわざわざ水を撒いているという。デスバレーへの道路からもよく見える。

🚐 マンモスレイク Mammoth Lakes

☎(760)934-2712　URL www.visitmammoth.com

スキー場としても有名なリゾート。夏期ならヨセミテからYARTSのバスも走る。US-395からCA-203へ入ってしばらく走ると、モーテルやレストランが建ち並ぶにぎやかな町に出る。そのまま直進して、湖巡りのドライブを楽しもう。

時間があったら**デビルスポストパイル国定公園 Devils Postpile NM**へも行ってみたい。マグマが冷えて固まった六角柱の玄武岩の奇観が見られる（オープンは6〜9月頃。6/29〜9/5は途中でシャトルバスに乗り換える。$7）。

デビルスポストパイルは東尋坊やデビルスタワーと同じく柱状節理の典型だ

©NPS

©Masatoshi Koide

🚐 マンザナール国定史跡
（日系アメリカ人収容所跡）Manzanar NHS

☎(760)878-2194　URL www.nps.gov/manz
🕐4〜10月9:00〜17:30、11〜3月〜16:30
🚫12/25　💰無料

マンモスレイクから南へ約90マイル走った、US-395沿いにある。真珠湾攻撃の6ヵ月後、1万人以上の日系アメリカ人が土地や財産を奪われ、ここへ連れて来られて、不自由な生活を強いられた。

キャンプ地、墓地、慰霊碑などを見て回ることができる。毎年4月には元抑留者の集いが催される

227

セコイア&キングスキャニオン国立公園

カリフォルニア州 ／ **MAP** 折込1枚目 C-1

セコイアの巨樹はぶ厚い樹皮のおかげで山火事にも耐えて生きる

©USPS
1978年発行の切手

『山を歩き、良いものを取り込もう。日差しが木々に降り注ぐように、自然は安らぎを与えてくれる。風は心地よく、落ち葉が舞うように私たちの心配事もどこかへ吹き飛ばしてくれる……』

　シエラネバダの山中に隣接する、このふたつの国立公園には、ナチュラリスト、ジョン・ミュアが称えたとおりの自然が息づいている。樹齢2000年の巨木の森をさまよい、白い花崗岩の巨人たちに見下ろされながら草原を歩く。太陽の、木々の、草花の、風の、清らかな水の流れの、鳥や動物たちの、すべての自然の優しさを体いっぱいに感じることのできる公園だ。1890年に誕生した、アメリカで2番目に古い国立公園。ゆっくりと歩き回ってみよう。

車で通れるほどでっかい！

Sequoia & Kings Canyon National Parks ★

California

セコイア＆キングスキャニオン国立公園（カリフォルニア州）

ACCESS　　　行き方

ヨセミテ国立公園に比較的近い場所にありながら、交通の便は悪い。公共の交通機関はほとんどなく、レンタカーが頼りとなる。

ふたつの公園は南北に隣接していて、見どころは西側に集中している。**公園の東半分はシエラネバダ山脈。これを横切る道路は園内にはない。**

ゲートシティは**フレズノFresno**。町も空港も大きく、レンタカー会社も揃っていて便利だ。ヨセミテと合わせてドライブを楽しもう。

飛行機　　　　　　　　　　　　　　Airlines

Fresno Yosemite International Airport（FAT）

サンフランシスコ、ロスアンゼルスをはじめとして全米各地からのフライトがたくさんあって便利。大手レンタカー会社のカウンターも揃っている。詳しくは→P.191。

長距離バス　　　　　　　　　　　　　　Bus

ロスアンゼルスとサンフランシスコorサクラメントを結ぶグレイハウンドがフレズノに停車するので、ここでレンタカーを借りる。

また、シャーマン将軍の木など公園南部だけ見られればいいのであれば、**バイサリアVisalia**（LAから1日4便）で下車してシャトルバスを乗り継いで観光するという手もある。

鉄　道　　　　　　　　　　　　　　Amtrak

ロスアンゼルスとサンフランシスコを結ぶ列車**サンホアキン号San Joaquins**がフレズノに停車する。詳しくは→P.195。バイサリアへ行くにはHanford駅から接続バスに乗り換えなければならない。前述のバイサリアシャトルを使うならグレイハウンドを利用したほうが便利だ。

DATA

時間帯▶太平洋標準時 PST
☎(559)565-3341
URL www.nps.gov/seki
開▶一部は積雪期閉鎖。そのほかの方法は24時間365日オープン
通期▶5～10月
料▶両公園共通で車1台$20。そのほかの方法は1人$10
国立公園指定▶1890年（セコイア）、1940年（キングスキャニオン）
面積▶3504km²
（東京都の1.6倍）
入園者数▶157万人
園内最高地点▶4418m
（Mt. Whitney山頂。48州最高峰）
哺乳類▶90種
鳥　類▶212種
両生類▶13種
魚　類▶11種
爬虫類▶24種
植　物▶約1200種

バイサリアシャトル

Free 1877-287-4453
料▶入園料込みで往復$15
運行▶5月下旬～9月上旬、1日4往復

バイサリアの8軒のホテルとジャイアントフォレスト博物館を結んでいる。園内のシャトルバス（→P.233）に乗り継げば、シャーマン将軍の木やクレセントミドウを観光できる。要予約

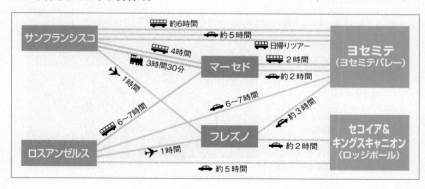

ガソリン補給は早めに

園内ではガソリンは一切手に入らない。北のキングスキャニオンの敷地は国有林や私有地が入り組んでいるため、ガスステーションもいくつかあるのだが、南のセコイアにはStony Creek Lodge（敷地外。夏期のみ）しかない。特に南のAsh Mountainゲートから入った場合、急カーブの上り坂が延々と続くことになるので、思った以上にガソリンを消費する。スリーリバーズで必ず満タンにしておこう

冬に訪れるときは

積雪が多いので、常にチェーンを用意しておきたい。春や秋も凍結に注意しよう（→P.196）
園内の道路情報
☎(559)565-3341
カリフォルニア州の道路情報
Free 1800-427-7623
URL www.dot.ca.gov

レンタカー　Rent-A-Car

　フレズノでレンタカーを借りた場合、Kings Canyon Rd.を東に向かって走る。やがてCA-180となってキングスキャニオンのBig Stumpゲートへといたる。約60マイル、所要約1時間40分。

　ロスアンゼルスから行く場合はI-5を北へ。山間部を抜け、盆地（サンホアキンバレー）に入ったらExit 221でCA-99へ入り、約96マイル走ってCA-198を東へ入ればすぐにバイサリアの町。ここまで約190マイル、約3時間30分。

　CA-198をそのまま東へ走ればスリーリバーズThree Riversの町を通ってAsh Mountainのゲートにいたる。さらに急な山道を1時間近く走ればジャイアントフォレストだ。バイサリアから50マイル、約1時間40分。

車で訪れたならクレセントミドウ・ロードのセコイアの森もお見逃しなく

🚐 Side Trip

アンテロープバレー・カリフォルニアポピー保護区 Antelope Valley California Poppy Reserve

☎(661)946-6092　URL www.parks.ca.gov
🕐 日の出〜日没　🚗 1台 $10

　ロスアンゼルスから北へ1時間40分ほどのところにある州立公園。ハナビシソウ（花菱草。→P.33）の見事な群落があり、開花する3月下旬〜5月上旬には大勢の人でにぎわう。

　ハナビシソウは、西部の標高2000mほどの草原に群生するケシ科の1年草。日本でいうポピー（ヒナゲシ）とは別種で、背丈が40cmほどと小さい。草原の中のトレイルを歩けば、360度オレンジ色の海に囲まれることができる。ただしガラガラヘビが多いので、足元には要注意だ。

　LAからの行き方は、I-5を北へ60マイル走り、Exit 198でCA-138へ。Lancaster Rd.の標識をたどって東へ約20マイル走ると到着する。

　なお、公園は年中オープンしているが、ビジターセンターは開花期以外は閉鎖される。

©Masatoshi Koide

花の盛りは例年4月中旬だ

GETTING AROUND　歩き方

　北にキングスキャニオン国立公園、南にセコイア国立公園がある。広い公園だが、車でアクセスできるのは西側のごく限られた地域だ。東には広大なバックカントリーがハイカーを招いている。公園の東端は4000m級の山々の連なり。**マウントホイットニーMt. Whitney**は標高4418mでアラスカを除くアメリカ合衆国本土の最高峰だ。残念ながら、この山は公園内のおもなポイントからはまったくその姿を見ることができない。かろうじて見えるのは、はるか東側を走るUS-395から（→P.226）。山脈を貫いて東側からアクセスする道路はない。

　本当は何日かかけてハイシエラを歩いてみたいところだが、それには入念な準備と時間が必要。ちょっと訪れてみるなら、西側のエリア内の見どころを巡ることになる。これなら丸2日あれば充分回れる。

ヨセミテ同様、清流や滝が楽しめる公園なので、初夏がおすすめだ

セコイア＆キングスキャニオン国立公園（カリフォルニア州）

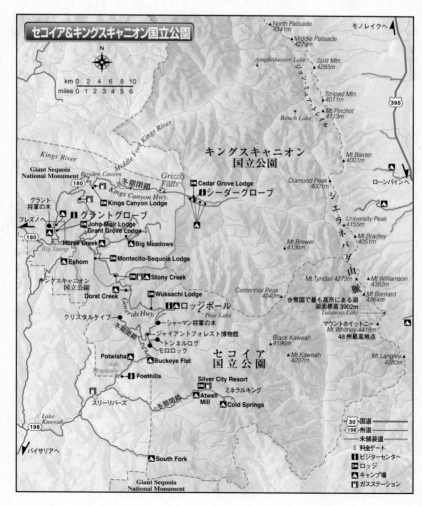

人間が近くにいても
悠然としている

©Tsuneo Yamamoto

🖌 クマに注意！

　両公園にはブラックベアが多く、ヨセミテ同様大問題になっている。このため匂いのあるものを車内に残すのは禁止。食品、化粧品はもとよりタバコ、虫除け製品、くもり止めスプレーもダメだそうだ。トランクに入れるのもダメ。ハイキングに出かける際も、ロッジに宿泊する際も、とにかく車から離れるときには気をつけよう（→P.206、P.393）

園内の施設

食事
　グラントグローブにレストランがある。またロッジポールのストアでも軽い食事がとれる。落ち着いて食べるならWuksachi Lodgeで。年中オープンしている。
　シーダーグローブにはレストランはないが、ストアでスナックを購入できる
食料品・雑貨
　各ビレッジにストアがあり、食料品やギフトなどを購入できる
🕐 夏期　　8:00～20:00
　春・秋　　8:00～18:00
　グラントグローブを除いて冬期休業

計画は余裕をもって

　園内の道路は、これでもかというほどの急カーブの連続。特に南ゲートからジャイアントフォレストまでは道幅が狭く、あちこちで改修工事も行われているため、とても時間がかかる。時間には余裕をもって行動しよう。下り坂でのブレーキの使い過ぎにも注意。シフトダウンを心がけよう

Grant Grove VC

MAP P.231
☎ (559)565-4307
🕐 夏期8:00～18:00
　冬期9:00～12:00、
　　13:00～16:30

Foothills VC

MAP P.231
☎ (559)565-4212
🕐 夏期8:00～18:00
　冬期8:00～16:30

▶おもなビレッジは3ヵ所

　北のキングスキャニオン国立公園には、絶壁に囲まれた静かな渓谷にある**シーダーグローブCedar Grove**（4月中旬～11月中旬のみオープン）、巨木セコイアの森の中にある**グラントグローブGrant Grove**というふたつのビレッジがある。
　南のセコイア国立公園には園内最大のセコイアの森、**ジャイアントフォレストGiant Forest**がある。以前はここにビレッジがあったが、森林への悪影響を懸念して宿泊施設などは閉鎖され、現在は森の入口に博物館だけが建っている。代わりに、少し北へ走ったところに**ロッジポールLodgepole**というビレッジがある。

▶園内の道路

　公園の入口は、北側（CA-180）のBig Stump Entranceと、南側（CA-198）のAsh Mountain Entranceの2ヵ所。ここから3ヵ所のビレッジや見どころを結んで道路が通っている。
　グラントグローブ～シーダーグローブ間の約30マイルは**キングスキャニオン・ハイウエイKings Canyon Highway**と呼ばれており、11月中旬～4月中旬は閉鎖される。
　グラントグローブ～ジャイアントフォレスト間の**ジェネラルズハイウエイGenerals Highway**は約32マイル。最も交通量が多い。年中オープンしているが、吹雪のあとなど閉鎖されることもある。
　ジャイアントフォレスト～Ash Mountain Gateの間は約21マイル。狭くて、カーブも多い山道だが、年中通行できる。

情報収集　　　　　　　　　　　　　Information

Grant Grove Visitor Center

　Big Stumpのゲートから約3マイル。グラントグローブ・ビレッジの中心にあり、展示も充実している。クリスタルケイブのチケットはここでは購入できないので、ロッジポールで。

Foothills Visitor Center

　Ash Mountainのゲートを入ってすぐ右側。園内の宿の状況も教えてくれる。南から入ったら、まずここでクリスタルケイブのチケットを購入しておくといい。

POINTS of INTEREST　おもな見どころ

セコイア国立公園　　　　　　　　　　　Sequoia

シャーマン将軍の木　General Sherman Tree ➡年中オープン

　ジャイアントフォレストにあり、「現存する地上最大の生物」として名高い。何が最大なのかという基準はいろいろあるようだが、この木の場合、幹の体積から「地上最大」ということになっている。その体積は約1487m³、幹の重さは推定2000トン、高さ83.8m、根元の直径11m、根元の周囲31.1m。確かにバカでかい。推定樹齢は2300〜2700年。1879年にJ・ウォルバートンが発見し、彼が南北戦争中に中尉として仕えた将軍に敬意を表して命名したという。

　シャーマン将軍の木を出発点として、その周辺にある上院、下院と名づけられた巨木群など、巨大なセコイアの木々を見て回るトレイルがある。それぞれの木々に付けられたネーミングが楽しい。黄色いサインをたどって歩いてみよう。

平均的な寿命まで
まだあと数百年ある

無料シャトルバス
ルート#1：ロッジポール、シャーマン将軍の木、ジャイアントフォレスト博物館（15分ごと）
ルート#2：博物館、モロロック、クレセントミドウ（15分ごと）
ルート#3：ロッジポール、Wuksachi Lodge（60分ごと）
ルート#4：Wolverton、シャーマン将軍の木（30分ごと）
運行 5月下旬〜9月初旬
　駐車場不足＆排気ガス対策。ぜひ利用しよう

シャーマン将軍の木
MAP P.231
設備 トイレ
　以前はジェネラルズハイウエイからアプローチできたが、あまりに訪問者が多いため、このほど駐車場を森の裏側、Wolverton Rd.を入ったところへ移動させた。新設された駐車場は昔スキー場だった場所で、1本の木も切り倒していないとのこと。シャーマン将軍の木までは舗装されたトレイルを下って15分ほど。身体障害者は従来どおりハイウエイ沿いの駐車場を利用できる

ジャイアントフォレスト
　世界最大のセコイアのトップ30のうちの11本がここにある

初級 **Congress Trail**
適期 ▶4〜11月
距離 ▶往復3.2km
所要 ▶往復1〜2時間
出発点 ▶シャーマン将軍の木

Lodgepole Visitor Center
☎(559)565-4436
夏期　　　7:00〜19:00
　春&秋　　8:00〜17:00
　冬期　　9:00〜16:30
　シャーマン将軍の木から北へ4マイルほど行って右へ入ったところにある。クリスタルケイブのチケットも購入できる

Giant Forest Museum

☎ (559)565-4480
🕐 夏期　　　　　9:00〜19:00
　春・秋　　　　 9:00〜18:00

初級 Round Meadow
適期▶4〜11月
距離▶往復1km
所要▶往復約30分
出発点▶博物館
設備 トイレ・飲料水

モロロックの標高は2050
m。休み休み上ろう

初級 Crescent Meadow
適期▶5〜10月
距離▶往復3km
所要▶往復1〜2時間
出発点▶クレセントミドウ
駐車場
設備 簡易トイレ

Crystal Cave

時間 5月上旬〜10月下旬
11:00、13:00、14:00（夏
期は16:30までの30分ご
と）
料 $13、5〜12歳$7
※三脚、ベビーカー、ベビ
ーキャリー禁止
設備 簡易トイレ

知名度は低いが、すばら
しい鍾乳石を見ることが
できる

Mineral King

ミネラルキングへの道
路は狭くてカーブの多い未
舗装路で、例年11月上旬
〜5月中旬は閉鎖される

クレセントミドウ・ロード
Crescent Meadow Road ➡ 夏期のみ

ジャイアントフォレストの南側に片道3マイルの道路が敷か
れている。これに沿っていくつもの見どころが集まっているの
で、ぜひ走ってみよう。

まずは入口にある**ジャイアントフォレスト博物館Giant
Forest Museum**に立ち寄って、ジャイアントセコイアにつ
いて予習をしよう。博物館の裏手には**ラウンドミドウRound
Meadow**という草原が広がっており、短いトレイルが敷かれて
いる。夏には色とりどりの花の群落が目を楽しませてくれる。

車を奥へ走らせると、倒木の上に車が乗れるようにしてあっ
た**オートログAuto Log**、しばらく走って右に入ると**モロロッ
クMoro Rock**だ。駐車場から山頂まで15分ほど急な階段を上
る。足元の悪いキツイ登りだが、岩山の頂上からはシエラネバ
ダの大パノラマが一望のもと。世界一背の高い松、サトウマツ
の木もこのあたりにある。高さ約60m、松ボックリの大きさが
なんと長さ30〜50cm！

さらに**トリプルツリーTriple Tree**、**パーカーグループ
Parker Group**などの巨木群を道路沿いに見ながら走ると、**ト
ンネルログTunnel Log**だ。自然に倒れて道をふさいだセコイ
アの幹に、トンネルをくりぬいて自動車が通れるようにしたも
の。特に大きなセコイアではないが、それでも推定樹齢2000年、
根元の直径は6.4mもある。

道路の終点は**クレセントミドウCrescent Meadow**。セコイ
アの森の中にぽっかりと開けた美しい草原だ。夏には可憐な野
の花が咲き乱れ、秋は静けさが心地よい。ぜひトレイルを歩い
てみよう。巨木群の根元にシダが茂り、始祖鳥が飛んでいても
不思議ではないような雰囲気。鳥の声だけが時おり響く静かな
森の、澄んだ空気をいっぱいに吸って歩こう。2000年を生きて
きた森の主は何を語りかけてくれるだろうか。

クリスタルケイブ Crystal Cave ➡ 5月上旬〜 10月下旬

ジャイアントフォレストから南へ9マイルのところにある鍾乳洞。
見学は入口から出るレンジャーツアーに参加しなければならない。
45分間。チケットはロッジポールまたはフットヒルズのビジターセ
ンターであらかじめ入手しておく。現地では購入できない。夏期
は前日の予約が望ましい。鍾乳洞は10℃なので上着を忘れずに。

ジャイアントフォレストから車で約50分、駐車場から洞穴入口ま
では急坂を下って約10分かかる。駐車場でトイレを済ませておこう。

ミネラルキング　Mineral King ➡ 5月下旬〜 10月下旬

ミネラルキングは公園の南にある静かなビレッジ。1870年代
に銀が見つかったことがきっかけで開発された。海抜2300mの
谷は険しい山々に囲まれ、周囲にはたくさんの山岳湖が点在し
ている。Ash Mountainのゲートの外側から東へ29マイル入っ
た、夏だけのパラダイスだ。湖の周りのトレイルを歩いたり、
馬に乗ったりして一日のんびりと過ごしたい。

西
海
岸

セコイア＆キングスキャニオン国立公園（カリフォルニア州）

キングスキャニオン国立公園　　　Kings Canyon

グラント将軍の木　General Grant Tree　➡年中オープン

　世界で3番目に大きな木で、アメリカの**クリスマスツリー Nation's Christmas Tree**として知られている。地元商工会の人がこの木を訪れたとき、横にいた少女が「この木がクリスマスツリーだったらどんなに素敵なのに！」と言ったのがきっかけで、ここでクリスマスイベントを行うことをクーリッジ大統領に提案。1926年に認定されたものだという。さらに、"戦争で亡くなったアメリカ人を慰霊する場所"にも指定されており、現在でもクリスマスなどにはイベントが催されている。

　木の高さは81.7m、根元の周囲32.8m、根元の直径12.3m、樹齢は1800～3000年。ビジターセンターから歩いても30分ほど。途中、倒れて中を人が通れるようになった木や、リー将軍の木、オレゴン、カリフォルニアなど各州の名の付いた木々などを回る。

パノラミックポイント　Panoramic Point　➡積雪期閉鎖

　グラントグローブのビジターセンターの奥を右へ入り、狭い道路を2.3マイル登る。駐車場からさらに400mほど歩けばパノラミックポイントへ出る。東に連なるハイシエラ、西には大きな谷を隔てて遠く海岸山脈も見えてよい眺め！　マウントホイットニーが見えないのはちょっぴり残念だ。

グラント将軍の木
MAP P.231
設備 簡易トイレ。近くにビジターセンターP.232、ロッジP.240あり

Ranger Grant Tree Walk
集合▶14:00（夏期のみ）
所要▶1時間
場所▶駐車場

早朝と夕暮れが美しいパノラミックポイント

小さな小さなセコイアの種。山火事で高温にさらされると球果がはじけて種が飛び出す

グラント将軍の木は入園ゲートにもビレッジにも近くて便利な位置にあり、いつ訪れてもにぎやかだ

Cedar Grove Visitor Center
☎(559)565-3793
🕐9:00〜17:00
　シーダーグローブ・ビレッジのやや西側。6月下旬〜9月上旬のみオープン

初級 **Zumwalt Meadow**
適期▶6〜9月
距離▶一周2.4km
所要▶約1時間
出発点▶Zumwalt Meadow駐車場
設備 簡易トイレ

🛶落石注意！
　キングスキャニオン・ハイウエイは冬期閉鎖されるが、閉鎖の理由は積雪ではなく落石だ。春や秋の冷え込みが厳しいときや、夏の降雨後も落石注意。もしかしたらカーブの先で大きな石が道をふさいでいるかもしれないという気持ちで運転しよう

CA-180は標高3000m前後のピークに囲まれている

シーダーグローブ　Cedar Grove ➡ 5月下旬〜10月下旬

　シーダーグローブはキングスリバー沿いに開かれたビレッジで、氷河に削られた岩山が迫る風景はヨセミテバレーを思わせる。シエラネバダ山脈を歩く長距離トレイルの拠点にもなっている。

　ここでも一番の楽しみ方はトレイルを歩くこと。ビレッジからさらに奥へ6マイル走った突きあたりに駐車場があり、ここから長短さまざまなトレイルが整備されているほか、道路の途中からも短いトレイルがいくつか出ている。

　手軽に歩きたいならツムワルトミドウ・トレイルZumwalt Meadow Trailがおすすめ。キングスリバーに架かる吊り橋を渡って出発。森を抜け、右に巨大な岩壁を見上げつつ、岩場を歩く。後半はマツとスギの林の中を、右にキングスリバー、左に草原を見ながら歩く、ラクで楽しいハイキングだ。

シーダーグローブへ続く道路沿いにはユッカ（→P.32）がとても多い

ACTIVITIES　　アクティビティ

ハイキング　　Hiking

ツムワルトミドウ

　ハイカーのための国立公園といっても過言ではないほど、長短さまざま、総延長1200km以上のトレイルが設置されている。歩かなければシエラネバダの自然の本当のよさはわからない。ビレッジ周辺の短いトレイルでもいいから、ぜひ歩こう。ビジターセンターなどで各ビレッジ周辺のトレイルについての詳しいガイドを販売している。まずはこれを買って歩き出すといい。

　短いトレイルについてはおもな見どころ（→P.233〜）の項を参照。

ミストフォールズ・トレイル　Mist Falls Trail

シーダーグローブから、ハイシエラへ向かう登山者に混じって登って行く。最初の数キロは比較的平坦だが、最後の2キロで標高差183mを一気に登る。時間がなければキングスリバーに沿って途中まででも歩いてみるといい。

クリスタルレイク・トレイル　Crystal Lake Trail

ミネラルキングの奥にある湖を訪れる。途中でMonarch Lakeへのトレイルと分かれるが、分岐点を見落としやすいので注意。急な登りもあって相当キツイが、湖からの絶景に疲れも吹き飛んでしまうだろう。ただし、ミネラルキングのトレイルは標高2300mからの出発になり、すべて健脚向き。体調を整え、時間に余裕をもって出かけたい。

レンジャープログラム　Ranger-led Program

各ビジターセンターを中心として、セコイアの森を歩くツアーや、野の花を観察するツアー、バードウォッチングツアー、先住民による手工芸の実演、キャンプファイヤープログラムと多彩な催し物が行われている。各ゲートやビジターセンターで配っている『The Guide』という新聞に詳しく載っているので、ぜひ参加してみよう。

乗馬　Horseback Riding

夏の間各ビレッジから乗馬ツアーが出ている。半日～1日コースが多い。前日までに電話で予約しておいたほうが確実。

登山　Mountain Climbing

公園の東側にそびえるハイシエラの高峰へ、たくさんの登山道がつけられている。マウントホイットニー4418mをはじめとする4000m級の山々なので、本格的な装備と経験が必要とされる。例年、山開きは7月上旬～10月。ただし、7月いっぱいは雪崩に要注意だ。

なおマウントホイットニーだけが目的なら、一般的な登山道は東側のWhitney Portalからになる（**MAP**→P.226）。

フィッシング　Fishing

キングスリバーのトラウトは4月下旬～11月中旬に解禁になる。そのほかの湖などでは年中OK。ただし、魚の種類、大きさ、場所など細かい規定があるので、ビジターセンターでチェックしよう。

釣りを楽しむにはカリフォルニア州のライセンス（1日＄14.61）が必要。ビジターセンターなどで手に入る。

クロスカントリースキー　Cross Country Ski

ジャイアントフォレスト近くのウォルバートンWolvertonとグラントグローブに、クロスカントリー用のトレイルが用意されている。

特にジャイアントフォレスト博物館からモロロック、クレセントミドウへ行く往復7マイルのトレイルは、眺望もすばらしいし、初心者にもうってつけのコース。また、グラントグローブでは初心者用のグループレッスンも行っている。

中級 Mist Falls
適期▶6～9月
距離▶往復13km
所要▶往復4～6時間
標高差▶233m
出発点▶Road's End駐車場
設備 トイレ

上級 Crystal Lake
適期▶6～9月
距離▶往復16km
所要▶往復8～10時間
標高差▶992m
出発点▶Sawtooth Pass駐車場
設備 トイレ・公衆電話

ビレッジでよく見かけるステラーカケス

乗馬の予約
グラントグローブ
☎(559)335-9292
シーダーグローブ
☎(559)565-3464

登山について
必ずバックカントリーパーミット（無料）を取得すること。マウントホイットニーへ登る場合は、たとえ日帰り登山でも届け出が必要。5～10月は1日100人に制限され、3月に抽選が行われる。またクマ対策についても充分に説明を受けよう。ベアボックスの使用も忘れずに

ライセンスや釣り道具
ロッジポール、ストーニークリーク、グラントグローブ、シーダーグローブで入手できる。年中オープンしているのはグラントグローブのみ

スノーシューツアー
冬期の土・日・祝10:00にグラントグローブ＆Wuksachi Lodgeでレンジャーと一緒に雪原を歩く無料のスノーシューツアーが行われる

セコイア豆知識　その2

関連コラム→P.213、P.263

世界で一番大きな木として知られるセコイアにはふたつの種類がある。
ひとつは幹が太くて長生きのジャイアントセコイア、
もうひとつは背が高くてスマートなコーストレッドウッドだ。

高さ
70〜115m

高さ
75〜95m

ジャイアントセコイア
Giant Sequoia
（学名　Sequoiadendron giganteum）
別名　セコイアオスギ、ビッグツリー

コーストレッドウッド
Coast Redwood
（学名　Sequoia sempervirens）
別名　セコイアメスギ、センペルセコイア

枝は下を
向いている

下枝の太さ
直径1〜2m

幹は頑丈でビッグツリー
に比べると細い。木肌
が赤いのでレッドウッド
と呼ばれる

幹は太くて重い。
赤みがかかって
いる

シロナガス
クジラ体長
約30m

根は浅く広く
張っている

身長約170cmの
ヒトの大きさ

ビッグツリーのなかでも最大のシャーマン将軍の木

ジャイアントセコイアGiant Sequoia

シエラネバダ山中に生育し、ヨセミテやセコイア国立公園周辺にしかない貴重な植物。高さは75〜90m、根元の直径は約10mと太くてがっしりしている。最大の特徴は樹齢が長いことで、平均3000年と極めて長生き。

今からおよそ1億年前、地球上に生えていた樹木のほとんどは今よりもずっと巨大だった。それらの巨木群の最後の生き残りがセコイアだ。セコイアの仲間はかつてオーストラリア、南極大陸、グリーンランドにも生育していたらしい。また、ジャイアントセコイアは日本杉とも近い親戚である。

ジャイアントセコイアが山火事に強いのは、木や樹皮の中に含まれる多量のタンニンや、その他の有機物のせいだといわれている。これらはまた、セコイアを害虫や腐敗から守るのにもおおいに役立っている。ジャイアントセコイアの比類のない長生きの秘訣はタンニンだったのかもしれない。

しかし2000年以上も生きてきたセコイアの森は、人間に発見されてから約100年間、悲惨な時期を過ごす。伐採は国立公園に制定されるまで続き、今でもその頃の切り株をあちこちで見ることができる（ジャイアントセコイアはレッドウッドと違って切り株から発芽することはない）。

コーストレッドウッドCoast Redwood

木肌が赤みを帯びているのでこう呼ばれる。ビッグツリーより幹が細くて背が高い。直径約7m、高さ100m、最高は115mにもなる。北カリフォルニアからオレゴンの海岸のみに生育し、サンフランシスコ郊外のミュアウッズ国定公園（→P.259）やレッドウッド国立公園（→P.258）が有名。

レッドウッドは、ビッグツリーに比べて樹齢も短い（とはいっても500〜2000年）。種としてはビッグツリーのほうが祖先である。その代わり背が高くて、100mを超えるものも珍しくない。

大地に足を踏んばってガッツポーズをしたような枝ぶりのビッグツリーと、女性的で繊細なレッドウッド。見比べてみるとおもしろい。

レッドウッドの幹は縮みや腐敗に強く、良質の木材として建築業者にとって貴重なものだ。今では国立公園などでの伐採は禁止されているが、多くの場所に植林域があり商業用に使われている。種子からしか発芽しないビッグツリーと違って、レッドウッドは切り株や根からも比較的容易に発芽する（→P.263）。

Wildlife
世界一長寿の生き物

カリフォルニア州インヨー国有林などに生えるイガゴヨウBristlecone Pineというマツの一種。標高3000m前後という高所に生えており、推定樹齢4800年と世界最長寿。セコイアとは逆に、栄養分の少ない乾燥した土地に生え、極端に生長が遅いといわれる。

また、2008年4月にスウェーデンで発見されたトウヒ（クローン繁殖だが）は、樹齢約1万年と考えられている。

ちなみに、屋久島の縄文杉の樹齢が7200年との説があったが、現在ではせいぜい3000年程度との説が有力だ。

©Masatoshi Koide

インヨー国有林にあるイガゴヨウ

ACCOMMODATION 🏠

園内で泊まる

公園敷地内にロッジが5軒、ジェネラルズハイウエイ＆キングスキャニオン・ハイウエイ沿いの公園敷地外に3軒がある。このうち4軒は下記でまとめて予約を受け付けているが、残りはそれぞれ個別に経営されている。夏期は予約なしで泊まるのは難しい。

なお、クマが多いため、食品など匂いのあるものをバルコニーに置くのは禁止されている。外から見えない室内に置こう。また、ドアや窓を開けっぱなしにするのは大変危険だ。

Sequoia-Kings Canyon Park Services
☎(559)335-5500　Free 1866-522-6966
URL www.sequoia-kingscanyon.com
カード M V

🏠 John Muir Lodge

グラントグローブのビレッジにある設備の整った快適なホテル。暖炉のあるロビーにはジョン・ミュアの肖像が掲げられ、ムード満点。コーヒーメーカー、電話、バルコニー付きの客室が36室ある。予約はPark Servicesへ。

園内で最もデラックスな宿だ

営年中オープン　on $181～191　off $69～109

🏠 Grant Grove Lodge

1890年、国立公園の草創期に建てられた歴史的な宿。バス付きキャビンは9棟のみで5～12月オープン。バスなしキャビン24棟は5～10月オープン。いずれも暖房あり。また夏期のみ、テントキャビン17棟もオープンする。予約はPark Servicesへ。

バス付きキャビン

営5～12月　on off バス付きキャビン $129～140、バスなしキャビン $77～91、テントキャビン $62～77

🏠 Cedar Grove Lodge

シーダーグローブの奥にあるモーテル形式の部屋が18室、川沿いの庭に面したパティオルームが3室ある。ストア、コインランドリーあり。キングスキャニオン・ハイウエイは日が落ちると恐ろしいほど真っ暗なので、明るいうちに到着することをすすめる。予約はPark Servicesへ。

営5/16～10/7（2013年）　on off $129～135

🏠 Stony Creek Lodge

厳密には園外だが、グラントグローブとジャイアントフォレストの中間にある。コーヒーメーカー、電話、テレビ、有線LAN無料というモーテルタイプの部屋が11室のみ。ピザハウス、ストアあり。予約はPark Servicesへ。

テレビがあるのは珍しい

営5/9～10/6（2013年）
on $145～185　off $105～185

🏠 Wuksachi Lodge

ロッジポールの北2マイルにある園内で最も新しいホテルで、山々の眺めがすばらしい。ホテルルーム102室。レストラン、ギフトショップあり。有線LAN可。

営年中オープン　☎(559)565-4070
予約☎(801)559-4930　Free 1866-807-3598
URL www.visitsequoia.com
on $207～317　off $95～215
カード A D J M V

🏠 Silver City Resort

スリーリバースから21マイル、ミネラルキングの3マイル手前にある。バス付きシャレー4棟とバスなしキャビンが10棟ある。ほとんどの部屋にキッチンと薪ストーブあり。レストラン、ストアあり。Wi-Fi無料。

営5/27～10/27（2013年）
☎(559)561-3223
URL www.silvercityresort.com
on off シャレー $250～395、キャビン $100～195
カード M V

240

キャンプ場に泊まる

　両公園合わせて13ヵ所のキャンプ場がある。設備が整っていて冬でもオープンしているのはPotwisha、Azaleaの2ヵ所。DorstとLodgepoleは夏期のみ予約ができる。予約は6ヵ月前の同日から（例えば9/15の予約は3/15から）、西海岸時間7:00〜19:00に受け付けている。詳しくは→P.482。

キャンプ場の予約
Free 1877-444-6777　URL www.recreation.gov
※フードロッカーの使用などブラックベア対策をお忘れなく

林の中にあって静かなSentinelのキャンプ場

	キャンプ場名	シーズン	サイト数	予約可(夏期のみ)	1泊料金	水道	トイレ(▲は簡易トイレ)	ゴミ捨て場	シャワー	ランドリー	ストア
セコイア	South Fork	年中オープン	10		$12		▲				
	Potwisha（南ゲートから4マイル）	年中オープン	42		$18	●	●	●			
	Buckeye Flat（南ゲートから5マイル）	3月下旬〜9月下旬	28		$18	●	●	●			
	Lodgepole	4月上旬〜11月下旬	214	●	$20	●	●	●	●	●	●
	Dorst	6月下旬〜9月上旬	204	●	$20	●	●	●	●		●
	Atwell Mill（ミネラルキング）	5月下旬〜10月下旬	21		$12		▲				
	Cold Springs（ミネラルキング）	5月下旬〜10月下旬	40		$12		▲				
キングスキャニオン	Azalea（グラントグローブ）	年中オープン	110		$18	●	●	●			
	Sunset（グラントグローブ）	5月中旬〜9月上旬	157		$18	●	●	●			●
	Crystal Springs（グラントグローブ）	5月中旬〜9月中旬	36		$18	●	●	●			
	Sentinel（シーダーグローブ）	5月上旬〜9月下旬	82		$18	●	●	●			●
	Moraine（シーダーグローブ）	5月下旬〜9月上旬	120		$18	●	●	●			●
	Sheep Creek（シーダーグローブ）	5月下旬〜10月下旬	111		$18	●	●	●			●

近隣の町に泊まる

　最も近いスリーリバーズでも、ジャイアントフォレストから1時間以上山道をドライブしなくてはならない。できれば園内に泊まりたい。南口から50マイルのバイサリアには18軒、またフレズノには100軒近くのモーテルがある。

スリーリバーズ		Three Rivers, CA 93271　南口ゲートまで6マイル　12軒		
モーテル名	住所・電話番号など		料　金	カード・そのほか
Buckeye Tree Lodge	個 46000 Sierra Dr. ☎ (559)561-5900 URL www.buckeyetree.com		on $123〜149 off $85〜114	A M V ゲートのそば。簡単な朝食込み。Wi-Fi無料
Comfort Inn and Suites	個 40820 Sierra Dr. ☎(559)561-9000 Free 1877-424-6423 日本 無料 0053-161-6337 URL www.sequoiahotel.com		on $118〜149 off $64〜139	A D J M V ゲートから7マイル。朝食込み。Wi-Fi無料。コインランドリーあり
Sierra Lodge	個 43175 Sierra Dr. ☎(559)561-3681 URL www.sierra-lodge.com		on off $40〜160	A J M V ゲートから3マイル。朝食付き。Wi-Fi無料
Rio Sierra Riverhouse	個 41997 Sierra Dr. ☎(559)561-4720 URL www.rio-sierra.com		on off $140〜235	M V ゲートから6マイル。独立したコテージスタイル。電子レンジ、冷蔵庫あり。Wi-Fi無料

デスバレー国立公園

カリフォルニア州／ネバダ州／ MAP 折込1枚目 C-2

塩の結晶が不気味に広がる荒野、悪魔のゴルフコース

©USPS
2006年発行の切手

猛烈な砂嵐の吹き荒れる夜、静寂がすべてを包み込む焦熱の昼。デスバレーの自然は苛酷だ。そこには人間の存在を拒否するような厳しさがある。それだけに、その風景は純粋かつ幻想的だ。これはまぎれもない『自然』の姿であり、畏怖の念を禁じ得ない。

北米で最も低い土地（世界第8位）であり、また暑いところとしても有名なデスバレー。谷の中心部の標高は海抜マイナス86m、真夏には気温50℃を超えることもある（過去最高は57℃）。年間降水量はわずか49mm（東京は約1500mm）という、まさに灼熱の谷なのだ。

国立公園内に建つ豪邸、スコッティーズキャッスル

©NPS

Death Valley National Park ★

California/Nevada

ACCESS　　　行き方

　デスバレー国立公園は、**ラスベガスLas Vegas**から車で3時間弱。レンタカーを借りるか、あるいは日帰りツアーバスに参加するという手もある。公園へのゲートは5ヵ所もあり、さまざまなアプローチが考えられるが、普通はラスベガスで車を借りて、東側から入ることになる。

レンタカー　　　　　　　　　　　Rent-A-Car

ラスベガスから

　最も一般的なルートは、ラスベガスのストリップからI-15を北へ走り、Exit 42AでUS-95 NORTHへ移って北へ86マイル。Lathrop WellsでNV-373に左折。州境を越えると道はCA-127と名を変え、Death Valley Jct.で右折してCA-190を29マイル走れば、ザブリスキーポイント（→P.248）を経由して公園の中心**ファーニスクリークFurnace Creek**に到着。ラスベガスから3時間弱。

　これを少しアレンジして、US-95をBeattyまで走ってしまい、NV-374（州境を越えるとCA-190）に入ってもいい。途中、ライオライトRhyolite（→P.249）というゴーストタウンも見物できる。

　最も景色がよいルートは、ラスベガスの南（I-15のExit 33）からNV-160を西へ走り、PahrumpでNV-372（CA-178）へ左折。Shoshoneで右折してすぐに再びCA-178へと左折すると、バッドウオーター（→P.247）を通ってファーニスクリークにいたる。ラスベガスから約3時間30分（夏期はこのルートは避けよう）。

DATA

時間帯▶太平洋標準時 PST
☎(760)786-3200
URL www.nps.gov/deva
闘24時間365日オープン
適期10〜4月
闘車1台＄20。
そのほかの方法は1人＄10
国定公園指定▶1933年
国立公園指定▶1994年
面積▶1万3650km²
（福島県とほぼ同じ。48
州の公園中最大）
入園者数▶約95万人
園内最高地点▶3368m
（Telescope Peak）
園内最低地点▶-86m
（北米大陸最低地点）
哺乳類▶51種
鳥　類▶307種
両生類▶5種
魚　類▶6種
爬虫類▶36種
植　物▶1505種

ガソリンは満タンで
　Shoshoneからの74マイルはガスステーションも何もない。海抜が極端に低いエリアや険しい峠を通るので、夏は避けるべきだ

🚐Side Trip

アメリカで最も寂しい道路

　デスバレーの東側のゲートシティBeattyからUS-95をさらに93マイル北上し、TonopahでUS-6にぶつかったら東へ50マイル走ると、NV-375のジャンクションがある。この道はアメリカで最も交通量が少ないといわれている。その存在自体が公には認められていない謎の軍事基地、エリア51の近くを走っているせいか、昔からUFO目撃情報が多いことでも知られ、今では正式に「ETハイウエイ」と名付けられている。約100マイルにわたってほとんど何もないが、62マイル走ったRachelにUFOマニアが集まるカフェ＆モーテルがあり、ギフトショップの宇宙人グッズが人気だ（Beattyから約3時間30分。12/25休業）。

Little A'Le' Inn
圏8:00〜20:00（夏期短縮）　闘1泊＄45〜
☎(775)729-2515　URL www.littlealeinn.com

　州道をそのまま東へ36マイル走り、US-93を右折すれば85マイルでI-15に出る。Rachelからラスベガスまで約3時間だ。

　なお、ガスステーションは極端に少ない。西から走る場合はTonopahで、東から行くならUS-93沿いのAlamoで、必ずガソリンを満タンにしておこう。

UFOに遭遇できるかも？

ラスベガスからのツアーバス
Pink Jeep Tours
Free 1888-900-4480
URL pinkjeeptours.com
料 ＄244（ボックスランチ込み）
所要 約10時間
※催行は冬期のみ

道路情報
California
Free 1800-427-7623
URL quickmap.dot.ca.gov
Nevada
Free 511
URL www.nevadadot.com

最寄りのＡＡＡ
路上救援
Free 1800-222-4357
Las Vegas
住 3312 W. Charleston Blvd.
☎ (702)415-2200
営 月～金8:30～17:30

ヨセミテから

ヨセミテのタイオガロードを通って西からアプローチするならUS-395を利用する。4000m級の山が連なるシエラネバダ山脈を見上げながらの快適なドライブだ（→P.226）。

Lee Viningから125マイル南下し、Lone Pineの町外れでCA-136へと左折。やがてCA-190と合流し、公園内へと続く。この間ふたつの峠を越えるのだが、これがけっこう険しく、春から秋にかけての日中はオーバーヒートの可能性大。水を忘れずに。狭いカーブで路肩もないので、夜の走行も危険だ。ハードなルートだが、風景はすばらしい。ヨセミテバレーからファーニスクリークまで約8～9時間。

ロスアンゼルスから

LAからI-5、CA-14、US-395と走ってOlanchaでCA-190に入る。290マイル、約6時間30分。またはI-10、I-15と走り、Barstowからさらに60マイル走ってBakerでCA-127に入り、ShoshoneでCA-178を西に進めばファーニスクリーク方面へいたる。風景はこちらのほうがいい。約6時間30分。

Column
夏のドライブの注意点

真夏のドライブは避けるべきだが、それでも灼熱ドライブを体験したいという場合には、安全のため、次のことを守ってほしい。
● 必ず水をたっぷりと持って行こう。車と人間の命を救ってくれる
● 車の点検は念入りに。デスバレーで立ち往生なんて本当に地獄！
● できるだけエンジンに負担をかけないような運転を心がけよう
● デスバレーの地面は大変もろい。路肩などに進入しないほうがいい
● ビジターセンターで状況を聞き、気温によっては海抜の低い地域へ行くのをあきらめよう
● 暑いからといって裸になってはいけない。あっという間にヤケドをして脱水症状を起こす。湘南あたりの太陽とはわけが違うのだ。できれば長袖の白いシャツを着るとよい。帽子とサングラスも必携
● 突然の雷雨と砂嵐に注意。特に夜は視界ゼロになって危険

もしオーバーヒートしてしまったら

夏のトラブルで一番多いのはオーバーヒートだ。走行中は常にサーモメーターに注意しよう。メーターが上がってきて危ないなと思ったら、暑くても我慢してクーラーを切るといい。それでもオーバーヒートしてしまったら、あわてずに次のような処置を取ろう。
● 日陰を探して（無理だとは思うが）車を停める
● エンジンは切らず、ボンネットをあけてエンジンを冷ます。ボンネット自体が熱くなっているので気を付けて
● ファンベルトやラジエーターに異常がなければ、軽くアクセルを踏んで、自然に温度が下がるのを待つ
● メーターが下がってきたらエンジンを止めて完全に冷やす
● 冷却水を補給する際、いきなりラジエーターキャップをあけるのは非常に危険！　キャップが冷めて、中の沸騰がおさまっていることを確認しよう。上から水をかけて冷やすという手もある
● 万一、故障などで立ち往生した場合でも、決して車から離れないこと。じっと待っていれば、そのうちにきっとほかの車が通る（はず）
● P.245の地図にラジエーター水のタンクの場所を示してあるので利用するとよい。ただし、運悪くカラになっている場合もある

各所に配されているラジエーター水のタンク

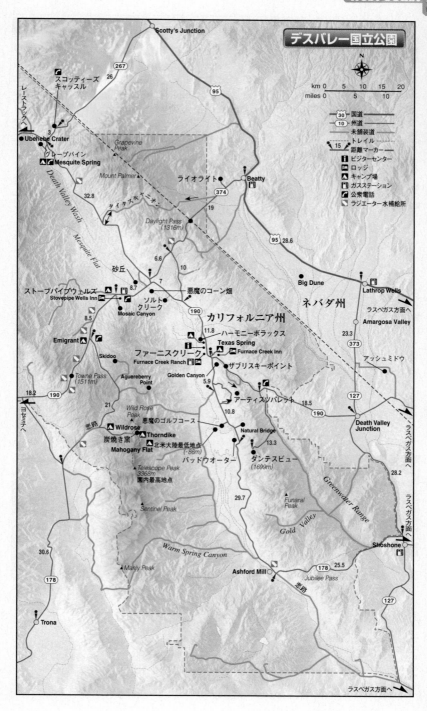

デスバレー国立公園

Scotty's Junction

267
26

スコッティーズ
キャッスル

95

km 0   5   10   15   20
miles 0   5   10

30 国道
10 州道
未舗装道
トレイル
15 距離マーカー
ビジターセンター
ロッジ
キャンプ場
ガスステーション
公衆電話
ラジエーター水補給所

3
Ubehebe Crater
グレープバイン
Mesquite Spring

Grapevine
Peak

Mount Palmer

ライオライト
374
Beatty

Death Valley Wash

32.8

タイタスキャニオン

Daylight Pass
(1316m)
19

6.6

砂丘
8.7
7
悪魔のコーン畑
10

Big Dune
Lathrop Wells

ネバダ州

95 28.6

ストーブパイプウェルズ
Stovepipe Wells Inn
ソルト
クリーク
190
カリフォルニア州

ラスベガス方面へ
Amargosa Valley

23.3

373

8.5
Mosaic Canyon
11.8
ハーモニーボラックス
Texas Spring
Furnace Creek Inn

アッシュミドウ

Mesquite Flat

Emigrant
Skidoo

ファーニスクリーク
Furnace Creek Ranch
ザブリスキーポイント
Golden Canyon

127

Towne Pass
(1511m)
18.2
190
Aguereberry
Point

5.9
アーティスツパレット
18.5
190

Death Valley
Junction

21
Wild Rose
Peak
悪魔のゴルフコース
10.8
Natural Bridge
13.3

悪路

28.2

ヨセミテへ

Wildrose
炭焼き窯
Thorndike
Mahogany Flat
北米大陸最低地点
(-86m)
バッドウォーター

ダンテスビュー
(1699m)

Telescope Peak
3368m
園内最高地点

29.7

Funaral
Peak

Greenwater Range

Sentinel Peak

Gold Valley

ラスベガス方面へ

30.6

Warm Spring Canyon

Shoshone

178

Mahly Peak
Ashford Mill
Jubilee Pass
25.5

127

178

Trona

ラスベガス方面へ

245

園内の施設
食事
　レストランはファーニス
クリークとストーブパイプ
ウェルズにある。軽食なら
スコッティーズキャッスル
でもOK
ジェネラルストア
　ファーニスクリークとス
トーブパイプウェルズで
ATM
　ファーニスクリークとス
トーブパイプウェルズで
ガスステーション
　ファーニスクリーク
☎24時間。修理もOK
ストーブパイプウェルズ
☎24時間

カリフォルニア州とネバダ州にまたがるデスバレーは、アラスカを除くとアメリカで最大の国立公園だ。その面積は約1万3650km²で、長野県より少々大きい。南北に細長い形をしており、幅は広いところで25km、長さは200kmもある。標高も海面下の谷から3000mを超える山までさまざまだ。

見どころは谷の中心に集まっているのでラスベガスから日帰りも可能だが、朝夕の美しさは格別なので1泊することをすすめる。

公園の中心はファーニスクリーク

公園の中央を南北に貫いて道路が通っており、これに沿って見どころがある。このちょうど中間あたりに**ファーニスクリークFurnace Creek**のビレッジがある。ビジターセンターをはじめ、あらゆる施設の集まった公園のヘソだ。

このやや北、公園を東西に横断するCA-190沿いにある**ストーブパイプウェルズStovepipe Wells**のビレッジも何かと便利。

情報収集　　　　　　　　　　　　　　Information

Furnace Creek Visitor Center and Museum

Furnace Creek VC
☎(760)786-3200
🕐夏期9:00～17:00
　冬期8:00～17:00

デスバレーには入園ゲートがないので、まずはここへ寄って入園料を支払おう。特に気象情報は必ず確認したい。ハイキングやドライブに関する注意も受けられる。

隣接する博物館では、デスバレーの地理や、この厳しい環境に住む動物たちについてなどの知識が得られる。レンジャーによるプログラムもあり、エアコンの効いたオアシスだ。

シーズン　　　　　　　　　　　　Seasons and Climate

夏のデスバレーは静寂の世界。人の声も車の音もまったく聞こえない谷を、太陽がジリジリと照りつける。気温45℃を超える灼熱の谷は人を寄せつけない、まさに『死の谷』だ。くれぐれも油断は禁物。

5弁の花びらの根元に濃いピンク色の模様があるDesert Five-spot。3月頃、荒れ地に咲く

まずビジターセンターに寄って、レンジャーのアドバイスをしっかり聞くことだ。

オンシーズンは冬。特にクリスマス前後は大変なにぎわいになる。花の季節は2～4月。雨が降った後、野草が一斉に開花する。

早春のJubilee Pass（公園南部、CA-178沿い）には花畑が出現する

🔦**地面でヤケド!?**
　真夏のデスバレーは日陰でも45℃以上、地表はなんと90℃近くになることがある（最高記録は93.8℃）。裸足になったり、岩などに手を触れたりするだけでもヤケドをする！

デスバレー（ファーニスクリーク）の気候データ

月	1	2	3	4	5	6	7	8	9	10	11	12
最高気温（℃）	19	23	27	32	38	43	47	46	41	34	25	18
最低気温（℃）	4	8	13	17	23	27	31	30	24	16	9	3
最高記録（℃）	32	37	39	45	50	53	56.7	53	50	45	36	32
降水量（mm）	7	9	6	3	2	1	3	3	3	3	5	5

西海岸

デスバレー国立公園（カリフォルニア州／ネバダ州）

POINTS of INTEREST　おもな見どころ

バッドウオーター　Bad Water

ファーニスクリークから南へ車で約30分。駐車場で車を降り、真っ白な大塩原へと歩き出す。塩の結晶が美しくも不気味な模様を描いている。あまりに広大で、それが塩とは信じがたい。なめてみると苦味が強い。ここは北米大陸の最低地点で、海抜はマイナス85.2m。でも本当は、ここより北西に6kmほどのところのマイナス85.9mが最低地点だ。かつての塩水湖で、「悪い水」という名前もそこからきている。雨の後には足元がぬかるんで歩きにくい。

塩の結晶が作り出す模様はタイミングが合わないと見られない

バッドウオーター
設備 簡易トイレ
　デスバレーの中でも特に気温が高い場所なので、夏期は訪れる前にビジターセンターで相談を

悪魔のゴルフコース　Devil's Golf Course

　塩の結晶と泥が混じり合い、固まって激しい凹凸を造り上げている。人間ならゴルフはおろか、ラグビーもできないような荒地だが、悪魔ならここでプレーできるということなのだろう。SF的な不思議な風景だ。ファーニスクリークから南へ約12マイル。

スピードダウン！
　デスバレーでの死亡原因トップは、スピードの出しすぎによる単独事故だそうだ。動物の飛び出しも多いのでスピードダウンを

GEOLOGY

驚愕のデスバレー気候データ

　デスバレーの極端な気候は、気温と降水量に関するさまざまな驚くべき数字を残してきた。そのいくつかを紹介しよう。ファーニスクリークに観測所が設けられた1911年以後の記録だ。

1913年　1月に最低気温氷点下9.4℃を記録（現在でも最低記録）。7月には最高気温56.7℃を記録。これは現在でも最高記録であり、1922年にサハラ砂漠で57.8℃を記録するまで世界最高気温だった

1917年　最高気温が華氏120度（48.9℃）を超えた日が43日間続いた

1929年　年間降水量ゼロ！

1934年　1931年からの40ヵ月で降水量16ミリ

1953年　年間降水量ゼロ！

1972年　ファーニスクリークで地面の温度の最高記録。なんと93.8℃！

1974年　華氏100度（37.8℃）以上の日が134日連続した

1976年　2月に5日間で60ミリの雨が続き、洪水の被害が出た

1983年　年間降水量115ミリで、1913年と並んで過去最高を記録

1984年　洪水で園内の道路が数週間にわたって一部閉鎖となった

1994年　華氏120度（48.9℃）の日が31日、華氏110度（43.3℃）以上の日が97日、最高気温53.3℃

1995年　1月だけで66ミリの降水を記録。デスバレーにおける「最も湿った月」だった

1996年　最高気温48.9℃を超える日が40日、43.3℃以上の日が105日あった

2001年　華氏100度（37.8℃）を超える日が154日連続！

2004年　8月15日、集中豪雨によって園内の11ヵ所で鉄砲水が発生。死者2名。数ヵ月にわたって公園の大部分が閉鎖された

2005年　7月19日に54℃を記録。この年は年間降水量が120ミリに達し、1913年以来92年ぶりに記録を更新した

2007年　7月6日に54℃を記録

ここだけ露出しているの
がおもしろい

ザブリスキーポイント
設備 簡易トイレ

日の出と夕暮れが美しい
ザブリスキーポイント。
曇っていると金色には見
えない

⚠️ **注意！**
　デスバレーには数多くの
鉱坑の跡が残っているが、
崩れかけているものもあっ
て危険なので、近付くのは
やめよう

20頭立ての馬車で260km
離れた線路まで硼砂を運
んでいた

初級 **Salt Creek Loop**
適期 ▶12〜3月
距離 ▶一周800m
所要 ▶一周20〜30分
出発点 ▶ソルトクリーク駐
車場
設備 簡易トイレ

アーティスツパレット　Artists Palette

　浸食され、崩壊した崖の斜面に色彩豊かな鉱物が露出してい
る。黄、赤、茶はともかく、緑、紫となると誰かが絵の具を塗
ったのではと疑いたくなる。ファーニスクリークから南へ約10
マイル。標識に従って左折すると約9マイルの北行き一方通行路
が続いている。バッドウオーターから北上する際に立ち寄ろう。

ザブリスキーポイント　Zabriskie Point

　ファーニスクリークからCA-190を東へ約3マイル。駐車場か
ら展望台へ上ると黄金の山ひだが現れる。太陽の光を浴びると
本当に金色に輝くのだ。黄金色をした泥が1000万年前に湖底に
沈殿してできたといわれている。

ダンテスビュー　Dantes View

　ザブリスキーポイントからさらに東へ7マイル、標識に従って右
折して13マイルで展望台に到着する。終盤はかなりの急坂なので
オーバーヒートに注意。標高1669mの展望台からはデスバレーが
一望のもと。眼下にはバッドウオーター（−86m）の白い塩の広がり、
正面には園内最高峰のTelescope Peak（標高3368m）をはじめと
する険しい山々。この標高差はグランドキャニオンの2倍もある。

世界最高気温の記録
を出したこともある
驚異の低地を一望で
きる

ハーモニーボラックス　Harmony Borax

　ファーニスクリークのすぐ北側。19世紀末、ガラスやセラミ
ックスなどの材料になるホウ酸ナトリウム（硼砂）を採掘して
いたところ。最盛期には40人が働いていたというが、夏には
水が熱くなりすぎてホウ酸ナトリウムの結晶化が難しかったた
め、わずか5年で閉鎖された。

ソルトクリーク　Salt Creek

　ファーニスクリークから北へ約15マイル。冬の間だけ湿原と
池が姿を現すオアシスで、デスバレーにしかないSalt Creek
Pupfishという小さな魚がたく
さん泳いでいる。ときに38℃
という温水、しかも海水の5倍
という塩分濃度のなかで生き
られる固有種の魚だ。

冬の間だけ現れる
貴重なオアシス
©NPS

248

悪魔のコーン畑　Devils Cornfield

Arrowweedという植物が異様な姿をさらしている。普段は塩分が多く、雨が降ると湿地になる土地で生き延びるために、根がこんな形になった。砂丘のすぐ東側。

砂丘　Sand Dunes

ストーブパイプウェルズのすぐ東にある。早朝や夕刻の日が低いときに歩いてみよう。刻々と変わる風紋、流れるような砂の丘の連なり——それらが光と影のコントラストを造り上げる。SF的な雰囲気が漂う無限の空間は、いくら見ても飽きることがない。

魔界のトウモロコシは不思議な姿をしている

©Masatoshi Koide

早朝か日暮れ前に砂丘を歩いて風紋の美しさを堪能しよう

砂丘のトレイル
砂丘は自由に歩いて構わないが、最も高い場所まで片道3km以上ある。2009年夏にも2人が遭難して亡くなったので、風が強くて視界が悪い日、気温が高いときは避けよう

炭焼き窯　Charcoal Kilns

©Masatoshi Koide　窯の高さは8m近くある

公園の西部に独特の形をした10の炭焼き窯が残されている。銀の製錬のために大量の燃料が必要とされた19世紀末に作られたものだ。Stovepipe Wellsから約90分。ロッジから8マイル西で左折して山道を上る。最後の2マイルは未舗装だが、通常は普通車で入れる。

ライオライトへの行き方
Beattyから園内へ向かってNV-374を3マイルほど走り、標識に従って右折して1マイル

ライオライト　Rhyolite

1905〜1910年に金鉱山のブームタウンとしてにぎわった町。5つの金鉱山があり、多いときには8000人が暮らしていた。病院は3つ、オペラハウスやコンサートホールまであったという。今はゴーストタウンとなって、いくつかの建物が保存されている。厳密には園外。

タイタスキャニオン　Titus Canyon

NV-374の園外から始まる西行き27マイルの未舗装の一方通行路。2時間ほどのドライブの間に、カラフルな地層、眺望のいい峠、小さなゴーストタウン、先住民の岩絵などがあり、最後に両側の岩壁が幅6mに迫る箇所を通る。乾いていれば普通車OK。

鉄砲水が流れるエリアなので天候に注意

©NPS

スコッティーズキャッスル　Scotty's Castle

デスバレーの北の端に建つ異様なほどゴージャスな館。保険業界の大金持ちアルバート・ジョンソンの別荘で、贅の限りを尽くした内装に驚かされる。岩の噴水のあるホール、スペイン製品でまとめた部屋、イタリアの部屋、ロシアの部屋など。音楽室は2室あり、自動ピアノが置かれている。暖炉とバスルームは14ずつある。

ところで、城の名前になっているスコットとは誰？　元ウエスタンショーのスター、大陸横断記録の特別列車を走らせた男、金鉱の試掘屋、目立ちたがり屋で山師……ウォルター・スコット。ジョンソンは、スコットの金鉱掘りへの影の投資家だった。スコットがいつもこの城が自分のものであるように吹聴したため、一般にそう信じられるようになったのだという。

ファーニスクリークからは約1時間。城の内部を見て回るガイドツアーが1年中行われている。なお、宿泊はできない。

レーストラック　Racetrack

かつては湖底だったという干上がった大地。ところどころに唐突に石があり、これがほんの少しずつ動いた跡がついている。場所によっては複数の石が同じ方向に動いていて、気の長いレースをしているかのよう。泥に覆われた地面が濡れて滑りやすくなったところへ、強風が吹いて動いたとする説が有力だが、まったく逆方向に動いた石が並んでいることもあるし、なかには直径1m以上の大きな石もあり、ちょっとやそっとの風では動きそうにない。実際に石が動く瞬間を目撃した人はおらず、謎は深まるばかりだ。

スコッティーズキャッスル

📷 トイレ・飲料水・公衆電話・売店

城内ツアー
🕐 9:00〜16:00の毎正時。夏は9:30〜16:15の随時。約1時間
💲 $15。6〜15歳$7.50
ピーク時には1〜2時間待ちになることもある。下記で前日までに予約もできる。
Free 1877-444-6777
URL www.recreation.gov

レーストラック
スコッティーズキャッスル手前のGrapevineを左に入って32マイル。途中から悪路なので普通車では難しい。レンタカーの保険は未舗装路は適用外だし、トリプルAの路上救援も、会員でも実費（＄250〜1000）を請求される。また、石のあるところまでかなり歩くこともあるので、夏はすすめない。水が溜まっているときに歩いて入るのも危険

学術調査も行われているので、決して石を動かしてはいけない

アッシュミドウ　Ash Meadows

　谷から離れているが、ラスベガスへ戻る途中に寄り道したいオアシス。あたりの地下には深さ30m以上の鍾乳洞が広がっているが、地下水で満たされているために調査が進んでいない。一部はDevil's Holeとしてデスバレーの飛び地になっているが、非公開なので、近くにあるアッシュミドウのCrystal Springs Boardwalkを訪ねよう。水草の生い茂るエメラルド色の泉には、小さな魚がたくさん泳いでいる。Devil's Hole Pupfishだ。2万年も前からここに隔離されてしまった固有種で、絶滅危惧種に指定されている。

ACTIVITIES　アクティビティ

ハイキング　Hiking

　前述の砂丘へのトレイルをはじめ、長短さまざまなトレイルがある。詳しくはビジターセンターへ。トレイルを歩くときは、充分な量の水を携帯しよう。また、夏の日中は暑すぎて歩けない。

ゴールデンキャニオン　Golden Canyon

　ファーニスクリーク・インの交差点から南へ2マイルのところにある人気のトレイル。黄色い峡谷が頭上高くそびえ、青い空とのコントラストが印象的。以前は舗装道路が敷かれていたが、1976年の鉄砲水で流されてしまったそうだ。

モザイクキャニオン　Mosaic Canyon

　ストーブパイプウェルズの裏にある。大理石などのカラフルな岩が自然の力で圧着され、磨かれて、美しいモザイク模様を造り出している。特に最初の800mは非常に幅が狭い。ビッグホーンシープが多いエリアでもあるので、朝夕なら出合えるかもしれない。

オフロードドライブ　Off Road Drive

　バレー内には前述のレーストラックなど4WD向けのドライブルートがたくさんあるので、腕と車に自信のある人は挑戦してみるといい。ビジターセンターで専用の地図（Dirt Road Travel & Backcountry Camping）をもらって行こう。もちろん、それなりの準備を忘れずに。

ゴルフ　Golf

　ファーニスクリーク・ビジターセンターの裏側に、なんと18ホールのゴルフ場がある（悪魔の、ではなく人間の）。国立公園にゴルフ場なんてとんでもない話だが、1931年、ファーニスクリーク・インの宿泊客のために作られた歴史的ゴルフ場として、ヨセミテとともに例外的に認められているようだ。海抜マイナス65.2mで、世界で最も低いとのこと。ときおりグリーンの上をロードランナー（→P.31）が横切って行くという。池は貴重なオアシスになっており、いつも数多くの水鳥が涼んでいるので、ボールを当てないように！

Ash Meadows

　CA-127からネバダ州に入って1マイル弱で標識に従って右折。未舗装路を3マイルほど走ると『Crystal Spring Boardwalk』の小さな標識が出ている。Ash Meadows National Wildlife Refugeのオフィスから歩いて5分

内陸に津波!?

　Devil's Holeのような洞窟の池は、はるか日本など遠地からの地震波で水面が変化する。2012年にメキシコ南部でマグニチュード7.4の地震が起きた際には、約10分後に水面が大きく波立ち、数分間にわたって"津波"が押し寄せた。ときには高さ2mに達することもあるそうだ

初級 **Golden Canyon**
適期▶10〜4月
距離▶往復3.2km
所要▶往復1〜1.5時間
出発点▶ファーニスクリークとアーティスツパレットの間
設備 簡易トイレ

中級 **Mosaic Canyon**
適期▶10〜4月
距離▶往復6.4km
所要▶往復約3時間
出発点▶ストーブパイプウェルズのすぐ西にある交差点を左折し、未舗装路を2マイル走った駐車場

©NPS

モザイクキャニオン

ゴルフ場

料 $60。カートレンタル$13.50。夏はカート込みで$30

ACCOMMODATION 🏠　　宿泊施設

園内で泊まる

　園内の宿は中心部に3軒、西の境界線外側に1軒ある。オンシーズンである冬の週末や祝日に泊まるなら予約は早めに。

🏠 Furnace Creek Inn

　CA-190の角に建つ高級リゾートホテル。1927年完成。高台にあるためバレーの景観もいいし、パームツリーに囲まれた庭もムード満点。エアコン、TV、冷蔵庫、レストラン、プール、サウナ、テニスコートあり。全館禁煙。66室。

国立公園に制定される前からあるリゾートだ

　🕐 10月中旬～5月上旬
　☎ (303)297-2757　☎ (760)786-2345（当日）
　Free 1800-236-7916
　FAX (303)297-3175
　URL www.furnacecreekresort.com
　on $345～465　カード A D J M V

🏠 Furnace Creek Ranch

　レストランやストアなどの施設が集まっていて便利。エアコン、冷蔵庫、電話、TV付き。全館禁煙。224室。

　🕐 年中オープン
　on $145～219（冬期）
　off $139～189（夏期）
　予約先はFurnace Creek Innと同じ

🏠 Stovepipe Wells

　CA-190沿いで、砂丘を眺められる場所にある。道の南側にモーテルとレストラン、北側にジェネラルストアとガスステーションがある。広くはないがきれいな部屋。エアコン、冷蔵庫付き、電話なし。プールあり。全館禁煙。Wi-Fi無料。83室。

砂丘が見える部屋をリクエストしたい

　🕐 年中オープン
　☎ (760)786-2387
　URL www.escapetodeathvalley.com
　on off $95～160
　カード A D J M V

🏠 Panamint Springs

　CA-190沿い、ストーブパイプウェルズから西へ31マイル走った、公園敷地ぎりぎりのところにある民営のロッジ。遠くに砂丘を望むことができる。レストラン、ギフトショップあり。電話なし。全館禁煙。15室。

ヨセミテ方面から来た人には便利

　🕐 年中オープン
　🏠 P.O. Box 395, Ridgecrest, CA 93556
　☎ (775)482-7680
　URL www.deathvalley.com
　on off $79～149
　カード A M V

Column

死の谷よ、さらば

　デスバレーの名の由来について、アメリカ人の間で広く知られているのはこんな話だ。19世紀にこの谷へ迷い込み、真夏の暑さに次々と死んでいった一行のなかで、かろうじて命をつなぎとめた男が谷から脱出する際に「Good Bye, Death Valley」と言った、と。

こんな塩の世界で道に迷ったら確かに地獄だ
©NPS

　1849年、ゴールドを目当てにカリフォルニアを目指していた一行のうちの数十名が、この谷に迷い込んだのは事実だ。しかし彼らがデスバレーで立ち往生したのは、最も気候の穏やかな12月であり、雪や氷を溶かして飲むことができた。それまでにさんざん道に迷って食料不足になったうえ、四方を山に阻まれて立ち往生してしまったのだ。彼らは荷車を牽いていた牛を殺し、荷車の板を燃やしてジャーキーを作り、荷物を捨てて谷を後にしてカウボーイに救助された。この遭難で大勢が亡くなったというのもデマで、実際に命を落としたのは老人ひとりだけだという。

西海岸

キャンプ場に泊まる

園内には7ヵ所のキャンプ場（ほかにバックカントリーに2ヵ所）がある。真夏の暑さは殺人的だし、クリスマス頃は大変混みあうことを覚えておこう。Furnace

Creekのみ6ヵ月前から予約可能。

キャンプ場予約 →P.482
Free 1877-444-6777
URL www.recreation.gov
受付 7:00～21:00（PST）

デスバレーのキャンプ場

(2013年)

キャンプ場名	シーズン	標高	サイト数	予約	1泊料金	水道	トイレ	ゴミ捨て場	シャワー	ランドリー	ストア
Emigrant	年中	640m	10		無料	●	●				
Furnace Creek	年中（予約は冬期のみ）	− 60m	136	●	$18（夏期$12）	●	●	●		●	●
Stovepipe Wells	年中	0m	190		$12	●	●	●		●	●
Sunset	10月中旬～4月中旬	− 60m	270		$12	●	●	●			
Texas Spring	0m	0m	106		$14	●	●	●			
Mesquite Spring	年中	554m	30		$12	●	●	●			
Wildrose	年中	1249m	23		無料	●	●				

近隣の町に泊まる

ネバダ州側はBeattyなどに少数ながらホテルがある。カジノ客が多いため、驚くほど安く泊まれる。見つからなければラスベガスへ行けばいい。カリフォルニア州側ならUS-395まで行ってLone Pine（ピークシーズンは夏）などにモーテルがある。

ビーティ Beatty, NV 89003　砂丘まで約35マイル　5軒

モーテル名	住所・電話番号など	料金	カード・そのほか
Stagecoach Casino	**住** P.O. Box 836 **☎** (775)553-2419 **Free** 1800-424-4946 **URL** www.bestdeathvalleyhotels.com	**on** **off** $68～78	A D M V　NV-374の交差点の北側。US-95沿い。カジノ、レストランあり。
Motel 6	**住** 550 Hwy. 95 **☎** (775)553-9090　**FAX** (775)553-9085 **Free** 1800-466-8356　**URL** www.motel6.com	**on** **off** $59	A D M V　Stagecoach Casino隣。コインランドリーあり。Wi-Fi1日$5

アマルゴサバレー Amargosa Valley, NV 89020　ファーニスクリークまで約35マイル　1軒

モーテル名	住所・電話番号など	料金	カード・そのほか
Longstreet Casino	**住** 4400 S.Hwy.373　**☎** (775)372-1777 **URL** www.longstreetcasino.com	**on** **off** $65～85	A M V　NV-373の州境にある。コインランドリーあり。Wi-Fi無料

シュショーニ Shoshone, CA 92384　バッドウオーターまで約55マイル　1軒

モーテル名	住所・電話番号など	料金	カード・そのほか
Shoshone Inn	**住** P.O. Box 67　**☎** (760)852-4335 **URL** shoshonevillage.com	**on** **off** $76～91	A M V　CA-127沿い。コインランドリー、レストラン、ストアあり。Wi-Fi無料

ローンパイン Lone Pine, CA 93545　ストーブパイプウェルズまで約77マイル　9軒

モーテル名	住所・電話番号など	料金	カード・そのほか
Comfort Inn	**住** 1920 S. Main St. **☎** (760)876-8700　**FAX** (760)876-8704 **Free** 1877-424-6423　日本 **無料** 0053-161-6337 **URL** www.comfortinn.com	**on** $95～185 **off** $75～95	A D J M V　CA-136からUS-395へ右折した右側。Wi-Fi無料。朝食込み。コインランドリーあり。全館禁煙
Mt. Whitney Motel	**住** 305 N. Main St.　**☎** (760)876-4207 **FAX** (760)876-8818　**Free** 1800-845-2362 **URL** www.mtwhitneymotel.com	**on** $59～89 **off** $49～79	A M V　US-395沿い。ダウンタウン。冷蔵庫、電子レンジ付き。Wi-Fi無料
Dow Villa Motel	**住** 310 S. Main St.　**☎** (760)876-5521 **FAX** (760)876-5643　**Free** 1800-824-9317 **URL** www.dowvillamotel.com	**on** **off** $105～155	A M V　CA-136からUS-395へ右折した右側。冷蔵庫付き。屋外ジャクージあり。全館禁煙

デスバレー国立公園（カリフォルニア州／ネバダ州）

チャネル諸島国立公園

カリフォルニア州／**MAP** 折込1枚目D-1

カモメのフンで白く染まったイーストアナカパ島の断崖

©USPS
2006年発行の切手
（シロナガスクジラ）

ロスアンゼルスから沖を望む。客船やタンカーや戦艦が行き交っている。巨大な空母が通り過ぎたその向こう、水平線に浮かぶ小さなシルエットが、「北米のガラパゴス」である。

チャネル諸島は、貴重な自然が残された5つの島をリゾート開発や軍事基地、環境汚染、移入種の侵入から守っている公園だ。

コレオプシスの群落

海流によって大陸と隔てられ、島の環境に適応して独自の進化を遂げた固有種は145。キツネはネコのように小さくなり、カケスはひと回り大きくなった。断崖の洞窟はアシカや海鳥の絶好の住みか。長さ40mにもなる海藻、ケルプの森で、1000種にも及ぶ魚たちが遊ぶ。暖流と寒流が混ざり合う海にはシロナガスクジラなど27種ものクジラ＆イルカがやってくる。

LAからわずか数時間で、ガラパゴス諸島や小笠原諸島のような体験ができる、そんなすばらしい公園を紹介しよう。

254

Channel Islands National Park ★

California

チャネル諸島国立公園（カリフォルニア州）

ACCESS　　行き方

　5つの島々はすべて無人島だが、それぞれ船着場があり、ツアーで訪れることができる。ゲートシティはLAの北70マイルにある**ベントゥーラVentura**。ダウンタウンは美しく、散策も楽しい。LAからアムトラックも走っているし、ロスアンゼルス国際空港LAXからの直通シャトルも便利。**Ventura County Airporter**が走らせている。乗り場はバゲージクレームを出て横断歩道を渡った中央分離帯。緑色の『Fly Away, Buses & Long Distance Vans』の看板が目印だ。要予約。

　各島へ渡るツアーは**Island Packers**が運航している。運航日（→P.256）は限られているので要予約。荒天による欠航あり。乗り場はベントゥーラ港。ダウンタウンから車で南へ10分ほど離れているので、タクシーで行く。

　車の場合、普段はフリーウエイ経由が速い。LAからI-405を北上し、Exit 63でUS-101 NORTHへ。Victoria Ave.で下りて左折。すぐにOlivas Park Dr.を右折して直進すると港へ出る。1時間30分。

　ラッシュアワーにかかるときには海沿いのCA-1を走ったほうがいいだろう。ロスアンゼルス（サンタモニカ）から2時間弱。

GETTING AROUND　　歩き方

　島にはレンジャーステーションとキャンプ場以外何もない。トレイルを歩いて島内を探検するか、シーカヤックなどのアクティビティを楽しむかのどちらかになる。水と食料、暖かい上着を持参しよう。

シーズン　　Seasons and Climate

　地中海性気候で年間を通じて温暖だが、太平洋の真っただ中なので風が強い日もある。霧に包まれることも多く、特に春は濃霧に注意。最も天気が安定するのは秋。冬は雨が多くなるが、それでもホエールウオッチングなどに多くの観光客が集まる。

　花のピークは早春。特に2〜3月はどの島もキクの仲間のコレオプシスで黄色に染まる。

葉を落としたコレオプシスの木はオオセグロカモメのすみかになる

DATA

時間帯▶太平洋標準時 PST
☎(805)658-5730
URL www.nps.gov/chis
圏24時間365日オープン
通期年中
圏無料
国定公園指定▶1938年
国立公園指定▶1980年
面積▶1010km²
入園者数▶約24万人
園内最高地点▶747m
（サンタクルス島のDevil's Peak）
陸生哺乳類▶23種
（このうちコウモリが11種）
海洋哺乳類▶34種
鳥　類▶212種
両生類▶3種
爬虫類▶6種
魚　類▶約1000種
植　物▶790種

Amtrak
　LAのユニオン駅から毎日5便。所要約2時間。片道＄23。駅（無人の停車場）はダウンタウンのHarbor Blvd. & Figueroa St.にある

Ventura County Airporter
☎(805)650-6600
URL www.venturashuttle.com
　LAXから毎日8往復。片道＄35、往復＄65。ベントゥーラ港入口にあるHoliday Inn Express着

Reader's Voice

冬期のクルーズに注意

　1月末、アナカパ島クルーズに参加した。快晴で波も穏やかだったが、アナカパ島の船着場は断崖で狭いため、波も高く潮の流れも速い。10分くらい船を着けようと試みたが結局引き返すことになった。30%ほど返金はされたが、冬はこのようなこともけっこうあるそうだ。
（富山県 田辺雄一郎 '10）['13]

国立公園ビジターセンター
圏8:30〜17:00
休11月第4木曜、12/25
ベントゥーラ港の突端にある

Island Packers

☎(805)642-1393
URL www.islandpackers.com

Anacapa Island

運航週1〜4便。夏期の週末1日2便。所要片道1時間、島滞在は約2時間
料金$56、55歳以上$51、3〜12歳$39
※ベントゥーラ港から南へ15分ほど離れたOxnardのChannel Islands Harborから出航する便もある
設備簡易トイレ

初級 Inspiration Point
距離▶往復2.4km
所要▶往復1時間
標高差▶ほとんどない

Santa Cruz Island

運航Prisoners Harbor、Scorpionそれぞれ週4〜6便。週末1日2便。片道1時間、滞在約3時間
料金$56、55歳以上$51、3〜12歳$39
設備簡易トイレ・飲料水

初級 Cavern Point Loop
距離▶一周3.2km
所要▶一周1〜2時間
出発点▶Scorpion

Santa Rosa Island

運航4〜11月のみ月2〜10便。片道3時間、滞在約4時間
料金$82、55歳以上$74、3〜12歳$65
設備簡易トイレ・飲料水

San Miguel Island

運航5〜10月のみ月1〜4便。片道3.5時間、滞在3日or7日間。日帰り不可。キャンプ場要予約
料金$105、55歳以上$95、3〜12歳$84
設備簡易トイレ

Santa Barbara Island

運航7〜10月のみ月2便。片道3時間、滞在約4時間
料金$82、55歳以上$74、3〜12歳$65

初級 Arch Point
距離▶往復3.2km
所要▶往復1時間

初級 Elephant Seal Cove
距離▶往復8km
所要▶往復2〜3時間
設備簡易トイレ

島へ足を踏み入れる前に

貴重な動植物を守るため、島への上陸にはさまざまな規則があるので、船内での注意をよく聞いておこう。土のついたもの、木製品、段ボール箱などは持ち込み禁止だ。果物を食べるときには種を落とさないように。ゴミはすべて持ち帰ろう

アナカパ島　Anacapa Island

チュマシュ族の言葉で蜃気楼と名付けられた島。ベントゥーラの沖20kmに浮かぶ小島群の総称で、上陸できるのはEast Anacapaのみ。船着場から154段の階段を上がると、そこは海鳥の楽園。初夏ならアメリカオオセグロカモメWestern Gullの親子でびっしり埋め尽くされているだろう。セグロウミスズメXantus's murrelet、スイロウミツバメAshy storm-petrelなどの固有種も繁殖している。トレイルを一周して断崖に囲まれた厳しくも美しい景観を見に行こう。

インスピレーションポイントはハイキングにおすすめ

サンタクルス島　Santa Cruz Island

カリフォルニア州最大の島で、東西32km、南北9kmの島内に70の固有種が発見されている。北岸にあるPainted Coveは幅30m×高さ49m×奥行き370mで、海の洞窟としては世界最大といわれる。
島内には1万年以上も前の古代先住民の貝塚などが3000ある。これも含めて島の9割は自然保護団体が所有しており、国立公園局の土地は東端だけ。船着場はPrisoners HarborとScorpionの2ヵ所。

サンタローザ島　Santa Rosa Island

うねうねと続く草原や川に削られた峡谷、湿原などバラエティに富んだ景観が広がる。1994年、島内でピグミーマンモスの完全な骨が発見されて一躍有名になった。

サンミゲル島　San Miguel Island ➡ キャンパーのみ

最も陸から遠く、強風が吹きすさぶ島。西側には白い砂浜が続き、世界で唯一、6種類のアシカやアザラシの繁殖地となっている。冬、3万頭がひしめくさまは壮観だが、片道13km歩かなければたどり着けない。途中には、石灰質の土壌が植物の根を固めて白いタワーになったカリーチの森Caliche Forest（レンジャーの同行要）もある。

サンタバーバラ島　Santa Barbara Island

ほかの4島から南へ遠く離れている小さな火山島。船着場の周囲はアシカだらけで、トレイルを歩けばゾウアザラシも見られる。カッショクペリカンの営巣地としても知られる。

シーカヤックが盛んなサンタクルス島

サンタバーバラ島の中央に延びる丘を歩こう

チャネル諸島国立公園（カリフォルニア州）

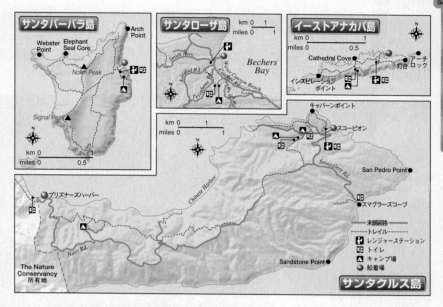

サンタバーバラ島
Webster Point
Elephant Seal Core
Arch Point
Nokn Peak
Signal Peak

サンタローザ島
km 0 ... 1
miles 0 ... 1
Smith Hwy.
Bechers Bay
Water Canyon Beach
Soledad Rd.
Telegraph Rd.
Cherry Canyon Rd.

イーストアナカパ島
km 0 ... 0.5
miles 0 ... 0.5
Cathedral Cove
インスピレーションポイント
アーチ灯台ロック

サンタクルス島
キャバーンポイント
スコーピオン
San Pedro Point
Smugglers Rd.
スマグラーズコーブ
プリズナーズハーバー
Chinese Harbor
Navy Rd.
Sandstone Point
The Nature Conservancy 所有地
km 0 ... 0.5
miles 0 ... 1

未舗装路
トレイル
レンジャーステーション
トイレ
キャンプ場
船着場

ACTIVITIES　　　アクティビティ

ホエールウオッチング　　　Whale Watching

　チャネル諸島周辺では深層水が海面へ湧き上がってくるため、プランクトンが大量に発生。27種のクジラ・イルカ類のエサ場となっている。冬はコククジラ Gray Whale、夏はシロナガスクジラ Blue Whale とザトウクジラ Humpback Whale に焦点を当てたツアーが人気。トド、ウミガメ、マンボウ、カジキマグロなども探してみよう。

Big Blueの異名をもつシロナガスクジラ

ウオータースポーツ　　　Watersports

　スキューバダイビングでジャイアントケルプの森を海中散歩したり、シーカヤックで海の洞窟を探検したりと楽しい体験ができる。スノーケルでも充分に満喫できるだろう。最適期は海水温が上がり、透明度も12〜30mになる8〜9月。

Whale Watching
運航 冬は週4〜7便（所要3時間）。夏は週2〜4便（8時間） 料 冬は＄36、55歳以上＄32、3〜12歳＄26。夏は＄79、55歳以上＄72、3〜12歳＄59
※島へは上陸しない。またOxnardのChannel Islands Harborから出航する便もある

CalBoat Diving
Free 1866-225-3483
URL calboatdiving.com
料 4ダイブ＄125

Channel Islands Kayak Center
☎ (805)984-5995
URL www.cikayak.com
料 ＄179.95

キャンプをする人へ
※チャネル諸島のネズミはハンタウイルス（→P.495）をもっているので、食品の保管には充分に気をつけよう

Ventura Visitor Center
Free 1800-483-6214
URL www.ventura-usa.com

ACCOMMODATION　　　宿泊施設

　各島にキャンプ場があり、すべて要予約。＄15。船の予約を先にしよう。帰りの船が欠航したときに備えて予備の水と食料の用意を。

　ホテルはベントゥーラ港周辺とダウンタウンに約40軒ある。

レッドウッド国立＆州立公園

カリフォルニア州 ／ **MAP** 折込1枚目 B-1

巨大さに圧倒され、ちっぽけな自分を知る旅になるだろう

©USPS
2009年発行の切手

太平洋からの湿った空気は、北カリフォルニアの森に特殊な気候を作り出す。夏は来る日も来る日も霧ばかり。冬は来る日も来る日も雨ばかり。だから、セコイアの一種であるレッドウッドの木は太陽が恋しくてたまらない。空へ空へと手を伸ばし、とうとう世界一の高さになってしまった。高さ100m前後、ビルの30〜35階に相当するというレッドウッドの森の梢は、キャノピー（天蓋）と呼ばれる。ゆりかごを覆う天蓋のように、数千に及ぶ生き物を優しく育んでいる。

世界一の木の梢にはどんな風が吹くのだろう？　世界一の梢から、2000年もの年月、一体何を見てきたのだろう？　長さ60kmに及ぶ海岸線に沿って南へ北へと行き来するクジラたちだろうか？　それとも、斧で切り倒され、馬に曳かれて行った、仲間たちの姿だろうか？

Redwood National and State Parks

California

ACCESS 行き方

カリフォルニア州の北西端にあり、どこから行くにもちょっと遠い。ゲートシティは**クレセントシティCrescent City**。オレゴン州境に近い港町だ。園内の見どころはUS-101に沿って南北に散らばっており、車がないとどうにもならない。サンフランシスコなどから車で訪れるか、クレセントシティで借りるかのどちらかになる。

飛行機 Airlines

Del Norte County - Crescent City Airport（CEC）

サンフランシスコからユナイテッド航空が1日2便飛んでいる。所要1時間40分。レンタカーはハーツのみ。要予約。

Arcata-Eureka Airport（ACV）

ユーリカとアルカータの名が付いているが、空港はアルカータより北のMcKinleyvilleにあり、オリックから南へ30分と近い。US-101のExit 722で下りてすぐだ。ユナイテッド航空がサンフランシスコから6便（所要1時間30分）飛んでいる。

レンタカー Rent-A-Car

サンフランシスコからの行き方はあまりにも簡単だ。国際空港を出たら、なんとそこがUS-101。あとは金門橋を渡って350マイル、ひたすらUS-101 NORTH の標識をたどるだけ！ 所要7～8時間。

クレーターレイク国立公園から行くなら、OR-62を右折し、OR-234経由でI-5に出たらNORTHに乗り、Exit 55で下り、あとはずっとUS-199を南下すればいい。140マイル、約4時間。

DATA

時間帯▶太平洋標準時 PST
☎(707)464-7335
URL www.nps.gov/redw
通年24時間365日オープン
料無料
国立公園指定▶1968年
世界遺産指定▶1980年
面積▶456km²
入園者数▶約38万人
園内最高地点▶944m
(Schoolhouse Peak)
哺乳類▶92種
鳥 類▶312種
両生類▶17種
魚 類▶47種
爬虫類▶16種
植 物▶1016種

CEC	☎(707)464-7288
Hertz	☎(707)464-5750

ACV	☎(707)839-5401
Alamo	☎(707)839-3229
Avis	☎(707)839-1576
Hertz	☎(707)839-2172

🚐Side Trip

ミュアウッズ国定公園 Muir Woods National Monument

MAP 折込1枚目C-1 URL www.nps.gov/muwo
時8:00～日没、冬期～16:30 料1人 $7

世界で最も背が高い樹木、コーストレッドウッド（セコイアの一種）の森が海沿いに広がっている。サンフランシスコのすぐ近くにあるので、ぜひ寄り道してほしい。レッドウッド国立公園よりはるかに規模は小さいが、雰囲気は充分に味わうことができる。

SFから半日のバスツアーがたくさん出ている。車で行くならVan Ness Ave.を北上し、US-101の標識をたどればゴールデンゲートブリッジへ出る。これを渡ってUS-101をさらに北上し、Stinson Beach Exitで下りたら、あとは標識に従って進めばいい。道幅の狭いカーブが続く。市内から30～40分。園内のトレイルは一周90分だが、途中にショートカットできるコースもある。

もし時間があったら、帰りは来た道をそのまま奥へ進んでMuir Beach Overlookに寄り道してみよう。海を一望する気持ちのよい展望台がある。

©NPS

夏はにぎやかだが、オフシーズンなら静かに楽しめる

GETTING AROUND 歩き方

公園の敷地は国立公園と3つの州立公園に分かれていて、共同で運営されているが、一般の入園者にとっては何の違いもなく、普通の国立公園と変わりはない。

ほとんどの見どころは、クレセントシティから南へ60km続く海岸線とその近くにあり、中央に**クラマスKlamath**、南端に**オリックOrick**の町がある。クレセントシティからオリックまで真っすぐ走って約1時間かかる。

運転注意
レッドウッドの道路はUS-101を除けば狭い山道ばかり。キャンピングカーなど大型車が入れない道路も多いので、事前にウエブサイトなどで確認を

オレゴンコーストへ
Lake Earl
197
101 Jedediah Smith
Redwoods
State Park ⛽ Hiouchi
199
スタウト
グローブ
Elk Valley Rd.
Howland Hill Rd.
South Fork Rd.
クレセント
シティ
クレセントビーチ
Enderts Beach Rd.
クレセントビーチ展望台
エンダーツビーチ
Mill Creek
Del Norte
Coast Redwoods
State Park
海
岸
山
脈
ツリーズ・オブ
ミステリー
クラマス川展望台
Requa Rd.
Flint Ridge ⛺ クラマス
ハイブラフ展望台
169
Klamath River
101
Coastal Dr.
太平洋
Newton B. Drury Scenic Pkwy.
ファーンキャニオン
ゴールドブラフスビーチ
Prairie Creek
Redwoods
State Park ビッグツリー
エルク
プレイリー
Davison Rd.
エルクミドウ
レディ・バード
ジョンソン・
グローブ
⛽ Kuchel
オリック
313
101
N
km 0   5
miles 0   1 2 3

1 国道
313 州道
―――未舗装道
------トレイル
ⓘ ビジターセンター
⛺ キャンプ場

**レッドウッド
国立&州立公園**

ユーリカへ
トールツリー・
グローブ この先未舗装
Bald Hills Rd.

見上げていると首が痛くなる

260

情報収集　Information

Crescent City Information Center
　US-101から標識に従って1ブロック入ったダウンタウンにある。

Hiouchi Information Center
　US-199沿い。クレーターレイクから来た人は、まずここで情報収集してから、2マイル戻ってスタウトグローブへ行くといい。

Kuchel Visitor Center
　オリックから南へ1マイル走った海岸沿い。展示内容も充実している。

シーズン　Seasons and Climate

　気温は真夏でも15℃前後。冬でも氷点下まで下がる日は少ない。年間を通じて青空を見られる日は少ないので、雨を楽しむ気持ちで訪れてほしい。事実、雨にむせぶ森は神秘的で美しい。おすすめの季節はシャクナゲPacific Rhododendronの花が咲く6月中旬。

POINTS of INTEREST　おもな見どころ

スタウトグローブ　Stout Grove

　クレセントシティに近いために人気があるレッドウッドの森。スミス川の渓流に沿ってレッドウッドの古木が集まっているので、トレイルを歩いて巨大さを実感してみよう。夏なら対岸にあるJedediah Smithキャンプ場から橋を渡って歩いてくることもできる。

　行き方は、Hiouchi Visitor CenterからUS-199を東へ2マイル（約3分）走り、S. Fork Rd.へ右折。1分ほど走って2本目の橋を渡ってすぐ標識に従って右折すると、10マイル（片道約50分）のHowland Hill Rd.が始まる。部分的に未舗装だが、普通車でOK。うっそうとしたレッドウッドの森をしばらく走るとスタウトグローブがある。西側から入るなら、クレセントシティのダウンタウンから南へ1マイル走ってElk Valley Rd.を東へ入り、1マイル走ったところでHowland Hill Rd.へ右折する。

1時間もあればひと回りできる

Crescent City IC
🏠1111 2nd St.
☎(707)465-7335
🕐9:00 ～ 17:00、冬 期 ～ 16:00
🚫11月第4木曜、12/25、1/1

Hiouchi IC
☎(707)458-3294
🕐9:00～17:00
🚫9月中旬～6月中旬

Kuchel VC
☎(707)465-7765
🕐9:00 ～ 17:00、冬 期 ～ 16:00
🚫11月第4木曜、12/25、1/1

そのほかの施設
　クラマスとオリックに、スーパーマーケットやレストラン、ガスステーションがある

Howland Hill Rd.は道幅が狭いが一方通行ではない。見通しの効かないカーブでは対向車に注意

初級 Stout Grove
適期▶年中
距離▶一周800m
所要▶30分～1時間
出発点▶駐車場

ポール・バニヤンのお供は青い雄牛のベーブがお決まりだ

ロープウエイは入園料に含まれている

Trees of Mystery
[Free] 1800-638-3389
[URL] www.treesofmystery.net
[開] 6～8月　　8:00～19:00
　　9～5月　　9:00～17:00
[休] 11月第4木曜、12/25、
12/24（半日）
[料] $15、60歳以上$11、7
～12歳$8

Wildlife
コククジラ
　体長14mにもなる大型
のクジラ。アラスカからメ
キシコまで1万6000kmを
片道3週間かけて往復して
いる

通行止め情報
　コースタルドライブの南
半分は崖崩れのため当面
の間通行止めになってい
る。ハイブラフ展望台より
北側は通行できる

飛び出し注意
　エルクプレイリーからオ
リックまでの間は、エルク
の飛び出しが非常に多い。
特に朝夕、そして霧で視界
が悪いときには充分に注意
して走ろう

ツリーズ・オブ・ミステリー　Trees of Mystery

　US-101沿いの公園敷地外にある民間のテーマパーク。アメリカ人なら誰でも知っている伝説上の木こり、ポール・バニヤンの巨像が訪問者を迎えてくれる。ここの魅力はレッドウッドの森の上に架けられた全長480mのロープウエイだ。地上41mからキャノピーと呼ばれる木の梢を見ることができる。天気がよ

ければ太平洋も遠望できる。下りは森のなかのトレイルを歩いてみるといい。円陣を組んだように生えたレッドウッドなど珍しい樹木がいろいろある。トレイルの最後は大きなギフトショップ。レッドウッド材でできた家具や置物がずらりと並び、先住民博物館も兼ねている。モーテルあり（→P.265）。

レッドウッド材を使ったみやげ物も手に入る

クラマス川展望台　Klamath River Overlook

　US-101がクラマス川を渡る手前でRaqua Rd.を右折する。15分走ると河口と海を見晴らす展望台があり、コククジラGray Whaleが見られる場所として知られている。最も見やすいのは11～12月と3～4月。

コースタルドライブ　Coastal Drive

　海を見下ろす断崖の上を行く片道1時間の周遊道路。眺めは最高だが道は狭く、大部分は未舗装。普通車OKだが、路面が荒れているので運転は慎重に。よそ見をしていると太平洋に落ちる。終点のNewton B. Drury Scenic Pkwy.を右へ行けば約20分でUS-101に合流する。

　合流する手前にある高さ93mのビッグツリーBig Tree、そしてエルクプレイリー Elk Prairieもお見逃しなく。一時は州内でわずか15頭にまで激減したというルーズベルトエルクの群れが見られる。

海岸近くまでレッドウッドの森が迫る

西海岸

レッドウッド国立&州立公園（カリフォルニア州）

ゴールドブラフスビーチ　Gold Bluffs Beach

　ルーズベルトエルクが見られるもうひとつのポイントが**エルクミドウElk Meadow**。ここから未舗装路を30分走ると1850年に金が発見された海岸に出る。突きあたりの**ファーンキャニオンFern Canyon**では、高さ9mの崖にシダがびっしりと生い茂っていて壮観！

シダの壁が見事なファーンキャニオン

レッドウッドからオリンピック半島にかけて生息するルーズベルトエルク。エルクの仲間では最大で、オスは体重500kgにもなる

Wildlife

セコイア豆知識　その3
関連コラム→P.213、P.238

　セコイアの一種であるコーストレッドウッドは、木目が美しく、加工が容易で、腐りにくく、そのうえシロアリにも強い。このため良質な材木として1850年頃から大量に伐採されるようになった。ゴールドラッシュで大勢の人が西海岸へ移住して来たため、住宅用木材の需要が急激に高まっていたのだ。

　樹木を失った山はやがてあちこちで崩れ出し、土砂が流れ込んだ海の生態系まで変わってしまった。しかし、人々がようやく保護の必要性に気付いたのは20世紀に入ってから。1000年以上もの長い間生きてきた木々は、わずか60年でほとんど切り倒されてしまった。現在、地球上に残されたレッドウッドの森の面積は、ゴールドラッシュ前のたった4％に過ぎない。

　それでもなおレッドウッド材は人気が高い。住宅の外壁、家具、船舶にまで利用され、地元の人々にとっては貴重な収入源だ。現在、国立公園&州立公園を合わせてもレッドウッドの原生林の面積の45％にすぎないのは、このあたりに理由がある。なんとか生き残った貴重な樹木の半数以上が、いまだに保護されていないのだ。

　1964年、トールツリーグローブで当時世界一の高さ112.1mの木が発見された。森は保護されたが、敷地外で始まった伐採の影響を受け、乾燥と高温、上流から流れてきた土砂のために木が弱り、嵐で折れてしまった。公園局は伐採によって丸裸になった土地を買い取り、植林によって生態系を復活させようとしている。しかし以前の姿が蘇るには1000年もかかるのだ。

　ちなみに現在、世界で最も背の高い木は115.7m。レッドウッド国立公園の奥地にあるそうだが、見物客によるダメージを避けるため場所は発表されていない。

初夏にレッドウッドの足元を彩るシャクナゲ

レッドウッドの樹皮は山火事にも強い

クレセントシティが晴れていても、レッドウッドの森だけ霧の中ということが多い

初級 **Lady Bird Johnson Grove**

適期▶年中
距離▶一周1.5km
所要▶約1時間
出発点▶約1時間
車椅子 簡易トイレ

🔺 **頭上注意**
　風の強い日には枝が落ちてくるので頭上に注意を

トレイルを外れないで
　トレイルを外れて茂みの中に入ったり、木や草にやたらと手を触れたりするのはやめよう。ウルシのようにかぶれる植物もあるし、ライム病（→P.494）を媒介するダニもいる。ハイキング後は服や髪にダニが付いていないかチェックを

中級 **Tall Tree Grove**

集合▶年中
距離▶往復5.6km
所要▶往復3〜4時間
標高差▶244m
出発点▶駐車場

通行許可証
　オリックのビジターセンターで、当日の朝9:00から先着50台に無料で発行している

レディ・バード・ジョンソン・グローブ
Lady Bird Johnson Grove

　「時間がないので1ヵ所だけ」というなら、ここをすすめる。US-101からBald Hills Rd.を東へ3マイル走ったところにある。1968年、レディバードの愛称で知られる第36代ジョンソン大統領夫人が出席して、ここで国立公園誕生の式典が開かれた。レッドウッドはもちろん見事だが、トウヒSpruce、ツガHemlock、ベイマツDouglas-firなど背の低い樹木も美しく、その足元をシダがびっしりと覆っている。運がよければニシアメリカフクロウSpotted Owlなどが見られる。

シダ、コケ、キノコなど足元にも注目したい

絶滅が心配されるニシアメリカフクロウ

トールツリーグローブ　Tall Tree Grove

　海風を直接受けない狭い谷にあり、特に背の高い樹木が集まる。現在の最高は109.7m。Bald Hills Rd.をさらに奥へ進んで未舗装路へ入り、突きあたりの駐車場からトレイルを1時間以上歩く。たいていは雨の中を歩くことになるので、けっこうキツイ。森を保護するため、通行許可証を発行して車の台数を制限している。レッドウッドを訪れる時間が1日しかない人にはすすめない。

ACCOMMODATION 🏠 宿泊施設

近隣の町に泊まる

公園内には現在宿泊施設はない。US-101沿いに数軒のモーテルがある。早めの時間に到着できるなら特に予約は要らないだろう。下記のほかにオリックに2軒のモーテルがある。またクレセントシティにも約20軒のモーテルがある。

キャンプ場に泊まる

州立公園の敷地に4ヵ所のキャンプ場がある。3ヵ所はレッドウッドの森にあって夏期のみ予約可。Gold BluffsはエルクミドウからDavison Rd.を4マイル走った海岸沿いにあり、予約はできない。Elk Prairieと、スタウトグローブの近くにあるJedediah Smithのみ年中オープン。

> キャンプ場の予約
> Free 1800-444-7275
> URL www.reserveamerica.com
> 料 $ 35
> ※ほかの公園とは予約先が異なる。レッドウッドにはブラックベアが多い。食料や匂いのあるものは必ずベアボックスか車のトランクへ

US-101沿い

モーテル名	住所・電話番号など	料　金	カード・そのほか
Requa Inn B&B	住 451 Requa Rd., Klamath, CA 95548 ☎ (707)482-1425 Free 1866-800-8777 URL www.requainn.com	on $ 129～199 off $ 99～169	J M V　クラマス川展望台手前。フルブレックファスト込み。Wi-Fi無料。全館禁煙
Rhodes End B&B	住 115 Trobiz Rd., Klamath, CA 95548 ☎ (707)482-1654 Free 1888-328-6757 URL www.rhodes-end.com	on off $ 105～135	V M V　クラマスからCA-169を東へ入る。フルブレックファスト込み。全館禁煙。3室
Motel Trees	住 15495 Hwy. 101, Klamath, CA 95548 ☎ (707)482-3152 Free 1800-848-2982 URL www.treesofmystery.net	on $ 65～95 off $ 55～63	A M V　ツリーズ・オブ・ミステリー正面。レストランあり。Wi-Fi無料
Ravenwood Motel	住 151 Klamath Rd., Klamath, CA 95548 ☎ (707)482-5911 FAX (707)482-1330 Free 1866-520-9875 URL ravenwoodmotel.com	on $ 75～125 off $ 65～115	A M V　クラマスの中心。朝食込み。全館禁煙。コインランドリーあり。Wi-Fi無料

🚐 Side Trip

ラッセン火山国立公園　Lassen Volcanic National Park

カスケード山脈最南端の活火山で、1914年に噴火した翌年、火山研究のために国立公園に指定された。溶岩、間欠泉、温泉、湿原、湖水など多くの見どころが裾野にコンパクトに集まっている。小粒ながらキラリと光る宝石とでもいうべき公園だ。レッドウッドからは、US-101を南下し、CA-299、CA-44経由で約5時間。CA-89を右折するとすぐに公園へ入るが、この道路はそのままラッセン火山を半周して南へ通り抜けることができる。標高2594mの最高地点にある駐車場からは、標高3187mの山頂まで4時間ほどで往復するトレイルがある。シーズンはおおむね6～9月。積雪期閉鎖。
MAP 折込1枚目 B-1　URL www.nps.gov/lavo
☎ (530)595-4480　料 1台 $ 10

積雪が多いので登れる時期は限られる ©NPS

公園の西側に温泉地帯が広がる ©NPS

クレーターレイク国立公園

オレゴン州／ **MAP** 折込1枚目 B-1

外輪山のひとつ、ガーフィールドピーク山頂より

©USPS
1934年発行の切手

サンフランシスコとポートランドのちょうど中間あたり、オレゴンの優しい日差しの下、穏やかに広がる草原の向こうにお椀を伏せたような緑の山がある。何の変哲もないその山の頂に、たとえようもなく美しく青く、世界で8番目に深い湖があるなんて、誰が想像できるだろう。

©NPS
典型的なカルデラ湖だ

クレーターレイクは、形そのものは同じカルデラ湖である北海道の摩周湖そっくりだが、スケールは面積も深さも3倍近い。

とにかく、その独特の色と質感がすばらしい。雲の影が湖面を走り抜けるときなど、思わず息をのんでしまう。銀盤のようにつるりとした湖面は、青という色をさまざまに表現してみせる魔法の鏡のようだ。

どんなに説明されても、写真を見ても、きっとクレーターレイクの美しさは理解できないだろう。ぜひ、自分の目で見て、感じてほしい。

Crater Lake National Park

Oregon

クレーターレイク国立公園（オレゴン州）

ACCESS 行き方

　公園への足はレンタカーに頼ることになる。オレゴン州南端の町**メッドフォードMedford**をゲートシティにするのが便利だ。飛行機で行くならクラマスフォールズKlamath Fallsでもいい。

飛行機 Airlines

Medford Rogue Valley International Airport（MFR）

　ユナイテッド航空がサンフランシスコから7便（約1時間30分）飛んでいる。またアラスカ航空もポートランドから1日4便（1時間）、シアトルから2便（1時間20分）、ロスアンゼルスから1便（2時間10分）のフライトがある。空港内にはレンタカー各社のカウンターが揃っているが、台数は少ない。

Klamath Falls Municipal Airport（LMT）

　ユナイテッド航空がサンフランシスコから1日1便（1時間30分）、ポートランドから1便（1時間）飛んでいる。空港にはハーツとバジェットがあるが、台数は少ない。

長距離バス Bus

　西海岸を縦断するグレイハウンドバスがメッドフォードに停車する。ポートランドから1日4便（所要約7時間）、サンフランシスコからはサクラメント乗り換えで4便（10〜14時間）。クラマスフォールズにもバスディーポはあるが、すべてメッドフォード乗り換えになるので不便だ。

DATA

時間帯▶太平洋標準時 PST
☎(541)594-3000
URL www.nps.gov/crla
圓 夏期は24時間オープン。積雪期は一部を除いて閉鎖
適期▶7〜9月
圓 車1台 $10
そのほかの方法は1人 $5
国立公園指定▶1902年
面積▶742km²
入園者数▶約42万人
園内最高地点▶2721m
(Mt. Scott)
哺乳類▶74種
鳥　類▶158種
両生類▶13種
爬虫類▶13種
魚　類▶5種
植　物▶約680種

MFR ☎(406)257-5994
アラスカ航空
Free 1800-252-7522
URL www.alaskaair.com
Avis　☎(541)773-3016
Alamo　☎(541)773-3183
Budget　☎(541)773-7023
Hertz　☎(541)773-4293

LMT ☎(541)883-5372
Budget　☎(541)885-5421
Hertz　☎(541)882-0220

**メッドフォードの
バスディーポ**
圓220 S. Front St.
☎(541)779-2103
圓月〜日　　6:00〜8:00
　　　　　12:00〜19:45
　　祝　　12:30〜15:30

夕暮れどきも幻想的。さまざまな光で湖面の色の変化を楽しみたい

メッドフォードからはOR-62を77マイル北上すると、約1時間40分で公園南口へ到着。クラマスフォールズからはUS-97、OR-62と進めば57マイル、約1時間15分で公園南口にいたる。

ポートランドから南下してきたら、I-5のExit 124からOR-138を100マイル走ると北口からクレーターレイクに入れる。約5時間。このルートは積雪期（11〜5月頃）は通行止めになる。

サンフランシスコからはI-80、I-505、I-5と乗り継いで290マイルでメッドフォード。途中、WeedでUS-97に入ると計280マイルでクラマスフォールズにいたる。ともに所要6〜7時間。

GETTING AROUND 歩き方

湖の外輪山に沿って一周33マイル（2〜3時間）の**リムドライブRim Drive**が敷かれている。ここを走りながら、さまざまな角度からの湖を楽しむ。南岸の**リムビレッジRim Village**が公園の中心。

リムドライブには展望台があちこちにある

南斜面へ7マイル下りた**マザマビレッジMazama Village**にもロッジやストアがある。

この公園の見どころは何といっても湖の色だ。あなたが訪れるとき、クレーターレイクはどんな「青」だろうか？　群青、紫、

藍色、サファイア、ターコイズ、そしてエメラルドグリーン。太陽や雲、そして季節によって刻々と変化する湖面の色は、たとえようのない美しさだ。

　湖の周辺は高山植物が多く、秋にはアスペンの林が黄金に染まる。野鳥もよく見かける。ハイキングとドライブを上手に組み合わせて、疲れた心と体に酸素を補給していこう。

大きな花畑はないが、さまざまな花が足元に咲いている

情報収集　Information

Steel Visitor Center

リムビレッジの3マイル南（西口、南口からだと手前になる）にあり、年中オープンしている。18分間のビデオ上映ほか、さまざまな展示がある。夏はレンジャープログラムも行われている。

Steel Visitor Center

Rim Village Visitor Center

リムビレッジに6〜9月のみオープンする。簡単な展示がある。

シーズン　　　　　Seasons and Climate

公園は年中オープンしているが、冬は2〜4m（最高記録は6.4m）に及ぶ積雪があるため、北口とリムドライブは10月下旬〜6月中旬（積雪状況による）の間閉鎖される。この間はリムビレッジからしか湖を見ることはできない。湖水の平均温度は3℃で、1949年以後、凍ったことはない。6月、10月に訪れるなら降雪の覚悟が必要だ。

7〜9月上旬が天気も比較的安定していて快適。夏でも夜は冷えるので服装に気を配ろう。また、6〜7月の朝夕は非常に蚊が多い。

7、8月でも残雪が多い。トレイルを歩く際には滑りにくい靴で

秋でもないのに紅葉!?

クレーターレイク周辺では、青々と茂った木々に混じって赤茶色に変色した木が目立つ。これはキクイムシの仕業（→P.319）だが、クレーターレイクではさらに、ヨーロッパから移入した菌による「発疹さび病」も流行している。マツの1/4はすでに枯死し、1/4が瀕死だそうだ。クレーターレイクのマツは豪雪と強風に強く、急斜面の土砂崩れも防いでいる。このまま枯死が続けば、生態系に大きな影響が出るのではないかと心配されている

クレーターレイクの気候データ

月	1	2	3	4	5	6	7	8	9	10	11	12
最高気温（℃）	1	2	3	6	10	14	21	21	17	11	4	2
最低気温（℃）	-8	-8	-7	-5	-2	1	5	5	3	-1	-4	-7
降水量（mm）	267	213	213	114	86	58	20	23	53	132	163	239
積雪（m）	2.0	2.6	3.0	2.8	2.0	0.6	0	0	0	0.1	0.4	1.2

クレーターレイク国立公園

州道 30　トレイル
入園ゲート
ビジターセンター
ロッジ
キャンプ場
ガスステーション
遊覧船のりば
トイレ

リムドライブ
Rim Drive
積雪期閉鎖

Llao Rock

Cleetwood Cove

クレーターレイク
Crater Lake
（湖面標高 1882m）

最深部
（水面下 592m）

Watchman Overlook
The Watchman (2442m)

クラウドキャップ展望台
Cloudcap Overlook

ウィザード島
Wizard Island (2116m)

Pumice Overlook

Mount Scott
2721m

Discovery Point

ファントムシップ島
Phantom Ship

Rim Village

Sinnott Memorial Overlook

ファントムシップ展望台
Phantom Ship Overlook

Crater Lake Lodge

Garfield Peak
(2455m)

サンノッチ
Sun Notch

Steel

Castle Crest

メッドフォードへ

Vidae Falls

62

Lost Creek

マザマビレッジ
Mazama Village (1830m)

62

クラマスフォールズへ

ビナクルス展望台
Pinnacles Overlook

シノット展望台にはミニ博物館が併設されている

ボートツアーでウィザード島へ上陸できる

シノット展望台　Sinnott Memorial Overlook

　リムビレッジにある。公園に着いたらまずはここから300m下の巨大なインクポットを見下ろそう。手をつけたら本当に真っ青に染まりそうな湖水だ。右手にはファントムシップも小さく見えている。

中級

Wizard Island Summit
適期▶7〜9月
距離▶往復3.2km
所要▶往復1.5〜2時間
標高差▶234m
出発点▶船着場

ウィザード島　Wizard Island

　リムドライブを西へ走ってみよう。8マイルほど走った展望台から、湖中に浮かぶ高さ234mのミニ火山を見下ろせる。山頂にはちゃんとミニ火口があり、これがクレーターレイクの名の由来になったという。後述のボートツアーに参加すれば、この火口まで歩くこともできる。2004年にはハクトウワシの営巣が確認されている。

GEOLOGY

世界で最も澄んだ湖

　今からおよそ7700年前、標高推定3700mのマザマ山が大爆発して上部の3分の1が吹き飛んだ。その噴火の規模は、1980年に世界中を騒がせたセントヘレンズ大噴火の42倍もあったという。やがて噴火口には水がたまり、直径9.6kmのカルデラ湖が誕生した。これがクレーターレイクだ。

　湖は最深592mで全米1位、世界でも8位の深さ。クレーターレイク独特の湖水の色は、この深さと関係がある。湖はまた透明度でも世界屈指で、1997年6月には43.3mの世界記録を樹立した。

　クレーターレイクは休火山でも死火山でもない。活火山である。幸い、近年は噴火の予兆はないが、地震など小規模な活動は繰り返し観測されている。大量の水をたたえた火口が崩れたら大災害が引き起こされることは必至であり、常にその状態は注意深くモニターされている。

静寂に包まれた湖は、活火山とは信じがたい

世界の深い湖トップテン

1. 1637m　バイカル湖（ロシア）
2. 1435m　タンガニーカ湖（タンザニアほか）
3. 1025m　カスピ海（ロシアほか）
4. 836m　サンマルティン湖（パタゴニア）
5. 706m　マラウイ湖（マラウイほか）
6. 668m　イシククル湖（キルギス）
7. 614m　グレートスレイブ湖（カナダ）
8. 592m　クレーターレイク
9. 590m　マタノ湖（インドネシア）
10. 586m　ヘネラルカレーラ湖（パタゴニア）
15. 501m　レイクタホ（カリフォルニア、ネバダ）
19. 457m　レイクシュラン（→P.302）

	クレーターレイク	摩周湖
最大水深	592m	212m
平均水深	350m	138m
透明度	31m	18〜23m
最大透明度	43.3m（1997年）	41.6m（1931年）
周囲の長さ	42km	21km
面積	52.3km²	19.6km²
湖面標高	1881m	351m
誕生	約7700年前	約7000年前

ファントムシップを
一周してくれる

ウィザード島に立ち寄る
便は真っ先に売り切れる

クリートウッドコーブ　Cleetwood Cove

リムビレッジの対岸にある入江。湖岸へ下りて水に手を触れることのできる唯一の場所で、夏の間ボートツアーが出ている。

リムドライブにある駐車場に止めて、1.7kmの急坂を下りて行くとボート乗り場に出る。短いがけっこう急なトレイルだ。

岩だらけで歩きにくい
ウィザード島のトレイル

溶岩のカラフルな造形やファントムシップを見上げながら湖を一周する。途中、ウィザード島で下船（入島料＄10）してトレイルを歩くといい（帰りのボートに乗り遅れないよう注意）。

クラウドキャップ展望台　Cloudcap Overlook

標高2427m。リムドライブで最も高いところから湖を見下ろせる展望台。湖の真東にあるので、夕日の名所になっている。

ファントムシップ　Phantom Ship

さまざまな角度から眺めてみたい

幽霊船——長さ90mのこの小さな島に、これ以上ピッタリした名前はない。たそがれどき、紫の湖面に黒い影を落とす姿は鳥肌が立つほど不気味で、そして神々しい。これほど見る者をクギづけにする岩がほかにあるだろうか？

ビレッジからも見えるが、島の東側にある**Phantom Ship Overlook（Kerr Notch）** からの眺めが圧巻。また、島の西にある**Sun Notch** の駐車場から10分ほど歩いた展望台もおすすめ。

ピナクルス　Pinnacles

Phantom Ship Overlookの正面からリムドライブを離れて約10マイル入ったところにある。火山灰が浸食されたもので、うっそうとした森の中に、灰色の尖塔がこつ然と立つ光景は異様でさえある。

中級 Cleetwood Trail
適期▶7〜9月
距離▶往復3.4km
所要▶往復1.5〜2時間
標高差▶215m
出発点▶Rim Drive
設備簡易トイレ

ボートツアー
運航6月下旬〜9月中旬
9:30〜15:30の1時間ごと。ウィザード島に寄港する船は9:30、12:30発のみ
所要約2時間
料金＄32、3〜11歳＄21
予約 Free 1888-774-2728
チケットは出航の24時間〜2時間前までにCrater Lake Lodgeかマザマビレッジのストアで購入する。夏の混雑期には一部の座席は電話予約できる。システムは毎年のように変更されるので、最新情報を確認しよう。

リムビレッジから船着場まではハイキングも含めて1時間以上かかる。駐車スペースを探すのに時間がかかることもあるし、途中の展望台の見学時間も考慮して、早めに出よう

火山灰でできた奇岩
ピナクルス

ガーフィールドピーク

初級 Castle Crest Wildflower Trail
適期▶7〜8月
距離▶一周800m
所要▶一周30〜40分
出発点▶Steel Visitor Centerから東へ800m

中級 Garfield Peak
適期▶8〜9月
距離▶往復5.4km
所要▶往復2〜3時間
標高差▶300m
出発点▶Crater Lake Lodge

中級 Watchman
適期▶7〜10月
距離▶往復2.6km
所要▶往復約1時間
標高差▶128m
出発点▶リムビレッジから西へ4マイル

中級 Mt. Scott
適期▶8〜9月
距離▶往復8km
所要▶往復3〜4時間
標高差▶381m
出発点▶クラウドキャップ東側にあるリムドライブ沿いの駐車場

Ranger Snowshoe Walk
集合▶12〜4月の土・日 13:00
場所▶リムのカフェテリア前。☎(541)594-3100で登録要。8歳以上

ACTIVITIES　アクティビティ

ハイキング　Hiking

　園内にはさまざまなタイプのトレイルがあるので、ビジターセンターで地図をもらって検討しよう。積雪なしでハイキングが楽しめるのは、例年7月中旬〜10月初旬のみだ。

キャッスル・クレスト・ワイルドフラワー・トレイル Castle Crest Wildflower Trail

　森や湿原を巡るおススメのコース。特に7月下旬から8月上旬にはさまざまな花が咲き乱れ、ハミングバードもやってくる。

ガーフィールドピーク　Garfield Peak

　ロッジの奥から出発して標高2457mのガーフィールド山に登るコース。ファントムシップや周辺の眺望が楽しめる。

ウォッチマン　Watchman

　山火事を監視するための小屋までのトレイル。湖の西側にあり、眼下にウィザード島を望むことができる。

ウォッチマン山頂で夕日を見る
レンジャープログラムが行われている

マウントスコット　Mt. Scott

　標高2721mで園内最高峰。湖はもちろん、カスケード山脈のパノラマがすばらしい。真夏でも残雪が多い。

ウインタースポーツ　Winter Sports

　2〜4mもの積雪があるクレーターレイクではクロスカントリースキーやスノーシューが人気。リムビレッジの周囲にたくさんのトレイルがあるので、ビジターセンターで尋ねてみよう。

Wildlife

幸せを呼ぶ謎のじいさん

　The Old Man of the Lakeは、100年以上前から湖面を漂っている枯れ木。根まで含めると10メートルほどの長さがあり、不思議なことに直立している。

ボートツアーでOld Manに大接近！

　なぜ倒れないのか？なぜ腐らないのか？根が岩にからみついておもりになっているとか、石化しているなどといわれているが、真相は謎。1988年には調査のために研究者が The Old Manを捕らえたが、ウィザード島へ引き上げようとした途端、晴れていた空がにわかに荒れ模様に。やむなく調査を中止して放したところ、嵐がウソのように太陽が戻ったという。

　水面に出ている部分は年々短くなっていて、現在は1メートルほど。毎日5kmほど移動しているといわれ、どこへ行くかは風任せだ。彼に巡り合えるのはクレーターレイクを訪れる人の0.01%だそうで、「見た人には幸せが訪れる」なんてウワサまであるので、目のいい人は探してみては？

　湖岸近くを漂っていれば展望台やリムドライブから見えることもあるし、ボートツアーに参加すれば見られる確率はぐんと高まる。

ACCOMMODATION  宿泊施設

園内で泊まる

Crater Lake Lodge

リムビレッジに建つ歴史的ロッジで、テラスから見下ろす湖が見事。人気があり、半年以上前から予約でいっぱいになる。エアコン、電話なし。Wi-Fi無料。バスタブのみでシャワーのない部屋が多いので注意。レイクビューの客室がおすすめだが、部屋によっては窓が小さいので、あまり期待しないほうがいい。また1階の部屋の窓は、例年7月に入るまで積雪のためシャッターで閉ざされる。71室。

崖っぷちに建っていてパノラマ抜群

園 5月下旬～10月中旬
Free 1888-774-2728　FAX (303)297-3175
URL www.craterlakelodges.com
on off $164～213、湖側 $203～224
カード A D J M V

Mazama Village Motor Inn

静かな森の中にコテージが点在する

マザマビレッジにあり、4室ずつのコテージタイプになっている。部屋は質素だが快適。ロッジに比べれば予約は取りやすいが、それでも夏に泊まるなら春までには予約を入れたほうがいい。予約先はロッジと同じ。Wi-Fi無料。40室。

園 5月下旬～9月下旬　on off $138

キャンプ場に泊まる

公園内には2ヵ所のキャンプ場があり、夏期のみ利用できる。マザマビレッジのキャンプ場はたいてい空いている。

Mazama Campground
園 6月中旬～10月中旬　園 $21～29
211サイト。シャワー、コインランドリー、ストアあり
Lost Creek Campground
園 7月上旬～10月中旬　園 $10
テントのみ16サイト。ピナクルスへの道を3マイル

近隣の町に泊まる

OR-62沿いに数軒の宿がある。メッドフォード（40軒）やクラマスフォールズ（24軒）まで戻れば宿に困ることはない。

Prospect Historic Hotel

メッドフォードへ向かって45分。Prospectの標識に従って側道へ入ったところ。駅馬車の時代からあるというクラシックなホテルで、併設のレストランがおいしい。全館禁煙。Wi-Fi無料。

住 391 Mill Creek Dr., Prospect, OR 97536
☎ (541)560-3664　Free 1800-944-6490
URL www.prospecthotel.com
ロッジ
（フルブレックファスト込み）
on $140～205　off $120～185
モーテル
on $90～145　off $70～125
カード D M V

プロスペクト		Prospect, OR 97536	南口ゲートまで 16 マイル	2 軒
モーテル名	住所・電話番号など		料 金	カード・そのほか
Union Creek Resort	住 56484 Hwy. 62　☎ (541)560-3565 Free 1866-560-3565 URL www.unioncreekoregon.com		on $100～210 off $85～185	OR-62 沿い。ロッジとキャビンがあり、バス共同の部屋が半数。ストア、レストランあり
ダイヤモンドレイク		Diamond Lake, OR 97731	北口ゲートまで約 10 マイル	1 軒
モーテル名	住所・電話番号など		料 金	カード・そのほか
Diamond Lake Resort	住 350 Resort Dr.　☎ (541)793-3333 Free 1800-733-7593 URL www.diamondlake.net		on $99～219 off $89～189	A M V　OR-138 沿い。ストア、レストランあり

セントヘレンズ火山国定公園

ワシントン州／**MAP** 折込1枚目 A-1

カスケード山脈の峰々はいずれも富士山に似て裾野が美しい

©USGS

Volcanic crater

©USPS

2012年発行の切手

1980年5月18日の大噴火

　　　　1980年に起きたセントヘレンズ火山の大噴火は全米を震撼させ、世界の気候にまで影響を与えた。科学技術が発展した20世紀後半に起きた噴火のなかでは最大級。しかもシアトルやポートランドから近くて便利なこともあって、現在でも火山、地震、生物、土木技術、防災など各分野の専門家から注目されている。火山国に住む私たちも決して無関心ではいられない。噴火から30年以上が経ち、何が変わって、何が変わらないのかを見に行こう。

©USGS

Mount St. Helens National Volcanic Monument

Washington

西海岸

セントヘレンズ火山国定公園（ワシントン州）

ACCESS　　行き方

シアトルと**ポートランド**からとても近くて便利。夏期のみだが、ポートランドから日帰りツアーバスも走っている。

ツアー　　　　　　　　　　　　　　　　　　Tour

Ecotours of Oregon

ポートランド発着の日帰りツアー。コールドウォーターレイクでランチ休憩（別料金）のあと、ジョンストンリッジ展望台まで往復する。

北側の山麓に広がるコールドウォーター・レイク

DATA

時間帯▶太平洋標準時 PST
☎(360)449-7800
道路情報 Free 1800-695-7623
URL www.fs.usda.gov/giffordpinchot
開 一部を除いて24時間365日オープン
（火山の活動状態と積雪による閉鎖あり）
適期 5～10月
料 通行だけなら無料
国定公園指定▶1982年
面積▶440km²
園内最高地点▶2550m
（Mount St. Helens）

Ecotours of Oregon
☎(503)245-1428
Free 1888-868-7733
URL www.ecotours-of-oregon.com
運行 夏期9:00発。約8時間
料 $92.50

セントヘレンズ火山国定公園

（地図）
シルバーレイク、I-5へ
504
Coldwater Lake
St.Helens Lake
Elk Rock
Hummocks
Meta Lake & Miner's Car
Cascade Peaks Viewpoint
ジョンストンリッジ Johnston Ridge
Spirit Lake
99
Castle Lake
ウィンディリッジ Windy Ridge
マウントレニエ、ヤキマへ
km 0 — 5
miles 0 1 2 3
South Fork Toutle River
Sheep Canyon
Smith Creek
25
セントヘレンズ火山 Mount St.Helens 2550m
Lower Smith Creek
Blue Lake
Ape Canyon
Lava Canyon
83
Kalama River
81
Merrill Lake
Marble Mtn.
エイプケイブ Ape Cave
Muddy River
ウッドランド、I-5へ
Merrill Lake

州道
未舗装道
トレイル
ビジターセンター
キャンプ場
トイレ
飲料水
緊急用電話

275

2005年の小噴火の3ヵ月後の写真。このあとさらに溶岩ドームが成長した

©USGS

火山情報に注意を

volcanoes.usgs.gov/
activity/status.php
☎ (360)993-8973

セントヘレンズ火山は2005年3月に小噴火を起こし、その後約3年間にわたって溶岩ドームを形成し続けました。2013年2月現在は静穏な状態にありますが、警戒レベルによって園内の道路が閉鎖されることがありますので、最新情報をご確認ください。警戒レベルは、低い順からNORMAL、ADVISORY、WATCH、WARNINGの4段階に分けられており、現在はNORMALです。

なお、活動状態と風向きによっては火山灰をかぶることがあります

ワシントン州の道路情報

Free 511
Free 1800-695-7623
URL wsdot.wa.gov/traffic

マウントレニエから

パラダイスからウィンディリッジまで2時間15分、ジョンストンリッジまで約4時間

Mount St. Helens VC

☎ (360)274-0962
開 5～9/15 9:00～17:00
9/16～4月9:00～16:00
休 おもな祝日
料 $5、7～17歳半額

レンタカー Rent-A-Car

シアトルからI-5を南へ116マイル走り、Exit 49からWA-504（Spirit Lake Hwy.）を東へ走ると、5マイルでSilver Lakeに出る。湖畔のビジターセンターに寄って予習をしたら、あとは突きあたりのジョンストンリッジ展望台まで一本道。シアトルから約3時間15分。

また、セントヘレンズ火山はワシントン州でも南寄りにあるため、実はオレゴン州ポートランドからアプローチしたほうが近い。I-5を北へ走り、Exit49で下りて東へ。あとは上記と同じ。約2時間30分。

なお、園内にガスステーションはない。

GETTING AROUND 歩き方

アプローチは北西から、北東から、南からと3通りあるが、圧倒的に人気があるのは北西ルートWA-504（Spirit Lake Hwy.）。セントヘレンズ火山は噴火の際、北西の山腹が大きく崩れた。このため、山頂が吹き飛んでできた馬蹄形クレーターや溶岩流の跡、溶岩ドームなどのドラマチックな風景は、北側からしか見ることができないからだ。途中にはいくつもの展望台があり、走るに従って火山が迫ってくる。

なお、セントヘレンズ火山は国立公園局ではなく農務省森林局が管理しており、ビジターセンターは有料！

情報収集 Information

Mount St. Helens Visitor Center

2500年前の噴火の際、溶岩流が川をせき止めて生まれたシルバーレイクの湖畔に建つ。まずは16分間のフィルムで予習しよう。噴火の歴史、被害の状況、その後の防災体制、生態学的視点からの展示も豊富だ。周囲の湿原には、短いトレイルも整備されている。

西からのアプローチなら、最初にここへ寄りたい

POINTS of INTEREST　おもな見どころ

ジョンストンリッジ　Johnston Ridge

　火口の様子がよく見える展望台。標高1280mの尾根にあり、大噴火の際にここで観測をしていて犠牲になった火山学者を偲んで名付けられた。展望台から火口までは9kmほどの距離で、馬蹄形のクレーターを真正面から眺めることができる。入館したら、まずは最新技術を駆使したワイドスクリーンによるフィルムを観よう。見学を終えたあと、短いトレイルを歩いてみるのもいい。噴火後33年を経ても変わらない生々しい風景と、わずか33年で再生した豊かな緑との対比がおもしろい。

　シルバーレイクから52マイル、1時間15分。展望台はWA-504の突きあたりで、東側へ抜けることはできない。

夏期には毎日レンジャープログラムが行われている

Johnston Ridge Observatory
☎(360)274-2140
🕐5月中旬〜10月下旬の10:00〜18:00
💰$8。15歳以下無料

ウィンディリッジ　Windy Ridge

　火山の北東側にある展望ポイント。尾根にも、眼下に広がる

スピリットレイクSpirit Lakeにも、爆風で倒れた樹木が無残な姿をさらしていて、まるで大噴火がつい先日のことのようだ。道路沿いには立ち枯れたままの樹木も多い。晴れた日にはマウントアダムスや、はるか南にオレゴン州のマウントフッドの姿も見える。

30年以上経っても立ち枯れた樹木はあまり倒れていない

Windy Ridge
🚻トイレ・緊急用電話
　ポートランドから約3時間、シアトルから約4時間。ここへ上がるForest Road 99は狭い山道で、積雪期は閉鎖される。ガスステーションはない。また、ウィンディリッジにはレストランなどはない

火口に近いのでクレーター内の土砂崩れの音が響いてくることもある

ACTIVITIES　アクティビティ

Hoffstadt Bluffs Visitor Center
☎ (360)274-5200
URL www.hoffstadtbluffs.com
運行 5月上旬～9月中旬の10:00～18:00。45分ごと
料 25分$199、40分$299
最少催行人数3名

シルバーレイクから約20マイルの地点にある

入山許可証
料 $22（11～3月は無料）
購入は下記サイトで毎年2/1に販売開始
URL www.mshinstitute.org

遊覧飛行　Flight Seeing

火山の状態が安定していて天候もいいなら、ヘリツアーに参加してみてはどうだろう。クレーターのあちこちから盛んに蒸気を上げる火口に接近し、2004年秋からの活動で誕生した溶岩ドームを間近に見られる。わずか数分で形が変わってしまった湖、泥流が走ったToutle River、戻ってきたエルクの群れ、そして膨大な面積に及ぶ立ち枯れた森なども空から見れば一目瞭然だ。

乗り場はジョンストンリッジへ行く途中、WA-504の24マイル地点にあるHoffstadt Bluffsという民間のビジターセンター。ヘリは2機あるが、1回に乗客4名しか乗れないので待たされることもある。特に夏休み中は予約をしておいたほうがいい。

泥流が下った川をさかのぼって飛ぶ

登　山　Mountain Climbing

セントヘレンズ火山の山頂まではトレイルが整備されている。最も人気のあるルートは南側からのもので、9～12時間で頂上まで往復できる。堆積物で歩きにくく脚力が要るが、特に難しいコースではない。もちろん火山の状態によっては禁止される。

入山には許可証が必要。環境保護のため、5/15～10/31は入山者を1日100人に制限している。

ACCOMMODATION　宿泊施設

園内には宿泊施設はない。モーテルはシルバーレイク周辺に2軒、I-5のExit 39周辺に3軒、火山南側のCougarに1軒ある。さらにシアトル、ポートランド方面へ走れば宿はいくらでもある。

またキャンプ場も公園の敷地内にはないが、すぐ外側の国有林にたくさんある。WA-504沿いなら、シルバーレイク東側のToutleと、ビジターセンターの北側に小さなキャンプ場がある。

WA-504 沿い

モーテル名	住所・電話番号など	料　金	カード・そのほか
Mt. St. Helens Motel	住 1340 Mt. St. Helens Way, Castle Rock, WA 98611　☎ (360)274-7721　URL www.mountsthelensmotel.com	on $115　off $80	A D M V　I-5 Exit 49 を下りてすぐ。部屋もバスルームもとても広い。コインランドリー、冷蔵庫あり。朝食込み。Wi-Fi 無料
Silver Lake Motel	住 3201 Spirit Lake Hwy., Silver Lake, WA 98645　☎ (360)274-6141　URL www.silverlake-resort.com	on off $60～175	M V　I-5 Exit 49 から6マイル。シルバーレイク湖畔にあり、客室から釣りができる。キッチン付き
Blue Heron Inn	住 2846 Spirit Lake Hwy., Castle Rock, WA 98611　☎ (360)274-9595　URL www.blueheroninn.com	on off $169～235	M V　シルバーレイク湖畔。フルブレックファスト込み。Wi-Fi 無料。全館禁煙

GEOLOGY

セントヘレンズ大噴火

標高2550mのセントヘレンズ山は、カスケード山脈の中でも最も活動的な成層火山で、過去4000年の間に14回も噴火している。

1980年3月下旬、当時の標高2950mだったこの山で火山性地震が始まり、山頂で水蒸気爆発。北側斜面の一部が1日に2mという勢いで膨張を始め、近隣の住民に避難命令が出された。

5月18日朝8時32分、山頂直下で起きた地震によって100mにまで膨張した個所がついに山体崩壊を起こし、30分後にはマグマ本体が噴出して大噴火。岩屑流が最大時速360kmという猛スピードで斜面を駆け下り、川は土石流や泥流で埋め尽くされ、約162km²の森が失われた。爆風による被害も大きく、山頂から12kmも離れた場所で観測をしていた研究者が爆風でトレーラーごと吹き飛ばされた。57人の犠牲者のうち、危険区域内にいたのはハリー・トルーマン（後述）ら4人のみ。残りは、安全といわれていた場所で命を落とした人々だ。

約9時間に及ぶ噴火によって噴煙は上空2万4000mにまで達し、約2週間で地球を一周して世界中の空を覆った。噴出した軽石は北斜面

ヤナギランは噴火後の大地に真っ先に根を張った植物のひとつだ

に、火山灰は風に乗ってアメリカ東海岸にまで降り注いだ。

こうしてセントヘレンズ山の標高は400m低くなり、堆積物は厚み100m以上に達した。

噴火の1年後には、すでに山麓で植物が確認されている。最初に発見されたのはルピナスだったという。30年以上かけてやっと生長した貴重な植物に影響を与えないよう、WA-504沿いのトレイルなど、おもな場所ではペットを連れての立ち入りは禁止されている。

セントヘレンズ山はその後ほぼ静穏な状態が続いていたが、2004年、にわかに目を覚まし、10月に水蒸気爆発、翌年3月に小噴火した。火口クレーター内部に盛り上がった溶岩ドームは、以後3年間で高さ59mまで生長した。しかし、このドームと、1980年の大噴火後に6年間にわたって形成されたドームとを合わせても、大噴火で吹き飛ばされた体積の7%にすぎないそうだ。

ハリー・トルーマン

原爆投下を決定した大統領と同じ名をもち、ピンク色のキャデラックを乗り回す84歳の男。彼の最期について、ある人は「勇敢で立派だった」と言い、またある人は「頑固で愚かな老人だ。ただ有名になりたかっただけだ」と言う。

スピリットレイクの近くでロッジを経営していたハリーは、大噴火前の避難命令を拒絶した。「妻と暮らし、妻が眠るこの地を離れる理由などない」などの彼の発言は連日マスコミで報道され、大きな反響を呼んだ。「このロッジは雪崩と泥流に呑み込まれる」と警告する科学者、命の大切さを説く宗教家、彼が道連れにしようとしている15匹の猫を助けようとする人も現れた。一方、彼の元へは大量のファンレターが届けられ、なかには結婚を申し込む手紙が3通もあったという。

やがて地震と山体膨張が激しくなり、いよいよ噴火が決定的となってTV局がヘリで救出に来たが、それでもなおハリーは動かなかった。

全米が見守るなかで生涯を終えた彼は、今もロッジとともに分厚い泥流の下に埋まっている。

©U.S. Forest Service

©USGS

上／大噴火前、ウオータースポーツを楽しむ人でにぎわっていたスピリットレイク
下／大噴火の2年後のスピリットレイク

西海岸

セントヘレンズ火山国定公園（ワシントン州）

マウントレニエ国立公園

ワシントン州 ／ **MAP** 折込1枚目 A-1

氷河に呑み込まれそうなほど大接近できるセカンドバロー

©USPS
1934年発行の切手

シアトル離発着の際によく見える

頂上にかかっていた笠雲が次第に取れてゆき、マウントレニエがその神々しい姿を現した。朝の強い光を浴びて氷河が白く輝き出す。空の青さが深みを増し、そのコントラストはまぶしいくらいだ。やがて草原にも光が届くと、朝露を身にまとった紫のルピナスや赤いカステラソウが一斉に目を覚ます。サワッという軽い音とともに、まだ白い斑点の残る子鹿が森の中から現れた……。

カスケード山脈の最高峰、標高4392mのこの独立峰は、先住民にタホマTahoma（神の宿るところ）と呼ばれ、おそれられていた。また、その優雅な姿から、日系移民の間では『タコマ富士』と呼ばれ、親しまれてきた。天気のよい日にはシアトルから望むこともできるが、車でわずか2時間30分ほどだ。ぜひ公園まで足を延ばし、清冽な空気を感じながらスケールの大きな自然の中を歩いてみたい。

Mount Rainier National Park

Washington

ACCESS 行き方

　ワシントン州最大の都市**シアトル**Seattleがゲートシティになる。夏期はシアトルからツアーバスが出ている。2時間30分ほどと近いので日帰りも可能だが、ぜひ1泊して高山植物が咲き乱れるトレイルを歩いてみたい。もしも1週間くらい時間を取れるなら、レンタカーでセントヘレンズ火山国定公園（→P.274）、オリンピック国立公園（→P.292）、ノースカスケード国立公園（→P.300）を周遊するといい。

ツアー Tour

Gray Line of Seattle
　夏期のみシアトル発着日帰りツアーを催行している。パラダイスを訪れ、昼頃Paradise Innでランチ（別料金）。あとは午後に出発するまで自由にハイキングなど楽しめる。また、パラダイスインに宿泊するコースもある。

レンタカー Rent-A-Car

　シアトルからI-5を南へ走り、Exit 127で下りてWA-512、WA-7、WA-706経由で東へ向かうと南西ゲート Nisqually Entranceだ。シアトルから95マイル、約2時間30分。
　夏は北東からのアプローチも考えられる。シアトルからI-5を南へ走り、Exit 142でWA-18へ。WA-167とのジャンクションを過ぎるとすぐにWA-164の出口がある。ここからEnumclaw経由でWA-410を東へ。シアトルから110マイル、約3時間。

DATA
時間帯▶太平洋標準時 PST
☎(360)569-6575
URL www.nps.gov/mora
開夏期24時間オープン。積
雪期は一部を除いて閉鎖
適期5〜10月
料車1台＄15
そのほかの方法は1人＄5
国立公園指定▶1899年
面積▶約957km²
（大阪府の約半分）
入園者数▶約104万人
園内最高地点▶4392m
（Mt. Rainier）
哺乳類▶63種
鳥　類▶159種
両生類▶16種
魚　類▶18種
爬虫類▶5種
植　物▶約800種

Gray Line of Seattle
☎(206)626-5200
Free 1800-426-7532
URL www.graylineseattle.com
運行6月中旬〜9月下旬
料＄95、子供＄65

ワシントン州の道路情報
Free 511
Free 1800-695-7623
URL wsdot.wa.gov/traffic

ガソリンは満タンで
　ガスステーションは園内にはない。Ashford、Elbe、Packwoodなど周辺の町で給油しておこう

8月初旬のパラダイス。雪の多い年にはトレイルにもこんなに残雪がある

草原が緑濃くなるのは7月に入ってから。花が咲き揃うのは8月が近付く頃だ

ビレッジ間の所要時間
Longmire - Paradise
約30分
Paradise - Ohanapecosh
約45分
Ohanapecosh - Sunrise
約75分

積雪期の通行について
WA-410は積雪期（おおむね11～5月）は閉鎖される。WA-706のパラダイスより西は除雪車が入るので冬でも火・水を除いて通行できるが、積雪量の世界記録を出したこともある地域なので、チェーンは忘れずに。積雪期は夜間通行止めになる

シャトルバス
駐車場の混雑を緩和するため、6月中旬～9月初旬の金～日10:00～19:00に、ロングマイヤーとパラダイスを結んで無料シャトルが走る。15～45分ごと

Longmire Museum
☎(360)569-6575
🕐夏期9:00～17:00
　冬期9:00～16:30

Jackson VC
☎(360)569-6571
🕐夏期10:00～19:00
　春・秋10:00～18:00
　積雪期は土・日・祝のみ
　10:00～17:00

Ohanapecosh VC
☎(360)569-6581
🕐夏期9:00～19:00
　春・秋10:00～17:00
🚫10月下旬～5月下旬

Sunrise VC
☎(360)663-2425
🕐10:00～18:00
🚫9月上旬～7月上旬

そのほかの施設
食事
　気軽に食べるならパラダイスのJackson VCのカフェテリア（🕐夏期10:00～19:00、春・秋11:00～16:45）か、サンライズのカフェテリア（🕐夏期10:00～19:00）で。ダイニングルームは2軒のロッジ内にある
　ジェネラルストア
　ロングマイヤーにある
🕐夏期9:00～20:00
　冬期10:00～17:00
※外貨両替は園内ではできない

サンライズ周辺のトレイルを歩く前に、ビジターセンターで地図をもらうといい

公園ゲートは、南西のNisqually、南東のStevens Canyon、サンライズ入口のWhite River、北西のCarbon Riverと4ヵ所あるが、年中オープンしているのは南西のNisquallyだけ。

公園は、中心にそびえるマウントレニエの山麓に各施設が散在し、南側と東側に周遊道路が通っている。ビレッジは、南側の**ロングマイアーLongmire**と**パラダイスParadise**、そして東側の**サンライズSunrise**の3ヵ所にある。

マウントレニエの楽しみ方は、その日の天気によって変わってくる。山に雲がかかっていないなら、周遊道路をどんどん走って、いろいろな角度からレニエを眺めたい。少し長いトレイルを歩いてみるのもいい。山頂が厚い雲に覆われているときには、パラダイスなどに滞在して花の咲き乱れる草原をのんびりと歩いてみよう。

情報収集　　Information

Longmire Museum

南西ゲートから6マイル。パラダイスへ向かう途中にある。マウントレニエの地理や歴史、生物などについて詳しく展示されている。ビジターセンターとしても機能している。

Jackson Visitor Center

2008年秋、パラダイスインと調和するデザインで新設されたビジターセンター。融雪処理をしなくても屋根の雪が自然に落ちるように傾斜をつけ、落ちた雪を夏の冷房に使うなど、自然エネルギーを最大限に利用している。旧ビジターセンターに比べて消費電力が約7割減ったそうだ。動植物や氷河に関する展示のほか、オリエンテーションフィルムも上映されている。館内にカフェテリアがある。

Ohanapecosh Visitor Center

南東ゲートの南にあるキャンプ場内のビジターセンター。園内に住む動物や森の生態に関する常設展示も充実している。

Sunrise Visitor Center

サンライズにあり、このエリアのハイキング情報が充実している。駐車場の一番奥の建物。手前右側の建物はカフェテリアだ。

シーズン　　　　　Seasons and Climate

　高山植物が咲き競うのは7月下旬〜8月上旬。最も美しいのはその頃だが、混雑するのもその頃。年間入園者の約半数が、7、8月に集中する。花は終わってしまうが、9〜10月上旬は気候が比較的安定しており、黄葉が見られる。人も少なくていい季節だ。

　なお、スギ花粉症のひどい人は、6月前後は避けたほうが無難。

　12〜4月は深い雪の中。ロングマイアーとパラダイスの間は除雪されて年中通れるが、そのほかの道路は閉鎖される。雪に覆われた山々の凛とした美しさは、ほかの季節には味わえない魅力だ。

　なお、夏でも雨や霧でマウントレニエの姿が1週間も見えないこともあるので、覚悟しておこう。

©NPS

大量の雪に埋もれる冬のパラダイスイン

雪のシーズン

　パラダイスの初雪は例年10月下旬。3〜4月までは積雪があり、6月頃までは降雪がある。

　マウントレニエに氷河が多いのは、太平洋からの湿った空気が山にぶつかり、大量の雪を降らせるため。パラダイス付近では例年15mもの積雪があり、3階建てのParadise Innも屋根まですっぽり埋まってしまう。1972年には、年間降水量が2万8500ミリ（東京は平均1466ミリ）、年間積雪量28.5mという世界記録も出している（現在の世界記録はシアトルの北にあるMt. Bakerで28.9m。1999年）

パラダイスの気候データ　　日の出・日の入りの時刻は年によって多少変動します

月	1	2	3	4	5	6	7	8	9	10	11	12
最高気温（℃）	1	2	3	7	10	14	18	17	14	9	5	1
最低気温（℃）	-6	-6	-6	-3	0	7	7	6	4	1	3	-6
降水量（mm）	463	333	319	211	150	104	50	50	120	265	515	436
降雪量（m）	2.9	3.7	4.3	4.5	3.7	2.1	0.5	0	0	0.1	0.6	1.8
日の出（15日）	7:48	7:12	7:20	6:20	5:33	5:12	5:28	6:04	6:44	7:24	7:09	7:45
日の入り（15日）	16:45	17:30	19:12	19:54	20:34	21:03	20:58	20:19	19:20	18:21	16:34	16:19

西海岸

マウントレニエ国立公園（ワシントン州）

（地図）

Carbon River
Carbon River Rd.
165
Mowich Lake
Mowich River
⑩ 州道
　未舗装道路
　トレイル
Ⅱ 料金ゲート
Ｈ ビジターセンター
Ｌ ロッジ
▲ キャンプ場
Ⅲ トイレ

North Mowich Glacier
Carbon Glacier
Winthrop Glacier
サンライズ Ｈ　サンライズポイント
　　　　　　Sunrise Point
White River
Emmons Glacier
（10〜6月閉鎖）
White River
（12〜4月閉鎖）
410
ヤキマへ
410
シアトルへ

Mt.Rainier
4392m
Tahoma Glacier
Nisqually Glacier

123

km 0　2　4　6
miles 0　1　2　3

N

（12〜4月閉鎖）

パラダイス
クリスティン滝
Cougar Rock
リッグセッカーポイント
ロングマイアー博物館
National Park Inn

Paradise Inn
ナラダ滝
リフレクションレイク

Box Canyon

Stevens Canyon

オハナピーコッシュ

シアトルへ
Ashford
706
Nisqually River
Nisqually R.
Kautz Creek

バックウッドへ

マウントレニエ国立公園

パラダイスのビレッジは高山植物の宝庫で楽しいが、周辺のトレイルを歩けばさらに雄大なパノラマを満喫できる

[Ranger] Meadow Meander
高山植物の話と散策
集合▶夏期10:30
所要▶1時間
場所▶Jackson VC

[初級] Nisqually Vista
適期▶6〜10月
距離▶一周2km
標高差▶61m
所要▶一周約45分
出発点▶Jackson VC

[Ranger] Nisqually Vista Walk
氷河の話と散策
集合▶夏期14:00
所要▶1時間30分
場所▶Jackson VC

POINTS of INTEREST　　おもな見どころ

パラダイス Paradise

　マウントレニエ南麓にある標高1647mのパラダイスは、ビジターセンターとロッジがあるだけの小さなビレッジ。周辺には湖、滝、高原と花畑、氷河と見どころが多く、まさにパラダイスだ。

　ビレッジのすぐ裏側には**ニスカリー氷河Nisqually Glacier**が迫っている。短いトレイルを歩けば、Nisqually Vistaという展望台から迫力ある氷河の姿を見ることができる。

リフレクションレイク　Reflection Lake

　パラダイスから東のオハナピーコッシュ方面へ向かう途中にある小さな湖。湖面にくっきりとマウントレニエの雄姿を映し出すため、絶好の撮影ポイントになっている。

GEOLOGY

氷河の話

　氷河とは、万年雪が積み重なって自らの重さで氷となり、斜面を流下するもの。巨大な氷の川が1日に数センチ〜数メートルの速さで動くのだから、そのエネルギーは莫大だ。谷底や周囲の崖の岩を削りとり、ヨセミテバレーのようなU字谷や、馬蹄型のカール（圏谷）を造る。岩石を巻き込んで流れるので、氷河は下へ行くほど汚くなる。標高の低い暖かい場所までくると氷河は前進を止め、崩れ落ちて溶ける。この氷河の末端まで運ばれた岩石が堆積したものがモレーン（堆石）だ。

　現在マウントレニエにある26の氷河は、1日に約30cm、斜度の大きいところでは1日に3mも移動している。最大はサンライズにあるEmmons Glacier。長さ6.5km、幅1.6kmで、48州最大といわれている。

　パラダイスにあるNisqually Glacierは園内6番目の大きさ。150年ほど前には氷河の先端部が現在より約2km下流にあったそうだ。

各地の氷河と同様、ここでも毎年規模が縮小している

ナラダ滝　Narada Falls

ロングマイアーからパラダイスへ登る途中で、ふたつの滝を見ることができる。パラダイス寄りにあるのがナラダ滝。落差50m。雪が水源になっているので、透きとおった流れが見られる。特に雪解けの時期は水量も多く迫力がある。駐車場から150mほど下りると滝を間近に見られる展望台がある。

クリスティン滝　Christine Falls

ロングマイアーとパラダイスの中間にあり、駐車場から少し下りると橋越しに滝を見られる（橋上を歩くのは危ない）。1911年頃にはニスカリー氷河の末端がここまであったが、今は1.6kmも後退し、氷河から流れ出た川が滝となって落ちている。氷河が削った岩石の鉱物を含んでいるので、水は乳白色をしている。

サンライズ　Sunrise

パラダイスからマウントレニエの山裾をぐるりと回り込んで約2時間、標高1950mのサンライズに着く。ビレッジのすぐ横に**イモンズ氷河Emons Glacier**が迫っていて、視界の良い日にはHood、Baker、Adamsといったカスケード山脈の山々も見える。周辺には高山植物の群落が多いし、パラダイスとは反対側から見るマウントレニエもすばらしい。ぜひハイキングを楽しみたい。

イモンズ氷河が見下ろすサンライズ

Narada Falls
設備トイレ

クリスティン滝

サンライズ
WA-410からサンライズへ上る道路は、例年7〜9月の短い期間しかオープンしない。なお、サンライズにあるDay Lodgeはカフェテリア＆ギフトショップで、宿泊施設ではない

Ranger **Sunrise Walk**
集合▶夏期13:00＆15:30
所要▶30分
場所▶Sunrise VC

初級 **Emmons Vista**
適期▶7〜9月
距離▶往復1.6km
標高差▶30m
所要▶往復30〜40分
出発点▶サンライズ駐車場南側

GEOLOGY

今度はいつ噴火する？

マウントレニエは、日本列島と同じく環太平洋火山帯の一部をなしている。一度の爆発によってできた山ではなく、溶岩、火山灰などを断続的に噴出してできた複合火山だ。

今からおよそ1200万年前頃からマグマが形成され、100万年前頃に溶岩が押し出されて標高4900m程度の山をなしたと考えられている。その後約5800年前の大噴火で上部が吹き飛び、東側が凹んだ形の山となった。このときの噴火では北東斜面を土石流が洗い、現在のケント市あたりまで泥が覆いつくした。この噴火は、これまでにわかっている全世界の噴火の中で最大といわれる。

大噴火の周期は3000年と考えられている。一番最近の大噴火は約2500年前。その後も小さな噴火は起きていて、最近では1882年に噴火した。現在も活火山であり、山頂からはときおり蒸気が上っている。

では、次はいつ噴火するのだろう？　専門家の意見は分かれているが、なかには「数年以内に噴火する可能性が高い」とする学者もおり、

いざというときにはこの標識をたどって避難しよう

2004年からセントヘレンズ火山が活動的になったこともあって注目されている。

もしも将来大噴火を起こしたら、その被害はシアトルにまで及ぶという。例えば1980年のセントヘレンズ火山と同程度の噴火であっても、大量の氷河を残すマウントレニエのほうが被害は大きい。溶岩に触れて一瞬のうちに氷河が溶け、巨大でスピードの速い泥流が発生するからだ。ちなみに死火山はextinct volcano、休火山はdormant volcano、活火山はactive volcanoという。

マウントレニエの主役たち

マウントレニエは花の公園だ。例年、7月下旬〜8月中旬の短い間に、数百種類の高山植物が一斉に咲き競う。特にパラダイス周辺がすばらしく、まさに天上の花園となる。森林限界の下はダグラスモミを中心とした針葉樹林で覆われている。草原と森林の境目付近の美しさも特筆モノだ。

この境目を活動範囲にしているのがブラックベアやオグロジカ。森の中にはピューマもかなりの数が生息している。東側のサンライズへ上がる道路沿いや森林では、特に9月頃にエルクをよく見かける。岩場にはマウンテンゴートもいる。

マウントレニエで最もよく見られる哺乳類は、おそらくマーモットだが、彼らが住んでいる岩場でぜひ注目してほしいのがナキウサギ。シャイな動物なので人の声がすると岩の下に隠れてしまうが、しばらく静かにして待っていれば、きっと姿を見せてくれるだろう。

1.ゴゼンタチバナBunchberry Dogwood　2.まだ幼さの残るオグロジカ　3.リスの仲間、シラガマーモット　4.アバランチリリー　5.ルピナス

ACTIVITIES アクティビティ

ハイキング　　　　　　　　　　　Hiking

　氷河や花畑を眺めながら高原を歩こう。夏期にはレンジャー引率のハイキングプログラムもある。地質や動植物についての説明が受けられるし、歩くペースもゆっくりしていて楽しい。スケジュールは公園の新聞『TAHOMA NEWS』で確認を。

アルタビスタ・トレイル
Alta Vista Trail

　パラダイスの北にある丘へ登るトレイル。マウントレニエはもちろん、セントヘレンズ火山の姿も遠くに見える。

パラダイスで2時間あったら歩いてみよう

ハイキングの注意
　マウントレニエの天候は変わりやすく、真夏に雪が降ることもある。防水性が高く温かい上着を忘れずに。また、マウントレニエのトレイルはどこも複雑に入り組んでいて迷いやすい。ポイントに標識がなく、目的地に到着したかどうかがわからないこともある。ビジターセンターかロッジでトレイルマップをもらっておこう

中級 Alta Vista Trail
適期▶6〜10月
距離▶一周2.8km
標高差▶183m
所要▶一周1.5〜2時間
出発点▶Jackson VC

パラダイス周辺のトレイル

287

中級 Skyline Trail
適期▶7～9月
距離▶一周8.8km
標高差▶518m
所要▶一周4～5時間
出発点▶Jackson VC
設備 簡易トイレ（パノラマポイント。夏期のみ）

スカイライントレイル
Skyline Trail

パラダイス周辺での最高地点、Panorama Point（標高2073m）まで上る。花々の群落、残雪で遊ぶマーモット、迫力の氷河を眺めながら歩く。さまざまなルートが交差しているので、ショートカットもできる。真夏でも氷や残雪が多い。滑らない靴で歩こう。

パノラマポイント。山火事の煙で空がかすんでいる

中級 Lakes Trail
適期▶6～10月
距離▶一周8.3km
標高差▶396m
所要▶一周4～5時間
出発点▶Paradise Inn

レイクストレイル　Lakes Trail

パラダイスからリフレクションレイクまで下るトレイル。車でも行けるが、森を抜け、草原を越えて歩く気分は爽快だ。

中級 Second Burrough
適期▶7～9月
距離▶Firstまで一周8km
標高差▶274m
所要▶一周約4時間
出発点▶サンライズ駐車場北側

セカンドバロー　Second Burrough

サンライズ周辺のおもなポイントをぐるりと一周するコース。バラエティに富んだ風景が楽しめる。詳しくはP.290コラムを参照。

⚠️ **ブラックベアに注意！**
2012年夏、サンライズのトレイル近くでブラックベアが目撃された。トレイルを歩く際には要注意だ。カワイイ子グマを見かけても決して近付かないこと（→P.393）

フローズンレイクからファーストバローへの急登

🚙 Side Trip
マウントレニエが顔を出す広大な平原、グランドパーク

サンライズから、まずはフローズンレイクを目指す。ここはバローズマウンテンなどへの分岐点になっているが、Wonderland Trail方面を行く。夏には一面のお花畑となり、小川も流れている。お花畑ではマーモットやシマリスの姿が見られ、ガレ場ではナキウサギの声が聞こえる。いくつかの分岐をBerkeley Park Campsite方面へ歩く。キャンプサイトを通過し、山道を3マイルくらい歩いたところにグランドパークGrand Parkがある。やがて木々が減ってきて次第に草地となる。パークレンジャーによると、数千年前に溶岩の流れが峡谷を埋め、この高地にこんなにも広い平地を作ったそうだ。

小道をさらに歩いていくと分岐点があり、Lake Eleanor方面に少し歩くと、グランドパークの平原から生えたように頭を出したマウントレニエの姿を見ることができる。サンライズからおよそ6マイル。こんなに遠くに来ても大きく見えるマウントレニエはすごい！（横浜市 びろみん '09夏）['13]
※往復約20kmと長いトレイルなので、事前にビジターセンターで天候の確認を。充分な飲料水とトレイルマップもお忘れなく。

サワードゥリッジ　Sourdough Ridge（Dege Peak）

　ルピナスをはじめとする高山植物の群落を抜けてなだらかな山道を登り、サンライズの東側にある見晴らしのいい稜線まで往復する。トイレ裏手の坂を上がり、分岐点でバローズマウンテンとは逆に右手へ歩いて行く。登るにつれてマウントレニエが大きくなり、天気のいい日ならマウントアダムスからマウントベイカーなどカナダ国境の山まで遠望できるだろう。時間がなければ途中で引き返してくればいい。

中級 **Sourdough Ridge**
適期▶7月中旬～9月上旬
距離▶往復6.7km
標高差▶244m
所要▶約3時間
出発点▶サンライズ駐車場北側

古老の森　Grove of the Patriarchs

　降水量の多いマウントレニエの山麓には広大な樹海が広がっている。そのひとつ、オハナピーコッシュ川の中州にある古木の森を歩く。森のなかは樹齢500～1000年のダグラスモミやヒマラヤスギが空を覆い、昼なお薄暗い。深呼吸をして、キツツキが幹を叩く音に耳を澄ましてみよう。雨のあとは足元がぬかるんでいることが多い。

初級 **Grove of the Patriarchs**
適期▶5～10月
距離▶一周約2km
標高差▶ほとんどない
所要▶約1時間
出発点▶南東ゲートを入ってすぐ

サンライズ周辺のトレイル

車道
トレイルルート
ビジターセンター
キャンプ場
トイレ

イモンズ氷河

セカンドバロー
Second Burroughs
2256m

ファーストバロー
First Burroughs
2134m

Grand Park Trail

Wonderland Trail

Mt. Fremont Trail

Frozen Lake

Shadow Lake

Wonderland Trail

Burroughs Mountain Trail

Forest Lake Trail

White River

イモンズ氷河露頭

ビジターセンター

カフェテリア＆ショップ

Sourdough Ridge Trail

KUROSAWA

登 山 — Mountain Climbing

登山登録手数料
[料]1人＄44、24歳以下＄31

登山教室
Rainier Mountaineering Inc.
[Free]1888-892-5462
[URL]www.rmiguides.com
[料]1日クラス＄190、4日間
登頂コース夏期＄991

『タコマ富士』の山頂を極めるのは、富士山頂に立つよりもはるかに難しい。標高も緯度もより高く、無数のクレバスが待っているからだ。それでも年間約5000人があの頂に立っている。本格的に登山をやっている人で氷河歩きができるなら、レンジャーステーションに登録して自分たちだけで出発することも可能。往復約26km、標高差は約2750m。経験の浅い人は登山教室に参加してから、教官と頂上を目指すパーティに加わるという方法もある。

雪山の基礎を教えてくれる登山教室

ウインタースポーツ — Winter Sports

[Ranger]Snowshoe Hike
集合▶12月下旬〜3月下旬
の土・日・祝12:30、14:30
所要▶2時間
場所▶Jackson VC
[料]任意の寄付＄4

冬、パラダイスではクロスカントリースキーが楽しめる。週末にはレンジャーと一緒に銀世界を歩くスノーシューハイクも行われる。

Trail Guide

セカンドバロー

最短距離を行くよりも、往復で別のルートを取ってみよう。まずは、サンライズのカフェテリアとビジターセンターの間にあるトレイルヘッドから歩き始める。しばらく登った突きあたりを左へ。初めの1kmほどは緩やかな上りが続く。登り切るとアップダウンの少ない道が続くが、ガレ場に近いところもあるのでしっかりとしたシューズが必要だ。やがてフローズンレイクを右に見ながら回り込むと、五差路に出る。ここからがバローズマウンテンの始まりだ（ここで左折して直接シャドーレイクへ下りることもできる）。

かなりキツイ上りが続く。あたりの植生は北極圏と同様のツンドラ地帯。限られた高山植物だけが生きられる環境だ。北緯47度（サハリン南部程度）、標高2000m以上を甘く見てはいけない。天気は急変しやすい。

標高差約300mを登り切ると、正面にマウントレニエが圧倒的な迫力を持って現れる。平坦な丘になっているあたりがファーストバロー。イモンズ氷河を望む絶景を愛でながら休憩しよう。

向かいの斜面にはセカンドバローへのトレイルが見えている。真夏でも残雪が多いので、状況によってはあきらめたほうがよい。30分ほど上るとイグルー型の石のベンチがある。ここがセカンドバロー。マウントレニエがさらに近く見える。

ファーストバローまで戻ったら、今度は右に道を取ってサンライズに戻ろう。右にインターフォーク（沢）の造る谷を隔てて氷河とマウントレニエ、左にはルピナスなどの群落を見ながら足場はあまりよくない。Glacier Overlookを過ぎて左へ下りていくとキャンプ場。その先、左側にシャドーレイクが現れる。色とりどりの花に囲まれたエメラルドグリーンの湖水が静かだ。シャドーレイクからサンライズまではなだらか。森の中にぽっかりと浮かぶ花畑にシカが遊ぶ。まるでメルヘンの世界だ。

注意：緯度の高い山地であることを忘れずに。マウントレニエそのものが周囲に独特の気候を作り出すといわれるだけあって、天気は変わりやすい。太陽が陰ると気温は急激に下がり、冷たい風が体温を奪う。重ね着が絶対に必要。短いトレイルを歩く際でも、出発前にビジターセンターで天候のチェックを。また、年によっては8月でも残雪がある。通れるかどうか慎重に判断しよう。

身を隠す場所がないので、天候の急変に要注意

ACCOMMODATION 🏠 　　宿泊施設

園内で泊まる

　ロングマイアーとパラダイスに1軒ずつロッジがある。どちらも歴史ある宿だが、室内は新しくて快適。バスなしの部屋でも備品がひと通り揃っており、共同シャワーは清潔で気持ちよく使える。夏の予約は3ヵ月以上前に満室となる。

ロッジの予約
☎(360)569-2275
URL www.mtrainierguestservices.com
カード A D M V

🏠 Paradise Inn

　パラダイスにある1916年建造のロッジ。丸太組みの広いロビーには石造りの暖炉もあっていいムード。周辺は花の咲き乱れる草原だ。電話なし。ダイニングルームあり。全館禁煙。121室。

7、8月の予約は早めに

🏠 5/22～10/7（2013年）
on off バス共同 $117～153
　　　　バス付き $170～286

🏠 National Park Inn

　ロングマイアーにある。1990年に改装されて近代的なロッジになった。電話なし。ダイニングルームあり。全館禁煙。25室。

冬も営業している

🏠 年中オープン
on off バス共同 $119～155
　　　　バス付き $159～246

キャンプ場に泊まる

　園内には6ヵ所のキャンプ場があるが、洪水被害のため3ヵ所が夏だけオープンしている。南東ゲート近くの**Ohanapecosh**とロングマイアー近くの**Cougar Rock**は夏期は予約制になる。

キャンプ場の予約→P.482
Free 1877-444-6777　URL www.recreation.gov
料 $12～15

近隣の町に泊まる

　南西ゲートの外側にあるAshfordと、南東ゲートからUS-12を南下したところにあるPackwoodに数軒ずつの宿がある。

アシュフォード	Ashford, WA 98304　南西ゲートまで約 4 マイル　13 軒		
モーテル名	住所・電話番号など	料　金	カード・そのほか
Stone Creek Lodge	🏠38624 SR-706 ☎(360)569-2355 Free 1800-819-3942 URL stonecreeklodge.net	on off $120 ～ 150	M V　ゲートまで200m。キッチンと暖炉のあるキャビン。夏期は 2 泊以上のみ。Wi-Fi 無料。全館禁煙
Alexander's Country Inn	🏠37515 SR-706 E. ☎(360)569-2300　Free 1800-654-7615 URL www.alexanderscountryinn.com	on $130～179 off $99～165	J M V　ゲートまで 1 マイル。歴史的な建物。フルブレックファスト込み。Wi-Fi 無料。全館禁煙
Mountain Meadows Inn	🏠28912 SR-706 ☎(360)569-2788 URL www.mountainmeadowsinn.com	on off $129～169	M V　ゲートまで 6 マイル。ロマンティックな B&B。フルブレックファスト込み。Wi-Fi 無料
パックウッド	Packwood, WA 98361　南東ゲートまで約 10 マイル　7 軒		
モーテル名	住所・電話番号など	料　金	カード・そのほか
Packwood Inn	🏠13032 US-12 ☎(360)494-5500 URL www.packwoodinn.com	on $50～145 off $45～128	A M V　町の中心部。朝食込み。室内温水プール、ジャクージあり。ログハウス風であたたかい雰囲気。全館禁煙。Wi-Fi 無料
Crest Trail Lodge	🏠12729 US-12　☎(360)494-4944 FAX(360)494-6629　Free 1800-477-5339 URL www.cresttraillodge.com	on off $80～100	A M V　町の西の外れ。冷蔵庫あり。朝食込み。Wi-Fi 無料

オリンピック国立公園

ワシントン州 ／ **MAP** 折込1枚目 A-1

ホー・レインフォレスト。世界遺産登録の最大のポイントとなった貴重な温帯雨林だ

　　アメリカには59の国立公園があるが、変化に富んでいるという意味ではオリンピックがナンバーワンではないだろうか。何しろスキーも、ジャングル探検も、海水浴もできてしまうのだ！　オリンピック国立公園はワシントン州の北西部、オリンパス山（標高2432m）を中心としたオリンピック半島に位置し、山岳部には60近い氷河がある。ところが、その麓はジャングルを思わせるコケむした温帯森林。すぐそばには太平洋が広がっている。その特異な環境から、1981年にUNESCOの世界遺産に登録された。

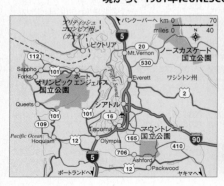

温帯雨林では地衣類、コケ類にも注目したい

Olympic National Park

Washington

ACCESS　　　　行き方

　オリンピック半島北岸の**ポートエンジェルスPort Angeles**がゲートシティ。ファンデフカ海峡を隔ててカナダのビクトリアと向かい合っていて、フェリーが往復している。公園北部の見どころだけを回るなら、シアトルからバスで来て、ここでレンタカーを借りてもいい。公園の西側も見るなら、シアトルでレンタカーを借りて、オリンピック半島をぐるりと回るのがおすすめ。無理をすれば日帰りも可能だが、できればマウントレニエも合わせて3、4日かけて回りたい。

長距離バス　　　　　　　　　　　　　　**Bus**

　シアトルからポートエンジェルスまで**Olympic Bus Lines**が1日2便バスを運行している。シアトルの乗り場は、ダウンタウンのグレイハウンド・バスターミナル（9th Ave. & Stewart St.）とアムトラック駅King Street Station。シータック国際空港（バゲージクレームの南端。ドア#00）からも乗ることができる。
　ポートエンジェルスから公園へはレンタカーで行くことになる。

Olympic Bus Lines		(2013年1月現在)		
12：50	18：40	Sea-Tac Airport	9：50	17：15
13：40	19：35	Seattle Downtown	8：50	16：20
16：35	22：45	Port Angeles	6：00	13：00

レンタカー　　　　　　　　　　　　Rent-A-Car

　シアトルのピア52からBainbridge Island行きフェリーに乗り、対岸に到着してからはWA-305、WA-3、WA-104と走るとUS-101に出る。これを北へ進むとポートエンジェルスにいたる。シアトルから2時間45分みておこう。そのままハリケーンリッジへ行くなら、市内に入ってRace St.で左折。道なりに進むとビジターセンターを経てハリケーンリッジにいたる。所要約45分。
　レイククレセントへは、ポートエンジェルスからUS-101を西へ21マイル。海岸地域までは70マイルほど。南部のクラロックまでだと、ポートエンジェルスから90マイルのドライブだ。

カナダとの国境地帯
を進むフェリー

DATA
時間帯 太平洋標準時PST
☎(360)565-3130
URLwww.nps.gov/olym
開園 24時間365日オープン
道路 年中
料金 車1台＄15。
そのほかの方法は1人＄5
国立公園指定 ▶1938年
世界遺産登録 ▶1981年
面積 ▶3734km²
（奈良県とほぼ同じ）
入園者数 ▶約297万人
園内最高地点 ▶2432m
（Mt. Olympus）
哺乳類 ▶64種
鳥　類 ▶約300種
両生類 ▶13種
魚　類 ▶37種
爬虫類 ▶4種
植　物 ▶1450種

ポートエンジェルスの観光案内所
住 121 E. Railroad Ave.
☎(360)452-2363
営 月～土10:00～16:00。夏期は毎日9:45～17:00
フェリー乗り場の横にある

Olympic Bus Lines
☎(360)417-0700
Free 1800-457-4492
URLwww.olympicbuslines.com
料 シアトルから片道＄39、往復＄69。空港から片道＄49、往復＄79
Budget Rent-A-Car
住 111 E. Front St.
☎(360)452-4774
Free 1800-345-8038
フェリー乗り場近くにある

スケジュールには余裕をもって
　シアトル周辺は渋滞がひどい。ラッシュアワーや週末にはI-5も延々と渋滞する。またWA-104は入江を渡る跳ね橋があり、船の通過に当たってしまうと30分～1時間も待たされる

Washington State Ferries
Free 1888-808-7977
URL www.wsdot.wa.gov/ferries
運航 早朝～深夜35～105分ごと。片道35分
料 夏期＄16.40、冬期＄13.15

おもなポイント間の所要時間
Port Angeles-Hurricane Ridge　約55分
Port Angeles-Lake Crescent　約30分
Lake Crescent-Hoh　約90分
Hoh-Kalaloch　約75分
Kalaloch-Quinault　約45分

🐾 **クマに注意**
オリンピック半島にはクマが多い。車から離れる際には食品、飲み物、香辛料、化粧品、ゴミ袋など匂いのあるものはすべてトランクへ入れよう

園内の見どころは、オリンピック半島の中央にそびえる山岳地域と、太平洋岸の南北90kmに及ぶ海岸地域に点在している。それぞれの見どころを直接つなぐ道路はなく、半島の周囲をぐるりと一周しているUS-101からアクセスすることになる。

山岳地域の見どころへは北側からアクセスする。標高約1500mに広がる高原、**ハリケーンリッジHurricane Ridge**、森に囲まれた**レイククレセント Lake Crescent**などがある。

海岸地域のハイライトは温帯雨林だ。**ホー・レインフォレスト Hoh Rain Forest**と**キノート・レインフォレストQuinault Rain Forest**がある。その中間の海岸沿いにクラロックKalalochの町がある。

半島を一周するUS-101は通行量も少なくて走りやすい

情報収集　Information

Olympic National Park Visitor Center

ポートエンジェルスのRace St.（途中でMt. Angels Rd.となる）を南に1マイルほど行ったところ。ハリケーンリッジへ上る途中にある。トレイルの状態など各種情報のほか、25分間のオリエンテーションフィルムも上映している。

反時計回りにドライブするなら、まず最初にここを訪れよう

Olympic NP VC
☎ (360)565-3130
🕐 夏期 8:00〜18:00
　冬期 8:00〜16:00

そのほかの施設
ハリケーンリッジのほか、園内の各ロッジにレストランがある。そのほかの施設はポートエンジェルスなどで
ガスステーション
US-101沿いにけっこうある。またクラロックロッジでも給油できる

🦦 **Wildlife**
生態系復活ニュース
その1：ポートエンジェルスとレイククレセントの間を流れるエルワ川。その上流にあるダム2基を11万ドルかけて撤去し、サケの遡上を復活させるプロジェクトが進行中。もうすぐ完了する
その2：テンfisherはミンクによく似たイタチの仲間。美しい毛皮のために大量に殺され、19世末にオリンピック半島から、そして20世紀初頭にはワシントン州からも絶滅してしまった。2008年、テンをオリンピックリッジに復活させるプロジェクトがスタート。春、カナダで捕まえられた18頭のテンがハリケーンリッジなどに放たれた。その後2年間でさらに72頭が放たれた

シーズン　Seasons and Climate

オリンピック国立公園は、場所によってその気候がドラマチックに変わる。太平洋を流れる冷たいカリフォルニア海流からの湿った空気は、強い西風に乗ってオリンピック山脈にぶつかり、西側の斜面に多量の雨をもたらす。標高の高いところでは雪になって氷河を育み、麓では多量の雨が深い深い森を育てる。ところが、山の東側はロスアンゼルスと変わらないほど乾燥しているのだ。

公園は年間を通じてオープンしており、四季折々の楽しみ方があるが、シーズンはやはり夏。ほかの季節に比べて降水量が少なく、晴れた日が多い。最高気温も24℃前後で過ごしやすい。山岳部では冬はかなりの降雪があり、ウインタースポーツが盛んに行われる。

いずれにしても変わりやすい気候なので、重ね着が望ましい。特にハイキングやキャンプの際は充分な準備を。また、車で冬期の山岳地帯を走る際はチェーンは必携だ。

POINTS of INTEREST　おもな見どころ

ハリケーンリッジ　Hurricane Ridge

ポートエンジェルスから標高1500m以上まで一気に坂を登って行くと、見晴らしのよい尾根にビジターセンターが建っている。ハリケーンヒルまで上れば、氷河の残る山々、ファンデフカ海峡、カナダのバンクーバー島やノースカスケードの山々まで一望のもと！　あたりの草原では、高山植物の群落の中をシカやマーモットが歩き回っている。

夏でも涼しくて気持ちがいい

レイククレセント　Lake Crescent

US-101沿いにある三日月形の氷河湖。山々に囲まれた静かなたたずまいと、湖畔のロッジが美しい。窒素濃度が低いために植物プランクトンが育たず、高い透明度を保っている。時間があればメリーミア滝へのトレイル（→P.298）を歩くのもおすすめだ。

日がな一日何もしないでくつろぐ。湖畔のイスに腰掛けて本のページを開けて読みたかったが、ふさわしい湖だ。そんな過ごし方

**Hurricane Ridge
Visitor Center**
🕐 夏期 9:00～17:15
　　冬期 9:30～17:00
🚫 オフシーズンの月～金

[初級] **Cirque Rim Trail**
適期 ▶6～10月
距離 ▶一周1.6km
標高差 ▶15m
所要 ▶40分
出発点 ▶ビジターセンター

積雪期の通行
　ハリケーンリッジは、積雪期は金～日9:00～日没のみ通行可。11月下旬～4月初旬はチェーン規制あり。
道路情報は
☎(360)565-3131で

Wildlife
巨木の森
　オリンピック半島は巨木が多いことでも知られている。シトカトウヒ Sitka Spruce (58m)、ベイスギ Western Red Cedar (48m) など、樹種ごとの世界最大の木が半島内で多数発見されている

オリンピック国立公園

Sol Duc Hot Springs

Free 1866-476-5382
圏3月下旬～10月下旬
夏期9:00～21:00。春・秋
は～20:00
圏$12.25、4～12歳$9.25
※宿泊者は無料。水着着
用のこと

Cape Flattery

　レイククレセントから西
へ25マイルでWA-113へ右
折。途中でWA-112に合流
してNeah Bayへ。村の奥
へ進み、標識に従ってさら
に7マイル走る。約2時間。
駐車場から岬へは急坂を
下って約20分。
※居留地内のガソリンスタ
ンド か Makah Tribal
Center、マカ族博物館で、
入場許可証を購入のこと

Makah Cultural and Reserch Museum

☎(360)645-2711
圏10:00～17:00
圏11月第4木曜、12/25、
1/1
圏$5

浅瀬までクジラがやってくるこ
ともあるファンデフカ海峡

Rialto Beach

フォークスからWA-110を
西へ13マイル。約40分

La Push

WA-110をLa Push Rd.へ左
折して、6マイル。フォー
クスから約40分。キルー
ト族居留地は入場無料

ソルダック・ホットスプリングス　Sol Duc Hot Springs

　レイククレセントの南方に位置する温泉リ
ゾート。Sol Ducとは先住民の言葉で"温泉
が出る土地"という意味。その湯は炭酸と
珪酸を多く含み、温度は約36.7～41℃。キャ
ンプ場、キャビン、レストランなどの施設が
整っているが、温泉だけでも利用できるし、
温水プールで泳ぐこともできる。森を眺め
ながらの温泉は最高の気分。湯は透明だが、
入ってみるとヌメリがあり、硫黄臭もある。

水着で温泉浴を楽しもう

フラッタリー岬　Cape Flattery

　マカ族先住民居留地（入場許可証$10）にある48州北西端の
岬。突端の断崖に設けられた展望台からも、行く途中のWA-112
からも、アザラシ、アシカ、海鳥がたくさん見られる。ファン
デフカ海峡に住み付いているコククジラや、ハクトウワシも多
い。岬からの帰路、**Neah Bay**に充実したマカ族博物館がある
ので立ち寄って行くといい。

リアルトビーチ Rialto Beach

　フォークスから10マイル西、太平洋に面したキルート川河口
にある。強風や津波によって倒された木々が波打ち際に横たわ
る。アシカやワシ、アザラシを間近で見ることができる。川を
挟んだ**La Push**はキルート族居留地。オオカミの子孫であると
言い伝えられるキルート族は、サケ漁やカヌー、バスケット造
りにより生計を立てていた。現在はキャビンやキャンプ場など
の宿泊施設とマリーナがある。

夕日に染まるリアルトビーチ

約400人のキルート族が独自の文化を守って暮らしている

海岸地域の道路には避難路を示す標識が整っている

温帯雨林を流れる小川には多くの水生植物が育っている

ホー・レインフォレスト　Hoh Rain Forest

　熱帯雨林のような深い森。年間平均3700mmという多量の雨が樹々を巨大に育てた、世界でも数少ない温帯雨林だ。ビジターセンターの裏手にある短いトレイルを歩いてみよう。太古のムードが味わえる。ベイツガWestern Hemlock、ヒロハカエデBigleaf Mapleなど、どこにでもある樹木なのだが、幹や枝にびっしりと生えた100種以上のコケと、枝から垂れ下がったアオギヌゴケやイワヒバの仲間などが、原始の世界を思わせる不思議な雰囲気を作り出している。足元にもシダがびっしり。唯一、コケが生えていないのはベイスギWestern Red Cedar。樹皮が酸性なのでコケが育たないのだそうだ。

海岸地域

　磯の生物を観察したりしながら、海岸線に沿って砂浜を歩くのがここの楽しみ方。砂浜のない岩場にはトレイルが設置されている。クラロックに夏の間だけオープンするインフォメーションステーションで潮位表を入手し、満潮時を避けて歩くようにしたい。冬にはホエールウオッチングも楽しめる。寒流の影響で真夏でも潮風が冷たい。寄せる波の音と、海鳴りのような音とが、体を、耳を、心を、心地よく包みこんでゆく。無数の流木たちは何を語ってくれるだろう。

クラロックのビーチ。波に打ち寄せられた巨大な流木にぶつかって亡くなった人もいるので、波の荒い日にビーチを歩くときには注意を

キノート・レインフォレスト　Quinault Rain Forest

　公園の南西端にある温帯雨林。キノート湖畔にあるため、ホー・レインフォレストよりも湿度が高く、カエデがより多いなど植生が微妙に異なっている。シダ類もよく茂っていて、むせかえるほどの緑にあふれている。US-101からここへ来る途中にある、樹齢1200年のベイスギWestern Red Cedarの巨木もお見逃しなく（看板あり）。

**Hoh Rain Forest
Visitor Center**
☎ (360)374-6925
⏰ 夏期9:00〜17:00、
　冬期は金〜日10:00〜
　16:00
🚫 冬期の月〜木

初級 **Hall of Mosses**
適期▶年中
距離▶一周1.3km
所要▶30〜40分
出発点▶ビジターセンター

初級 **Spruce Nature Trail**
適期▶年中
距離▶一周1.9km
所要▶約1時間
出発点▶ビジターセンター

蚊に注意！
　森の中は夏は蚊が多い。日本の蚊の倍ほどの大きさがあり、刺されると痛い。半袖や短パンは避けよう

**Kalaloch Information
Station**
☎ (360)962-2283
⏰ 夏期のみ9:00〜17:00

震災ガレキ
　アメリカ西海岸では今、東日本大震災のガレキの漂着が大問題になっている。はるばる海を渡ってきたガレキは、プラスチック片から漁船まで膨大な数に上る。2012年12月にはオリンピック国立公園に巨大な桟橋が漂着した。小さなガレキは地元ボランティアが処理してくれているが、化学物質の入ったボトルなどを見つけた場合は、手を触れずにレンジャーに連絡を

初級 **Maple Glade Trail**
適期▶年中
距離▶一周800m
所要▶20〜30分
出発点▶キノート・レインフォレスト・レンジャーステーション

Wildlife

ピューマに出合ったら

　ごく稀にではあるが、ピューマに出くわすハイカーもいる。そんなときには腕を振り回すなどして自分を大きく見せ、声をかけながら後ずさりするといい。怖くなっても決して背中を向けて逃げてはいけない。万一襲われたら、死んだふりなどせず、闘うしかないそうだ

中級 Hurricane Hill
適期▶6〜10月
距離▶往復5.1km
標高差▶213m
所要▶往復約3時間
出発点▶ハリケーンリッジの道路の突きあたり

中級 Marymere Falls
適期▶年中
距離▶往復2.9km
標高差▶122m
所要▶往復1.5〜2時間
出発点▶Lake Crescent Lodge

上級 Mt. Storm King
適期▶6〜10月
距離▶往復7km
標高差▶640m
所要▶往復約5時間
出発点▶Lake Crescent Lodge

フィッシングの注意

　園内での釣りについては、用具、場所、魚のサイズなど細かい規則があるので、ビジターセンターで確認を

スキー場

　リフト1本、ロープトウ2本。12〜3月の金〜日のみ営業。リフト券1日$32

Ranger Snowshoe Walk
集合▶12月中旬〜3月下旬の金〜日14:00
所要▶1時間30分
場所▶ハリケーンリッジ
料 $5

ACTIVITIES　アクティビティ

ハイキング　Hiking

　オリンピックの多彩な自然を限られた時間内で楽しむには、短いトレイルをいくつか歩いてみるのがいい。ビジターセンターで地図をもらおう。何しろ雨がよく降るところなので雨具をお忘れなく。

ハリケーンヒル　Hurricane Hill

　ハリケーンリッジで半日の時間を取れるのなら、ぜひハリケーンヒルの頂上に登ってみよう。山頂からは海までの眺望が楽しめる。

メリーミア滝　Marymere Falls

　レイククレセントから国道を渡って森の奥へと歩き、落差27mの美しい滝を訪れる。

マウント・ストームキング　Mount Storm King

　メリーミア滝から少し戻り、東へ入る。かなり急なスイッチバックを登るが、レイククレセントを眼下に望む風景は見事だ。

フィッシング　Fishing

　園内の川や湖では、レインボートラウト、カットスロートトラウト、ブルックトラウトなど、マスの類が釣れる。ライセンスは不要。しかし、海釣りはワシントン州のライセンス（1日用$20.15）が必要。スポーツ用具店やジェネラルストアで購入できる。

ウインタースポーツ　Winter Sports

　国立公園のど真ん中だというのに、ハリケーンリッジにスキー場がある。クロスカントリーに最適なコースも多く、天気のいい日には山々のパノラマを楽しみながらのツアーが満喫できる。ハリケーンリッジへの道路は週末の日中のみ通行可。チェーン規制あり。吹雪などで閉鎖されることもある。

ACCOMMODATION　宿泊施設

園内で泊まる

　園内には4軒、周辺に1軒のロッジがある。Kalaloch Lodge以外の4軒は下記でまとめて予約を受け付けている。

🏠Lake Crescent Lodge

　レイククレセント南岸にある上品な木造のロッジ。コテージとモーテルタイプが多い。シンプルだが落ち着いたインテリアに加え、寄せるさざ波の音や降るような星空が心を和ませてくれる。ロビーには白い木枠の窓から光が差すサンルームがあって落ち着ける。電話はない。Wi-Fi無料。予約は早めに。52室。

Aramark Parks & Destinations Free 1888-896-3818 URL www.olympicnationalparks.com カード A J M V
Lake Crescent Lodge 営5月初旬〜10月中旬
住416 Lake Crescent Rd., Port Angeles, WA 98363 ☎(360)928-3211 on off ロッジ$185
コテージ$236〜272

オリンピック国立公園（ワシントン州）

🏠 Sol Duc Hot Springs Resort

温泉をゆっくりと利用するなら、ここに泊まるのが一番。キャビンはすべてバス、暖房付き。キッチン付きのものもあって、冷蔵庫、レンジ完備。32棟。

🏠3月下旬～10月中旬　🏠12076 Sol Duc Hot Springs Rd.,Port Angeles, WA 98362 ☎(360)327-3583　on off $156～376

🏠 Kalaloch Lodge

US-101が太平洋と出合うクラロックに海に面して建つ。キッチン付きキャビン44棟のほかにロッジが20室ある。海に沈む夕日を室内から眺められるキャビンも多く、別荘気分が味わえる。海を望むダイニングルーム、ガスステーション、ストアあり。

🏠年中オープン　🏠157151 Hwy.101,Forks, WA 98331 ☎(360)962-2271　Free 1866-525-2562 URL thekalalochlodge.com　on $182～340　off $122～314

高台にあるので海がよく見える

🏠 Lake Quinault Lodge

US-101から北へ2マイル入ったところにあるレイクキノートの東岸にあるロッジ。1階のロビーはゆったりとしたスペースに暖炉がありくつろげる。レストラン、室内プール、サウナあり。92室。

🏠年中オープン　🏠345 South Shore Rd., Quinault, WA 98575 ☎(360)288-2900 on $128～298　off $101～187

🏠 Log Cabin Resort

レイククレセントの北東の端に建つログキャビン。US-101から北へ3マイル入ったところにあって非常に静か。キャンプ場、レストラン、コインランドリーあり。28棟。

🏠5月下旬～9月中旬　🏠3183 E. Beach Rd., Port Angeles, WA 98363 ☎(360)928-3325 on off $69～164

キャンプ場で泊まる

公園の中や国道沿いに16ヵ所、910サイトのキャンプ場があり、冬でも半数はオープンしている。クラロックのみ夏期は予約（→ P.482）できるが、あとは先着順。

近隣の町に泊まる

US-101沿いにいくつかモーテルがある。早い時間に到着できるなら、特に予約は要らないだろう。

ポートエンジェルス		Port Angeles, WA 98362　ハリケーンリッジまで約20マイル　19軒		
モーテル名	住所・電話番号など	料　金	カード・そのほか	
Red Lion Hotel	🏠221 N. Lincoln St. ☎(360)452-9215 FAX(360)452-4734 Free 1800-733-5466 URL redlion.rdln.com	on $129～149 off $99～109	AJMV　フェリー乗り場前。Wi-Fi無料。屋外プールあり	
Royal Victorian Motel	🏠521 E. First St. ☎(360)452-8400 FAX(360)452-4201 Free 1866-452-8401 URL royalvictorian.portangelesmotels.net	on $54～109 off $39～89	AMV　中心部のUS-101（東行き）沿い。全館禁煙。朝食付き	
フォークス		Forks, WA 98331　ホー・レインフォレストまで約30マイル　11軒		
Olympic Suites Inn	🏠800 Olympic Dr. ☎(360)374-5400 FAX(360)374-2528 Free 1800-262-3433 URL www.olympicsuitesinn.com	on $74～129 off $59～84	MV　町の北外れ。全館禁煙。冷蔵庫、電子レンジあり。Wi-Fi無料。	
Forks Motel	🏠351 S. Forks Ave. ☎(360)374-6243 FAX(360)374-6760 Free 1800-544-3416 URL www.forksmotel.com	on $84～160 off $67～100	ADMV　町の中心部。Wi-Fi無料。コインランドリーあり	
シーキュー		Sekiu, WA 98381　フラッタリー岬の手前25マイル　7軒		
Straitside Resort	🏠241 Front St. ☎(360)963-2100 FAX(360)963-2173 URL www.straitsideresort.com	on off $69～105	AMV　WA-112から町へ入ってすぐ。フルキッチン付きで広く、入り江が見渡せる	

ノースカスケード国立公園

ワシントン州／ **MAP** 折込 1 枚目 A-2

世界有数の積雪量があり、8月に入っても展望台が雪に囲まれていることもある

©USPS
2010年発行の切手
（ポンデロサ松）

　　カナダ国境に接するノースカスケードは、神秘的な公園だ。湖や峡谷はいつもボーッと霞んでいて、まるで山水画の世界。どうやらノースカスケード特有の景観は、湿った気候に起因しているらしい。重く垂れ込めた雲が山頂を覆い、その霧が晴れると700以上の氷河を抱く山並みが忽然と姿を現す。湖も息を吹き返したように精気を帯び、そのさまは奇跡ともいうべき神々しさだ。登山家のH・マニングはこう書いている。

　　「北極やグリーンランドの氷河は山々を打ち砕いた。ノースカスケードの氷河は花や木や湖、川、そして、人間を残した」

©NPS
標高の高い岩場に住むマウンテンゴート

North Cascades National Park

Washington

西海岸

ノースカスケード国立公園（ワシントン州）

ACCESS　　　行 き 方

　シアトルから2時間と近いのに残念ながらツアーはなく、車が頼り。公園自体は不便な奥地にあるので、隣接する国立レクリエーション地域や国有林を走りながら、公園の山々を眺めるのが一般的だ。

　初めて訪れるなら、カスケードループと呼ばれる人気ドライブルートを一周するといい。シアトルからI-5を北に30マイルのEverettからスタートし、全行程約420マイルと、1泊2日にちょうどいい。田園地帯、雪をいただいた峻険な山々、澄みわたった湖水など、多彩な自然が楽しめる。

　EverettからUS-2を東へ走り、南ドイツ風のLeavenworth、西部劇風のCashmereといった小さな町を通り過ぎ、リンゴ畑が広がるWenatcheeでコロンビア川に出る。ここからUS-97を東へ走り、**シュランChelan**で1泊。できれば、ここでもう1泊して、湖の対岸にある**ステヒーキンStehekin**を訪れたい。

　シュランからさらに東へ向かい、WA-153からWA-20を北へ。西部劇の町を再現したWinthropを過ぎると、いよいよハイライトであるカスケード山脈に登ってゆく。国立公園の山々を背景に**ワシントン峠Washington Pass**、青の色が不思議な**ロス湖Ross Lake**、**ダイアブロ湖Diablo Lake**と、神秘的なパノラマが続く。

　峠を下ると、Skagit Valleyと呼ばれる平原に出る。春には一面のチューリップ畑に囲まれながら、BurlingtonでI-5にぶつかる。

ゼラニウムをはじめとする花々がレベンワースを訪れる人を迎えてくれる

DATA

時間帯 ▶太平洋標準時 PST
☎(360)854-7200
URL www.nps.gov/lach
開積雪期は一部閉鎖。そのほかは24時間オープン
適期 5〜10月
料無料
国立公園指定 ▶1968年
面積 ▶2043km²
入園者数 ▶約1万9200人
園内最高地点 ▶2783m
(Mt.Shuksan)
哺乳類 ▶75種
鳥 類 ▶約200種
両生類 ▶13種
爬虫類 ▶10種
魚 類 ▶28種
植 物 ▶1630種

およその所要時間

Everett→Leavenworth 2時間
→ Chelan　　　　　　70分
→ Winthrop　　　　　90分
→ Washington Pass　45分
→Diablo Lake　　　　40分
→ Newhalem　　　　 15分
→ Burlington　　　　 75分

積雪期について

　WA-20のワシントン峠（Winthrop−Diablo Lake間）は、11月中旬〜4月下旬（積雪による）は閉鎖される

Wildlife
ハクトウワシ
　ロックポート付近の川には冬になると多数のハクトウワシが集まり、WA-20沿いでも簡単に見ることができる。おすすめのポイントはカスケードリバー・ロードへ入ってすぐの橋、マイルポスト100の駐車場、Bald Eagle Interprative Center、Howard Miller Steelhead County Parkなど

夏でも運がよければ見られる

ニューハーレムのビジターセンターは、規模が大きく展示も充実している

Chelan Ranger Station
☎ (509)682-4900
🕐 7:45～16:30
🚫 祝日

North Cascades VC
☎ (206)386-4495
🕐 9:00～17:00
🚫 11～4月

Golden West Visitor Center
ステヒーキンの船着場近く
☎ (360)854-7365
🕐 5月下旬～9月下旬の
8:30～17:00
冬期はフェリーが発着する
日のみ12:30～13:30

初級 Imus Creek
適期 ▶ 6～9月
距離 ▶ 往復2.4km
所要 ▶ 往復約1時間
標高差 ▶ 152m
出発点 ▶ ビジターセンター

フェリー＆ツアー
☎ (509)682-4584
URL www.ladyofthelake.com
Rainbow Fall Tour
　全ボートで参加可能。$7

水上飛行機
☎ (509)682-5555
URL www.chelanseaplanes.
com
🕐 片道ボート、片道水上飛行機で$112.25～124.25。
ノースカスケード上空の遊覧飛行は$195～295（ステヒーキン寄港も可）

シャトルバス
🕐 High Bridgeまで片道$6
🗓 6月中旬～10月上旬。
ステヒーキン8:00、11:15、14:00、17:30発。片道1時間

Chelan Ranger Station
　シュランの湖尻にある。国立公園だけでなく、シュラン湖、ステヒーキン、ハイブリッジなどの情報が集まる。

North Cascades Visitor Center
　ロス湖国立レクリエーション地区内のNewhalemの近く（WA-20のマイルポスト120）にある。レンジャープログラムも行われる。

POINTS of INTEREST　おもな見どころ

レイクシュラン　Lake Chelan
　水深457mと全米3位、世界でも19位の深さを誇る氷河湖（→P.270）。南端にダムがあるが、これによって増えた貯水量はごくわずかだそうだ。ダムのそばにあるシュランChelanはにぎやかな町だが、南北約80kmに及ぶ湖畔には道路が通っていないため、北欧のフィヨルドを思わせる神秘的な風景を保っている。

ステヒーキン　Stehekin
　シュラン湖北岸の小さなビレッジ。シュランからフェリーか水上飛行機でしかアプローチできない奥地にある。ステヒーキンからさらに北へ延びる未舗装路を走ると、ノースカスケード国立公園へといたる。この区間は5月下旬～10月初旬、ハイカーやキャンパーのためにシャトルバス（赤いボンネットバス）が走る。1日2～4往復。要予約。
　シュランから日帰りする人は、年中催行されているレインボー滝へのツアーに参加したり、全米で最も水質のきれいなStehekin Riverを見下ろすハイブリッジまでシャトルバスで往復してこよう。この場合、ボートだと滞在時間が足りないので、片道だけでも水上飛行機を利用するといい。

レイクシュランのフェリー

ボート名	往復料金	運航	出発	帰着	ステヒーキン滞在時間
Lady of the Lake II	$39	5月上旬～10月中旬	8:30	18:00	90分
Lady Express	$59	5月下旬～9月上旬	8:30	14:45	60分
	$39	10月中旬～4月（週3～4日のみ）	10:00	16:00	

左／ステヒーキンには湖または空からアクセスする
右／レインボー滝へはシャトルバスで訪れる

©NPS

ワシントン峠
Washington Pass

　カスケード山脈を越える峠。頭上にそびえるLiberty Bell Mountainなどの山々が圧巻。2マイルほど西のRainy Passの駐車場から20分ほど歩くと、断崖に囲まれたRainy Lakeがある。

積雪期は閉鎖されるので、春と秋の旅は天気予報に注意を

雪解けの頃や雨のあとには何本もの滝が湖に落ちる

Washington Pass
設備 トイレ

初級 **Rainy Lake**
適期▶6〜9月
距離▶往復3.2km
所要▶往復50分
出発点▶Rainy Pass
設備 トイレ

上級 **Maple Pass Loop**
適期▶7月中旬〜10月初旬
距離▶一周12km
標高差▶665m
所要▶一周5〜7時間
出発点▶Rainy Pass
※天候の急変に注意。防寒具を忘れずに。途中のLake Annまでなら往復6.4km

ノースカスケード国立公園（ワシントン州）

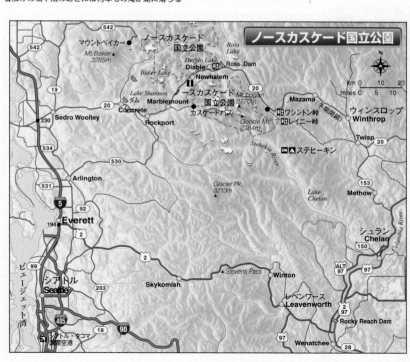

ノースカスケード国立公園

542
マウントベイカー
Mt.Baker 3285m
ノースカスケード国立公園
Ross Lake
Diablo Lake
Diablo
Ross Dam
Baker Lake
Newhalem
Lake Shannon
ダム
20
Mt.Logan 2770m
Mazama（冬期閉鎖）
ワシントン峠
レイニー峠
ウィンスロップ
Winthrop
Marblemount
ノースカスケード国立公園
カスケードパス
19
Concrete
Rockport
Goode Mtn. 2784m
Twisp
20
230
Sedro Woolley
534
ステヘキン
Stehekin River
530
Arlington
Glacier Pk. 3213m
Lake Chelan
153
Methow
531
5
92
Everett
シュラン
Chelan
150
99
2
Columbia River
シアトル
Seattle
203
Skykomish
Stevens Pass
Winton
ALT 97
97
ピュージェット湾
レベンワース
Leavenworth
2
97
Rocky Reach Dam
405
18
90
97
Wenatchee
28
シアトル・タコマ国際空港

ノースカスケード国立公園　（ワシントン州）

Diablo Lake Overlook
設備トイレ

ダイアブロ湖クルーズ
☎(206)684-3000
URL www.skagittours.com
運航7月上旬〜9月中旬の木〜月10:30
料$30、子供半額
集合 WA-20のマイルポスト127.5で北へ折れてダムを渡り、突きあたりを右折して湖畔をしばらく走ったところにある North Cascades Environmental Learning Center

ロス湖とダイアブロ湖　Ross Lake & Diablo Lake

　カナダとの国境まで続くダム湖。湖畔には野生動物も多く、しばしばその姿を目にすることができる。氷河に削られた山々に囲まれており、鉱物が造り出す不思議な色も印象的だ。

湖水の色は天候によって大きく変わる

カスケードリバー・ロード Cascade River Road

　マーブルマウントでWA-20が大きくカーブするところから南へ入る23マイルの道路（一部未舗装）。途中の眺望はきかないが、針葉樹林や渓谷が美しい。約1時間走った終点から、峻険な山々が迫るダイナミックな景観を堪能しよう。ここからノースカスケードで最も人気のあるトレイルが始まる。**カスケードパス**まで登れば、氷河を抱いた山並みがはるか彼方まで見晴らせる。

ステヒーキンまで続くトレイルの出発点になっている

上級 **Cascade Pass**
適期▶7月下旬〜9月下旬
距離▶往復12km
標高差▶550m
所要▶一周4〜6時間
出発点▶カスケードリバー・ロード終点
※天候の急変に注意。防寒具を忘れずに

🚐**Side Trip**

マウントベイカー Mt. Baker

MAP 折込1枚目 A-2
☎(425)783-6000　料無料
URL www.fs.usda.gov/mbs
URL www.mtbakerchamber.org

　カスケード山脈の最北、カナダ国境にそびえる標高3285mの活火山を見に行こう。I-5のExit 255からWA-542を東へ走る。Glacierの町から先はMt. Baker Scenic Bywayの名前のとおり風光明媚な寄り道ルート。カーブを曲がるごとに迫ってくるのはMt. Shuksan（標高2783m）。ノースカスケード国立公園の敷地内にある秀峰だ。
　山道を24マイル上ると**ヘザーミドウHeather Meadows**のビジターセンターがある（7月中旬〜9月下旬10：00〜16：00）。周囲には亜高山帯の高原が広がっているので、2、3時間かけて湖水を巡ると楽しい。
　ヘザーミドウからさらに2.5マイル上ると、終点の**アーティストポイントArtist Point**。麓からここまで約1時間。それまでチラチラとしか顔を見られなかった主役

山容が秀麗なMt. Shuksan

アーティストポイント。7月下旬でも残雪がたっぷり！

マウントベイカーが、ようやく舞台中央にお出ましだ。足元にはノースカスケードの湖や山々も見えている。展望台の標高はわずか1536mだが、なにせ年間積雪量の世界記録をもっている場所なので、ほとんど1年中雪の中。夏の観光シーズン中だけ道路と駐車場が除雪される。トレイルもたくさんあるが、8月後半〜初雪までのごく短い期間しか歩けないだろう。
　なお、ヘザーミドウ手前のスキー場までは、チェーンを装着すれば冬でも通行できる。
　園内には宿はなく、途中の沿道にも少ないので要予約。滞在型コンドミニアムや別荘が多いので、これらを数日間借りてゆっくり過ごすといい。

カスケードパスへの道はおおむね走りやすい砂利道だが、途中に状態の悪い箇所がある。乾いていれば問題ないが、雨のあとには普通車で入らないほうが無難

Cascadian Farm
WA-20のロックポートの東（マイルポスト100）にあるオーガニックの農場＆グロサリーストア。有機ブラックベリー入りの自家製アイスクリームが特に人気。オーガニック野菜＆ハムのサンドイッチに有機コーヒーを買って、ハーブ畑を眺めながら屋外のテーブルでランチがおすすめ。夏期のみオープン

ACCOMMODATION 宿泊施設

園内で泊まる

ステヒーキンのロッジは貸し別荘感覚で滞在できるのが魅力だが、キャンセルリミット2週間前など条件の厳しい宿が多いので、ちゃんと確認しよう

North Cascade Lodge at Stehekin

ステヒーキンの船着場前に建つロッジ。ウインタースポーツを楽しむ人のために春もオープンしている。電話なし。レストランあり。全館禁煙。28室。冬期休業。

非日常を満喫するには最高のロケーションだ

☎(509)682-4494
URL www.lodgeatstehekin.com
on $122～475 off $118～418
カード A D M V

Stehekin Valley Ranch

ステヒーキンバレーの奥にあるキャビンリゾート。シャトルバスが停車する。バスなしテントキャビンが多いが、バス付きキャビンも5棟ある。料金には3食が含まれていて、昼食はランチパックにしてもら

うこともできる。質素な宿だが人気があり、半年以上前から予約でいっぱいになる。夏期のみ営業。

☎(509)682-4677　Free 1800-536-0745
URL www.stehekinvalleyranch.com
on off バスなし1人 $100
　　　バス付き1人 $120～175
子供割引、長期滞在割引可
カード M V （予約時50%支払い、残金は現地で）

Ross Lake Resort

ロスレイクの湖上に浮かぶ12棟のキャビン。Diablo Damからボートに乗っていく。あるいはWA-20のマイルポスト134に車を置いて、1.6km歩いて湖岸へ下り、公衆電話でボート（1人$2）を呼んでもいい。レストランはないので食料は持参する。食器はキャビン内に用意されている。薪ストーブあり。カヌーや釣り道具のレンタルもOK。夏期のみ営業。

📅6月中旬～10月下旬
☎(206)386-4437、冬期(206)708-3980
URL www.rosslakeresort.com
on off 4人用キャビン $155～
　　　10人用キャビン $224
ボートはDiablo Damを8:30、15:00発。往復 $20。
対岸に送迎トラックが待っている。往復 $8

キャンプ場に泊まる

キャンプ場はGoodell Creek（$10）とGorge Lake（無料）のみ年中オープン。そのほかステヒーキン、ロスレイク、ニューハーレムなど各所にたくさんあるが、いずれも夏のみで$12～32。

　カスケードループには宿泊施設がとても多い。Leavenworthにはドイツのシャレー風のロッジを中心に約16軒、Chelanにはモーテルなど約12軒、また、西部劇を意識した町Winthropにも20軒のロッジやB&Bがある。もちろんWA-20やI-5沿いにも数多くのモーテルがある。

レベンワースにはバイエルン料理のレストランもある

カスケードループの宿&観光情報
URL www.cascadeloop.com
Leavenworth Visitor Center
☎(509)548-5807　URL www.leavenworth.org
Chelan Visitor Center
Free 1800-424-3526　URL www.lakechelan.com
Winthrop Visitor Center
Free 1888-463-8469　URL www.winthropwashington.org

🏠 Best Western Plus Icicle Inn

　敷地内にミニチュアゴルフコースと映画館、スパなどをもつ総合リゾート。レベンワースのダウンタウンの入口にあってわかりやすく、開放的な造り。客室はシンプルだが広めで、温かいバフェの朝食も付く。DVDレンタル、Wi-Fi無料。全館禁煙。

🏠 505 US-2, Leavenworth, WA 98826
☎(509)548-7000　Free 1800-558-2438
URL www.icicleinn.com　on off $99〜240
カード A D J M V

🏠 All Seasons River Inn

　レベンワース郊外にある洗練されたB&B。全室リバービューで、ジャクージ付き。フルブレックファスト込み。アンティーク家具を配したインテリアもセンス抜群だ。川を見下ろす林にあり、早朝、敷地内の散歩がおすすめ。町の西を走るIcicle Rd.へ入り、橋を渡ったらすぐ左。Wi-Fi無料。

川のせせらぎが聞こえて気持ちがイイ

🏠 8751 Icicle Rd.,Leavenworth, WA 98826
☎(509)548-1425　Free 1800-254-0555
URL www.allseasonsriverinn.com
on off $179〜219　カード M V　※全館禁煙。2泊以上。18時以後の到着は事前連絡要

🏠 Buffalo Run Inn

　マーブルマウントの中心、WA-20が大きくカーブする角にある。外観は古いが部屋はきれいで、電子レンジ、冷蔵庫付き。チェックインは斜め前のレストランで。

カスケードリバー・ロードの入口にある

🏠 60117 State Route 20, Marblemount, WA 98267
☎(360)873-2103　Free 1877-828-6652
URL www.buffaloruninn.com　on off $44〜114
カード A M V

🏠 Ovenell's Heritage Inn (Double O Ranch)

　セメント工場があったことから名付けられたコンクリートの町外れにある。マウントベイカーが見えるすばらしい環境にあり、ロマンティックな本館のほかロッジやキッチン&暖炉付きキャビンもある。WA-20からConcrete Sauk Valley Rd.へ入り、川を渡って2マイル。

別荘感覚で滞在できる

🏠 46276 Concrete Sauk Valley Rd., Concrete, WA 98237　☎(360)853-8494　URL www.ovenells-inn.com　on off $115〜150
カード M V　※全館禁煙。17時以後の到着は追加$10で、事前連絡要

🏠 Mt. Baker Lodging

　マウントベイカーのWA-542沿いにあるバケーションレンタル。ベッドルームが2、3室あるのでグループで泊まればとても安いし、もちろんフルキッチン&洗濯機付きなので子供連れにも便利。

大人数で滞在すれば驚くほど安く泊まれる

🏠 7463 Mt. Baker Hwy., Maple Falls, WA 98266
☎(360)599-2453　Free 1800-709-7669
URL www.mtbakerlodging.com
on off $99〜379　カード A M V
※2泊以上が中心。利用規則を理解できる程度の英語力が必要

Rocky Mountains
ロッキー山脈

イエローストーン国立公園

ワイオミング州／モンタナ州／アイダホ州／ **MAP** 折込1枚目B-3

©Tsuneo Yamamoto

世界初の国立公園は世界一温泉が集中する地域でもある

Geothermal spring

©USPS
2012年発行の切手

イエローストーンはいくつもの顔をもっている。目の覚めるような鮮やかな色をした温泉や豪快な間欠泉、黄色い峡谷と壮大な滝、川が緩やかに蛇行する平原、開拓者気分が味わえる草原地帯、石灰でできた不思議な白いテラス……。

原始の森に囲まれたこの地域に、世界初の国立公園として誕生したイエローストーン。ロッジなどの施設は自然に溶け込むように造られ、間欠泉へ、滝へと歩きやすい遊歩道が続いている。これ以上、自然を傷つけないように配慮しながら、人々が自然を満喫できるようなシステムが機能している。

とはいえ、人間は訪問者に過ぎない。主役は、どこまでも続く深い深い森と、そこに住む野生動物たちだ。

園内の道路は3ヵ所で大陸分水嶺と交わっている

ロッキー山脈

イエローストーン国立公園（ワイオミング州／モンタナ州／アイダホ州）

ACCESS 行き方

　イエローストーンは、レンタカーがなくてもひととおり見学できる数少ない公園のひとつ。6〜9月ならさまざまなバスツアーを利用して園内を回ることができる。

　公園への入口は西、北、北東、東、南の5ヵ所。それぞれのゲートの外側には観光の拠点になる町がある。レンタカーならどのゲートからでもアプローチできるが、ツアーバスが利用できるのは西口と南口に限られる。最もポピュラーなのは、西口に隣接したモンタナ州**ウエストイエローストーンWest Yellowstone**からのアプローチだ。

　ツアーバスは、園内のロッジ発着のものとゲートシティ発着のものがあるので、車がない人は、まず先に宿を確保しよう。園内のロッジが取れたら、そのロッジ発のツアーを予約。取れなかったら、ゲートシティのホテルと、その町から発着するツアーを予約。こうして、おのずと滞在場所と見学方法は決まってしまう。車さえあれば、このような制約もなく自由自在に動ける。

　忘れてはならないのが、公園の南に隣接するグランドティトン国立公園（→P.348）。ふたつの公園を一緒に巡れば、まったく異質な景観を一度に楽しめるし、入園料も共通だ。ぜひ、レンタカーで回ろう。したがって、ワイオミング州ジャクソンを拠点にして南口からアプローチする方法もおすすめ。

車がない人はツアーバスが運行される夏期に訪れよう

DATA

時間帯▶山岳部標準時 MST
☎(307)344-7381
道路情報☎(307)344-2117
URL www.nps.gov/yell
開3月中旬〜4月中旬＆10月下旬〜12月中旬は一部を除いて閉鎖。そのほかの時期は24時間オープン
適期5〜10月、1〜2月
料グランドティトン共通で車1台＄25、オートバイ＄20、そのほかは1人＄12
国立公園指定▶1872年（世界最古）
世界遺産登録▶1978年
危機遺産登録▶1995〜2003年
面積▶8984km²（四国の約半分）
入園者数▶約340万人
園内最高地点▶3642m（Eagle Peak）
哺乳類▶67種
鳥　類▶332種
両生類▶4種
爬虫類▶6種
魚　類▶16種
植　物▶1350種

WYS	☎(406)646-7359
Avis	☎(406)646-7635
Budget	☎(406)646-5156

飛行機　　Airlines

West Yellowstone Airport (WYS)

　公園から最も近い空港。西口ゲートに隣接したウエストイエローストーンWest Yellowstoneの郊外にある。6月上旬〜9月下旬のみ、デルタ航空がソルトレイク・シティから1日2便（週末に1便増加）運航している。所要約1時間30分。空港からはホテルの送迎バスを利用するといい。園内のビレッジまでタクシーで片道＄100程度。10〜5月は空港は閉鎖される。

　なお、レンタカーで回る予定なら、フライトもレンタカー会社もより多いジャクソンホール空港（→P.349）をおすすめ。こちらは年中オープン。ほかにも、東口から入るならコディにあるYellowstone Regional Airport（COD）、北東口ならビリングスのBillings Logan International Airport（BIL）、北口ならボーズマンのYellowstone Int'l Airport（BZN）などの利用も考えられる。

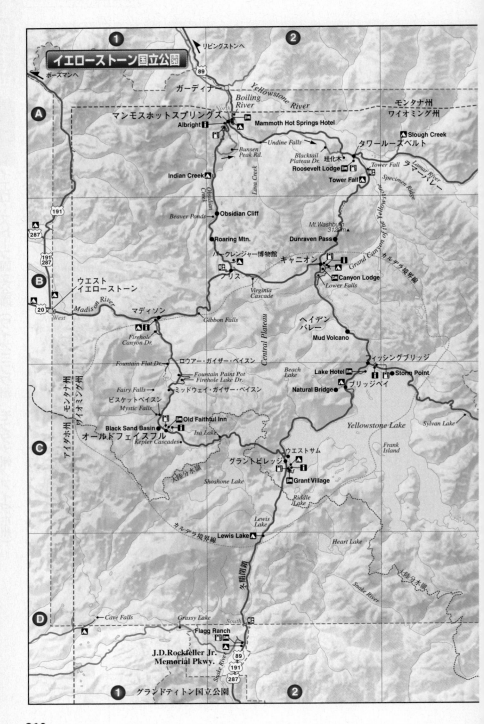

イエローストーン国立公園

リビングストンへ

ボーズマンへ

ガーディナー

モンタナ州
ワイオミング州

Boiling River

Yellowstone River

マンモスホットスプリングス
Albright
Mammoth Hot Springs Hotel

Slough Creek

North

Undine Falls

タワールーズベルト

Bunsen Peak Rd.

Blacktail Plateau Dr.
珪化木
Roosevelt Lodge
ラマーバレー

Lamar River

Indian Creek

Tower Fall
Tower Fall

Specimen Ridge

Obsidian Creek

Lava Creek

Beaver Ponds
Obsidian Cliff

Mt.Washburn 3122m

Roaring Mtn.
Dunraven Pass

Grand Canyon of the Yellowstone
カルデラ境界線

ウエスト
イエローストーン

パークレンジャー博物館
キャニオン

West
Madison River

ノリス

Canyon Lodge
Lower Falls

マディソン
Virginia Cascade

Gibbon Falls

Central Plateau

ヘイデン
バレー

Firehole Canyon Dr.

Mud Volcano

フィッシングブリッジ

Fountain Flat Dr.
ロウアー・ガイザー・ベイスン

Beach Lake
Lake Hotel
Storm Point

Fountain Paint Pot
Firehole Lake Dr.
ミッドウェイ・ガイザー・ベイスン
Natural Bridge
ブリッジベイ

Fairy Falls→
ビスケットベイスン
Mystic Falls

Old Faithful Inn

Yellowstone Lake

Sylvan Lake

Black Sand Basin
オールドフェイスフル
Isa Lake

Kepler Cascades

Frank Island

ウエストサム

グラントビレッジ

大陸分水嶺
Shoshone Lake

Grant Village

Riddle Lake

Lewis Lake

カルデラ境界線
Lewis Lake

Heart Lake

冬期閉鎖

Snake River

大陸分水嶺

Cave Falls
Grassy Lake

South

Flagg Ranch

J.D.Rockefeller Jr.
Memorial Pkwy.

Snake River

グランドティトン国立公園

アイダホ州 モンタナ州
アイダホ州 ワイオミング州

310

イエローストーン国立公園（ワイオミング州／モンタナ州／アイダホ州）

1921年のユニオンパシフィック鉄道の広告に描かれたオールドフェイスフル

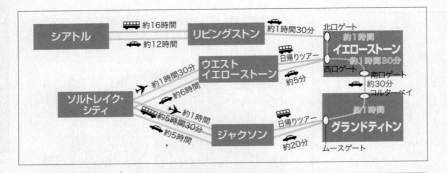

リビングストンのディーポ
🏠1404 E. Park St.
☎(406)222-2231
🕐9:00〜17:00、土〜13:00
🛑日・祝

長距離バス　　　　　　　　　　　　　Bus

　残念ながらバスでのアプローチはすすめられない。ソルトレイク・シティからウエストイエローストーンへのグレイハウンドバスは運休中。シアトルとミネアポリスを結ぶ路線が1日2便、公園の北にあるLivingstonに停車するが（シアトルから所要16時間）、ここから園内までのシャトルバスがなく、タクシーだと非常に高くなる。

　あとは、ソルトレイク・シティからジャクソンまでシャトルバスで来るという手がある（→P.350）。ジャクソンからはツアーバスに乗るか、レンタカー利用となる。

ツアー　　　　　　　　　　　　　　　Tour

　園内には公共の交通機関がないため、車のない人はツアーバスを利用して回る。ただし、これらは夏の一時期に限られるうえ、途中で動物に出合ってもバスを降りて観察できない（停車はしてくれる）、各ポイントでの見学時間が限られる、などのデメリットを覚悟しよう。下記のツアー以外に、園内の各ロッジ発のツアーもある（→P.317）。

Buffalo Bus Touring Company

　アッパーループ・ツアーはウエストイエローストーンを夏期の月・水・金の8:15発で、ノリス、マンモス、キャニオン、タワーと回る。ロウアーループ・ツアーは夏期毎日8:15発でオールドフェイスフル、レイク、ヘイデンバレー、キャニオンを回る。

Buffalo Bus Touring Company
Free 1800-426-7669
FAX (406)646-9353
URL www.yellowstone
vacations.com
💰$64.95。両方に参加するなら$119.95

1930年代のボンネットバスを再現したバスツアーが人気（→P.317）

©Tsuneo Yamamoto

Yellowstone Country Van Tours

ウエストイエローストーン発の15人乗りバンツアー。ロウアールーブ1日ツアー、アッパールーブ＆ラマーバレーで動物を観察する午後のツアー、グランドティトン1日ツアーなどがある。いずれも催行は夏期のみ（ほかに冬期限定のツアーもあり）。

Gray Line of Jackson Hole

ジャクソン発着ツアー。グランドティトンを通ってオールドフェイスフルで昼食。午後はキャニオンとレイクを回る。6月上旬～10月上旬の日・火・木のみ。7:30～18:30。

レンタカー　　　　　　　　　　　　Rent-A-Car

西からのアプローチ ➡ 4月中旬～10月のみ

ウエストイエローストーン空港から公園の西口までは、Yellowstone Ave.を東に走ってすぐ。西口からマディソンまでは14マイル。さらにオールドフェイスフルまで16マイル、キャニオンまでは26マイルある。この距離感を頭に入れて行動することが大切だ。

ソルトレイク・シティから行く場合は、I-15を北上し、Idaho FallsでUS-20に乗り換える。約390マイル。約6時間。この場合、復路はグランドティトンからジャクソン経由で戻るといい。

南からのアプローチ ➡ 5月中旬～10月のみ

イエローストーンの南側はグランドティトン国立公園と隣接しており、さらにその南に位置するジャクソンホール空港（→P.349）でレンタカーを借りるのも便利。ジャクソンからイエローストーン南口ゲートまではハイウエイUS-89を北上して60マイル、約1時間50分。

北からのアプローチ ➡ 年中オープン

I-90沿いのLivingstonからUS-89に入り、Gardinerを経由し、1903年にT.ルーズベルト大統領が礎石を置いたというアーチをくぐって北口ゲートにいたる。マンモスまで61マイル。約1時間。

北口にあるルーズベルトアーチ

北東からのアプローチ ➡ 5月下旬～9月のみ

I-90沿いに位置するBillingsからUS-212に入り、Red Lodge、Cooke City、Silver Gateを経由して北東口ゲートにいたる。途中、ベアトゥース峠からの景色は雄大で美しい。Billingsからタワージャンクションまで157マイル。約3時間。

なお、Cooke Cityとマンモスの間は園内で唯一、普通車で年中通行できる。積雪時も除雪車が入るが、もちろんチェーンは必要だ。

東口からのアプローチ ➡ 5月上旬～9月のみ

デビルスタワーなど東側からアプローチする場合のゲートシティはCody。ここから東口ゲートまでは53マイル、さらにフィッシングビレッジまで27マイルある。約1時間40分。

Yellowstone Country Van Tours
Free 1800-221-1151
URL www.yellowstone-travel.com
ロウアールーブ $74.95
アッパールーブ $74.95
グランドティトン $94.95

Gray Line of Jackson Hole
☎ (307)733-3135
Free 1800-443-6133
URL www.graylinejh.com
$115（入園料 $12は別料金）

イエローストーンまでの所要時間
Salt Lake City　約6時間
Glacier NP　7～8時間
Seattle　約12時間
Devils Tower　7～8時間

ワイオミング州の道路情報
Free 511
Free 1800-996-7623
URL www.wyoroad.info

最寄りのAAA
AAAについては→P.479
路上救援
Free 1800-222-4357
Salt Lake City
⌂ 1400 S. Foothill Dr.
☎ (801)238-1250
月～金9:00～18:00

イエローストーンの道路情報
☎ (307)344-2117

園内の道路開通予定
2013年の開通予定は次のとおり。積雪によっては変更されることもある
西口ーオールドフェイスフル
4月19日～11月上旬
北口ーオールドフェイスフル
4月19日～11月上旬
南口ーオールドフェイスフル
5月10日～11月上旬
東口ーキャニオン
5月3日～10月上旬
北東口ービリングス
5月24日～10月上旬

渋滞に注意
イエローストーンでは毎年夏期に道路の補修工事が行われているので、30分～1時間程度の遅れは覚悟しておこう。詳細な工事スケジュールは春頃ウエブサイトに発表される。2013年夏はタワー滝周辺が予定されている

イエローストーン国立公園は以下のように大きく5つの地域に分けることができる。

ガイザーカントリー　Geyser Country

公園南西部。ポピュラーなオールドフェイスフル・ガイザーをはじめ、多くの間欠泉があるエリア。園内で最も大きなビレッジ、**オールドフェイスフルOld Faithful**がある。

マンモスカントリー　Mammoth Country

公園北西部。温泉が造り上げた石灰岩のテラス、マンモス・ホットスプリングスがあり、その目の前に**マンモスMammoth**のビレッジがある。冬もオープンしているエリアだ。

ルーズベルトカントリー　Roosevelt Country

公園北東部。西部劇の時代を彷彿とさせる駅馬車が浅瀬を走り、草を食むバイソンの群れを見ることができるエリア。タワー滝の周辺ではクマに出合う確率も高い。**タワールーズベルト Tower Roosevelt**と呼ばれる小さなビレッジがある。

🚐 Side Trip

ウエストイエローストーン　West Yellowstone

世界初の国立公園の西口ゲートに隣接するウエスタンリゾート。西部劇の町並みのような小さなダウンタウンに、レストランやギフトショップ、ログハウス風ホテルなどが並ぶ。世界から観光客が集まる夏期はもちろん、スノーモービルや犬ぞりなどが楽しめる冬も大勢の人でにぎわう。

ダウンタウンは7×7ブロックの碁盤の目状になっていて、歩いて回れる。観光局は公園ゲートの目の前、そのすぐ裏手にグリズリー＆ウルフ・ディスカバリー・センターがある。

グリズリー＆ウルフ・ディスカバリー・センター Grizzly & Wolf Discovery Center
☎ (406)646-7001　Free 1800-257-2570
URL www.grizzlydiscoveryctr.org
営 8:30〜16:00。夏期延長
料 $10.50、62歳以上$9.75、5〜12歳$5.50

野生動物の宝庫、イエローストーン。1日の滞在だけでいろいろな動物たちを見ることができるが、なかには滅多に見ることができない動物もいる。その筆頭に挙げられるのがグリズリーベアとハイイロオオカミだ。グリズリーはおもに毛皮にするために乱獲され、生息数が100年前に比べ100分の1の約600頭に減少。オオカミも家畜の保護を目的に乱獲され、20世紀初頭にはイエローストーンでは絶滅した。再びイエローストーンによみがえらせるために1995年からいくつかの群れが公園内に放されているが、それでも数は少ない（→P.338）。

そんなグリズリーとオオカミを、できる限り自然に近い環境（といってもやはり動物園状態だが）で観察することができるのがここ。観察エリアでは間近で動物たちを見ることができる。グリズリーは日中でも活発に活動しているが、オオカミはほとんど昼寝をしていて、オオカミらしさが見られずにちょっとがっかりするかもしれない。ビデオの上映や展示を行っている建物もあり、展示内容は動物の生態から、危険な距離で出合ってしまったときの注意点まで多岐にわたっていて、なかなか興味深い。

ガーディナー　Gardiner

ガーディナーは開拓時代の雰囲気が今も息づく小さな町だ。1903年、当時の大統領セオドア・ルーズベルトが、はね橋の建築を祝ってこの町を訪れた。橋には彼の名前が付けられ、人々の幸せな営みと利益増大のためにという碑文が書かれた。

現在のガーディナーは、さまざまなアクティビティの基地としてにぎわっている。夏は、イエローストーン川でのフィッシングやラフティング、乗馬、野生動物に出合うチャンスも多い。6月中旬の2日間はロデオデイだ。メインストリートでは朝食のサービスがあり、昼はロデオ、夜はダンスやライブが楽しめる（2013年は6/14、6/15）。冬はクロスカントリースキーを楽しむ人々でにぎわう。

I-90など、北からイエローストーンに入るときには必ずガーディナーを通る。小さなコミュニティにちょっと寄り道するのも悪くない。

キャニオンカントリー
Canyon Country

公園東部。イエローストーン大峡谷と豪快そのものののロウアー滝は、絶対にはずせない見どころ。峡谷のそばに**キャニオンビレッジCanyon Village**がある。また、ヘイデンバレーと呼ばれる美しい低地ではバッファローの大集団を目にすることが多い。

レイクカントリー　Lake Country

南東部。広々とした真っ青な湖面のイエローストーン湖を中心としたエリア。湖にはマスが、周辺にはタカやハクトウワシ、ムースやクマが生息している。湖の北岸に**フィッシングブリッジ Fishing Bridge**、**レイクビレッジLake Village**、**ブリッジベイBridge Bay**の3つのビレッジが並び、西岸に**グラントビレッジGrant Village**がある。

雄大な草原が広がるヘイデンバレー

8の字ループの周遊道路

公園全体の南北間の距離は63マイル（約102キロ）、東西間が54マイル（約87キロ）もある。園内には8ヵ所にビレッジがあり、それらとおもな見どころを結んで、8の字型に周遊道路が造られている。8の字の北半分を**アッパーループUpper Loop**、南半分を**ロウアーループLower Loop**、全体を**グランドループGrand Loop**と呼ぶ。

各ループの距離
Upper Loop
一周70マイル（約112km）
Lower Loop
一周95マイル（約152km）
Grand Loop
一周141マイル（約226km）

観察は距離を保って
　イエローストーンでは道路上をバッファローが歩いていることも珍しくない。動物との出合いはイエローストーン最大の楽しみでもあるが、観察の際は近づきすぎないように気をつけよう。クマは100ヤード（約91m）以内、ほかの動物は25ヤード（約23m）以内に近づくことは禁じられている。また、園内の道路では毎年多くのエルクやクマなどが交通事故の犠牲になっている。スピードの出しすぎにはくれぐれもご注意を。

こんな光景は日常茶飯事。動物による渋滞を覚悟しておこう

Column
レンタカーを借りて4日以上滞在するのがベスト

　広大な面積のイエローストーンをいかに効率よく見て回るかは、事前の下調べと綿密なルート作りが重要な鍵となる。各交通機関の運行期間や便数には限りがあるし、園内の宿泊施設はいつも混んでいて予約が必要だからだ。特に6〜8月は、行きあたりばったりの自由気ままな旅は車がない限り望めない。また、公園の広さと日程をよく考えておくことも大切だ。観光の中心となるビレッジ間は16〜21マイル（25〜34km）離れている。

　例えば、イエローストーンでたった1日だけの予定なら、全体を無理して見て回るより、ロウアーループだけを見て、あとはのんびりするほうが賢明。ロウアーループとアッパーループの両方を見るつもりなら最低2〜3日は必要だし、グランドティトンへも行きたい。もちろん、タイトなスケジュールの中でも全体を見ることはできるが、おすすめはできない。

食事
　すべてのビレッジにカフェテリアあり。軽食ならジェネラルストアでもOK。落ち着いて食べるならオールドフェイスフル・イン、マンモスホテル、レイクホテルがおすすめ

ジェネラルストア
　オールドフェイスフル＆マンモスだけが冬もオープン。ほかは5～9月のみ

マンモス診療所
☎ (307)344-7965
🚫 おもな祝日
※緊急の場合は24時間対応。救急は911へ
オールドフェイスフル診療所
☎ (307)545-7325
🚫 10月上旬～5月中旬

ATM（いずれも夏期のみ）
　オールドフェイスフル、マンモス、タワー滝のストア、キャニオン、フィッシングブリッジ、レイク、グラントビレッジ

ガスステーション
オールドフェイスフル
5月上旬～10月中旬。修理可
マンモス
5月中旬～10月上旬
タワールーズベルト
6月上旬～9月上旬
キャニオン
5月上旬～10月中旬。修理可
フィッシングブリッジ
5月中旬～9月上旬。修理可
グラントビレッジ
5月下旬～9月下旬。修理可

情報収集　Information

Old Faithful Visitor Education Center

　イエローストーンの象徴である間欠泉、オールドフェイスフルの前にある。2010年夏に改築され、マルチメディアによって大人も子供も楽しめる展示と、エコフレンドリーなプランが採用された。建物の壁、床、天井などほとんどの素材はリサイクル製品。断熱性を高めて冷暖房を最小限にし、排出した熱が間欠泉に影響を与えないよう配慮されているという。展示のテーマはもちろん熱水現象の仕組み。足元でくすぶっている火山についてのコーナーもお見逃しなく。

もちろん間欠泉の噴出予想時刻もチェックできる

Madison Information Station

　ウエストイエローストーンから入園すると、マディソンのジャンクションのすぐ手前にある。

Albright Visitor Center（Mammoth）

　年中オープンしている唯一のビジターセンター。マンモスにあるので、北から入園した人はまずここへ立ち寄ろう。公園の自然と人間の歴史に関する資料や25分間の映画、スライドを一日中見ることができる。19世紀、イエローストーンの大自然を東部の人々に紹介したトーマス・モランの絵画とジャクソン（→P.500）の写真もお見逃しなく。

Fishing Bridge Visitor Center

　イエローストーンレイクの北岸にあるので、東から入園した人はまずここへ。園内の野鳥に関する展示が充実している。

Grant Visitor Center

　イエローストーンレイクの西岸にある。グランドティトンから来た人はここで情報収集しよう。1988年に発生した山火事の展示があり、火災の広がり方、鎮火活動、被害状況がわかる。ドキュメンタリー映画も上映され、山火事の生々しい画面に圧倒されるだろう。

園内の施設　Facilities

　イエローストーンは園内の施設の充実度でナンバーワンの国立公園だ。ビレッジは8ヵ所もあり、そのすべてに、泊まるところ（ロッジまたはキャンプ場）と、食べるところ（レストランまたはカフェテリア）、そしてジェネラルストアなどが整っている。診療所も3ヵ所にある。園内の景観がバラエティに富んでいるように、各ビレッジも雰囲気が異なる。訪れるたびに別のビレッジに滞在すると楽しい。
　ただし、ほとんどのビレッジは夏期のみのオープン。夏なら不自由はないが、そのほかの季節に訪れるときには、営業しているガスステーションがあるかなどをチェックしよう。

園内の交通機関とツアー　　　　　　　**Transportation**

　5月下旬～9月中旬にかけて、Xanterra Parks & Resorts社の
バスが各ビレッジと観光ポイントを結んで走っている。それぞ
れのポイントで見学、休憩時間を設けているので、効率よくし
っかりとおもな見どころを回ることができるが、出発場所は限
られているので、滞在したビレッジによって訪れることができ
る場所が決まってしまう。

ロウアーループ・ツアー　Circle of Fire

　公園の南半分を回る1日ツアー。ロウアー＆アッパー・ガイ
ザー・ベイスン、キャニオン、イエローストーンレイク、ノリ
ス・ガイザー・ベイスンなどがおもな見どころ。

グランドループ・ツアー　Yellowstone in A Day

　マンモス発着でイエローストーン国立公園のおもな見どころ
をほとんど網羅しているツアー。1日ですべて回るため、あわ
ただしい。ランチ休憩あり（別料金）。

フォトサファリ　Picture Perfect Photo Safari

　写真家のガイドで早朝の園内を回るツアー。風景、草花、動
物などをターゲットに写真のコツなどを教えてくれる。訪れる
場所は日によって変わる。簡単な朝食込み。

サンセット・ツアー　Lake Butte Sunset Tour

　1930年代に園内を走っていた黄色いボンネットバスのレプリ
カに乗って、夕暮れのレイク周辺を巡る。

ワイルドライフ・ツアー　Evening Wildlife Encounters

　ボンネットバスで夕暮れどきの園内を回るツアー。野生動物
の観察を中心としており、訪れる場所は日によって変わる。

グランドティトン・ツアー　Teton Vista Rendezvous

　レイクとオールドフェイスフルのビレッジから出発し、グラ
ンドティトン国立公園を訪れるツアー。

申し込みは各ロッジのツ
アーデスクで

シャトルバスについて
　2012年夏、ロウアール
ープの各ビレッジを結ぶシ
ャトルバスが1日2便運行
された。途中の見どころに
は停車しないので、利用価
値は低い。1日＄20、5日
＄80。購入はロッジやキャ
ンプ場のキオスクで。
2013年の運行は未定

ツアーバス
☎ (307)344-7311
Free 1866-439-7375
　3～11歳半額。3歳未満
の子供は無料。予約は園内
のロッジやキャンプ場にあ
るツアーデスクで、前日の
夜までに済ませよう。電話
予約もOK。なお、これら
のほかにもたくさんのツア
ーが出ている

園内のおもなバスツアー

（2013年夏のスケジュール）

発着場所	ツアー名	運行期間	発着時間	料金
オールドフェイスフル・イン	ロウアーループ・ツアー	5/25～9/14	8:15～16:30	$71
	グランドループ・ツアー	6/3～9/14	8:15～18:00	$77
	フォトサファリ	5/22～7/30 7/31～8/27	5:45～11:00 6:00～11:15	$90
	グランドティトン・ツアー	6/2～9/12	7:15～17:15	$75
マンモスホテル	グランドループ・ツアー	6/1～9/14	7:30～18:30	$77
	ワイルドライフ・ツアー	6/1～8/20 8/21～9/14	16:15～20:30 15:45～20:00	$61
キャニオンロッジ	ロウアーループ・ツアー	6/1～9/14	7:45～16:15	$71
	ワイルドライフ・ツアー	6/8～8/27	16:15～20:15	$61
レイクホテル	ロウアーループ・ツアー	5/25～9/14	9:30～18:15	$71
	フォトサファリ	5/24～8/27	5:45～23:00	$90
	ワイルドライフ・ツアー	6/8～8/27 8/28～9/14	15:15～21:00 14:45～20:30	$52
	サンセット・ツアー	6/14～7/30 7/31～8/13 8/14～8/27 8/28～9/21	19:15～21:30 18:45～21:00 18:15～20:30 17:45～20:00	$35
ブリッジベイ	ロウアーループ・ツアー	5/25～8/31	9:45～18:30	$71
グラントビレッジ	ロウアーループ・ツアー	5/25～9/14	9:15～18:30	$71
	グランドティトン・ツアー	6/2～9/12	8:00～16:30	$75

ロッキー山脈

イエローストーン国立公園（ワイオミング州／モンタナ州／アイダホ州）

春と秋は雪の覚悟を

　積雪は2月のオールドフェイスフルで平均91cm。標高が高い場所では一年中、雪が残っている。冬もオープンしている宿泊施設はマンモス・ホットスプリングス・ホテルとオールドフェイスフル・スノーロッジだけ。一年中通行可能な道路は北口ゲート～マンモス～タワールーズベルトのみ。そのほかのゲートと各ビレッジ間の道路は、11～4月の間は車では通行できない

インターネットと携帯

　2013年春現在、入園者がインターネットにアクセスできる場所はない。ロッジの客室からも有線、無線ともに接続できない。数年前からWi-Fi導入が議論されているが、電話もTVもない生活を楽しもうという方針で運営されているので、導入に反対の声も多い。

　携帯電話はオールドフェイスフル、マンモス、グラントの各ビレッジで使えるが（電話会社による）、森などに設置された基地局が景観を乱すとして撤去する案も出ている。

　なお、グランドティトンのムースにあるビジターセンターはWi-Fi無料

シーズン　　　　Seasons and Climate

　公園のシーズンはおおむね5～10月だが、年中通行可能な道路もあり、雪上車や冬のツアーなども用意されている。とはいっても、ベストシーズンはやはり6～8月。森の緑が生き生きと茂り、色とりどりの花が咲き乱れ、バイソンやムース、クマなどが活発に動く元気な季節だ。飛行機やバス、ツアーバスなど、公園への交通機関はこの時期だけ運行している。標高が低いエリアでは、6月と9月は曇りや夕方から夜半にかけて小雨がパラついたりすることが多い。最も天気が安定しているのは10月。気温は低いが天気はよい。

©Tsuneo Yamamoto

7月に入ると花の数も種類もグンと多くなる

オールドフェイスフルの気候データ　　日の出・日の入り時刻は年によって多少変動します

月	1	2	3	4	5	6	7	8	9	10	11	12
最高気温(℃)	-4	-2	2	6	11	17	22	22	17	9	1	-4
最低気温(℃)	-17	-17	-13	-8	-2	2	6	4	2	-4	-10	-15
降水量 (mm)	42	43	46	45	63	57	41	41	37	30	47	41
日の出 (15日)	7:57	7:24	7:36	6:40	5:56	5:38	5:53	6:26	7:02	7:38	7:19	7:53
日の入り (15日)	17:09	17:51	19:19	20:07	20:43	21:09	21:06	20:30	19:35	18:40	16:57	16:44

Column　　冬のイエローストーン

　原始の森も平原もすべてが白一色に覆われる冬。ピンと張りつめた静寂を破ってスノーモービルが雪原を走る。クロスカントリースキーで雪の世界へ繰り出す。夜は暖炉を囲んでおしゃべりに花が咲き、外では間欠泉が暗闇の中で噴き上がる。アメリカの大自然のふところの深さをしみじみと感じさせてくれる静かな別天地がそこにはある。

　12月下旬～3月中旬、オールドフェイスフルとマンモスがオープンし、ウインタースポーツを楽しむ人々でにぎわう。北口からマンモスまでは比較的雪が少なく、車で入れる。オールドフェイスフルへは、ウエストイエローストーン、マンモス、フラッグランチ（→P.365）の3ヵ所からスノーコーチで入る。1日1往復のみで要予約。

　両ビレッジからは、キャニオンへの日帰りツアー（毎日8:15発。$146）、クロスカントリー・ツアー（週2回。$162）も行われる。また、マンモスからはラマーバレーでの動物観察ツアー（毎日7:00発。$81）も出ている。

　なお、吹雪になるとスノーコーチは運休する。日程の変更を覚悟しておく必要があるだろう。

スノーコーチ　予約☎(307)344-7311

West Yellowstone - Old Faithful

所要4時間　片道$62

Old Faithful - Flagg Ranch

所要3時間　片道$82

Mammoth - Old Faithful

所要4時間30分　片道$82

スノーモービル

　爆音と排ガスを撒き散らすスノーモービルは禁止すべきだとの声を受けて、台数制限などさまざまな規制を設けている。個人で勝手に走ることはできないので、ウエストイエローストーンにたくさんあるガイドツアーに参加するといい。

冬になると温泉の周囲に野生動物が集まってくる

Wildlife

大火災から25年後のイエローストーン

1988年、イエローストーン国立公園は最悪の夏を迎えた。この夏だけで大小合わせて50もの山火事が発生したのだ。5月24日に始まった山火事が完全に鎮火したのは11月18日。これほどまでに火災が長引いたのは、その年の異常なまでの乾燥と、「積極的な消火活動は行わない」という当局の方針が原因であったようだ。山火事も自然のサイクルのひとつと考え、落雷など自然現象によって起きた火事は、鎮火も自然のままに任せるという方針である。その結果、約3213km²（東京都の面積の約1.5倍）、公園の実に36％もの土地が焼け野原になった。もちろん生態系への影響は大きいものだったが、植林などは行われず、倒木の処理も人間に危険が及ぶ場合のみに限定された。これだけ大規模で突発的な環境の変化が起き、なおかつ人間の手が入らない環境というのは非常に稀。また、国立公園ということから長年調査研究が行われていたため、火災前と火災後の比較研究も行われている。

火災から四半世紀経った今、自然がゆっくりと回復する様子がわかってきている。

松ぼっくりのウルトラC！

その焼け焦げた姿から、特に植物が大きな被害を受けたように見えるが、回復は確実に進んでいる。特徴的なのは園内の林の8割を占めているロッジポール松。このロッジポールの実、つまり松カサには2種類あり、1種類の松カサだけが2年目になるとはじけて種を撒き散らし、残りの松カサは松ヤニでさらに堅くカラを閉じてしまう。そして火災以外ではあり得ないほどの高温になったときだけ、ヤニが溶けてカラがはじけるようになっている。最初から山火事まで考慮した家族計画をしているということだ。1988年の火災では、この松カサが一斉にはじけてその役割を果たし、翌春、焼け跡を若々しい緑に染めた。

一方、焼け焦げた倒木は少しずつ分解され"高温消毒済み"の肥料となってイエローストーンの緑を豊かにするのに役立つ。また、立ったまま枯れた木々は今もまだ残っており、少しずつ倒れていくことによって土壌に優良な肥料を長期間供給し続けることになる。

1988年10月。赤茶色に見えるのが消失した地域だ

火災によって繁殖した動物

リス、ネズミ、ウサギなど小型の哺乳類は、火災から逃げることができず、直後は大きくその数を減らした。しかし、背の高い木が燃えたことによって、太陽光線が当たるようになった下草が繁殖エリアを広げ、小さな哺乳類はワシなどの天敵から身を隠しやすくなった。

バッファロー、エルクなど大型の草食動物は、火災直後の冬には食料不足から餓死する個体が多かった。しかし次の春には、火災前には林だったエリアが草原となり、減少した分を補う以上の繁殖を見せることになった。それによって、草食動物をエサとする肉食動物も数を増やすことになり、結果的にイエローストーン全体の生態系が豊かになったという。

短期的に見ると1988年の大火災は、イエローストーンに生きる動植物に壊滅的な打撃を与えたように見える。しかし、長期的な見方をすれば、古い世代は新しい世代の糧となり、世代交代が一気に進んだことになる。山火事も、自然の大きなサイクルの中での必要な現象なのだ。

赤枯れの森とキクイムシ

イエローストーンでは小規模な山火事は毎年のように起きているので、黒焦げの林を目にする機会も多い。しかし最近は、赤く立ち枯れた林が目に付くようになった。これはアメリカマツノキクイムシMountain Pine Beetleという体長5mmほどの虫の仕業。本来キクイムシが攻撃するのは弱った木で、森の世代交代を促す役割も担っているが、2000年頃から爆発的に数が増え、現在では西部各地で史上最大の大発生となっている。見渡す限り赤茶色になった場所も珍しくないのだ。

おもな原因は、暖冬が続いたために幼虫が冬を生き延びる確率が上がったこと。それが地球温暖化の影響によるもので今後さらにひどくなるのか、あるいは一時的な現象で自然に治まるのか、専門家の意見は分かれている。いずれにしても、向こう数十年は立ち枯れた樹木によって山火事がひどくなるといわれている。枯れ枝が落ちてくる危険も増すので、風のある日など気を付けよう。

©NPS Photo by Ann Deutch
大火災の翌春、焼け跡に芽吹いたロッジポール松

ガイザーカントリー	Geyser

イエローストーンで最も多くの人が集まるエリア。アッパー・ガイザー・ベイスンを中心にたくさんの間欠泉が見られる。観光の拠点となるビレッジ、オールドフェイスフルがあり、有名な間欠泉オールドフェイスフル・ガイザーを囲むようにビジターセンター、ロッジ、郵便局、ガスステーション、ジェネラルストアなどが建ち並んでいる。

ガイザーを背にして一番右側にあるのが**オールドフェイスフル・インOld Faithful Inn**。1904年に建てられた美しいホテルで、ログキャビンとしては世界最大といわれる。ツアーバスなどはこの入口に発着する。1階ロビーにツアーデスクがあり、バスツアーやフィッシングツアーなどの申し込みを受け付けている。

ビジターセンターはその隣の建物。2010年夏に改築された。そして、左端に建っているのが**オールドフェイスフル・ロッジOld Faithful Lodge**。大きなギフトショップとカフェテリアがあり、裏にはたくさんのキャビンが並んでいる。

アッパー・ガイザー・ベイスンからマディソン方面には、ファイアーホールリバーに沿って熱水現象が集まった"ガイザーベイスン"と呼ばれるエリアがいくつもある。レンタカー利用なら好きなところに立ち寄ってみるといい。

いつも蒸気を噴き上げているジャイアントガイザー

Ranger Geyser Hill Walk
集合▶夏期8:30
　　　春・秋9:00
所要▶90分
場所▶ビジターセンター

車イスレンタル
　オールドフェイスフル・ガイザー、キャッスルガイザー、リバーサイドガイザー、モーニング・グローリー・プールはサイクリングロードで結ばれていて、車イスでも回ることができる。診療所で車イスを借りることができるので利用するといい。1日$10(保証金$300)

噴出予想時刻はおもな間欠泉の前にも掲示されている

オールドフェイスフルの噴出時刻に合わせて、ほかの見学スケジュールを立てよう

ロッキー山脈

イエローストーン国立公園（ワイオミング州／モンタナ州／アイダホ州）

アッパー・ガイザー・ベイスン　Upper Geyser Basin

　イエローストーンのシンボルになっている有名な間欠泉、オールドフェイスフル・ガイザー Old Faithful Geyserがあるエリア。「Faithful＝忠実な」の名前のとおり、ほとんど一定の噴出時間、間隔、高さを保っている（地震で噴出間隔が狂ったことはある）。水温約96℃、4万リットルの熱水を30〜55mの高さに噴き上げる（標高が2245mあるので水は93℃で沸騰する）。直前の噴出が2分30秒間以内に終われば、次の噴出までの間隔は65分。それ以上続くと噴出間隔は90〜110分になるそうだ。そうはいっても5分や10分のズレはあるので気長に待とう。噴出予定時刻はビジターセンターや各ロッジのロビーに掲示されている。

　噴出は、初めは少しずつ、だんだん大きくなって、クライマックスは大噴出。熱水と真っ白な湯気が青空に噴き上がる。もちろん観光客が寝静まった深夜にも忠実に噴出は続いている。

Upper Geyser Basin
MAP P.310 C-1
交通 ビジターセンター→P.316、ロッジ→P.343あり

初級 **Old Faithful Geyser**
適期▶年中
距離▶一周1.1km
所要▶一周約30分
出発点▶ビジターセンター

⚠ ヤケドに注意！
　イエローストーンでは毎年のように熱水域で大ヤケドを負う事故が起きている。特に、子供が足を踏み外して温泉に落ちる事故が多いので、充分に注意を

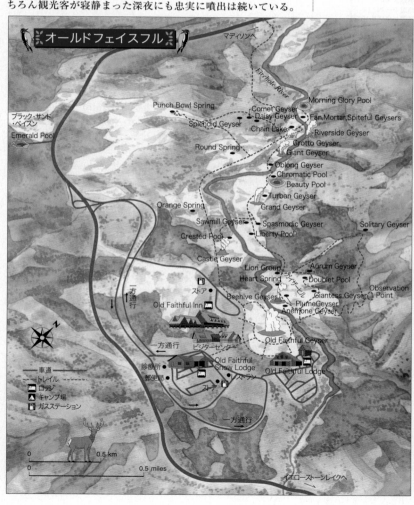

川に向かって噴出するリバーサイドガイザー
©NPS by George Marler

初級 Geyser Hill Loop
適期▶年中
距離▶一周2.1km
所要▶一周約1時間
出発点▶ビジターセンター

Ranger Geyser Discovery Stroll
集合▶夏期17:30
所要▶90分
場所▶キャッスルガイザー
（ビジターセンターから徒歩15分）

初級 Morning Glory Pool
適期▶年中
距離▶往復2.2km
所要▶往復約1時間
出発点▶ビジターセンター

中級 Observation Point
適期▶5〜10月
距離▶往復3.4km
所要▶往復1〜2時間
標高差▶61m
出発点▶オールドフェイスフル・ガイザー裏手の橋

そのほかの間欠泉と温泉プール

オールドフェイスフル・ガイザーがあまりにも有名なので忘れてしまいがちだが、周辺にはたくさんの間欠泉や温泉があるので、時間をかけてトレイルをひと回りしてみよう。

オールドフェイスフル・ガイザーの奥、北側にあるのが**ジャイアンテスガイザーGiantess Geyser**と**ビーハイブガイザーBeehive Geyser**。これを一周する遊歩道を**ガイザーヒルGeyser Hill**と呼ぶ。

ここから小川に沿って**グランドガイザーGrand Geyser**、園内最古とされている**キャッスルガイザーCastle Geyser**などが並ぶ。

轟音が特徴的なライオンガイザー

グランドガイザーからファイアーホールリバーを渡るまでの間、右手に**ビューティープールBeauty Pool**が現れる。後述のモーニング・グローリー・プールに似た美しい温泉だ。ダイナミックに噴出する**ジャイアントガイザーGiant Geyser**を過ぎると、奇妙な形をした**グロットガイザーGrotto Geyser**がある。沈殿物が木を埋めてしまったもので、1cm沈殿するのに40年かかるのだそうだ。

その先の対岸には**リバーサイドガイザーRiverside Geyser**がある。川に向かって斜めに噴出する間欠泉だ。そして、トレイルの一番奥には**モーニング・グローリー・プールMorning Glory Pool**がある。丸い朝顔の花の形をした、何とも妖艶な色の美しい温泉だ。

ビジターセンターからここまで真っすぐに来れば30分もかからないが、途中、間欠泉の噴出を待ったりしながら2、3時間の散策を楽しむといい。

さらに時間があったらおすすめしたいのが**オブザベーションポイントObservation Point**。オールドフェイスフル・ガイザー裏手から川を渡ると、すぐ右からトレイルが始まっている。この坂道を600mほど上ると展望台。アッパー・ガイザー・ベイスンの全体を見下ろすことができる。

オールドフェイスフル周辺のおもな間欠泉

ガイザー名	噴出の高さ	継続時間	噴出の間隔
Old Faithful	30〜55m	2〜5分	60〜110分
Beehive	40〜55m	5分	1日2回
Castle	19〜30m	30〜40分	10〜12時間
Daisy	20〜30m	3〜5分	2〜4時間
Giant	55〜80m	60分	年に数回
Giantess	30〜60m	4〜48時間	年に数回
Grand	30〜60m	9〜12分	7〜15時間
Grotto	2〜5m	1〜10時間	2〜15時間
Lion	15〜21m	1〜7分	1日1、2回
Riverside	23m	20分	5〜7時間

オブザベーションポイントへはオールドフェイスフルの噴出時刻に合わせて登ってみたい

ブラック・サンド・ベイスン　Black Sand Basin

メインロードを隔ててオールドフェイスフル・ビレッジと反対側にある温泉域。見逃せないのがエメラルドプールEmerald Pool。水中に繁殖した黄色い藻の色に空の色が合わさってエメラルド色になるという、美しい自然のマジックだ。ほかにサンセットレイクSunset Lake、クリフガイザーCliff Geyserなどがある。

Black Sand Basin
MAP P.310 C-1、P.321

Ranger Black Sand Walk
集合▶夏期13:00
所要▶1時間
場所▶ブラック・サンド・ベイスン駐車場

ビスケットベイスン　Biscuit Basin

アッパー・ガイザー・ベイスンからメインロードを北に少し行ったところにある。ブルーのすばらしさと透明度の高さで有名な**サファイアプールSapphire Pool**がある。また、遊歩道の奥へ続くトレイルを片道2kmほど歩いた**ミスティック滝Mystic Falls**も人気がある。

Biscuit Basin
MAP P.310 C-1

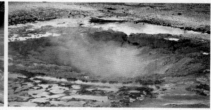

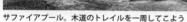

サファイアプール。木道のトレイルを一周してこよう　　カラシ色をしたマスタードスプリング

𝒢EOLOGY

スーパーボルケーノ

イエローストーン国立公園は1万ヵ所にも及ぶ温泉、間欠泉、泥泉などの熱水現象の中心地だ。これは、この地域の地殻運動が北米大陸のなかで最も活動的であることを示している。

イエローストーンはロッキー山脈の火薬庫などといわれ、その火山現象は決して過去のものではなく、また終わりつつあるのでもない。現に活動の真っ最中であればこそ、このような熱水現象が見られるのだ。

では、いったいその火山はどこにあるのだろうか？　実は今、われわれがイエローストーンと呼んでいる地域全体が、かつてひとつの巨大な火山の一部だったのだ。地上から見渡しただけではわからないが、今でも公園のなかには火口の跡が残っている。ロウアールーブの外側にあるカルデラ境界線（MAP P.310）より内側は、火口の底というわけだ。

この太古の火山は、およそ200万年前、120万年前、60万年前と過去3回大噴火をした。特に200万年前の大噴火のエネルギーは、1980年のセントヘレンズ大噴火の1500倍の規模があり、火山灰は遠くメキシコの原野をも覆ったといわれている。アイダホ州のCraters of the Moon National Monumentは、この一連の火山の火口の名残だ。

火山のエネルギーは今でもイエローストーン

の地下数キロメートルでくすぶり続けている。現に、イエローストーンの地面を掘ったら、地下326mの温度が何と237℃もあったそうだ！　1975年にはマグニチュード6.1の地震があったし、2010年1月にはイエローストーンの西側で群発地震が発生。今も年間数千回、火山性の微弱な地震が起きている。

パークレンジャーは、訪問者から「次の噴火はいつ？」と聞かれることが多いそうだ。イエローストーンが大噴火を起こすというテレビドラマが放映されたり、イエローストーンの地面が年間7cm以上も隆起しているという調査結果が報道されたりして、不安を感じている人も多いようだ。

多くの学者が、次の大噴火は数百年～千年先だろうと言っている。大噴火の前兆といえるほどの現象も観測されていない。しかし、大噴火の周期が60万年とすると、前回の大噴火から60万年経った現在、「今すぐに噴火してもおかしくない」と主張する研究者がいるのは当然だろう。

イエローストーンの地下にあるマグマだまりは直径数十kmもあるという。超巨大火山スーパーボルケーノが目を覚ます日、それはイエローストーンの美しい景観はもとより、地球全体の景観が変わる日になるのかもしれない。

ミッドウエイ・ガイザー・ベイスン
Midway Geyser Basin

　ビスケットベイスンからさらに北上したところに位置する。見どころは直径113mと園内で最大の**グランド・プリズマティック・スプリングGrand Prismatic Spring**。エメラルドブルーの温泉と、周囲を縁取るバクテリアの黄色、オレンジ、ブラウンのコントラストが圧巻。

オールドフェイスフルに次いで人気の高いミッドウエイ・ガイザー・ベイスン

ロウアー・ガイザー・ベイスン
Lower Geyser Basin

　オールドフェイスフルとマディソンの中間に広がる間欠泉＆温泉地帯。まずはミッドウエイ・ガイザー・ベイスンから少し北へ走って、一方通行の**ファイアーホール・レイク・ドライブFirehole Lake Drive**へ右折しよう。道路に沿って間欠泉が並んでいるが、なかほどにある**グレート・ファウンテン・ガイザーGreat Fountain Geyser**は、噴出予定時刻が発表されている間欠泉としては唯一、車に乗ったまま見学できるものだそうだ。9〜15時間ごとに23〜67mの高さに噴出があり、30分〜2時間も継続する。予定時刻はオールドフェイスフルのビジターセンターに掲示されている。

P.308の切手にもなっているグランド・プリズマティック・スプリング

Midway Geyser Basin
MAP P.310 C-1

Lower Geyser Basin, Firehole Canyon, Gibbon Fall
MAP P.310 B-1

　ファイアーホール・レイク・ドライブからメインロードに出たら、道路の正面にある**ファウンテン・ペイント・ポットFountain Paint Pot**に立ち寄ろう。駐車場からトレイルを右へ歩いて行くとファウンテン・ペイント・ポットがある。マッドポット（→P.326）の代表で、ぐつぐつ煮えている泥の池だ。ベージュや赤い色が何とも不気味。

　このトレイルの奥には7つの間欠泉が集まっている。そのなかの**クレサイドラガイザーClepsydra Geyser**は常に噴出し続けていて見ごたえたっぷり。クレサイドラとは水時計のこと。かつて3分間隔で正確に噴出していたことから名付けられたが、1959年の地震以後は常時噴出するようになっている。

　ロウアー・ガイザー・ベイスンの最後を飾るのは**ファウンテン・フラット・ドライブFountain Flat Drive**。小川に沿った穏やかな草原が広がり、初夏には一面に野の花が咲き乱れる。

ファイアーホール・キャニオン　Firehole Canyon

　マディソン・ジャンクションのすぐ南から始まる南行き一方通行の周遊道路。オールドフェイスフルから流れてきたファイアーホール川に沿って、溶岩が浸食された小さな峡谷が続いている。道路の最後にはファイアーホール滝Firehole Fallsがある。

水量が多く、冬でも凍らないことが多いギボン滝

ギボン滝　Gibbon Fall

　マディソンから東へしばらく行くと、湿原の中を蛇行する小川に温泉が流れ込み、川面から朝霧のように湯煙が立ち上る幻想的な光景が見られる。その先には落差26mのギボン滝Gibbon Fallsがある。付近の林にはエルクが多いので、特に朝夕には注意して探してみよう。

ノリス・ガイザー・ベイスン　Norris Geyser Basin

イエローストーンのなかでも一番活動的な温泉域で、熱水現象は約3km四方に広がっている。近年になって熱水現象が拡大した地域なので、いたるところで立ち枯れた木々の林を見ることができる。今でも毎年のように新しい間欠泉が出現したり、地震が起きたり、実にドラマティックな場所なのだ。このため火山研究の貴重な観測地点にもなっており、世界中の研究者がノリスに注目している。

ノリスの温泉域は、ミニ博物館を中心にして北のポーセレインベイスンPorcelain Basinと南のバックベイスンBack Basinに分けられる。

バックベイスンへ進むとすぐ右手にあるのがエメラルドスプリングEmerald Spring。この温泉は酸性で高温のため、明るい緑色をした藻類が繁殖している。アッパー・ガイザー・ベイスンにあるエメラルドプールと比べてみよう。その先にあるのが、有名な**スチームボートガイザーSteamboat Geyser**だ。世界最大の間欠泉といわれているが、普段は比較的小さな噴出しか見ることができない。不定期に大噴出があり、その際は20〜40分にわたって90〜120mも噴き上がる。最近では2005年5月に大噴出があった。

さらに奥にあるイキヌスガイザーEchinus Geyserは、pH3.6というお酢のような間欠泉。これほど酸性度が高いのは珍しいという。

1964年に大噴出した際のスチームボートガイザー
©NPS

ノリス・ガイザー・ベイスンのおもな間欠泉

ガイザー名	噴出の高さ	継続時間	噴出の間隔
Echinus	12〜18m	2〜5分	35〜75分
Steamboat（大噴出）	3〜12m（90〜120m）	3〜10秒（3〜40分）	1〜15分ごと（4日〜50年）

普段の噴出でもけっこう大きいスチームボートガイザー

パークレンジャー博物館
Museum of the National Park Ranger

ノリス・ジャンクションからマンモス方面へ1マイル走り、キャンプ場の標識に従って右折したところにある。パークレンジャーと国立公園システムにスポットを当てた展示と映像があり、運営しているボランティアスタッフはすべてレンジャーOB。国立公園の元祖ならではの博物館だ。

ノリス Norris
MAP P.310 B-2
ノリスは8の字のループの交差点でもある。東へ12マイル行くとキャニオン、北へ21マイル走ればマンモスだ

Norris Geyser Basin Museum
☎ (307)344-2812
開 5月下旬〜9月下旬
9:00〜18:00

Ranger Windows into Yellowstone
集合▶夏期　9:30
　　　春・秋　9:30
所要▶90分
場所▶博物館

初級 Porcelain Basin
適期▶年中
距離▶一周800m
所要▶約30分
出発点▶博物館

初級 Back Basin
適期▶年中
距離▶一周2.4km
所要▶1〜2時間
出発点▶博物館

Museum of the National Park Ranger
MAP P.310 B-2
開 5月下旬〜9月下旬9:00〜17:00

博物館の建物は山小屋風だ

熱水現象の仕組み

イエローストーンに降った雨や雪は、透過性の岩盤を通り、約500年かけて地下深くしみ込んでゆく。3000m以上地中に下りると、260℃以上の高温で熱せられる。しかし、高圧のため気化することができず、岩盤の割れ目を通って急上昇する。これが熱水現象だ。こうした現象は園内に1万あるともいわれ、世界一の集中地域になっている。

熱水現象は、地上への噴出の仕方によって名称が変わる。

温泉　Hot Springs

広義では間欠泉なども含めて温泉だが、水が溜まって温水プールになっているものを指すことが多い。温度や含有物質によってさまざまな色があるのがイエローストーンの特徴。

間欠泉　Geyser

熱水が地表まで気化せずに噴出するのが間欠泉。合計約300、世界の間欠泉の約3分の2がイエローストーンにある。周期的に熱水を噴出するが、噴出間隔はさまざま。噴出口の形態により、噴出口の周囲に円錐状に沈殿物が堆積するコーンガイザーCone Geyserと、池の中に噴出口があるファウンテンガイザーFountain Geyserに分けられる。

噴気孔　Fumarole

熱水が地表に達する前に気化し、水蒸気となって噴出する。時に雷鳴のような音とともに、地面をも揺るがす力をもつ。別名ドライガイザーDry Geyser。熱水が気化するか否かは、温度、圧力、岩盤の種類など、さまざまな要素が複雑にからみあって決まる。

マッドポット　Mud Pot

熱水に泥や不溶性鉱物が混じって地上に出てくる。溶け込む鉱物の種類によって色が変わる。

ちょっぴり不気味なマッドポット

温泉の色の正体

モーニング・グローリー・プールの魅惑的な色彩やエメラルドスプリングスの透きとおるような青など、温泉の色はとても不思議だ。どうもこの色は温度と密接な関係にあるらしい。

あまりにも高温の温泉では生物が繁殖できないため、空の青がそのまま映る。例えば、アッパー・ガイザー・ベイスンのクリスタルプールなどがこれにあたる。

もう少し低温になると藻類とバクテリアが発生する。酸性の場合は緑色の藻が、そうでない場合は黄色の藻が発生する。そして、グリーンや黄色の温泉が誕生するわけだ。

また、プール周辺や間欠泉などに見られるドロドロした色は沈殿した鉱物の色。黄色は硫黄、オレンジやブラウンは酸化鉄などの色だ。

世にも珍しいバクテリア

イエローストーン国立公園は地形的にバラエティに富んでいるばかりでなく、そこに生息する動植物も多様で魅力的だ。

なかでも最も不可思議な生物は、スルフォバ

さまざまな藻類が見られる
ミッドウエイ・ガイザー・ベイスン

レスというバクテリアで、ここイエローストーンにしかいないといわれている。このバクテリアは酸素を必要としない。というよりも酸素を嫌う嫌気性バクテリアで、世界最古の生物のひとつ。酸素に満ちあふれた地球上ではほかに生きる場所がなく、90℃以上の高温で、しかもpH1という強酸の泥の温泉、マッドポットの中だけに生息しているという変わりものだ。

このほか、イエローストーンには高温の温泉だけに生息するバクテリアも多く、このバクテリアと藻類が温泉の周囲を黄色、オレンジ、赤、茶色に彩っている。

マンモスカントリー　　　　**Mammoth**

マンモス・ホットスプリングスを中心としたエリア。北口ゲートまでは5マイルほど。マンモスは園内で唯一、年中オープンしているビレッジで、夏はもちろん、12月中旬〜3月中旬も冬ならではのアクティビティに興じる人々でにぎわう。ビジターセンターも年中オープンしている。

この道路は冬でも除雪され、多くの観光客でにぎわう

Mammoth
MAP P.310 A-2
設備 ビジターセンター→P.316、ロッジ→P.344あり

| Ranger | Terraces Walk |
集合▶夏期9:00
所要▶90分
場所▶リバティキャップ前

リバティキャップ
Liberty Cap

テラスマウンテンの手前に番人のようにデンと構えているのがリバティキャップ。近づいてみると意外に大きく、流出物が幾重にも重なっているのがわかる。石筍のような形だが、以前は温泉が噴き出ており、沈殿物によって自らの噴出口をふさいでしまったもの。

イエローストーンの北の番人のようなリバティキャップ

マンモス

北口、ガーディナーへ

一方通行（未舗装）

郵便局　診療所
レストラン
ストア　ビジターセンター
Mammoth
Hot Springs
Hotel

Beaver Ponds Loop Trail

Liberty Cap

Cleopatra
Terrace　Palette Spring　Opal Terrace

Prospect　Minerva Terrace
Springs　New Blue　Mound & Jupiter
一方通行　　Spring　Terrace

Orange Spring
Mound　　　Cupid Spring　Canary Spring
New Highland　　　テラスマウンテン
Bath Lake　Terrace
アッパーテラス

Angel
Terrace

White Elephant
Back Terrace
一方通行

厩舎

N

ノリスへ

タワーへ

車道
トレイル
ロッジ
キャンプ場
ガスステーション
トイレ

0　　　　　　0.5 km
0　　　　　　0.5 mile

ロッキー山脈　イエローストーン国立公園（ワイオミング州／モンタナ州／アイダホ州）

絵の具のパレットのようなパレットスプリング

テラスマウンテン　Terrace Mountain

　地底深くから噴き上げられた温泉に含まれる石灰分が蓄積され、幾重にも重なって巨大なデコレーションケーキ状の温泉段丘が造られた。これが有名なテラスマウンテンだ。石灰華段丘、石灰棚とも呼ばれ、中国の黄龍、トルコのパムッカレ、秋芳洞の百枚皿などでも見られる。

　頂上からは今も温泉が休むことなく流れ落ち、自然の造形が続けられている。毎日、2トン以上の石灰が運び上げられるため、1週間も経てば形が変わってしまうという。ただし、温泉の湧出量は不安定で、場所によっては止まってしまうこともある。すると途端に温泉段丘の色は黒ずんでしまう。どのテラスがどんな姿になっているか、訪れたときのお楽しみだ。

テラスマウンテンの中央でひときわ白く輝くミネルバテラス

　温泉段丘には**ミネルバテラスMinerva Terrace**、**キューピッドスプリングCupid Spring**などと優雅な名前が付けられている。マンモスのビレッジからも近いので、テラスの周囲に造られた一周30分ほどのトレイルを歩いて、いろいろな角度から眺めてみよう。

🚐 Side Trip

イエローストーンの露天風呂!?

　これだけ熱い湯が湧き出すイエローストーン。日本人ならすぐに「温泉！」という発想になるところだが、イエローストーンには温泉街も湯治宿もない。もったいない……と思っていたところ、あったのだ、露天風呂が。しかも川の中に！　といっても熱水がザブザブと川に流れ込んでいるだけという原始的なもの。水着を着て川そのものに入浴する。アルコールは厳禁だ。

　場所はマンモスから公園北口に向かい、キャンプ場の先の橋のそば。北緯45度の看板のすぐ南にある駐車場から川沿いに10分ほど歩く。

　夜間の入浴は禁止されている。また、川の水量が多い春〜初夏、天候の悪いときなどは、一時的に閉鎖されることがある。

道が狭いので
徐行しながら走ろう

アッパーテラス入口にはテラスマウンテンを見下ろす展望台がある

アッパーテラス　Upper Terraces

　テラスマウンテンの裏にはアッパーテラスと呼ばれるエリアがあり、一方通行のドライブルートTerrace Mountain Driveが付けられている。テラスマウンテンの上を通ってさらに奥にある数々のテラスを回るルートで**ニュー・ハイランド・テラスNew Highland Terrace、ホワイト・エレファント・バック・テラスWhite Elephant Back Terrace**などが次々に現れる。途中、松が石灰に閉じ込められて立ち枯れている光景が印象的。時折、エルクがテラスの上を横切って行く。

色鮮やかなOrange Spring Mound

GEOLOGY
ガラスの岩壁

　マンモスとノリスの間、Beaver Pondsという湖の北端に、天然の黒いガラスの岩壁Obsidian Cliffがある。高さ50〜60m、長さ800mにわたって黒曜石が露出したものだ。黒曜石は溶岩が急激に冷えて固まった際にできる。通常は岩の中に小さな塊として含まれ、このような巨大な岩壁になるのは珍しい。約18万年前に噴き出したマグマが、氷河に触れてできたという。

　先住民はこの岩壁を砕き、尖ったガラスを矢じりなどの石器として交易品にした。遠く中西部の先住民が、この岩壁の黒曜石を使っていたこともわかっている。こうした歴史から、岩壁は国立史跡に登録されている

パークロードの東側にある

GEOLOGY
テラスマウンテンのでき方

　マンモス・ホットスプリングスでは、地上に降った雨や雪が、水を通しやすい地層や岩の割れ目を通って地下3000mほどの深さまでしみ込む。イエローストーンの地下深いところにはマグマだまりがあり、地下3000m付近の岩層はこの熱によって部分的に溶けている。このため、しみ込んでできた水は熱せられ、対流の力によって他の岩の割れ目から地上へ押し上げられる。この水に火山性ガスが溶けて炭酸水となり、石灰層を通過する際に石灰がこの熱い炭酸水に溶け出す。

　地上に近づくにつれて水は冷え、地表まで来ると二酸化炭素は空気中に放出される。溶けていた石灰分が斜面に沈殿し、テラスマウンテンのできあがり。

　この現象はおよそ8000年前から始まったと考えられている。現在もテラスの形成は続いている。

湧出が止まったテラスは色が黒ずんでしまう

329

GEOLOGY

珪化木の尾根

タワー滝とラマーバレーの間にあるスペシメン尾根Specimen Ridgeには無数の珪化木（→P.172）がある。アリゾナの化石の森国立公園と違って、ここの木は立ったまま石化している。残念ながら道路はないので、近くに行って見ることはできないが、たった1本だけの珪化木を簡単に見られる場所がある。ブラックテイル・プラトー・ドライブ終点のすぐ東、Petrified Treeの標識に従って入る

中級 Tower Fall Trail
適期▶5〜10月
距離▶往復1.6km
所要▶往復約1時間
標高差▶91m
出発点▶タワー滝駐車場
設備 トイレ・公衆電話・売店
勾配の急なスイッチバックが続く。2006年に崖崩れがあり、2013年もまだ途中の展望台から先は閉鎖中

タワー滝

ルーズベルトカントリー Roosevelt

ルーズベルトカントリーは、タワールーズベルトのビレッジを中心としたエリア。ここにあるルーズベルトロッジは、公園内の宿泊施設のなかで一番素朴なところ。丸太小屋風のロッジには薪ストーブがあり、杉木立に囲まれた環境にある。1階のレストランもほのぼのとした雰囲気で、ゆっくりと食事が味わえる。

ロッジからは夏の間の毎日、駅馬車で草原を走るツアーが出ている。近くにはハイキングコースや釣り場もあり、乗馬も楽しめる。

ブラックテイル・プラトー・ドライブ Blacktail Plateau Drive

マンモスとタワールーズベルトの中間にあるドライブルート。東行き一方通行のダートロードだ。松の林をぬって続いており、秋には黄葉がすばらしい。プロングホーンやエルクに出合えるかもしれない。

タワー滝 Tower Fall

タワー滝はテラスマウンテンやオールドフェイスフルに並んで印象的な存在だ。林立する火山岩の尖塔の間から40m下の滝壺へ、豪快に落下している。天気がよければ美しい虹も見ることができる。尖塔の奇岩は、灰色の流紋岩に火山活動や凍結で裂け目ができ、さらにイエローストーンリバーの浸食や風化によってできたものだ。

ラマーバレー Lamar Valley

タワールーズベルトと北東ゲートの中間にあるラマーバレーは、野生動物が豊富に見られる谷。エルク、ムース、バッファロー、コヨーテ、プロングホーンなどが生息しており、冬でも積雪が少ないため、多くの動物がエサを求めてこの谷に集まってくる。そして、それを狙ってオオカミもやってくる。広々として見晴らしもよいので、動物ウオッチングには最適だ。

Column

駅馬車ツアー

タワールーズベルトから6月中旬〜9月上旬の1日3〜5回、開拓時代そのままに再現された駅馬車ツアーStagecoach Ridesが出ている。あまり乗り心地がよいとはいえないが、パイオニアたちの苦労を偲ぶにはいい。
料金 $12.25、3〜11歳 $6.25

©Tsuneo Yamamoto
タワールーズベルト名物の駅馬車に乗ってみよう

また、カウボーイ気分で野外で食べるバーベキューを組み合わせた**オールドウエスト・クックアウトOld West Cookout**というツアーも人気。草原の中で食べる陽気なバーベキューは本当においしい。乗馬で参加するものと、駅馬車で参加するものがあり、食べる場所で合流する。要予約。
駅馬車（ワゴン）料金 $57、3〜11歳 $46 15:45発
乗馬（1時間）料金 $75、8〜11歳 $58 15:30発
乗馬（2時間）料金 $84、8〜11歳 $72 14:45発
予約は各ロッジのツアーデスクか、☎(307) 344-7311へ。出発はルーズベルトロッジから。15分前までに厩舎へ行って、馬やワゴンの割り振りを受ける。レイク、キャニオンのロッジからの送迎もある。

キャニオンカントリー　　　　　　　　Canyon

イエローストーン国立公園の名前は、**イエローストーン大峡谷 Grand Canyon of the Yellowstone**の色に由来している。長さ32kmにわたって続く黄色い絶壁。深さは240〜360m、幅は狭いところで450m。流紋岩が硫黄を含んだ熱水と蒸気によってもろくなり、黄色く変色され、さらに川の浸食によって1万年かけて造り上げられた。

イエローストーンレイクから流れ出たイエローストーンリバーは、ヘイデンバレーの豊かな草原を下り、再び流れを速めて峡谷に入る。まず、落差33mの**アッパー滝 Upper Fall**となって落ちる。水しぶきに虹がかかる早朝や夕方が特に美しい。さらに下ると、落差93mの**ロウアー滝Lower Fall**となる。この滝下流の両側の絶壁がキャニオンだ。北側をノースリム、南側をサウスリムという。

ノースリムのそばには、このエリアの中心となるキャニオンビレッジがある。ビジターセンター、ロッジ、キャンプ場、ガスステーションなどが集まっている。

Canyon Visitor Education Center
MAP P.310 B-2
☎ (307)344-2550
夏期　8:00〜20:00
春・秋 9:00〜17:00
冬期　9:00〜15:00

アーティストポイントから望むロウアー滝

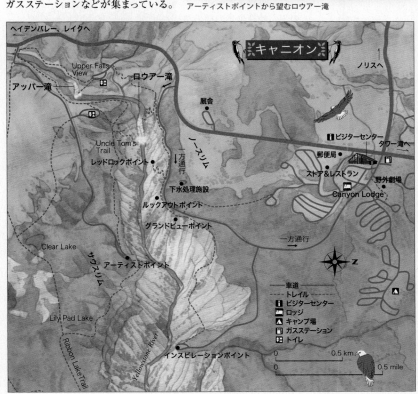

Sidebar:

中級 Brink of Lower Fall
適期▶5～10月
距離▶往復1.2km
所要▶往復約1時間
標高差▶180m
出発点▶Brink of Lower Fall
駐車場
※勾配がきついので、健康
状態のよくない人にはすす
められない。冬期閉鎖

中級 Red Rock Point
適期▶5～10月
距離▶往復1.2km
所要▶往復40分～1時間
標高差▶150m
出発点▶ルックアウトポイ
ント駐車場
※勾配がきついので、健康
状態のよくない人にはすす
められない。冬期閉鎖

中級 Uncle Tom's Trail
適期▶6～9月
距離▶往復1.6km
所要▶往復1～1.5時間
標高差▶150m
出発点▶アンクルトムズ駐
車場
※勾配のきついスチール製
の階段が300段ある。滑り
やすいので足元には充分
に注意を。夏期以外は閉鎖

Ranger Lupine Loop Walk
集合▶夏期9:00
所要▶2時間30分
場所▶アンクルトムズ駐車
場

Ranger Walking the Edge
集合▶夏期9:00＆15:00、
春・秋15:00
所要▶90分
場所▶アンクルトムズ駐車
場

ノースリム　North Rim

キャニオンのビレッジからレイク方面へ2マイルほど走って左折すると、東行き一方通行のノースリム・ドライブが始まる。ここから北壁に沿って5つの展望台が並んでいる。

最初にBrink of Lower Fall Trailのトレイルヘッドがある。ここから下りるとロウアー滝目の前の展望台へ出る。緑色の流れが足元から滝壺へ落下していく光景は息をのむ迫力。時間と体力がある人にぜひおすすめだ。

次は**ルックアウトポイントLookout Point**。ロウアー滝が最もカッコよく見える場所。ここからRed Rock Pointへ下りるトレイルがあり、終点からは水しぶきがかかるほどの近さに滝を眺められる。

グランド・ビュー・ポイントGrandview Pointも人気のある展望台だ。滝は見えないが、黄色い峡谷がドラマティックに迫ってくる。

最後の**インスピレーションポイントInspiration Point**（冬期閉鎖）は滝から遠く離れていてちらっとしか見えないが、そのぶん峡谷全体の様子がよくわかる。ドライブルートはビレッジが終点だ。

なお、ノースリム・ドライブ入口の西にはBrink of Upper Fallのトレイルヘッドがあるが、こちらはアッパー滝の展望台へ行くラクなトレイル。サウスリム・ドライブへ行く途中で寄るといい。

インスピレーションポイント

サウスリム　South Rim

南壁沿いに走るサウスリム・ドライブでは、まず**アッパー滝展望台Upper Fall Viewpoint**へ立ち寄ってから、**アンクルトムズ・トレイルUncle Tom's Trail**を歩いてみるといい。ロウアー滝の滝壺近くまで下りて、ナイアガラの滝の2倍の高さから落ちてくる迫力を楽しもう。ドライブの終点にあるのは**アーティストポイントArtist Point**。黄色い渓谷とロウアー滝が、絶妙のアングルで眺められる。

やがてミシシッピ川へ流れ込むイエローストーンリバー

ヘイデンバレー　Hayden Valley

　キャニオンとイエローストーンレイクの間には、ヘイデンバレーと呼ばれる美しい低地が広がる。ゆったりと蛇行するイエローストーンリバー、魚を狙って集まってくるペリカン、そして、胸まで流れに浸ってロッドを振る釣り人たち。ときには白い頬をしたカナダグースの群れやハクトウワシの姿も見られる。川の中で水草を食んでいるのはムース。あちこちの丘で泥浴びをしているバッファローの群れ。実に穏やかな時間が流れている。動物たち の行動が活発になる早朝、朝もやの立ちこめる頃にそっと訪れるといい。

上／とにかく刺激しないことが重要だ
下／イエローストーンリバーがゆったりと流れるヘイデンバレー

マッドボルケーノ　Mud Volcano

　ヘイデンバレーの南端にある不思議な一帯。トレイル沿いに泥の噴気孔（→P.326）がいくつもあり、カラフルな泥沼マッドポットがボコッボコッと沸騰している。グロテスクだが一見の価値はある。

ドライブの注意
　ヘイデンバレーではバッファローが道路を横切ることが多く、バッファロー渋滞もしばしば起こる。彼らは驚くほどのんびりしており、車や人に無頓着だが、決して刺激してはいけない。あの角と巨体で突進されたらタダでは済まない

マスの遡上をみよう
　イエローストーンリバーでは毎年6月頃、マスが産卵のために川を遡上する様子が見られる。マッドボルケーノとレイクの中間、Le Hardys Rapidsという支流が流れ込むあたりが見やすい。カーブにある駐車スペースが目印

Ranger Mud Volcano Ramble
集合 ▶夏期16:00、春・秋11:00
所要 ▶90分
場所 ▶マッドボルケーノ駐車場
MAP P.310 B-2

GEOLOGY
イエローストーンで感じる地球のパワー

　地球という星は、私たち人間が想像もできないようなパワーを秘めている。穏やかな緑に覆われた風景を見ていると、そんな力を感じることはなかなかできないが、ときに火山の噴火や地震といった形で突然私たちを圧倒する。
　イエローストーンは、そんな地球のパワーを日常的にまとめて実感できる、地球上でも珍しいところなのだ。

マグマの力
　迫力ある間欠泉で名高いイエローストーンには、このような熱水現象が約1万あるといわれている。もちろん世界一集中した地域。では、なぜこれほどの熱水現象が集中するのか。それは、地下のマグマが深さ約4800mという極めて浅いところまで迫っているからなのだ。

ミクロの力
　マンモスにある不思議な白い段丘、テラスマウンテン。これも、そもそもはマグマの力で熱水が噴出してできたもの。噴出した熱水は石灰を中心とした鉱物を多く含み、これら鉱物が8000年という長い年月をかけて結晶したのがこのテラスだ。

水の力
　長さ32kmにわたって、深さ240〜360mの黄色い谷が続くイエローストーン大峡谷。熱水の影響を受けてもろくなった流紋岩が、イエローストーンリバーの水の力で、約1万年かけて削られたものだ。峡谷の白眉ともいえるロウアー滝は、園内に150ある滝のひとつ。トレイルを歩いて滝の目の前まで下りてみるといい。この壮大な谷を造ったパワーを実感できるだろう。

特に何もせず、のんびり過ごす
日があってもいい

Lake
MAP P.310 C-2
設備 ビジターセンター→
P.316、ロッジ→P.345あり

レイククルーズ
☎ (307)344-7311
運航 6月中旬〜9月上旬
1日5〜7回
園 ＄15、3〜11歳 ＄10
出発はブリッジベイ・マリー
ナから。15分前には到
着しているようにしよう。
ピークシーズンは前日に電
話で予約しておいたほうが
確実

ボート
　静かで美しいイエロース
トーン湖にボートで漕ぎ出
そう。6月中旬〜9月上旬。
ブリッジベイ・マリーナで。
なお、川でのラフティン
グはすべて禁止されてい
る。湖でカヌーやカヤック
を楽しむ際には、レンジャ
ーステーションで規則など
について確認を

Ranger Featured Creature
集合 夏期14:00、春・秋
14:30
所要 30分
場所 ▶フィッシングブリッ
ジ・ビジターセンター
動物や野鳥を観察する

初級 Storm Point Trail
適期 ▶6〜9月
距離 ▶一周3km
所要 ▶約1.5時間
出発点 ▶Indian Pond駐車
場（フィッシングブリッジ
より東へ3マイル）
MAP P.310 C-3

Ranger Storm Point
Saunter
集合 夏期10:00
所要 ▶2時間
場所 ▶Indian Pond駐車場

レイクカントリー　　　　　　　Lake

　イエローストーンレイク周辺のエリア。湖の北岸には3ヵ所
のビレッジが並んでいる。東から、ビジターセンターとRVパー
クがある**フィッシングブリッジFishing Bridge**、ホテルとロッ
ジがある**レイクビレッジLake Village**、キャンプ場がある**ブリ
ッジベイBridge Bay**だ。
　また、湖の西岸にビジターセンター、ロッジ、キャンプ場の
ある**グラントビレッジGrant Village**がある。

イエローストーンレイク　Yellowstone Lake

　湖面の海抜は2357m、面積は約360km²と琵琶湖の約半分で、
山岳湖としてはアメリカで最大の広さ。深さは最も深い場所で
98mもあり、水温は夏が約12℃、冬は4.5℃。かつて大噴火した
火山の、火口の底に水が溜まってできた湖で、今でも一部の湾
内では熱水が湧き出ている。
　ちなみに、湖から北へ流れ出したイエローストーンリバーは、
ミズーリ川、ミシシッピ川と合流し、セントルイスやニューオ
リンズを通ってメキシコ湾へと注ぐ。
　イエローストーンレイクの魅力は、広々とした湖面と、それ
を取り囲むのびやかな山容だ。天気さえよければ、はるかなグ
ランドティトン山脈のシルエットが霞んで見えるだろう。ボー
トで湖に繰り出したり、フィッシングをしたりして1日のんびり
と楽しみたい。
　レイククルーズもある。美しい湖面と
遠くの山並み、そして湖の中央にあるス
ティーブンソン島の景色を楽しむ1時間の
ツアー。早朝のクルーズがおすすめだ。
　時間があったら、フィッシングブリッ
ジから東へ3マイル走ったIndian Pondの
駐車場から**ストームポイントStorm
Point**へ上がってみるといい。湖の眺望が
すばらしく、キバラマーモットなども多
い楽しいトレイルだ。

ウエストサム　West Thumb

　手のような形をしたイエローストーンレイクを北から見たとき、親指thumbに当たる場所。グラントビレッジの北にあり、湖畔に温泉が湧き出している。一周1kmのトレイルをひと回りしてこよう。温泉の向こうに湖が見える場所はここだけだ。なかには湖の中に湧き出している**フィッシングコーンFishing Cone**と名付けられた温泉もある。その昔、釣り人が釣り上げた魚を誤ってこの中へ落としてしまった。するとすぐに魚がゆであがり、その場で食べることができた。その後、これを真似する釣り人が続出。時おり不定期に噴出する熱水で大ヤケドを負う人もいたという。もちろん現在は禁止されている。

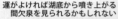

運がよければ湖底から噴き上がる
間欠泉を見られるかもしれない

West Thumb Information Station
MAP P.310 C-2
圏5月下旬〜9月下旬9:00〜17:00

[Ranger] **Hot Water Wilderness**
集合▶夏期10:30、春・秋11:00
所要▶90分
場所▶ウエストサムIS

[初級] **West Thumb Geyser Basin Trail**
適期▶年中
距離▶一周1km
所要▶約30分
出発点▶ウエストサム駐車場

湖畔にあるブラックプール。かつては黒っぽい色をしていたが、1991年に噴出してから温度が高くなり、バクテリアが死滅して青くなった

Isa Lake
MAP P.310 C-2

アイザレイク　Isa Lake

　イザベルという女性の名を冠した小さな池で、レイクとオールドフェイスフルの間にある。一面コウホネに覆われたこの池は、**大陸分水嶺**をまたいでおり、春になると雪解け水が池の東西に同時に流れ出す。しかも、西へ流れ出した川はファイアーホール川、ミズーリ川、ミシシッピ川となってメキシコ湾へ、東へ流れ出した川はスネーク川、コロンビア川となって太平洋へ注ぐという珍しい逆転現象が起きている。

コウホネRocky Mountain Pondlilyの咲くアイザレイク

イエローストーンの主役たち

野生動物が見られる場所は世界にたくさんあるが、比較的容易に行けて、高い確率で大型動物を見ることのできるところとなると、そう多くはない。そんな場所のひとつがイエローストーンだ。

ヨーロッパ人が新大陸に入植する前、数千年にわたって大陸が保っていた自然の均衡がここにはある。特に森林と草原の境目では、実に変化に富んだ動物の生態を目にすることができる。草原は食料となる草と太陽があるし、いざとなれば森林が外敵から身を守ってくれるからだ。

動物の観察には早朝がいい。日の出の頃、川辺や湖岸に行くと思いもかけない珍しい動物や鳥に出合うことがある。バッファローやムースならビレッジ内に現れることも珍しくない。彼らが人間を恐れないのは、長年にわたって大切に保護されてきたから。決して餌づけされているわけではない。野生の姿そのままを見守ってきただけだ。だから私たちも食物を与えてはいけない。

グリズリーベアとブラックベア

イエローストーンには、ヒグマの亜種であるグリズリーベア（ハイイログマ。300〜600頭）と、ツキノワグマの近縁種であるブラックベア（アメリカクロクマ。約600頭）が生息している。ブラックベアに比べてグリズリーは大きいので、成獣の場合は簡単に見分けがつくが、子グマの場合や距離がある場合は見分けがつきにくい。そんなときには、肩と腰の位置に注目してみるといい。グリズリーの肩には肩甲骨の出っぱりがあり、歩いているときに腰は肩よりも低い位置にある。いっぽうブラックベアは肩に出っぱりがなく、腰の位置も肩と同じか高いところにある（→P.393）。園内での死亡事故については→P.339）。

バッファロー　Buffalo

アメリカバイソン。普段の動作は極めてニブイが、いざとなると時速60kmで走ることができる。国立公園局のシンボルマークにも使われているカッコイイ動物なのだが、観光客が目にする彼らは、みすぼらしい姿であることが多い。バッファローの毛は春から夏にかけて生え変わるが、密生しているため抜けた冬毛がなかなか落ちない。さらに寄生虫を取るために泥浴びをするので、引きずった毛がガチガチに固まってしまうのだ。思わずブラシをかけてあげたくなる！

かつては全米に広く生息していたが、乱獲されて絶滅寸前まで激減。現在ようやく3万頭まで回復した。ちなみに、イエローストーンのバッファローは、すべて家畜種と野生種との雑種。

ムース　Moose

ヘラジカ。手のひら状の角がオスのシンボル。メスには角はない。あごから垂れた吻が特徴。水辺近くに住み、泳ぎも得意。

上／夫婦仲がよくて遊び好きなカワウソ
下／白いアイラインが特徴のキンイロジリス

エルク　Elk

1mにもなる立派な枝角はオス同士が戦うのに使われ、早春に抜け落ちる。秋になるとグランドティトンなどへ移動する（→P.357）。

ミュールジカ　Mule Deer

優しい表情をした小型のシカ。角の生え方はエルクそっくりだが、ラバmuleのような大きな耳で見分けられる。

プロングホーン　Pronghorn

セージブラッシュ（ヨモギの一種）の草原に群れで住み、のどにある白い縞、白いお尻が特徴。危険を感じると時速110kmで走り去る。

おすすめウオッチングポイント

イエローストーンの動物たちは、夜行性あるいは半夜行性のものが多いので、早朝または夕方がウオッチングに最適。朝もやの立ちこめるヘイデンバレー、草原が少しずつ紅に染まってゆく夕暮れのアンテロープクリーク。いかなる芸術作品にも勝る美しさと崇高さの中に身を置き、野生動物と相対する。心が和む至福のときだ。

©Tsuneo Yamamoto

©Tsuneo Yamamoto

左上／ダム建設で有名なビーバー
左下／逃げ足が速いプロングホーン
右上／バッファローは群れで行動することが多い
右下／エルクは車道への飛び出しが多いので要注意

近づき過ぎないように！

　動物がいた！　少しでも近づいてみたい、写真を撮りたい！　でも待って。近づけば動物を驚かせ、双方にとって不幸な結果を招きかねない。距離を保って観察しよう。規則もあり、クマには100ヤード（約91m）以内、ほかの動物には25ヤード（約23m）以内に近づくことは禁止。動物の気を引くためにオオカミの遠吠えの真似をしたり、懐中電灯などで動物にライトを当てたりすることも禁じられている。ビレッジなどでは、角を曲がったらバッファローがいた、なんてこともあるが、刺激しないようにそっと離れよう。

ヘイデンバレー

　キャニオンとレイクの間。バイソン、エルクのほか、カナダガンなどの水鳥が多く見られる。

マウントウォシュバーン付近

　タワーとキャニオンの間のアンテロープクリーク沿い。グリズリーベアの代表的な生息地で、ビッグホーンシープなども現れる。

オブシディアンクリーク沿い

　ノリス〜マンモス間にある沼地で、ムース、エルク、コヨーテ、白鳥がよく見られる。

ラマーバレー

　タワーと北東口の間。園内最大のエルク生息地で、バッファロー、ミュールジカ、コヨーテ、オオカミなどが見られる。

植物について

　イエローストーンの樹木の種類はとても少なく、この広い地域にたった11種しかない。先住民が住居用テントの支柱として使ったことから、ロッジポールと呼ばれる松の林が全体の8割を占めている。このほかモミなどの針葉樹や、ヤマナラシなどの落葉樹も多少見られる。

　7月になると、イエローストーンでは高山性の花が咲き揃う。Fringed Gentianという紫のリンドウがイエローストーンの花に指定されている。川辺や湖の浅瀬にはコウホネの黄色い花が浮かんでいるし、草原にはヒエンソウやモンキーフラワーなどが群生する。

よみがえったオオカミ

1872年に国立公園として制定されたイエローストーン。それは世界初の試みだった。そして1990年代。イエローストーンでまたひとつ、世界にも例を見ない試みが行われた。それは、人間の手によって姿を消した動物、ハイイロオオカミGray Wolfを人間の手によってよみがえらせ、生態系を再生しようというものだ。

1870年にヨーロッパからの探検隊がこの地を発見して以来、イエローストーンの環境は大きく変わった。なかでも特に大きな変化がオオカミの絶滅だ。イエローストーンの生態系の頂点にいた彼らは、ヨーロッパからの入植者がこの地に牧場を造り始めたときから、絶滅への道を歩み始めた。家畜保護のため、そしてシカやエルクを襲う悪者のイメージという理不尽な理由のために、オオカミたちは乱獲に遭った。そして**1930年代には彼らはイエローストーン地域から姿を消してしまう。**わずか60年弱のできごとだ。

生態系の頂点であるオオカミの消滅は、イエローストーンの動植物にさまざまな変化をもたらした。その影響は、まずオオカミのエサである大型の草食動物と、ライバルである捕食動物に表れ、その後連鎖的にほかの動植物へと広がっていった。

オオカミがいた頃には、コヨーテは生態系の中でオオカミの下に位置していた。ときには、コヨーテの子供がオオカミの餌食になることもあった。しかし、オオカミの絶滅によってコヨーテはのびのびと暮らせるようになり、テリトリーを広げてその数は増加し続けた。その結果、コヨーテがエサにしている小さな地ネズミの数が急速に減った。そして、地ネズミをエサにしていたワシなど猛禽類の数も減ってしまった。

一方、オオカミに捕食されていた大型の草食動物への影響と、連鎖反応も問題だ。オオカミがエサにしていたエルクやムースは、コヨーテが襲うには大きすぎる。そのため、オオカミの絶滅によって天敵がいなくなり、数が数倍にも膨れあがってしまった。個体数が増えても土地が増えるわけではない。1日に数十キロの草を食べる動物がその数を増やせば、次にくるのは草の不足。一部の地域では草を食べ尽くし、木の皮を剥いでしまうということも起きた。それによって、オオカミとは直接関係なかった草食動物まで食料不足に見舞われる事態になってしまった。

このような変化の先にあるのは、生態系の壊滅的な崩壊であることは目に見えている。その進行を止め、本来の姿へ戻すために発案されたのが、オオカミの再導入プランだった。絶滅から60年あまり経った1995年、カナダで捕獲された31頭のオオカミがイエローストーン国立公園に放たれた。このプランは、決してすんなりと進んだわけではない。人間によって起きた変化とはいえ、再び人間が介入するのが正しいこと

©NPS

上／コヨーテを追うオオカミ。よく似ているがひと回り大きい
下／足跡はグレープフルーツほどの大きさ
Photo by Barry O'Neill

なのかという疑問、家畜への被害などの安全や経済に関する懸念などが長年にわたって議論された末の結果だった。

結局オオカミは1998年まで計3回にわたって園内に放たれ、2005年には園内の群れは20、個体数325頭まで増えた。

2004年1月、再導入されたオオカミたちの最後の個体の死亡が確認された。現在、イエローストーン＆グランドティトンとその周辺にいるオオカミはすべて、ここで生まれた個体だ。なかには園外へ出て家畜を襲う群れもある。所有する牧場で家畜を襲っているオオカミを見つけた場合は射殺が許されており、さらに、被害を受けた農家には政府の補助と寄付による基金から損害賠償が支払われている。

現在、ロッキー地方全体のオオカミ生息数は約1700頭。もう充分に数が増えたとして2009年、モンタナ＆アイダホ州においてオオカミは絶滅危惧種リストから外され、狩猟が解禁された。これにより両州では趣味＆営利目的によるハンティングで206頭が殺された。さらに、人家に近寄るなどしたために、危険動物として当局の手で殺されたオオカミも270頭にのぼる。

もちろん園内での狩猟は禁じられているが、それでも安泰ではない。2006年には生まれた幼獣の84％が犬から移ったとみられる感染症で死亡し、園内の生息数は124頭にまで激減した。エルクなどがオオカミから逃れる術を身につけ、狩りの成功率が落ちて子供が栄養不良だったことが原因に挙げられている。さらにオオカミ同士の抗争やエサ不足、交通事故、密猟などによって、78頭（2013年1月）にまで数を減らしている。

日本でも2011年、オオカミを再導入する計画が大分県豊後大野市で検討された。イエローストーンはその手本とされているが、しかし世界初の試みが成功だったのかどうか、答えが出るまでにはまだ時間がかかりそうだ。

ACTIVITIES　アクティビティ

　イエローストーンの本当の姿に触れたいのなら、観光ポイントを走り回っているだけでは不充分だ。少なくとも一日は移動せずにアクティビティを楽しむ日に充てよう。ハイキングをしたり、馬で草原を歩いたり、湖にボートを浮かべて昼寝をしたり。どんなに美しい景勝地を訪れるよりも思い出深い時間になるはずだ。

ハイキング　Hiking

　園内には2000km近いトレイルがあるが、クマなどの危険も多いので本格的なハイキングは初心者には難しい。オールドフェイスフル周辺の温泉巡りやキャニオン沿いのトレイルなど、数時間から半日程度で歩ける手軽なコースなコースを楽しもう（見どころの欄外参照）。

　もう少し歩きたいという人のためにおすすめのコースを紹介しておく。ただし、クマの出没するエリアを歩く場合は、それなりの準備と心構えが必要だ（→P.393）。

レイク湖畔のストームポイント・トレイル

フェアリー滝　Fairy Falls

　ミッドウエイ・ガイザー・ベイスンとロウアー・ガイザー・ベイスンの間にある落差約60mのフェアリー滝を訪れる。この滝へ向かうには、ミッドウエイ・ガイザー・ベイスンより1マイル南にあるSteel Bridgeから歩き出すものと、ファウンテン・フラット・ドライブ突きあたりの駐車場から歩き出すものの2ルートがあるが、おすすめは後者。距離は長いが、途中の風景がすばらしく、火災後の回復の様子もうかがえる。

　駐車場から、温泉や小川を越えて2.2km進むとtrailheadの看板が右側に見えるので、右折。わかりにくい箇所には目印のオレンジ色のタグが木に打ちつけてある。しばらくは草原が広がり、遠くに山並みが続くが、ところどころ地面から湯気が上がり、場所によっては勢いよく熱湯が噴き出している。やがて、焼けた倒木や立ち枯れた木々の並ぶ林を通り抜け、湿地帯に出る。その奥でトレイルは二手に分かれるが、左折すればゴールはもうすぐそこ。フェアリーの名にふさわしく、今にも妖精たちが滝の周りを飛び始めそうな雰囲気の滝が姿を現す。

ビーバー・ポンド・ループ　Beaver Ponds Loop

　マンモス・ホットスプリングスから林の中を抜けて、ビーバーダムのある池を訪れる。ビーバーをはじめとしてプロングホーン、ムースなど動物に出合うチャンスも多い。

クマに厳重注意！

　動物たちの世界へおじゃまさせてもらうには、それなりの作法というものがある。クマの生息域に入る際には、その作法がときに自分の命を守ることにもなる。

　特にキャニオン、タワー、シュショー湖周辺などは要注意。2011年にはヘイデンバレーの北によるハイカー死亡事故が2件続いた。襲ったグリズリーはDNAで特定され、母グマは安楽死、子グマはグリズリー＆ウルフ・ディスカバリー・センター（→P.314）へ送られた。

　こうした悲劇を防ぐため、公園当局はベアスプレー（カラシによるクマ撃退スプレー）の携帯を呼びかけている。特に2、3人程度の少人数でハイキングをするとき、ハイカーの少ないトレイルを歩くとき、ピークシーズンを外れているときには、園内のストアなどで必ず購入しよう

中級 **Fairy Falls**
集合▶6〜9月
距離▶往復11.2km
所要▶往復4〜5時間
出発点▶ファウンテン・フラット・ドライブ駐車場
MAP P.310 BC-1

春には野の花、秋には草紅葉が迎えてくれる

中級 **Beaver Ponds Loop**
集合▶6〜9月
距離▶一周8km
所要▶一周約3時間
出発点▶リバティキャップ手前
MAP P.327

339

サイドバー

中級 Ribbon Lake Trail
適期▶5〜10月
距離▶往復9.7km
所要▶往復3〜4時間
出発点▶アンクルトムズ駐車場
※クリアレイク往復4.8km、リリパッドレイク往復6.4km
MAP P.331

上級 Mt. Washburn Trail
適期▶7〜9月
距離▶往復9.7km
所要▶往復4〜6時間
標高差▶425m
出発点▶ドンレイヴンパス駐車場
MAP P.310 B-2

山火事監視小屋を目指して登ろう

中級 Riddle Lake Trail
適期▶7月下旬〜8月
距離▶往復約8km
所要▶往復2〜3時間
出発点▶グラントビレッジから南へ3マイル走り、大陸分水嶺を越えたすぐの駐車場
MAP P.310 C-2

レンジャープログラム
プログラムのスケジュールは、おもな見どころの欄外参照

乗馬の予約
☎(307)344-7311
マンモス・ホットスプリングス
5月中旬〜9月上旬
タワールーズベルト
6月中旬〜9月上旬
キャニオン
6月中旬〜8月中旬
🎫1時間コース＄38
　2時間コース＄58
予約は園内のロッジのツアーデスクでもOK。チェックインは出発の45分前までに厩舎で。子供は8歳以上、身長122cm以上でなければ参加できない

こんなふうに過ごす一日があってもいい

本文

リボンレイク・トレイル　Ribbon Lake Trail

キャニオン・サウスリムのアンクルトムズ駐車場からクリアレイクClear Lake、リリー・パッド・レイクLily Pad Lakeを通ってリボンレイクを訪れる。野生動物と花が多いトレイルだ。時間がなければ途中の湖まで行って戻ってきてもいい。

マウントウォシュバーン・トレイル　Mt. Washburn Trail

タワールーズベルトとキャニオンの間にあるドンレイヴンパスDunraven Passに車を置いて、標高3122mの山頂を目指す。峠の両側にトレイルがあるが、どちらのコースも大差ない。山頂の山火事監視小屋からは渓谷や湖、遠くにはグランドティトンの山並みまで見える。このあたりはビッグホーンシープが多い。またグリズリーの姿が見えることもあるので注意。初夏には残雪が多い。

リドゥルレイク・トレイル　Riddle Lake Trail

大陸分水嶺を越えて、イエローストーンレイクの南側の森にある美しい湖を訪れる。ムースに出合うチャンスの大きいトレイルだが、同時にクマも多いため春先（5月〜7月中旬）は閉鎖されることが多い。

レンジャープログラム　Ranger-led Program

歴史のある国立公園だけにレンジャープログラムも充実している。夏期なら、すべてのビレッジで、毎日数種類のプログラムが行われている。新月の頃に行われる星空観察会や、子供向けプログラムも人気。また、個人ではクマが怖くて尻ごみしてしまうバックカントリーを歩くツアー（無料。前日に登録要）も行われている。曜日ごとに異なる場所を訪れる。スケジュールと申し込みは各ビジターセンターで。

乗馬　Horseback Riding

乗馬はマンモス、タワールーズベルト、キャニオンで体験できる。タワールーズベルトからは、乗馬を楽しんだあとに野外でステーキを食べるオールドウエスト・クックアウトというツアーもある（→P.330）。雄大な自然を眺めながら馬を歩かせていると、西部劇の世界へ紛れ込んだような気分になれる。

フィッシング　Fishing

　モンタナ州、ワイオミング州は世界中の太公望憧れの地だ。イエローストーンを水源とする公園周辺の川ではトラウト（マス）釣りが盛ん。もちろん、公園内でもフィッシングを楽しむことができる。

　公園内でのフィッシングには独自の許可証が必要で、州発行のものは必要ない。解禁になるのは、ほとんどの水域で5月の第4土曜日から11月の第1日曜日までだが、レイクなど異なる場合もある。

　特に注意が必要な点は、鉛を使った仕掛けを使わないことと、その水域で生き餌を使うことができるかの確認だ。ポイントによっては、フライフィッシングのみ可能なところもある。また、在来種はキャッチ＆リリース、移入種は殺さなければいけない、返しのある針は禁止など細かい規定があるので、必ず詳しい規則をレンジャーステーションやビジターセンターで確認しよう。

　季節ごとの川、魚、仕掛けなどの情報は、ウエストイエローストーンにある釣り具を扱っているジェネラルストアなどで聞くといいだろう。用具は、ブリッジベイ・マリーナでも借りられるし、ゲートシティの釣り具店でもレンタルを行っている。

　また、イエローストーンレイクでトラウトを狙うガイドツアーもある。6人まで参加できるので、人数が集まれば安上がりだ。

クロスカントリースキー　Cross Country Ski

　ビジターセンターでクロカン用の地図をもらって雪原に繰り出そう。マンモス・ホットスプリングス・ホテルとオールドフェイスフル・スノーロッジにレンタルがある。

スノーシュー　Snowshoe

　スノーシューズの底にカンジキのようなものを履き、ストックを手に持って雪原を歩こう。新雪でもあまり潜らず、快適に歩くことができる。冬の間マンモスとオールドフェイスフルからツアーが出るので、参加するといい。バッファローやエルクが群れを作っているポイントなどに連れて行ってくれる。週1〜2回催行。

フライフィッシングで人気の Yellowstone cut-throat trout

許可証Fishing Permit
🎫3日用＄18、7日用＄25。ビジターセンター、レンジャーステーションなどで入手できる

ガイドツアー
🎫2時間＄170〜
　6人乗りボートのチャーター、ガイド、用具レンタル、燃料代も含む。このほかウエストイエローストーンにもたくさんの釣り具店があり、ガイドツアーを行っている。
　なお、最近当局は違法なガイドツアーの摘発に力を入れている。無用なトラブルに巻き込まれないために、ガイドが公認であることを下記サイトで確認しよう
URL www.nps.gov/yell/planyourvisit/fishbsn.htm

Ranger Snowshoe Hike
集合▶1月上旬〜3月上旬の火・土14:00
所要▶2時間
場所▶マンモスのアッパーテラス入口

Reader's Voice

フライフィッシャー耳寄り情報

　イエローストーン園内の解禁日は5月第4土曜〜11月第1日曜だが、公園周辺にはブルーリボンと呼ばれる3つの川（Yellowstone、Madison、Gallatin）が流れていてフィッシングアクセスポイントはめじろ押し。ご丁寧にも魚の絵の入った案内標識があちこちに設置されている。

　魚種はレインボー、ブラウン、カットスロートのトラウトが主だが、ネイティブのレアフィッシュもいるようだ。「何が何でも1匹！」という場合は国有林の中を流れるGallatin Riverがおすすめ。サイズは20〜30cmといったところだが、魚影が濃い。しかし5月中旬には農耕用水として使われるのか、これらすべての川が混濁してし

まうため、適切なフライの選択が求められる。
　　　　　　（大阪府　大杉哲平　'02）['13]

　まず謙虚にウエストイエローストーンかリビングストンのフライショップで情報を入手するといい。適切なフライの種類と釣れる川を教えてくれる。ライセンスも購入できる。教えてもらったギボン滝上流はトラウトも多く、朝晩は初心者でも楽しめる。どこも日本の川より流れが緩やかで、水面に浮いているフライがよく確認できた。大物狙いで行きたい方はレイクビレッジの近辺がおすすめ。レンジャーが頻繁に見回りにくるので、ライセンスとパスポートは必ず携行しよう。
　　　　　　（長野県　青木昌美　'06）['13]

ナショナルパークの元祖イエローストーン

イエローストーンの歴史は、そのままアメリカの国立公園局の歴史でもあるといえる。

19世紀に探検隊によって発見されたこの地域は、そのすばらしい景観が探検隊員たちに強い感動を与え、先見的な政治家などの理解と協力を得て国立公園設置の運動に発展する。そして、当時のアメリカ大統領グラントが「イエローストーン国立公園を設置する法律」を制定して、世界で最初の国立公園が誕生した。1872年3月1日のことである。

しかし、初期の頃は国立公園とは名ばかりで、予算すら満足になかった。ただ、動物を無法なハンターの密猟などから守っていただけで、その仕事をしていたのもパークレンジャーではなく騎兵隊であった。

19世紀に入り、徐々にイエローストーンの驚異と神秘が人々に知られるに及んで、馬車で公園を訪れる人が増え始める。そして、1890年にはマンモス・ホットスプリングス・ホテルが建てられた。

やがて、自然保護に理解のある大統領セオ

1916年に送られたルーズベルトアーチの絵葉書

ドア・ルーズベルトの訪問によって、園内の施設は充実することになる。まず道路が整備され、1904年にはログキャビン風に木材を組み合わせる工法で造られたオールドフェイスフル・インと、コロニアル風リゾートホテル、レイクホテルが完成。さらに、1908年に発売されたT型フォードによる自動車ブームで、入園者は飛躍的に増えた。1915年には約5000台の車がイエローストーンを訪れている。

1916年に国立公園局が設立されるとさらに整備が進み、1956年に始まった「ミッション66」と呼ばれる10年整備計画により、公園を周遊するグランドループ道路なども完成。各ビレッジのキャンプ場やロッジなども次々にオープンした。

それでも、人間によって影響を受けた地域は全体の1%にすぎないという。

現在は年間100万台以上の車で340万人を超える入園者があり、世界中からの観光客や旅行者でにぎわっている。

1888年、馬車でマンモスを訪れた観光客

世界初の国立公園が犯した過ち

自然保護運動の先駆者であるアメリカの国立公園で、かつて野生動物の餌付けが行われていた。しかも、このイエローストーンで！

1950〜60年代、国立公園局は入場者数を増やそうと考えていたようで、客寄せのためにグリズリーベアやブラックベアの餌付けを行っていた。作戦は見事に成功。味をしめたクマが頻繁に道路に姿を現し、人間にエサをねだるようになった。イエローストーンは、誰もが簡単に巨大なクマに出合える、「マイカーで回れるサファリパーク」として有名になったのだ。

そして、当然のように悲劇は起こった。クマに近づき過ぎてケガをする観光客が続出し、あわてた公園当局は餌付けを中止。急に食料を絶たれたクマは次々に餓死し、あるものはエサを求めてキャンプ場を襲い、ついには死者も出た。ビレッジのそばに現れて射殺されたクマも多い。こうして、わずか数年のうちに公園のクマの数は激減してしまった。

世界で最初の国立公園の苦い経験は「野生動物は野生のままにKeep Wildlife Wild」という教訓を残し、以後、ゴミの管理なども徹底されるようになった。

しかし残念ながらこの教訓は、半世紀以上経ってもまだ、海の向こうにある島国には定着していないようだ。

©NPS Historic Photograph Collection

1960年代に撮影された最悪の見本

ACCOMMODATION 🏠 宿泊施設

園内で泊まる

バス共同の部屋に泊まっても石けん、シャンプー、タオルは室内に備えられている

イエローストーンの宿泊施設は園内に9ヵ所あり、デラックスなリゾートホテルからエコノミーなキャビンまで、いろいろなタイプが揃っている。建物は木をふんだんに使い、背も低くおさえて周囲の景観に溶け込むように建てられている。**園内の宿はすべて禁煙で、室内にテレビ、ラジオ、エアコンはない。キャビンには電話もない。**

どの宿も夏は混雑しており、特にオールドフェイスフルに予約なしで泊まるのは不可能に近い。ここだけは自由旅行をあきらめて、早めに予約を取ろう。宿の予約はすべて右記へ。インターネットがおすすめだが、ウエブサイトから予約できない部屋もあるので、希望の宿が取れなかったら電話でトライしてみるといい。夏期の予約は1年前から受付開始。

冬期（12月下旬〜3月中旬）にオープンするのは、Mammoth Hot Springs HotelとOld Faithful Snow Lodgeのみ。収容人員が少ないので早めの予約を。

Xanterra Parks & Resorts
☎(307)344-7311　Free 1866-439-7375
URL www.yellowstonenationalparklodges.com
カード A D J M V

🏠 Old Faithful Inn

オールドフェイスフル・ガイザーの前にあり、イエローストーンの象徴的な存在。1904年に完成した世界最大のログキャビンで、吹き抜けのロビーと巨大な暖炉が古きよき開拓時代を思い起こさせてくれる。見るだけでも価値のあるホテルで、ホテル内を見学するツアーも出ている。国の歴史的建造物に指定されている。公園の中心でもあるので、園内の観光に便利。359室。

MAP P.310 C-1、P.321
☎ 5/10〜10/13（2013年）
on バス共同 $103〜192
　　シャワー付き $139〜249
　　スイート $419〜524

本館はもちろん客室棟もけっこう古く、設備も簡素だが、それでも一度は泊まってみたいロッジだ

ロッキー山脈

イエローストーン国立公園（ワイオミング州／モンタナ州／アイダホ州）

ロッジの本館は間欠泉の目の前にある

🏠 Old Faithful Lodge Cabins

こぢんまりとしているけれど、とても清潔なキャビン。園内では最も格安だが、ほかの中級施設と比べても決して遜色ない。本館はオールドフェイスフル・ガイザーを望む位置にあるが、キャビンは少々離れている。カフェテリア、ギフトショップあり。132室。

バス付きキャビンの客室

MAP P.310 C-1、P.321
🕐 5/17〜9/29（2013年）
on バス共同キャビン $72
　　バス付きキャビン $119

🏠 Old Faithful Snow Lodge & Cabins

冬期もオープンしているロッジ。1999年に建て直され、園内で最も新しい宿泊施設となっている。快適さを求める人におすすめ。ただし人気も高く、最も早く満室になってしまう宿でもある。レストラン、コインランドリーあり。65室。

客室も建物もキレイだが料金も高い

MAP P.310 C-1、P.321
🕐 5/3〜10/20（2013年）、12月中旬〜3月中旬
on ロッジ $230〜240
　　バスタブ付きキャビン $160
　　シャワー付きキャビン $103
off ロッジ $219〜229
　　バスタブ付きキャビン $156
　　シャワー付きキャビン $99

🏠 Mammoth Hot Springs Hotel & Cabins

1911年に建てられたものを一部を残して解体し、1937年に新築されたスイスシャレー風のリゾートホテルで、設備もよく整っている。レストランも好評。オールドフェイスフル・インやレイクホテルに比べると予約が取りやすい。また、夏のみ、ホテルの裏にコテージ風の白いキャビンがオープンする。222室。

テラスマウンテンまで歩いて行ける

MAP P.310 A-2、P.327
🕐 5/3〜10/7（2013年）、12月中旬〜3月上旬
on シャワー付き $129、シャワー共同 $91
　　シャワー付きキャビン $131
　　シャワー共同キャビン $87
off シャワー付き $123、シャワー共同 $91

🏠 Roosevelt Lodge Cabins

タワールーズベルトにある趣のある山小屋風ロッジ。セオドア・ルーズベルト大統領がキャンプをした地に1920年に建てられた。ただし、キャビンのほうもいたって簡素なのでそのつもりで。バスなしキャビンには薪ストーブがある。80室。

園内で最も安く泊まれる

MAP P.310 A-2
🕐 6/7〜9/2（2013年）
on シャワー付きキャビン $120
　　シャワー共同キャビン $72

Roosevelt Lodgeからはラマーバレーが一望できる

🏠 Canyon Lodge & Cabins

山小屋風の簡素なロッジで、全室シャワー付き。レストラン、カフェテリア、ギフトショップあり。580室。

森の中にあるキャビンルーム

MAP P.310 B-2、P.331
📅 5/31〜9/22（2013年）
on ロッジ $187
　　キャビン $103〜192

🏠 Lake Hotel & Cabins

イエローストーンレイクの北岸に1904年に完成した木造リゾートホテル。黄色い外壁と白い列柱が印象的なコロニアル風の建物で、朝に夕に湖を眺めながらゆったりと過ごしたい人向け。明るいサンルームでは、湖を望みつつカクテルやピアノ演奏を楽しめる。1990年にモダンに改装され、快適な設備が整っている。296室。

MAP P.310 C-2、P.334
📅 5/17〜9/29（2013年）
on スイート $576
　　本館湖側 $234、本館山側 $217、別館 $156
　　バス付きキャビン $142

アメリカの国立公園にある建物は景観に溶け込む色が基本で、このように目立つ外観は非常に珍しい

🏠 Lake Lodge

レイクビレッジの奥にあり、湖岸の林の中にキャビンが点在する。早朝の湖畔の散歩は気持ちがよい。カフェテリアやギフトショップ、コインランドリーがあるほか、レイクホテルへも歩いて行ける。全室シャワー付きだが、パイオニアキャビンは建物が古い。186室。

MAP P.310 C-2、P.334
📅 6/10〜9/29（2013年）
on $114〜192
　　パイオニアキャビン $79

レイククルーズはロビーで申し込める

🏠 Grant Village

イエローストーンレイクの西岸にあり、グランドティトンとの連絡に便利。1984年完成の2階建てモーテルタイプの施設が6棟あり、全室シャワー付き。湖を見渡せるレストラン、ステーキハウス、ギフトショップなどもある。300室。

快適だが、イエローストーンらしさには欠ける

MAP P.310 C-2
📅 5/24〜9/29（2013年）
on $163

Column

キャビンに泊まろう

　イエローストーンの各ビレッジには必ずキャビンタイプの部屋がある。湖のほとりや林の中に点在するコテージ風キャビンは、何よりもまず静かなのがいい。テレビも電話もないけれど、朝は小鳥の声で目が覚める。小屋の周りには動物がいっぱいだ。料金によって、簡素な小屋といった感じのキャビンから、バス付きのデラックスなものまでいろいろ。部屋の設備については予約の際にちゃんと確認しよう。バスなしのキャビンでも必ずシャワーとトイレの共同施設が近くにあり、カフェテリアやレストラン、ギフトショップなどはたいていロッジ本館にある。

　ちょっぴりアウトドア気分で、ぜひキャビンに泊まってみよう。

Pebble Creekキャンプ場の近くにあるトラウトレイク。ラマーバレーに近いので、動物観察にもってこいの場所だ

©Tsuneo Yamamoto

キャンプ場に泊まる

　キャンプ場は園内に12ヵ所あるが、7〜8月にかけては午前中に満員になってしまう。5ヵ所は予約が可能で、ほかの7ヵ所は早い者勝ち。できるだけ早い時間にサイトを確保しよう。年間を通じてオープンしているのはマンモスのみで、ほかは夏のみのオープンだ。なおオールドフェイスフルにはキャンプ場はない。

　また、クマが出没する公園東部の地域では、ソフトテントでの宿泊が禁止されている場合があるので確認を。そのほかの場所でも食品、石けん、シャンプーなど匂いのあるものは必ずフードロッカーか車のトランクへ。グリルなどの調理器具やアイスボックスも放置してはいけない。

キャンプ場の予約
Free 1866-439-7375　当日 ☎ (307)344-7901
URL www.yellowstonenationalparklodges.com

イエローストーンのキャンプ場

キャンプ場名	MAP P.310 位置	シーズン (2013年)	標高	サイト数	予約	1泊料金	水道	トイレ（＝は簡易トイレ）	ゴミ捨て場	シャワー	コインランドリー	ストア
Madison	B-1	5/3〜10/20	2073m	278	●	$ 20.50	●	●	●			
Norris	B-2	5/17〜9/30	2286m	100		$ 14	●	●	●			
Indian Creek	A-2	6/14〜9/9	2250m	75		$ 12	●	▲				
Mammoth	A-2	年中オープン	1890m	85		$ 14	●	●				●
Tower Fall	A-2	5/24〜9/30	2012m	32		$ 12	●	▲				●
Canyon	B-2	5/31〜9/8	2408m	273	●	$ 25	●	●	●	●	●	●
Fishing Bridge RV	C-2	5/10〜9/22	2377m	325	●	$ 45	●	●	●	●	●	●
Bridge Bay	C-2	5/24〜9/2	2377m	432	●	$ 20.50	●	●	●			
Grant Village	C-2	6/21〜9/22	2377m	430	●	$ 25	●	●	●	●	●	●
Lewis Lake	D-2	6/15〜11/3	2377m	85		$ 12	●	▲				
Slough Creek	A-3	6/15〜10/31	1905m	23		$ 12	●	▲				
Pebble Creek	A-3	6/15〜9/30	2103m	32		$ 12	●	▲				

近隣の町に泊まる

　西口ゲートに隣接するウエストイエローストーンWest Yellowstoneに55軒、マンモスから北へ5マイルのガーディナーGardinerに17軒のモーテルがある。できればこのどちらかに泊まりたいが、ピークシーズンは混雑している。見つからなければ北へ60マイルのリビングストンLivingstonに約20軒、東へ53マイルのコディCodyに約50軒のモーテルがある。

　なお、グランドティトン国立公園の南にあるジャクソンの宿については→P.366

ウエストイエローストーン　　West Yellowstone, MT 59758　西口ゲートに隣接　55軒

モーテル名	住所・電話番号など	料　金	カード・そのほか
Stage Coach Inn	住209 Madison Ave. ☎(406)646-7381　FAX(406)646-9575 Free 1800-842-2882 URLwww.yellowstoneinn.com	on $229〜249 off $69〜79	ADMV　町の中心部。1948年オープンで西部劇のムードたっぷり。レストラン、サウナ、コインランドリーあり。朝食込み。高速インターネット無料
Best Western Desert Inn	住133 N. Canyon St.　☎(406)646-7376 FAX(406)646-7384　Free 1800-574-7054 日本 無料 0120-56-3200 URLwww.bestwestern.com	on $205〜245 off $80〜100	ADMV　メインストリート沿い。冷蔵庫、電子レンジ、朝食付き。コインランドリーあり。Wi-Fi無料。空港送迎OK。全館禁煙
Three Bear Lodge	住217 Yellowstone Ave. ☎(406)646-7353　FAX(406)646-4567 Free 1800-646-7353 URLwww.threebearlodge.com	on $159〜269 off $69〜119	AMV　公園まで2ブロック。冷蔵庫、電子レンジあり。レストランあり。空港送迎OK。Wi-Fi無料
Comfort Inn	住638 Madison Ave.　☎(406)646-4212 FAX(406)646-4212　Free 1877-424-6423 日本 無料 0053-161-6337 URLwww.comfortinn.com	on $209〜299 off $79〜115	ADJMV　町の西寄りにあり、ゲートまで5ブロック。コインランドリーあり。朝食込み
Traveler's Lodge	住225 Yellowstone Ave. ☎(406)646-9561　FAX(406)646-7583 URLwww.yellowstonetravelerslodge.com	on $119〜149 off $79〜109	AMV　夏期のみ。公園まで2ブロック。キッチン付き客室あり
Days Inn West Yellowstone	住301 Madison Ave.　☎(406)646-7656 FAX(406)646-7965　Free 1800-225-3297 URLwww.daysinn.com	on $165〜219 off $79〜219	ADJMV　町の中心部。室内温水プール、レストラン、コインランドリーあり。Wi-Fi無料
Madison Hotel & Hostel	住139 Yellowstone Ave. ☎(406)646-7745　FAX(406)646-9766 Free 1800-838-7745 URLwww.madisonhotelmotel.com	on $59〜149 ドミトリー$33	AMV　公園まで2ブロック。夏期のみ営業。1912年オープンのログハウス。レストランあり。営業は夏期のみ

ガーディナー　　Gardiner, MT 59030　北口ゲートまで1マイル　17軒

モーテル名	住所・電話番号など	料　金	カード・そのほか
Comfort Inn Yellowstone North	住107 Hellroaring Rd. ☎(406)848-7536　FAX(406)848-7062 Free 1877-424-6423　日本 無料 0053-161-6337 URLwww.comfortinn.com	on $184〜244 off $94〜154	ADJMV　冬に長期休業あり。レストラン、ジャクージ、コインランドリーあり。朝食込み。Wi-Fi無料
Yellowstone Basin Inn	住4 Maiden Basin Dr. ☎(406)848-7080　Free 1800-624-3364 URLyellowstonebasininn.com	on off $75〜425	AMV　町から北へ5マイル。US-89沿い。朝食込み。全館禁煙。Wi-Fi無料
Best Western Plus by Mammoth Hot Springs	住905 Scott St. ☎(406)848-7311　FAX(406)848-7120 Free 1800-828-9080　日本 無料 0120-56-3200 URLwww.bestwestern.com	on $220〜320 off $95〜150	ADMV　町の北外れ。サウナ、コインランドリーあり。Wi-Fi無料。全館禁煙
Yellowstone Suites B&B	住506 S. 4th St. ☎(406)848-7937 Free 1800-948-7937 URLwww.yellowstonesuites.com	on $120〜170 off $85〜120	MV　ゲートから3ブロック。ビクトリアンスタイルのB&B。フルブレックファスト込み。Wi-Fi無料。4室
Yellowstone River Motel	住14 Park St.　☎(406)848-7303 FAX(406)848-7304　Free 1888-797-4837 URLwww.yellowstonerivermotel.com	on $91〜123 off $62〜89	ADMV　ルーズベルトアーチ近くの川沿いにある。4〜10月オープン。Wi-Fi無料

グランドティトン国立公園

ワイオミング州／**MAP** 折込1枚目 B-3

草原に花々が咲き誇り、山に雪が残る7月頃がおすすめ

©USPS
2009年発行の切手

スネークリバーの支流が湾曲して造った小さな清らかな池。静かな水面には天を指す端正なティトンの姿が映る。どこまでも澄みわたった水と、キーンと張りつめた早朝の冷気。鏡のような池の中で、ティトンの姿がゆがんだと思うと、1頭のムースが現れた。悠々と水草を食むその巨体に、曙の輝きが一気に降り注ぐ。空気が柔らかくなったように感じ、ふと笑みをもらしてしまう……。

イエローストーンのすぐ南にある、グランドティトン国立公園には、山と水と植物と、そして鳥や動物たちが奏でる完璧なハーモニーがある。澄みきった高原の空気の中、歩いて、ボートに乗って、馬に乗って、その魅力を思う存分満喫しよう。

ジャクソン空港は離着陸時に空からの景色も楽しめる

Grand Teton National Park

Wyoming

ロッキー山脈 グランドティトン国立公園（ワイオミング州）

ACCESS 行き方

　ゲートシティは、公園の南に位置するワイオミング州**ジャクソンJackson**。ジャクソンホールという細長い盆地の南端にあり、夏はグランドティトン国立公園を訪れる人々で、冬はスキーリゾートとしてにぎわう。夏の間だけ、ジャクソンと公園北部のジャクソン湖畔、イエローストーン国立公園を結んでツアーバスが走る。しかし、公園内のほかの観光ポイントへ行く公共の交通機関は一切ない。ジャクソンでレンタカーを借りて回るのがベストだ。観光案内所は市街地の北の外れ、グランドティトンへ向かう国道沿いにある。展示、ショップともに大変充実しているので寄ってみるといい。

　グランドティトンを訪れるなら、当然イエローストーン国立公園も一緒に回るだろう。だからゲートシティはウエストイエローストーンと考えてもいい（→P.309）。

飛行機　Airlines

Jackson Hole Airport（JAC）

　ジャクソンの北約8マイルにある、**アメリカで唯一、国立公園敷地内に造られた空港**だ。ソルトレイク・シティからデルタ航空が1日3便（所要約1時間）、ユナイテッドがデンバーから1日3便（1時間30分）、ロスアンゼルスとサンフランシスコから1便飛んでいる。

　ジャクソン市内へは**Alltrans**のシャトルバスで。園内のロッジへも運んでくれる。またジャクソンのロッジ、モーテルのなかには空港から無料シャトルバスを走らせているところもある。

DATA

時間帯▶山岳部標準時 MST
☎(307)739-3300
道路情報☎(307)739-3614
URL www.nps.gov/grte
開10月下旬〜5月上旬は一部を除いて閉鎖。そのほかの時期は24時間オープン
混雑5月中旬〜10月中旬
料イエローストーン共通で1車1台＄25、オートバイ＄20、そのほかは1人＄12
国立公園指定▶1929年
面積▶1255km²
入園者数▶約259万人
園内最高地点▶4197m
（Grand Teton）
哺乳類▶61種
鳥　類▶305種
両生類▶6種
爬虫類▶4種
魚　類▶16種
植　物▶約1000種

JAC	☎(307)733-7682
Alamo	☎(307)733-0671
Avis	☎(307)733-3422
Hertz	☎(307)733-2272

Alltrans　☎(307)733-3135
Free 1800-443-6133
料市内往復＄31、コルターベイ往復＄100

🚌 Side Trip

フォッシルビュート国定公園 Fossil Butte National Monument

MAP折込1枚目 B-3　☎(307)877-4455
開5〜9月9:00〜17:30、10〜4月8:00〜16:30
休冬期の休日　料無料

　化石に興味があるなら、ソルトレイク・シティから車でグランドティトンを訪れる際に、ちょっと遠回りをしてみよう。5000万年前に湖だった場所からワニ、カメ、魚類、昆虫、植物の化石が発掘されている。骨だけでなく歯、殻、皮が残っていることもあり、絶滅した種も多いため貴重な研究材料になっている。ビジターセンター内では、研究者が化石を採掘する様子を間近で見ることができる。

発掘作業をガラス越しに見学させてくれる

　行き方は、ソルトレイク・シティからI-80を東へ走り、州境を越えたらExit 18でUS-189へ下り、KemmererでUS-30を西へ折れる。約2時間30分。グランドティトンへはUS-30をそのまま西へ行けばUS-89へぶつかる。約3時間30分。

自分で化石採集ができる
Ulrich's Fossil Gallery

☎(307)877-6466　料1パレット＄85
URL www.ulrichsfossilgallery.com

　公園入口のすぐ手前にあり、公園敷地外の丘で採集体験できる。採った化石は持ち帰れるが、哺乳類、鳥類など珍しい化石は規則により持ち出すことはできない。夏期9:00〜3時間。要予約。

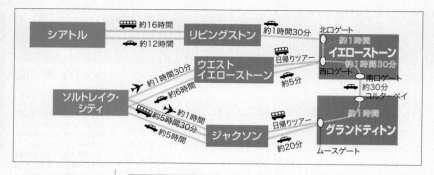

シアトル ━━ 約16時間 リビングストン
🚗 約12時間 約1時間30分 北口ゲート
約1時間
イエローストーン
約1時間30分
日帰りツアー 西口ゲート 南口ゲート
ウエスト 約30分
イエローストーン コルターベイ
約1時間30分 🚗 約5分
ソルトレイク・ 約6時間 約1時間
シティ 約1時間
約5時間30分 🚗 約5時間 約20分 グランドティトン
ジャクソン 日帰りツアー
約20分 ムースゲート

長距離バス　　　　　　　　　　　　　　Bus

Mountain States Express
☎ (307)733-1719
Free 1800-652-9510
URL www.jacksonhole
alltrans.com
運行 ソルトレイク・シティ
13:00発、ジャクソン6:30発
所要 5時間30分
料 片道 $ 70

ソルトレイク・シティから**Mountain States Express**社のバスが1日1往復している。ソルトレイク・シティでは空港ターミナル1のドア#4と#5の間（外側）で受付。ジャクソンではS. Park Loop Rd.と国道の角にあるMaverik Country Storeから乗車する。

ツアー　　　　　　　　　　　　　　　Tour

Gray Line of Jackson Hole

グランドティトンのおもな見どころを回る夏期のみのツアー。礼拝堂、メナーズフェリー、コルターベイ、オクスボーベンドなどを訪れる。ジャクソン市内のおもなホテルから送迎してくれる。

Gray Line of Jackson Hole
☎ (307)733-3135
Free 1800-443-6133
URL www.graylinejh.com
運行 6月上旬〜10月上旬の
月・水・土8:30発
所要 約8時間
料 $ 115、8〜12歳 $ 57.50
（入園料 $ 12は別料金）

レンタカー　　　　　　　　　　　　Rent-A-Car

グランドティトンとイエローストーンを見て回るには車が一番だ。ジャクソンでレンタカーを借りて、グランドティトン2日間、イエローストーン2〜3日というのが理想的なスケジュール。ジャクソンホール空港には大手のレンタカー会社のカウンターがあるが、台数は少ないので事前に予約しておこう。空港を出たら、そこはもう国立公園。国道を右折すれば約10分でジャクソン市街、左折すれば約8分でムースジャンクションだ。

グランドティトンの道路情報
☎ (307)739-3614
ワイオミング州の道路情報
Free 511
Free 1888-996-7623
URL www.wyoroad.info

もちろんウエストイエローストーンの空港で借りてもいいが、町自体がジャクソンよりずっと小さいので、レンタカー会社も台数もさらに限られてしまう。

園内のガスステーション
コルターベイ、ジャクソンレイク・ロッジ、シグナルマウンテン・ロッジ、Dornansにある。年中オープンしているのはDornans（→P.365）のみ。

ソルトレイク・シティから行く場合は、I-15、US-89を北上する。ジャクソンまで約307マイル。所要約5時間。

右／ジャクソン市内の観光案内所からはエルク保護区が見晴らせる
左／鹿の角でできたアンテロープアーチがジャクソンの町のヘソだ

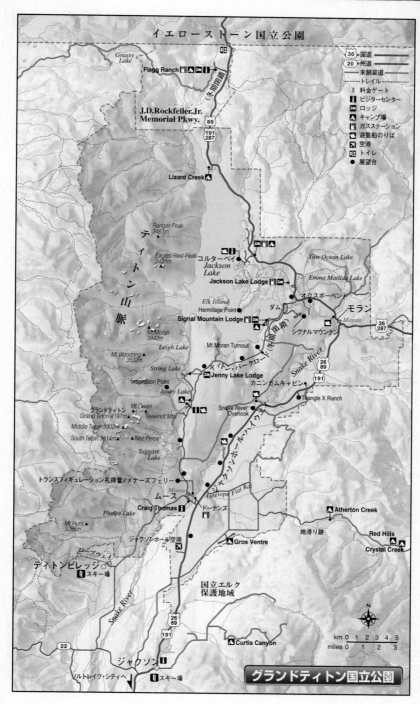

イエローストーン国立公園

30	国道
20	州道
	未舗装道
	トレイル
Ⅱ	料金ゲート
	ビジターセンター
	ロッジ
	キャンプ場
	ガスステーション
	遊覧船のりば
	空港
	トイレ
●	展望台

Grassy Lake

Flagg Ranch

J.D.Rockfeller.Jr. Memorial Pkwy.

89

191
287

Lizard Creek

Ranger Peak 3461m

Eagles Rest Peak 3431m

コルターベイ

Jackson Lake

Two Ocean Lake

Emma Matilda Lake

Jackson Lake Lodge

オクスボーベンド

モラン

26
287

Elk Island

Hermitage Point

ダム

Signal Mountain Lodge

シグナルマウンテン

Moran

Mt.Moran 3842m

Leigh Lake

Mt.Woodring 3532m

Mt.Moran Turnout

String Lake

テイトン・パークロード（冬期閉鎖）

26
89

191

Inspiration Point

Jenny Lake

Jenny Lake Lodge

カニンガムキャビン

グランドティトン Grand Teton 4197m

Mt.Owen Teewinot Mtn.

Triangle X Ranch

Middle Teton 3902m

South Teton 3814m

Nez Perce

Snake River Overlook

Taggart Lake

トランスフィギュレーション礼拝堂／メナーズフェリー

Moose

ムース

Antelope Flat Rd.

Craig Thomas

ドーナンズ

Atherton Creek

Phelps Lake

Mt.Hunt 3286m

ジャクソンホール空港

地滑り跡

Red Hills

Crystal Creek

ロープウェイ

ティトンビレッジ

スキー場

Gros Ventre

国立エルク保護地域

Snake River

26
89

191

22

Curtis Canyon

km 0 1 2 3 4 5
miles 0 1 2 3

ジャクソン

ソルトレイク・シティへ

スキー場

グランドティトン国立公園

　グランドティトンは南北に細長い国立公園で、北はイエローストーン国立公園、南はジャクソンの町に挟まれている。園内の北部には海抜2064mのジャクソンレイクJackson Lakeが南北に長く広がり、湖の西側にティトン山脈Teton Rangeが連なっている。中心になるビレッジは、ジャクソンレイク東岸にある**コルターベイColter Bay**だ。

　園内の東側を南北に走っているのが**ジャクソンホール・ハイウエイJackson Hole Highway**（US-26／89／191）で、スネークリバーSnake Riverの流れと、広大な平原の向こうに屹立するティトン山脈のパノラマがすばらしい。年中通行できる。

　西側を走っているのが**ティトン・パークロードTeton Park Road**。ティトン山脈の足元を回り込むように走っているので、刻々と山の姿が変化して迫力満点。5月上旬〜10月下旬のみオープン。

　両方の道路は、北は**モランMoran**の西にある**ジャクソンレイク・ジャンクションJackson Lake Jct.**で、南は**ムースMoose**でつながっている。車があるなら両方のルートを通ってぐるりと一周するといい。

情報収集　Information

Craig Thomas Visitor Center（Moose）

　ジャクソンホール・ハイウエイからティトン・パークロードへ入ったところ。南口ゲートの手前のムースにあるビジターセンターで、年中オープンしている。トレイルガイド、絵本、ポスターなど売店の充実度には目を見張る。ここに設置されている地震計を見れば、今もティトン山脈が隆起していることがわかる。

ムースのビジターセンターは、建築デザインやインテリア、展示方法も一見の価値あり

Flagg Ranch Information Station

　グランドティトンとイエローストーンの中間にある。イエローストーンから南下してきた人はここで情報を仕入れよう。このあたりの土地を国立公園局に寄贈したJ. D. Rockefeller Jr.に関する展示がある。

Colter Bay Visitor Center

　コルターベイ・ビレッジの奥にある。公園全体の情報が集まるが、特にジャクソンレイクでのアクティビティ情報ならここがいい。

コルターベイ・ビジターセンター

⚠ スローダウン！

　ジャクソンホール・ハイウエイ、ティトン・パークロードともに動物との衝突事故が非常に多い。例年、100頭以上が交通事故の犠牲になっている。バイソン、エルク、ムース、グリズリー、そしてオオカミまで含まれている。急ブレーキや急ハンドルを避けるためにも、スピードを落とし、よく注意しながら走ろう

SLOW DOWN!
WILDLIFE ON ROAD

朝夕は特に気を付けて

ジャクソンのビジターセンター
🏠532 N. Cache St.
☎(307)733-3316
🕐夏期8:00〜19:00
　冬期9:00〜17:00
🚫11月第4木曜、12/25

Craig Thomas VC
☎(307)739-3399
🕐夏期8:00〜19:00
　冬期9:00〜17:00
🚫12/25
※センター内はWi-Fi無料

Flagg Ranch IS
☎(307)543-2327
🕐9:00〜15:30
🚫9月上旬〜6月初旬

Colter Bay VC
☎(307)739-3594
🕐夏期8:00〜19:00
　春・秋8:00〜17:00
🚫10月中旬〜5月上旬

そのほかの施設
食事
　夏期は各ロッジ内にレストランやカフェテリアあり。またジャクソンレイクの北にあるLeek's Marinaにピッツェリアがある
ジェネラルストア
　コルターベイとジェニーレイク南端にある。いずれも夏期のみ。食料品だけならシグナルマウンテン・ロッジ（夏期のみ）や、ムース・ビジターセンター近くのDornans（年中オープン）のストアにもある
ATM
　コルターベイにある
診療所
☎(307)543-2514
🕐5月下旬〜10月上旬の9:00〜17:00
　ジャクソンレイク・ロッジの近くにある

シーズン　　　　　　　　Seasons and Climate

　ベストシーズンは6月下旬〜9月上旬だが、この時期はとても混みあう。アスペンの黄葉がすばらしい9月後半もおすすめだ。10月末になると例年雪が積もり、園内のロッジが閉鎖され、ティトン・パークロードの大部分が通行止めになる。しかし、東側を走っているジャクソンホール・ハイウエイは通行可能。南ゲートに近いCraig Thomas Visitor Centerは年中オープンしているので、ここで情報を集めよう。

　ティトンで最も気温が上がるのは7月。平年最高気温は27℃、最低5℃。標高が高いので夏でも朝夕はかなり冷える。5月、9月でも降雪を見ることがある。10月には最低気温がマイナス5℃にまで下がる。

8月の午後は夕立が多いので、ハイキングの際にはレインジャケットやポンチョを忘れずに

Column

国立公園にダム!?

　まるで天国の庭のようなオクスボーベンドのすぐ上流に、何とも無粋なダムがある。これはグランドティトンが国立公園に指定される前の1916年に、下流の農業用水を確保するために造られたもの。ジャクソンレイクの湖水の深さ約12m分は、ダム建設時に出資したアイダホ州の農家が、永久的に権利をもっている。2001年夏には水不足に悩む農民のために大量の水が放流され、コルターベイ・マリーナ付近は湖底があらわになり、ボートツアーも中止したほどだ。

　また、アメリカの国立公園はすべて国有地が原則だが、グランドティトンでは公園内に民間の観光牧場などがある（トライアングルXは国有地）。キャニオン・ディ・シェイのように先住民の居住権を認めた例はあるが、このような商売を認めるのは珍しい。東側のハイウエイ沿いには牧場の柵が続き、個人の邸宅も建っている。これはグランドティトンが国立公園に制定されたとき、すでにこの一帯が開発されてしまっていたのが原因だ。

　国立公園局は公園区域内の土地を買い上げるように努めているが、所有者は必ずしも土地を手放さなければいけないわけではないので、現在でも公園敷地面積の0.003％が私有地だ。このなかには、現在の所有者が死亡したら土地を国に売却するという契約を結んでいるものもあるが、移転や売却の意志のまったくない所有者もいる。その一例が、Craig Thomas Visitor Centerの手前にあるドーナンズ'Dornans。ドーナンズは、グランドティトンでも特に眺めのすばらしい場所にあり、一家は20世紀初頭からここに住んできたそうだ。引っ越したくない気持ちはわからないでもない。

半家畜化されたエルク

　グランドティトンが国立公園としては珍しい存在であるという例がもうひとつある。秋になると公園内で、一部のハンターにエルク猟が許可されるのだ。オオカミが足りなくてもエルクの数がほぼ一定に保たれているのは、この"間引き"のおかげだという血生臭い現実がある。銃口から無事に逃れたエルクだけが、ジャクソンの国立エルク保護地域（→P.357）にたどり着ける。

　だいたい、冬だけとはいえ野生動物にエサを与えること自体、考えられないことだ。エサを与えて増やしておいて、殺す。まるで放牧されたウシである。

　ジャクソンは西部劇を彷彿とさせるリゾートタウンだが、グランドティトンの自然の中にも開拓時代の影が今もちらついている。

ここではダム撤去の動きはないようだ

ジャクソンホール・ハイウエイのほぼ中央にあるSnake River Overlook

POINTS of INTEREST　おもな見どころ

ジャクソンホール・ハイウエイ
Jackson Hole Highway
　公園の東側を走る国道の、ムースからモランまでの18マイルがジャクソンホール・ハイウエイ。ワイオミングらしい雄大な景色がずっと続く。途中、数ヵ所ある展望台に入って思いきり深呼吸。まさに「シェーン！カムバック！」の世界が広がっている。特にSnake River Overlookは有名なフォトスポットなのでお見逃しなく。

アンテロープフラット・ロード
Antelope Flats Road
　ムース・ジャンクションの1マイル北から東へ入る。ハイウエイよりも一段高い丘の上にあるので、さらに見晴らしがよく、バッファローやプロングホーンが多く見られる。チョウゲンボウKestrelやキジオライチョウSage Grouseなどバードウオッチングも楽しい。

　ところどころにある古い建物は、19世紀に入植したモルモン教徒の住居跡。畑にも牧畜にも向いていない土だったので、映画『シェーン』に出てくる人々のように苦労したそうだ。

ポスターや絵葉書でよく見かける風景だ

カニンガムキャビン
Cunningham Cabin
　1888年、ニューヨークからやってきた男が牧場を経営していた場所。納屋やフェンスなどが残っており、ジャクソンホールが開拓された当時の暮らしを今に伝えている。記録によると無法者によるガンファイトもあったそうだ。モランの手前にある。

開拓当時の生活に思いを馳せてみよう

オクスボーベンド　Oxbow Bend

　モランのゲートをくぐってしばらく走ると左側にある展望台。スネークリバーはここで大きく湾曲して流れが緩やかになるため、川岸にはいろいろな動物が集まってくる。早朝か夕方に訪れれば、ムース、カワウソ、ビーバー、ハクトウワシ、ナキハクチョウ、アオサギ、ペリカンなどが見られるかもしれない。

　川面に端正な姿を映しているのはマウントモラン Mt. Moran（標高3842m）。朝もや立ちこめる時間帯の美しさは格別だ。特に黄葉の頃の早朝には、カメラマンの三脚がズラリと並ぶ。

風のない日には"逆さモラン"が見られる

ジャクソンレイク　Jackson Lake

　ティトン山脈の北半分に面した湖。公園の中心となるビレッジ、コルターベイに着いたら、まずはボートツアーのスケジュールをチェックしよう。夏の間の毎日、90分ほどのクルーズが出ている。日によっては、湖に浮かぶエルクアイランドを訪れてマス料理を楽しむブレックファストクルーズやディナークルーズもある。

　もし運悪く山が見えなかったら、湖畔のトレイルを歩いて湿原を巡ってみるのがいい。あたりには野生物がとても多い。

ウオーターアクティビティはコルターベイで

クルーズ
圏90分クルーズ＄29、3〜11歳＄13（夏期1日4回）、ブレックファストクルーズ＄37、3〜11歳＄22（金曜運休）、ディナークルーズ＄57、3〜11歳＄37（月・水・金のみ）

ボートレンタル
　コルターベイやシグナルマウンテン・ロッジのマリーナで。カヌー、手漕ぎボート1時間＄15

レイククルーズに参加する際は、真夏でもジャケットを忘れずに

シグナルマウンテン　Signal Mountain

　ジャクソンレイクの南東にあるこの山は、自然が造った展望台だ。ティトン・パークロードを南下し、東に折れる山道を4マイル上ったところが標高2314mの山頂。ジャクソンホールの谷全体が見渡せる。ティトンの山並みを見るなら坂の途中の展望台のほうがいい。眼下にジャクソンレイクを配した絵画的な構図が楽しめる。

ジェニーレイク　Jenny Lake

　ティトン・パークロードの途中から南行き一方通行のJenny Lake Scenic Roadを入ってみよう。ストリングレイクString Lake、ジェニーレイクJenny Lakeに沿って走る周遊道路で、アスペンの林の上から覆いかぶさるようなグランドティトンの姿は迫力満点。この道は大型バスが入れないので、車のある人だけが味わえる景色だ。

　湖の南岸にはビジターセンターがある。すぐそばの船着場から対岸まで15分ごとに往復しているシャトルボートに乗ってみよう。下りたところから、ヒドゥン滝 Hidden FallsやインスピレーションポイントInspiration Pointへのトレイル（→P.359）が始まる。帰りは湖岸を4km歩いて戻ってくるのもいい。

Jenny Lake Visitor Center
開 夏期　　　8:00～19:00
　春・秋　　　8:00～17:00
周辺のトレイル情報やティトン登山の情報が詳しい

シャトルボート
運航 夏期　　　7:00～19:00
　春・秋　　 10:00～16:00
15分ごと
料 片道＄7、往復＄10

ジェニー＆ディック・リー
　ストリングレイクの北側にあるリーレイク Leigh Lakeの名は、1872年にこの地域を探査したヘイデン調査隊のガイド、ディック・リーからとったもの。彼はビーバーを獲るためにやってきたイギリス人で、先住民と結婚してグランドティトンに住んでいた。その妻の名がジェニーだ。しかし、湖に夫妻の名が付けられてから4年後、ジェニーと5人の子供たちは天然痘で相次いで死亡。ディックはその後もこの地に留まり、一生涯湖を眺めて暮らしたという

グランドティトンが頭上から迫ってくるティトン・パークロード

⚙ GEOLOGY
アメリカで最も若い山

　東に広がる平原から、唐突にそびえる峻険なティトンの山並み。しかし、その西側にはなだらかな斜面が続いている。実はティトンの東側には大きな断層がある。1300万年前頃に始まった造山運動によって形成されたものだ。900万年前頃から、この断層を境にして西のプレートが東のプレートの上に覆いかぶさるように、また、東は西の下にもぐり込むような力が加わり、現在のティトンの隆起が始まった。西側プレート上のモラン山頂（ジャクソンレイクとの標高差1778m）にある砂岩と、東側プレート上のジャクソンホールの地下7315mにある砂岩は、もともと同一の地層であったというから、その巨大な力にはおそれ入る。

　隆起した山々は、その後氷河などの働きによって削られ、より険しくなった。氷河によって運ばれた岩（モレーン）は川をせきとめ、数々の湖をジャクソンホールに造った。こうして現在のティトンの景観ができあがった。ティトン山脈は、北米大陸で最も若い山といわれている。今も数千年ごとに大地震が起きていて、そのたび山が隆起していることがわかっている。

マウントモランには岩石の割れ目にマグマが貫入して固まった岩脈dikeが見られる

トランスフィギュレーション礼拝堂
Chapel of the Transfiguration

草原の中に建つ丸太造りの素朴な礼拝堂。1925年に建てられたもので、中には木の枝で作った十字架と、大きな窓の向こうにグランドティトンがあるだけ。当時の人々の暮らしと、これを作った人の思いを感じてみよう。ムースの料金ゲートからティトン・パークロードを北上して、すぐに右折したところにある。

日中は誰でも中へ入ることができる

復元された舟に乗ってみよう

メナーズフェリー　Menor's Ferry

ジェネラルストア

礼拝堂から5分ほど歩いた川岸にある。19世紀末、ビル・メナーという男がここに居を構え、流れの速いスネークリバーを安全に横断できる渡し舟を往復させていた。船着場には『大草原の小さな家』に出てくるような住居とジェネラルストアが残っている。

国立エルク保護地域　National Elk Refuge

山にエサのなくなる冬期（11～4月）、グランドティトン国立公園の南に集まってくる1万頭のエルクに干し草を与えて保護している。1908年に大量のエルクが餓死したのがきっかけで、1912年に始められたという。ジャクソンの町外れにあるビジターセンター（→P.352）から、馬そりでエルクを見に行くツアーHorse-Drawn Sleigh Ridesが出ている。エルクだけでなく、コヨーテなど50種近い動物、200種近い鳥も集まっている。運がよければ、イエローストーンからエルクを追ってきたオオカミの姿も見られるかもしれない。

春と秋には移動するエルクの群れを見ることができる

フェリーの仕組み
メナーが作ったフェリーは動力を使っていない。対岸までケーブルを張り、ケーブルから船まで渡したロープを調節して、双胴船の向きを流れに対して斜めにすることによって、水圧で自然に進むのだ。夏期には復元された渡し舟に乗ることができるレンジャープログラムが行われる
Ranger Walk into the Past
集合▶夏期14:00
所要▶45分
場所▶メナーズフェリー

Horse-Drawn Sleigh Rides
運行 12月中旬～4月上旬の10:00～16:00。20～30分ごと。1時間
休 12/25
料 $18、5～12歳$14

エルクの角の行方
エルクの立派な角は春先に抜け落ちる。これを地元のボランティアが拾い集め、売上金をエルクのエサ代にしているという。角はインテリアとして人気があるが、毎年、数千もの角が売れるのか？と思ったら、なんと多くの角はアジアへ売られていくという。生薬になるのだそうだ

357

ACTIVITIES　アクティビティ

ハイキング　Hiking

　園内のトレイルには、湖畔を歩く短いものから、ティトン山脈を一周するものまであるが、ここでは気軽に歩ける短いトレイルを紹介しておく。園内の水は一見きれいそうに見えるが飲むことはできないので、必ず飲料水を持参しよう。

雨具と上着をお忘れなく

初級 Colter Bay Nature Trail
適期▶5〜10月
距離▶一周約3km
所要▶一周約1時間
出発点▶コルターベイ・ビジターセンター

コルターベイ・ネイチャートレイル
Colter Bay Nature Trail

　コルターベイ・ビジターセンターからスタートし、ジャクソンレイクに突き出している小さな半島を歩く。ジャクソンレイクとティトン山脈の美しい景観を楽しむ。ビジターセンターで小冊子“Colter Bay Nature Trail”を購入しておくといい。トレイルで見ることのできる植物や動物の解説、イラストで紹介された山並みなど、とてもわかりやすくて楽しめる。

コルターベイのネイチャートレイルは夕食後の散策にもおすすめ

中級 Hermitage Point
適期▶5〜10月
距離▶往復約14km
所要▶往復4〜5時間
出発点▶コルターベイ・マリーナ駐車場

Ranger Swan Lake Hike
集合▶夏期13:00
所要▶3時間
場所▶コルターベイ・ビジターセンター

ハーミテージポイント　Hermitage Point

　水鳥の多いヒーロンポンドHeron Pond、森に囲まれたスワンレイクSwan Lakeを通って、ジャクソンレイクに突き出した半島の突端まで歩く。森林、湖畔、湿地とバラエティに富んだ楽なトレイルで、時間がなければ途中でショートカットもできる。ムースやミュールジカなど動物に出合う確率の高いトレイルだ。

トレイルヘッドにある地図（購入するなら＄1、後で返却するなら50¢）を利用しよう

ジェニーレイクに比べてずっと静かで神秘的なリーレイク

インスピレーションポイントへ行くなら、まずは
ジェニーレイク南端からボート乗り場へ

リーレイク・トレイル　Leigh Lake Trail

　ジェニーレイク・ロード沿い、ストリングレイクの駐車場からスタート。超クローズアップのティトン山脈を見上げながら歩くコース。ストリングレイクの北東岸からリーレイクの南岸までがひと区切り。余力があればリーレイク沿いのトレイルを北上してベアポウレイクBearpaw Lakeをぐるりと回る長いコースを歩くこともできる。

インスピレーションポイント　Inspiration Point

　ジェニーレイクをボートで横切り、対岸から山道を登って行く。やがてヒドゥンフォールHidden Fallという滝があり、さらに30分ほど登るとインスピレーションポイント。森と湖を見下ろすパノラマが広がる。滝の近くの岩場では、小さなナキウサギが花をくわえて走り回っているかも。帰りは湖岸沿いのトレイルを4km歩いて戻ってもいい。なお、夏にこのトレイルを歩くならレンジャープログラムに参加するといい。スケジュールは公園の新聞『Teewenot』に載っている。

ブラッドリー・タガート・ループ　Bradley Taggart Loop

　ジェニーレイクとムースの中間にある駐車場から歩き出す人気のトレイル。どちらから回ってもいい。たくさんの花々に彩られた美しいトレイルで、渓流をさかのぼり、山火事に遭ったエリアを抜けて、広々とした氷河湖を訪れる。もちろんティトンの眺めもすばらしい。

比較的ハイカーが少なく、絶景をひとり占めできるタガートレイクのトレイル

初級 Leigh Lake Trail
適期▶5～10月
距離▶往復約3.2km
所要▶往復約1時間
出発点▶ストリングレイク駐車場
※ベアパウレイク一周を含めると12km、4～5時間

中級 Inspiration Point
適期▶6～9月
距離▶往復約3.5km
所要▶往復2～3時間
出発点▶ジェニーレイク対岸の船着場
※船に乗らずに往復歩くと9.3km、約4時間
Ranger Inspiration Point Hike
集合▶6月上旬～9月上旬8:30
所要▶2時間30分
場所▶ジェニーレイク・ビジターセンター
※申し込み順に先着25名

中級 Bradley Taggart Loop
適期▶6～9月
距離▶一周7.5km
所要▶一周約4時間
出発点▶タガートレイク駐車場
Ranger Taggart Lake Hike
集合▶夏期9:00
所要▶2時間
場所▶タガートレイク駐車場

ジェニーレイクのビジターセンターでも毎日たくさんのレンジャープログラムが行われている。入園ゲートでもらう新聞でチェックしておこう

レンジャープログラム　Ranger-led Program

Ranger Morning on the Back Deck
集合▶夏期9:00
所要▶90分
場所▶ジャクソンレイク・ロッジ

　グランドティトンのレンジャープログラムはハイキングが中心。氷河や動植物の説明を聞きながら、ゆっくりとしたペースで歩く（ハイキングの項参照）。また、ジャクソンレイク・ロッジのバルコニーで朝に行われるプログラムも人気。フィールドスコープを設置してあるので、レンジャーと一緒にムースや野鳥などを探そう。

乗　馬　Horseback Riding

乗馬ツアー
料ジャクソンレイク・ロッジ1時間＄45、2時間＄75。コルターベイ1時間＄38、2時間＄56
　ジャクソンレイク・ロッジの2時間コースはオクスボーベンド方面、コルターベイからはスワンレイクを訪れる。参加は8歳以上のみ。真夏でも朝夕は冷えるので上着を忘れずに。身長、体重の換算方法は→P.11

　乗馬はグランドティトンで最も人気のあるアクティビティだ。6月中旬から8月下旬は毎日乗馬ツアーが出ている。予約は、遅くても前日の昼までに入れておきたい。その際、乗馬の経験、体重と身長を聞かれるので、ポンドとフィートに換算しておくといい。初心者でもOK。経験や体の大きさに合った馬を用意してくれるので安心だ。

　出発場所はジャクソンレイク・ロッジとコルターベイの2ヵ所。申し込みはジャクソンレイク・ロッジのフロントと、コルターベイのマーケット入口にある窓口。厩舎はテントキャビンからずっと奥へ入ったところで、ビレッジから離れている。

ラフティング　Rafting

フロートトリップ
料＄58、6～11歳＄35
夏期は1日6回、春・秋は1、2回

ラフティング
　園外の激流下りの場合は、水着を下に着て、着替えを持参しよう。ライフジャケットは必ず貸してくれる。靴はたいていブーツを貸してくれるが、事前に確認したほうがよい

　雄大なティトンを眺めながらスネークリバーをゴムボートで下ろう。公園内から出発するツアーはもちろん、ジャクソンから出発するツアーもある。朝食や夕食を組み込んだものもあるので、ビジターセンターなどで資料を集めて検討を。園内のツアーは緩やかな流れ（フロートトリップ）、ジャクソンより下流のものは激流（ホワイトウオーター）と考えるといい。園内のツアーではハクトウワシが見られる可能性が高い。申し込みは園内の各ロッジなどで受け付けている。夏期のみ。

人気が高いので予約は早めに

©Tsuneo Yamamoto

川や池の中で水草を食んでいることが多いムース

ワイルドライフウオッチング　　WildlifeWatching

　グランドティトンは、イエローストーンと並んで動物を見るチャンスが多い国立公園だ。オクスボーベンドのように一年中動物が見られるポイントもあるが、特定の時期、時間だけ、特定の動物が集まってくる場所もある。ビジターセンターで、その日に最もおすすめのポイントを地図で示してもらうといい。

　また、ジャクソンから動物ウオッチングのツアーも出ている。早朝か夕方の4時間のツアーもあるし、ハイキングとセットになった1日ツアーもおすすめだ。いずれも年中催行。

サイクリング　　Biking

　公園内の道を、風を切りながら気持ちよさそうに走るマウンテンバイク。車に自転車を積んで訪れる人も多い。ジェニーレイク・シーニックロードなどは絶好のサイクリングコースだ（起伏あり）。レンタルはムースのDornansにあるほか、ジャクソン市内でも借りられる。

フィッシング　　Fishing

　ジャクソンレイクやスネークリバーにはマスが生息している。シーズンはジャクソンレイクが10月を除く年中、スネークリバーが4〜10月（レイクより下流は8〜10月）。ワイオミング州の許可証が必要。シグナルマウンテン・ロッジ、コルターベイ、Dornansなどで買うことができる。園内の各ロッジからガイド付きツアーも出ている。

クロスカントリースキー　　Cross Country Ski

　11〜4月、ティトン・パークロードがクロカンとスノーシューのために開放される。コルターベイやアンテロープフラットでも楽しめる。またムース・ビジターセンターではレンジャーのガイドでスノーシューを楽しむツアーも行われる（12月下旬〜3月中旬13:30。＄5）。

誰かが動物を見つけると、あっという間に人だかりができる

Wildlife Expeditions
☎ (307)733-1313
Free 1877-404-6626
URL www.wildlifeexpeditions.org
[料] 4時間＄125、6〜12歳＄99
8時間＄180、6〜12歳＄145
※6〜10名以内の少人数制で、双眼鏡は貸してくれる

2009年に完成したムースとジェニーレイクを結ぶサイクリングロード

フィッシングライセンス
[料] 1日用＄14

ガイドフィッシング
[料] ジャクソンレイクでのボートフィッシング1時間
＄85（2時間以上）、スネークリバー＄525〜

冬のツアー
　ジャクソンには数多くのツアー会社があり、クロスカントリー、スノーモービルなどの日帰りツアーを催行している

グランドティトンの主役たち

©Tsuneo Yamamoto

ムース　Moose

　ムースとは先住民の言葉で「木を食べる者」の意。水辺に単独で暮らし、日がな一日水草を食んでいる。泳ぎが得意で、川の中に潜って水中の藻を食べることも。オスの手のひら状の角は春に生え始め、8月頃に最大になり、晩秋には抜け落ちる。片方で重さ10キロ以上あるという。メスには角がなく、足の短いウマのよう。優しい目をしているが、けっこう気が荒い。特に子連れの母ムースと、秋のオスは危険なので、近づき過ぎないように。オクスボーベンドからコルターベイにかけての道路沿いに姿を現すことが多い。

プロングホーン　Pronghorn

　警戒心が強いので間近で見られるチャンスは少ないが、実は道路からそう遠くないところで群れを作って草を食べている。見晴らしのきく場所で、双眼鏡で探せばきっと見つかるだろう。

エルク　Elk

　エルクは別名をワピチというが、これは先住民の言葉で「明るい色のシカ」を意味する。確かにミュールジカと比べると白っぽい色をしているが、首のあたりは黒い。9月下旬～10月は恋の季節。ムースのゲートをくぐって坂を上がったあたりにいくつものハーレムが集まり、壊れたホルンのようなオスの独特の鳴き声が谷間に響き渡る。パークロードの西にある林と、東に広がる草原を行き来していて、いきなり道路に飛び出してくることが多いので注意。

上／グランドティトンは特にアスペンの多い公園だ
下／流れの緩やかな池に住むマガモ

オオカミ　Gray Wolf

　イエローストーンで行われたオオカミ復活作戦（→P.338）によって戻ってきたハイイロオオカミは、グランドティトンでも群れを作っていることが確認されている。秋にエルクがイエローストーンからグランドティトンへ移動してくるときに、これを追ってきたものだという。運がよければ、オオカミの群れがエルクを狙うのを見られるかもしれない。遠目に見るとコヨーテによく似ているが、コヨーテは体高50cmほど。オオカミはその倍の1m近くある。

ブラックベア
Black Bear

　グランドティトンにはグリズリーベアもいるが、イエローストーンに比べるとはるかに数が少ない。問題はブラックベアだ。2007

クマ対策のゴミ箱。動物と我々の命を守るためにもルール違反は慎もう

ロッキー山脈

グランドティトン国立公園（ワイオミング州）

左／プロングホーンは臆病なので、トレイルに姿を現すのは珍しい　右上／スイカズラHoneysuckleの実　右下／アキノキリンソウGoldenrod

カワウソ　River Otter

オクスボーベンドにはカワウソが住んでいる。遊ぶのが大好きで、いつも夫婦で追いかけっこをしている。働き者の印象が強いビーバーと対照的。

ナキウサギ　Pika

体長15〜20cm。まん丸い耳が特徴で、一見すると茶色いネズミのようだが、実はウサギの仲間。氷河期の生き残りといわれ、その名のとおりチッチッと鳴く。ヒドゥンフォールなど標高の高い岩場で、花や草を口いっぱいにくわえて走り回る姿を見られるだろう。

年、ビレッジにたびたび近付いて、ゴミなどをあさるようになってしまったブラックベア4頭が殺された。こうした問題は毎年のように起きており、今後、第2のヨセミテ（→P.206）になるのではないかと懸念されている。ハイキング、キャンプの際はもちろん、展望台などで駐車するときでも、食べ物を置き忘れたりゴミを捨てたりしないよう細心の注意を払おう。

ハクトウワシ　Bald Eagle

頭が真っ白で、翼を広げると2mにもなる。開発による営巣地の減少や密猟、農薬の被害などによって数が激減。一時はアラスカとフロリダを除いて絶滅した。その後、手厚い保護のおかげで回復し、現在では全米各地でその姿が見られるようになった。グランドティトンでも、スネークリバー沿いの高い木の上など数ヵ所で営巣しており、ラフティングで見られる可能性が大きい。

©Tsuneo Yamamoto

ペリカンはオクスボーベンドなどでよく見られる

ACCOMMODATION 宿泊施設

園内で泊まる

園内には6ヵ所にロッジがある。3ヵ所はGrand Teton Lodge Company（GTLC）が運営しているが、残りはそれぞれ別会社が運営していて、ちょっと面倒だ。夏の予約は早めに。

Grand Teton Lodge Company (GTLC)
当日☎(307)543-2811　Free 1800-628-9988
URL www.gtlc.com　カード A M V
※キャンセル料は7日前まで$30、以後は1泊分

Jackson Lake Lodgeのロビー

Jackson Lake Lodge

設備の整ったリゾートホテル。ロビーには先住民のアートが飾られていて、1フロア上ると大窓越しにマウントモランが絵画的に現れる。レストランMural Roomからのパノラマも圧巻。湖側の客室からはムースの住む沼地やジャクソンレイク、ティトンの山並みを望むことができる。ロッジの客室は37室のみで、ログキャビンが348棟ある。予約はGTLCへ。

> **Reader's Voice**
> エクスペディアなどのネット予約サイトからも予約できます。むしろ、GTLCで予約してしまうとエクスペディアより高いうえ、1予約につき$30のデポジットをキャンセルしてもとられます。ただし、エクスペディアで予約したところ、6年前の記憶との比較なのですが、年代の古いロッジで部屋的にはがっかりでした。
> （広島県　けろっぴ　'12）['13]

☎5/20～10/6（2013年）
on off ロッジルーム湖側 $299～335
　　　ロッジルーム森側 $249～259
　　　キャビン湖側 $299～335
　　　キャビン森側 $249～259

Colter Bay Cabins

コルターベイには数多くのキャビンがある。バスなしの小さなキャビンから、バス付きツインのきれいなキャビンまで種類もいろいろ。テントキャビンはキャンプ場に準ずる施設で、2段ベッドが2台とストーブがあるだけ。ヨセミテのハウスキーピングに似ている。コインランドリーあり。209室。予約はGTLCへ。

2室ごとのコテージ式になっている

☎5/23～9/22、テントキャビン5/31～9/2（2013年）
on off バス付きキャビン $135～239
　　　バス共同キャビン $73
　　　テントキャビン $57
※テントキャビンに泊まる際には、クマに対する注意事項を確認しよう

Jenny Lake Lodge

ジェニーレイク湖畔に近い超デラックスなコテージ。暖炉のある部屋、キルティングのベッドカバー、山小屋風の家具、食事などすべての面で満点をつけたいほど充実している。料金は朝食＆5コースディナー込み。43室。予約はGTLCへ。

☎6/1～10/6（2013年）
on off 2人まで $625～899
　　　（2食込み）

ハネムーンにもおすすめ！

Signal Mountain Lodgeは湖に最も近い宿泊施設だ

🏠 Signal Mountain Lodge

ジャクソンレイクのほとりにあるロッジ。湖に浮かぶボートやウインドサーフィンを眺めながら食事もできるし、センスのいいギフトショップも入っている。林の中に点在するキャビンとモーテルタイプの客室は全室バス付き。湖に面しているのはスイートのみ。79室。

📅5/10～10/13（2013年）
予約は電話のみ☎(307)543-2831
URL www.signalmtnlodge.com
on off キャビン $ 156～211
　　　　モーテル $ 194～241
　　　　スイート $ 271～291
カード A D J M V

🏠 Headwaters Lodge @ Flagg Ranch

グランドティトンとイエローストーンの間にあり、厳密には園外。冬期はここからオールドフェイスフルへのスノーコーチが出発する。スネークリバーに面したモーテル形式の部屋とキャビンあり。キャビンは林の中なので、車は近くまで入れない。110室。ギフトショップ、グロサリーストア、レストラン、キャンプ場あり。

📅5月下旬～9月中旬
☎(307)543-2861
Free 1800-443-2311
URL www.flaggranch.com
on off $ 180～260
カード A D J M V

🏠 Dornans

公園の南端、ムースのビジターセンターのすぐ手前にある個人経営のロッジ（→P.353）。どのキャビンからもティトンの山並みがよく見える。年中オープンしており、ボートツアーやフィッシングなどのアクティビティも豊富。TVはないが電話はある。シャワーのみ。6～9月はかなり混雑するので予約は早めに。

📅年中オープン
☎(307)733-2415
FAX (307)733-3544
URL www.dornans.com
on $ 185～265
off $ 125～175
カード A J M V

キャンプ場に泊まる

キャンプ場は園内に6ヵ所ある。いずれも夏のみオープン。ジェニーレイクの最長滞在期間は7日間、それ以外は14日間。早い者勝ちで、Gros Ventre以外は昼までにほぼいっぱいになってしまう。とにかく夏はできるだけ早めに場所を確保しよう。

なお、グランドティトンのキャンプ場では、食品はすべてベアボックスか車のトランクへ。また、車から離れるときには窓を開けっぱなしにしてはいけない。

キャンプ場名	シーズン（2013年）	サイト数	いっぱいになる時刻の目安	1泊料金	水道	トイレ（★は簡易トイレ）	ゴミ捨て場	シャワー	ランドリー	ストア
Colter Bay	5/23～9/22	350	昼	$ 20.50	●	●	●	●	●	●
Gros Ventre	5/3～10/4	360	夕方	$ 20.50	●	●	●			
Jenny Lake（テントのみ）	5月中旬～10月上旬	49	早朝	$ 20.50	●	●				
Lizard Creek（ジャクソンレイク北端）	6月中旬～9月上旬	60	午後	$ 20.50	●	●				
Signal Mountain	5月中旬～10月中旬	86	午前	$ 20.50	●	●	●			
Headwaters Lodge @ Flagg Ranch	5月下旬～9月中旬	175	午後	$ 35～70	●	●		●	●	●

近隣の町に泊まる

　ジャクソンには約80軒の宿があるが、全般的に料金が高く、夏休み中とスキーシーズンは非常に混雑する。なるべく早い時間に着いて、宿探しをしよう。夏と冬は、夕方以後に到着しても市内のホテルはどこも空いていないと思ったほうがいい。

　また、ジャクソンから車で15分ほどのティトンビレッジTeton Villageもおすすめだ。こちらもスキーリゾートで、Moose-Wilson Roadと呼ばれる未舗装路（普通車OK。積雪期閉鎖）を北上すれば30分ほどでムースの入園ゲート前に出られる。

ジャクソンの宿探しは、町の北外れにあるビジターセンターへ

🏠 Snake River Lodge

　園内の宿を運営しているGTLC系列のホテル。ティトンビレッジのスキー場の目の前にあるデラックスなリゾートホテルだ。客室のインテリアなどはクラシックだが、改装したばかりなので快適。併設のスパがまたすばらしい。Wi-Fi無料。128室。

ティトンビレッジの入口に建っている

🏠 7710 Granite Loop, Teton Village, WY 83025
☎ (307)732-6000　Free 1855-342-4712
URL www.snakeriverlodge.com
on $200〜400　off $159〜339

ジャクソン	Jackson, WY 83001　ムースゲートまで13マイル　約80軒		
モーテル名	住所・電話番号など	料　金	カード・そのほか
Painted Buffalo Inn	🏠 400 W. Broadway ☎ (307)733-4340　FAX (307)733-7953 Free 1800-288-3866 URL www.paintedbuffaloinn.com	on $173〜286 off $89〜119	A M V　タウンスクエアから西へ3ブロックのUS-191沿いで便利。朝食込み。Wi-Fi無料。室内温水プール、サウナあり
Wort Hotel	🏠 50 N. Glenwood & Broadway ☎ (307)733-2190　FAX (307)733-2067 Free 1800-322-2727　URL www.worthotel.com	on $369〜799 off $229〜659	A M V　町の中心に建つランドマーク的なホテル。1階のバーも町の名物
Amangani	🏠 1535 N.E. Butte Rd. ☎ (307)734-7333　FAX (307)734-7332 Free 1877-734-7333 URL www.amanresorts.com	on $975〜1895 off $725〜1500	A D J M V　全米屈指の超高級リゾート。ジャクソン北西の尾根にあり、ティトン山脈を見晴らせる。スパあり
Rustic Inn	🏠 475 N. Cache St. ☎ (307)733-2357　FAX (307)733-0568 Free 1800-323-9279 URL www.rusticinnatjh.com	on $170〜368 off $116〜180	A M V　町の中心から北へ3ブロック。観光局の近くのログキャビン。空港送迎無料。朝食込み。Wi-Fi無料
Buckrail Lodge	🏠 110 E. Karns Ave. ☎ (307)733-2079 FAX (307)734-1663 URL www.buckraillodge.com	on $93〜147 off $70〜93	A M V　5〜10月オープン。町の中心から5ブロック南。スキー場手前。全館禁煙。12の客室は木目が美しく広さも充分。Wi-Fi無料
Motel 6	🏠 600 S. Hwy. 89　☎ (307)733-1620 FAX (307)734-9175　Free 1800-466-8356 URL www.motel6.com	on $120〜123 off $39〜52	A D M V　町の南外れ。US-89沿い。コインランドリーあり。Wi-Fi1日$2.99

ティトンビレッジ	Teton Village, WY 83025　ムースゲートまで約10マイル　9軒		
モーテル名	住所・電話番号など	料　金	カード・そのほか
Inn at Jackson Hole	🏠 3345 W. Village Dr. ☎ (307)733-2311　FAX (307)739-8870 Free 1800-842-7666 URL www.innatjh.com	on $112〜223 off $95〜207	A D M V　全館禁煙。ジャクージ、寿司バーあり。Wi-Fi無料
The Hostel	🏠 3315 Village Dr. ☎ (307)733-3415　FAX (307)462-4526	on $34〜99 off $18〜44	A M V　以前はホステルだったが、改装してキレイなロッジになった。全館禁煙。コインランドリー、ゲームルームあり。Wi-Fi1日$5

Side Trip
ダイナソア国定公園 Dinosaur National Monument

MAP 折込1枚目 C-3　☎(435)781-7700
URL www.nps.gov/dino
採掘場シャトルバス9:00～16:30の15分ごと（帰りの最終は17:00発）。冬期は9:30、10:30、11:30、13:00、14:00、15:00、16:00発
休 11月第4木曜、12/25、1/1
料 車1台$10、オートバイ$5

　寄り道というには遠いが、恐竜の化石を見るならここに限る。今まさに発掘途中という1億4900万年前の恐竜の化石が、目の前に山盛り。その数、なんと1500！　手を触れることだってできてしまうエキサイティングな場所なのだ。

　公園の敷地はユタ州とコロラド州にまたがっているが、最大の見どころはユタ州側にある**カーネギー採掘場Carnegie Quarry Exhibit Hall**。恐竜の化石が大量に露出した長さ約24mの岩壁を、丸ごと建物で覆ったものだ。ここはジュラ紀後期に堆積したモリソン層という地層で、調査、発掘は今も進められている。

　ここで見つかっている恐竜にはさまざまな種類が含まれるが、有名なものとしては、背中にヒレのような板状の骨が並んだステゴサウルス、ブロントサウルスの別称で知られる体長20mを超えるアパトサウルス、首の長いカマラサウルス、二足歩行の肉食恐竜などがある。現在ピッツバーグのカーネギー博物館に展示されているアパトサウルス（ブロントサウルス）の骨格標本も、ここで見つかったものだ。

幼いカマラサウルスの化石

　化石の盗掘を防ぐため、**採掘場までの往復はビジターセンターから出るシャトルバスで**。冬期はマイカーで行けるが、前述の時間にレンジャーの車の後ろについて走らなければならない。

　時間が許せばコロラド州側にも立ち寄ってみたい。片道35マイルのHarpers Corner Rd.に沿って、コロラド川の支流、グリーンリバーが削った奇岩や峡谷など、ダイナミックな景観が広がっている（冬期閉鎖）。激流下りのラフティングも人気で、数多くのツアーが催行されている。

©NPS
グリーンリバー河岸では激しい褶曲が見られる

　行き方は、ソルトレイク・シティからI-80を東へ走り、Exit 146でUS-40へ。あとはひたすら東へ走る。採掘場へはJensenの町でUT-149を左折する。約4時間。

　アーチーズからソルトレイク・シティへ向かう途中で回り道して寄るのもおすすめ。I-70を東へ走り、CO-139を北上して約4時間。

　モーテルはユタ州バーナルVernalに約20軒、JensenとDinosaurに数軒ある。

🏠 Landmark Inn @ Vernal

バーナルの中心部にあるホテル。US-40のベストウエスタンの斜め前で、国道から1ブロック入ったところ。室内は広くてキレイだ。冷蔵庫、電子レンジあり。朝食込み。Wi-Fi無料。コインランドリーもあって便利。

とても清潔でエレガントなおすすめホテルだ

住 301 E. 100 S., Vernal, UT 84078
☎(435)781-1800　**Free** 1888-738-1800
URL www.landmark-inn.com
on **off** $85～169
カード A M V

スケールの大きさに圧倒されるカーネギー採掘場。直接手を触れられる一角も設けられている

グレイシャー国立公園

モンタナ州／ **MAP** 折込1枚目A-3

グレイシャー観光のハイライトは標高2025mのローガンパス

©USPS
2012年発行の切手

　厳しく、荒々しく、大空を刺す山々。谷を埋めて競うように咲き誇る野の花。清らかな水をたたえ、鏡のような水面に緑と青空を映す大小の湖……。氷河が造り上げた雄大な風景はまた、数多くの野生動物たちのすみかでもある。人間は侵入者にすぎない。

　大陸分水嶺が貫き、3000m級の山々が連なる園内には、1200kmにも及ぶトレイルがある。草花の群落の中を眼下に湖を眺めつつ歩く、そんな1日を過ごすのがぴったりだ。

　ここはまた古くから観光開発が進んだ公園として知られている。19世紀末にグレートノーザン鉄道が敷設され、鉄道会社によって豪華なロッジが建てられ、1930年代には公園を横切る山岳道路、ゴーイング・トゥ・ザ・サン・ロード（GTTS）も開通した。園内でクラシックカーをよく見かけるのは、ここがアメリカ人にとって古きよき時代を思い起こさせる場所だからだろう。

　そんなグレイシャー国立公園は、カナダのウオータートンレイクス国立公園と国境を挟んで接し、1932年には世界初の国際平和公園となっている。

Glacier National Park

Montana

ACCESS　　　　行 き 方

　車があったほうが便利だが、なくてもバスを使って見学できる公園だ。おもなアプローチは西と東から。特に、公園から車で西へ40分ほどの**カリスペルKalispell**がゲートシティとして便利。

　鉄道で訪れることができるのもグレイシャーの大きな特徴だ。いつも飛行機で移動している人も、たまには列車に乗ってみてはいかが？

　公園内をどう回るかは、どの交通機関でアプローチしたかによってほぼ決まってしまう。いずれの交通機関も運行頻度は少なく、氷河の公園だけに観光シーズンは夏の短い時期に限られる。早めに計画を立てて、アプローチする交通機関、園内のツアー、そして宿泊施設を確保しておきたい。

飛 行 機　　　　　　　　　　　　　　　Airlines

Glacier Park International Airport (FCA)

　公園の西口ゲートから西へ約20マイル、カリスペルという町の手前にあり、公園からは車で30〜40分の距離にある。夏期なら、デルタ航空がソルトレイク・シティから1日4便（所要約1時間45分）、ミネアポリスから2便（2時間50分）、アラスカ航空系列ホライズン航空がシアトルから3便（1時間20分）、ユナイテッド航空がデンバーから1便（2時間20分）のフライトがある。

　空港から園内へはFlathead Glacier Transportationなど数社がシャトルタクシーを走らせている。航空機の着陸に合わせて待機しているので、行き先と料金を確認して乗り込めばいい。

DATA
時間帯▶山岳部標準時MST
Glacier National Park
☎(406)888-7800
URL www.nps.gov/glac
Waterton Lakes
National Park
☎(403)859-5133
圓一部を除いて10〜5月は閉鎖。そのほかの時期は24時間オープン
適期7〜8月
料車1台$25（11〜4月は$15）。そのほかの方法での入園は1人$12（$10）。ウォータートンレイクス国立公園は1人CA$7.80（カナダドル）。共通入園券はない
国立公園指定▶1910年
国際平和公園指定▶1932年
世界遺産登録▶1995年
面積▶グレイシャー4101km²
ウオータートンレイクス526km²
入園者数▶約185万人
（2011年グレイシャーのみ）
園内最高地点▶3190m
(Mt. Cleveland)
哺乳類▶70種
鳥　類▶277種
両生類▶6種
魚　類▶27種
植　物▶1132種

FCA　　☎(406)257-5994
MAP P.370 D-1
Alamo　☎(406)257-7144
Avis　　☎(406)257-2727
Budget　☎(406)755-7500
Hertz　☎(406)758-2220

Flathead Glacier
Transportation
☎(406)892-3390
料Lake McDonald 片道
$55（2人目$3）

大型動物のなかで出合う確率が最も高いマウンテンゴート。グレイシャーのシンボルだ

N

km 0　2　4　6　8　10
miles 0　1　2　3　4　5　6

カナダ　アルバータ州
アメリカ　モンタナ州

▲Kintla Lake

鉄道
30　国道
5　州道
未舗装道
トレイル
𝄞　料金ゲート
ℹ　ビジターセンター
🏠　ロッジ
▲　キャンプ場
⛽　ガスステーション
🚢　遊覧船のりば

シアトルへ

93

Whitefish

40

A

B

C

D

1

グレイシャーパーク空港✈

93　　2

1　カリスペルへ

上／雪が解けると真っ先に花を咲かせるグレイシャーリリー
下／トレイルを歩いた人だけが見ることができるヒドゥンレイク

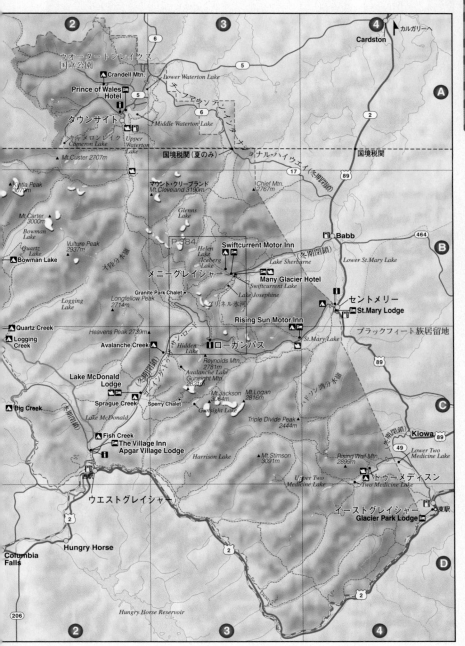

カルガリーへ
Cardston

ウォータートンレイクス
国立公園

Crandell Mtn.

Prince of Wales
Hotel

タウンサイト

Lower Waterton Lake

オープマウンテ

Middle Waterton Lake

キャメロンレイク
Cameron Lake

Upper
Waterton
Lake

国境税関（夏のみ）

ショナル・ハイウェイ（冬期閉鎖）

国境税関

Mt.Custer 2707m

Kintla Peak
3079m

マウント・クリーブランド
Mt.Cleveland 3190m

Chief Mtn.
2767m

Glenns
Lake

Mt.Carter
3000m

Bowman
Lake

大陸分水嶺

Vulture Peak
2937m

Quartz
Lake

Bowman Lake

P.384

Helen
Lake

Iceberg
Lake

Swiftcurrent Motor Inn

Babb

メニーグレイシャー

Lake Sherburne

Lower St.Mary Lake

冬期閉鎖

Logging
Lake

Longfellow Peak
2714m

Granite Park Chalet

Many Glacier Hotel

Swiftcurrent Lake

グリネル氷河

Lake Josephine

セントメリー

St.Mary Lodge

Quartz Creek

Logging
Creek

Heavens Peak 2739m

ゴーイング・トゥー・ザ・サン・ロード

Rising Sun Motor Inn

St.Mary Lake

ブラックフィート族居留地

Avalanche Creek

Hidden
Lake

ローガンパス

Lake McDonald
Lodge

Reynolds Mtn.
2781m

Avalanche Lake
Gunsight Mtn.
2821m

Big Creek

Sprague Creek

Sperry Chalet

Mt.Jackson
3064m

Mt.Logan
2816m

Gunsight Lake

Triple Divide Peak
2444m

ハドソン湾分水嶺

Kiowa

Lake McDonald

Fish Creek

The Village Inn
Apgar Village Lodge

西駅

Harrison Lake

Mt.Stimson
3091m

Rising Wolf Mtn.
2899m

Lower Two
Medicine Lake

トゥーメディスン

Two Medicine Lake

ウエストグレイシャー

Upper Two
Medicine Lake

イーストグレイシャー

Glacier Park Lodge

東駅

Hungry Horse

Columbia
Falls

Hungry Horse Reservoir

雪解けのローガンパスに
飛来したコマツグミ

全米に数ある鉄道ルートの
なかでも特に人気があるエ
ンパイアビルダー号。バス
よりずっと快適で景色もす
ばらしい

Amtrak →P.476
Free 1800-872-7245
URL www.amtrak.com
東駅（夏期のみ）
MAP P.371 D-4
西駅 **MAP** P.371 C-2
圏 月〜金 8:00〜16:30
圏 シアトルから片道＄93

東駅近辺のレンタカー会社

Avis ☎406-226-9227
（東駅の裏側）
Dollar ☎(406)226-4432
（Sears Motel内）
　いずれも夏期のみ営業。
要予約。駅まで送迎可

西駅利用時の注意

　西駅は現在、自然保護
団体が事務所として使用し
ており、アムトラックのスタッフはいない。そのため、チェックインバゲージは利用できないので、荷物は車両持ち込みになる（乗り場の横に荷物置き場あり）。乗車券も購入できないので、あらかじめシアトルなどで往復分を購入しておこう。

　また、西駅にはレンタカー会社はなく、遠くからタクシーを呼ぶと大変時間がかかる。ロッジに送迎を頼んでおくのが一番だ。送迎ドライバーは列車の遅延をチェックして迎えに来てくれるが、しばらく待っても来なければ、駅の向かい側にあるガスステーションから電話を入れよう

鉄　道　　　　　　　　　　Amtrak

　ほかの国立公園とはひと味違ったアプローチとして、アムトラックで公園入りする方法がある。公園の南端に沿って線路が敷かれていて、東西にふたつの鉄道駅があるのだ。というより、もともとグレイシャーは鉄道駅を拠点に開発されたのだ。

　シカゴとシアトル／ポートランドを結んでいる**エンパイアビルダー号Empire Builder**が、東駅、西駅を経由している。1日1往復。アムトラックのなかでも、特に景色のすばらしい路線を走っている。スーパーライナーという2階建ての長距離用の車両を使用しており、展望車、寝台車も連結している。

　東駅の正式名称は**East Glacier Park Station**。ただし、停車は夏のみ。駅に着いたら、目の前（といっても歩くと10分もかかるので、列車の到着に合わせてシャトルバスが待機している）にあるGlacier Park Lodgeへ行こう。ここから園内の各ビレッジへシャトルバスやツアーバスが出ている。ここはまだ園外で、トゥーメディスンまで13マイル、セントメリーまで33マイル離れている。

　一方、**西駅West Glacier Station（Belton）**は、公園の西口ゲートを通ってレイクマクドナルドまで2マイルと便利。Lake McDonald Lodgeか Village Innに宿泊するなら送迎を頼むこともできる。片道＄6〜10。要予約。

食堂車ではコース料理が楽しめる。もちろんアルコールも揃っている

エンパイアビルダー
（2013年7月のスケジュール）

	14:15	発	Chicago	着	15:55
	23:15	発	Minneapolis	着	7:05 翌々日
翌日	18:45	発	East Glacier Park	着	9:54
	20:23	発	West Glacier	着	8:16 翌日
翌々日	10:10	着	Portland	発	16:45
	10:25	着	Seattle	発	16:40

長距離バス　　　　　　　　　　　Bus

　シアトルとミネアポリス、シカゴを結ぶグレイハウンドバスを利用し、ミズーラMissoulaでRimrock Trailwaysのバスに乗り換えるとカリスペルへ行ける。1日1往復。シアトル発23:30→カリスペル翌18:45着。復路はカリスペル18:50発→シアトル翌7:30着。カリスペルから園内までのシャトルタクシーは少人数だと高くつく。レンタカーを利用できるなら、カリスペル市内や空港で借りるといい。

レンタカー　　　　　　　　　Rent-A-Car

　グレイシャーパーク空港を出たら左折。あとはUS-2の標識をたどると約20マイルでウエストグレイシャーだ。ここで必ずガソリンをチェック。園内のガスステーションはすべて閉鎖されたため、この先、公園を横切ってセントメリーを出るまでガソリンは手に入らない。園内の道路は起伏が多く、ガソリンの消費も早いので、忘れずに満タンにしておこう。観光局の角を左折して西口ゲートをくぐれば、レイクマクドナルドはすぐそこだ。

　イーストグレイシャーからは、US-2を東へ走るとすぐに標識があるので州道49号線へ左折。10分ほど走るとトゥーメディスンへの分岐があり、その先は険しい山道を越えて、T字路に突きあたったらUS-89を左折。ブラックフィート族居留地を通ってセントメリーへ出る。ここまで約1時間。ガソリンを満タンにして左折すればGTTS。左折せずにUS-89を直進すればメニーグレイシャーまで約30分、さらに国境を越えてウォータートンまで1時間弱。

　カルガリーでレンタカーを借りた場合は、2号線を南下し、Cardstonで5号線を西に向かえばウォータートン。2号線をそのまま南下すると国境を越え、US-89となってグレイシャーにいたる。ウォータートンまで159マイル、約2時間30分～3時間。

　シアトルからはI-90をひたすら東へ走り、Exit 33で下りたらMT-135、MT-200、MT-28、US-93、US-2とたどる。約10時間。

カリスペルのバスディーポ
1305 1st Ave., E.
(406)755-4011
9:00～13:00、17:45～19:00
片道 $91～151

モンタナの道路情報
Free 511
Free 1800-226-7623
URL www.mdt.mt.gov/travinfo

カーブの多い山道なのでスピードは出せない。そのうえ工事や動物による渋滞が多い。スケジュールには余裕をもとう

距離表示に注意
カナダ国内はキロメートル表示。1マイル＝約1.6km

西からゴーイング・トゥ・ザ・サン・ロード（GTTS）を上がってきた訪問者を迎えてくれるMt. Oberlin（2493m）

グレイシャーは氷河の彫刻美術館

岩壁をさらす険しい山々、そのふところに抱かれた多くの湖水。現在のグレイシャーの風景は、今からおよそ200万年前に始まり、約1万年前に終結した、何度かにわたる氷河期の遺産だ。現在の地形がどのように形成されたか、さらにさかのぼってみよう。

太古の海から山脈へ

今からおよそ8億年前まで、現在のアメリカ北西部は浅い内海であった。数億年にわたり、泥、砂、微生物の死骸などが堆積し、泥岩、石灰岩などの厚い厚い層ができた。ときおりマグマが上昇し、割れ目から噴出して海底を溶岩で固めたり、噴出できずに石灰岩層の下に水平な溶岩層を造ったりもした。こうして堆積岩と火成岩が混在するようになる。

6000万年前あたりから、太平洋プレートと北米大陸プレートとの衝突による力を受けて、これらの地層は、褶曲、断層をくり返し、隆起し、ロッキー山脈を形成した。ここに、グレイシャーの原型ができあがる。

巨大氷河

第三紀の後半から、世界的気象変動が起こり、氷河期が始まる。氷河期以前は川が山を浸食し、V字谷を造っていたが、それが氷河にとって代わられると、谷は広く、深くなっていった。大陸分水嶺から東西に流れた巨大氷河が削り上げたU字谷が、セントメリーバレーやレイクマクドナルドバレーであり、その氷河の名残が、セントメリーレイクやレイクマクドナルドなのだ。

この巨大氷河は、最も厚いときで約900〜1200mの厚さがあったと考えられている。

現在見られる氷河地形

まずはホーンhorn。氷河によって山の三方以上を削られ、砥石で研いだようなピラミッド形になった山をいう。ローガンパスからヒドゥンレイクへのトレイルを行くとき、正面に見える

クレメンツマウンテン Clements Mtn.や、その左のレイノルズマウンテン Reynolds Mtn.などがその好例。有名なスイスアルプスのマッターホルンもこのホーンの典型だ。

ヒドゥンレイクへのトレイルでは、クレメンツマウンテンの山裾を歩くが、このあたりには岩がゴロゴロしている。実はこれらの岩は氷河によって削られ、運ばれた砂礫で、モレーンmoraineと呼ばれる。

ローガンパスから北に続く、ほとんど垂直に切り立った尾根がガーデンウオールGarden Wall。これは氷河が山の両側を削って形成したもので、アレートarête（フランス語で「魚の骨、（山の）稜線、尾根」の意）と呼ばれる地形だ。

氷河期以降

約1万年前、温暖化により最後の巨大氷河が消え、現在の風景になった。現在園内にある25の小氷河（1900年には150あった）は、今から約5000年前頃にできたもの。ここ100年で規模は縮小しており、例えば園内最大のジャクソン氷河 Jackson Glacierは、19世紀中頃に比べて何と4分の1の規模になってしまった。このままでは**2020年までにグレイシャー国立公園の氷河は消えてしまうであろう**と考えられている。

3つの海への分かれ道

グレイシャー国立公園の中には大陸分水嶺のほかにもうひとつ、ハドソン湾分水嶺もある。この両方が出合う山が、セントメリーレイクとトゥーメディスン・レイクのほぼ中間にある、その名もトリプル・ディバイド・ピーク Triple Divide Peak（標高2254m）だ。この山を境にして、山頂より北側に降った雨はセントメリーからカナダのサスカチュワン川を通ってハドソン湾へ注ぐ。東へ流れ出せばミシシッピ川経由でメキシコ湾、西はコロンビア川から太平洋へと続いている。この山頂に降った雨粒は、ほんの数cm離れただけで、はるかな3つの海へと隔たっていく運命にある。

1940年代に撮影されたグリネル氷河

2006年、ほとんど溶けてしまったグリネル氷河

GETTING AROUND　歩き方

　グレイシャーの見どころは東西南北に散らばっていて、ルート作りがとても難しい。どこに泊まって、どう回るか。滞在するのか、移動するのか。頭を悩ませるところだ。

　園内には大小762を数える湖があるが、その代表ともいえるのが東端にあるセントメリーレイクSt. Mary Lakeと西端にあるレイクマクドナルドLake McDonald。このふたつの湖を結んで公園を横断する道路が**ゴーイング・トゥ・ザ・サン・ロード** **Going to the Sun Road**（GTTS）。つまり『太陽へ続く道』だ。

　GTTSの北側には、氷河と湖が美しいメニーグレイシャーMany Glacier、さらに北へ走って国境を越えるとウォータートンレイクス国立公園Waterton Lakes National Parkがある。もう1ヵ所、公園の南端にある静かなトゥーメディスンTwo Medicineも見逃せない。

ビレッジは6ヵ所

　観光の拠点となるのは6ヵ所のビレッジ。レイクマクドナルド南端の**アプガーApgar**、レイクマクドナルド北東岸の**レイクマクドナルド・ロッジLake McDonald Lodge**、セントメリーレイクのなかほどにある**ライジングサンRising Sun**、セントメリーレイク北端の**セントメリーSt. Mary**（厳密には園外）、東駅の前にある**グレイシャーパーク・ロッジGlacier Park Lodge**（園外）、そしてMany Glacier HotelとSwiftcurrent Motor Innがある**メニーグレイシャーMany Glacier**だ。

　この6ヵ所とGTTSや展望台を結んで、シャトルバスと日帰りツアーバスが走っている。

　なかでもGlacier Park Lodgeは、シャトルバスもツアーも種類が多く、鉄道駅にも近くて便利。特にトゥーメディスンはここに泊まっていないと訪れるのは難しい。

　しかし、ほかのビレッジの宿も捨て難い。メニーグレイシャーやレイクマクドナルドのロッジは大変美しい湖畔にあるからだ。Glacier Park Lodge 1泊、メニーグレイシャー2泊、レイクマクドナルド1泊、合計4泊5日くらいがおすすめのプランだ。

シーズン　Seasons and Climate

　グレイシャー国立公園は1年中オープンしているが、シーズンは6月下旬～9月上旬だけといってもいい。冬にはレイクマクドナルド湖畔では除雪されるが、あとは園内のロッジもおもな道路も閉鎖されてしまう。

　夏がピークシーズンではあるが、気候が一番いいのは晩春と初秋とのこと。どんなシーズンでも山の天気は変わりやすく、1日のうちに青空と降雪ということもあり得る。昼と夜の温度差も激しい。天気がよくても風が強くて体感温度が低いことも多い。重ね着をし、夏でもセーターか上着が必要。ウインドブレーカーなどもあるといい。雨具も必携だ。

夏の午後は夕立が多い（レイクマクドナルド）

ロッキー山脈のパノラマ
が広がるセントメリーの
ビジターセンター

St. Mary VC
MAP P.371 B-4
🕐 夏期8:00〜21:00
　春・秋8:00〜17:00
🚫 10月中旬〜5月中旬

Apgar VC
MAP P.371 C-2
🕐 夏期8:00〜18:00
　春・秋8:00〜17:00
　冬期は土・日9:00〜16:30
🚫 10〜4月の月〜金

Waterton VC
MAP P.371 A-2
🕐 夏期8:00〜19:00
　春・秋9:00〜17:00
🚫 10月中旬〜5月上旬

Shuttle Bus
　　　（2012年夏の情報）
🚌 7月初旬〜9月初旬

East Side Route
🚏 片道約1時間
🚌 セントメリーVC発
7:30〜17:20、ローガンパ
ス発最終19:00。40〜60分
間隔

West Side Route
🚏 片道1時間30分〜2時間
🚌 アプガー発 8:00〜
15:45、ローガンパス発最
終19:00。30分間隔

毎朝7:00、アプガーのト
ランジットセンターから
ローガンパス直行シャト
ルが出る

情報収集　　　　　　　　　　　　　Information

St. Mary Visitor Center

　GTTSの東側、公園の東口ゲート前にある。夏には先住民の
ダンスなどのイベントも行われている。冬期は閉鎖される。

Apgar Visitor Center

　公園の西口から2マイル入ったレイクマクドナルド南岸のアプ
ガーにある。夏だけでなく、秋から冬にかけてハクトウワシの
巣作りを観察しに来る人や、クロスカントリースキー＆スノー
シューを楽しむ人のためにも、さまざまな情報を提供している。

Waterton Visitor Center

　カナダのウォータートンレイクス国立公園のゲートを過ぎ
て、しばらく行くと右側。タウンサイトに入る手前で、正面に
Prince of Wales Hotelの入口がある。ホテルやハイキングトレ
イル、乗馬などのツアー紹介など、幅広い情報を扱っている。

園内の交通機関とツアー　　　　　Transportation

無料シャトル Shuttle Bus

　セントメリーレイクとレイクマクドナルドとをつないでGTTSを
往復するシャトルバス。ローガンパスでは駐車スペースを探すの
が本当に大変！　バイオ燃料を使ったエコカーなので、環境のた
めにもぜひ利用しよう。片道だけトレイルを歩くときにも便利だ。

イーストサイド・ルート

　セントメリーからローガンパスまで、GTTSの東半分を大型バス
で往復する。途中、Rising Sun Motor Inn、クルーズ乗り場、Sun
Point、Sunrift Gorge、St. Mary Falls Trailhead、Gunsight Pass
Trailhead、Siyeh Bend (Piegan Pass Trailhead) で、乗り降り自由。

ウエストサイド・ルート

　レイクマクドナルドからローガンパスまで、GTTSの西半分を
往復する。アプガービレッジ（バックカントリーオフィス向かい）、
Apgarキャンプ場、トランジットセンター（ビレッジから徒歩10
分の森の中。広い駐車場がある）、Sprague Creekキャンプ場、
Lake McDonald Lodge（ストア前）、Avalanche Creek（Avalanche
Lake Trailhead）、The Loopに停車する。乗り降り自由。

　アプガーではなくLake McDonald Lodge始発の便もある。

　なお、GTTSは西側が特に道が狭く大型車は通行できないの
で、ウエストサイド・ルートは12人乗りの小型バンになる。常に
満席状態なので「途中のバスストップではいくら待っても乗れ
ない」という事態を避ける
ため、**始発〜9:00のシャト
ルは各乗り場2人までしか
乗車できない**。またハイ
ライントレイル（→P.385）
を歩くときに便利な**The
Loopの乗り場では、終
日1台2人しか乗車できな
い**（2012年の場合）。

イーストサイド＆ウエストサイドのシャトルは
ローガンパスで接続している

1936年からグレイシャー名物として人気のあるツアーバス。現在はプロパンガスで走っている

イーストサイド・シャトル（有料）

Glacier Park LodgeからMany Glacier Hotelを通ってカナダのPrince of Wales Hotelまで、8人乗りのバンで公園の東側を南北に走るルート。1日3往復（メニーグレイシャー～カナダ間は1往復）。セントメリーのビジターセンターで前記の無料シャトルに乗り換えることができる。予約はできない。

East Side Shuttle
運行 6月上旬～9月中旬
料 Glacier Park Lodgeからの片道料金
St. Mary $20
Many Glacier Hotel $30
Prince of Wales Hotel $50

ツアーバス

園内のロッジからガイド付き日帰りツアーが運行されている。ピカピカに磨き上げられたクラシックな赤いボンネットバスはグレイシャー名物だ。人気が高いので事前にインターネットなどで予約を。ただし、おもなポイントでの観光時間は短いので、ハイキングを楽しみたい人は前述のシャトルバスを利用しよう。

ツアーバス
予約☎ (406)892-2525
URL www.glacierparkinc.com
※公園入場料は別料金。11歳以下半額。運行期間は積雪によって変わることがある。また工事渋滞によって帰着が大幅に遅れることもあるので、鉄道に乗る直前に参加するのは避けよう。運行期間は2012年のもの。このほかにも多数催行されている

ビッグスカイ・サークルツアー　Big Sky Circle Tour

Glacier Park Lodge発着。国道を通ってレイクマクドナルドへ行き、復路はGTTSからローガンパスを越え、セントメリーを回って戻る。

Big Sky Circle Tour
運行 6/15～9/15
所要 約8時間　料 $80

国際平和公園ツアー　International Peace Park Tour

Glacier Park Lodgeからセントメリー、メニーグレイシャーを通って、カナダのPrince of Wales Hotelを訪ねる。ホテルでのアフタヌーンティーは別料金。国境を越えるのでパスポートと帰りの航空券（Eチケット）を忘れずに。

Int'l Peace Park Tour
運行 6/9～9/17
所要 Glacier Park Lodgeから約9時間
料 イーストグレイシャー $80、セントメリー $65、メニーグレイシャー $55

クラウン・オブ・ザ・コンチネント・ツアー
Crown of the Continent Tour

GTTSを横断するツアー。レイクマクドナルド発のツアーはメニーグレイシャーまで往復する。メニーグレイシャーやセントメリー発のツアーはレイクマクドナルドまで往復する。

Crown of the Continent Tour
運行 6/15～9/16
所要 7～9時間
料 レイクマクドナルド $80、セントメリー $65、メニーグレイシャー $75

アルパインツアー　Alpine Tour

レイクマクドナルドとメニーグレイシャー発着。GTTSを上ってローガンパスまで半日で往復する。滞在時間が短く、あまりにもあわただしいのでおすすめしない。

Alpine Tour
運行 6/15～9/16
所要 セントメリーから3時間、メニーグレイシャー&レイクマクドナルドから4時間
料 セントメリー $35、メニーグレイシャー $40、レイクマクドナルド $50

POINTS of INTEREST　おもな見どころ

ゴーイング・トゥ・ザ・サン・ロード　Going to the Sun Road

GTTSは公園を横断する全長52マイルの観光道路で、完成は1932年。右に左に雄大な景色が次々に現れて飽きることがない。

東から走ると、まずは花の咲き乱れる草原に始まり、セントメリーレイクを過ぎるとぐんぐん高度をかせぎ、ローガンパスで大陸分水嶺と出合う。道は樹林限界すれすれのところを通っているが、周囲の峰々には緑は見えない。氷河に研ぎすまされた姿は気品さえ漂わせている。

グレイシャー国立公園の山は標高はどれもそう高くないが、裾野が広く、麓からの標高差が大きいのが特徴。Reynolds Mtn.やMt. Oberlinなど、美しい山が次々と目に飛び込んでくる。

いつもにぎやかなローガンパスを過ぎると道路はぐんぐん下る。やがて道路際の岩壁から水がしみ出て流れ落ちるWeeping Wallを過ぎ、The Loopで大きく左にカーブし、秀峰Heavens Peakを眺めながら、McDonald Creekの清流に沿って下る。

西端のレイクマクドナルドまでゆっくり走って約2〜3時間。気持ちまで大きくなったような気になる美しいドライブコースだ。

7月にGTTSを走ると左右にたくさんの滝が見られる

高山なので天気は変わりやすい。急な雨や濃霧はもちろん、真夏でも雪が降ることを覚悟しておこう

セントメリーレイク　St. Mary Lake

数ある湖のなかでも美しいもののひとつ。Wild Goose Islandという小島を浮かべた姿は、カナディアンロッキーのマリーンレイクにそっくりだ。湖面は海抜1366m。湖岸を走るGTTSのなかほどにライジングサンのビレッジがあり、その近くの船着場から湖を一周するクルーズが出ている。対岸で下りてBaring Fallsまで15分ほど歩く時間もある。また10:00と14:00の便にはレンジャーが乗っていて、対岸から往復約2時間歩いてSt. Mary Fallsまで案内してくれる。

ただし18:30のサンセットクルーズは、途中下船できない。

GTTS交通情報

GTTSは1932年に造られたもので、道幅がとても狭く、急坂急カーブの連続。しかも片側は断崖絶壁か湖だ。オープン時期は積雪状態によるが、おおむね6月中旬〜9月中旬。大雨などによる一時閉鎖もある。

また、夏期の11:00〜16:00は自転車が通行止めになるため、朝は自転車が多い。ドライバーは注意を

人気のフォトスポット

ライジングサンから少し西へ走ると『Wild Goose Island』の展望台がある。ここからの風景はポスターなどによく登場する

セントメリー

設備 VCあり→P.376

クルーズ

運行 6月中旬〜9月初旬
10:00、12:00、14:00、16:00、18:30
所要 1時間30分
料 $ 24.25、4〜12歳 $ 12
Ranger St. Mary Falls Hike
集合 夏期10:00 & 14:00
所要 ボートも含めて約3時間30分
場所 ライジングサン船着場
MAP P.371 C-3
注意：レンジャープログラムのスケジュールは2012年夏のものです。曜日や時間は変更されることもありますので、最新情報をご確認ください

神秘的な姿を見せる早朝＆夕暮れに訪れてみよう

ローガンパス大渋滞！
夏期10:00〜15:00頃のローガンパスは大渋滞！ ビジターセンターの駐車場はすぐにいっぱいになってしまうので、スペースが見つけられない車でGTTSも渋滞する。この時間帯を避けるのが賢明だ

広い駐車場がすぐにいっぱいになってしまう

ローガンパス周辺は8月に入っても残雪が多い

ローガンパス　Logan Pass

　標高2025mの大陸分水嶺にある峠で、周辺には高山植物の群落が見られる。ビジターセンターがあり、夏には驚くほど大勢の観光客でにぎわう。背後に迫る山は、右がClements Mtn.（標高2670m）、左にReynolds Mtn.（標高2781m）だ。

　ビジターセンターの裏から始まる**ヒドゥンレイク・オーバールックHidden Lake Overlook**へのトレイルはぜひ歩きたい。夏には高山植物の花々が咲き競う野原を歩き、分水嶺を越えて、カール（圏谷）にできた典型的な氷河湖Hidden Lakeを見に行く。ライチョウやマーモットも見られるし、マウンテンゴートに出合える確率も高い。

レイクマクドナルド　Lake McDonald

　シーダー杉の森と山々に囲まれた静かな湖。長さ16km、幅1.6kmで園内最大の湖でもある。湖面の海抜は961m。深さは144m。湖の北東岸にLake McDonald Lodge、南端にアプガーApgarのビレッジがある。

　遊覧船はロッジから出発する。19:00のサンセットクルーズは特に美しいのでおすすめ。

Logan Pass
Visitor Center
MAP P.371 C-3、P.384
開 夏期　9:00〜19:00
　　春・秋9:30〜16:30
休10月上旬〜6月中旬

初級 **Hidden Lake Overlook**
適期▶7月下旬〜8月下旬
距離▶往復4.8km
所要▶往復1.5〜2時間
標高差▶140m
出発点▶ビジターセンター
※展望台から湖畔までは往復約2時間

レイクマクドナルド
設備 VC → P.376、ロッジ P.390あり

クルーズ
MAP P.371 C-2
運航5月下旬〜9月下旬
13:30、15:00、17:30
（夏期は11:00と19:00も）
所要1時間
料 $16.25、4〜12歳 $8

レイクマクドナルドの夜明け

メニーグレイシャー　Many Glacier

メニーグレイシャー
設備 ホテルあり→P.389

クルーズ
MAP P.371 B-3
運航 6月上旬～9月中旬
9:00、11:00、14:00、16:30
(7～8月は8:30、13:00、
15:00も)
所要 1時間30分
料 ＄24.25、4～12歳＄12
※Swiftcurrent Lakeの対岸
で下船して300mほど歩
き、再びボートに乗り込ん
でジョセフィンレイク
Josephine Lakeを横断する。
なお、朝の便は大変混
雑するので、3日前までに
下記で予約しておこう。
☎ (406)257-2426
E-mail info@glacierpark
boats.com
Ranger Grinnell Lake Hike
集合 夏期9:00
所要 ボートも含めて約3
時間30分
場所 Many Glacier Hotel
船着場
初級 Red Rock Falls
距離 往復5.8km
所要 往復2時間
標高差 30m
出発点 Swiftcurrent Motor
Inn正面駐車場の奥

トゥーメディスン
設備 トイレ・飲料水

Two Medicine Shuttle
運行 8:15、12:15、17:15
料 片道＄10

クルーズ
MAP P.371 C-4
運航 6月上旬～9月初旬
10:30、13:00、15:00、17:00。
7～8月は9:00も
所要 一周45分
料 ＄12、4～12歳は＄6
初級 Twin Falls
適期 7～9月
距離 往復2.9km
所要 ボートを降りてから
往復1時間
標高差 23m
出発点 トゥーメディスン
中級 Upper Two Medicine Lake
適期 7～8月の火・土
距離 往復7km
所要 ボートを降りてから
往復2～3時間
標高差 107m
出発点 トゥーメディスン

　GTTSの北にそびえる屏風のような山々。その向こう側にあるのがメニーグレイシャーだ。氷河を抱いた鋭い岩峰に囲まれた谷すじに、いくつもの小さな氷河湖が連なっている。GTTSとは趣の異なる、神秘的な美しさが魅力。特に朝夕には幻想的なムードすら漂う。セントメリーから一度園外に出て、US・89を約8マイル北上。Babbの交差点で左に折れて約12マイル(積雪期閉鎖)。

　中心となるビレッジはスイフトカレントレイクSwiftcurrent Lakeにある。湖の東岸にMany Glacier Hotel、西側の森の中にSwiftcurrent Motor Innが建っている。数多くのトレイルの起点になっているが、とりあえず湖を一周してみよう。Mt.Gould(標高2911m)やグリネル氷河を見ながら湖畔を歩く平坦なトレイルがある。また、遊覧船を利用して氷河の足元にあるGrinnell Lakeを訪れるレンジャーツアーも人気。遊覧船乗り場はMany Glacier Hotelのロビーから階段を下りて湖岸へ出たところにある。

　さらに時間があればグリネル氷河(→P.386)へのハイキングがおすすめ。時間はかかるが、園内でも随一の人気があるトレイルだ。

グリネル氷河まで歩く時間がない人におすすめのGrinnell Lake

トゥーメディスン　Two Medicine

　公園の南端にある静寂に包まれた湖。東駅から30分ほど走った谷の奥に、Lower Two Medicine Lake、Two Medicine Lake、Upper Two Medicine Lakeの3つの細長い湖が連なっている。道路はふたつめの湖で行き止まりになっている。

　もしも列車でグレイシャーを訪れて東駅に朝着いたなら、午後のシャトルでここまで往復してくるとよい。旅の幕開けにふさわしい美しい湖だ。真正面にそびえているのはSinopah Mtn.(標高2521m)。

　ここから遊覧船に乗って対岸へ渡ったら、ぜひツインフォールズTwin Fallsまで歩いてみよう。さらに奥にある3つめの湖Upper Two Medicine Lakeまでのトレイルもあるし、ボートに乗らずに湖畔を約6km歩いて戻ってきてもいい。

チーフマウンテン・インターナショナルハイウエイ
Chief Mountain International Hwy.

文字どおりアメリカとカナダを結ぶ道路。BabbからUS - 89を北へ4マイルの地点から左に折れる。約14マイルで国境だ。道はアスペンやロッジポール松の林の中を進み、木の間越しに見え隠れするチーフマウンテンが美しい。国境付近からは、園内最高峰のMt. Cleveland（標高3190m）も見える。

ウオータートンで最も人気のある湖、キャメロンレイク

ウオータートンレイクス国立公園
Waterton Lakes National Park

カナダ側のウオータートンレイクス国立公園は、グレイシャー同様に氷河の造形美が魅力。ただ、グレイシャーでは人間の手をできるだけ加えないようにしているが、ウオータートンは日本の国立公園に近い雰囲気。中心となる**ウオータートン・タウンサイトWaterton Townsite**にはメープルリーフの国旗がはためき、ギフトショップ、レストラン、モーテルがずらりと並ぶ。

ウオータートンの目玉は、Prince of Wales Hotel。タウンサイトに入る手前、Upper Waterton Lakeを見下ろす丘の上に建つシャレー風ホテルだ。泊まらなくても、ロビーをのぞいてみるといい。大きな窓の向こうに湖と険しい山々を眺められる。ティールームでは、イギリス風のアフタヌーンティーが大人気だ（→P.391）。

タウンサイトを一周したら、マリーナから湖を縦断する船に乗ってみよう。途中のCrypt Landingで下りてのハイキングもおすすめ。また、湖の南端のGoat Hauntはアメリカ側にあり、パスポート所持者のみ、夏期の11:15〜17:00の間なら下船できる。

もう1カ所、Prince of Wales Hotelのすぐ南から側道へ入って15分ほど走った突きあたりにある**キャメロンレイクCameron Lake**も見逃せない。ぐるりと絶壁に囲まれ、山上の隠れた湖といった風情。周辺にはハイキングコースがたくさんあるので、半日かけて歩いてみたい。

Chief Mountain Int'l Hwy.
5/15〜9/30のみオープン。セントメリーからウオータートンレイクス国立公園の中心地タウンサイトTownsiteまでは所要約1時間

行き方
Chief Mtn. Int'l Hwy.で国境を越え、5号線まで長い坂を下る。5号線を左に折れるとゲートだ（入園料1人CA＄7.80）。さらに約10分走ると右にビジターセンター、左にPrince of Wales Hotelがあり、まもなくタウンサイトにいたる

出入国税関
MAP P.371 A-3
5/15〜9/30
夏期7:00〜22:00
春・秋9:00〜18:00
車内やトランクまで念入りにチェックされる。キャンプ用の薪は持込禁止。アメリカ入国時にI-94取得料US＄6要。カナダドル不可。日本から直接カナダに入国してアメリカに入ろうというときはビザが必要な場合もある

カナダドル
CA＄1＝US＄0.99＝93.75円（2013年2/12）。ギフトショップなどでは米ドルも通用するが、おつりはカナダドルになる。それがイヤな人は少額でもクレジットカードで払うといい

アッパー・ウオータートンレイク・クルーズ
MAP P.371 A-2
5月上旬〜10月上旬
夏期10:00、13:00、16:00、19:00
春・秋10:00、13:00
2時間30分
CA＄40、13〜17歳$18、4〜12歳$12

Prince of Wales Hotelは離れたところから見たほうが美しい

Wildlife

グレイシャーの主役たち

植物

　グレイシャー国立公園の標高は961mから3190mまで幅がある。これだけ標高差があるということは、生育している植物の種類が多いということだ。谷間を埋めるロッジポール松やハコヤナギ、シラカバ。山の斜面にはモミやカエデ、ジュニパーなど樹木は20種。森林限界の上はアルパインツンドラと呼ばれ、いろいろな苔の仲間が見られる。灌木（背の低い木）も、セージブラッシュをはじめ93種も記録されている。

　さらに、大陸分水嶺を境にして東側と西側では気候がかなり違う。東側は気温が低くてとても乾燥しているが、西側は雨や雪が多くて1年中湿度が高い。当然、生えている樹木にも差が出てくるわけだ。GTTSを走りながら注意して見てみよう。

　グレイシャーの植物のもうひとつの特徴は、花が咲く野草の種類が非常に多いことだ。7月下旬、公園に短い夏が訪れると、谷のあちこちにお花畑が出現する。ノバラ、ユリ、リンドウ、スミレ、アスター、コロンバン、真っ赤なカステラソウ、紫色のルピナス、ピンクの群落はヤナギラン。何しろ1000種類以上もあるのだから、とても紹介しきれない。

左上／高山地帯で暮らすシラガマーモットHoary Marmot　左下／Northern Anemone。ハクサンイチゲに近い仲間だ　右／さまざまな色が見られるコロンバンColumbine

　そんななかでグレイシャーを代表する花が**ベアグラスBear Grass**。クマの多い場所にたくさん見られることから名付けられた。1mもの高さにスーッと伸びた白い穂先にクリーム色の細かい花をたくさん咲かせる、とても印象深い姿をしたユリ科の植物だ。葉はマウンテンゴート、花はエルクやビッグホーンシープが食べる。6月にレイクマクドナルド付近で咲き始め、8月には森林限界あたりで見られる。

ハックルベリー

　トム・ソーヤの相棒、自然児ハックルベリー・フィンの名のもととなったハックルベリーHuckleberry。グレイシャーを含むロッキー山脈北部に生育するベリー類の一種だ。7月下旬〜8月にかけて暗青色（見かけはほとんど黒）の実をつける。その甘酸っぱい味は、人間からグリズリーにいたるまで多くの生物に愛されているが、毒ベリーとの見分けが難しい。

　ギフトショップへ行けば、びん詰めのハックルベリージャムやクッキーが売られている。ソフトクリームもおすすめ。

グレイシャーを代表する花、ベアグラス

ベアグラスの花は下から順に開花していく

動物

グレイシャーは動物の種類もまた豊富だ。哺乳類だけで約70種が生息している。谷間に広がる湖ではたくさんのビーバーがせっせと枝を運んでいるし、早朝や夕方にはムースの姿も見られる。山岳地帯にはマウンテンゴートやマーモット、氷河の周辺では、氷河時代の生き残りといわれるナキウサギがチッチッと鋭い声を響かせている。クマはブラックベア、グリズリーともに数多く生息している（→P.393）。

鳥類は、アオサギ、アボセット（シギの仲間）、カモ、カナダガンなどの水鳥から、ハクトウワシ、ツグミ、ハチドリ、そして高山の岩陰にいるライチョウまで270種類が生息している。

マウンテンゴートMountain Goatと
ビッグホーンシープBighorn Sheep

グレイシャー国立公園の面積のうち、3分の1は森林界の上にある。背の高い樹木が生育できないこの特異な環境に適応して生息する、大型哺乳動物がこの2種だ。真っ白な体毛にヒゲのように見える首の毛が特徴的なマウンテンゴート。カールした大きな角が印象的なビッグホーンシープ。その生態の一部を紹介しよう。

かつてグレートノーザン鉄道のトレードマークになり、現在でも真っ赤なツアーバスを運営するGlacier Park Inc.のシンボルマークとして使われているマウンテンゴートは、まさにグレイシャーの象徴。標高の高いところを中心に、園内に1400〜2000頭が生息している。敵に襲われるのを避けるため、傾斜45度以上の急な岩場を好む。ほとんど垂直に見える岩場に立っている姿を見かけることも珍しくない。あんな急な岩場でよく落ちないなと感心するが、いくつか秘密がある。

まず、蹄の底がざらざらしていて滑りにくく、しかも端の部分は硬くなっている。次に足が短いこと。このため重心が低く安定している。また、足は2本ずつが極めて接近してついているため、これも体重の分散を防いでいる。加えて肩の筋肉が発達しているため、体を引き上げたり、前足を軸に向きを変えたりするのが容易なのだ。なんと、生まれて1時間、まだ満足に歩けないうちから岩に登ろうとするという。

歩くときのコツもある。彼らは四肢のうち、可能な限り3本を岩につけ、ゆっくりと動く。そんなマウンテンゴートでも、岩や氷が崩れ、落下して角や足を折ったり、死ぬこともあるという。

マウンテンゴートのオスはbilly（ビリー）、メスはnanny（ナニー）と呼ばれる。2〜5頭の小さな群れで暮らすが、オスはオスだけの群れ、メスはメスと子供の群れを作る。オスにもメスにも角があり、これは一生抜けることはない。オスとメスとを区別するのは大変難しく、一般の人が区別できるのは排尿のときくらい。オスは立って、メスはしゃがんでする。

13年以上生きた例もあるそうだが、寿命は約10年。3歳になると性的に成熟する。発情期は11〜12月上旬で、約6ヵ月の妊娠期間を経て1〜2頭の子を産む。

マウンテンゴートはグレイシャー国立公園の各地で見られるが、**ローガンパスやメニーグレイシャーで見られるチャンスが大きい**。

一方、ビッグホーンシープは、ram（ラム）と呼ばれるオスのもつ大きなカールした角から、その名が付けられた。オスの成獣は体重120kg、角の重さは14〜18kgにもなる。この角はケラチン（角質）でできており、一生抜け落ちることはない。ewe（ユー）と呼ばれるメスも小さめの角をもっている。

ビッグホーンシープは、襲われたときの逃げ場となる岩場が近くにあるような草場を好む。グレイシャーの園内には、大陸分水嶺の東側に300〜500頭が生息している。マウンテンゴート同様、森林には近づきたがらない。マウンテンゴートと大きく異なるのは、ときに40頭以上という大きな群れを形成するということ。この群れのなかで、オスは優位性を求めて戦う。秋、谷に「カーン」という乾いた音が響いていたら、きっとビッグホーンシープが角と角を突き合わせている音だ。

発情期は11〜12月上旬。マウンテンゴート同様、出産は5〜6月上旬。1回の出産で生まれるのは通常1頭のみ。メスは4年で、オスは6年半で成獣となる。体はオスのほうが大きく、オスの1歳獣とメスの成獣がほぼ同じサイズだ。寿命は8〜12年といわれている。

上／水辺ではムースの姿を探してみよう。のど袋（肉垂）dewlapはオス、メスともにある
左／生えかけの角がかわいいマウンテンゴートの幼獣

ACTIVITIES アクティビティ

ハイキング Hiking

　大陸分水嶺や氷河、湖の周辺にはたくさんのトレイルがある。数時間から日帰り程度のトレイルのどれかひとつは、ぜひ歩いてみてほしい。喧噪のGTTSにはない、悠久の時間を感じることができるだろう。しっかりとした靴、上着、レインジャケット、飲料水は必携。標識はよく整っているが、ビジターセンターで配っているエリア別ハイキングマップを入手しておくといい。

クマに注意
　グレイシャーにはクマが多いのでハイキングの前に必ずP.393を読んでほしい。
　また、グレイシャーではレンジャーのガイドでハイキングを楽しむプログラムがたくさん行われている。クマが多いことも理由のひとつなので、積極的に参加したい

グレイシャーのトレイル

車道
トレイル
ビジターセンター
ロッジ
トイレ

Ptarmigan Tunnel
Ptarmigan Lake
Iceberg Lake
Iceberg Lake Trail
Swiftcurrent Pass Trail
Swiftcurrent Motor Inn
Redrock Falls
Bullhead Lake
Swiftcurrent Lake
Swiftcurrent Pass
Granite Park Chalet
Grinnell Glacier Overlook
Lake Josephine
Many Glacier Hotel
Grinnell Glacier Trail
Upper Grinnell Lake
Grinnell Lake
The Loop
ゴーイング・トゥ・ザ・サン・ロード
Grinnell Glacier
Highline Trail
Mt.Gould
Riegan Pass Trail
Haystack Butte
Garden Wall
Weeping Wall
Highline Trail
ピーガンパス
レイクマクドナルドへ
Mt.Oberlin
Riegan Glacier
Clements Mountain
Logan Pass Visitor Center
Siyeh Bend
Hidden Lake Trail
Hidden Lake Overlook
Hidden Lake
KUROSAWA
セントメリーへ

384

アバランチレイク　Avalanche Lake

　レイクマクドナルドから東へ少し登ったGTTS沿いから始まる（シャトルバスが停車する）。苔むした林の中を歩く気持ちのよいトレイルだ。森が途切れ、最後の坂を下ると、コバルトブルーの湖と、対岸の崖のように険しい山々が視界に飛び込んでくる。高さ600m以上の岩壁からは幾筋もの滝が流れ落ちている。疲れも吹き飛ぶ絶景だ。

ハイライントレイル　Highline Trail

　ローガンパスのビジターセンターから車道を渡ったところが出発点。鋸のようなGarden Wallという岩壁を眺めながら歩く。一部、幅の狭い箇所があるが、おおむね歩きやすく、Granite Park Chalet（山小屋）まではなだらかで高山植物も多い。7月にはマウンテンゴートやビッグホーンシープの姿も見られるだろう。時間のない人は適当なところでローガンパスへ引き返すといい。

　時間に余裕があるなら、シャレーの少し手前（ローガンパスから約11km地点）で**Grinnell Glacier Overlook**へ寄り道するといい。キツイ急坂を1時間ほど登りきったところは、Garden Wallの肩の上。メニーグレイシャー・バレーのパノラマが広がり、グリネル氷河が足元に沈んでいる。短いけれど標高差300mとけっこう疲れるので、体力と相談して決めよう。また、非常に風が強いので充分に注意を。

　シャレーではあらかじめ予約をしておけば泊まることもできるが、ハイカーは水や食料は一切入手できない。ここから来た道を戻ってもいいが、距離が長いので、2003年の山火事で焼けたエリアを通って急坂を下り、GTTS上のThe Loopでシャトルバス（→P.376）に乗るのがいい。最終に乗り遅れないよう注意。

正面にそびえるHaystack Butteの右を回り込んで進む

ピーガンパス　Piegan Pass

　メニーグレイシャー・バレーを望む絶景が広がる峠。GTTSのセントメリーレイクとローガンパスの中間点にトレイルヘッドがある（シャトルバスが停車する）。後半に急場があるので中上級者向け。戻らずにメニーグレイシャーに下りてしまうコースも健脚向けの1日ハイキングとしてはちょうどいい。

絶壁に囲まれた
アバランチレイク

中級 Avalanche Lake
MAP▶P.371 C-3
適期▶7〜9月
距離▶往復6.4km
所要▶往復約3時間
標高差▶152m
出発点▶Avalanche Creek
バスストップ
設備 トイレ・飲料水

中級 〜 上級
Highline Trail
MAP▶P.371 BC-3、P.384
適期▶7〜8月
距離▶The Loopまで片道
18.6km
所要▶下り6〜8時間
標高差▶732m
出発点▶Logan Pass
設備 VCあり→P.379
※ローガンパスからシャレーまで往復すると23.7km。
Grinnell Glacier Overlookは分岐点から往復2.6km、往復2時間

Granite Park Chalet
MAP▶P.371 B-3、P.384
開6/29〜9/8（2013年）
Free 1888-345-2649
URL www.granitepark
chalet.com
料＄90。シーツ、毛布などのセット＄20。自炊のみ。予約しておけば水と行動食は購入可
※非常に混雑しており、前年の秋に予約でいっぱいになる

上級 Piegan Pass
MAP▶P.384
適期▶7〜8月
距離▶往復14.5km
所要▶往復5〜7時間
標高差▶535m
出発点▶Siyeh Bend
※峠からメニーグレイシャーまでは片道13.3km

ロッキー山脈　グレイシャー国立公園（モンタナ州）

グリネル氷河　Grinnell Glacier

中級 Grinnell Glacier
MAP▶P.371 B-3、P.384
適期▶7月中旬〜8月
距離▶ボート利用で往復12km
所要▶ボートも含めて往復6〜8時間
標高差▶490m
出発点▶Many Glacier Hotel
設備 ホテルあり→P.389

Ranger Grinnell Glacier Hike
集合▶夏期8:30
所要▶約8時間30分
場所▶Many Glacier Hotel船着場

中級 Iceberg Lake
MAP▶P.384
適期▶7〜9月
距離▶往復15.4km
所要▶往復5〜7時間
標高差▶366m
出発点▶Swiftcurrent Motor Innの裏
設備 ロッジあり→P.389

Ranger Heart of Glacier
集合▶夏期8:30
所要▶約7時間
場所▶Swiftcurrent Motor Innのポーチ前

メニーグレイシャーからグリネル氷河まで登る1日がかりのトレイル。山、滝、湖、氷河と、とにかく絶景。登るにつれてどんどん景色が変化していくのも楽しいし、高山植物が好きな人にもおすすめできる。前半は湖を横断するボートでサボることもできる。

なお、夏期8:30発のボートに乗ると、レンジャーと一緒に登ることができる。混雑しているが、うまくチケットを購入できたら、これに参加するといい。

アイスバーグレイク　Iceberg Lake

グリネル氷河のトレイルが気に入ったので、ぜひどこかもう1ヵ所、という人におすすめ。こちらも高山植物が楽しめるトレイルで、終点の湖には氷山icebergというほどではないが、大きな氷が浮いていることが多い。残雪も多いので、しっかりとした靴を履こう。

30分ほど登っただけでも雄大な景色を楽しめる

Trail Guide

グリネル氷河　Grinnell Glacier

前半はSwiftcurrent LakeとJosephine Lakeに沿って歩くなだらかなコース。この部分は船で楽をしてしまうこともできる。

ジョセフィンレイクの船着場に到着したら、右に進んで橋を渡る。少し登ると湖畔のトレイルと合流。ここを左へと登っていく。初めは樹木も多いが、次第に背の高い木は減り、低木やベアグラス、ヤナギランなどの草地になっていく。左には眼下に乳青色のグリネルレイクGrinnell Lakeを望みつつ登る。ずっと登り続きではあるが、足場はおおむねよく、歩きやすい。

やがて前方にグリネル滝Grinnell Falls、その後方に目指すグリネル氷河が見えてくる。このあたり、トレイルの右側は岩壁だ。小さな滝を横切ったあたりがちょうど中間点。夏にはワスレナグサや黄色いコロンバンなどが目を楽しませてくれるだろう。

さらに標高をかせぐと、あたり一面グレイシャー

リリーやパスクフラワーの群落が見られる。やがてグリネル滝が見えなくなると、平坦な場所に出る。丸太で作ったベンチがあり、簡易トイ

クルーズそのものも楽しいので片道だけでも乗ってみるといい

ターミガントンネル　Ptarmigan Tunnel

　アイスバーグレイクのトレイルの中間点にPtarmigan Fallという滝があるが、その先の分岐を右へ折れて1時間ほど歩くとPtarmigan Lakeに出る。さらに急登のスイッチバックを上がること約30分。短いトンネルをくぐった峠からは、カナダ側の山々を一望できる。

ベアーズハンプ　Bear's Hump

　カナダ側のトレイルをひとつ紹介しておこう。ウオータートン・タウンサイトを見下ろす山の肩にあり、グリズリーベアの盛り上がった背中のように見えることから名付けられた。グリズリーの生息地ではないのでご安心を。トレイルヘッドはPrince of Wales Hotelの前にあるビジターセンター。ここから森の中のスイッチバックをひたすら登る。短いわりにキツイが、木陰なので助かる。3分の1地点と3分の2地点にベンチが用意されている。

　登りきったところからはタウンサイトとUpper Waterton Lakeが一望の下。湖の奥にはグレイシャー＆ウオータートンレイクス国立公園の最高峰Mt. Cleveland（標高3190m）も見えている。手すりも何もない崖っぷちなので、風の強い日には特に注意を。

真下に町があるので、石など落とさないよう、自分が落ちないよう、充分気をつけて

上級 Ptarmigan Tunnel	
MAP▶P.384	
適期▶7～9月	
距離▶往復16.6km	
所要▶往復6～8時間	
標高差▶701m	
出発点▶Swiftcurrent Motor Innの裏	
設備 ロッジあり→P.389	

中級 Bear's Hump	
適期▶6～10月	
距離▶往復2.4km	
所要▶往復1～2時間	
標高差▶215m	
出発点▶ウオータートンレイクス・ビジターセンター	
設備 VCあり→P.376	

ロッキー山脈　グレイシャー国立公園（モンタナ州）

レもあって休憩にいい。その先はもうほとんど緑はない。最後のスイッチバックを登れば、目的地のグリネル氷河はすぐそこだ。

　氷河の流れ込むアッパー・グリネルレイクUpper Grinnell Lakeは標高2046m。周囲はモレーンで、岩がゴロゴロしている。自由に歩き回っていいが、氷河の上にまでは行かないように。2004年にも男性がクレバスに落ちて亡くなっている。

　氷河のある岩壁は、ローガンパスから北へと続くガーデンウオール。すぐ裏側にはGTTSが通っていることになる。探検家グリネルが1887年に訪れたとき、ここは足元から山頂まで厚さ65mもの氷に覆われていたという。

　西側のパノラマは雄大そのもの。眼下にグリネルレイク、ジョセフィンレイク、レイクシェルブルンと湖が連なり、その周りは深い森。それを守るかのように両側には険しい岩山がそそり立っている。ここでゆっくりと時間をとり、

ボートの時間を見ながら引き返すといい。

　健脚の人なら急げば4時間ほどで往復できるが、できれば1日つぶすつもりでゆっくりと歩いてみたいトレイルだ。

Reader's Voice
ボートなしでも大丈夫
　ピークシーズンだったせいか、8:30のボートは予約なしでは乗れなかった。そこで、歩いてグリネル氷河に向かったが、Lake Josephineを過ぎたあたりでレンジャーツアーの一行に追いつくことができた。グリネル氷河まではずっと登りだったが、50代の両親も無事にたどり着くことができた。上からの眺めは最高だ！　帰りはLake Josephineからボートを利用した。チケット売り場はなく、乗組員に払えばOK。
（大阪府　とんきょん　'03夏）['13]

ムースはいつも池や湖に顔を突っ込んで水草を探している。フィールドスコープでこうした野生動物を観察するプログラムもある

乗馬
Free 1877-888-5557
料 1時間ツアー$40、1日ツアー$165

メニーグレイシャーの谷を馬の背から眺めてみよう

Wild River Adventure
Free 1800-700-7056
URL www.riverwild.com
料 半日$49〜、1日$84〜

Ranger **Snowshoe Hike**
集合 ▶ 1月中旬〜3月中旬
　　　土・日10:30、13:30
所要 ▶ 2時間
場所 ▶ アプガー・ビジター
センター　→P.376

レンジャープログラム　Ranger-led Program

グレイシャー国立公園では驚くほど多くのレンジャープログラムが行われている。湖畔を散策しながら氷河などの説明を聞くもの、山火事の跡を歩いて生態系の回復を観察するもの、クマよけスプレーの使い方講座などバラエティに富んでいる。

特に、ボートクルーズと組み合わせたハイキングプログラムが大人気（→見どころ参照）。グリズリーベアが多い公園なので、レンジャーと一緒に歩けば安心だ。

また、各キャンプ場で夕暮れどきに行われる、写真などを使って公園の歴史などを知るプログラムも雰囲気があっておすすめ。キャンパーでなくても参加できるので、一度のぞいてみるといい。

フィッシング　Fishing

園内の川や湖には数種類のマスやホワイトフィッシュ、カワカマスなどが生息しており、例年5月下旬〜11月下旬に解禁になる。レイクマクドナルドやセントメリーレイクのトラウトフィッシングは年中楽しめる。

ライセンスは特に必要ないが、規則について書かれたパンフレットをビジターセンターなどで入手し、よく読んでおこう。釣り竿のレンタルは、レイクマクドナルドのApgar Boat Dockなどで。

レイクマクドナルドではトラウトフィッシングが盛ん

乗　馬　Horseback Riding

メニーグレイシャーとレイクマクドナルドで乗馬を体験できる。いずれも5月下旬〜9月上旬のみで、1時間ツアーから1日ツアーまでいろいろある。人気があるので、なるべく前日までに各ロッジのツアーデスクなどで予約をしておこう。クレジットカード不可。

ラフティング　Rafting

園外になるが、ウエストグレイシャーからフラットヘッド川を下るラフトツアーがある。半日から1週間のコースまでさまざまあり、のんびりとした川下りから激流まで楽しめる。乗馬と組み合わせたツアーを行っているところもある。たくさんの会社があるので、ロッジのツアーデスクなどでパンフレットを集めて検討しよう。

クロスカントリースキー　Cross Country Ski

11月中旬〜3月中旬、白一色のレイクマクドナルド周辺ではクロカンが盛んに行われる。アプガー・ビジターセンターでスキートレイルの地図をもらって雪原へ飛び出せば、エルクや、ときにはピューマにも会えるかもしれない。また、週末にはスノーシューによるレンジャーツアーも行われる（用具レンタルあり）。

ACCOMMODATION 宿泊施設

園内で泊まる

　ロッジは8軒もあり、カナダのPrince of Wales Hotelも同じコンセッショナーが運営している。ただし、いずれの宿も夏期しか営業していない。すべて全館禁煙だ。

　予約は、1軒を除いて一括して下記で受け付けている。アムトラックや園内のツアーを組み合わせたパッケージ料金もある。予約受付は14ヵ月前にスタートする。営業期間が短いこともあって非常に混雑していて、湖に面した部屋は1ヵ月で満室になるとのこと。キャンセル条件が厳しい（予約後31日経つとキャンセル料$15、3日前17:00以後は1泊分）ので、必ず事前に確認して納得してから申し込もう。

Glacier Park Inc.
☎ (406)892-2525
URL www.glacierparkinc.com　カード A M V

🏠 Many Glacier Hotel

　メニーグレイシャーのSwiftcurrent Lakeのほとりに建つ、5階建てのホテル。1915年に完成したスイスシャレー風のホテルで、湖側の部屋なら眺望は最高！　内装もスイス風になっていて「ハイジのアイスクリームパーラー」なんてのもある。

　ロビーは2階にある。夏期は1階にある映写室でさまざまな無料イベントが行われる。ただし建物が古いため、エレベーターは新館にしかない。最上階の部屋は眺めがいいが、ちょっぴり疲れる。1階の部屋は安いが、窓の外を大勢の人が通るので落ち着かないだろう。バスまたはシャワー付き。電話あり。Wi-Fi無料。214室。

MAP P.371 B-3　営6/12〜9/22（2013年）
☎ (406)732-4411
on 山側$156〜200　湖側$188〜325

スイスの山小屋を意識した造りだ

国の歴史的建造物にも指定されているMany Glacier Hotel

🏠 Swiftcurrent Motor Inn

　メニーグレイシャー・ロードの突きあたりにある。モーテル棟と、林の中に点在するキャビンがある。Swiftcurrent Lakeから1.5km離れており、部屋から湖は見えない。電話なし。レストラン、ストア、コインランドリーあり。88室。

MAP P.371 B-3
営6/18〜9/16（2013年）
☎ (406)732-5531
on モーテル$124〜141
　　キャビン$96
　　バスなしキャビン$76〜86

モーテルタイプの客室

🏠 Rising Sun Motor Inn

セントメリーレイクの西岸にあって便利。部屋から湖は見えない。電話なし。グロサリーストアあり。72室。

MAP P.371 C-3
📅 6/21〜9/15（2013年）
☎ (406)732-5523
on キャビン $ 133
　　モーテル $ 124〜141

🏠 Lake McDonald Lodge

西口ゲートから10マイル。レイクマクドナルド北東岸にある。多くの客室から湖を望むことができて、遊覧船乗り場もすぐ目の前。暖炉のあるロビーは歴史を感じさせてくれる。あちこちにエルクやシープの剥製が飾られているのは、1914年にロッジを建てたオーナーがハンティングの名手だったからだそうだ。ハンティング厳禁の国立公園にふさわしくない気もするが、古い時代の"証人"でもあるわけだ。

客室は、本館にあるロッジルームのほかに、4室ずつのコテージが湖畔に並んでいる。またモーテルタイプの客室棟もある。電話あり。Wi-Fi無料。100室。

MAP P.371 C-2
📅 5/25〜9/29（2013年）
☎ (406)888-5431
on ロッジ $ 188
　　モーテル $ 141
　　キャビン $ 133

Lake McDonald Lodgeはスイスの山小屋風

🏠 The Village Inn

レイクマクドナルドの南端にあり、全室湖に面している。ビレッジ内にビジターセンターもストアも揃っているので便利。電話なし。36室。

MAP P.371 C-2
📅 5/30〜9/16（2013年）
☎ (406)888-5632
on $ 142〜175
　　キッチン付き $ 194〜257

全室レイクフロントがうれしいThe Village Inn

🏠 Apgar Village Lodge

レイクマクドナルド南端のアプガーにある。48室のうち20室はモーテル棟、28室がキャビンになっていて、湖が見える部屋もいくつかある。ほかのロッジとは別会社の運営。

MAP P.371 C-2
📅 5/24〜9/30（2013年）
🏠 P.O. Box 410, West Glacier, MT 59936
☎ (406)888-5484
URL www.westglacier.com
on モーテル $ 95〜135
　　キャビン $ 120〜309
カード A D M V

🏠 Sperry Chalet

アメリカの国立公園には珍しい山小屋で、レイクマクドナルド・ロッジから東へ5時間ほど歩いた山の上に建っている。非常に人気があり、前年秋に予約でいっぱいになる。ハイライントレイルにあるGranite Park Chaletと同じ経営だが、こちらは3食付き。17室。

MAP P.371 C-3　📅 7/11〜9/8（2013年）
Free 1888-345-2649
URL www.sperrychalet.com
🛏 バスなし3食込み $ 195、2人目 $ 137
カード A M V

ロッキー山脈

グレイシャー国立公園（モンタナ州）

🏠 Glacier Park Lodge

イーストグレイシャー駅前にあり、園内観光の拠点にもなっている。ただし、ここは公園の敷地の外側、ブラックフット先住民居留地になる。1913年、グレートノーザン鉄道が先住民から土地を買い取ってオープンさせたリゾートホテルで、木をふんだんに使った4階建てのシックな建物。ダグラスモミの柱が見事なロビーをお見逃しなく。温水プール、ゴルフ場、ギフトショップほかさまざまな施設あり。電話あり。161室。

鉄道駅に近いのが魅力だ

MAP P.371 D-4
📅 5/28～9/22（2013年）
☎ (406)226-5600
on $152～377
off $140～209

🏠 Prince of Wales Hotel

カナダのウオータートンレイクス国立公園を代表するホテル。Upper Waterton Lakeを見下ろす断崖の突端というロケーションがすばらしい。建物も英国調のエレガントな造り。ちょっと目立ち過ぎだが、自然景観を壊さないという概念が浸透する前に造られたホテルなので仕方がない。完成は1927年。ホテルの名前は英国のエドワード皇太子から名付けられた。有名な

アフタヌーンティーは眺めのよいロビーの一画で。エレベーターあり。電話あり。86室。予約先はグレイシャー国立公園内のホテルと同じ（→P.389）。

泊まらなくてものぞいてみよう

MAP P.371 A-2
📅 6/8～9/17（2013年）
☎ (403)859-2231
on 山側　$239～264
　　湖側　$264～299
　　スイート　$799
off 山側　$194～224
　　湖側　$224～264
　　スイート　$599
※上記はアメリカドルで支払う場合の料金
※アフタヌーンティーは14:00～17:00。入店は～16:00　CA $29.92、11歳以下 $15.95
☎ (403)236-3400で予約をすると税・チップ込みでCA $32.35、11歳以下 $17.35になる

キャンプ場に泊まる

車で入れるキャンプ場は園内に13ヵ所ある。St. MaryとFish Creekは6ヵ月前の同日から予約可。最高7連泊までできる。

園内にはクマが多い。キャンプ場での食物の管理には充分に気を付けよう。現在のところ、車のトランクへ食品を入れることは認められているが、今後規則が変わることも考えられる。

キャンプ場予約　→P.482
Free 1877-444-6777
URL www.recreation.gov

グレイシャーのキャンプ場　(2013年)

キャンプ場名	ロケーション	シーズン	サイト数	予約	1泊料金	水道	トイレ（▲は簡易トイレ）	ゴミ捨て場	シャワー	ランドリー	ストア
Fish Creek	レイクマクドナルド南端	6/1～9/2	178	●	$23	●	●	●			
Apgar	レイクマクドナルド南端	5/24～9/1	192		$20	●	●	●		●	●
Sprague Creek	レイクマクドナルド東岸	5/10～9/8	25		$20	●	●				
Avalanche	レイクマクドナルドの北。GTTS沿い	6/7～9/2	87		$20	●	●				
Rising Sun	セントメリーレイク北岸	5/24～9/8	83		$20	●	●	●	●		●
St. Mary	セントメリーレイク東端	5/24～9/15	148	●	$23	●	●	●	●		●
Many Glacier	スイフトカレントレイク西岸	5/24～9/15	110		$20	●	●	●	●		●
Two Medicine	トゥーメディスン・レイク東端	5/24～9/15	99		$20	●	●	●			●
Bowman Lake	公園の北西	5/24～9/8	48		$15		▲				
Kintla Lake	公園の北西端	5/24～9/8	13		$15		▲				

近隣の町に泊まる

　園外で探すなら公園の西側がいい。国道沿いにモーテルが数軒あるし、カリスペルまで走れば空港やダウンタウンに約20軒のホテルやモーテルがある。公園の東側のUS-89には宿がほとんどないので、予約が必須となる。

公園ゲートのそばにあるSt. Mary Lodge

US-89沿い　MAP P.371 B〜D-4

モーテル名	住所・電話番号など	料金	カード・そのほか
St. Mary Lodge	🏠 St. Mary, MT 59417 ☎(406)732-4431 予約☎(406)892-2525 URL www.stmarylodgeandresort.com	on off $93〜303 4人用コテージ $240〜440	A M V 5月下旬〜9月下旬オープン。セントメリーの公園ゲートのすぐ外側。カフェ、24時間オープンのガスステーションあり
Glacier Trailhead Cabins	🏠 P.O. Box 122, Babb, MT 59411 ☎(406)732-4143 URL www.glaciertrailheadcabins.com	on off $149〜329	M V 5月中旬〜10月中旬オープン。セントメリーからUS-89を北へ2マイル。アスペンの林に点在するログキャビン。全館禁煙
East Glacier Motel	🏠 1107 Hwy. 49, East Glacier Park, MT 59434 ☎(406)226-5593 URL www.eastglacier.com	on $65〜139 off $54〜86	M V 6〜8月オープン。東駅から800mのダウンタウンにある。キチネット付き17室。全館禁煙

ウエストグレイシャー　MAP P.371 C-2　West Glacier, MT 59936　レイクマクドナルドまで4マイル　10軒

モーテル名	住所・電話番号など	料金	カード・そのほか
West Glacier Motel	🏠 P.O. Box 410　☎(406)888-5662 URL www.westglacier.com	on off $90〜279	A M V 町の中心。全館禁煙。レストランあり
Belton Chalet Inn	🏠 P.O. Box 206　☎(406)888-5000 Free 1888-235-8665 URL www.beltonchalet.com	on $155〜325 off $99〜230	M V 町の中心。スパ、レストランあり。西駅から送迎あり
Great Northern Whitewater Resort	🏠 P.O. Box 270　☎(406)387-5340 Free 1800-735-7897 URL www.greatnorthernresort.com	on $175〜315 off $99〜235	M V 4〜12月オープン。US-2を西に1マイル行ったリゾートホテル。スパあり。西駅送迎可
Glacier Raft Company Cabins	🏠 P.O. Box 210　☎(406)888-5454 FAX(406)888-5541　Free 1800-235-6781 URL www.glacierraftco.com	on $314〜419 off $125〜168	A M V US-2を西へ1マイル。ラフティングツアー会社のログキャビン。全館禁煙

ハングリーホース　MAP P.371 D-2 Hungry Horse, MT 59919　レイクマクドナルドまで15マイル　4軒

モーテル名	住所・電話番号など	料金	カード・そのほか
Mini Golden Inn	🏠 8955 Hwy.2 E.　Free 1800-891-6464 URL www.hungryhorselodging.com	on $118〜137	A D M V US-2沿い。Wi-Fi無料

コロンビアフォールズ　MAP P.371 D-2　Columbia Falls, MT 59912　レイクマクドナルドまで22マイル　7軒

モーテル名	住所・電話番号など	料金	カード・そのほか
Meadow Lake Resort	🏠 100 St. Andrews Dr. ☎(406)892-8700 FAX(406)892-8731 Free 1800-321-4653 URL www.meadowlake.com	on $189〜365 off $139〜270	A D M V 町の西側にあるゴルフリゾート。空港と駅から送迎無料
Glacier Park Super 8	🏠 7336 Hwy. 2　☎(406)892-0888 Free 1800-454-3213 URL www.super8.com	on $100〜180 off $53〜150	A D M V 町の北はずれ。US-2沿い。朝食込み。Wi-Fi無料

ウオータートン・タウンサイト　MAP P.371 A-2　Waterton Park, Alberta, Canada T0K 2M0　9軒

モーテル名	住所・電話番号など	料金	カード・そのほか
Aspen Village Inn	🏠 111 Windflower Ave. ☎(403)859-2255　Free 1888-859-8669 URL www.aspenvillageinn.com	on CA$145〜259 off CA$99〜175	A D M V 町の中心部。ジャクージ付きの部屋やコテージもある
Waterton Lakes Lodge	🏠 Windflower Ave. & Clematis Ave. ☎(403)859-2150　Free 1888-985-6343 URL www.watertonresort.com	on CA$195〜450 off CA$120〜225	A M V 町の中心部。サウナ、ジャクージ、レストランあり

Wildlife

グリズリーベアの生態

かつてはアラスカからメキシコにいたるまで広い範囲にわたって生息していたグリズリーベア。18世紀以降、開拓者が入ってくると狩猟の対象となったり、生息地を荒らされたりして激減した。現在アメリカ本土に残る数少ない生息地がグレイシャー、イエローストーンなどだ。

クマは、アニメーションのモデルやぬいぐるみとして、かわいらしいというイメージをもつ人も多いだろう。一方で、鋭い爪と牙で人間を襲う猛獣というイメージをもっている人も多いと思われる。本当のところ、グリズリーベアとはどんな生き物なのか、ごく簡単に学んでみよう。

グリズリーの形態

クマのなかで、ホッキョクグマ（シロクマ）に次いで大きいのがグリズリーだ。和名はハイイログマだが、体の色は必ずしも灰色ではない。むしろ茶色に近いものが多いし、色はさまざまだ。もう1種、北米大陸に生息するクマであるブラックベアも色は黒とは限らず、茶色、灰色などさまざまだという。ではこの2種をどう見分けるか。

まずは成獣の体の大きさだ。ブラックベアがおおむね90kg程度で、後ろ足で立つと1m50cmほどになるのに対し、グリズリーは150～400kg、立つと2m以上にもなる。大きいのだ。

次に顔つき。ブラックベアは鼻が長く、いわば鼻スジがスッキリとしているが、グリズリーの顔は全体に丸っこい。爪も違っていて、ブラックベアの爪が短く、大きく曲がっているのに対し、グリズリーの爪は長く、少しだけ曲がっている。

最後に、4本足で立った姿勢のとき、グリズリーは前足の上、つまり肩のあたりが大きく盛り上っている。これは筋肉なのだが、ブラックベアにはこれがない。

グリズリーの活動

グリズリーは、それぞれが縄張りをもっている。開拓者が入ってグリズリーの数が激減した要素のひとつは、この縄張りが非常に広い、ということなのだ。つまりグリズリーが生息するためには、常緑樹林、高山性の草原、低山性の草地などを含む、大変に広いエリアを必要とする。この縄張りの中で、食料を探し、冬眠する。

彼らは、自分の縄張りについては熟知している。どのへんに行けば隣の縄張りのクマが現れやすいか、人間の付けたトレイルがどこにあるか、それを知っていて避けるという。ただ、トレイルはクマにとっても歩きやすい道なので、ときには人間同様に利用することもある。

活動が著しいのは朝夕。昼や夜は、倒木の脇、倒木の根の跡にできた窪みなどで休んでいる。

というと何となくのんびりした動物のようだが、瞬発力はすばらしく、最初の3秒で50mをダッシュできる。これは時速に直すと、何と60kmだ。また、並み外れた嗅覚と聴覚をもっている。これらの能力を活かして活動、つまり食べていくわけだが、次に食事についてみてみよう。

グリズリーの食事

グリズリーは雑食性。意外かもしれないが、摂取栄養分のうち90％までが植物性で、動物性は昆虫を含めて10％にすぎない。

©Tsuneo Yamamoto

ヒグマの亜種、グリズリーベア

春は低山性の草地を中心に食料探しだ。トクサをはじめ、植物の若芽が中心。冬の間に死んだシカなどの動物が雪の下に埋もれていることがあるが、これを掘り返したりもする。食べ残した肉は小枝や葉などで隠しておく。

夏になると高山性の草原に移り、植物の新芽を食べたり、ユリ科植物の球根を掘り返して食べる。ほかにアリや甲虫類、ときにリスを獲る。夏も終わりに近づくと残り、植物の芽生えをはじめベリー類が熟す。これも大好物だ。

秋になると冬のねぐら近くに移り、ベリー、草の根、昆虫などを食べて冬に備える。

冬眠について

冬は食料が少なくなることが主因で冬眠する。ねぐらに入る時期は、夏から秋にかけての食料の量によるが、11月にはほとんどのクマが冬眠に入る。ねぐら（denという）は斜面に掘られることが多い。表土が充分にある場所を選び、地面を水平方向に2.5〜3mほど掘る。

クマがねぐらに入ると、雪が入口をふさいでくれる。これによって外の寒気を遮断しているわけだ。そのため、入口の雪が溶けないよう、寒いところを選んでねぐらを掘る。

冬眠に入ると心拍数、体温ともに下がる。代謝率が低くなるので脂肪分はあまり失わない。その分、春（おおむね4月）になってねぐらから出たあとが大変。まだ雪が残り、植物の芽生えも少ない状態で、しかも消化器系が正常に戻るまで1〜2週間を要するという。この間は前年の秋までに体内に蓄えた脂肪分に頼ることになるのだ。

子グマ誕生

グリズリーの寿命は25〜30年（ちなみにブラックベアは約20年）。5〜7歳で性的に成熟するが、完全に成獣となるのは8〜10歳になってから。

発情期は初夏で、オスの成獣がほかのクマと行動をともにするのはこの時期だけ。メスは7〜8ヵ月の妊娠期間ののち、1〜4頭（通常は2頭）の赤ちゃんを産む。出産は冬眠の時期だ。生まれたときは500gに満たない赤ちゃんグマだが、母乳の栄養価が大変高く、春になってねぐらから出る頃には5〜9kgにまで成長している。

子グマのことを"カブcub"と呼ぶ。カブは生まれてから2回の夏を母グマと過ごす。母グマはカブを身の周りから離さずに、さまざまな教育を行う。食料の探し方、冬のねぐらの掘り方などなど。そして3度目の春が親離れのとき。一度離れた母子は、ともに生活することは二度とない。

なお、グリズリーの母グマは、カブが一緒にいる間は決して次の子を産まない。つまり、1頭の母グマが子を産むのに、最低3年の間隔があるということになる。例えば、グレイシャー

には200頭のグリズリーが生息していると推定されているが（イエローストーンには300〜600頭）、子供を産むのはそのうち年平均15頭にすぎない。グリズリーの個体数を増やそうという努力が難しいというのは、このあたりに原因がある。

歩き出す前に注意書きをよく読もう

グリズリーに出合わないために

本来は狂暴な動物ではないグリズリー。しかし、人間との不意の遭遇は双方にとって思わぬ悲劇を招きかねない。大切なのは、人間のほうが彼らのテリトリーに入り込んでいる、という気持ちを忘れずにいることだ。

バックカントリーでグリズリーに出くわさないために、注意すべき点を挙げておく。

ハイキング中

●音を立てる。人間の存在に気付けば、たいていはクマのほうから逃げてくれる。向こうからわざわざ近づいてくることはほとんどない。ただし、クマ除けの鈴（ベアベル）はあまり効果がなく、むしろ、しゃべったり歌ったりするほうがいいという意見をよく聞く
●単独行動はしない
●朝夕を避け、なるべく日中歩く
●化粧品や香水、整髪料などをつけない
●ベアサインに気を付ける。クマの通ったあとには、フンや動物の死骸が見つかるほか、縄張りを示すための爪を研いだような傷が木の幹に付いている。そんなサインを見つけた場合にはハイキングを中止し戻ろう
●匂いの強い食品を持たない。乾燥して、できる限り匂いの少ない食べ物を持って行くようにする。特にベーコンや魚などは禁物。果物などはジッパー付きポリ袋などにしまっておく
●犬を連れて行かない。クマに出合った際、犬が吠えたてることでクマを攻撃的にさせてしまうおそれがある
●茂みや急流の近く、風の強い日など音が聞こえない状況や、トレイルが曲がっていて見とおしがきかない場所では、いっそうの注意を

キャンプ場で

●ベアサインを見かけたエリアは避ける。特に動物の死骸や地面を掘り返した跡のある場所でのキャンプは絶対にしてはいけない
●食料をテントに持ち込まない。調理だけでなく、保管する食料もテント内には持ち込まな

グリズリーベアの生態

い。食料の保管は、クマ対策用容器（ベアボックス、ベアキャニスターなどと呼ばれる）に入れて、テントから100m以上離れた木の枝にかけておく。地上3m、木の幹から1.2mは離す。生ゴミや石けん、歯みがき粉などの匂いのあるものも同様。ただし、ブラックベアの中には、木の枝にかけた食料を上手に取ることを覚えてしまったものがいる。そのような地域、公園では木の枝にかけることを禁止している場合がある。ビジターセンターで確認しよう

- ●調理をして食べ物の匂いのついた衣服のまま寝るのは危険
- ●ゴミはクマ対策されたゴミ箱に捨てるか、クマ対策用容器に入れて持ち帰る。ポイ捨てはもちろん、埋めるのも不可。
- ●犬を外につながない。クマだけでなく、ピューマの"エサ"になる可能性もある

もしも出くわしてしまったら

野生のクマは、脅威を感じたり、刺激を与えたりしない限り、意図的に人間に危害を加えることは少ない。クマと出合ってしまったら、とにかくクマを怖がらせないことが重要だ。

- ●風下へ移動する。まずは気付かれないようにするのが大事。クマのいる地点を大きく迂回する
- ●走らない。急な動きをするとこちらの存在に気付き、クマを攻撃的にしてしまうことがある。ちなみにクマは時速50km弱で走ることができるそうだ。陸上の短距離走者より速いことになる
- ●後ずさりする。クマがこちらに気付き、しかも距離が近い場合は、クマに背中を向けずにゆっくりと後ずさりして距離をとる
- ●木に登らない。クマは木登りが得意
- ●死んだフリをする。いかにもといった感じだが、意外と効果が高いようだ。ただし、大の

字になるのではなく、膝を胸につけ、手で後頭部を守って地面に伏せる、いわゆる亀の子状態が一番いい。1998年秋には、音を立てて歩いていたにもかかわらずグリズリーに接近遭遇して襲われた女性が、この姿勢のまま動かずにいたことが幸いして命をとりとめた。
ただしブラックベアの場合は、攻撃してきたら本当に食べられてしまう危険があるので、戦うしかないそうだ。

クマの生息地域に入る場合は、以上を守ろう。なお、ベアサインやクマ自体を見つけたときには、最寄りのレンジャーステーションに時刻や場所を報告すること。
ちなみに過去100年で野生のクマに殺された人間は48州で34人（このうち9人がグレイシャー園内）。逆に人間に殺されたクマは数知れない。最近もトゥーメディスン・レイクで人間にたびたび接近してくるクマが、危険と判断されて殺されたし、別の場所では建物の中まで入り込んだ親子グマが殺された。双方の悲劇を避けるために、充分に注意を払ってほしい。

なお、ここ数年グレイシャー国立公園ではピューマMountain Lionの数が増えている。万一、接近遭遇した場合、クマとは逆に大声を上げ、腕を振り回して脅かしたほうがいいとのことだ。

尊敬の気持ちを

アイヌの人々がヒグマを神の使いとしておそれ敬ったように、グリズリーも先住民にとって尊敬の対象であった。
グリズリーに限らず、すべての野生生物は私たち人間と同じ、ひとつの生命だ。そのことを忘れずにいたい。
彼らの姿を見るのは心はずむ体験だ。それはおそらく、心のどこかで彼らに共感を覚えているからだ。彼らは決して見せものではない。
最後に、ワシントン州シアトルの市名ともなった先住民の指導者、チーフシアトルの言葉を紹介しておこう。
「動物たちなくして人間とは何か。もし、すべての動物たちが死に絶えたとしたら、人間は魂の寂しさに耐え切れずに死んでしまうだろう。動物たちに何かが起これば、それはすぐに人間の身の上にも起こる。すべての物事はつながっているのだ」

© Tsuneo Yamamoto

ブラックベア。茶色い個体も多く、グリズリーと間違えられることがよくある

ロッキーマウンテン国立公園

コロラド州／**MAP** 折込1枚目 C-4

入園者数が全米第5位とにぎやかな公園だが、スプラグレイクはいつも静けさに包まれている

©USPS
2006年発行の切手

　視界いっぱいに連なる長大な山脈、氷河に削られた岩肌、樹林限界付近に力強く生きる針葉樹……。ここには厳しい冬を生き抜いてきた自然の姿がある。北米大陸を南北に貫く長大なロッキー山脈のなかほどに位置し、園内には標高3600mを超える峰が72、谷に点在する湖水や湿原、動物たちを育む豊かな森など、変化に富んだ景観があふれている。アクセスもいいので、標高3713mまで車で上がって、短い夏を謳歌する生き物たちの姿を探してみよう。

短いトレイルがたくさんある

Rocky Mountain National Park ★

Colorado

ACCESS　　　行 き 方

　デンバーDenverから車で約2時間と、比較的アクセスしやすい公園だ。ゲートシティは、公園の東にある**エステスパークEstes Park**と、南西にある**グランドレイクGrand Lake**。このうちエステスパークは人気の高いリゾートタウンで、デンバーからのアクセスもいいが、ここから園内への交通機関は何もないし、レンタカー会社の数も台数も少ない。やはりデンバーを拠点に動くのが便利。デンバー空港でレンタカーを借りてしまうか、デンバー発の日帰りツアーバスを利用するかのどちらかが一般的だ。

飛 行 機　　　　　　　　　　　　　　Airlines

Denver International Airport (DEN)

　デンバーのダウンタウンから東へ30分ほどのところにある全米屈指の大空港。日本からの便（ユナイテッド航空シアトル経由便）も含めて各都市から数多くのフライトがあり、メインターミナルはロッキー山脈を連想させる白く連なる屋根が印象的。もちろんレンタカー会社は大手各社がずらりと揃っていて、台数も充分にある。

長距離バス　　　　　　　　　　　　　　Bus

　ダウンタウンの中心にある大きなバスターミナルから、グレイハウンドなどのバスが発着している。ソルトレイク・シティ（1日3便、所要約10時間）など全米各地からのバスが数多く走っている。

鉄 道　　　　　　　　　　　　　　Amtrak

　アムトラックのユニオン駅はデンバーのダウンタウンの北端に位置し、中心部まで徒歩約20分。サンフランシスコとシカゴを結ぶカリフォルニアゼファー号が毎日1回停車する。

コロラド川の源流が園内の西を流れる

DATA

時間帯 ▶ 山岳部標準時 MST
☎ (970)586-1206
URL www.nps.gov/romo
🕐 一部を除いて24時間365日
適期 6〜9月
🚗 車1台 $20
そのほかの方法は1人 $10
国立公園指定 ▶ 1915年
面積 ▶ 1076km²
入園者数 ▶ 約318万人
園内最高地点 ▶ 4346m
（Longs Peak）
哺乳類 ▶ 66種
鳥　類 ▶ 約280種
両生類 ▶ 5種
魚　類 ▶ 11種
爬虫類 ▶ 1種
植　物 ▶ 約1000種

DEN　☎ (303)342-2000
URL www.flydenver.com
Alamo　☎ (303)342-7373
Avis　☎ (303)342-5500
Budget　☎ (303)342-9001
Dollar Free 1866-434-2226
Hertz　☎ (303)342-3800

Denver Bus Terminal
🏠 1055 19th St.
☎ (303)293-6555
🕐 6:00〜深1:00

Amtrak Union Station
🏠 1701 Wynkoop St.（2014年春までは 🏠 1800 21st St.に駅舎がある）
☎ (303)825-2583
🕐 5:00〜20:15

デンバーから2社が国立公園へのツアーを催行している。

Gray Line of Denverは西から東へ走る。まずグランドレイク側から国立公園へ入り、途中Winter Parkを見学。グランドレイク湖畔で昼食（別料金）のあとトレイルリッジ・ロードへ上り、エステスパークを通って帰る。ベアレイクへは行かない。エステスパークも走り抜けるだけ。

Sightseerは逆に東から西へ走る。エステスパークでショッピングを楽しみ、ベアレイク周辺を回り、トレイルリッジ・ロードを登って西側へ抜ける。ルートだけを比較するならこちらがおすすめ。

ロッキーを心ゆくまで楽しみたいならレンタカーに限る。デンバー空港で2日間借りて、1日目はベアレイクやモレーンパークまで行ってトレイルを歩き、エステスパークへ戻って宿泊。もう1日はトレイルリッジ・ロードを走ってロッキー山脈を横断し、グランドレイク経由でデンバーへ戻るといい。

デンバーからエステスパークへ

デンバー国際空港から公園まで約75マイル。空港からPena Blvd.→I-70WEST→I-270WESTでダウンタウンを迂回し、US-36へ入れば約2時間でエステスパークにいたる。途中、おしゃれな大学都市ボウルダーBoulderに立ち寄るといい。

また、空港からE-470（有料）→I-25NORTHに入って、Exit 243からCO-66を西へ走り、US-36に合流してエステスパークにいたる方法もある。こちらは片道$6.50かかるが、渋滞を避けられる。所要約2時間。

エステスパークは小さいながらも清潔感漂うリゾートタウン。メインストリートはUS-34とUS-36が合流したElkhorn Ave.で、町のビジターセンターはこの合流点の東側角にある。ホテルは町の西側、公園ゲートとの間に多い。

エステスパークから園内へ

エステスパークから公園へ入るには2本のルートがある。町のメインストリートであるElkhorn Ave.はUS-34でもあり、そのまま西へ進むと10分ほどで**フォールリバー入口Fall River Entrance**に到着する。さらに西へ向かえばオールド・フォールリバーロードやトレイルリッジ・ロードへと続く。

一方、ダウンタウン中心の交差点からMoraine Ave.（US-36）を南へ入って、右車線を保ったまま道なりに進み、US-36をそのまま西へ走れば、10分ほどで**ビーバーミドウ入口Beaver Meadows Entrance**へ出る。モレーンパークやベアレイクなどに行くルートであるとともに、トレイルリッジ・ロードにも続いている。ビーバーミドウ入口の近くにはショッピングモールやモーテルが多くて便利だ。

Gray Line of Denver
Free 1800-348-6877
URL www.grayline.com
運行 5月下旬〜10月中旬の日・火・木・金のみ。8:30発。約10時間。予約は2日前までに
料 $100、3〜11歳$50
出発場所はダウンタウンのCherry Creek Shopping Center（3000 E. First Ave.）

Sightseer
☎ (303)423-8200
Free 1800-255-5105
URL www.coloradosightseer.com
運行 5月下旬〜10月中旬の8:15発。約10時間
料 $95（スナックとドリンク付き）

有料道路について
E-470とI-25の一部レーンは有料だが、料金ゲートはない。ナンバープレートを写真撮影し、ExpressTollというETCシステムで精算する。デンバー空港のレンタカーには車載器transponderが搭載されており、通行した金額＋手数料$2.95をあとで精算する契約が一般的。借りる際によく確認しておこう。
車載器がない場合は、車の所有者の自宅やレンタカー会社に請求書が送付される。面倒な人は有料道路を避けるといいだろう。
URL www.e-470.com

Estes Park VC
住 500 Big Thompson Ave.
Free 1800-443-7837
URL estesparkcvb.com
開 夏期9:00〜20:00
（日10:00〜16:00）
冬期9:00〜17:00
（日9:00〜18:00）
休 イースター、11月第4木曜、12/25、1/1

ハイカーシャトル
エステスパークのビジターセンターから、園内のGlacier Basinキャンプ場近くまで、無料シャトルが往復している。ここでベアレイク行き無料シャトル（→P.403）に乗り継ぐことができる
運行 5月下旬〜10月6:30〜19:30。下り最終は20:00発。30分〜1時間ごと

デンバーからグランドレイクへ

グランドレイクはロッキー山脈の西にあるゲートシティで、同名の湖に面している。エステスパークより規模が小さく、のんびりした雰囲気だ。グランドレイク側から公園を訪れるには、デンバーからI-70を西へ走り、Exit 232でUS-40を北に入り、GranbyでUS-34へと右折する。所要約2時間40分。

グランドレイクの町はウエスタンムードいっぱい

コロラド州の道路情報
☎ (303)639-1111
Free 511
URL www.dot.state.co.us

ガソリンは満タンで
　園内にはガスステーションはないので、エステスパークかグランドレイクで満タンにしてから入園しよう

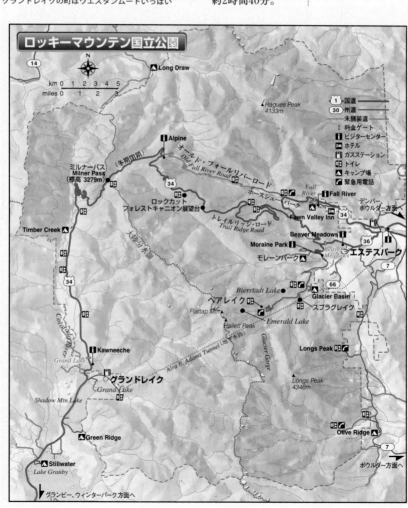

ロッキーマウンテン国立公園

マウントエバンス Mt. Evans

MAP 折込1枚目 C-4
期 5月下旬～9月下旬（積雪による変動あり）

　トレイルリッジ・ロードは通り抜けできる舗装道路の全米最高地点（標高3713m）を通るが、行き止まりの舗装道路の全米最高地点もコロラド州にある。デンバーの南西にそびえるマウントエバンスへ上る山岳道路CO-5で、完成は1930年。その終点は富士山頂よりはるかに高い標高4307mだ。デンバーからグランドレイクへ行く途中で寄り道してみよう。

　行き方は、デンバーからI-70を西へ33マイル走り、Exit 240でCO-103へ入って南へ。山道を15マイル上ってEcho Lakeを過ぎたところにCO-5

のゲート（1台＄10。アメリカ・ザ・ビューティフル・パス有効）がある。山頂まではさらに15マイルの山道。例年9月後半には黄葉が楽しめる。

　終点の駐車場から400m歩いて標高4348mの山頂に立てば、ロッキー山脈とデンバー市街の大パノラマが広がる。真夏でも最高気温は5～10℃なので上着を忘れずに。

　短時間で高所へ上ることになるので、高山病に注意を。途中にいくつか湖があるので、休憩しながら上ろう。日本から着いた翌日など、体調が万全でないときには避けたほうが無難だ。

　なお、週末は非常に混雑する。早朝に訪れないと駐車スペースを探すのが大変。

富士山頂よりずっと高い地点まで車で上がれる

ジョージタウン・ループ鉄道
Georgetown Loop Railroad

Free 1888-456-6777
URL www.georgetownlooprr.com
運行 5月中旬～10月中旬（クリスマスなど臨時運行あり）。1日3～5便　**所要** 往復1時間（夕方は2時間）　**料** 往復＄26.50。銀鉱山＄33.95

　デンバーからグランドレイクへ行く途中で寄り道できる、楽しい観光鉄道を紹介しよう。

　1884年からデンバーまで銀を運んでいた鉱山鉄道で、全長5.6kmの区間だけがSLに乗れる観光鉄道として1984年に再建された。

　東側のGeorgetown（Devil's Gate）駅から西側のSilver Plume駅まで、195mもの標高差をかせぐために、高さ30mの鉄橋を含むオープンループになっている。ただし回転半径が大きいので、ループ全体を眺められるわけではない。ディーゼルカーもあるので、蒸気機関車に乗りたい人は予約時にスケジュールの確認を。中間駅

で降りて銀鉱山跡を見学するツアーもある。

　Devil's Gate駅はI-4のExit 228、Silver Plume駅はExit 226。デンバーから約1時間。週末と夏休み中は予約したほうが確実だ。

夏の週末は家族連れで大にぎわいだ

ロッキー山脈

ロッキーマウンテン国立公園（コロラド州）

GETTING AROUND　歩き方

　ロッキーマウンテン国立公園の面積はイエローストーンの8分の1と、アメリカの国立公園としては大きいほうではないが、園内にはLongs Peak（4346m）をはじめとして標高4000mを超える山が14座もあり、公園の中央を大陸分水嶺が走っている。この分水嶺を越えてエステスパークとグランドレイクを結んでいるのが、世界でも有数の山岳道路**トレイルリッジ・ロード Trail Ridge Road**だ。

　観光のポイントは、トレイルリッジ・ロード沿いの景観と、公園の東側にあるベアレイクをはじめとする湖沼や高原とに大別される。

　また、ロッキーマウンテンはエルクとビッグホーンシープが多く生息することでも有名。フォールリバー入口の奥にあるホースシューパークなどで、朝夕に多く見られる。

　標高の高い公園なので、真夏でも雪が降ることがある。トレーナーだけでなく、ジャケットも欲しい。特にトレイルを歩く人は防寒＆防水を兼ねたレインジャケット＆パンツなどがあるといい。最低でもポンチョは必携だ。風が強く、落雷も怖いので傘は使えない。

情報収集　　　　　　　　　　　　　　　Information

Beaver Meadows Visitor Center

　US-36沿いにある。公園本部も兼ねていて、公園全体の情報を総合的に扱っている。天気予報やトレイルリッジ・ロードの状況などをチェックしておきたい。花壇に植えられた州花ブルーコロンバインなどの野草もお見逃しなく。

Fall River Visitor Center

　フォールリバー入口のそば、US-34沿いにある。野生動物などの展示があり、大きなギフトショップを併設している。

フォールリバー・ビジターセンター

Kawuneeche Visitor Center

　グランドレイク入口から5分ほど、US-34沿いに位置する。西側からアプローチする人は、初めにここへ寄るといい。

シーズン　　　　　　　　　Seasons and Climate

　トレイルリッジ・ロードが通行可能となるのは、おおむね5月下旬から10月中旬まで。最も気候がよく、高山植物が咲き競うのは7〜8月だが、混雑するのもこの時期だ。9月中旬〜10月上旬は訪れる人も減り、アスペンの黄葉が美しい季節。ただし、雪になることもある。冬でもエステスパークはスキー客でにぎわっており、クロスカントリースキーやスノーシューでベアレイクなどを訪れる人も多い。

夏の午後は雷雨が多い

⚠ **トルネードに注意**
　コロラド州（特に東部）は竜巻の発生率が比較的高い。平野部に多いが、山岳地帯でも竜巻は発生する。雲行きがあやしいとき、町にサイレンが鳴り響いていたら竜巻警報の可能性がある。TVやカーラジオで確認しよう（→P.416）

トレイルリッジ・ロードで最もよく目にする動物、マーモット

Beaver Meadows VC
🕐8:00 〜 16:30。夏 期〜21:00
🚫11月第4木曜、12/25

Fall River VC
🕐9:00〜17:00。10月下旬〜12月＆4月は週末＆祝日のみ9:00〜16:00
🚫1〜3月

Kawuneeche VC
🕐8:00 〜 16:30。夏 期〜18:00
🚫11月第4木曜、12/25

そのほかの施設
　トレイルリッジ・ロードを上がったAlpine Visitor Centerの隣にレストランとギフトショップがあるが、ほかでは食事はできない。また園内にはガスステーションやジェネラルストアはない。エステスパークやグランドレイクの町にすべての施設が揃っている

秋でもないのに紅葉!?
　ロッキーマウンテンの森では、真夏でも葉が赤茶色に変色した樹木が目に付くだろう。これはMountain Pine Beetleというキクイムシの仕業だ。詳しくは→P.319

BIGHORN
CROSSING
NO
WALKING

ホースシューパークでは
動物が車道を横断するこ
とが多いが、歩いて近寄
って行くのは危険だ

Trail Ridge Road
積雪時（平年で10月中
旬～5月下旬）は閉鎖され
る。ガスステーションはな
いので必ず入園前に満タ
ンにしておこう。長い下り
坂ではブレーキ焼けに充
分注意を

初級 Tundra Communities
適期▶7～8月
距離▶往復800m
所要▶往復30分
標高差▶79m
出発点▶ロックカット駐車場
設備 トイレ
※落雷に注意

Alpine Visitor Center
営 春・秋10:30～16:30、夏
期9:00～17:00
　標高3595m。富士山の9
合目より高い。ツアーバス
で一気に上ってきた人は、
心臓が慣れるまでは静か
にしていたほうがいい。夏
でも寒く、雪が舞うことも
ある。人間も車も無理をし
ないように。上着を忘れる
と車やバスから一歩も出ら
れないなんてことになる。
レストランがあるので、ゆ
っくりと休憩しよう

ホースシューパーク　Horseshoe Park

　フォールリバー入口を入って行くと、やがて左手にSheep
Lakesの駐車場がある。ここから奥へと続く草原をホースシュ
ーパークと呼んでいる。特に朝夕はエルクやビッグホーンシー
プなどの野生動物に出合うチャンスが多いエリアだ。

トレイルリッジ・ロード　Trail Ridge Road

　エステスパークとグラ
ンドレイクをつなぎ、ロ
ッキー山脈を横断する全
長約40マイルの山岳道路
で、（行き止まりではな
く）通り抜けできる舗装
道路としては全米最高地
点（標高3713m。→P.400）

駐車場が狭いので日中はたいてい満車だ

を通る。当然、景色はす
ばらしく、国立シーニックバイウエイ（景勝道路）にも選ばれ
ている。足元に広がる雲海の向こうに鋸の歯のような山脈のシ
ルエットが延々と続く。アメリカの背骨とはよくいったものだ。
高原から高山へ、そしてツンドラへと変化していく道路沿いの
植物の様子も興味深い。
　途中、いくつもの展望台があるが、天気のよい日におすすめ
なのは**ロックカットRock Cut**。高山植物を眺めながら30分ほ
どのトレイルを歩くといい。ツンドラの大地にナキウサギが走
り回っているだろう。
　ルートの中央には**アルパイン・ビジターセンター**がある。氷河
が削ったカール（圏谷）や大陸分水嶺の山々のパノラマが広がる。
　さらに西へ進むと、トレイルリッジ・ロードが大陸分水嶺と
交わる峠、**ミルナーパスMilner Pass**（標高3279m）に出る。
この地点から東の水流はミシシッピ川を経て大西洋（メキシコ
湾）に注ぎ、西側はコロラド州を経て太平洋（カリフォルニア湾）
に流れ込む。ここから西側へ少し下ると、山の中腹にコロラド
川の源流が見える。

大陸分水嶺の西側にも標高4000
m前後の山々が連なっている

オールド・フォールリバーロード　Old Fall River Road

　ホースシューパークからSheep Lakesを過ぎてすぐに右折すると、道はやがて未舗装の上り一方通行路となる。これがオールド・フォールリバーロードだ。1920年に開通したロッキー越えの道路で、トレイルリッジ・ロードが開通するまではこの道を使っていた。途中に滝や色鮮やかな岩、小さな湖があったりして楽しい。

　普通車OKだが、狭い急カーブのスイッチバック（つづら折り）が続くので運転は慎重に。アルパイン・ビジターセンターまで全長約11マイル、ゆっくり走って1時間ほど。

モレーンパーク　Moraine Park

　公園の東側、ベアレイク・ロードにある。氷河によって運ばれた土砂が堆積した谷で、広大な草原が広がる。野生動物や野鳥も多いエリアなので、時間があったら平坦なトレイルを歩いてみたい。谷の端にビジターセンターがあり、ロッキーマウンテンに関する自然史の展示や、その時期に咲いている花についての展示が興味深い。

園内最高峰のロングスピークが見える（左端）

スプラグレイク　Sprague Lake

　ベアレイクの手前にあり、なぜかベアレイクよりはるかに観光客が少ないが、Hallett Peakや氷河を湖面に映し出す美しい湖。特に早朝、一周30分ほどの湖畔を歩くのはとても気持ちがいい。

ベアレイク　Bear Lake

　ベアレイク・ロードの終点にたたずむ湖。夏の日中は観光客が多い。駐車場側からは正面にHallett Peakがそびえているが、湖畔のトレイル（一周約40分）を回り込めば、公園の最高峰Longs Peak（標高4346m）を湖面に映し出すポイントがある。

　ベアレイクはまたハイキングトレイルの出発点でもあり、周辺には宝石をまいたような美しい湖水がたくさんあるので、1～2時間でもいいからぜひ歩いてみよう。

園内に数ある湖のなかで最も人気があるベアレイク

Old Fall River Road
　積雪時閉鎖。レンタカーの保険は未舗装路での事故には適用されないので、運転には細心の注意を

狭い未舗装路なので時間がかかる。スケジュールに余裕があるときに走ろう

Moraine Park VC
圏5月上旬～10月上旬9:00～16:30。夏期～17:00

初級 **Sprague Lake Loop**
適期▶6～9月
距離▶一周800m
所要▶約30分
標高差▶なし
出発点▶スプラグレイク駐車場
設備▶トイレ

無料シャトル
　ベアレイクの駐車場は夏の日中は満車になるので、Glacier Basinキャンプ場そばの駐車場から走っている無料シャトルを利用しよう。途中、Bierstadt LakeやGlacier Gorgeのトレイルヘッドにも停車する（スプラグレイクには停車しない）。モレーンパーク・ビジターセンターからFern Lakeまでのルートもある。運行5月下旬～10月上旬9:00～16:00。20分ごと

シャトルバスを積極的に利用したい

初級 **Bear Lake Loop**
適期▶6～9月
距離▶一周1.6km
所要▶約40分
出発点▶ベアレイク駐車場
設備▶トイレ・緊急用電話

ハイキング　Hiking

アルバータ滝　Alberta Falls

ベアレイク手前にある駐車場からスタートする楽なトレイル。迫力のある滝が見られる人気のルートで、途中からの風景もすばらしい。

エメラルドレイク　Emerald Lake

ベアレイクからエメラルド色に澄んだ湖を訪ねるルート。途中のNymph Lake、Dream Lakeも美しく、進むにつれてHallett Peakが迫ってくる。標高が高いので真夏でも日が陰ると寒い。山の天気は変わりやすいので、レインジャケットなども忘れずに。

ベアレイク　Bear Lake → モレーンパーク　Moraine Park

景色は最高。Fern Lake、Fern Falls、Cub Lakeを通ってモレーンパークへと下る高山植物の多いコース。Little Matterhornを湖面に映すOdessa Lakeも美しい。逆ルートは上りが多くなる。

ビアシュタットレイク Bierstadt Lake

広々とした風景に気分爽快になれる山上湖。19世紀ドイツ出身の画家アルバート・ビアシュタットは、ここからの風景を描いたという。シャトルバスが停車するトレイルヘッドから歩くと約1時間の急登があるので、ベアレイクから下りるとラクだ。最初に少々登るが、あとは林の中の緩い下りが続く。

午後は天気が崩れることが多いので、なるべく午前中に訪れたい

フラットトップマウンテン　Flattop Mountain

ベアレイク正面にそびえるHallett Peakの右側の山への登山道。かつてはロッキー越えの最短ルートとして馬で越えた道だ。標高3756mまで登るので、それなりの服装と準備を。

レンジャープログラム　Ranger-led Program

ロッキーマウンテンはレンジャープログラムが充実した公園だ。特に夏は、アルパイン・ビジターセンターやホースシューパークなどで、動物ウオッチングやバードウオッチング、高山植物などさまざまなコースが用意されている。なかにはピューマ、ビーバー、リス、昆虫、高山植物、ツンドラなど具体的にテーマを絞ったものもある。ゲートで手渡される新聞で時間をチェックして、ぜひ参加してみよう。

初級 Alberta Falls
適期▶5〜10月
距離▶往復2.6km
所要▶往復約1時間
標高差▶49m
出発点▶Glacier Gorge Junction

中級 Emerald Lake
適期▶6〜9月
距離▶往復5.8km
所要▶2〜3時間
標高差▶184m
出発点▶ベアレイク
設備 トイレ・緊急用電話

半日あったらエメラルドレイクまで登ってみよう

中級 Bear Lake → Moraine Park
適期▶6〜9月
距離▶片道約17km
所要▶下り約6時間
標高差▶418m
出発点▶ベアレイク湖畔を右へ回り込んだところ

初級 Bear Lake → Bierstadt Lake → Park & Ride
距離▶下り6km
所要▶下り2時間
標高差▶215m
出発点▶ベアレイク湖畔を右へ回り込んだところ

上級 Flattop Mountain
適期▶7〜8月
距離▶往復14km
所要▶往復約8時間
標高差▶868m
出発点▶ベアレイク湖畔を右へ回り込んだところ

乗　馬　　　　　　　　　　　　Horseback Riding

エステスパークにはたくさんの牧場があり、釣りや朝食と組み合わせたツアーなど趣向を凝らしたものがいろいろ出ている。園内では、モレーンパークとスプラグレイクの2ヵ所で乗馬を楽しめる。なかには1日かけてロッキー山脈を横断し、グランドレイクまで行くコースもある。5月中旬〜9月下旬のみ。要予約。

乗馬
Moraine Park Stables
☎(970)586-2327
囲2時間 $50
　4時間 $75
　8時間 $120

フィッシング　　　　　　　　　　　　　Fishing

公園の川や湖にはCutthroat、Rainbow、Brook Troutなどのマスがいる。釣りを楽しむにはコロラド州のライセンスが必要。釣り具店やスポーツ用品店などで手に入る。釣りをしてもいい場所や方法、魚の大きさなど細かい規定があるので、しっかり確かめておこう。なお、ベアレイクでのフィッシングは禁止されている。

釣り人に人気のスプラグレイク

フィッシングライセンス
囲1日用 $9
　5日用 $21

Ranger **Ski the Wilderness**
集合▶12月下旬〜1月の土曜9:30
所要▶1時間30分
場所▶カウニーチ・ビジターセンター
※子供は大人同伴。要予約

ウインタースポーツ　　　　　　　　Winter Sports

冬、園内ではクロスカントリースキーやスノーシューを楽しむ人の姿があちこちで見られる。エステスパークやグランドレイクからは、レンジャーのガイドでクロカンなどを楽しむプログラムも行われる。

Ranger **Snowshoe Walk**
集合▶1月上旬〜3月下旬
土・日・月・水12:30
所要▶2時間
場所▶ビーバーミドウ・ビジターセンター
※子供は大人同伴。要予約
☎(970)586-1223

GEOLOGY

洪水の爪跡

オールド・フォールリバーロードへ入る直前、右側の沢に流木や岩石が積み上がっているのを目の当たりにするだろう。大災害の痕跡であることが容易に確認できる。これらは1982年、上流にあるLawn Lakeから発生した大洪水の残骸だ。

洪水の跡は今もあちこちで見ることができる

Lawn Lakeは今から約1万3000年前、氷河の浸食によってできた自然の湖だった。しかし、西部開拓後、灌がい用の湖として人の手によって拡大され、1903年以後は貯水池として利用されてきた。

1982年6月15日の早朝、貯水量を超えたダムは突然決壊した。水は

Roaring River沿いに周囲の樹木や岩を呑み込みながら、すさまじいほどの土石流となって南の方角へ流れ、45分後にはホースシューパークに達した。決壊から1時間後の洪水の被害は、樹木の倒壊が452トン、沖積した岩や土砂が13mの厚さに達したという。

とどまることを知らない流れは、次にFall River沿いに進み、発生から約3時間後にはエステスパークの町を襲った。住人はなすすべもなく、ただ土石流を見守るだけ。洪水は町外れのダムまで到達して、やっとその流れを止めた。この洪水で受けた損害は3100万ドル。国立公園でも3人の工事関係者が亡くなっている。

しかし、洪水がもたらしたものはマイナス面だけではなかった。洪水のあと、公園では35種類もの植物が新たに発見され、野鳥の数も洪水前より断然増えているそうだ。

現在、エステスパークの川沿いには素敵な遊歩道が整備されているが、ここは1982年の洪水のメモリアルとなっている。

ロッキーマウンテンの主役たち

過酷な環境に生きる高山植物はそっと見守りたい

植物

　ロッキーマウンテン国立公園の自然の大きな特色のひとつに、異なった気候帯を一度に体験できるということが挙げられる。ほんの数時間で本土からアラスカまで旅をするようなものなのだ。

　松などの林や豊かな草原が続く山岳帯The Mountain Life Zone。カナダ北部のような生態が見られる亜高山帯The Subalpine Zone。そして森林限界3450mを超えるとあたりの景色は一変する。高山帯Alpine Tundraと呼ばれる、北極圏に似た地域である。ここでは背の低い植物が地面に這いつくばって生きていて、夏のほんの短い期間に色とりどりの可憐な花を咲かせる。

　花で忘れてはならないのがコロラド州の花、コロンバンRocky Mountain Columbineだ。オダマキの仲間で、白と紫のドレスをまとった姿は本当に美しい。7月頃、草原などに咲いている。

動物

　園内にはそれぞれの気候帯に適応したいろいろな動物が住んでいる。エルク、ビーバー、テン、ビッグホーンシープなど。ブラックベアとピューマはめったに姿を現すことはない。ツンドラ地帯の岩場にはマーモットやナキウサギなどがいる。

ビッグホーンシープのメス

氷河時代の生き残り、ナキウサギ

　丸い耳が特徴の小さなウサギ。汚れた空気や温度変化などに弱く、肺にカビが生えて死んでしまうという。冬眠しないので、植物を巣穴に貯えて冬の間の食料にする。葉っぱや花を口にくわえて岩場を行ったり来たりしているのはそのためだ。

国立公園で殺されるエルク

　秋はエルクたちにとって恋の季節。9～10月にかけて、オスがハーレムを作るためにメスたちを呼び集める声が山々に響きわたる。この時期に夕方、ホースシューパークあたりへ行けば、きっと聞こえるだろう。

　エルクの遠吠えは公園名物だが、実はこのエルクが現在大問題になっている。オオカミの減少によって数が増えすぎ、深刻な自然破壊が起きているのだ。狂牛病に似た慢性消耗性疾患（CWD）のエルクが州内で増えていることもあり、ついにエルクの間引きが始まった。

　しかし、動物たちの聖域である国立公園でエルクを殺すことには批判も強い。現在国立公園局は、自然保護団体との間で裁判係争中だ（2011年に勝訴したが、団体側が上告した）。団体側は、オオカミを園内に放す、エルクを去勢するなどの代替手段を講じるべきだと主張。公園側は、そうした手段も検討したが、コストがかかりすぎるので却下したといっている。

　モレーンパークなどで牧場のようなフェンスを目にすることがあるかもしれない。これは、エルクによって食い尽くされ、丸裸になった草原を再生するための試みだ。日本各地の山でも起こっているシカの食害問題。その原因が私たち人間にあることだけは間違いない。

ACCOMMODATION 🏠 宿泊施設

近隣の町に泊まる

　園内には宿泊施設はないが、エステスパークとグランドレイクにたくさんのロッジがある。いざとなったらデンバー方面へ戻ればモーテルはいくらでもあるので、

夏には多くの観光客でにぎわうグランドレイク

公園ゲートの近くにあるFawn Valley Inn

車さえあれば宿には困らない。
　特にエステスパークにはB&Bやリゾートホテルも数多くある。夏やスキーシーズンは混み合うが、春や秋は閉鎖する宿も多い。

キャンプ場に泊まる

　園内には5ヵ所のキャンプ場があり、3ヵ所は年中オープン。夏は7連泊まで可能。夏は大変な人気で、朝からいっぱいになってしまうことが多い。Moraine Park、Glacier Basin、Aspenglenの3ヵ所は予約ができる。6ヵ月前の同日から受付開始なので、できるだけ早く電話しよう。なお、どのキャンプ場にも水洗トイレはあるが、電気、シャワーはない。

キャンプ場予約→P.482
Free 1877-444-6777 URL www.recreation.gov
料 夏期$20、冬期$14

エステスパーク　Estes Park, CO 80517　公園ゲートまで2マイル　約70軒

モーテル名	住所・電話番号など	料金	カード・そのほか
Fawn Valley Inn	住2760 Fall River Rd. ☎(970)586-2388 Free 1800-525-2961 FAX(970)586-0394 URL www.rockymtnresorts.com/locations/fawn-valley-inn	on $129～449 off $89～299	A M V　フォールリバー入口から車で1分、ダウンタウンまで5分。キッチン、DVD付き。映画DVD（約1000本）無料レンタル。Wi-Fi無料。全館禁煙
Alpine Trail Ridge Inn	住927 Moraine Ave. ☎(970)586-4585 Free 1800-233-5023 URL www.alpinetrailridgeinn.com	on $112～233 off $81～171	A D M V　夏期のみオープン（2013年は5月1日～10月頃まで）。US-36のゲート手前にあって便利。全館禁煙。Wi-Fi無料
Rocky Mountain Park Inn	住101 S. St. Vrain Ave. ☎(970)586-2332 Free 1800-803-7837 URL www.rockymountainparkinn.com	on $140～230 off $80～120	A D J M V　町の東側、CO-7沿い。レストラン、コインランドリーあり。全館禁煙
Deer Crest	住1200 Fall River Rd. ☎(970)586-2324 Free 1800-331-2324 URL www.deercrestresort.com	on $129～189 off $59～129	A M V　US-34のゲート手前。全館禁煙。18歳未満不可。冷蔵庫、電子レンジあり。Wi-Fi無料
Castle Mountain Lodge	住1520 Fall River Rd. ☎(970)586-3664 Free 1800-852-7463 FAX(970)586-6060 URL www.castlemountainlodge.com	on $135～500 off $75～285	M V　US-34のゲート手前。コテージが多い。電子レンジ、冷蔵庫付き。コインランドリーあり。全館禁煙。Wi-Fi無料

グランドレイク　Grand Lake, CO 80447　西口ゲートまで3マイル　約15軒

モーテル名	住所・電話番号など	料金	カード・そのほか
Bighorn Lodge Americas Best Value Inn	住613 Grand Ave. ☎(970)627-8101 FAX(970)627-0202 Free 1888-315-2378 URL www.bighornlodge.net	on $145～155 off $80～85	A D M V　町の中心部。夏期のみ朝食込み。Wi-Fi無料
Beaver Village Condominiums	住50 Village Drive Park, CO 80482 ☎(970)726-8813 FAX(970)726-5313 Free 1800-824-8438 URL www.beavercondos.com	on $185～350 off $125～325	M V　グランドレイク周辺に80室を所有するバケーションレンタル。暖炉やジャクージ付きの眺望のよいコンドミニアムが多い。全室禁煙

Column

太平洋に注ぐ水が大西洋に!?　　　市川守弘

グランドレイクから始まる地下トンネルは直径約3m、長さ20km以上に及ぶ

　ロッキーマウンテン国立公園には、公園を大きく横断する長大な水路トンネルが埋められている。アルバ・アダムス・トンネルAlva B. Adams Tunnelという（MAP P.399参照）。公園の西側に接するグランドレイクに貯められたコロラド川の水が、このトンネルを通って公園の東側のマリーレイクへ、そこからさらにトンネルで、エステスパークにあるレイクエステスへと流されている。ここからサウスプラット川に流れ、最後はミシシッピ川に注ぐ。このトンネルはロッキー山脈を横断し、太平洋に注ぐはずの水を、コンチネンタルディバイド（大陸分水嶺）を越えて、大西洋側へともってくるのだ。

　アメリカの国立公園は自然保護に関しては世界のトップ水準を行くといわれるが、このような長大なトンネルが国立公園の地下に敷設されていることに驚かされる。国立公園に限らず、大きく生態系を傷つけることは間違いがない。いったいなぜこのようなことがアメリカで行われたのか？　多くの人が疑問を抱くに違いない。

　実は、分水嶺を越えて太平洋に注ぐ水を大西洋側にもってくる水路トンネルは、このアルバ・アダムス・トンネルに限らない。大きくは7ヵ所ものところで、太平洋への水が大西洋に流されている。

　なぜ？　この疑問を解く鍵は、アメリカの水問題の歴史に隠されている。

　アメリカの国土は、西経100度を越えてアメリカ中西部に入ると乾燥した草原や砂漠の大地が広がる。年平均降水量が12インチ（約300mm。東京の約5分の1）といている。カンザスやネブラスカに入った入植者は、木が育たない大地に木造の家を建てられなかった。サッドハウスという草の根の張った地面をレンガのように切って、これを積み重ねて「土の家」を作った。映画『ダンス・ウイズ・ウルブズ』でケビン・コスナーが、レンガを積み重ねたような土の家の砦にひとり派遣されていたのを覚えている人もいるだろう。太平洋岸の一部を除いて、アメリカの中西部から西部は、水がほとんどない大地なのだ。

　そんなアメリカに1848年からゴールドラッシュが始まる。金は水がなければ採取できない。

　砂金は、かつて川が流れていた場所に砂と一緒に埋まっている。今も川が流れていればよいが、たいがいは川の流れは変わっている。そこで遠くの川から水を引いてきてこの水で砂と金を選り分けなければならない。当然、水争いが起こる。このとき、鉱山の慣習として、「先に水を引いたものが水利権をもつ」という法制度が生まれた。第1順位の人の余った水を次の人がもらえる。早い者勝ちだから、水を尾根を越えて違う「集水域」にもってきてもよい。流れているだけの水を、価値あるものに変えた者が、その恩恵を蒙る、ということだ。

　この水利権についての大原則は、その後の灌漑事業や都市用水などにも適用され、今でも西部では、ほとんどの州がこの法制度に従っている。

　砂漠が広がるロッキー山脈の西側に比べ、東側は大草原が小麦畑に変貌し、デンバーをはじめ大都市が作られていった。必然的に水の需要は高まり、コロラド川の水を大西洋側にもってくる大プロジェクトが行われた。ロッキーマウンテン国立公園を地中深く横切るトンネルも、このような事業のひとつであったのだ。国立公園内であっても、トンネルなので認められたのであろう。ただし、巨大な貯水池の建設は園内には認められなかった。

　では、このような早い者勝ちの論理で水の流れを変えてしまう大事業は今でも行われているのか？　今では、ロッキー山脈の西側の人たちの生活や、なによりも生態系の保護の観点から、このような「大胆な水抜き」はなされていない。しかし、「早い者勝ち」のルールは今でも生きているので、干ばつのときなど（2002年がそうだった）、第1順位の農家の畑は水が流れるが、それ以外では、余った水がないために畑が枯れ、牛が餌がないために処分されていった。

ミルナーパスで分かれた水を同じミシシッピ川へ流すという力技だ

Side Trip

マルーンベルス　Maroon Bells

標高4315m。高さでいえばコロラド州のトップ20にも入らないが、アメリカを代表する風景として紹介されることすらある秀麗な山。その端正な顔立ちと、アスペンの黄色いドレスをまとった姿は、ポスターなどで目にする機会が多い。

マルーンベルスはデンバーから車で西へ3時間45分。高級スキーリゾートとして知られるアスペンAspenから約30分と近く、車がなくても気軽に訪れることができる。

アスペンは、その名のとおりアスペンの林に囲まれたさわやかな高原の町で、デンバーほか全米各地から数多くのフライトがある。6～8月に行われる音楽祭も世界的に有名で、この時期は音楽家と留学生が集まるミュージックタウンとなる。

アスペンはまた、車の使用を抑え、自然エネルギーを積極的に活用するエコリゾートでもある。マイカーの代わりに市バスが縦横に走っていて、空港へもマルーンベルスへも連れて行ってくれる。

マルーンベルスへのバスは往路＄6、復路無料。Aspen Highlandで乗り換えあり。9:05～16:30、20～30分ごと。復路最終は17:00発。

車で訪れる場合、6月中旬～9月初旬の9:00～17:00は環境保護のための通行規制があり、Aspen Highlandで上記のバスに乗り換えなければならない。早朝に訪れる場合、駐車料金＄10要。

降りたところはマルーンベルスを湖面に映すMaroon Lake。ビジターセンターもトイレも周囲の景観に溶け込むようデザインされている。湖の周囲にはトレイルがたくさんあるが、人気なのは往復約3時間のCrater Lake。アスペンの林を抜け、マーモットやシマリスが走り回る砂礫地を横切って、山々が頭上に迫る静かな湖を訪れる。

なお、マルーンベルスでは飲食物は入手できないので、あらかじめ用意しておこう。

Maroon Lakeを拠点に山麓のトレイルを歩こう

宿泊について

アスペンの町には、雰囲気のあるB&Bやログハウスなど魅力的な宿が約50軒ある。スキーシーズンと音楽祭のときには1泊＄200～400するが、春と秋に訪れるとグンと安く泊まれる。詳しくは URL www.aspenchamber.org で。

Hotel Lenado
ダウンタウンにあるアルパインスタイルのロッジで、暖炉のある吹き抜けのロビーが素敵だ。フルブレックファスト込み。Wi-Fi無料。
住 200 S. Aspen St., Aspen, CO 81611
☎ (970)925-6246　Free 1800-321-3457
URL www.hotellenado.com
料 夏期＄175～445、冬期＄295～445

スキー場としても知られるアスペンの町

Crater Lakeまでのトレイルが人気だ

グレート・サンド・デューンズ国立公園
Great Sand Dunes National Park

MAP 折込1枚目 C-4
☎ (719)378-6399
URL www.nps.gov/grsa
料 1人 $3

北米大陸で最も背の高い砂丘と、雪を被ったロッキー山脈の両方をいっぺんに楽しめる公園。砂丘の面積は約78km²、最大高低差229mで、いずれも鳥取砂丘の2倍以上。山岳地帯には滝や湖が点在し、ツンドラには高山植物が咲く。麓

の草原には1000頭に及ぶバッファローもいる。

普通車で入れる場所はビジターセンター周辺など一部のみだが、自由に砂丘を歩いて美しい風紋や4000m級の山々の眺望を楽しもう。砂丘のすぐ前を小川が流れており、雪解けの頃には川があふれて"水に浮かぶ砂丘"の光景も見られる。真夏はけっこう暑くなるので、砂丘を歩くなら早朝に。周囲にはアスペンの林が広がっていて、秋に黄葉を見るために訪れる人も多い。標高が2500mもあるので、冬は雪への備えを忘れずに。

行き方

デンバーから南へ約4時間。I-25を南へ走り、Exit 52でUS-160へ下りて、西へ約60マイル。CO-150を北へ入って12マイル。アルバカーキからも約4時間。

宿泊施設は園内にはないが、ゲートのすぐ外側にGreat Sand Dunes Lodgeがある。
営 4〜10月 **料** $84〜135
☎ (719)378-2900
URL www.gsdlodge.com

四季折々の表情が楽しめる
©NPS

ブラック・キャニオン・オブ・ザ・ガニソン国立公園
Black Canyon of the Gunnison National Park

MAP 折込1枚目 C-3
☎ (970)249-1914 **URL** www.nps.gov/blca
料 車1台 $15、そのほかの方法は1人 $7

ガニソン川によって浸食された峡谷に、ガーネットなどの鉱物を含む原生代の地層が深さ829m、長さ77kmにわたって露出している。ガニソン川は流れが速く岩も多い。あまりに危険なためラフティングが禁止されているほどで、ロッククライミングも難度が高い。

サウスリム、ノースリムそれぞれ道路があるが、ポピュラーなのはビジターセンターがあるサウスリム。峡谷沿いに敷かれた片道7マイルの道路沿いに10ヵ所の展望台がある。特にビジターセンター前のGunnison Pointや、Chasm View、Painted Wall、Sunset Viewがおすすめ。

標高2500m前後なので冬期は積雪があり、Gunnison Point以外は閉鎖される。

一方、ノースリムは未舗装路のみで冬期は閉鎖される。両サイドをつなぐ橋はない。

行き方

グレート・サンド・デューンズからCO-17、US-50、CO-347経由で約4時間。デンバーからはGrand Junction、Montrose経由で約6時間。モアブからは約3時間30分。

園内にはロッジがないので、25マイル離れたMontroseのモーテル（約20軒）を利用しよう。

幅の狭さも特徴。最も狭い場所ではリムからリムまで335mしかない
©NPS

Other Area
そのほかの地域

バッドランズ国立公園

サウスダコタ州 ／ **MAP** 折込 1 枚目 B-4

遠いけれど足を延ばす価値のある公園だ

©USPS
2006年発行の切手

　　黄金に輝く草の波がどこまでも続くプレーリー（大平原）。それ
が突然崖となって落ち込み、地球上のものとは思えぬ荒々しい地形
をあらわにする。地球創成の歴史を思わせるバッドランズは、太陽
の動き、雲の動きとともにその姿を変化させてゆく。そこに感じら
れるのは、人間のつくり上げてきた文明とは対極にある美しさであ
り、私たちの遺伝子のどこかに潜む記憶である。

火星に降り立った気分で
トレイルを歩こう

Badlands National Park

South Dakota

そのほかの地域

バッドランズ国立公園（サウスダコタ州）

ACCESS　　　行 き 方

　ゲートシティはサウスダコタ州西部の中心都市**ラピッドシティ Rapid City**。マウントラシュモア（→P.420）への日帰りツアーは数多く催行されているが、バッドランズへのツアーはないので、空港でレンタカーを借りよう。3日ほどかけてマウントラシュモアやデビルスタワー（→P.422）を回るのがおすすめ。

交差点ごとに立つ歴代大統領の像が大きいダウンビッグタウン

飛行機　　　　　　　　　　Airlines

Rapid City Regional Airport (RAP)

　デルタ航空がソルトレイク・シティ（1日2便。所要約2時間）とミネアポリス（4便。1時間45分）から、ユナイテッド航空がデンバー（6便。約1時間15分）とシカゴ（2便。2時間15分）から、アメリカン航空がダラス（1便）からの定期便を運航している（冬期減便）。空港には大手レンタカー会社が揃っているが、予約をしたほうがよい。空港を出たらSD-44を西へ走れば10分でダウンタウン。逆に東へ走れば2時間弱で直接バッドランズ国立公園へ行ける。

長距離バス　　　　　　　　　　Bus

　南からはJefferson Linesのバスがデンバーとの間を1日1往復（所要12時間）、東からもJefferson Linesのバスがサウスダコタ州Sioux Fallsとの間を1往復（6時間）している。ディーポはダウンタウンのOmaha St.（SD-44）と線路の間、6th St.に面している。市バスのターミナルも兼ねていて、構内に理髪店がある。線路を渡れば1ブロックでダウンタウンの中心部、Main St.だ。

DATA

時間帯▶山岳部標準時 MST
☎(605)433-5361
URL www.nps.gov/badl
開24時間365日
通3〜11月
料車1台＄15、バイク＄10
それ以外の入園方法は1人＄7
国定公園指定▶1939年
国立公園指定▶1978年
面積▶987.5km²
入園者数▶約87万人
哺乳類▶39種
鳥　類▶206種
両生類▶6種
爬虫類▶9種
植　物▶446種

RAP　☎(605)393-9924
Alamo　☎(605)393-2664
Avis　☎(605)393-0740
Budget　☎(605)393-0488
Hertz　☎(605)393-0160

バスディーポ
Milo Barber
Transportation Center
住333 6th St.
☎(605)348-3300
URL www.jeffersonlines.com
開月〜金　　6:30〜11:00
　　　　　　14:00〜18:00
土・日・祝　6:30〜7:30
　　　　　　16:30〜18:00

ラピッドシティ観光案内所
Black Hills Visitor
Information Center
住1851 Discovery Circle
☎(605)355-3700
開夏期8:00〜19:00
　冬期8:00〜17:00
I-90 Exit 61を北へ出てすぐ

ラピッドシティから日帰りする人が多いが、日暮れ、夜明け、そして星空もすばらしいので、園内で1泊するといい

レンタカー　　　　　　　Rent-A-Car

　ラピッドシティからダウンタウンの北を走るI-90に乗り、東に75マイル（約120km）。Exit 131の**カクタスフラットCactus Flat**でフリーウエイを下りてSD-240に入れば標識が出ている。11マイル（約18km）ほど進むと北東ゲートだ。所要1時間30分。
　空港から直接公園へ行くなら、SD-44を東へ走れば2時間弱で**インテリアゲート**に着く。

GETTING AROUND　　歩き方

　公園は北部と南部に大別できる。見どころが集中しているのはSD-240が横断している北部で、ビジターセンターは北部の東寄りにある。ラピッドシティからの日帰りなら、カクタスフラットからSD-240を西へ走って公園を抜け、**ウォールWall**（→下記コラム）でI-90のExit 110に戻って帰るというコースが一般的。バッドランズループBadlands Loopと呼ばれている約31マイル（約50km）のドライブルートだ。もちろん逆コースでもかまわない。
　ドライブしながら次々に現れる展望エリアに駐車して、短いトレイルを歩きながら景観を楽しもう。入園ゲートでレンジャープログラムのスケジュールを渡されるので、これに合わせて回るといい。バッドランズはまたバッファローやプレーリードッグなど野生動物の聖域でもある。アニマルウオッチングもお楽しみに。

サウスダコタで知らない人はいないウォールのドラッグストア

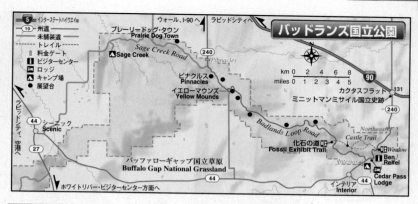

情報収集 — Information

Ben Reifel Visitor Center（シーダーパス）

　カクタスフラットから入った場合、ウインドウなどいくつかのトレイルを過ぎ、シーダーパスの坂道を下ったところにある。バッファローの毛皮などに触れることのできるコーナー、地質学的な展示、バッドランズを紹介する美しいビデオも上映している。

　ロッジ、レストラン、ギフトショップが隣接している。

園内で見つかった化石についての展示が充実している

White River Visitor Center

　公園南部のUS-27沿いにある案内所。トイレや飲み水、簡単な展示などがある。冬期は閉鎖される。

シーズン — Seasons and Climate

　バッドランズの天候は基本的に予測不可能だ。夏は日中かなり暑くなるが、夜になると急激に冷える。雷雨、あられや強風が吹き荒れる日も多いので雨具の用意をしていこう。この激しい気候こそがバッドランズの特異な景観を造ったのだから仕方がない。

　春、秋は訪れる人も減るが、実はベストシーズン。冬はときに地吹雪が吹き荒れるが、おおむね天気のよい日が多い。野生動物を見るには冬が最もいいそうだ。ただし、最高気温でも0℃前後と寒いし、車の運転にも細心の注意が必要。荒天の場合、SD-240は閉鎖されることがある。

バッドランズの気候データ

月	1	2	3	4	5	6	7	8	9	10	11	12
最高気温（℃）	1	4	9	17	22	28	33	33	27	20	10	4
最低気温（℃）	-12	-9	-4	2	8	13	17	16	11	4	-3	-8
降水量（mm）	7	12	23	46	70	79	49	32	31	23	10	8

Ben Reifel VC
☎(605)433-5361
📅夏期7:00〜19:00
　春・秋8:00〜17:00
　冬期8:00〜16:00
🚫11月第4木曜、12/25、1/1

Ranger Ranger's Choice
夏期のみ17:00。90分

White River VC
☎(605)455-2878
📅10:00〜16:00
🚫9〜5月

園内の施設
シーダーパス・ロッジ内にレストランとギフトショップあり。冬期は休業する
📅夏期7:00〜21:00
　春・秋8:00〜17:00
🚫10月中旬〜4月上旬

⚡落雷注意！
　バッドランズはとても雷の多い地域だ。雲行きがあやしくなったら、すぐに車内へ避難しよう

| Ranger | Geology Walk |
夏期のみ8:30。45分

| 初級 | Window Trail |
適期▶3〜11月
距離▶一周400m
所要▶約20分
出発点▶ウインドウ駐車場
設置 トイレ

| 初級 | Door Trail |
適期▶3〜11月
距離▶往復1.2km
所要▶往復20〜40分
出発点▶ウインドウ駐車場

| 中級 | Notch Trail |
適期▶4〜10月
距離▶往復2.4km
所要▶往復1.5〜2時間
出発点▶ウインドウ駐車場

このハシゴがちょっと怖い

| 初級 | Cliff Shelf Trail |
適期▶3〜11月
距離▶往復800m
所要▶往復30分
出発点▶ビジターセンターとウインドウ駐車場の間

| Ranger | Fossil Talk |
夏期のみ10:30、13:30、15:30。所要15〜20分

| 初級 | Fossil Exhibit Trail |
適期▶3〜11月
距離▶一周400m
所要▶約20分
設置 トイレ

人気のDoor Trail。足元は非常にもろく崩れやすいので気を付けて歩こう

POINTS of INTEREST　おもな見どころ

シーダーパス　Cedar Pass

ロッジやビジターセンターのあるシーダーパスからは屏風状の岩山がそそり立っているのが見える。これらすべてが風と水の創造物だ。あたりにはさまざまなトレイルが設置されているので、ぜひ歩いてみよう。特にウインドウ駐車場からのDoor Trailが人気。途中までは遊歩道が整備されているが、その先は激しく浸食された大地を適当に進むことになる。そのほかのトレイルもはっきりと道がわからない箇所が多く、足元も崩れやすい。黄色いマーカーなどの表示をよく見て歩こう。またNotch Trailは急なハシゴを上るので、スカートやサンダルは不可。

化石の道　Fossil Exhibit Trail

シーダーパスから西へ5分ほど走ったところにある。

はるか昔（とはいっても2600〜7700万年前と新しいが）、このあたりが海であったり、あるいはエバーグレーズのような湿地帯であったりした時期にワニ、カメ、オウムガイなどが堆積し、化石となった。また初期の哺乳動物の化石も数千点見つかっており、現在もサイに似た動物の発掘作業が続いている。一周400mの遊歩道を回りながら、バッドランズで採掘された化石を見て歩こう。

化石の道のトレイルは車イスもOK

イエローマウンズ　Yellow Mounds

シーダーパスより標高が低く、より古い地層が露出している。浸食を受け、土壌から溶け出した成分が、空気にさらされて黄色く変色したのだという。太陽の光を受けると金色に輝く。多くの展望台があるので、気に入ったところから眺めてみよう。

ピナクルス　Pinnacles

地球創成時を思わせる不思議な景観を、大地を渡る風とともに味わおう。眼下にはピナクルスPinnaclesと呼ばれる奇妙な岩の尖塔がそそり立っている。夕暮れどきには岩々が赤く染まり、大地に沈む夕日を充分に堪能できる。

このあたりには19世紀には数多くのビッグホーンシープが生息していたが、鉱山労働者の食料として乱獲され、ほとんど絶滅してしまった。そこで2004年秋、ニューメキシコで捕獲された30頭がピナクルスに放された。足元の岩場をよく見れば、身軽に飛び回るビッグホーンシープを目にできるかもしれない。

大地は50万年かけて浸食され、このような姿になった

イエローマウンズはピナクルスなどの尖った岩の地層よりも、ずっと下の地層が露出したものだ

　転落注意！

手すりのない部分が多く、また土が柔らかくてたいへん崩れやすい。転落しないよう足元には充分注意を

ダンス・ウィズ・ウルブズ
ケビン・コスナーが監督、主演を務めた映画『ダンス・ウィズ・ウルブズ』は、ほとんどがサウスダコタ州で撮影された。主人公のダンバー中尉がセジウィック砦に向けて旅する部分には、ピナクルス付近で撮影された映像も使われている

大草原の動物たちの受難

一見、手付かずに見える広大な草原に、のんびりと暮らす動物たち。しかし彼らの多くは、いつ絶滅するかわからない、あやうい存在だ。

20世紀、大平原地帯の開拓が進むにつれて、プレーリードッグは害獣として大々的に駆除された。さらに農地化や宅地化によって草原が奪われ、プレーリードッグの数は減っているといわれるが、公園の外では今でも駆除が行われている。

20世紀にはまたプレーリードッグを捕食していた動物も激減。なかでもクロアシイタチBlack-footed Ferretは1950年代にほとんど絶滅してしまった。81年にワイオミング州でわずかに生き残っていた個体を人工的に繁殖させ、94年にバッドランズ国立公園などに放した。現在、園内に300頭以上が生息している。また、

同じように絶滅したネコくらいの大きさのキツネ、スウィフトギツネSwift Foxも、2003年にコロラドから連れて来られた114頭が園内に放され、観察が続けられている。

2009年、園内のプレーリードッグからペスト菌が検出された。カナダなどで問題になっている齧歯目の伝染病で、プレーリードッグを捕食するイタチやキツネへの影響も懸念されている。

草を食むバッファローもまた、その舌と角のために乱獲され、19世紀後半にほとんど絶滅。バッドランズでは1963年にノースダコタから移されてきた群れの子孫が現在800頭ほど生息している。家畜からのブルセラ症感染を防ぐため、隣にあるウシの放牧地とはフェンスで仕切られている。

プレーリードッグ・タウン　Prairie Dog Town

子犬のような声が草原に響き渡る

ピナクルスを過ぎてすぐ、メインロードから未舗装の Sage Creek Road に入ってしばらく走ると、右側に駐車場がある。ここでは草原に住むオグロプレーリードッグ Black Tail Prairie Dog を観察できる。彼らは地下に張り巡らせたトンネルで町を作り、ひとつのコミュニティを形成する。警戒心が非常に強く、奇声やしぐさで危険を仲間に知らせるのだが、それがまた愛敬たっぷり。寿命は3〜4年だが、生後1年以内に死ぬ確率が高いという。なんと生まれてすぐに、多くの個体がほかのプレーリードッグに食べられてしまうことがあるのだそうだ。

Wildlife
Don't feed !
かわいらしいプレーリードッグだが、エサを与えることは、彼らを死に追いやることになるということをお忘れなく。また、ペストや狂犬病をもっている可能性があるので、死んだ個体を見つけても手を触れてはいけない

ここはまた、バッファローが集まってくる場所でもある。運がよければ草原の彼方にプロングホーンが走る姿も見えるかもしれない。

草原の地下には巨大な"都市"が築かれているはずだ

ACCOMMODATION 🏠　宿泊施設

園内で泊まる

🏠 Cedar Pass Lodge

4月中旬〜10月上旬のみオープンする。ビジターセンターの隣にあり、岩山の風景がすばらしい。1930年代に建てられたロッジだが、1987年に修復された。エアコン付きキャビンが24室のみ。2012年にはTV、冷蔵庫、電子レンジ付きのキャビンが完成した。ロビーは Wi-Fi 無料。

新しいキャビンは気持ちがイイ

🏠 20681 Hwy. 240, Interior, SD 57750
☎ (605)433-5460　Free 1877-386-4383
URL www.cedarpasslodge.com　on off $130〜137

キャンプ場に泊まる

公園内のキャンプ場は2ヵ所あり、いずれも予約はできない。一応一年中オープンしているが、冬期は管理人がいなくなる。

ひとつはBen Reifel Visitor Centerの西にある**Cedar Pass Campground**。飲み水、トイレなどの設備が整い、96サイトある。

もうひとつは未舗装のSage Creek Roadを13マイル（約20km）ほど走ったところにある**Sage Creek Campground**。こちらは飲み水もなく、簡易トイレがあるのみ。30サイト。

| Cedar Pass Campground | on off $16〜28 |
| Sage Creek Campground | 無料　※雨や雪が降ったあとは普通車での進入は難しい |

近隣の町に泊まる

ラピッドシティに宿泊施設がたくさんあるので、ここからの日帰りが便利。モーテルはI-90のExit 59を出たあたりに多い。

🏨 Alex Johnson

1928年に建てられた歴史あるホテル。ラピッドシティのダウンタウンの中心（6th & St. Joseph Sts.）にあって、昼も夜もよく目立つ。建物は古いが、木を基調とした家具や、先住民一族がテーマの内装は心地よい。レストランやスパもある。Wi-Fi無料。143室。

🏠523 Sixth St.,Rapid City, SD 57701　☎(605)342-1210
Free1888-729-0708　URLwww.alexjohnson.com
on $179〜235　off $54〜99　カード A D J M V

ラピッドシティ		Rapid City, SD 57701　ピナクルスゲートまで 62 マイル　約 70 軒		
モーテル名	住所・電話番号など		料　金	カード・そのほか
Best Western Ramkota Hotel	🏠2111 N. LaCrosse St.　☎(605)343-8550・FAX(605)343-9107 Free1800-780-7234　日本 無料 0120-56-3200　URLwww.bestwestern.com		on $170〜300 off $100〜300	A D M V　I-90 Exit 59 からすぐ。室内プールあり。空港送迎無料。Wi-Fi 無料
Holiday Inn Express	🏠645 E. Disk Dr.　☎(605)355-9090 FAX(605)348-8719 Free1800-465-4329　日本無料0120-455-655　URLwww.hiexpress.com		on $137〜278 off $91〜128	A D J M V　I-90 Exit 59 から北へ 1 ブロック。朝食込み。コインランドリーあり。Wi-Fi 無料
Americas Best Value Inn	🏠620 Howard St.☎(605)343-5434　FAX(605)343-7085 Free1888-315-2378　URLwww.rapidcityabvi.com		on $130〜170 off $60〜80	A D M V　I-90 Exit 58 の北側。朝食込み。コインランドリーあり。Wi-Fi 無料
Days Inn	🏠1570 N. LaCrosse St.☎(605)348-8410　FAX(605)348-3392 Free1-800-225-3297　URLwww.daysinn.com		on $117〜274 off $52〜85	A D M V　I-90 Exit 59 の南側。朝食込み。コインランドリー。Wi-Fi 無料
Big Sky Lodge	🏠4080 Tower Rd.　☎(605)348-3200　FAX(605)394-0349 Free1800-318-3208　URLwww.bigskylodge.com		on $85〜195 off $39〜129	M V　US-16 をマウントラシュモア方面へ 3 マイル。夏期のみ朝食込み

インテリア		Interior, SD 57750　インテリアゲートまで 2 マイル　2 軒		
モーテル名	住所・電話番号など		料　金	カード・そのほか
Badlands Inn	🏠20615 Hwy. 377　☎(605)433-5401　Free1877-386-4383　URLwww.cedarpasslodge.com		on off $95	5〜9 月のみ営業。シーダーパスロッジの経営。朝食込み。全館禁煙
Badlands Budget Host Motel	🏠900 Hwy. 377　☎(605)433-5335　Free1800-388-4643　URLwww.budgethost.com		on off $60〜70	M V　5〜9 月のみ営業。キャンプ場あり

ウォール		Wall, SD 57790　ピナクルスゲートまで 8 マイル　13 軒		
モーテル名	住所・電話番号など		料　金	カード・そのほか
Best Western Plains Motel	🏠712 Glenn St.☎(605)279-2145　FAX(605)279-2977 Free1800-780-7234　日本 無料 0120-56-3200　URLwww.bestwestern.com		on $120〜190 off $69〜110	A D M V　I-90 Exit 110 のすぐ北側。朝食付き。冬期休業（11 月下旬〜3 月上旬）。Wi-Fi 無料
Super 8	🏠711 Grenn St.☎(605)279-2688　FAX(605)279-2396 Free1800-454-3213　URLwww.super8.com		on $87〜155 off $48〜57	A D M V　I-90 Exit 110 のすぐ北側。朝食込み。Wi-Fi 無料

パノラマ街道 ── ブラックヒルズ

ブラックヒルズ

ラピッドシティの南に広がるブラックヒルズと呼ばれる丘陵地帯には、観光ポイントがめじろ押し。特に4人の大統領の顔が岩山に彫られたマウントラシュモアは年間訪問者数なんと208万人。全米から集まってくる観光客目当ての二流アトラクションもズラリと並んでいる。

以下に紹介するポイントのうち、ジュエルケイブを除けばラピッドシティから日帰りドライブにちょうどいい。モーテルはマウントラシュモア手前のキーストーンKeystoneの町にも17軒ある。また日帰りバスツアーも6社が催行している。

詳しくは『地球の歩き方B01アメリカ』編を参照。

1927年から14年の歳月をかけて作られたが、資金不足のため未完成のまま中断。花崗岩でできた顔の上下は約18mある

🚐 マウントラシュモア国定記念物
Mount Rushmore National Memorial

ラピッドシティのダウンタウンからMt. Rushmore Rd.（US-16）を南西へ18マイル、約30分。道路は走りやすく、標識もよく整っている。

📍折込1枚目 B-4　☎(605)574-2523
🌐www.nps.gov/moru　🕐8:00～17:00。夏期は～22:00。ライトアップセレモニーは5月中旬～8月中旬の21:00と8月下旬～9月下旬の20:00。おもな祝日には花火も打ち上げられる。冬期はセレモニーはないがライトアップは行われる。

🚫12/25　💰無料。駐車料金＄11。その年の年末まで有効

Reader's Voice

おすすめビューポイント

マウントラシュモアは午前中に訪れよう、朝日に当たると大統領の顔が美しく映える。また、キーストーンからUS-16Aを南下し、カスター州立公園へ向かう途中、木造のループ橋を2つ過ぎて、トンネルへ。ここからトンネル越しに大統領の顔を見ることができる。往復約30分。　（福岡県 板屋克朗 '11）
トンネルの南側に駐車スペースあり['13]

US-16Aからトンネル越しに見たマウントラシュモア

🚐 クレイジーホース・メモリアル　Crazy Horse Memorial

マウントラシュモアからSD-244を西へ走り、ワシントンの横顔を見られるポイント（左側の駐車場）に寄って、US-16/385にぶつかったら左折。約20分。スー族の英雄クレイジーホースの巨大な彫像が現れ

る。1948年、白人の英雄ばかりが並ぶマウントラシュモアに対抗するように工事が始められたが、いまだに制作中。完成すれば世界最大の彫像になるという。民間の施設なので、制作費は入場料などで捻出しているそうだ。

☎(605)673-4681
🌐crazyhorsememorial.org
🕐8:00～17:00。夏期は8:00～日没まで。ライトアップは夏期の日没後1時間行われる　💰1人＄10or車1台＄27のどちらか安いほう

左／顔の上下は約27mと、大統領よりずっと大きい　右／完成模型どおりの姿が見られるのは何年後になるのだろう？

バッファローが群れる草原は、アメリカ原風景のひとつだ

カスター州立公園　Custer SP

クレイジーホースからUS-16/385を戻り、**Needles Hwy.**（SD-87）へ右折して約20分。花崗岩が鋭く浸食された奇岩群が見られる。道幅の狭い山道が続くので14マイルを走るのに45分〜1時間かかる。

US-16Aに出たら右折して、すぐにSD-87へ左折。途中、天気がよければ**Mt. Coolidge**に寄ってみよう。砂利道を1マイル上れば、クレイジーホースからバッドランズまで一望できる展望台に着く。光の加減によっては肉眼では見つけにくいが、天気のよい朝夕なら白く光るマウントラシュモアもはっきりと見える。SD-87へ戻って峠を越えると、やがて広大な草原が広がる。そのまま南下すればウインドケイブだ。

ウインドケイブからラピッドシティへ戻る途中、ぜひ**Wildlife Loop**

幅が狭く急カーブが続くので運転注意

Rd.を走ってみよう。野生のバッファローの巨大な群れが見られる18マイル（45分）のドライブコースだ。US-16Aにぶつかったら右折し、そのまま**Iron Mountain Rd.**（US-16A）へ。ここもバッファローが多い場所。急カーブが続く山道を17マイル（45〜60分）走ると、やがて行く手に4人の大統領の顔が見えてくる。この頃にはもう夕方になっているだろうから、キーストーンの町で夕食を取り、マウントラシュモアのライトアップセレモニーを見てから帰るといい。

☎(605)255-4464　URL www.custerstatepark.com
料車1台 $15

ウインドケイブ国立公園　Wind Cave NP

カスター州立公園からSD-87を南へ走り、US-385にぶつかったら左折。約30分。長さ約224kmと2013年1月現在発見されている洞窟としては世界第5位を誇る。ボックスワークBoxworkと呼ばれる蜂の巣状の方解石が世界で最も多く見られる場所としても有名。園内にキャンプ場あり。

Garden of Eden Cave Tour
1日2〜4回催行。1時間 料 $7 ☎(605)745-4600
URL www.nps.gov/wica 休11月第4木曜、12/25、1/1

ウインドケイブ最大の見どころは天井にできたボックスワーク

ジュエルケイブ国定公園　Jewel Cave NM

ウインドケイブから50分、クレイジーホースから30分。発見されているだけでも264kmと世界第2位の長さ。方解石が透明な犬牙状に結晶化したCalcite Crystalがいたるところで見られ、光を当てると宝石のように輝くことから名付けられた。

Scenic Tour
10:00、14:00。80分 料 $8 ※夏期は20〜40分ごとに催行される
☎(605)673-8300 URL www.nps.gov/jeca 休11月第4木曜、12/25、1/1

夏の午後はツアーが売り切れることがある。事前に電話予約もできる

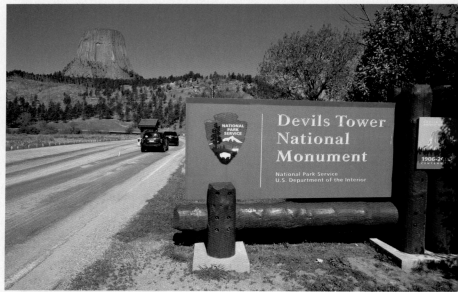

デビルスタワー国定公園

ワイオミング州 / **MAP** 折込1枚目 B-4

ナショナルモニュメントとしてはアメリカ最古の公園

©USPS

1956年発行の切手

1906年、セオドア・ルーズベルトによってアメリカで最初の国定公園National Monumentに指定されたデビルスタワーは、ワイオミング州の北東、サウスダコタ州に近いところにある。スピルバーグ監督の映画『未知との遭遇』のラストシーンでUFOが舞い降りたのがここ。広大な大平原にこつ然と現れる高さ264mの塔は、近寄りがたい荘厳さすら感じさせる。アクセスは不便だが、一度は見てみたい光景だ。

プレーリードッグは入園ゲート
近くの草原で暮らしている

Devils Tower National Monument

Wyoming

デビルスタワー国定公園（ワイオミング州）

ACCESS　　行き方

　デビルスタワーはワイオミング州にあるが、**サウスダコタ州のラピッドシティRapid City**（→P.413）から日帰りするのが一般的。交通手段はレンタカーのみ。ラピッドシティ周辺には見どころが多いので、それらを組み合わせたプランを立てるとよい。

レンタカー　　　　　　　　Rent-A-Car

　ラピッドシティからI-90を西へ向かい、ワイオミング州に入ってExit 185でUS-14に移る。手前の出口で下りる案内標識があるが、Exit 185を利用したほうが早い。約20マイル（32km）走ってWY-24を右折すれば、ほどなくデビルスタワーに到着する。ラピッドシティから約112マイル（約180km）。所要約2時間。

GETTING AROUND　　歩き方

　まずはタワーを一周するトレイルを歩いて、周辺の自然をじっくりと観察しよう。できればレンジャープログラム（→P.424脚注）に参加するといい。先住民の話も聞けるし、肉眼では見つけにくい登はん用の縄ばしごも教えてくれる。

　公園ゲートの近くにはプレーリー（大平原）が広がっている。ところどころに土が盛り上がっているのはオグロプレーリードッグの巣穴。上空には天敵であるハヤブサなどの猛禽類が飛んでいて、運がよければハクトウワシの姿も見ることができる。

トレイルを一周してタワーのさまざまな表情を満喫しよう

DATA

時間帯▶山岳部標準時 MST
☎(307)467-5283
URL www.nps.gov/deto
圓24時間365日オープン
適期年中
車1台＄10
そのほかの入園方法は1人＄5
国定公園指定▶1906年
面積▶5.4km²
入園者数▶約40万人
園内最高地点▶1558m
（Devils Tower）
哺乳類▶48種
鳥　類▶166種
両生類▶4種
爬虫類▶18種
魚　類▶18種
植　物▶423種

道路＆気象情報

ワイオミング州
Free 1888-996-7623
サウスダコタ州
Free 1866-697-3511

イエローストーンレイク
→ デビルスタワー
391マイル（7〜8時間）

下記のトレイルはいずれもタワーを一周するもので、出発点はビジターセンター

初級 Tower Trail
適期▶4〜11月
距離▶一周2km
所要▶一周45分

初級 Joyner Ridge Trail
適期▶4〜11月
距離▶一周2.4km
所要▶一周1時間30分

中級 Red Beds Trail
適期▶4〜11月
距離▶一周4.5km
所要▶一周2時間

日本人の彫刻に注目

　入園ゲートを通ってしばらく走ると左手にキャンプ場への道があるが、ここを入ったところに仙台出身の彫刻家、武藤順九の作品『風の環』が設置されている。先住民の儀式の際に立ち上る煙を思わせる造形で、環の中にタワーが見える

毎年8月、ラピッドシティとデビルスタワーの間にあるSturgisの町で、40万台以上が参加するという全米最大規模のバイクのイベントが行われる。デビルスタワー周辺も大渋滞が予想されるので注意。2013年は8月5～11日、2014年は8月4～10日の予定

Visitor Center
🕐 夏期8:00～19:00
そのほかは9:00～16:00
🚫 11月第4木曜、12/25、1/1
Ranger Tower Walk
5月下旬～10月上旬の毎日
9:30から。90分間

そのほかの施設
園内には何もないが、ゲートのすぐ外にガスステーション、ストアなどがある

冬期について
冬には積雪があり、クロスカントリー・スキーを楽しむ人や儀式を行う先住民らがタワーを訪れる。州道や国道が雪で閉鎖されることは稀

デビルスタワー豆知識
その1：ワイオミング州にはアメリカ初の国立公園（イエローストーン）と国定公園の両方がある
その2：ここを国定公園にしたセオドア・ルーズベルト大統領は、子グマを撃ち殺すのを思いとどまったことで有名。テディベアの名は彼の愛称からきている。彼はデビルスタワーを訪れたことはなく、写真を見て公園指定を決めたという

情報収集　　　　　　　　Information

Visitor Center

　公園ゲートから3マイル走った道路の終点にある。夏期には、タワーを一周するものなどさまざまなレンジャープログラムが行われる。駐車場が狭く、混雑する夏期には車を止めるまでにかなりの時間を要するので覚悟しよう。

ACTIVITIES　　　アクティビティ

ロッククライミング　　　Rock Climbing

　デビルスタワーがクライマーに征服されたのは1893年7月4日。初登頂を知らせるニュースは万国博覧会よりも人々の関心を集めたという。1941年にはパラシュート部隊の兵士がタワーの頂上に落ち、6日後に救出されたこともある。

　タワーには220の登はんルートがあり、年間約4000人が挑んでいる。必ず登はん前とあとにビジターセンターに届けなくてはならない。登はん時間は5～6時間が一般的だが、最短記録はなんと18分！　最年少は6歳、最高齢は81歳だそうだ。さらに驚くべきことに、タワーではこれまでほとんど事故が起きていない。過去76年間で死者5人。救助要請も少ないという。

　なお、デビルスタワーは先住民にとって神聖な場であるため、できるだけ6月は登らないよう呼びかけている。またこの時期はハヤブサの営巣地がある西壁は登はん禁止になる。

ルートによっては初級者でも登れる

GEOLOGY　デビルスタワーはマグマのかたまりだった！

　今からおよそ6000万年前、このあたりの地下深いところにあった巨大なマグマが、いくつもの地層を貫いて地表付近にまで上昇してきた。このマグマは活動をやめた後、冷えてフォノライト斑岩と呼ばれる硬い火成岩となった。その後、数百万年の間に軟らかい地層は浸食されて、高原全体が削られていったが、硬い火成岩だけは浸食を受けずに残った。マグマは固まると収縮して砕け、細長い柱状になる。デビルスタワーを構成しているこれらの柱は、大きなもので下のほうの直径が2.5m、上のほうの直径が1.2mほどあるという。

タワーの頂上には何がある？
　タワーの頂上部は、上から見るとしずくのような形をしており、南北122m、東西61mの広さがある。大部分は草で覆われており、セージブラッシュ（ヨモギの一種）やウチワサボテ

ンなどが生えているそうだ。

　そして驚くべきことに、シマリスやネズミ、ガラガラヘビなどもいるのだ。垂直のタワーを登ってきて頂上に棲みついたらしい。多くのクライマーが、ヘビやネズミが岩の亀裂を登っていくのを目撃している。

意外なことに、大規模な崩落が起きたことは過去200年間で一度もないそうだ

そのほかの地域

デビルスタワー国定公園（ワイオミング州）

ACCOMMODATION 🏠 宿泊施設

キャンプ場に泊まる

園内のキャンプ場Belle Fourche Campgroundはタワーの南側にあり、4月下旬〜10月下旬オープン。40サイト。予約はできない。また、公園ゲートのすぐ外側に民間のキャンプ場がある。

Belle Fourche Campground
🏕 $12。飲料水、水洗トイレあり。シャワーなし

近隣の町に泊まる

タワー周辺にはないのでI-90まで戻る。サンダンスで見つからなかったら、東へ30分走って州境を越えたスペアフィッシュSpearfishに12軒、西へ向かうならムアクロフトMoorcroft（Exit 154）に2軒ある。ラピッドシティのホテルは→P.419。

サンダンス		Sundance, WY 82729　公園ゲートまで30マイル　2軒		
モーテル名	住所・電話番号など		料　金	カード・そのほか
Best Western Inn at Sundance	🏠2719 E. Cleveland St. ☎(307)283-2800　Free 1800-238-0965 日本 無料 0120-56-3200　FAX(307)283-2727 URL www.bestwestern.com		on off $79〜110	A D M V　I-90 Exit 189から北へ1ブロック。コインランドリー、室内プールあり。朝食付き。Wi-Fi無料
Bear Lodge Motel	🏠218 Cleveland St. ☎(307)283-1611 URL www.bearlodgemotel.com		on off $60〜80	M V　ダウンタウンのメインストリート沿い。コインランドリー、冷蔵庫、電子レンジあり。DVDレンタル無料。Wi-Fi無料。ゲスト用PCあり

🦫 Native American
デビルスタワーがあっという間にできた話

ずーっと昔のお話。8人の姉弟が森で遊んでいたとき、突然、弟の体に長い毛が生え出し、爪も伸びて、クマに変身してしまいました。驚いて逃げ出した姉たちは大きな切り株に飛び乗りましたが、追いかけてきたクマは姉たちに襲いかかろうとしました。するとそのとき、切り株が空に向かってぐんぐん上昇し始めたのです。クマは一生懸命よじ登ろうとしましたが、やがて転落して死んでしまいました。現在、タワーに残っている縦の溝は、クマがひっかいた爪跡なのです。助かった7人はその後も空に住み続け、プレアデス星団（＝すばる。北斗七星との説もある）になりました。

※　　※　　※

これはキオワ族の伝説だが、デビルスタワーに関する言い伝えは部族ごとにさまざま。なかにはクマを尊敬すべき動物として英雄視したものもあるが、多くは人間がクマに襲われるというストーリーになっている。しかし、現実に住みかを奪われたのはもちろんクマのほうである。デビルスタワーという名は19世紀に白人の大佐が付けたもので、先住民はベアーズロッジ、ベアーズティピ（いずれもクマの住みかの意）などと呼ぶ。カナダ在住も含めた20の部族がデビルスタワーを聖地としていて、真冬のキャンプや断食修行などの儀式をここで行っている。トレイル沿いの樹木に布の切れ端が結び付けてあるのをよく目にするが、これも儀式のひとつなので、ゴミと間違えて取り外したりしないよう注意。

かつてこの地にはブラックベア、グリズリーベアとともに生息していたが、現在はどちらもまったくいなくなってしまった

サワロ国立公園

アリゾナ州／ **MAP** 折込1枚目 D-3

公園は町を挟んで東西に分かれている。西側のユニットには先住民の岩絵も残されている

アメリカ最大のハシラサボテン、サワロ（ベンケイチュウ）を見たことがあるだろうか。大地に足を踏ん張り、両腕を曲げてガッツポーズをしたようなユーモラスな姿はアリゾナの象徴だ。ところが、グランドキャニオンやモニュメントバレーに代表される北アリゾナは思いのほか気温が低く、サワロを目にすることはできない。西部劇でおなじみの風景は、アリゾナ南部のソノラ砂漠特有のものだ。サワロ国立公園へ行けば、高さ10 ～ 15mもある巨大なサワロをいやというほど見ることができる。ニョキニョキ、ニョキニョキ、地平線の彼方までサワロだらけだ！ よく見ればサボテンの中にも、足元にも、息づいている命がある。サワロは、砂漠の貴重な水を精一杯吸い込んで、たくさんの動物や鳥たちを養っている頼もしい父さんでもある。

Saguaro National Park

☆

Arizona

ACCESS　行き方

　ゲートシティは**ツーソンTucson**。アリゾナ州第2の都市で、市内にも郊外にも見どころはたくさんあるし、宿にも困らない。

　公園はツーソンの町を挟んで東側のサワロイーストと西側のサワロウエストに分かれている。それぞれツーソンから15マイル（約24km）、車で30分ほどの距離。ウエストだけなら日帰りツアーバスで訪れることもできる。もちろん、レンタカーを借りてサワロの林の中をゆっくりと巡るのがベストだ。

頂に花を載せたサワロを見ることができるのは5月頃だ

飛行機　Airlines

Tucson International Airport（TUS）

　ユナイテッド航空がロスアンゼルスから1日2便（所要約1時間30分）など全米からのフライトが多数ある。ダウンタウンのホテルまではArizona Stage Coachのシャトルバスが連れて行ってくれる。市バスは＃6が30～60分ごとに走っている（＄1.50）。

DATA

時間帯 ▶山岳部標準時 MST
（夏時間不採用）
☎(520)733-5100
URL www.nps.gov/sagu
開 日の出～日没
適期 10～5月
料 車1台 ＄10
　そのほかの方法は1人＄5
国定公園指定 ▶1933年
国立公園指定 ▶1994年
面積 ▶370km²
入園者数 ▶約61万人
園内最高地点 ▶2641m
哺乳類 ▶62種
鳥　類 ▶198種
両生類 ▶9種
爬虫類 ▶47種
植　物 ▶1200種

TUS　☎(520)573-8100
Arizona Stage Coach
☎(520)889-1000
料 ダウンタウンまで＄25
Alamo　　☎(520)573-4740
Avis　　 ☎(520)294-1494
Budget　 ☎(520)573-8475
Dollar　 ☎(520)573-4736
Hertz　　☎(520)573-5201
National ☎(520)573-8050

空気中の水分をトゲから吸収し、砂漠の乾燥から身を守っている

長距離バス　Bus

ツーソンのバスディーポ
🏠471 W. Congress St.
☎(520)792-3475
🕐6:15〜翌1:30

グレイハウンドバスがフェニックスから1日7便（約2時間）、エルパソから5便（7時間）走っている。ディーポはダウンタウンの西の外れにある。レンタカー会社はダウンタウンにもたくさんある。

鉄道　Amtrak

ツーソン駅
🏠400 N. Toole Ave.
☎(520)623-4442
🕐日月木　6:15〜21:00
　火・水　13:45〜21:00
　金・土　6:15〜13:30

アムトラックのSunset Limited号（ロスアンゼルス〜ニューオリンズ）が週3便、ツーソンに停車する。ロスアンゼルスから所要9〜10時間、エルパソから約6時間。駅はダウンタウンにある。

レンタカー　Rent-A-Car

ツーソンの観光局
🏠100 S. Church Ave.
Free 1800-638-8350
URL www.visittucson.org
🕐月〜金9:00〜17:00
　土・日9:00〜16:00
ダウンタウンのBroadway角にある

ガソリンは満タンで
園内はもちろん、周辺にもガスステーションはない。ツーソンで入れておこう

ツーソンで借りてサワロウエスト、砂漠博物館、オールドツーソンと3ヵ所を回ると日帰りドライブにちょうどいい。ツーソンからはSpeedway（I-10 Exit 257）を西へ走り、やがてGates Pass Rd.と名前を変えて、丘を越えた途端に待望のサワロとご対面。峠の展望台からは地平線まで続くサワロの林が圧巻だ。Kinney Rd.に突きあたったら右折。砂漠博物館を過ぎてしばらくするとビジターセンターがある。市内から約30分。

サワロイーストへは、BroadwayかSpeedwayを東へ走り、Freeman Rd.を右折。さらにOld Spanish Trailを左折すれば入園ゲートへ出る。市内から約30分。

ツアー　Tour

Tucson Tours
Free 1888-804-9485
URL www.tucsontours.net
所要 約4時間
🕐$87.50、11歳以下$41.25

Tucson Toursがツーソン発着で砂漠博物館を訪れるツアーを催行している。国立公園内には入らないが、途中、地平線まで続くサワロの林を通り、サワロウエストを一望することができる。

🚐Side Trip

オルガン・パイプ・カクタス国定公園
Organ Pipe Cactus National Monument

ツーソンから南西へ約3時間、メキシコ国境に面した公園。ソノラ砂漠が広がるなかに、3〜8mの高さに伸びるパイプオルガンサボテン（大王閣とも呼ぶ）をはじめとして28種のサボテンが見られる。オンシーズンは12〜3月。真夏は40℃を超え、極端に乾燥する。

行き方は、ツーソンからAZ-86を西へ120マイル（途中、キットピーク天文台を通る）。Whyという町でAZ-85へ左折して17マイルでビジターセンターへ出る。ここから西側に一周53マイル、東側に一周21マイルの未舗装路がある。西側は国境沿いなど一部で閉鎖中なので、東側がおすすめだ。園内にはキャンプ場（$12）以外何もないが、メキシコ国境の町Lukevilleにガスステーションなどひととおり揃っている。

MAP 折込1枚目 D-2
☎(520)387-6849　URL www.nps.gov/orpi
ビジターセンター　🕐8:00〜16:30　🚫夏期の祝日、11月第4木曜、12/25　💲1台$8

注意：国境地帯なので検問は厳しい。あやしい人に声をかけられても決して車を停めてはいけない。また、車を盗まれないよう、少しの時間でも車を離れるときにはドアロックを。公園は24時間オープンしているが、武装している不法入国者もいるので夜間の走行は避けよう。

©Masatoshi Koide
パイプオルガンサボテンのほかにもサワロなどさまざまなサボテンが見られる

左／10mを超えるような大きなサワロに生長できるのは、サワロが一生のうちに作る4000万個の種のうち、わずか1個の確率だという　中／霜や雪に遭うと"腕"が脱力してしまうことも。ダメージが軽ければ再び立ち上がることもあるそうだ　右／落雷、干ばつ、低温などで枯れたサワロ。木質の葉脈は先住民が住居などに利用した

GETTING AROUND　歩き方

　イースト、ウエストともにサボテンの林を走り抜ける周遊道路がある。途中の駐車場に車を置いてトレイルを歩いてみるといい。

　なお、ソノラ砂漠はアメリカで最も暑く、乾燥した場所のひとつ。真夏の日中は40℃前後まで気温が上がるので、炎天下での活動は人にも車にもたいへんな負担をかける。もしも夏に訪れるなら、夕方がいい。サワロ林の彼方に沈む夕日を見に行こう。

情報収集　Information

Visitor Center

　イースト、ウエストそれぞれの入口にあり、12〜4月にはレンジャーウオークなどのプログラムも催される。そのほかの施設はないが、大都市ツーソンが近いので不便はないだろう。

シーズン　Seasons and Climate

　ツーソンのピークシーズンは過ごしやすい冬。12〜3月は雨期だが、それが明ける頃、砂漠は一斉にカラフルな花々で彩られる。サワロの花は5月頃に咲く。7〜9月は40℃を超える日もあり、地面はときに60℃を超える。この時期は雷雨にも気を付けよう。

サワロ・イーストの気候データ　日の出・日の入り時刻は年によって多少変動します

月	1	2	3	4	5	6	7	8	9	10	11	12
最高気温（℃）	19	21	24	28	33	38	38	37	35	29	23	19
最低気温（℃）	6	7	9	12	17	22	25	24	22	16	9	6
降水量（mm）	26	24	22	8	5	7	49	57	32	31	17	26
日の出（15 日）	7:24	7:06	6:33	5:55	5:26	5:16	5:27	5:47	6:07	6:26	6:52	7:16
日の入り（15 日）	17:40	18:08	18:31	18:52	19:14	19:31	19:31	19:09	18:31	17:52	17:24	17:19

Wildlife

世界最大のサボテン

　メキシコのカリフォルニア半島に育つカルドンCardonというサボテン（和名は武倫柱）。姿も花もサワロにそっくりだが、サワロはカーネギア属、カルドンはパキセレウス属。根元付近から腕が伸びるのが特徴で高さ15〜20m、重量25トンと、サワロよりはるかに大きい

Visitor Center
☎(520)733-5153
🕐9:00〜17:00
🚫12/25
※サワロのビジターセンターのトイレは、夜間は閉鎖される

そのほかの施設
　一切なし。食事は砂漠博物館で

タルサボテンBarrel Cactus

POINTS of INTEREST おもな見どころ

初級 Valley View Overlook Trail
適期▶10〜5月
距離▶往復1.3km
所要▶30分
出発点▶Bajada Loop Dr.の途中

初級 Desert Ecology Trail
適期▶10〜5月
距離▶一周400m
所要▶15分
出発点▶Cactus Forest Dr.の途中

サワロウエスト Saguaro West （Tucson Mountain District）

サワロの密集度が高い（小さなものまで含めると100万本）ので訪れる人が多い。ビジターセンターを過ぎてしばらくすると、一周6マイルの未舗装路バハダ・ループ・ドライブBajada Loop Driveがある。途中にあるトレイルを歩くと、地平線の彼方まで見渡せる。

サワロイースト Saguaro East （Lincon Mountain District）

標高2000mを超える山脈の裾野に広がっており、麓には約25万本のサワロの林が続くというのに、山の上ではカナダに見られる針葉樹が育ち、冬には冠雪もある。一周8マイルのカクタス・フォレスト・ドライブCactus Forest Driveが敷かれている。

ACCOMMODATION 宿泊施設

園内に宿泊施設はないが、敷地に隣接して数軒のB&Bがある。またツーソンに100軒以上のホテルがあり、予約なしでも宿に困ることはまずない。**オンシーズンは冬**。モーテルは、I-10のExit 256、257、264付近や空港周辺に多い。

キャンプ場は園内にはないが、ウエストの砂漠博物館手前の**Tucson Mountain Park**に130サイト（＄10）がある。

近隣の町に泊まる

広大な敷地にさまざまな施設が点在するヒルトン

🏠 Hilton Tucson El Conquistador

町の北外れにある大型リゾートで、ゴルフとテニスが特に充実している。I-10のExit 248からIna Rd.を東へ走り、Oracle Rd.を左折してしばらく行った右側。室内金庫、ミニバーあり。TVでNHKワールド（英語）が観られる。

数日滞在してリゾートライフを満喫したい

ビジネスセンターのPCは24時間使える。コインランドリーあり。428室。

🏠 10000 N. Oracle Rd, Tucson, AZ 85704
☎ (520)544-5000
Free 1800-4445-8667 （日本からも無料）
日本 無料 0120-489-852
URL www.hilton.com
on ＄177〜319 off ＄83〜214
カード A D J M V

ツーソン		Tucson, AZ 85743　約100軒	
モーテル名	住所・電話番号など	料　金	カード・そのほか
Casa Tierra Adobe B&B Inn	🏠 11155 W. Calle Pima ☎ (520)578-3058 FAX 1866-254-0006 URL www.casatierratucson.com	on ＄195〜285 off ＄150〜235	A M V　砂漠博物館そばの美しい建物。4室。フルブレックファスト付き。2泊から
Crikckethead Inn B & B	🏠 9480 Picture Rocks Rd. ☎ (520)682-7126　FAX (520)682-7126 URL www.cricketheadinn.com	on off ＄85	M V　公園の北西に隣接。3室。2泊から。メモリアルデイ〜レイバーデイは休業
Hyatt Place Tucson Airport	🏠 6885 S. Tucson Blvd. ☎ (520)295-0405　Free 1800-993-4751　日本 無料 0120-512-343 URL www.hyatt.com	on off ＄104〜119	A D J M V　空港そば。送迎無料。ホスピタリティに定評がある。朝食込み。Wi-Fi無料。ゲスト用PCあり。全館禁煙

Wildlife

ユーモラスな巨人

受粉を助けているハジロバトWhite-winged Dove

サワロSaguaro（ワにアクセントを置いてサワーロと発音する）の和名はベンケイチュウ。仁王立ちになった弁慶を想像させる名前だ。ソノラ砂漠のみに自生し、高さ5〜15m、重さ10トンにもなる。茎には無数のヒダが走っているが、ここがポイント。雨が降るとヒダが膨らみ、内側にあるスポンジ状の部分に大量の水分を吸い込む。一度に760リットルの水を吸い上げ、たった1回の雨で1年分の水分を蓄えてしまうという。5月頃になると先端に白い花を咲かせ、実や種は人間にも動物たちにも貴重な食料になる。

サワロの生長は極めて遅い。芽を出してから30年経ってようやく花が咲き、50〜75年で"腕"が伸び始める。寿命は200年といわれている。

サワロとともに生きる動物たち

サワロばかりに目を奪われがちだが、足元にも注目。ウチワサボテンをはじめとして、ソノラ砂漠には150種類のサボテンが自生している。

サワロの幹に穴を空けて住んでいるのはキツツキ。穴の中は昼間涼しく夜は温かい、断熱効果に優れた家だ。キツツキは毎年新しい穴を作るので、使わなくなった古い穴はチョウゲンボウ（小型のタカ）やフクロウなど、数多くの鳥が利用する。

鳥の中でちょっと変わり者なのがオオミチバ

シリGreater Roadrunner。飛ぶのは苦手だが、逃げるときには地上を時速30kmで突っ走る。白と茶のまだら模様で、頭頂部の毛が逆立っている。

砂漠では夜行性の動物が圧倒的に多いので、昼間最もよく見かけるのはトカゲ。世界的にも珍しい、毒を持ったトカゲGila Monster（ヒーラモンスターと発音する。体長30〜50cm）もいるので足元には気を付けて。もちろんサソリやヘビもいる。なかにはガラガラヘビを食べてしまうというすさまじいヘビもいるそうだ。

夜になるとネズミやウサギ、コウモリ、サバクガメなどが活動を始める。小動物を狙ってコヨーテもやってくるし、イノシシによく似たクビワペッカリーJavelina（ハバリーナと読む）も多い。サワロの生える砂漠は、命にあふれる土地なのだ。

サワロイースト。ウエストに比べるとサワロの数は少なめだが、起伏が多く、景色が変化に富んでいる

夕日を見るならサワロウエストがいい

431

ツーソン近郊の見どころ

砂漠博物館
Arizona-Sonora Desert Museum

　サワロウエストに隣接して建つ屋外博物館、というより動物園＆植物園。ピューマ、ボブキャット、サボテンフクロウ、ハミングバードなど、砂漠に生きる動物300種と植物1200種が集められている。公園の野生動物は日中はなかなか姿を見せてくれないので、ここでじっくりと観察しよう。

MAP P.426　☎(520)883-2702
URL www.desertmuseum.org
圏8:30〜17:00。3〜9月7:30〜。6〜8月は日〜金7:30〜17:00、土〜22:00、月曜休業
料$12（9〜5月$14.50）、6〜12歳$4（$5）

上／園内は広く、日陰が少ない。夏の日中はあまりにも暑い
下／野生では滅多に目にする機会がないピューマ（マウンテンライオン）も、間近でじっくりと観察できる

夜の観察会は人気があるので予約は1ヵ月ほど前に

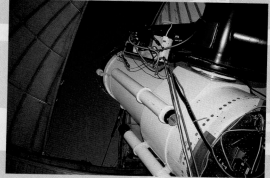

オールドツーソン　Old Tucson

　コロンビア映画社が映画撮影のために、1860年代のツーソンを再現した屋外セット。300本以上の映画やTVドラマの撮影が行われた。今にもワイアット・アープが現れそうな街角で、ガンファイトなどのアクションショーやレビューが連日行われている。場所は、ツーソンからサワロウエストへ向かうGates Pass Rd.がKinney Rd.に突きあたったところを左折してすぐ。

☎(520)883-0100　**URL** oldtucson.com
圏10:00〜16:00　圀夏期の水・木。撮影のため不定期に休園あり
料$16.95、4〜11歳$10.95

ショーの時間まであちこち見て回ろう

キットピーク国立天文台
Kitt Peak National Observatory

　ツーソンから南西へ56マイル。標高2096mのキットピーク山頂にある世界でも最大規模の天文台。口径381cm反射望遠鏡をはじめとして光学望遠鏡22基、電波望遠鏡2基、世界最大の太陽望遠鏡もある。特定の大学に属さず、観測時間の半分以上を世界の研究者に開放している。ビジターセンター（9:00〜16:00）があり、日中も見学することができるが、おすすめは夜の星空観察会（要予約）。軽食を取りながら日没を見た後、口径51cm望遠鏡をのぞかせてもらえる。開始時間は日によって異なるので予約時に確認を。夏至の頃だとツーソンに戻るのは24時過ぎになる。天気の悪い日には映像などを使ったプログラムに変更される。暖房はないので暖かい格好で。

　行き方は、I-19 Exit 99からAjo Wayをひたすら西へ。標識に従って山道を12マイル上る。ツーソン市内から1時間30分は見ておこう。8歳以下の子供には不向きとのこと。
☎(520)318-8726
URL www.noao.edu
料$42。軽食込み
圀11月第4木曜、12/25、1/1

Side Trip
チリカワ国定公園　Chiricahua National Monument

舗装道路の終点、マサイポイント

　ツーソンから東へ2時間。地平線まで広がる砂漠地帯のど真ん中に、緑濃い小さな山並みがある。「砂漠の海に浮かぶ島」と呼ばれるこの場所で、2700万年前、セントヘレンズ山の1000倍の規模の火山爆発が起きた。その際にできた火山岩（流紋岩rhyolite）が風と昼夜の温度差によって浸食され、奇怪な尖塔の群像が生まれた。グランドサークルには奇岩なんて飽きるほどあるけれど、岩の墓場のような不気味な表情は、ほかのどの公園でも見られない独特のものだ。ツーソンほどの都会から気軽に日帰りできるにもかかわらず、訪れる人は非常に少ない。静けさに支配された谷に風が吹き抜けると、無数の亡霊たちの囁きが響く。近寄りがたいと感じるのも無理はない。

　ここはまた、4つの生態系の交差点といわれる特殊な位置にあり、動植物の多様性、特に渡り鳥の多さでは全米屈指。山の東側（公園ゲートから南へ延びる未舗装路を約1時間）には、ハチドリ観察のメッカとして有名なPortalの町もある。

　行き方は、ツーソンからI-10を東へ80マイル走り、WillcoxでAZ-186へ下りて35マイル。園内では、片道8マイルの道路沿いにも奇岩が迫っているので、終点のマサイポイントMassai Pointまで往復してくるだけでも楽しめるが、できれば30分だけでもトレイルを歩いてみるといい。おすすめはEcho Canyon Trail（一周5.5km。約2時間）。時間があるならHeart of Rocks（往復12km。約4時間。標高差186m）もすばらしい。いずれも標高が2000m以上あるのでツーソンよりずっと気温が低く、冬には積雪もある。

　園内の施設はビジターセンターとキャンプ場

地名度は低いが奇岩の宝庫だ

（$12）だけ。Willcoxにモーテル（10軒）、ガスステーション、レストランが揃っている。

MAP 折込1枚目 D-3
URL www.nps.gov/chir
ビジターセンター
開 8:00〜16:30　休 11月第4木曜、12/25
☎ (520)824-3560　料 （1台ではなく）1人$5

カールスバッド洞穴群国立公園

ニューメキシコ州／**MAP** 折込1枚目 D-4

世界に洞窟は数あれど、鍾乳石の造形の繊細さ、荘厳さで他を圧倒している

今からおよそ2億年前、海底に堆積した珊瑚礁（石灰層）が数百万年前に隆起し、雨水に浸食されて巨大な鍾乳洞が造られた。グアダルーペ山脈の東斜面、標高1343mのところにぽっかりと口をあけたカールスバッドは、世界でも最大級の鍾乳洞群。なかには地下489mと全米最深、長さ217kmで世界第7位（いずれも2013年1月現在）のレチュギアケイブLechuguilla Caveもあり、まだ調査は続行中。灌木ばかりの荒野の地下に、こんな巨大な鍾乳洞が100以上も広がっているなんて、実に驚異的！

しかしカールスバッドの魅力は、全体の大きさよりもむしろ鍾乳石の多彩な造形美にある。その規模と繊細な美しさに我々は言葉を失うばかりだ。

驚きはそれだけではない。夕暮れが訪れる頃、洞穴に住むコウモリたちがエサを求めて一斉に飛び立つ。その数約40万！　圧倒的な迫力の前に我々は再びぼう然とする。辺ぴな場所にあるが、絶対に訪れたい公園だ。

Carlsbad Caverns National Park

New Mexico

ACCESS　　行き方

　ゲートシティはテキサス州**エルパソEl Paso**。ここでレンタカーを借り、ホワイトサンズ国定公園（→P.444）と合わせて回ることをすすめる。カールスバッドだけならエルパソから日帰りできないこともないが、かなりキツイ。特にコウモリの飛翔を見るなら、公園周辺で1泊したい。

　なお、公園ゲートに隣接して**ホワイツシティWhites City**という小さな町があり、エルパソから長距離バスが走っているが、そこから洞窟入口までの交通手段はなく、タクシーを呼ぶのも難しい。

飛行機　　Airlines

El Paso International Airport (ELP)

　1日100便以上が離発着する大きな空港。ユナイテッド航空がデンバーから1日3便（所要2時間弱）、アメリカン航空がダラスから10便（2時間弱）、シカゴから2便（3時間強）のフライトをもっている。空港内にはレンタカー各社のオフィスが揃っている。

長距離バス　　Bus

　グレイハウンドが各方面から走っている。ロスアンゼルスから1日6便、所要15〜17時間。ツーソンから1日4便、6〜7時間。

鉄道　　Amtrak

　大陸を横断するアムトラックのSunset Limited号（ロスアンゼルス〜ニューオリンズ）が週3便、エルパソに停車する。ロスアンゼルスから所要約17時間、ツーソンから約6時間。

DATA

時間帯▶山岳部標準時 MST
☎(575)785-2232
URL www.nps.gov/cave
圏夜間閉鎖　休12/25
適期年中
料1人$6（3日間有効）
国定公園指定▶1923年
国立公園指定▶1930年
世界遺産登録▶1995年
面積▶189km²
入園者数▶約37万人
園内最高地点▶1987m
園内最低地点▶地下489m
哺乳類▶67種
鳥　類▶357種
両生類&爬虫類▶55種
植　物▶約900種

ELP	☎(915)780-4749
Alamo	☎(915)778-9417
Avis	☎(915)779-2700
Budget	☎(915)779-2532
Dollar	☎(915)778-5445
Hertz	☎(915)775-6960
National	☎(915)778-9417

エルパソのバスディーポ
住200 W. San Antonio St.
☎(915)532-5095
開24時間

エルパソ駅
住700 San Francisco St.
☎(915)545-2247
開9:15〜16:30

🚐Side Trip

グアダルーペマウンテンズ国立公園
Guadalupe Mountains National Park

　エルパソからカールスバッドへ向かうUS-62/180沿いの、州境のすぐ手前にある。二畳紀の珊瑚礁が露出しているなど地質学的な希少さで世界的に知られるが、一般の観光客にはマイナーな存在。それでは寄り道する価値がないかというと、決してそんなことはない。おすすめはMcKittrick Canyon Trail（往復約1時間。ビジターセンターから東へ7マイルにあり、16:30（4〜10月は18:00）にゲートが閉まる。しばらく歩くと、それまでの荒野がウソのように突然ずみずしい渓谷が現れる。カエデが紅葉する10月下旬は特にすばらしいという。MAP折込1枚目 DE-4　料1人$5

©Masatoshi Koide
エルパソへ戻る途中で立ち寄ってみたい

最寄りのAAA

路上救援

[Free] 1800-222-4357
El Paso
🏢 5867 N. Mesa St.
☎ (915)778-9521
🕐 月～金9:00～18:00
　　土　　9:00～13:00

パスポートをお忘れなく

　メキシコに近いこのあたりでは検問が多く、パスポートと帰りの航空券を持っていないと面倒に巻き込まれることがある。

　なお、エルパソから国境を越えてメキシコへ入るならツーリストカードの取得が必要。レンタカーの保険は効かないので、歩いて訪れよう（ダウンタウンから15分）。リオグランデ川の向こうはファレスJuarezの町。ギフトショップが建ち並ぶ観光地だが、ここ数年、麻薬がらみの殺人事件が多発している。人通りの少ない場所を避け、明るいうちにアメリカへ戻ろう

⚠️注意！

　洞内では必ず定められたトレイルを歩き、決して鍾乳石に手を触れてはいけない。ちょっと触っただけで、手の脂や汚れで何万年も続いてきた成長がいっぺんに止まってしまう！　ガムなども禁止。もちろん禁煙だ

Visitor Center

☎ (505)785-2232
🕐 8:00～17:00。5月下旬～9月上旬は～19:00
🚫 12/25

そのほかの施設

　ビジターセンターにレストランとストアがある。営業時間はビジターセンターと同じ。また地下230mにランチ ルーム Underground Rest Area（ランチタイムのみ営業。ここ以外、地下では飲食禁止）とトイレがある

真夏でも地下は寒い！

　洞内の気温は年間を通して約13℃。上着を持っていこう。見学ルートは舗装されているが、滑りやすいのでサンダルなどはあぶない

レンタカー　　　　　　Rent-A-Car

　エルパソ空港からUS-62/180を東へ。州境を越えてしばらく走るとホワイツシティだ。エルパソから145マイル（232km）、所要約3時間。ここを左折すればすぐに公園ゲート。サボテンだらけの山道を7マイル（約11km）でビジターセンターに到着する。

あたりに生息しているクビワトカゲ

　なお、カールスバッドからエルパソへ帰る際、途中にガスステーションはほとんどないので注意。公園ゲートのすぐ外側にあるホワイツシティのガスステーションで忘れずに満タンにしておこう。もしもこのガスステーションが営業していなかったら、30分ほど東のCarlsbadの町まで行くしかない。

GETTING AROUND　　歩き方

　ここではとにかく鍾乳洞を歩こう。洞内には2つの見学ルートと6つのレンジャー引率ツアーがあるので、各自の都合に合わせて選択するとよい。ツアーに参加するならあらかじめ予約しておきたい。特に夏期は数日前までにほとんど売り切れてしまう。

　またコウモリがいる季節（4～10月頃）には、夕暮れどきのコウモリの飛翔は見逃せない。鍾乳洞が閉まってから日没まで時間があるので、ホワイツシティで食事をしてから再び訪れるといい。

　なお、オフシーズンは閉園時間が驚くほど早い。朝早くから計画的に見学しないと回りきれないだろう。

情報収集　　　　　　Information

Visitor Center

ビジターセンターに着いたら、まずは駐車場で深呼吸。チワワ砂漠特有の植物が作る不思議な風景と、丸い地平線が見事だ。

　館内では、鍾乳洞やコウモリに関する展示のほか、コウモ

昼頃は混雑するので早めに行こう

リの飛翔についての短いフィルム上映も行っている。早速チケット売り場でツアーを申し込み、地底の世界に出発しよう。

シーズン　　　　Seasons and Climate

　洞内の気温は年間を通して約13℃。地上の真夏の最高気温は35℃、真冬の最低気温は0℃前後だ。6～9月上旬は混雑し、キングス・パレス・ツアーやスローターキャニオン・ケイブ・ツアーの予約は取りにくくなる。また、公園の目玉のひとつであるコウモリの飛翔は例年4月中旬～10月中旬で、ピークは8月。このあたりを考えて計画を立てたい。

軽食を取ることができる地下のランチルーム。地底での食事を体験してみよう

そのほかの地域

カールスバッド洞穴群国立公園（ニューメキシコ州）

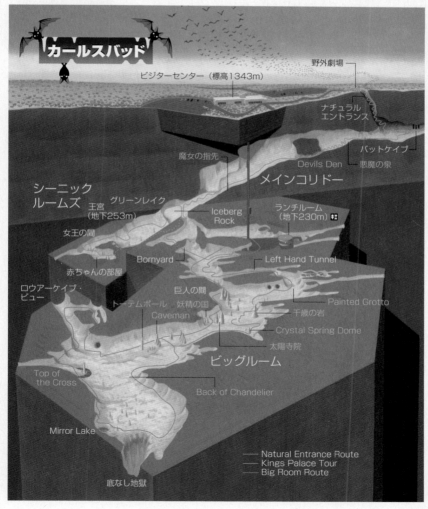

カールスバッド

野外劇場

ビジターセンター（標高1343m）

ナチュラル
エントランス

魔女の指先

バットケイブ

Devils Den

悪魔の泉

メインコリドー

シーニック
ルームズ

王宮
（地下253m）

グリーンレイク

Iceberg
Rock

ランチルーム
（地下230m）

女王の間

Bornyard

Left Hand Tunnel

赤ちゃんの部屋

ロウアーケイブ・
ビュー

巨人の間

トーテムポール
Caveman

妖精の国

Painted Grotto

千歳の岩

Crystal Spring Dome

太陽寺院

ビッグルーム

Top of
the Cross

Back of Chandelier

Mirror Lake

底なし地獄

Natural Entrance Route
Kings Palace Tour
Big Room Route

437

初級 Natural Entrance Route
適期▶年中
距離▶片道2km
標高差▶約229m
所要▶地下のランチルームまで下り約1時間
営8:30～14:00。5月下旬～9月上旬は8:30～15:30
料入園料のみ
設ビジターセンター

コウモリのフンで生き生き！
20世紀初め、バットケイブではグアノの採取が行われていた。グアノとはコウモリのフンが堆積したもので、化粧品や有機肥料になる。野菜やハーブに与えると自己免疫力を回復させるそうだ

初級 Big Room Route
適期▶年中
距離▶一周1.6km
標高差▶ほとんどない
所要▶一周1～2時間
営8:30～15:30。5月下旬～9月上旬は8:30～17:00
料入園料のみ
設地下のランチルーム
※車イスでもOK
設トイレ

地獄の底には何がある？
毎年1回、レンジャーが「底なし地獄」の底へ下りる。観光客が投げ捨てたゴミを拾うためだ

メインコリドー　Main Corridor

地表の穴と地底とをつなぐ細長い鍾乳洞。スイッチバックの急な下りが続く**ナチュラル・エントランス・ルート**というトレイルで見学する。ビジターセンターに向かって右端の出口から地上を約300m歩き、レンジャーから注意事項の説明を受けたら、あとは各自のペースで歩けばよい。

ぽっかりと開いた自然の入口から暗いほら穴を下って行くと、昼間コウモリたちが眠っているバットケイブBat Caveがある。さらに悪魔の泉Devil's Spring、クジラの口Whale's Mouth、魔女の指先Witch's Fingerなどと名付けられた鍾乳石を見ながら、83階建てのビルと同じほどの高度を一気に下りてゆく。

気がつけばそこは、すでに地上の光が届かない神秘の世界。終点は地下230mのランチルームだ。ひと休みしたら、さらにビッグルームを巡ったり、キングスパレス・ツアーに参加したりして存分に楽しもう。帰りはエレベーターがあっという間に現実の世界へと連れ戻してくれる。

メインコリドーの「悪魔の泉」

ビッグルーム　Big Room

天井の高さは80m前後、フットボール場が6面入るという巨大な部屋。ひとつの地下空間としては全米最大、世界でも最大級といわれる。前述のメインコリドーを歩いて下りてもいいし、ビジターセンターからエレベーターで一気に地下230mまで下りて、ビッグルームだけを見学することもできる。

ただの巨大な空間ではない。大小さまざまの鍾乳石が多彩な表情を見せている。太陽寺院Temple of the Sun、巨人の間Hall of Giants、千歳の岩Rock of Ages、妖精の国Fairyland、トーテムポールTotem Pole、人形劇場Doll's Theaterなど特徴ある自然の芸術が次々と現れる。底なし地獄Bottomless Pitやロウアーケイブ・ビューLower Cave Viewからは、さらに奥へと続く真っ暗な洞穴をのぞくことができる。

ビッグルームの「巨人の間」

とにかく広い！　じっくりと見学していたら、ビッグルームだけで半日かかる

ツアーの途中、数ヵ所でレンジャーが解説してくれる

洞窟ランキング（2013年1月）
世界最深…… 地下2191m
グルジア Voronja Cave
全米最深 1102m（溶岩洞）
ハワイ州 Kazumura Cave
鍾乳洞で全米最深… 489m
レチュギアケイブ
世界最長
①628km ケンタッキー州
Mammoth Cave
②264km サウスダコタ州
Jewel Cave（→P.421）
③242km メキシコ
Sistema Ox Bel Ha
④236km ウクライナ
Optymistychna
⑤224km サウスダコタ州
Wind Cave（→P.421）
⑥220km メキシコ
Sistema Sac Actun
⑦217kmレチュギアケイブ
日本最長
①23.7km 岩手県 安家洞
②10.4km 鹿児島県
大山水鏡洞

シーニックルームズ　Scenic Rooms

　キングスパレス・ツアーに参加しなければ見学できない。美しさという点では世界有数で、まばゆいばかりの、そして繊細な鍾乳石群が集中したエリアなので、ぜひ参加しよう。空いている時期ならビジターセンターに到着してすぐに申し込めばいいが、ピークシーズンは数日前から売り切れてしまうことも。事前に電話かインターネットで予約しておくといい。

　各自エレベーターまたは徒歩（ナチュラル・エントランス・ルート）で下り、地下のランチルームから出発。無数の鍾乳石が垂れ下がる部屋にひっそりと水をたたえる**グリーンレイクルームGreen Lake Room**、流れ落ちる石灰華がベビーベッドに掛けたレースのような**赤ちゃんの部屋Papoose Room**、ベーコンと呼ばれる光を通すカーテン状鍾乳石が見事な**女王の間Queen's Chamber**などがある。ツアーのハイライトは**王宮King's Palace**だ。意匠を凝らした調度品のイメージと相まって、まさに王宮の名にふさわしい空間を現出している。このあたりが一般客の行けるトレイルのなかでは一番深く、地表から253mある。

　なお、巨大な鍾乳石群の中では見逃してしまいそうなほど小さな石だが、実は訪問者に最も人気があるのは内気なゾウBashful Elephant。はにかんで向こうを向いてしまったシャイな象サンのお尻がたまらない！　また直径数ミリから数センチの粒状の鍾乳石が密集してつき、ミモザの花のようになったポップコーンにも注目。石筍の半面だけにポップコーンができているものもあるが、これは洞窟内に吹き抜けるわずかな風が造り出したものと考えられている。これによって洞穴内の風の流れを知ることができ、未知の洞窟の位置を推測できるそうだ。

Ranger Kings Palace Tour
距離 一周1.6km
所要 1時間30分
時間 10:00 & 13:00。5月下旬～9月上旬は10:00、11:00、12:00、14:00、15:00
料金 $8、6～15歳 $4
※参加は4歳以上のみ
集合 地下のランチルーム
Free 1877-444-6777
URL www.recreation.gov

Reader's Voice 地下の闇を体感！
ガイドツアーは有料となるが、参加をおすすめします。ツアーの途中で照明を消して、漆黒の闇を体験させてくれます。
（兵庫県 山辺聖己 '11）['13]

GEOLOGY
レチュギアケイブ
　公園北部にあるレチュギアケイブは長さ世界第7位＆全米最深というだけでなく、鍾乳石のすばらしさでも注目されていて、現在も調査が進められている（一般非公開）。ところが、洞窟は公園敷地外にも広がっており、そこではガス田や油田の開発が計画されている。試掘だけでも大きなダメージを受けるのではと心配されているが、驚いたことにそこは土地管理局の国有地。つまり保護か開発かは国政次第ということだ

カールスバッド洞穴群国立公園（ニューメキシコ州）
そのほかの地域
Other Area

王宮の名にふさわしい壮麗な宮殿だ

ウォルナットキャニオン・デザートドライブ
Walnut Canyon Desert Drive

Walnut Canyon
圏8:00～16:30（夏期～18:30）

　鍾乳洞見学の後、おそらくコウモリの飛翔まで時間があるだろう。ぜひ一方通行のドライブルートを走って、地上の自然も観察しよう。ビジターセンターから町へ向かうとすぐ左手に入口がある。未舗装だが普通車でも大丈夫。乾燥地帯特有の植物を見ながらゆっくり走って40分～1時間でパークロードへ出る。

リュウゼツランの仲間、ダリリシオンCommon Sotolが一面に生えている

チョーヤサボテン
Tree Cholla

コウモリの飛翔　The Bat Flight

　カールスバッド国立公園のコウモリたちは、6月にここで繁殖し、霜が降りる冬は寒さを避けてメキシコへと移動していく。彼らが公園にとどまる5月下旬～10月下旬（年によって異なる）には、毎夕刻、驚異のショーが繰り広げられる。

撮影厳禁！
　コウモリに悪影響を与えるため、フラッシュ使用の有無にかかわらず撮影は一切禁止された。カメラ、ムービー、携帯電話、携帯カメラも禁止

コウモリの感染症
　カナダ東部とアメリカ中西部より東側では現在、白鼻症候群という感染症によってコウモリが大量死している。オクラホマより東でコウモリ生息地や洞窟へ入ったことがある人は、そのときに身に着けていた服や靴でカールスバッドを訪れるのは避けよう

Wildlife
セスジツバメ
　まだ明るいうちから洞窟の入口を旋回しているのは、コウモリではなくてセスジツバメCave Swallow。ここには約1万羽のセスジツバメが生息していて、全米最大の群れといわれている。例年2月～10月下旬頃に見られる

©NPS

ナチュラルエントランスの前にある野外劇場で「出勤」を見守る

メインコリドーにあるバットケイブで昼を過ごした彼らは、太陽が沈む頃にエサを求めて一斉に洞穴から飛び立つ。その数は、子供たちも飛ぶ8月頃になると、なんと40万匹。らせん状に隊列を組み、後から後から湧くように飛び出してきて、東の空へと黒い帯を描いてゆく。それが30分から数時間も続く。まさに、想像を絶する大自然の驚異だ。ときにはタカやフクロウがコウモリを襲う光景を目にすることもある。

それにしても40万匹とはすごい数だが、実は1930年代まで、コウモリは870万匹もいたのだという。越冬地メキシコで農薬の被害を受け、数がここまで減ってしまったのだ。

日没30分～1時間前くらいから、洞窟前の野外劇場でレンジャーによる解説が行われ、コウモリの飛翔を待つ。彼らの"出勤"が始まる時刻は日によってかなり幅があるが、日没15分前くらいが多いようだ。スケジュールはビジターセンターでチェックしよう。帰りは足元も真っ暗なので、懐中電灯を持って行くと便利。

Wildlife
コウモリの帰還
早朝、四方八方から洞穴めがけて時速40kmで突っ込んでくるコウモリを見るのもおもしろい。2013年は7/20の土曜5:00に観察会が予定されている。詳しくはビジターセンターで

カールスバッド洞穴群国立公園（ニューメキシコ州）

Wildlife

コウモリについての誤解

哺乳類で唯一飛ぶ能力を持つコウモリ（モモンガなどはグライダーのように滑空するだけで、自力で飛ぶことはできない）は、その特異な能力、大きな耳に鋭い歯という悪役顔などからダーティーなイメージがある動物だ。そのため、コウモリについて誤った説が信じられていることも多い。
●コウモリは農作物を食べる？
果実を食べるコウモリもいるが、多くは虫を主食としている。蚊などの害虫を食べてくれるのだ。
●コウモリは人間の血を吸う？
吸血コウモリもいるが、少なくともカールスバッドのコウモリは人間の血は吸わない。
●コウモリは目が見えない？
人間でもずっと暗いところにいて、急に明るい場所に出ると、目がすぐには順応できずに一時的に視力が落ちる。コウモリも同じで、太陽光に目がくらんでしまうのだそうだ。
●コウモリは逆さになったまま出産する？
これは正しい。暗闇の中で天井にしっかりとつかまったままお産をする。出産は毎年6月で、子供は1匹。子供も、生まれるとすぐ天井か母親にしがみついて逆さになる。この状態で約1ヵ月間、お乳を飲んだり居眠りをして過ごす。そ

う、コウモリはれっきとした哺乳動物なのだ。8月になると子供たちも親と一緒に狩りに出かけて虫を捕まえ、秋にはメキシコへ旅立っていく。

メキシコオヒキコウモリ
カールスバッドには17種類のコウモリが生息しているが、ほとんどはメキシコ（ブラジル）オヒキコウモリMexican Free-tailed Batだ。体長4.5～12cm、前腕を広げた長さ3～6.5cm、体重わずか7～64gと、とても小さい。

狂犬病とコウモリ
カールスバッドに限らず、アメリカ滞在中に万一コウモリがぶつかってきたら要注意！ 普通は人間を避けるはずのコウモリが自ら人間に向かってくるときには、狂犬病Rabiesを発症しているおそれがある。咬まれていないかどうかよく確かめてみよう。コウモリの口はとても小さいが、蚊に食われたような傷でも即刻、傷口を石けんと水でていねいに洗い、必ずその日のうちに狂犬病ワクチンを打ってもらうこと（詳しくは→P.494）。
カールスバッドのコウモリは1%程度が狂犬病ウイルス陽性だが、幸い発症しても攻撃的にはならず、ただ弱って死んでしまうケースがほとんどとのこと。うずくまっているコウモリや死骸を見つけても手を触れず、レンジャーに報告を。「そんなオーバーな」と思うなかれ。アメリカでは毎年大勢の人がコウモリから狂犬病に感染していて、その多くが直後の洗浄とワクチンによって命拾いしている。発症したら最後、100%死にいたるということを忘れずに。

©NPS

お出かけ時刻はコウモリたちの気分次第

ACTIVITIES　アクティビティ

洞窟探検　　　　　　　　　　　　　　　　　　　Caving

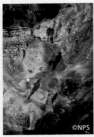

ツアーの予約先
Free 1877-444-6777
URL www.recreation.gov
休 12/25
※夏期は数週間前までにいっぱいになってしまう

参加の際の注意
　スローター・キャニオン・ケイブ以外はビジターセンターから出発する。
　これらのツアーに参加するときには、くれぐれも歩きやすい靴を。懐中電灯と軍手は各自持参。飲料水も忘れずに。膝を守るニーパッドもあるといい。また、コースによっては服が汚れる可能性があるので、それなりの覚悟と準備を。
　カメラは持ち込めるが、バックパック禁止のツアーが多く、三脚はすべて不可

こんな狭い箇所もあって探検気分を満喫できる

　メインの鍾乳洞に敷かれた舗装されたトレイルではなく、さらに奥に広がる整備されていない洞穴をレンジャーと一緒に探検してみよう。ヘッドランプ付きのヘルメットをかぶり、懐中電灯を持ってワイルドに出発だ！

レフト・ハンド・トンネル　Left Hand Tunnel
　ロウソクのランタンだけを頼りに進む。コースとしてはやさしく、初期の探検者の気分が味わえる。

ロウアーケイブ　Lower Cave
　かつての探検者が残した痕跡を見ることができる。多彩な鍾乳石群も見もの。途中ロープを伝って下る部分がある。ヘッドランプを借りるので、単3乾電池（AA）を4本持参のこと。

ホール・オブ・ザ・ホワイト・ジャイアント
Hall of the White Giant
　ハードでワイルドなコース。四つん這いになって進んだり、岩をよじ登ったり、狭い狭い岩の間を通り抜けたり……、と冒険を求めるなら最高だ。単3乾電池（AA）を4本持参のこと。

ロープで下る箇所がある
ロウアーケイブ

スパイダーケイブ　Spider Cave
　洞穴愛好家にとってはパラダイス！　ビジターセンターから洞穴入口までは約800m。ここからは這って進んだり、岩をよじ登ったり。見られる鍾乳石群は多彩で、ベテランの愛好家でも楽しめる、と公園当局も太鼓判。単3乾電池（AA）を4本持参のこと。

ツアー名	催行日	集合時間	所要時間	料金（子供半額）	定員	年齢制限
Left Hand Tunnel	毎日	9:00	2時間	$7	15	6歳〜
Lower Cave	月〜金	13:00	3時間	$20	12	12歳〜
Hall of the White Giant	土	13:00	4時間	$20	8	12歳〜
Spider Cave	日	13:00	4時間	$20	8	12歳〜
Slaughter Canyon Cave	3〜12月の土・日	8:30	5時間30分	$15	25	8歳〜

©NPS

ヘルメットとヘッドランプは貸してくれるが、電池は忘れずに

スローター・キャニオン・ケイブ　Slaughter Canyon Cave

　最もワイルドなツアー。1930年代後半に発見された洞穴で、クリスマスツリーChristmas Tree、万里の長城China Wallといった見どころがある。このツアーのみ、出発点がビジターセンターではないので注意。ホワイツシティからUS-62/180をエルパソ方面に約5マイル。「Slaughter Canyon Cave」の標識に従って右折し、未舗装路を11マイル。駐車場からさらに約30〜45分ほど山を登って入口にいたる。集合時間の15分前までに入口に着くようにしたい。大きめの懐中電灯（マグライトなど頑丈なもので、D-Cellと表示のあるもの）と予備の電池を持参すること。

Reader's Voice

スローター・キャニオン・ケイブはおすすめ！
Slaughter Canyon Cave
は圧巻だ。注意点は、
（1）事前予約が必須。夏は早くに埋まってしまう
（2）集合場所がわかりにくく、駐車場から洞窟入口まで45分ほどかけて山道を登る
（3）駐車場、集合場所とも売店は一切なし（駐車場にはトイレのみ）。水は事前に購入しておくこと
（4）単2、単1の大きさの懐中電灯が必須。ビジターセンターで購入も可能
（5）ほかのツアーにも参加する方は、このツアーは後にしよう。先に体験してしまうと、ほかのコースの興奮が半減してしまうかも。
（アメリカ在住　澤野友和 '10）
['13]

ACCOMMODATION 🏠　宿泊施設

　園内には宿泊施設もキャンプ場もないが、ゲートに隣接するホワイツシティにモーテルとRVパークがある。またカールスバッドの町にもモーテルは多い。

カールスバッドの町には20軒ほどのモーテルがある。なかでも評判がいいBest Western Stevens Inn

ホワイツシティ　Whites City, NM 88268　公園ゲートに隣接　2軒

モーテル名	住所・電話番号など	料金	カード・そのほか
Rodeway Inn	🏠6 Carlsbad Caverns Hwy. ☎(575)785-2296 Free 1877-424-6423 FAX(575)785-2283 URL www.rodewayinn.com	on off $89〜94	ADJMV　レストランあり。Wi-Fi無料。RVパーク（$39〜49）あり。必ずしも評判がいいわけではないので、見てから決めることをすすめる

カールスバッド　Carlsbad, NM 88220　公園ゲートまで25マイル　約20軒

モーテル名	住所・電話番号など	料金	カード・そのほか
Best Western Stevens Inn	🏠1829 S. Canal St. ☎(575)887-2851　FAX(575)887-6338 Free 1800-730-2851 日本無料 0120-56-3200 URL www.bestwestern.com	on off $132	ADMV　US-62/180沿い。US-285のジャンクションを過ぎてすぐ左側にある大型モーテル。フルブレックファスト付き。コインランドリーあり。Wi-Fi無料
Holiday Inn Express	🏠2210 W. Pierce　☎(575)234-1252 FAX(575)234-1253　Free 1800-465-4329 日本無料 0120-455-655 URL www.hiexpress.com	on off $163〜190	ADJMV 町の北寄り。US-285沿い。朝食込み。コインランドリーあり。全館禁煙。Wi-Fi無料
Super 8	🏠3817 National Parks Hwy. ☎(575)887-8888　FAX(575)885-0126 Free 1800-454-3213 URL www.super8.com	on off $90〜95	ADMV　US-62/180沿い。US-285のジャンクションの手前。朝食付き。Wi-Fi無料

ホワイトサンズ国定公園

ニューメキシコ州／ MAP 折込1枚目 D-3

砂丘のトレイルへ足を踏み入れて、白一色の世界に染まろう

　　　　ニューメキシコ州南部の乾燥地帯、山並みに囲まれた谷に、琵琶湖よりひと回り大きく、雪原のように白い砂丘が唐突に現れる。雲の動きに連れて光と影が走り、気まぐれな紋様を描く。この幻想のような純白の世界は、世界最大の石膏砂丘。そう、まぶしいほどの白さの正体は、医療用ギプスにも使われる、あの石膏の粉なのだ。
　　　　合衆国政府は、2019年までにユネスコの世界遺産に登録することを目指し、ここを世界遺産暫定リストに加えた。

道路も駐車場も真っ白！

White Sands National Monument

New Mexico

ACCESS　　　行 き 方

　テキサス州西端にある**エルパソEl Paso**（→P.435）がゲートシティになる。エルパソはメキシコと国境を接した町で見どころも多く、レンタカーを借りるにも便利。カールスバッド洞穴群国立公園（→P.434）と一緒に2日かけてドライブするのがおすすめだ。

　ホワイトサンズだけを訪れるなら、最寄りの町は公園ゲートから北東へ16マイル（25.6km）のニューメキシコ州**アラモゴードAlamogordo**。核兵器製造と密接にかかわってきた歴史を持ち、現在でも基地の町。グレイハウンドバスも停車し、レンタカー会社もあるので、ここで借りてもよい。

長距離バス　　　　　　　　　　Bus

　グレイハウンドのバスがエルパソとテキサス州アマリロAmarilloを結んで走っており、1日1便アラモゴードに停車する。エルパソから2時間15分。アラモゴードから公園へはレンタカーだけが頼りだ。台数が少ないので要予約。

レンタカー　　　　　　　　Rent-A-Car

　エルパソからI-10を西に42マイル（約67km）走り、Las Crucesで I-25へ入り、7マイル（約11km）走ったらUS-70へ下りる。険しい山々に向かって走り、峠を越えると砂漠地帯。US-70に入ってから約50マイル（80km）で公園に到着。エルパソから1時間40分。

　アラモゴードからはUS-70を南へ（標識ではWEST）16マイル（25.6km）、所要約20分。

　カールスバッドから行く場合は、カールスバッドの町からUS-285を北上し、ArtesiaでUS-82を西へ。あとはひたすらUS-82の標識をたどる。チョーヤサボテンやユッカが生える広大な丘を越え、リンゴ畑を走り抜け、やがて山道となってスキー場を過ぎると、峠のトンネルを出たところでようやくホワイトサンズが見えてくる。坂を下りきったところがアラモゴードだ。167マイル（約267km）、所要3時間30分～4時間。

砂丘の北半分はミサイル射撃場になっている。ミサイル実験にともなう閉鎖があるので要注意（→P.446）

DATA

時間帯▶山岳部標準時 MST
☎(575)679-2599
URL www.nps.gov/whsa
圏7:00～日没　休12/25
通期年中
料1人 $3
国定公園指定▶1933年
面積▶582km²
入園者数▶約43万人
園内最高地点▶1255m
園内最低地点▶1186m
哺乳類▶44種
鳥　類▶210種
両生類▶6種
爬虫類▶26種
植　物▶約250種

**アラモゴードの
バスディーポ**
住3500 White Sands Blvd.
☎(575)437-3050
圏月～金　　7:00～11:00
　　　　　 16:00～20:00
　土・日・祝　7:00～9:00
　　　　　 17:00～20:00

**アラモゴードのレンタ
カー会社**
Hertz
☎(575)443-1155
空軍基地に隣接した小さ
な空港内にある

最寄りのAAA
路上救援
Free 1800-222-4357
Las Cruces
住3991 E Lohman Ave.
☎(575)523-5681
圏月～金　　9:00～17:30
　土　　　10:00～14:00

検問について
　テキサス州とニューメキシコ州は検問が多いが、特に軍の重要施設に隣接するホワイトサンズ周辺ではチェックが厳しい。パスポートと帰りの航空券を携帯するのはもちろん、不審な言動は慎もう

開園&閉園時間に注意
デューンズドライブは
7:00〜日没のみオープン。
閉園時間の30分ほど前から入れなくなり、日没1時間後にゲートが閉まる。またミサイル実験による閉鎖が週に2回、3時間程度ある。
閉鎖情報☎(575)678-1178

Ranger Sunset Stroll
夏期は19時前後、冬期は16〜17時頃。無料

Reader's Voice
砂丘の美しさに見とれすぎないで！
　まるで海岸が広がっているような幻想的な砂丘。その光景にうっとりしながら砂丘内に入ってしまう観光客が多いらしい。しかし、ここは砂漠。またたく間に喉は枯渇し、日光と白砂ならではの強い照り返しに体力を一気に消耗してしまう。1リットル以上の水と帽子を忘れないように。ホテルに戻って想像以上に疲労していることに気づかれると思う。
（岩手県　中西良樹　'10）

Visitor Center
☎(575)679-2599
營9:00〜17:00。4月中旬〜9月上旬は8:00〜19:00

そのほかの施設
　デューンズドライブの突きあたりの駐車場にトイレがあるが、飲料水はビジターセンターにしかない。ビジターセンターにスナック類は売っているが、食事などはアラモゴードで

甲子園のマネはご法度
　ほかの国立公園で草花を採ってはいけないように、ここでも砂を持ち帰ったりすることは規則に反する

　園内の道路は片道8マイル（12.8km）の**デューンズドライブ Dunes Drive**のみ。ビジターセンターに立ち寄って地図と日本語のパンフレットを入手したら、とにかくデューンズドライブを往復して純白の世界に我が身を置いてみるのがホワイトサンズの歩き方。急げば1時間もあれば見学できてしまうが、できれば真っ白なトレイルを歩きたいし、砂のオブジェに影ができる夕暮れも見逃せない。ぜひ半日は予定しておこう。

　夏の間はさまざまなレンジャープログラムが行われている。なかでも夕暮れのホワイトサンズを1時間かけて歩く**Sunset Stroll**はおすすめ。ツアーは日没時間によって変わるのでビジターセンターで確認を。集合場所はビジターセンターからデューンズドライブを5マイル、Interdune Boardwalkを過ぎたところ。そのほか、満月の夜に砂丘を歩くプログラム（無料）や、毎月1回ルセロ湖を訪れるツアー（＄3）も行われている。

レンジャーのガイドで砂丘を歩く

情報収集　Information

Visitor Center
　US-70から公園に入ってすぐ右側。いわゆるサンタフェ調の建物で、ホワイトサンズの形成過程などの展示がある。

シーズン　Seasons and Climate

　砂漠気候で昼夜の寒暖の差が激しい。夏の昼間はかなり暑いが、夜になるとグンと冷える。服装には充分気を配ろう。春には風の強い日が多い。なお、ホワイトサンズの真っ白な砂は太陽光線を強烈にはね返す。雪焼けと雪目（？）に注意を。

ホワイトサンズの気候データ

月	1	2	3	4	5	6	7	8	9	10	11	12
最高気温（℃）	14	17	22	26	31	36	36	34	32	26	19	14
最低気温（℃）	-6	-3	0	4	10	15	18	17	13	5	2	-6
降水量（mm）	15	10	7	12	23	36	53	37	28	17	20

ニューメキシコらしいビジターセンター

POINTS of INTEREST　おもな見どころ

ここでは白い世界そのものが見どころ。ところどころに設置された案内板を見ながら、デューンズドライブをゆっくりと進もう。

まずは**デューンライフ・ネイチャートレイル**で車を降りて砂丘を歩いてみるといい。風が造った小山が延々と続き、斜面には風紋が刻まれている。両手で砂をすくいあげると、驚くほど柔らかい粒子がキラキラと光りながら指の間からこぼれて落ちる。空の青と大地の白……それしかない。

トレイルを歩く時間のない人は、少し先にある**インターデューン・ボードウォークInterdune Boardwalk**がおすすめ。遊歩道沿いに、わずかな養分と水分を巧みに摂取して咲く花々が見られる。

デューンズドライブの最も奥は**ハート・オブ・ザ・サンズHeart of the Sands**と名付けられ、日除け付きのピクニックテーブルが並ぶ。それ自体真っ白な駐車場で車を降りたら、純白の丘へ上がろう。はるか彼方を見渡せば、四方を青い山々に取り囲まれているのがわかる。さまざまな必然が偶然を呼び、白い奇跡が生まれた。そこに立てた幸せをかみしめるひとときだ。

トレイルヘッドにあるパンフレットを利用しよう

風が強い日は奥まで入るのは避けたほうがいい

⚠ **ホワイトアウトの恐怖**
砂丘のトレイルでは、ひとつのマーカーに着いたら、必ず次のマーカーの確認を。もしも見つからなかったら、それ以上進まないのが鉄則。無理をせずに引き返そう。真夏は40℃になることもあるので水も忘れずに。また落雷も多いので、雲行きがあやしくなったら車へ戻ろう

初級 Dune Life Nature Trail
適期▶9～5月
距離▶一周1.6km
所要▶45分～1時間

初級 Interdune Boardwalk
適期▶年中
距離▶一周585m
所要▶15分

中級 Alkali Flat Trail
適期▶9～5月
距離▶一周7.4km
所要▶2～4時間
出発点▶Heart of the Sands
※出発前と帰着後にトレイルヘッドにあるノートに名前と時間の記入を

Reader's Voice おすすめトレイル
Alkali Flatのトレイルに行ってみよう。ところどころに立てられているポールを目印にして砂丘を進む。ちょっとした冒険気分が味わえて、超おすすめ。
（兵庫県 山辺聖己 '11）['13]

Column

純白の丘に残る20世紀の負の遺産

砂丘の面積は712km²で奄美大島とほぼ同じ。世界的にも貴重な石膏砂丘だが、公園として保護されているのは南側の約4割のみ。残りは、なんと全米最大規模のミサイル射撃場として使われている。ミサイル実験は週に2回ほど行われ、その際には公園上空を戦闘機が飛ぶ。デューンズドライブやUS-70のAlamogordo～Las Cruces間が3時間程度通行止めになるので覚悟しておこう。園内には、ごく稀にミサイルの破片（！）が落ちていることがあるが、手を触れずにレンジャーに報告しよう。

白い滑走路
ミサイル射撃場の中にはスペースシャトル用滑走路がある。宇宙からもよく見えるという白い滑走路は、フロリダのケネディ宇宙センター、カリフォルニアのエドワーズ空軍基地に次ぐ第3の着陸候補地となっていた。実際に使わ

れたのは1982年3月30日の一度だけ。

着陸後、スペースシャトルは自力で飛べないため、巨額の費用をかけてジェット機の背中に“おんぶ”され、ケネディ宇宙センターに連れ戻されたそうだ。

ファットマン
この射撃場の中にもうひとつ、忘れてはならない場所がある。1945年7月16日（広島への原爆投下3週間前）に人類初の核実験を行った**トリニティサイトTrinity Site**だ。爆発したのは長崎型原爆ファットマン。

現在、爆心地にはモニュメントが立っており、4月＆10月の第1土曜に公開されている。

ちなみに、トリニティとは実験の作戦コード名で、三位一体（神とキリストと聖霊を同一とする教義）のこと。キリストもさぞや困惑していることだろう。

ACCOMMODATION 🏠 宿泊施設

　園内には、砂漠のど真ん中にバックカントリー・キャンプサイトがあるだけ。歩いて入ってテントを利用する場合のみ使用できる。あとはアラモゴードかLas Cruces（65軒）のモーテルを利用することになる。

Backcountry Campsite
💰 $3
※10サイト。先着順。水もトイレもないので携帯用トイレが必要。事前にビジターセンターで許可を取ること。ミサイル実験にともなう閉鎖あり

GEOLOGY
白い砂丘は生きている

トゥラローサ・ベイスンの形成
　およそ2億5千万年前、この地方は浅い海に覆われていた。海底に堆積したプランクトンの死骸などが固まって石膏となった。
　7千万年前頃、ロッキーの造山運動とともにこの地域も隆起し、石膏の大ドームができる。さらに下って1千万年前頃、このドームの中央部が崩れ、盆地ができた。これがトゥラローサ・ベイスンTularosa Basin、現在ホワイトサンズがある盆地だ。周辺部は現在のサンアンドレス山脈やサクラメント山脈として残っている。

石膏の結晶化
　ホワイトサンズの砂は石膏（硫酸カルシウム $CaSO_4 \cdot 2H_2O$）。医療用ギプスと同じものだ。可溶性で、温泉に含まれていることも多いが、砂の形になることは珍しい。
　ところが、トゥラローサ・ベイスンでは環境が整っていた。周辺の山に降った雨や雪は岩のなかから石膏を溶け出させ、盆地へと運ぶ。普通はこのまま川となって海へ運ばれてしまうが、ここには流れ出す川がなかったのだ。
　こうして第三紀氷河期にオテロ湖Lake Oteroという大きな湖ができた。現在のルセロ湖Lake Luceroは、その名残だ。
　オテロ湖からゆっくりと水分が蒸発し、水中に溶けていた石膏は、やがて透明石膏Seleniteと呼ばれる結晶となる。これが気温差や湿度差などによって砕かれ、やがて砂状の粒子になった。ホワイトサンズの誕生だ。

前進する砂丘
　南西からの強風によって粒子は風下へ飛ばされる。粒子は前の粒子の山を駆け上がるように進み、砂丘を形成する。風下側は急な崖状になるが、やがて重さを支え切れずに崩れる。風上側には新たな粒子が波紋を作りながら進んでくる。こうして砂丘は風下へ移動していく。今もこの形成過程は継続中で、砂丘は北東へ向かって1年に約9mも移動している。

4種の砂丘
　ホワイトサンズの砂丘には次の4つがある。

Dome Dunes：砂の源であるルセロ湖近くで形成されるもの。低いマウンド状の丘。

Barchan Dunes：強風で、砂の量があまり多くないところにできる三日月状の砂丘。公園北部にある。

Transverse Dunes：運ばれてくる砂の量が多くなると、Barchan Dunesがいくつもつながって波打ったような形の砂丘ができる。ハート・オブ・ザ・サンズがこれにあたる。

Parabolic Dunes：砂丘の周辺部では、植物が船のいかりのような役目をして砂の移動を妨げ、放物線状の砂丘を造る。ビッグ・デューン・トレイルがこの中にある。

©NPS

吹き寄せられてできた丘が風下でなだれ落ちる　　ルセロ湖で作られる透明石膏Selenite

アラモゴード

Alamogordo, NM 88310　公園ゲートまで **16** マイル　**13** 軒

モーテル名	住所・電話番号など	料　金	カード・そのほか
Quality Inn & Suites	住1020 S. White Sands Blvd. ☎(575)434-4200　FAX(575)437-8872 Free1877-424-6423 日本無料 0053-161-6337 URLwww.qualityinn.com	on off $84〜124	ADJMV　US-54/70 沿い。ダウンタウンのすぐ南。歩ける範囲にレストランがたくさんある。電子レンジあり。朝食付き。高速インターネット無料。コインランドリーあり
Best Western Desert Aire Hotel	住1021 S. White Sands Blvd. ☎(575)437-2110　FAX(575)437-1898 Free1800-780-7234　日本無料0120-56-3200 URLwww.bestwestern.com	on off $83〜126	ADMV　US-54/70 沿い。ダウンタウンのすぐ南。朝食付き。サウナあり。高速インターネット無料
Holiday Inn Express	住100 Kerry Ave. ☎(575)434-9773　FAX(575)434-3279 Free1800-465-4329　日本無料0120-455-655 URLwww.hiexpress.com	on off $113〜145	ADJMV　ダウンタウンの南の外れ。朝食付き。冷蔵庫、電子レンジあり。全館禁煙。コインランドリーあり
Hampton Inn	住1295 Hamilton Rd. ☎(575)439-1782　FAX(575)439-5680 Free1800-445-8667　日本無料0120-489-852 URLwww.hilton.com	on off $119〜125	ADJMV　US-54/70 沿い。高速インターネット（ロビーはWi-Fi）無料。朝食付き。コインランドリーあり。全館禁煙
Motel 6	住251 Panorama Blvd. ☎(575)434-5970　FAX(575)437-5491 Free1800-466-8356 URLwww.motel6alamogordo.com	on off $38	AMV　US-54/70 沿い。ダウンタウンの南の外れ。コインランドリーあり。Wi-Fi 無料

Wildlife

動植物だって生きている

　白一色の世界に、なんと数百種に及ぶ動植物が生きている。よく見られるユッカSoaptree Yucca（ヤッカと発音する）などは地下茎を深く伸ばして移動する砂にしがみつき、ネズミやトカゲは体を白くして身を守っている。苛酷な環境を乗り越えてきたサバイバルの知恵だ。動物の多くは夜行性なので出合うことは少ないが、大雨のあとには水溜りにオタマジャクシがいないか見てみよう。

白い巨塔

　小さな植物ばかりのホワイトサンズで異様な姿をさらしているのが、白い巨塔のようなコットンウッドRio Grande Cottonwood。アスペン（→P.34）によく似た仲間だが、アメリカクロヤマナラシの和名からもわかるように幹は黒っぽい。樹木の水分によって砂粒が貼り付き、石膏固めになってしまったのだ。それでも元気に葉を茂らせているのは、砂の下の大地に根差している証拠。将来、砂丘が北東へ移動したあ

砂丘と一緒に移動しているユッカSoaptree Yucca

とも、コットンウッドだけはこのままここで生き延びるだろうといわれている。

許されざる悪知恵

　ホワイトサンズ周辺で、白黒ツートンカラーの顔に槍のような角を持つ珍獣を見かけるかもしれない。これはアフリカのオリックス。このあたりにはハンティングの標的として人気のある動物が少ないからと、州政府が輸入して放したのだ。他国の野生動物を放つことは連邦法で禁じられているが、"実験的に"公園に隣接するミサイル射撃場に放してしまった。彼らの故郷アフリカでは幼獣の9割がライオンなどの餌食になるが、天敵のいないホワイトサンズでは増えに増え、ハンターがいくら撃ち殺しても追いつかず、1970年代に約100頭だったものが、現在約3000頭。国立公園局では自然への影響をくいとめるため、公園の敷地をフェンスで囲っている。

厳しい条件のなかでけなげに生きる命は感動的

エバーグレーズ国立公園

フロリダ州 ／ **MAP** 折込 1 枚目 E-1 〜 2

夜明けの9マイルポンド。目覚めたばかりのアリゲーターがゆったりと泳ぐ

©USPS

2006年発行の切手

　低い雲が移動し、太陽光線をさえぎる。遠くに雨のかたまりが落ちているのが見える。またたく間に黒い雲が空を覆い、スコールが地面を叩く。湿原の植物は身じろぎもせず雨に打たれている……。

　フロリダ半島南端の大湿原エバーグレーズ。公園北部から続く湿地帯も合わせると関東地方より広い。実はここは、水深わずか15cmほどの、しかし幅は約150kmもある川の流れなのだ。水源から河口までの標高差わずか4m。1日に30mという緩やかな流れはバクテリアや藻類を豊かに育み、虫や魚、カメやヘビ、鳥類やワニへと続く食物連鎖の舞台となっている。淡水の流れはやがてメキシコ湾の海水と出合い、マングローブの森を生み出す。

　亜熱帯の豊かな自然も、それを育む水の不足のために危機を迎えている。公園のすぐ隣に迫る大都市マイアミもまた、大量の水を必要としているのだ。

　湿原の多様な生物たちを探しに、そして人間と彼らとの関係を考えるために、ぜひ訪れてみたい。

Everglades National Park

☆

Florida

ACCESS　　行き方

エバーグレーズの見どころは**メインパークロード**（FL-9336）沿いの南部と、フロリダ半島を東西に横切る**国道41号線Tamiami Trail**沿いの北部に分けられ、それぞれを園内で結ぶ道はない。いずれも**マイアミMiami**のすぐそばにあるが、残念ながら公共の交通機関はない。公園の手前まではバスがあるが、そこから園内へ行く足がないのだ。マイアミで数日車を借りて、そのスケジュールの中に1日か2日エバーグレーズを組み込もう。

なお、マイアミからエバーグレーズを訪れる日帰りツアーバスがたくさんあるが、これらは公園の敷地外でエアボートに乗るもの。風景も生態系も園内とあまり変わらないが、やはり、なるべくなら自分の足で園内のトレイルを歩いて、感じてほしい。

飛行機　　　　　　　　　　　　Airlines

Miami International Airport (MIA)

全米各都市からのフライトはもちろん、中南米へのゲートウェイとしても重要な役割を担っている大空港。西海岸からの夜行フライトもある。ロスアンゼルスから所要4時間35分、ニューヨークから3時間10分。レンタカーも予約なしでも大丈夫。

長距離バス　　　　　　　　　　　　Bus

グレイハウンドも各都市から数多くの便がある。ニューヨークからの直行便も毎日あり、所要約30時間。ロスアンゼルスからは途中3、4回乗り換えて所要2日と17時間。バスターミナルは空港の東側にある。ここから市バスでダウンタウンやビーチまで行くことも可能だが、治安の面からタクシー利用がおすすめ。

DATA

時間帯▶東部標準時 EST
☎(305)242-7700
URL www.nps.gov/ever
圏24時間365日オープン
シャークバレーは8:30～18:00のみオープン
通行期 12～4月
駐車 車1台＄10
そのほかの方法は1人＄5
国立公園指定▶1947年
世界遺産登録▶1979年
危機遺産登録▶1993年～2007年、2010年～
面積▶5668km²
入園者数▶約93万人
園内最高地点▶2.4m
哺乳類▶41種
鳥　類▶350種
両生類▶17種
爬虫類▶約50種
魚　類▶約300種
植　物▶1033種

MIA　　☎(305)876-7000
Alamo　☎(305)633-6076
Avis　　☎(305)876-1800
Budget　☎(305)871-2722
Dollar Free 1866-434-2226
Hertz　☎(305)871-0300
National ☎(305)423-2104

マイアミのバスターミナル
圖4111 NW 27th St.
☎(305)871-1810
圏24時間
※2013年に移転の予定あり

マイアミビーチの観光局
圖1901 Convention Center Dr.
リンカーン・ロード・モールの真ん中あたりから北へ1ブロック
☎(305)673-7400
URL www.miamibeach guest.com
圏10:00～16:00

人気のエアボートは公園敷地外を走っている。マイアミから日帰りツアーがたくさん出ている

フロリダ州の道路情報
Free 511
URL www.fl511.com

有料道路について
　マイアミ周辺の有料道路は料金所が撤廃され、Open Road Tolling（ORT）が導入された。Sun Pass（ETC）車載器があればゲートが感知して料金を引き落とし、なければナンバープレートをカメラで読み取って所有者に請求するシステムだ。
　レンタカーの対応は会社によって異なるので借りる際によく確認しよう。ハーツの場合、1回でもORTを通れば＄2.95×日数分の手数料（上限＄14.75）が後日請求される

おもなポイントの距離
..................（マイル）
Florida City - Miami
.... 36
Florida City - Flamingo
.... 47
Florida City - Biscayne
.... 10
Florida City - Key West
.... 126
Shark Valley - Miami
.... 37
Shark Valley - Florida City
.... 40
Shark Valley - Everglades City
.... 45
Everglades City - Naples
.... 36

Miami Nice Tours
☎ (305)949-9180
URL www.miami-nice.com
圖 半日コース＄59。夏期運休

レンタカー　Rent-A-Car

　マイアミからフラミンゴ方面へは、ターンパイク（有料道路。片道＄2.50）を使う方法とUS-1（一般道）を使う方法がある。後者のほうがダウンタウンから一本道なのでわかりやすいが、渋滞が多く、40分ほど余計にかかる。

　ターンパイクに入るには、マイアミ空港からLeJeune Rd.（NW 42nd Ave.）を南へ向かい、すぐにFL-836（Dolphin Expwy.）を西へ（ビーチからはMacArthur Causewayを渡ってひたすら西へ走ればFL-836になる。＄1）。突きあたりのTurnpikeを南へ入り、これを終点のFlorida Cityまで走ってUS-1に合流したらすぐに、Palm Dr.（FL-9336）の大きな交差点を右折。あとは標識に従って走れば11マイル（17.6km）で公園ゲート。マイアミ空港から約1時間。

　一方、公園北部のシャークバレーへ行くなら、空港からLeJeune Rd.（N.W. 42nd Ave.）を南へ向かい、FL-836（Dolphin Expwy.）を西へ走ってTurnpike（75¢）を南へ入る。このとき右端の車線を走り、すぐに次のUS-41へ下りて、US-41/Tamiami Trail/SW 8th St.（3つも呼称がある！）へ合流。あとはひたすら西へ30マイル走る。空港から約45分。

　シャークバレーからさらに西へ1時間走り、CR-29（地方道29号線）を南へ入ればエバーグレーズシティだ。

ツアー　Tour

　マイアミから日帰りバスツアーを催行している会社が**Miami Nice Tours**ほかたくさんある。各ホテルへ送迎あり。ほとんどは、公園敷地外でエアボートに乗り、インディアンビレッジでワニのレスリングを見るというもの。マイアミ市内観光などを組み合わせたコースもある。各社の資料を集めて検討しよう。

🚐 Side Trip
ビスケーン国立公園　Biscayne National Park

MAP 折込1枚目 E-2
☎ (305)230-7275　URL www.nps.gov/bisc
　大西洋岸に残る貴重な海の生態系を守る海中公園。目の前にマイアミという大都会が広がっているにもかかわらず、水が驚くほど澄んでいるのは、海岸線を彩るマングローブのおかげだ。遠浅の海、砂洲、珊瑚礁を体験してみよう。
　マイアミから直接訪れるなら、ターンパイクの

規模は小さいが充実したビジターセンターだ

Exit 6 で Speedway Blvd.を南へ7マイル。エバーグレーズのフラミンゴからは、US-1を突っ切ってそのまま東へ走ればいい。入園無料。

グラスボトムボート
ピーク時のみ運航。要確認。所要3時間、＄45

スノーケルツアー
毎日10:00 & 13:30、3時間（スノーケルは1時間30分）、＄45（用具レンタル込み）

ダイビングツアー
不定期なので要確認。要予約
予約 ☎ (212)209-3370
URL www.biscayneunderwater.com

海沿いの遊歩道を一周してこよう

GETTING AROUND　歩き方

　見どころは南部と北部に大別されるが、どちらか一方だけでもエバーグレーズの魅力に触れることはできる。湿原のトレイルを歩いたり、数千といわれる島々をボートで巡ったりして楽しもう。

　よく、湿原を爆走するエアボートに乗って満足して帰る人がいるが、これは大きな間違い。世界最大級のマングローブの林や青い海に浮かぶ無数の島々も見なければエバーグレーズへ行ったことにはならない。だいたいエアボートが走っているのは公園の外なのだ。公園規則にはこう書いてある。「エアボートは禁止です。あんなモノは植物の生育を妨げ、爆音は野生動物を脅かします！」

情報収集　Information

Ernest F. Coe Visitor Center

　フラミンゴへ向かうメインパークロード（FL-9336）の入園ゲート手前にある。虫除けグッズを忘れた人はここでも購入できる。

そのほかの施設
　フラミンゴにストアとガスステーションがある。
　また、公園北部のUS-41沿いに民間のレストランやガスステーションがところどころにある

Ernest F. Coe VC
☎ (305)242-7700
9:00～17:00。冬期延長
　このほかにも園内のおもなポイントにはそれぞれビジターセンターがあり、入園者の便宜を図っている

Ernest F. Coe VC

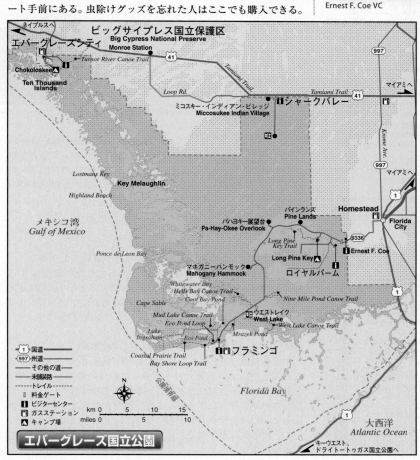

Ranger **Anhinga Amble Walk**
出発▶冬期の毎日10:30
所要▶50分
出発点▶Royal Palm VC

初級 **Anhinga Trail**
適期▶年中
距離▶1.2km
所要▶約30分
出発点▶Royal Palm VC

初級 **Gumbo Limbo Trail**
適期▶12〜4月
距離▶600m
所要▶約30分
出発点▶Royal Palm VC
※夏は想像を絶するほど蚊が多いので覚悟して！

GEOLOGY
黒コゲの湿原

パークロード沿いに見える黒コゲの湿原の中には、自然の火災だけでなく、当局が放った火によるものもある。エバーグレーズでは、落雷による火事が多くの植物を健康に育てる大事な役割を担っている。そこで環境の変化によって長期間火事が起きていない場所には、あえて火災を発生させることもある。自然への介入の是非について議論はあるが、絶滅危惧種への影響や、周辺の家屋への延焼＆煙害の防止などに気を配りながら慎重に行っているそうだ

亜熱帯に属するエバーグレーズの夏は蒸し暑い。そして雨と蚊が多い。虫除け製品がないと夏は見学できないといっても過言ではない。スコールと落雷、ハリケーンの襲来にも気をつけたい。

冬はフロリダのピークシーズン。気候も安定し、暖かい日差しの下で快適に観光できる。蚊の数もぐんと少なくなる。全米有数の避寒地なので特に12月下旬〜1月はホテルの値段がはね上がる。

POINTS of INTEREST　おもな見どころ

メインパークロード（FL-9336）沿い

ロイヤルパーム　Royal Palm

公園ゲートから4マイル。パークロードを左折したところ。早速、池の周囲を歩く**アンヒンガトレイルAnhinga Trail**へ行ってみよう。アリゲーター、カメなど動物が多く、朝夕には魚を狙って水鳥も集まる。首の長いヘビウAnhinga、やけに大きな黄色い脚のアメリカムラサキバ

園内で最も人気のあるアンヒンガトレイル

ン Purple Gallinuleなどを探してみよう。

ガンボリンボトレイルGumbo Limbo Trailは熱帯のジャングルのような森を歩くトレイル。シュロの木、ガンボリンボの木、コーヒーの木、シダなどが独特の風景を作っている。

得意のポーズで羽を乾かすヘビウ

パインランズ　Pinelands

パークロードを奥へ進むと、やがてマツ林に差しかかる。一見、単なるマツのようだが、実はこのあたりだけに生育するSouth Florida Slash Pineという珍しい種類で、その足元に生える植物も30種が固有種だそうだ。20世紀初めにフロリダがリゾート開発される前まで、マイアミはこのような風景だったという。

パハヨキー展望台　Pahayokee Overlook

マツ林を抜けると、あたりはヌマスギBald Cypressの風景に変わる。園内の最高地点ロックリーフ峠（標高90cm。大西洋とメキシコ湾の立派な分水界！）を過ぎてしばらくしたら、右折してパハヨキーに寄り道しよう。展望台からは、ソーグラスSaw Grass（カヤツリグサ科の多年草）の生える広大な沼地、いや、川の流れが見渡せる。エバーグレーズを代表する静かで壮大な風景だ。

マホガニーハンモック　Mahogany Hammock

エバーグレーズの川の流れの中には、樹木が肩を寄せ合う“島”が無数に点在し、多くの動物たちの絶好の隠れ家になっている。そのひとつを訪れてみよう。マホガニーなどの樹木がジャングルを作り、その枝にランの花がひっそりと咲いている。ヤマネコやフクロウもどこかで人間を見つめているに違いない。

ウエストレイク　West Lake

淡水と海水が混じる汽水域の入江で、無数の根が絡まったマングローブの足元は小魚やエビ、貝類の宝庫。それを狙って大型の水鳥やワニが集まってくる。トレイルを歩いてマングローブ林を一周してこよう。マングローブとは汽水域に生える植物の総称で、ここではおもにタコ足の根っこが特徴的なAmerican Mangrove、ボタンのような赤茶色の実をつけるButton Mangrove、楕円形の葉をしたWhite Mangrove、枝が黒っぽいBlack Mangroveの4種で構成されている。これらは別に親戚同士ではないのだそうだ。

フラミンゴ　Flamingo

パークロードの終点はフラミンゴという名のビレッジ。昔は野生のフラミンゴが生息していたそうだが、現在ではかなり運のよい人でないとお目にかかれなくなっている。

ここは園内唯一のビレッジでさまざまな施設が整っていたのだが、2005年8月にハリケーン・カトリーナに襲われ、続く10月、ハリケーン・ウィルマによってさらに壊滅的な被害を受けた。ビジターセンターとストア、ガスステーションだけは再建されたが、全壊したロッジやキャンプ場はまだ再開されていない。

フラミンゴを訪れたら、ぜひビレッジの奥にあるエコポンドEco Pondまで行ってみるといい。池を一周するトレイルは約800m。ハリケーンのダメージが大きく残っているが、水鳥は徐々に戻ってきており、確実に回復してゆく自然の姿を見ることができるだろう。

また、フロリダ湾の小島群やマングローブの林を回るボートクルーズもおすすめ。運がよければマナティが見られるかもしれない。

Wildlife かわいいラスカルに注意
園内には人馴れしたアライグマが多いが、決してエサを与えないで！　また、アライグマはアメリカでの狂犬病感染源ナンバーワンの動物なので、近寄り過ぎないほうが無難

初級 West Lake Trail
適期▶10〜5月
距離▶往復800m
所要▶約30分
出発点▶駐車場

Flamingo Visitor Center
☎(239)695-2495
🕐9:00〜16:30、冬期は8:00〜

上／ハリケーン・ウィルマから7ヵ月後のエコポンド　下／3年半が経ち、かなり回復した頃のエコポンド

Ranger Early Bird Walk
出発▶冬期の毎日8:00
所要▶2時間30分
出発点▶Flamingo VC

フラミンゴのボートツアーBackcountry Tour
URLevergladesnationalparkboattoursflamingo.com
出発▶冬期（12月中旬〜4月中旬）9:00〜16:00の毎正時。夏期は9:30、11:30、13:30、15:30
所要▶1時間45分
💲$32.25、5〜12歳$16.13

フラミンゴのマリーナにはマナティ、クロコダイル、そして数多くの水鳥が暮らしている

シャークバレー　Shark Valley

水深わずか15cmという広大な湿地帯がどこまでも続く。フロリダ半島を横切る国道沿いにあるため訪れる人が多いが、その道路そのものが、エバーグレーズを分断し、大湿原を危機に陥れる要因になっている。ぜひ道の左右を見比べながら走ってみよう。

特に冬期の週末は混雑している

シャークバレーは、幅150kmといわれる川のちょうど中央部。名前の由来については諸説あるが、少なくとも現在サメはいない。その代わりアリゲーターはとても多い。インフォメーションセンターの周囲にもたいてい数匹が寝そべっている。

ここから南へ向かって一周15マイル（24km）の舗装路があり、その先に展望タワーが設けられている。一般車は入れないので、2時間のトラムツアーに参加しよう。現在なら建設が許可されないであろう立派な舗装路はとても見晴らしがよく、タニシトビSnail Kite、アメリカトキコウWood Storkといった絶滅危惧種も見かける。道路の下には湿原を分断しないためのトンネルがあちこちに設けられて、ワニの格好の住みかになっている。

この道をのんびりとサイクリングするのもおすすめ。インフォメーションセンターで自転車を借りて、反時計回りに一周2〜3時間。返却時間に気をつけながら、マイペースで走ろう。

ミコスキー・インディアン・ビレッジ
Miccosukee Indian Village

フロリダの先住民ミコスキー族の文化を紹介するアトラクション。涼しそうな住居でバスケットを編んだり、アリゲーターレスリング（1日5回）と称してワニをねじ伏せて見せてくれたりして観光客を集めている。公園敷地外なので、エアボートにも乗れる。

エバーグレーズシティ　Everglades City

エバーグレーズシティは公園北西端の境界線のすぐ外側にある町。モーテルやガスステーション、マリーナなどが集まっている。ここでの楽しみはビジターセンターから出ているボートツアー。海岸沿いのマングローブのジャングル、または静かな海に浮かぶ小島群Ten Thousand Islandsを訪れよう。ハクトウワシ、イルカ、マナティなどを見られることも多く、1時間30分はあっという間だ。

小島群を抜けて広々としたメキシコ湾まで往復する

ビッグサイプレス国立保護区
Big Cypress National Preserve

シャークバレーからUS-41を西へ約20マイル。国立公園の敷地から外れているが、エバーグレーズ大湿原の一部を成しており、国立公園内とはまた違った独特の景観がすばらしい。シャークバレーと合わせてマイアミから日帰りするとちょうどいい。

国立公園と同じく合衆国内務省国立公園局の管理下にあるが、国立公園と違って、条件付きでシカやシチメンチョウのハンティング、石油の採掘、エアボートやスワンプバギーの通行が許可されている。

おすすめの見どころは、US-41の南側に敷かれた片道24マイルの未舗装路、**ループロードLoop Road**。両側に広がるスワンプにはワニがたくさんいる。沼の中からヌマスギなどが生え、枝にはエアプランツなどの寄生植物がびっしり。よく見るとあちこちでランの花が咲いている。朝早い時間に訪れるとバードウォッチングも楽しめる。

ループロードの入口は東西2ヵ所ある。東口（Loop Road Education Center）はシャークバレーから西へ4マイル、道路が大きく右へカーブするところを左へ入る。西口はUS-41をさらに走り、ビジターセンターを過ぎて4マイル走ったところにあるMonroe Station。

普通車で通行できるが、雨の後には深い水溜りがたくさんできるので、先にビジターセンターに立ち寄って状態を聞いておくといいだろう。ワニの横断が非常に多い道なので、くれぐれも運転は慎重に。

なお、5～10月は雨が多く、水位が上がるとワニは観察しにくくなる。蚊の大群もすさまじい！

Oasis Visitor Center
URL www.nps.gov/bicy
☎ (239)695-1201
圓 9:00～16:30
休 12/25
US-41沿いにあり、前の水路にはアリゲーターがうじゃうじゃいる。まるで飼育しているかのようだが、野生動物なのでエサを与えるのは厳禁

ループロードのスワンプ。ヌマスギの水没林が広がる

ACTIVITIES　アクティビティ

フィッシング　Fishing

淡水魚、海水魚ともに釣りが楽しめる。州のライセンス（3日＄17）はフラミンゴやエバーグレーズシティで購入できる。ただし、ロブスターやザリガニ漁は禁止。細かい規則はビジターセンターで確認を。

カヌー　Canoeing

カヌーやカヤックで島々を巡るのはエバーグレーズで最もポピュラーなアクティビティ。フラミンゴやエバーグレーズシティで借りることができる。ただし、上陸してはいけない島、進入禁止の水路、マナティ対策など細かい規則がある。まずはレンジャーがガイドしてくれるカヌートリップや、民間のカヤックツアーなどに参加して様子を見てから、各自で挑戦するのがいいだろう。

まずはビジターセンターで規則についてのパンフレットをもらおう

Ranger Morning Canoe Trip
催行▶冬期の毎日8:00
所要▶3時間30分
出発点▶フラミンゴ・ビジターセンター

カヤックツアー
フロリダシティにあるEverglades Hostel（P.460）から月・水・土に日帰りカヤックツアーが出ている。＄120。宿泊客＄100。ランチ込み。催行日、服装など詳しくはウエブサイトで

エバーグレーズの主役たち

水鳥の楽園

エバーグレーズに住む水鳥は種類も数も豊富で、バードウオッチングにはもってこい。なかでも最も美しいのはサギ類だろう。19世紀、その美しい羽を婦人の帽子に飾ることが流行したために乱獲されて絶滅の危機に陥ったが、今ではオオシラサギ Great White Heron、紅色の羽とスプーンのようなくちばしをもつベニヘラサギ Roseate Spoonbill などが見られる。またコウノトリ、トキ、ツルなどの仲間も多いし、ミサゴやハクトウワシなど猛禽類もよく見かける。

オオアオサギ
Great Blue Heron

水鳥の代表、ヘビウ Anhinga

ねずみ色をした鵜の一種で、長い首をくねらせる様は本当にヘビそっくり。水中に潜って、とがったくちばしを槍のように突き刺して魚を獲る。お見事なのはこの後。近くの木の枝などに飛んで行って、その枝を器用に使って、くちばしから魚を外すと同時に空中に放り上げ、落ちてきた魚を頭から丸飲みにするのだ。もしも彼らの食事どきに出くわしたら、この瞬間芸をお見逃しなく！　おなかがいっぱいになると翼を大きく広げて日光浴。濡れた羽を乾かして体温を一定に保つのだ。

2種類のワニ

エバーグレーズへ行ったらワニを見たいという人も多いはず。トレイルを歩くと簡単にワニを見ることができるし、道路をのそのそ横切っていくこともある。これらのワニはアリゲーター（ミシシッピワニ）で、体長は2〜6m。澄んだ水の中に住み、魚や鳥などを食べる。比較的おとなしく、人を襲うことは少ないが、近付き過ぎるとエサと間違えられることもあるそうで、国立公園局では4.5m以内に近寄らないよう呼びかけている。

現在100万頭いるといわれるアリゲーターも1960年代には絶滅危惧種だった

一方、エバーグレーズにはもう1種類のワニがいる。クロコダイル（アメリカワニ）だ。こちらは体長7m、緑がかった色をしており、口は細長い。泥地を好み、性質は獰猛。数が少なく、海沿いの一部の地域で保護されているので、一般の観光客が見ることは少ないが、フラミンゴのマリーナで時折目撃されるようだ。

人魚のモデル、アメリカマナティ

世界的に貴重な海牛類の一種アメリカマナティは、ジュゴンの親戚。愛嬌のある顔にゆったりした仕草、極めて温和な性格で人気者だが、それが災いしてボートなどとの接触事故が多く、環境の悪化も重なって絶滅の危機に瀕している。

夏のエバーグレーズは蚊の王国

花々が咲き、スコールが巨大な劇場を造り出す夏のエバーグレーズは魅力的だが、大敵がいる。蚊だ。大湿原の蚊の襲撃は想像を絶するすさまじさ。人の周囲が黒い雲で覆われるほどの大群がたかってくる。

ボウフラはトンボ、カエル、魚などにとって貴重な栄養源。公園のパンフレットには「さぁ、あなたもエバーグレーズの生態系の一部に加わりましょう」とある。メスの蚊が吸う血のうち人間のものは1%で、あとはネズミなどから得ているそうだし、幸いエバーグレーズの蚊が感染症を媒介したという報告もない。それでも、あまりの迫力とかゆみにはたじろいでしまう。そこで、蚊の襲撃を少しでも避けるためのヒントを挙げておく。

●暑くても長袖シャツ、長ズボンの着用を
●特に朝夕は樹木の下や草地を歩かない。日のあたるエリアのほうが蚊は少ない
●車でもロッジでも窓は常にしっかりと閉め、ドアの開け閉めは素早く
●現地で売っている防虫剤を利用する。刺激が強いので、肌が弱い人や子供には頭から被るモスキートネットをおすすめ。日本製の虫除け製品やハーブオイルは、経験からいってまるで効かない
●車内＆客室内の殺虫には日本製の電池式携帯蚊取りが便利。ただし、屋外でこれを腰に下げて歩いてもムダ。あくまでも室内用におすすめ

潜水艦体型のマナティは極めて温和な性格

アメリカ南部の湿原だけに咲くスワンプリリー＝Swamplily

©NPS/Rodney Cammauf

フロリダピューマは世界でも最も絶滅のおそれが高い動物のひとつだ

エバーグレーズの主役たちに迫りくる危機

　国立公園は、外の地域で起こるさまざまなできごとの影響を受ける。特にエバーグレーズの場合は水が問題だ。中部フロリダに降る雨やオキーチョビー湖の水を源とした、公園外からの水の流入によって支えられているエバーグレーズの生態系は、人間の活動の影響をまともに受けてしまうのだ。

　南フロリダが陸地となったのは、氷河期以降と新しく、それでも6000〜8000年の間、この生態系は機能してきた。それが20世紀に入ってから急速に狂い出したのだ。湿原自体の規模もかつての5分の1になってしまった。

　理由のひとつは**農業の影響**だ。大量の化学肥料を使う農場から流れ込む水には硝酸塩やリン酸塩が含まれており、水が富栄養化する。農業用水の取水による水量の減少も問題だし、逆に本来水の少ない乾期に放流すると鳥類やワニなどの営巣に多大な影響を与えてしまう。

　また、**大都市やリゾートの水需要**も大問題だ。いまやフロリダの人口は全米第4位。マイアミ周辺も500万もの人口を抱えている。加えてマイアミ＆マイアミビーチを合わせて年間1260万人という観光客もいる。避寒地なので多くは冬期に訪れるが、実は冬は乾期で雨が少ない。近年注目のフロリダ西海岸のリゾートも、淡水資源がもともと少ない地域。水の需要が急増していることがわかるだろう。

　オキーチョビー湖や湿原の水を大都市圏に引く大規模な運河は1600kmに及ぶ。これらは、自然の水の流れを分断し、エバーグレーズへの水の供給量を減らしている。

　結果として、エバーグレーズの水は質、量ともにかつてないほど危機的な状況にある。

　危機的状況を救うため、エバーグレーズは1976年にユネスコの**国際生物圏保護区**に指定され、79年には**世界遺産**に登録、87年には**ラムサール条約登録**となった。さらに92年にハリケーンの被害を受けたのをきっかけに、翌年、世界遺産の**危機遺産**にも登録された。

　あれこれと『肩書き』が付いたところで、すぐに状況が改善されるわけもない。このままではエバーグレーズの生態系は近い将来死滅するだろう。かといってフロリダの人に「そこに住むな！水を使うな！」などと言えるはずもない。

　2000年、クリントン大統領はエバーグレーズの湿原復元のために14億ドルの予算を割くことに同意した。生活廃水の濾過や、Tamiami Trailの下に水路を設けたり、道路の一部を橋に替えたり、堤防や水門400kmを撤去する計画も進行中。果たしてアメリカはエバーグレーズを救えるだろうか？

絶滅の危機に瀕している16種

フロリダピューマFlorida Panther
アメリカマナティWest Indian Manatee
ワタシロアシマウスKey Largo Cotton Mouse
Key Largo Woodrat（ネズミの仲間）
オサガメLeatherback Turtle
（世界最大のウミガメ）
アカウミガメLoggerhead Turtle
アオウミガメGreen Turtle
タイマイHawksbill Turtle
ケンプヒメウミガメAtlantic Ridley Turtle
アメリカトキコウWood Stork（コウノトリ）
タニシトビSnail Kite
ハマヒメドリCape Sable Seaside Sparrow
ホオジロシマアカゲラRed-Cockaded Woodpecker
Schaus swallowtail butterfly（アゲハチョウの仲間）
Garber's Spurge（コニシキソウの仲間）
Crenulate Lead Plant（マメ科の植物）

　なかでもフロリダピューマの状況は待ったなしだ。園内に10頭以下、園外を含めても30頭以下にまで激減し、すでに絶滅は確定的。園内で見つかったピューマの死骸からは、人間の致死量を超える水銀が検出された。

　そこで1995年、近似種であるテキサスパンサーのメス8頭が放たれ、フロリダピューマとの繁殖が試みられた。これによって生まれた混血のピューマは2007年までに100頭近くになっているが、それでもなお危機的状況は続いている。

459

ACCOMMODATION 🏠 宿泊施設

園内で泊まる

園内にはロッジはないが、マイアミに近いので宿泊施設に困ることはないだろう。オンシーズンは冬だ。

キャンプ場で泊まる

設備が整ったキャンプ場は、ロイヤルパームに近いLong Pine Key（108サイト）とフラミンゴ（234サイト）にある。フラミンゴのみ11月中旬〜2月下旬は予約できるが、その他の時期は早い者勝ち。

> キャンプ場予約 ☎(518)885-3639
> Free 1877-444-6777 URL www.recreation.gov
> 料 \$16
> 注意！ キャンプ場周辺の湿原や川などで泳がないこと。ワニやヘビがいる！

近隣の町に泊まる

公園近くのホテル街は、フラミンゴへの入口であるPalm Dr.＆US-1の交差点付近（フロリダシティ）とUS-1沿い。マイアミのホテルはビーチにも空港周辺にもズラリと揃っている。

US-41（Tamiami Trail）にはほとんど宿はないが、エバーグレーズシティか、または西海岸のネイプルスにも40軒以上の

リゾートホテルやモーテルが並んでいる。

とても洗練されたネイプルスのダウンタウン

全長約11kmもあるセブンマイル・ブリッジ。フロリダシティから約100分のドライブだ

フロリダシティ　Florida City, FL 33034　公園ゲートまで11マイル　19軒

モーテル名	住所・電話番号など	料　金	カード・そのほか
Everglades Hostel	住20 SW 2nd Ave. ☎(305)248-1122 FAX(305)245-7622 Free 1800-372-3874 URL www.evergladeshostel.com	4〜10人 ドミトリー\$28 ダブル\$75	MV US-1からPalm Dr.を公園へ向かい、次の信号を過ぎて左側。コインランドリーあり
Ramada Florida City	住124 E. Palm Dr. ☎(305)247-8833 FAX(305)247-6456 Free 1800-272-6232 URL www.hotelfloridacity.com	on off \$69〜225	ADMV US-1＆Palm Dr.の交差点の北東角。朝食付き。高速インターネット無料
Travelodge	住409 SE 1st Ave. ☎(305)248-9777 FAX(305)248-9750 Free 1800-758-0618 URL www.tlflcity.com	on \$108〜118 off \$69〜79	ADJMV 交差点からUS-1を南へ。コインランドリー、冷蔵庫あり。朝食付き。Wi-Fi無料

エバーグレーズシティ　Everglades City, FL 34139　ビジターセンターまで1マイル　3軒

モーテル名	住所・電話番号など	料　金	カード・そのほか
Everglades City Motel	住310 Collier Ave. ☎(239)695-4224 FAX(239)695-2557 Free 1800-695-8353 URL www.evergladescitymotel.com	on \$298〜358 off \$79〜149	MV FL-29沿い。冷蔵庫あり。Wi-Fi無料。
Captain's Lodge & Villas	住102 E. Broadway ☎(239)695-4211 Free 1800-741-6430 URL www.captains-lodge.com	on \$75〜145 off \$75〜95	AMV 町の中心のロータリーの東側。レストランあり。全館禁煙
Ivey House B&B	住107 Camellia St. ☎(239)695-3299 Free 1877-567-0679 URL www.iveyhouse.com	on \$169〜269 off \$89〜179	MV FL-29のサークルKの角を右折したところ。フルブレックファスト付き。全館禁煙

🚐 Side Trip

ドライトートゥガス国立公園
Dry Tortugas National Park

MAP 折込1枚目 E-1　☎(305)242-7700
URL www.nps.gov/drto　**圏** 1人$5

　メキシコ湾に点々と続く島々を貫き、セブンマイルブリッジを渡り、マイアミから4〜5時間でUS-1の終点へ。そこには90軒のホテルがひしめく、南国の楽園**キーウエストKey West**だ。そこからさらに西へ68マイルの沖に浮かぶサンゴ礁の島、ドライトートゥガスを訪れてみよう。

　ドライトートゥガスは渡り鳥のルート状に位置するため、この小さな島で299種もの鳥が確認されている。特に3月下旬〜5月中旬と9〜10月にはネッタイチョウTropicbird、カツオドリBooby、アメリカグンカンドリMagnificent Frigatebirdなど200種以上も観察できる。

　行き方は、キーウエストから日帰りクルーズまたは飛行艇で。水着を着て行こう。

クルーズ Yankee Freedom II
☎(305)294-7009　**Free** 1800-634-0939
URL www.yankeefreedom.com
出発 8:00（乗船開始7:15）　**休** 12/25
所要 9時間30分（片道2時間30分）
乗り場 ダウンタウンのDuval St.からCaroline St.を東へ4ブロックのフェリーターミナル
圏 $165、4〜16歳$120（入園料込み）

　エアコン完備の大型双胴船による日帰りクルーズ。昼にはピクニックランチが用意されている。スノーケル器材レンタル無料。

飛行艇 Key West Seaplane Adventures
☎(305)293-9300
URL www.keywestseaplanecharters.com
出発 1日4回　**休** 12/25　**乗り場** キーウエスト空港
圏 4時間コース$280（2〜12歳$224）、8時間コース$495（$396）。フライトは片道40分

　空港から離着陸し、島では海上に離着水する。高度150mという低空飛行なのでサメ、ウミガメ、イルカの群れ、沈没船、珊瑚礁に囲まれた砦などが見下ろせる。

　入園料は別で、当日キャッシュで支払う。パイロットへのチップも忘れずに。1日コースに参加する場合、ランチは各自持参。シュノーケル器材レンタル無料。空港内に真水シャワーあり。
注意：いずれのツアーも要予約。天候と乗客数によっては欠航もある。特に春と秋の平日は要注意。

ジェファーソン砦の内部はレンジャーが案内してくれる

フロリダ西海岸の公園

　エバーグレーズシティまで行ったら、そのままフロリダ西海岸を北上してみてはどうだろう。メキシコ湾岸には美しい公園がたくさんあり、大西洋岸とはまったく異なる自然を堪能できるのだ。

ディンダーリン国立保護区
Ding Darling National Wildlife Refuge
MAP 折込1枚目 E-1　☎(239)472-1100
URL www.fws.gov/dingdarling/
圏 7:00（10〜11月は7：30）〜日没　**休** 金曜
圏 1台$5

　エバーグレーズシティから北へ約2時間。Fort Myersの沖に浮かぶSanibel Islandは世界3大シェルビーチのひとつ。掘っても掘っても貝殻ばかりという南岸のビーチもすばらしいが、マングローブの林が続く北岸にはワニやベニヘラサギなどの野生動物が数多く暮らす保護区がある。

ホモサッサスプリングス州立野生公園
Homosassa Springs Wildlife State Park
MAP 折込1枚目 D-1　☎(352)628-5343
URL www.floridastateparks.org　**圏** 9:00〜17:30（入園は〜16:00）　**圏** 1人$13、6〜12歳$5

　マナティが見られることで知られる川。タンパから北へ1時間20分、オーランドから北西へ約2時間。西海岸沿いに走るUS-19にある。夏でも

数頭が暮らしているが、冬になると川を埋め尽くすほどの数が集まる。

イッチタクニースプリングス州立公園
Ichetucknee Springs State Park
MAP 折込1枚目 D-1　☎(386)497-4690
URL www.floridastateparks.org
圏 8:00〜日没　**圏** 1台$6

　フロリダ半島の地下には水に満たされた洞窟が迷路のように続いていて、ところどころ地表に開いた穴から湧き出している泉springが600を超える。なかでも美しさナンバーワンといわれるのがここ。ホモサッサから北へ2時間、オーランドから2時間30分。Fort Whiteの西にある。

ガルフアイランズ国立海浜公園
Gulf Islands National Seashore
☎(850)934-2622　**URL** www.nps.gov/guis
圏 8:00〜日没（セクションによって異なる）　**圏** 1台$8

　フロリダ半島の付け根から西に延びるビーチ、特にPanama City BeachからPensacola Beachあたりのビーチは驚くほど白い。アパラチア山脈から流れ出した水晶の粉が混じっていて、まるで粉砂糖のよう。州都タラハシーから西へ3〜5時間。

旅の準備と技術
Travel Tips

旅の情報収集 　　　　　　　　　　　　Travel Tips

インターネットの普及で、日本にいながらアメリカの情報を得ることも容易になった。特に、国立公園局のウエブサイトでは観光やイベント情報、ホテルやレストランなどの情報が満載。現地に着いたら、ビジターセンターやロッジで地図をもらうことから始めよう。

日本での情報収集

旅を総合プロデュースする旅行会社では、パンフレットの商品以外にも航空券、レンタカー、宿の手配なども行っている。細かなリクエストにも対応できるので、まずは近くの旅行会社で相談してみよう。このほか、インターネットを利用して、観光局などの公式ウエブサイトにアクセスすれば、最新の情報が入手できる。

国立公園のサイト URL www.nps.govでは、地図や交通機関などの詳しい情報が得られ、オンラインでホテルやキャンプ場の予約ができ、メールで質問も可能。また、釣りが楽しめる公園、洞窟のある公園など興味ごとに調べることもできる。気象情報や道路情報（工事や積雪による閉鎖）などは、出発前に必ずチェックしたい。

下記の政府観光局は日本に事務所をもち、各州に関する質問も受け付けている。ウエブサイトからの資料請求もできる。

現地での情報収集

現地での情報収集で、一番におすすめするのが各国立公園内のビジターセンター。国立公園では入場の際に、ゲート（ゲートがない場合は園内のビジターセンター）で地図付きのパンフレットが渡されるから、これでビジターセンターを探そう。必要な情報が入手できる。このほか、人が多く集まる場所や空港、幹線道路沿いなどにも車で立ち寄れる案内所が設けられている。

国立公園の旅に役立つ日本のウエブサイト

●アメリカ西部5州政府観光局
（アリゾナ、ユタ、ワイオミング、サウスダコタ、ニューメキシコ州）
☎ (042)549-1454　 FAX (042)549-1453　 URL www.uswest.tv
●シアトル・ワシントン州観光事務所
☎ (03)4360-5644　 FAX (03)3323-6698
URL www.seattlewa.jp
E-mail info@seattlewa.jp　 ※訪問は不可
●コロラド州政府観光局
☎ (042)549-1489　 FAX (042)549-1453
URL www.visitcolorado.jp

✐ 渡航関連情報／旅の総合情報
●外務省・海外安全ホームページ
URL www.anzen.mofa.go.jp
●地球の歩き方　 URL www.arukikata.co.jp

ウエブサイトの閲覧
　ウエブサイトの更新状況は運営側の管理によりまちまちなので、最新の情報ではない場合もある。あくまでも参考程度に見ておいたほうが無難だ

●航空会社
全日空 URL www.ana.co.jp〈日〉
日本航空
URL www.jal.co.jp 〈日〉
アメリカン航空
URL www.americanairlines.jp〈日〉
デルタ航空
URL ja.delta.com〈日〉
ユナイテッド航空
URL www.unitedairlines.co.jp〈日〉
●交通
グレイハウンドバス
URL www.greyhound.com
アムトラック
URL www.amtrak.com
※〈日〉：日本語サイト

旅のシーズン

服装と持ち物

　真夏の旅でもTシャツ＆ショートパンツだけという格好はすすめられない。内陸にある公園は昼夜の寒暖の差が激しいし、山沿いの公園は天気が変わりやすい。気温に合わせて調節できるよう、重ね着が基本だ。長袖シャツにロングパンツなら、日中の強烈な日差しからも、朝夕に多い虫からも肌を守ることができる。上着は、トレーナーのほかに晴雨兼用のジャケットなどがあるといい。フード付きの軽いものを用意しよう。標高の高い公園では夏に雪が降ることもあるので、トレーナーの代わりにセーターが必要。

　靴は歩きやすいものを。サソリやガラガラヘビがいる場所ではサンダルは×。暑くても我慢してソックス＆スニーカーを履こう。

　荷物もスーツケースはいただけない。園内のロッジはロビーと客室棟が離れていて、駐車場から砂利道を歩くこともある。中身もなるべく軽くしたいが、帽子、サングラス、日焼け止めは必携。

アメリカのおもな気候

アメリカのおもな気候
（ケッペン気候区分）
A　地中海性気候
おもな都市　ロスアンゼルス、サンフランシスコ
B　西岸海洋性気候
おもな都市　シアトル、ポートランド
C　乾燥帯砂漠気候
おもな都市　ラスベガス、フェニックス
D　乾燥帯ステップ気候
おもな都市　デンバー
E　亜寒帯湿潤気候
おもな都市　ニューヨーク、シカゴ
F　温帯湿潤気候
おもな都市　アトランタ、ニューオリンズ
G　熱帯モンスーン気候
おもな都市　マイアミ

旅のシーズン

　国立公園を旅行するとき、四季それぞれの楽しみ方はあるが、やはりベストシーズンは夏。グランドキャニオンなどグランドサークルの公園も、世界中から観光客が集まる夏休み中がピークシーズンになるが、真夏は暑すぎるので、春と秋も人気がある。ロッキー山脈、カスケード山脈などの公園はおおむねメモリアルデイ（5月下旬）からレイバーデイ（9月上旬）がシーズン。冬期は積雪のため閉鎖される施設が多い。

アメリカの温度の単位

　アメリカでは気温や体温などの温度は、華氏（°F）で表示される。摂氏0度＝華氏32度を起点にしてだいたい摂氏1度増減すると、華氏は約1.8度増減すると覚えておくとよい。

華氏⇔摂氏の換算
●華氏＝（摂氏×9/5）+32
●摂氏＝（華氏−32）×5/9

旅の予算とお金

入園料と年間パス
→P.15

航空券の手配
→P.470

レンタカー
→P.478

航空券
●日本発着ロスアンゼルスへのノンストップ便・往復運賃の目安
※2013年1月現在（2～7月の運賃）
エコノミークラス、燃油サーチャージ込み。航空会社、シーズンにより異なる。
6万3000～14万7000円

●国内線片道運賃
※2013年2月現在
ロスアンゼルス～ソルトレイク・シティ間5800～3万7000円

長距離バス（グレイハウンド）
●片道運賃の目安
※2013年2月現在
ロスアンゼルス～ソルトレイク・シティ間$117～177

鉄道（アムトラック）
●片道運賃の目安
※2013年2月現在
ロスアンゼルス～ソルトレイク・シティ間$148～216

2013年2月6日現在の為替交換レート
$1.00＝94.65円
　最新の為替レートは「地球の歩き方」ウェブサイトで確認することができる。
URL www.arukikata.co.jp/rate

T/Cの再発行の条件
　紛失・盗難の際は発行会社へすぐ電話を→P.497
①T/Cを購入した際に渡されるT/C購入者控えがある。
②紛失したT/Cの番号と金額
③Holder's Signature欄のみに購入者のサインがしてある
※T/Cの使用を記録し、T/C購入者控えはT/Cとは別に保管しておくこと

　国立公園の旅でかかる費用は入園料、食事（アメリカの平均相場と同じ）、宿泊（少々高い）、車がある場合はレンタカー＆ガソリン代、車がない人は公園までの交通費＆園内で参加するツアー代など。

旅の予算

宿泊費、食費、現地ツアー代

　宿泊費の目安は、公園内のホテル$180～500、ロッジ$100～200、キャンプ場$15～20、公園外のモーテルならオフシーズンで$60～100、オンシーズンは倍の料金の場合もある。

　食費を安く抑えるならフードコートやファストフード店を利用するといい。$5～10でおなかいっぱい食べられる。もう少し落ち着いて食べるならカフェテリアなどで。ランチ$15前後、ディナー$20前後といったところ。高級レストランでディナーを食べるなら、アルコールやチップも含めて1人$50～100くらい覚悟しておこう。

　現地で参加するツアー代は、内容により異なるが、例えばグランドキャニオンで遊覧飛行する場合、50分$120～200。また、ミュール（ラバ）に乗ってグランドキャニオンを歩く3時間のツアーは$113。

外貨の両替

　アメリカの通貨単位はドル（$）とセント（¢）で、$1.00＝100¢。紙幣は$1、$2、$5、$10、$20、$50、$100の7種類。一般に流通しているのは$1、$5、$10、$20。コインは、1¢（通称ペニーPenny）、5¢（ニッケルNickel）、10¢（ダイムDime）、25¢（クオーターQuarter）、50¢（ハーフダラーHalf Dollar）、$1（ダラーコインDollar Coin）の6種類で、1¢、5¢、10¢、25¢の4種類のコインが流通している。

　持っていく米ドルの現金の目安は、交通費と飲食代程度の日本円、現地にて初日に必要な経費$60くらいで充分。あとはトラベラーズチェックやクレジットカードをうまく使おう。

　外貨両替は大手銀行、国際空港内の銀行などで、トラベラーズチェックとともに取り扱っている。日本円からドルへの両替は、日本国内のほうが概してレートがよいが、日本を出発する前に準備できなくても、国際空港の到着ロビーには必ず両替所があり、到着便がある時間帯は営業している。なお、国立公園内で外貨の両替は行っていない。公園へ行く前に必ず準備しよう。

トラベラーズチェック

　トラベラーズチェック（Traveler's Check）は、紛失、盗難時に条件（→欄外）を満たしていれば再発行可能な安全性の高い小切手（以下T/Cと略すが、現地ではTraveler's Checkという）。T/Cは額面の金額どおりに使え、現金化もできる。所有

者は購入後すぐに、Holder's Signatureの署名欄にサインをする（このサインがないT/Cを紛失すると再発行不可）。使用時にCounter Signatureという署名欄にサインし、ふたつの署名欄のサインが一致して初めて、現金同様の効力を発揮する。サインは使用時にパスポートなど身分証明書（ID）の提示を求められることがあるので、パスポートと同じものをすること。

T/Cを現金化する場合、ホテルでは手数料なしで現金化してくれるが、＄50までといった具合に1日に両替できる額が決められている。なお、銀行や空港の両替所では手数料がかかる。現金同様といっても、市バスやタクシー、フリーマーケットなどでは受け取りを拒否されることもあるから注意。なお、"NO CHECK（小切手お断り）"と書いてある場合、"CHECK"とは、パーソナルチェック（アメリカの銀行口座引き落としの小切手）のことなので、T/Cなら受け取ってもらえることが多い。

クレジットカード

クレジットカードはアメリカ社会において、所有者の経済的信用を保証するものとして不可欠のもの。

メリットは、①多額の現金を持ち歩かなくてもよいので安全である　②現金が必要なとき、手続きをしておけばキャッシングサービスを受けられるので、所持金が底を尽いたら……という心配から解放される　③経済的信用を求められる意味合いで、レンタカー、ホテルの予約、ホテルのチェックイン時に必ず提示を求められる、といったケースに対応できる点。日本で加入できる国際カードはアメリカン・エキスプレスAmerican Express、ダイナースDiners、ジェーシービーJCB、マスターカードMasterCard、ビザVisaなどがあり、銀行や信販会社で提携しているところがある。各社に特徴があるが、緊急時のことも考えると複数のクレジットカードを持っていることが望ましい。新規にクレジットカードを作る場合、余裕をみて旅行の1ヵ月前には申し込んでおくとよい。

✍ クレジットカードの使い方

日本と同様ほとんどの店やレストランで利用できるが、店によっては最低の利用金額を定めているところもある。会計時にカードを渡すと、利用内容が記された伝票が提示されるので、金額などを確認のうえ、署名欄にサイン（端末機で暗証番号を入力する場合もある）をすればよい。カードの悪用を避けるため、精算時も絶対にカードから目を離さないこと。利用控えの受領を忘れずに。なお、近年クレジットカード使用時にID（パスポートなどの身分証明書）の提示が求められる。

✍ クレジットカードでキャッシングする

現金が少なくなったときに便利なのが、クレジットカードのキャッシングサービス。ATM（操作方法は右記）で、いつでも現地通貨で引き出せる。キャッシングには、ATM利用料や利息がかかり、カード代金の支払い口座から引き落とされる。ATMは大きな国立公園なら各ビレッジにたいていあるが、小さな公園にはないので要注意。

カードをなくしたら!?

国際カードの場合、まず現地のカード会社に連絡して不正使用されないようにしてもらう。警察より先だ。手続きにはカードナンバー、有効期限が必要なので、紛失時の届け出連絡先と一緒にメモしておくのを忘れずに。→P.492

ATMの操作手順

※機種により手順は異なる

①クレジットカードの磁気部分をスリットさせて、機械に読み取らせる。機械によってはカードの表面を上向きに挿入するタイプや、挿入口に入れてすぐ抜き取るタイプもある

↓

②ENTER YOUR PIN=「暗証番号」を入力して、ENTERキーを押す

↓

③希望する取引を選択する。WITHDRAWAL、またはGET CASH=「引き出し」を指定する

↓

④取引の口座を選択する。クレジットカードの場合、CREDIT、もしくはCREDIT CARD=「クレジットカード」を指定

↓

⑤引き出す金額を入力するか、画面に表示された金額の中から、希望額に近い金額を指定して、ENTERを押す

↓

⑥現金とRECEIPT「利用明細」を受け取る

※初期画面に戻っているかを確認し、利用明細はその場で捨てないように

海外でも便利なJCBカード

JCBカードを持っていれば、おトクで快適な海外旅行が楽しめる。世界60ヵ所に設置された海外サービス窓口「JCBプラザ」に行けば、現地のレストラン予約や観光についての相談が日本語でできる。さらにクレジットカードの紛失や盗難時のサポートもあって安心。また、地域別のMAP付き優待ガイド「JCBショッピング＆ダイニングパスポート」やWeb上で一部地域のレストランを無料で予約できる「JCB PLAZA Web -海外優待ナビ」も見逃せない。詳細はホームページで

URL www.jcb.jp

出発までの手続き

パスポートの取得

パスポート（旅券）は、あなたが日本国民であることを証明する国際的な身分証明書。これがなければ日本を出国することもできず、旅行中は常に携帯しなければならない大切なもの。

一般旅券と呼ばれるパスポートの種類は、有効期間が5年（紺）のものと10年（赤）のものとがある。発行手数料は5年用（12歳以上）が1万1000円、5年用（12歳未満）6000円、10年用が1万6000円で、期間内なら何回でも渡航可能。なお、20歳未満の場合は5年用しか申請できない。すでにパスポートを持っている人は有効期間の確認をしておこう。アメリカに渡航する場合、パスポートの残存期間は入国する日から90日以上あることが望ましい。パスポートの署名（サイン）は、日本語でも英語でもどちらでも構わないが、自分がいつも書き慣れている文字で書くこと。クレジットカードやトラベラーズチェックのサインも、パスポートと同じものにしておくこと。現地で、IDのサインとの照合がよくあるからだ。

パスポートの申請から受領まで

申請手続きは、住民登録をしている居住地の各都道府県の旅券課やパスポートセンターで行う。必要書類を提出し、指定された受領日以降に、申請時に渡された受領票を持って受け取りに行く。必ず本人が出向かなければならない。申請から受領まで約1週間。都道府県庁所在地以外の支庁などで申請した場合は2〜3週間かかることもある。

●パスポート申請に必要な書類

①一般旅券発給申請書（1通）
用紙は各都道府県庁旅券課にあり、申請時にその場で記入すればよい。20歳未満の場合は親権者のサインが必要になる。
②戸籍謄本（抄本）（1通）　6ヵ月以内に発行されたもの。
③住民票（1通）住基ネット導入エリアに住む人は原則不要。
④顔写真（1枚）　6ヵ月以内に撮影されたもの。サイズは縦4.5cm×横3.5cm（あごから頭まで3.4±0.2cm）、背景無地、無帽、正面向き、上半身。スナップ写真不可。白黒でもカラーでも可。また、パスポート紛失時などの予備用に2〜3枚あるといい。
⑤申請者の身元を確認する書類　有効なパスポート、運転免許証、住民基本台帳カードなど、官公庁発行の写真付き身分証明書ならひとつ。健康保険証、年金手帳、社員証や学生証（これらの証明書類は写真が貼ってあるもののみ有効）などならふたつ必要。窓口で提示する。
⑥有効パスポート　パスポートを以前に取得した人は、返納のうえ、失効手続きを行う。希望すれば無効となったパスポートを返却してくれる。

パスポートの発行手数料
発行手数料の印紙は、旅券課やパスポートセンター内の売店で購入すればよい。地域によっては、印紙を廃止し、領収のスタンプを捺印する場合がある

居所申請書
「居所申請書」を提出する際、住民票のほか学生は学生証や在学証明書、6ヵ月以上の単身赴任者の場合、居所証明書や居所の賃貸契約書が必要

現在の居住地に住民票がない人の申請方法
1.住民票がある都道府県庁旅券課で申請（代理可）。受領は本人のみ
2.住民票を現在の居住地に移して申請
3.居所申請（住民票を移さずに、現住の居住地で申請）をする。その場合、学生、単身赴任等一定の条件を満たしていれば可能。代理申請は認められていない。なお、居所申請については各都道府県庁の旅券課に確認すること

パスポートの切替発給
パスポートの有効期間が1年未満となったときから、切替発給が可能。申請には右記の申請に必要な書類のうち①②④⑥を提出する（③が必要な場合もある）
氏名、本籍の都道府県名に変更があった場合は記載事項の訂正を行えばいい。手数料、戸籍謄本（抄本）、現住所が確認できる書類が必要

パスポートの紛失については
→P.492

ビザ（査証）の取得

ビザとは、国が発行するその国への入国許可証。観光、留学、就労など渡航目的に応じてビザも異なるが、日本人のアメリカ入国にあたっては、90日以内の観光、商用が目的の渡航であれば、ほとんどの場合ビザ取得の必要はない（ビザ免除プログラム）。なお、ビザなしで渡米する場合、ESTAによる渡航認証を取得しなければならない（→下記）。

✎ 滞在が90日以内でもビザが必要なケース

日本から第三国へ渡航したあと、アメリカに入国する場合、国によってはビザが必要な場合もある。予定のある人は必ず、航空会社、旅行会社、アメリカ大使館・領事館に問い合わせること。ただし、直接アメリカに入国したあとにカナダ、メキシコなどに出国、再びアメリカに戻ってくる場合、そのアメリカ滞在の総合計日数が90日以内ならビザは不要。

ESTA（エスタ）の取得

ビザ免除プログラム（上記）を利用し、ビザなしで飛行機や船でアメリカへ渡航・通過（経由）する場合、インターネットで（携帯電話は不可）ESTAによる渡航認証を取得する必要がある。事前にESTAの認証を取得していない場合、航空機への搭乗や米国への入国を拒否されることがあるので注意が必要。一度ESTAの認証を受けると2年間有効で、米国への渡航は何度でも可能。なお、最終的な入国許可は、初めの入国地において入国審査官が行う。

渡航が決まったら、早めにESTAによる渡航認証を申請・取得をしよう（出国の72時間前までの取得を推奨）。手順は **URL** esta.cbp.dhs.govにアクセス。日本語表記を選択して案内の手順に従えばよい。渡航認証の回答はほぼ即座に表示され、「渡航認証許可」はOK。「渡航認証保留」は審査中。72時間以内に再度ESTAのサイトで確認を。承認されず「渡航認証拒否」となった場合、アメリカ大使館・領事館でビザの申請が必要。

海外旅行保険の加入

海外旅行保険とは、旅行中の病気やケガの医療費、盗難に遭った際の補償、あるいは自分のミスで他人の物を破損した際の補償などをカバーするもの。保険に加入する、しないは、当然本人の意思によるが、万一のときに金銭的な補償が得られるということだけでなく、緊急時に保険会社のもつ支援体制が使えることは大変心強い。他人に起こるトラブルは自分にも起こり得ると考えて、海外旅行保険には必ず加入しよう。

保険の種類は、必ず加入しなければならない基本契約と、加入者が自由に選べる特約に分かれている。一般的に必要な保険をセットにしたパッケージプランに加入するのが便利で簡単。国立公園は僻地にあるため、万一の際にヘリで移送される可能性が高い。補償額が充分かどうかよく検討しよう。

アメリカ大使館
⌂ 〒107-8420 東京都港区赤坂1-10-5
☎(03)3224-5000(代表)
URL j a p a n e s e . j a p a n . usembassy.gov

ビザに関する質問
非移民ビザの申請する場合は、ほとんどの人は面接（予約制）が必要となる。問い合わせは、電話 **☎** 東京(03)6743-9732、大阪(06)6943-6700、沖縄(098) 854-7050、米国在住者(1-646)259-0526)、Eメール、チャット、Skypeで受け付けている。これらのサービスは無料で、通話料のみ利用者負担となる。詳細は **URL** w w w . u s t r a v e l docs.com/jpの「お問い合わせ」を参照

取得しておくと便利な証書類
●国外（国際）運転免許証
レンタカーを借りる予定の人には必要不可欠。自分の運転免許証を発行した都道府県の免許センターに出向いて申請する
URL www.npa.go.jp/annai/license_renewal/home.html
●ユースホステル会員証
ユースホステルは、原則として会員制。手続きは全国各地にある窓口がオンラインで
☎(03)5738-0546
URL www.jyh.or.jp

ESTAの代金決済
登録料は$14。支払いはクレジットカードとデビットカードのみ。 **カード** A J M V
※JCBカードは、クレジットカード情報の入力をする際、支払いカードのプルダウン・メニューで「ディスカバーカード Discover Card」を選択し、JCBカードの情報を入力

ネットで申し込む海外旅行保険
例えば、損保ジャパンのインターネット商品の「新・海外旅行保険『off!』」なら旅行先別に料金設定がされており、さらに補償の「ばら掛け」ができるので、ニーズに応じた保険が組めて、同社の従来商品に比べ安くなることがあるのが特徴。また、1日刻みで旅行期間を設定でき、出発当日の申し込みが可能なのも便利
「地球の歩き方」ホームページからも申し込める
URL www.arukikata.co.jp/hoken

469

航空券の手配

航空会社
（日本国内の連絡先）
●全日空
☎0570-029-333
URL www.ana.co.jp
●ユナイテッド航空
☎0570-064-777
URL www.unitedairlines.
co.jp
●アメリカン航空
☎(03)3298-7677
URL www.americanairlines.
jp
●デルタ航空
☎0570-0777-33
URL ja.delta.com
●日本航空
☎0570-025-031
URL www.jal.co.jp

旅行会社に相談する
　インターネットが普及したとはいえ、多くの航空会社を自分で比較検討するのはかなり時間のかかる作業だ。時間がない、よくわからない人は、旅行会社に相談することをすすめる。その際、自分が、いつ、どこの町に行きたいかをあらかじめ決めてから行こう

燃油サーチャージ
　石油価格の高騰や変動により、航空運賃のほかに“燃油サーチャージ”といって燃料費が加算される。時期や航空会社によって状況が異なるので、航空券購入時に確認を

Eチケット
　Eチケットには、搭乗者の航空券のデータがすべて航空会社のコンピュータに記憶されている。Eチケット控えは紛失しても再発行可能

日本からアメリカへの就航便

●ゲートシティから考える

　国立公園を訪れる場合、まずその公園のゲートシティに空港があるか、空港がない場合はどの都市からアプローチするのがよいのかを調べよう。日本からグランドサークルへは西海岸の都市を経由するか、2013年4月に就航するコロラド州デンバーへの直行便が便利。国内線は小型機を運航するコミューター航空となることが多いが、大手航空会社の系列に入っていることから、日本でも航空券を買うことができる。例えば、ソルトレイク・シティを中心にウエストイエローストーンやジャクソンへのフライトをもつスカイウエスト航空はデルタ航空の系列で、フライトナンバーもDLを使う。系列会社なら空港ゲートも近く乗り継ぎに便利なので、日本からのフライトも、自分が訪れる国立公園によって選んだほうが何かと便利だ。

✎ 航空券の種類

●普通（ノーマル）運賃

　定価（ノーマル）で販売されている航空券で、利用においての制約が最も少ないが、運賃は一番高い。種類はファーストクラス、ビジネスクラス、エコノミークラス（Y運賃とY2運賃）の3つに分かれる。

●正規割引運賃（ペックス PEX 運賃）

　ペックス運賃とは、日本に乗り入れている各航空会社がそれぞれに定めた正規割引運賃のこと。他社便へ振り替えることができない、予約後72時間以内に購入すること、出発後の予約変更には手数料がかかるなどの制約があるが、混雑期の席の確保が容易といったメリットもある。なお、ペックス商品は各社によって特色や期待が異なるので確認を。

　そのほかに、航空会社がパッケージツアー用として卸す航空券がある。それを個人に販売しているのが、格安航空券だ。

Column
移動時間は乗り継ぎも含めてトータルで考える

　広大なアメリカ大陸各地にある国立公園を巡るには、米国内の移動まで考えておかないと想像以上の時間をロスしかねない。その点、デルタ航空は米国内乗り継ぎの便利さを含めて選択肢から外せないだろう。

　成田からアトランタ、サンフランシスコ、シアトル、デトロイト、ニューヨーク、ポートランド、ミネアポリス、ロスアンゼルスの8都市、羽田からロスアンゼルス、関空からシアトル、中部国際空港からデトロイトに直行便で飛ぶことができ、そこからスムーズに乗り継いで米国内の隅々まで行けるメリットは時間と体力の面から計り知れない。

　たくさんの選択肢がある航空会社選びは、トータルの移動時間という観点からも考えてみてはいかが。

米国内の隅々まで路線網をもつデルタ航空

デルタ航空予約センター
☎0570-0777-33（ナビダイヤル）
URL www.delta.com

旅の技術

出入国の手続き

日本を出国する

　日本国内の国際空港でアメリカへの路線が運航しているのは、成田、東京（羽田）、関西、中部の4ヵ所。空港までのアクセス方法を前日までに確認すること。

空港到着から搭乗まで

①搭乗手続き（チェックイン）

　空港へは出発時刻の3時間前までに着くようにしたい。チェックイン手続きに時間を要するのと、急なフライトスケジュールの変更に対応するためだ。

　空港での搭乗手続きをチェックイン（Check-in）といい、Eチケットが普及した現在、通常手続きは各自が自動チェックイン機で行うのが基本。個人旅行者で航空券を持っている場合は、各航空会社のカウンターでチェックイン手続きを行う。その際は、航空券とパスポート、機内預け荷物を係員に渡せばよい。自動チェックイン機で手続きを行う場合は、タッチパネルの操作をガイダンスに従って行う。すべての手続きが完了したら搭乗券が発券される。その後、機内預け手荷物を、隣接する荷物用のカウンターに預ければよい。もし、わからないときは周りの係員に尋ねるか、カウンターに並ぼう。パッケージツアーなどの参加者は、指定の集合場所で担当者の指示に従い、パスポート、機内預けの荷物を渡す。搭乗手続きは担当者が代行してくれる。

②手荷物検査（セキュリティチェック）

　保安検査場では、機内に持ち込む手荷物のX線検査と金属探知機による身体検査を受ける。ノートパソコンなどの大型電子機器は鞄から出し、携帯電話やコイン、ベルトなどの身に着けている金属類はトレーに置いて、手荷物検査と一緒にX線検査を受けること。アメリカでは靴も脱いで、X線をとおさなければならない。液体などの持ち込みについては制約がある（→右記）。

③税関手続き

　高価な外国製品を持って出国する場合、携帯出国証明申請書に記入をして申告する。これを怠ると、帰国時に国外で購入したものとみなされ、課税対象になることもある。ただし、使い込まれたものなら心配はない。

④出国審査

　出国審査のカウンターで必要なのはパスポートと搭乗券の2点。基本的に質問されることはなく、パスポートに出国のスタンプが押されたらパスポートと搭乗券は返却される。

⑤搭乗

　自分のフライトが出るゲートへ向かう。飛行機への搭乗案内は出発時間の約30分前から始まる。搭乗はグループごとに分けられて機内に入るので、自分のグループ番号を覚えておこう。ゲートでは搭乗券とパスポートを提示することもある。

成田国際空港
空港の略号コード　"NRT"
☎(0476)34-8000
URL www.narita-airport.jp

東京国際空港（羽田空港）
空港の略号コード　"HND"
☎(03)6428-0888
URL www.haneda-airport.jp/inter/

関西国際空港
空港の略号コード　"KIX"
☎(072)455-2500
URL www.kansai-airport.or.jp

中部国際空港
空港の略号コード　"NGO"
☎(0569)38-1195
URL www.centrair.jp

ESTAを忘れずに！
　ビザなしで渡航する場合は、出発の72時間までにインターネットを通じて渡航認証を受けることが必要（→P.469）。必ず事前に認証を取得し、できれば取得番号の表示された画面を印刷して、携行していくように。航空会社によっては、この番号を確認するところもある
　「地球の歩き方　ホームページ」にも申告の手順が詳しく解説されている
URL www.arukikata.co.jp/esta

液体などの持ち込みに注意
　化粧品や歯磨き粉など液状やジェル状のものは、それぞれ100mℓ以下の容器に入れ、容量1ℓ以下の無色のジッパー付きの袋に入れ、X線検査を受けること

機内預けの荷物は施錠しない
　現在、アメリカ線は機内に預ける荷物には施錠をしないように求められている。心配な人はスーツケースにベルトを装着するか、TSAロック機能のスーツケースを使用しよう

アメリカの場合、アメリカ国内で乗り継ぎがあっても、必ず最初の到着地で入国審査を行う。例えば、日本からロスアンゼルスを経由してソルトレイク・シティへ向かうルートなら、ロスアンゼルスの空港で入国審査を受けることになる。最初の到着地に着く前に、機内で配布される「税関申告書」に記入をしておこう。

入国審査から税関申告まで

①入国審査

飛行機から降りたら、"Immigration" の案内に沿って入国審査場に向かう。審査場の窓口は、アメリカ国籍者(U.S. Citizen)、それ以外の国籍者の2種類に分かれている。自分の番が来たら審査官のいる窓口へ進み、パスポートと税関申告書(→下記)を提出する。なお、VISIT-USAプログラム実施により、米国に入国するすべての人を対象に、インクを使わないスキャン装置による両手の指の指紋採取(一部空港)とデジタルカメラによる入国者の顔写真の撮影が行われる。渡航目的や滞在場所など、いくつかの質問が終わり入国が認められれば、パスポートと捺印した税関申告書を返してくれる。

②荷物をピックアップする

入国審査のあと、バゲージクレームBaggage Claimへ。フライトをモニターで確認して、荷物の出てくるターンテーブルCarouselへ行き、機内預け荷物を受け取る。手荷物引換証(タグ)を照合する空港もあるので、タグはなくさないように。また、預けた荷物が出てこない、スーツケースが破損していたなどのクレームは、その場で航空会社に申し出ること。

③税関検査

税関でチェックされるのは、持ち込み数量に制限がある酒、タバコの持ち込みで、制限を超える場合は課税の対象となる。また、現金1万ドル以上の持ち込みは非課税だが申告が必要。

税関申告書記入例

まずはあいさつから
慣れない英語での入国審査は緊張するものだが、審査官の前に進んだら、"Hello"、"Hi"、"Good morning" と、まずはあいさつをしよう。審査終了後も "Thank you" のひと言を忘れずに

質問の答え方
●入国目的は、観光なら "Sightseeing"、仕事ならば "Business"
●滞在日数は、5日なら "Five days"、1週間ならば "One week"
●宿泊先は到着日に泊まるホテル名を答えればよい
●訪問先は、アメリカを周遊する場合に尋ねられる場合がある。旅程表などを提示して、説明するといい
●所持金については、長期旅行や周遊する町が多い場合に尋ねられることもある。現金、トラベラーズチェック、クレジットカード所有の有無を正直に答えておこう
入国審査は簡単な英語だが、どうしてもわからないときは通訳Interpreter(インタープリター)を頼もう

空港で荷物が出てこなかったら
→P.493

アメリカ入国の持ち込み制限
通貨は無制限だが、現金とT/Cの合計が1万ドル以上は申告が必要。酒類は、21歳以上で個人消費する場合は1ℓ、おみやげは$100相当まで無税。タバコは200本(または、葉巻50本、刻みタバコなら2kgまで)まで無税。
肉類や肉のエキスを含んだすべての食品は持ち込み禁止となっている

❶姓 ❷名
❸生年月日(日/月/年:西暦の下2桁)
❹同行している家族の人数
❺滞在先(ホテル)の名称
❻滞在先(ホテル)の市
❼滞在先(ホテル)の州
❽パスポート発行国
❾パスポート番号
❿居住国
⓫米国到着前に訪問した国。なければ無記入
⓬米国に乗り入れる便名
⓭該当するものがない場合は「いいえ」をチェック
⓮おみやげなど米国に残るものの金額(私物は含まない)
⓯パスポートと同じサイン
⓰米国到着日(日/月/年:西暦の下2桁)
⓱課税対象がある場合は、品目と金額を書き込む
⓲その合計金額

税関検査後、市内やほかの都市への乗り継ぎ

空港から各都市の市内へは、地下鉄や路線バス、空港バス、空港シャトルバン、タクシーなどのアクセスがある。

デンバーなどほかの空港を経由して目的の都市へアクセスするときは、国内線への乗り継ぎとなる。出口を出ずに、税関審査が終わったら"Transfer"（乗り継ぎ）のサインに従い、乗り継ぎカウンターへ。ここでタグの行き先が目的の都市であるかを確認して再び荷物を預ける。近くにあるフライトモニターを見て、次の便のゲート番号と何時に出発するかを確認しよう。そして、国内線のターミナルに移動する。大規模な空港ではほかのターミナルへ移動するためにモノレールや地下鉄に乗ることもある。

アメリカを出国する

①空港へ向かう

ホテルから空港への交通手段で、最も一般的なのは空港シャトルバンだ。空港シャトルバンはDoor-to-Doorのサービスで、ホテルや個人宅へも来てくれる。ホテルならフロントに頼んでもいいし、近年はウエブサイトから申し込むこともできる。都市によっては地下鉄や路線バスなどの公共交通機関が利用しやすい場合もある。遅延なども考えて、時間に余裕をもって行動したい。なお、現在アメリカ国内の空港はセキュリティが非常に厳しく、特に大空港では時間がかかる。最低でも国内線の場合は2時間前に、国際線は3時間前までには空港に着くようにしよう。

②利用航空会社のカウンターに向かう

アメリカのおもな国際空港は、航空会社によってターミナルが異なる。空港シャトルバンならドライバーが乗客の利用する航空会社を尋ねて、そのターミナルで降ろしてくれる。地下鉄やバスは降りたところからカウンターまで歩くか、空港内を走るモノレールや地下鉄で移動することもある。

③チェックイン（搭乗手続き）

2013年1月現在、アメリカでは出国審査官がいるゲートで出国スタンプを押してもらうプロセスがない。係員のいる利用航空会社のカウンターで、機内預け荷物とパスポートを提示して終了。チェックイン手続きが済んだら、手荷物検査を通って搭乗ゲートへ。ゲートでの搭乗の際、搭乗券とパスポートを見せることがある。

日本に入国する

飛行機が到着し、検疫カウンターへ。アメリカからの帰国者は基本的に素通りでよいが、体調異常がある場合は検疫官に申し出ること。入国審査カウンターではパスポートを提示して審査を受ける。次にアメリカから動植物を持ち込む人は、検疫を受ける必要がある。バゲージクレーム・エリアのターンテーブルで機内預けの荷物を受け取ったら、税関のカウンターへ。海外で購入した物品が免税範囲内なら緑、免税の範囲を超えている場合は赤の検査台へ。なお、機内で配布された「携帯品・別送品申告書」を機内で記入し、ここで提出しよう。別送品がある人は2部提出する。

再度セキュリティチェックがある

入国審査、税関検査を終え、乗り継ぎカウンターで荷物を預けたあと、乗り継ぎ便の搭乗口に向かう手前にもセキュリティチェックがある。日本の出国手続き後に購入したり、機内で購入したペットボトルやビンのアルコール類は、ここで没収されてしまうので注意したい

地方の空港から日本へ帰国

ロスアンゼルスなど日本へのノンストップ便をもつ空港は大規模で、チェックイン手続きやセキュリティチェックに時間がかかる。しかし、地方の空港はとても小規模でチェックインもセキュリティもあっという間、ということもよくある。3時間前では早すぎたということもあるので、ホテルの人に混雑具合を聞いてみるといい。加えて、アメリカの空港は冷房がきついことが多いので、上着は必需品

肉類、肉加工品に注意

アメリカ（ハワイ、グアム、サイパン含む）、カナダで販売されているビーフジャーキーなどの牛肉加工品は、日本に持ち込むことができない。免税店などで販売されているもの、検疫済みシールが添付されているものも、日本への持ち込みは不可。注意してほしい
URL www.maff.go.jp/aqs/tetuzuki/product/aq2.html

携帯品・別送品申告書記入例

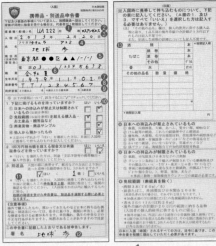

携帯品・別送品申告書 記入例

（表面）
①航空会社（アルファベット2字の略号）と便名
②出発地
③入国日
④氏名
⑤住所と電話番号
⑥職業
⑦生年月日
⑧パスポート番号
⑨同伴の家族がある場合の内訳
⑩質問の回答欄にチェック
⑪別送品がある場合は「はい」にチェック、個数を記入
⑫署名
（裏面）
⑬入国時に持ち込むもの
※日本入国時に携帯して持ち込むものについての質問欄がある。不明な点などは係員に確認を

📖 携帯品・別送品申告書について

　2013年1月現在、日本に入国（帰国）するすべての人は「携帯品・別送品申告書」を1通提出することになっている。海外からの別送品がある人は2通提出し、このうちの1通に税関が確認印を押して返してくれる。この申告書は、別送品を受け取る際必要になるので、大切に保管しよう。帰国後に別送品の申告はできない。申告用紙は機内で配られるが、バゲージクレーム・エリアなど税関を通過する前に記入台が設けられているので、別送品がある場合は必ず帰国時に申告すること。もし、別送品の申請をしなかったり、確認印入りの申請書をなくした場合は、一般の貿易貨物と同様の輸入手続きが必要になるので要注意。

📖 海外から日本への持ち込み規制と免税範囲

　日本への持ち込みが規制されている物は下記のとおり。海外で購入する際に問題ないと言われても、税関で規制対象品と判明した時点で所有を放棄するか、自己負担で現地に送り返す、輸入許可が下りるまで有料で保管されるなどの処置がなされる。

日本へ持ち込んではいけないもの
●覚せい剤、大麻、MDMAなどの不正薬物
●けん銃等の銃砲、これらの銃砲弾、けん銃部品
●わいせつ雑誌、わいせつDVD、児童ポルノなど
●偽ブランド品、海賊版などの知的財産を侵害するもの
●ワシントン条約に基づき、規制の対象になっている動植物、それらを加工した製品も規制の対象
●ビーフジャーキーなどの牛肉加工品。免税店で販売されているもの、検疫済みシールが添付されているものでも不可
※輸出入禁止・規制品の詳細は URL www.customs.go.jp

日本入国時の免税範囲（成年者ひとりあたり）　2013年1月現在

	品　目	数量または価格	備　考
1	酒　類	3本	1本760ml程度のもの
2	タバコ｜葉巻タバコ	50本（ただし、ほかのタバコがない場合）	日本に居住している人は日本製、外国製タバコを各200本、海外居住者については各400本まで免税
	タバコ｜紙巻きタバコ	200本（ただし、ほかのタバコがない場合）	
	タバコ｜その他のタバコ	250g（同上）	
3	香水	2オンス	1オンスは約28ml
4	品名が上記1～3以外であるもの	20万円（海外市場の合計額）	合計額が20万円を超える場合は、超えた額に課税。ただし、1個20万円を超える品物は、全額に課税される

未成年者の酒類、タバコの持ち込みは範囲内でも免税にならない。
6歳未満の子供は、おもちゃなど明らかに子供本人の使用と認められるもの以外は免税にならない。
※免税範囲についての詳細は税関 URL www.customs.go.jp

旅の技術

現地での国内移動

Travel Tips

アメリカでの国内移動手段として代表的なものは、飛行機、レンタカー、長距離バス、鉄道などの交通機関が挙げられる。利用する乗り物によって、料金、時間に差が出てくるのはもちろんのこと、旅の印象も変わってくる。国立公園の旅をするときに、威力を発揮するのがレンタカーだ。なお、アメリカ国内を旅するにあたっては、どの移動手段においても「時差」があることを念頭に行動をすること。現地ツアーなどの出発時刻に間に合わないというケースもあるからだ。

飛行機 Domestic Flight

滞在都市数と航空券の種類

前述のとおり、国立公園を旅するにあたり最初に決めておきたいのが、どこの空港に入り（ゲートシティ）、どこの空港から出るか。同じ空港にして周遊する方法もあるし、入る空港と出る空港が異なることもあるだろう。

基本的に、ゲートシティと出る空港が同じなら、航空券は日本とゲートシティ間の単純往復航空券を手配する。2都市以上の複数都市を飛行機で回る旅の形態は周遊といい、周遊の運賃はゾーンや滞在都市数など、航空会社により条件が異なる。

周遊の旅、航空会社選びはハブ HUB が重要

航空会社は、乗客や貨物の効率的な輸送を図るため、運用の拠点としてハブ（中核）となる空港をもっている。行きたい都市への直行便がなくても、ハブになっている都市を経由すれば目的の都市にたどり着ける。ただし、ハブの都市を経由すると遠回りになるなど、多少のデメリットもあるが、ルート作成時の航空会社は、同一航空会社とすることが大切だ。

実際、選んだ航空会社の路線が訪問予定都市をどうしてもカバーしきれない場合、次の都市まで飛行機に乗るほどでもないときは、鉄道や長距離バスといった、ほかの交通機関の利用も考えてみよう。

アメリカ国内線の基礎知識

飛行機の移動で、最大のメリットは速いこと。特に短期間に旅行をする人や、訪れる場所が著しく離れている人にとって利用価値は大きい。ロッキー越えやグランドキャニオンなど、空からの雄大な景観を楽しむこともできる。

デメリットは、飛行時間以外の時間がけっこうかかること。出発の約2時間前に空港に着いていなければならないし、空港は郊外にあるため、国立公園へのバスの乗り継ぎにも時間がかかる。場所によっては1日1便しか飛んでいないフライトもあり、乗り遅れると大変。天候による運休も覚悟しよう。

国内線利用の流れ

空港へは出発時刻の少なくとも2時間前までに到着を。大空港ならもっと早めが望ましい。国内線は「ドメスティックDomestic」のターミナルでチェックインの手続きを行う。チェックイン後、手荷物審査を受け、搭乗ゲートに向かう

航空券に関する専門用語

●OPEN（オープン）：航空券の有効期限内であれば、復路のルート変更が可能な航空券

●FIX（フィックス）：出発前に日程、経路、往復便の予約を行う必要がある航空券

●オープンジョー：複数都市を回る際、途中の移動を飛行機以外の手段（鉄道、バスなど）で行うことができる航空券

●トランジット：同じ飛行機で途中にほかの空港に立ち寄ること。乗り継ぎ時間は24時間以内

●ストップオーバー：同じ途中降機のことで、乗り継ぎ地で24時間以上滞在すること

コードシェアとは？

路線提携のこと。ひとつの定期便に2社以上の航空会社の便名が付いているが、チェックインの手続きや機内サービスは主導運航する1社の航空会社によって行われる。搭乗券には実運航の航空会社名が記載されるが、空港内の案内表示には複数の便名、または実運航の航空会社のみの便名で表示されるなど、ケース・バイ・ケース。予約時に必ず、実運航の航空会社を確認すること

時間のない人には飛行機での移動をすすめる

鉄道　Amtrak

　広大なアメリカ大陸を迫力満点に疾走する列車の旅は、単なる移動手段としてではなく、それ自体が大きな楽しみといえる。現在、アメリカの中長距離旅客輸送を受けもっている半官半民の会社がアムトラックAmtrak。各地方の私鉄の線路を借り受けて、アムトラックの車両を走らせている。

国立公園への足として使えるアムトラック

　路線網はバスに比べてはるかに少ないが、グレイシャーは駅が公園の目の前だし、ヨセミテとグランドキャニオンは、駅からビレッジまでシャトルバスや鉄道が運行している。サワロ（ツーソン）、ロッキーマウンテン（デンバー）、オリンピック＆マウントレニエ（シアトル）、ホワイトサンズ＆カールスバッド（エルパソ）などの公園も、ゲートシティに鉄道駅がある。

　デメリットは、とにかく遅いこと。バスよりものろく、遅延もとても多いので、スケジュールには充分な余裕が必要。鉄道旅行は、ゆったり、のんびりとした旅に適している。

　運賃はバスに比べると割高で、ピーク時かオフピーク時か、途中下車するかなどによって細かく変動する。

アムトラック／乗車の流れ

　日本の特急列車は事前に予約をするのが一般的だが、アムトラックの場合、人気の路線の寝台車を除いて、ほとんど予約をする必要はない。当日たいてい乗ることができる。

①駅に着いたら

　まずはカウンターへ。USAレイルパスを持っていて初めて使うときは、身分証明書を見せて、利用開始日と終了日を記入してもらう。なお、日本でバウチャーを購入した人はバウチャーも提示する。次に、どの列車に乗りたいかと目的地を告げて乗車券を発券してもらおう。

　パスを持っていないときはカウンターで目的地、乗車券の枚数などを告げよう。なお、乗車券はアムトラックのウエブサイトからも購入ができる。ほかにも駅の窓口や主要駅に設置されている自動発券機 "Quick-Trak Kiosk" でも買える。

②乗車

　アメリカでは安全のため、列車の到着と出発時刻の前後以外は駅のホームには入ることができない。長距離列車の場合、路線によって乗車時に車掌が座席を指示することもある。

　列車が動き出してからしばらくすると、車掌が検札にやって来るので、乗車券を渡す。そのとき乗車券と引き換えに、目的地を書いたバウチャー（引換券）を頭上の荷物置き場の所に挟んでくれる。新たに席を移動するときは、これを持って移動するように。

グレイシャーなど一部の公園に鉄道が走る

アムトラック
Free 1800-872-7245
URL www.amtrak.com

USAレイルパス　USA Rail Pass
　アムトラックでは旅行者向けにUSAレイルパスという鉄道周遊券を販売している。これはアセラ特急などを除くアムトラックの全路線（主要駅から発着している連絡バスAmtrak Thruway Busの乗車にも利用回数にカウントされる）、適用期間内の利用回数分だけ乗車できる。パスは、アムトラックのウエブサイトからも購入ができるし、日本の旅行会社でも取り扱っている（下記）。日本で購入した場合、バウチャーが発行されるのでアメリカ国内の主要駅でパスに換える手続きを行えばよい

USAレイルパス
●日本で取り扱いの旅行会社
欧州エキスプレス
☎(03)3780-0468
URL www.ohshu.com
※下記のパス料金は、欧州エキスプレスのウエブサイトからオンラインで購入する場合の料金
USAレイルパスの料金は、2013年1月現在、15日間有効（適用8日間内）4万1300円、30日（適用12日間内）6万2900円、45日（適用18日間内）8万800円

鉄道の旅はここに注意！
　アムトラックも全米を走っているとはいうものの、そのネットワーク網はグレイハウンドのように隅々までというわけではない。多くの大都市には走っているが、アムトラックが乗り入れていない都市もある（連絡バスが走る都市もある）。鉄道での移動を考えているのなら、初めにアムトラックが目的地に乗り入れているかどうかを確認しよう

長距離バス　Greyhound

グレイハウンド社はアメリカで唯一最大の長距離バス会社。ハワイとアラスカを除く48州をカバーし、提携バス会社と合わせると行けない町はないといっていいほど路線網は充実している。

料金が安いのが最大のメリット

デメリットは、ローカル路線は本数が極端に少なく、季節によっては運休する路線もあること。特に国立公園の多いロッキー地方を走るルートは、冬になると運休したり、便数が大幅に減ったりするので要注意。また、長距離バスは国立公園の中までは乗り入れていないので、バスディーポから公園までの足に困ることも多い。

時刻表について

現在、時刻表はウエブサイトで確認することができる。バスディーポの中にも表示されている。

グレイハウンド／乗車の流れ

ターミナル、バスディーポへは出発時刻の60分前までに行こう。

①チケットの購入（発券）

アメリカでも自動券売機での購入が一般化しつつある。係員のいるチケットカウンターのあるところでは、行き先、片道か往復か、枚数などを告げる。ウエブサイトからも購入することができ、前もって購入すれば大幅な割引もある。大きな荷物を預けたい人は、カウンターで荷物の数を申告し、行き先の書かれた荷物タグをもらう。乗車まで荷物は自分で保管する。

②乗車

乗車が始まるのは出発時刻の10分前くらいから。改札をするのはバスを運転するドライバー。彼らは乗車から下車までバスのすべてを任されている。大きな荷物を預ける人は、このときドライバーに頼む。ドライバーの横にある大きなカートか、その場に荷物を置くよう指示される。行き先を確認したらバスに乗り込もう。席は早いもの順だが、ほかの町を経由してきたバスは、すでに乗客が座っているから、空いた席に座ることになる。なお、車内とバスディーポは一切禁煙。喫煙は建物の外で。

走行中は、ノンストップ便を除けば、3時間おきくらいにレストストップRest Stopという20分くらいの休憩、食事時にはミールストップMeal Stopという45分くらいの休憩がある。たいていマクドナルドのようなファストフード店か大きなガソリンスタンドに停車する。食料を持ち込む心配も不要だし、トイレはそのときに利用するといい。車内にもトイレはあるが、どうしても汚れやすい。

③目的地に到着すると、ドライバーはバスから一番初めに降りて、下車する乗客一人ひとりを見送る。運転してもらった感謝の気持ちを込めて「Thank you！」と言おう。降りたらクレームタグの半券を見せて、係員に荷物を出してもらうのを忘れずに。

グレイハウンド
Free 1800-231-2222
URL www.greyhound.com

ディーポについて
大都市のディーポは周辺の環境がよくないことが多いので、夜間の利用は気を付けよう。小さな町のディーポは、バスが発着する時間しか営業していないし、バスの発着があっても週末は閉まってしまうディーポも多い。こんなときは、チケットはドライバーから購入する

時刻表はウエブで
URL www.greyhound.com
サイトにアクセスしたあと、表示の言語として"English"を選び、"Buy Tickets"の項に出発地と目的地、乗車日を入力していけば、タイムテーブルだけでなく、運賃も知ることができる。さらに進めばバスターミナルやバスディーポ（バスターミナルより規模の小さいもので、アメリカではディーポというのが一般的）の情報も知ることができる

ウエブサイトからの乗車券の購入
ウエブサイトから乗車券を購入することもでき、前もって購入すれば割引もある。ただし、区間によっては手数料が高くつくこともある
URL www.greyhound.comのトップページの"Tickets"から、乗車区間、日時、片道か往復かなどを入力していけば買える。クレジットカードで決済後は、パソコンの画面に行程表が表示されるので、これを印刷する。乗車時にこの行程表と身分証明書（パスポートなど）を提示すれば、乗車できる。
現金の場合は、アメリカ国内のセブン-イレブンなど、最寄りのショップを指定して払い込むシステムだ

ディスカバリーパス
Discovery Pass 終了
グレイハウンド社発行の周遊券「ディスカバリーパス」は、2012年9月30日をもって販売が終了となった

国立公園の走り方
→P.26

**日本に支社、代理店の
あるレンタカー会社**
アラモ　Alamo
アラモレンタカー
無料 0120-088-980
URL www.alamo.jp
アメリカ
Free 1800-803-4444

エイビス　Avis
エイビスレンタカー日本総
代理店
(株) オーバーシーズ・ト
ラベル
無料 0120-31-1911
URL www.avis-japan.com
アメリカ
Free 1800-352-7900

バジェット　Budget
バジェットレンタカー日本
総代理店
(株) イデックスオート・
ジャパン
無料 0120-150-801
URL www.budgetrentacar.jp
アメリカ
Free 1800-214-6094

ダラー　Dollar
ダラーレンタカー日本総代
理店
(株) アクセス
無料 0120-117-801
URL www.dollar.co.jp
アメリカ
Free 1800-800-5252

ハーツ　Hertz
ハーツ・アジア・パシフィ
ック (株)
無料 0120-489882
(ヨヤクハハーツ)
URL www.hertz.com
アメリカ
Free 1800-654-3131

**JAFとAAA (トリプルA)
の上手な利用法**
　JAFの会員であれば、入
国から3ヵ月間に限り、
AAA (トリプルA) 会員同
様にAAAのサービスを受け
ることができる。AAAと
は、American Automobile
Association (アメリカ自
動車協会、通称トリプルA)
のことで、日本ではJAF (日
本自動車連盟) にあたる組
織。JAF同様、AAAも会員
に対してさまざまなサービ
スを行っている
JAF総合案内センター
☎ 0570-00-2811
URL www.jaf.or.jp

レンタカー

　町が車での移動を基本に造られているので、どこに行くにも車の有用性を実感するはず。交通法規やルールの違う日本からの旅行者は不安に思うかもしれないが、逆に、車で移動することによって生じるメリットは数えきれないほどある。

走り出す前に
●国外 (国際) 運転免許証の取得
　アメリカでドライブをするために、日本から用意していかなければならないもののひとつが国外 (国際) 運転免許証だ。各レンタカー会社では、国外運転免許証と同じ効力がある日本の免許証の翻訳サービスを有料で行っている。なお、アメリカでは国外運転免許証や免許の翻訳書だけでは運転免許証としての効力がないので、必ず日本国内の運転免許証も持っていくこと。

● ドライブの心構え
　運転の基本はどこでも同じ「安全」。しかし、その安全を実現するための交通法規は、アメリカと日本では少し異なる。日本とは異なる交通法規を覚えておきたい。
　アメリカは日本とは反対の右側通行。最初は不安でとまどうかもしれないが、意外にすぐ慣れてしまう。速度がマイル表示なので、慣れないうちはキロメートルと錯覚し、スピードを出しすぎてしまう場合があるので要注意。
　また、アメリカの合理的な交通法規が、赤信号での右折。一旦停止し、他の車や歩行者などの動きを見て、安全が確認できたときのみ赤信号でも右折できる。また、"NO TURN ON RED"の標識がある場合、信号が青になるまで右折はできない。

レンタカー会社と日本からの予約
　大手の会社としては、アラモAlamo、エイビスAvis、バジェットBudget、ダラーDollar、ハーツHertzなどがある。アメリカ国内の各地に営業所があり、整備の面でも信頼がおける。いずれも日本に支社や代理店があり、日本で予約できる。
▶年齢制限
　大手レンタカー会社では貸し出しに年齢制限を設け、25歳以上としているところが多い。予約の際には必ず確認が必要。

● 日本で予約する特別プラン
　日本に支社や代理店をもつ大手レンタカー会社は、日本から予約することによって通常の料金よりも割安になる特別料金や、保険もセットにした日本払いのクーポンを発売したりしている。取り扱いプランは、各社特徴が異なるので、条件を比較したうえで決めたほうがよい。

● 予約の際に決めておく項目
　予約を入れる際に決めなければいけない項目は、借り出し (ビ

ックアップ）、返却（リターン）の日時、場所と車種。

借り出し、返却の日時は、「8月10日の午後10時頃」という決め方。場所については、「ソルトレイク・シティ国際空港の営業所」など、営業所を特定する。

車種はおもに大きさを基準にして、いくつかのクラスに分類されている。クラスの名称は各社異なるが、一般的には小型車、中型車、大型車があり、それに4WD、コンバーチブル、バンなどの車が加わる。

📖 レンタカーを借りる手続きと返却手続き

● 車をピックアップ（チェックアウト）

現地に着いたらいよいよ車を借り出す。レンタカーを借りることをピックアップ（チェックアウト）、返却することをリターン（チェックイン）という。ここでは日本から空港に着いて、そのまま空港の営業所から借り出すことを前提にその手順を説明する。

カウンターで、予約してあることを告げて、予約確認証、国外（国際）運転免許証、日本の運転免許証、クレジットカード、クーポンで支払う場合はクーポンを差し出す。クーポンで支払う場合でも、任意保険や保証金のためにクレジットカードの提示が必要になる。任意で加入する保険は必要なものだけ、よく確認してから加入する。最後に契約書にサインをする。契約書の条件を守る義務を生じさせるものなので、契約内容を充分に理解したうえでサインをするように。契約書にサインしたら手続きは終了。キーと一緒に、車の停めてあるスペースの番号が告げられる。

● 車をリターン（チェックイン）

各レンタカー会社の営業所が"Car Return"のサインを出している。営業所内でも"Car Return"のサインが出ているので、これに従って進む。車を停めたら、カウンターに向かうか、チェックイン専門の係員が近くにいるので、契約書の控えと記入済みの契約書ホルダーを出して精算する。支払いが終わったら、契約書の控えと領収書を受け取って手続き終了。

アメリカでの運転に慣れよう

まずは、左ハンドル、右側通行に慣れよう。一旦停止、歩行者優先、4つ角での優先順位などの基本的なルールを順守し、無謀な運転はしないように。

フリーウエイの走行では、制限速度に要注意。周辺の状況により変則的なので標識で確認するようにしよう。また、むやみにクラクションを鳴らす、頻繁にレーンを変更する、遅い車をあおるなどの行為は控えたい。車間距離をとる、合流のときは必ず1台ずつ交互に出るなど、マナーのよい運転を心がけよう。

詳しいドライブガイドは『地球の歩き方B25 アメリカ・ドライブ』編を、ぜひ参考にしてほしい

Reader's Voice
国内でも取り締まりは厳しい

軽度の犯罪取り締まりは公園管理局へ権限委譲されていることが多いため、パークレンジャーが交通違反を取り締まるケースがしばしば見られます。展望台付近では制限速度が15マイルから25マイルと低くなるため、35マイルのスピード違反でパークレンジャーに注意を受けることがないように安全運転に心がけてください。普段は頼りがいのあるとてもフレンドリーなレンジャーですが、物陰に車を止めてスピードガンを構える姿からは、公園内での秩序を守るという厳格な姿勢を垣間見せます。
（京都府　ももたろう　'12）
['13]

Column

カーナビの目的地を事前登録

カーナビゲーションは便利だが、目的地の登録が面倒だという人は多いだろう。そんな方に試してほしいのが、ハーツレンタカーが提供しているWEBサイトHertz NeverLost®。

このサイトで登録した目的地をUSBメモリー経由で、同社の日本語音声対応カーナビゲーションシステムNeverLost®に移すことができるのでレンタカーに乗り込んでからの目的地設定という作業を大幅に減らすことができる。また、このサイト内のPopular Loca-tionsにNational Parksという項目があるため本誌読者はさらに便利に利用できるだろう。

National Parks特集もある
Hertz NeverLost®ページ

保険も入っておこう

ハーツレンタカー予約センター
📠 0120-489882　URL www.hertz.com
Hertz NeverLost®
URL www.neverlost.com

モニュメントバレーへは
ラスベガスからツアーが
出ている

車がないのなら、ツアーバスを一番に考えよう。自然を満喫するツアーもたくさん出ており、足だけでなく、宿が確保できるのも魅力。自分で運転しなくていいので疲労も少なくて済むし、交通事故を起こす心配からも解放される。ただし、ツアーによっては過密スケジュールだったり、時間の自由が利かないなどのマイナス面もある。せっかく野生動物に出合っても、ちょっと停車してバスの中から眺めるのがせいぜい。資料を取り寄せて、内容をじっくりと見比べて選ぼう。

※スケジュールは2013年1
月現在の情報

（株）エクスプローラー
「地球探検隊」
☎(03)3353-4455
FAX (03)3353-4577
URL www.expl.co.jp
E-mail mail@expl.co.jp

（株）地球の歩き方 T & E
アドベンチャーツアー・
デスク
　ツアーのお申し込み、お
問い合わせは、ウエブサイ
トをご利用ください
URL tour.arukikata.com/
adventure

🚌 トレック・アメリカ・ツアー

　40年近い歴史をもつアドベンチャーツアーの老舗。平均13人で構成されるキャンプツアーで、国立公園をはじめアメリカ大陸横断やアラスカ、カナダ、メキシコなどを訪れるコースがある。参加者の年齢は18〜38歳までが基本で、世界中から同年代の若者が参加するので楽しい。また、年齢に制限のない（8歳以上は家族同伴）ツアーもある。

　ロスアンゼルス発着、ヨセミテとグランドサークルを巡るWesterner 3は21日間で＄2309〜＋手配料。

　ロスアンゼルスまたはニューヨークから出発し、グランドサークル、カールスバッド、ニューオリンズに寄って21日間で大陸横断するSouthern Sun 21日間は＄2229〜＋手配料。

　Westernerはロスアンゼルス発着、モニュメントバレー、グランドキャニオン、ラスベガス、サンフランシスコなどを周遊。西部の見どころが満載の14日間。＄1439〜＋手配料。

　ロスアンゼルス発着のWild Westは、10日間の短期ツアー。サンディエゴ、ソノラ砂漠、グランドキャニオン、ラスベガス、デスバレーを周遊。カウボーイキャンプにも滞在。＄1049〜＋手配料。

🚌 ビクター・エマヌエル・ネイチャー・ツアー

Victor Emanuel
Nature Tours
☎(512)328-5221
Free 1800-328-8368
URL www.ventbird.com

　バードウオッチング・ツアーの草分け的存在で、野鳥の専門家、地質学者、カメラマンなど、同行ガイド（英語のみ）の質の高さには定評がある。いずれも少人数のツアーだ。

● **Spring Garden Arizona**

　ツーソン発のツアー。アリゾナ州のチリカワ国定公園周辺の山でキヌバネドリや10種類を超えるハチドリを観察する。2013年と2014年は5/10〜5/20。＄2895。

● **Winter Southern California**

　サンディエゴ発のツアー。冬の南カリフォルニアは、バードウオッチングをするには最高の場所。カリフォルニアブユムシクイ、マネシツグミ科のオオムジツグミ、ホオジロ科のカリフォルニアトウヒチョウ、サンショクハゴロモガラスなどが、容易に観察できる。2014年の1/26〜1/31。＄1795。

旅の技術
アクティビティ
Travel Tips

ハイキング

📖 手軽なコースを無理なく歩く

　スケールの大きな自然を知る一番の方法は、自分の足で自然の奥深くに分け入ることだ。時間や体力を費やした分、自然はいろいろなものを与えてくれ、貴重な体験ができる。

　ほとんどの国立公園にはハイキングトレイルがある。ビジターセンターで手に入る地図を見れば、詳しいルートやだいたいの所要時間、難易度もわかる。数時間のコースから、バックカントリーに数泊するコースまでさまざまだ。自分で歩けば、車やバスに乗っていては決して見ることのできない景色や感動が必ず得られる。歩くにあたっては、無理をしないことが重要。

舗装されたトレイルから上級者向けまでさまざまなコースが整備されている

📖 所要時間の目安と歩き方

　平均的なハイカーの場合で、1時間に約2マイル（約3.2km）歩ける。標高差がある場合は、1000フィート（約300m）の登りにつき1時間を加算するといい。例えば5マイル（約8km）のコースで1500フィート（約460m）の登りがあるとすると、5÷2＝2.5、1500÷1000＝1.5で、計4時間が目安となる。体力に自信のない人は長めに見積もろう。そして、「自分に合ったペースで」というのが基本。ただ、体力があって経験のない人ほど速く歩きがちだから要注意。こまめに休憩を取りながら歩きたい。

📖 出発は朝〜午前中が基本

　朝か、遅くても昼までには出発しよう。日中は気温が上がるので、涼しいうちに出かけるのが一番。最悪は目的地に着かないうちに日が暮れてしまうこと。命にかかわることなので絶対に避けたい。

📖 気候と服装と持ち物

　服装の基本は重ね着と履き慣れた靴がポイント。重ね着なら寒暖の差にも対応できる。標高の高いところでは朝のうちはまだ寒く、天気がよければ日中はかなり気温が上がる。常に服装で温度調整をしないと、体調を崩したり、疲れやすくなる。素材に気を付けて選んだ下着、シャツ、セーター、ジャケットを組み合わせて着るのが理想的。

　また、ハイキングコース中には飲める水がほとんどないと考えよう。夏場は日差しも強く、のどが渇くので、飲料水は必ず充分な量を用意しよう。あわせて、ちょっとしたスナックを持って行くといい。手軽にカロリー補給できるし、非常食にもなる（→P.64）。

トレイルヘッド
　アメリカではハイキングコースをトレイルtrail、その出発点をトレイルヘッドtrailheadという

動物とのつきあい方
　ハイキングをしていると野生動物と出合うことが多いが、エサを与えるのは禁止されている。また、各地で観光客とクマとの接触が問題になっている。お互いの命にかかわることなので、P.206、393を読んで注意事項をしっかりと守ろう。ピューマに出合ったときの対処法はクマとは逆なので、ぜひP.112も読んでほしい

バックカントリー
　本格的なハイキング、トレッキングをする人は、ビジターセンターで詳しい情報をきっちりと教えてもらおう。公園によって許可の取り方も異なるので、必ず確認を

馬に出合ったら
　トレイルでは馬やラバに優先権があるので道を譲ろう。その際、決して動物の体に手を触れてはいけない

ポンチョがおすすめ
　出発のときに晴れていても、長時間のハイキングのときは雨具を用意しておいたほうが安心。レインジャケットか、荷物まですっぽり覆うポンチョがいい

ポイ捨て厳禁
　ハイキングコースにゴミを捨てるのは厳禁。特にタバコの不始末は、とり返しのつかない事態を招く！

アメリカでのキャンピングは、水道、トイレ、シャワー、ランドリーといった基本的な設備のよさ、各キャンプサイトの広さと快適さ、行き届いた管理とバランスの取れた自由、そして、キャンプ場利用者のマナーなど、まさに「キャンプ先進国アメリカ」といえる充実度。「アメリカの大自然を満喫しよう！」と思うなら、キャンプをしながら旅することも考えてみたい。

キャンピング旅行のスタイル

まず、交通手段は車、レンタカーを利用することが望ましい。国立公園内のキャンプ場は通常、先着順でサイトが割り当てられる。ということは、夏ならば午前中にキャンプ場に到着する必要がある。もしも、キャンプ場がどこもいっぱいで泊まれない場合は、公園外のキャンプ場を探さなければならない。こんなときも車があれば心配なしだ。旅行荷物に加えてテント、シュラフ、コッヘル、食料などのキャンプ道具を持ち歩くことを考えたら、車の必要性がますます大きくなる。

持っていくものと現地調達するもの

キャンプのための道具は、すべてを日本から持参する必要はない。現地で買い揃えたほうが安上がりだ。アメリカのアウトドアショップの広さと品揃えの豊富さに驚かされるだろう。

テントはできるだけ軽くてかさばらないもので、設営、撤収が楽にできるものがいい。やや大きめのテントのほうが快適だ。

ストーブは現地で購入しても安い。自炊するならば、ツーバーナーのカートリッジ式コンロを買ったほうが便利だ。スーパーマーケットなどでとても安く売っている。

シュラフは3シーズン用のものを。朝夕の冷え込みは相当なものなので、シュラフの下に敷くマットも必需品だ。

気候と服装

キャンプの場合、気候によって装備や行動が大きく左右される。暑ければ服を脱いでいけばよいのだが、問題は寒さ。特に夏の寒さが怖い。夏でも10℃を切ることはざら。温度調節ができるように重ね着をしよう。洗ってもすぐに乾くポリプロピレンの下着を用意しておくと、寒くなったときに安心。一番上に着るパーカーは、防水、保温を兼ねるようなものを選ぼう。

キャンプ場の予約

国立公園内のキャンプ場は、ほとんどが先着順。しかし、なかには一部のキャンプ場だけを予約制にしている公園がある。グランドキャニオン、ヨセミテ、ザイオン（各公園の宿泊の欄を参照）などがそうだ。また、混雑する時期だけ予約制にする公園もある。特に夏のピークシーズンにキャンプを計画している人は、できるだけ早く予約を入れよう。

🪶 キャンプ場の様子

　キャンプ場のテントサイトは、一つひとつ区画されている。各サイトにはサイトナンバーが付いており、テントを張るスペースとパーキングスペース、ピクニックテーブル、焚火をするファイアースペースが設けられている。スペースは基本的に4人用テントが悠々ふたつ張れる広さ。さらに隣のサイトとの間隔も充分にある。公園によってはRVとテントのみTent Onlyのキャンプ場がはっきり分かれているところもある。

🪶 サイト確保とシステム

　まずは、キャンプ場入口のステーションのレンジャーにキャンプをしたいと告げる。すると、例えば「Bループに行ってください。そこで好きな場所を選ぶように」と指示される。このとき、ペイスタンドやサイトのパネル周辺に置いてあるキャンピング申し込み用の封筒をもらっておく。次にBループに行き、空いているスペースを見つけたら、申し込み用紙に年月日、サイト番号、名前、住所などを記入し、1日分のキャンピング料金を入れ、封をして、ペイスタンドに投函する。封筒のふたは半分を切り離し、キャンプサイトのナンバープレートに付けておく。サイトの申し込みは毎朝しなければいけないところと、一度に何泊分かを支払えるところがある。

🪶 キャンプサイトの選び方

　サイトは先着順で選ばれていくので、できるだけ早くキャンプ場へ。できれば小高いサイトで、トイレからあまり離れていないところが便利だ。水洗トイレが多いので、日本のキャンプ場のように臭くない。奥まったところだと、意外に面倒だ。

🪶 キャンプ場の設備

　キャンプ場内にあるのはトイレと水道で、シャワー、コインランドリー、ジェネラルストアなどは、少し離れた場所にあるのが普通。トイレはたいていが水洗で、トイレの前に水道がある。トイレットペーパーやハンドドライヤー、コンセントもある。

　日本のような洗い場はない。生ゴミはきれいにゴミ袋に入れるか、トイレに流してしまう。食器は拭くだけか、あるいはバケツや大きなボウルに水をためて洗う。ペーパーできれいに拭きとってから、トイレの洗面所や水道で洗い流す程度だ。

　シャワーとランドリーは同じ建物内にあることが多い。オープン時間は場所によってまちまちなので確認を。どちらも快適に利用できる。入口のカウンターでは石けん、シャンプーが売られていたり、バスタオルのレンタルをしているところも稀にある。

食品の管理には特に気を配りたい

ペイスタンド
　キャンプ場入口にある料金支払い所。1日に何回かレンジャーが見回りにくる。このとき、サイトナンバーに支払い証明書が付いているかどうかチェックされる

コインランドリー
　ランドリーには洗濯機と乾燥機があり、それぞれ＄1.50〜2程度。クオーター（25¢硬貨）を機械に入れるので、充分なコインを用意しておこう

静寂を楽しもう
　国立公園のキャンプ場では、なるべく静かに過ごすことが求められている。酔っ払って騒いだりしないよう、またラジカセやカーステレオの音量にも気を配ろう。モーター音、エンジン音など50フィート（約15m）離れた場所で60デシベルを超えるような騒音には、罰金が課せられることもある

バックカントリー・キャンプサイト
　徒歩でしかアプローチできない奥地にあるキャンプ場のこと。設備はサイトによってまちまちだが、トイレも何もないのが普通。利用方法については公園ごとに規定があるので確認

大手RVレンタル会社
Cruise America
Free 1800-671-8042
URL www.cruiseamerica.com
料 コンパクト（2ベッド）1週間 ＄413〜

トラベルデポ
日本 ☎ (043)212-5620
URL www.motor-home.net
キャンピングカーを日本語で手配してくれる

アクティビティ（キャンピング）

キャンプの楽しみ

市川 利美

私は日本にいるときは、むしろキャンプは苦手なほうだった。といっても苦手だったのは大雪山系などの高山でのキャンプではなく、自動車で簡単にアプローチできるキャンプグラウンドでのキャンプである。

阿寒国立公園のオンネトー湖畔でキャンプしたときのことである。ラジオやテレビの音、そしておしゃべりと、夜遅くまでにぎやかだった。静かであるべき早朝も、女の子をナンパするのに一生懸命な若者の声で目が覚めた。テントとテントが接近しているから、周りの音も行動も丸見え。炊事場があるから、ふだんと変わらない食事もできる。自宅の庭で、テントを張ってバーベキューをするのと変わりない。すべてが日常生活の延長で、人々の意識も行動も日常の延長。美しく神秘的な湖という、せっかくのロケーションが死んでしまっていた。

だから、アメリカの国立公園で初めてキャンプしたときは驚いた。これがキャンプというものか、と。日常性から切り離されて、自然の中で孤独を楽しむことができる。快適でありながら、決して便利すぎることはない。別荘をもたなくても、美し

森の中にあるセコイアのキャンプ場

い自然をわずかな料金で多くの国民が共有できる。それがアメリカのキャンプなのである。

自然に浸る至福のひととき

この差はいったいなんだろう。まずいえることは、アメリカでは一つひとつのキャンプサイトが広いことである。日本ならこれだけの面積に家が何軒建つだろうかと思うほどの場所もある。そのうえそれぞれが木立や低い潅木に囲まれているから、他人を気にしなくて済む。

各サイトにはたいてい、水はけがよいテントスペース、木や鋼鉄製のピクニックテーブルとイス、薪を燃やす炉があって、便利で居心地がよい環境になっている。

そうした居住スペース以外は、木や草が踏みしだかれずに残っているから、ジリスの巣穴が無数にあったり、シカが葉を食べながら歩き回ったりする。クマも時おり顔を出す。

そのうえアメリカのキャンプ場の設備は、必要かつ最小限ではあるがとてもよく整備されている。トイレは水洗式か、そうでなくともトイレットペーパーが完備され、いつも清潔に保たれている。水道と排水施設、クマが扉を開けられない食料庫やゴミ箱なども随所にある。

共同の炊事場はないので、食事の支度や後片付けは、赤いチェックのクロスなどをかけたテーブルの上で楽しむことになる。野菜や皿は、拭くか、鍋で洗って、その水は排水場まで捨てに行く。そのくらいの不便さは、かえってキャンプ本来の楽しさをかきたててくれる。

食後は焚火を囲んでゆったりする。炎には不思議な力があって心が静まる。ぼーっと幸せだと思えるひとときである。

そして、キャンパーのマナーもアメリカと日本では大きく違う。パーティが好きなアメリカ人も、キャンプ場では騒がない。静かに自然に浸っている。それが彼らにとってのキャンプなのである。ソローやミューアの思想、哲学が人々の中に深く根づ

いているからともいえよう。

お気に入りのキャンプ場

アメリカの国立公園の中で、私のお気に入りのキャンプ場をご紹介しよう。

一番好きなのは、**グランドティトン国立公園のジェニーレイク・キャンプ場**。アメリカで最初にキャンプした場所であるが、3年間の滞米中ここに勝ると思えるキャンプ場には出合わなかった。本当は誰にも教えたくないほど気に入っている。アメリカ人にも人気があるうえキャンプ場としてはこぢんまりとしているので、シーズン中は競争率が高い。まず、近くの別のキャンプ場で1泊してから、翌朝早くここに来れば何とか確保できるだろう。グランドティトンの山麓で湖にも面しているから景色がよく、静かでとても落ち着いた雰囲気である。

次は、**ワシントン州のオリンピック国立公園のホー・レインフォレストのキャンプ場**。ここでキャンプしたとき、集中豪雨に遭ってしまった。隣の家族連れは、あまりの雨のすさまじさに、着いてから1時間もせずに引き上げていった。私と夫はといえば、夫が巨木のあるサイトを見つけてくれたおかげで、その根元で雨に濡れることなく、悠々とご飯を炊いて食事をすることができた。雨の中のキャンピングは避けたいけれど、豊かな雨が育てたこの森で、雨のしずくが木々の枝や地面を打ちつけるさまを見るのは、とても幸せなことだった。

こう書きながらも、やっぱり何回も行っているヨセミテ国立公園のトゥオルミミドウのキャンプ場がNo.2かなとか、ロッキーマウンテン国立公園やグレイシャー国立公園のキャンプ場もよかったし、ナキウサギを見るにはマウントレニエのサンライズのキャンプ場は便利だったし、と心は揺れている。セコイア国立公園のキャンプ場は、夜セコイアを見上げるとその先に星がきらめき、まるで絵本のような情景だったことも思い出される。

旅の技術

アクティビティ（フィッシング／ラフティング）

フィッシング

フィッシングにはライセンスが必要

　いくつかの国立公園では、フィッシングが楽しめる。

　魚類の種族保護のため、アメリカでは淡水、海水別、対象魚別にライセンス制を取っている。ライセンス料は州によって違い、1日＄5〜15が多い。1週間ライセンスもある。ライセンスは釣り具店、スポーツ用品店、現地の旅行会社などで入手できる。公園内のスポーツショップなどで購入できる場合もある。

規則は公園によっていろいろ
　国立公園内では州のライセンスが不要のところもある。とはいえ、細かな規則が定められているので、必ずビジターセンターで情報を得ておこう

まずはポイントを探す

　狙いどおりの魚を釣ろうと思ったら、場所を絞り込んでいくこと。一番当てにできるのは、やはり地元のショップの情報だろう。釣りの専門誌には必ずショップの広告が小さく載っている。確実に釣果を、という人はガイドを頼むのが一番いい。モグリのガイドでないかどうか、公園ウエブサイトなどで確かめよう。どうせ宿泊することになるから、ガイドのいるフィッシングロッジを予約すると、同宿のアメリカの釣り師とも交流できるので楽しい。

トラウトならモンタナ、ワイオミングが人気

用具について
　フライ、ルアーともに日本とスケールが違うので、よりヘビーなタックルが必要。特にフライの場合はロングキャストが多くなるから、ウェイトフォワードのラインも用意したい。これは現地で買ってもいい

ラフティング

　ラフティングとは、一般にはゴムボートによる急流下りのことだ。アメリカでは大変ポピュラーで、普通は、4〜6人がひとつのゴムボートに乗り込み（10人以上乗れるものもある）、それぞれが手にパドルを持ち、皆で協力しながら、逆巻く急流（もちろんこればかり続くわけではないが）を乗り切っていくという、いかにもアメリカ人の好きそうなウオータースポーツだ。

　このほかにも、雄大な景色や動植物を眺めながらの、のんびりした川下りもある。スムースウオーターSmoothwater（フローティング）と呼ばれており、子供でも安心して参加できる。

おすすめの公園
　グランドキャニオン、グランドティトン、キャニオンランズなど。予約はロッジのツアーデスクなどで

ずぶ濡れはあたりまえ。着替えを忘れずに

　ラフティングに臨むときは、急流下りの場合はもちろん、ゆったりと漂う川下りの場合でも、水の上を行くのだから濡れてしまうのは覚悟しておいたほうがよい。激流ともなれば全身びしょ濡れだ。

　服装は、ポリエステルのように乾きが速く、保温性もある服がいいだろう。着替えはソックスも含めて必ず用意しておこう。シャツの下に水着を着て行く人も多い。タオルも忘れずに。靴も乾きにくい革製は避けて、軽くて乾きも速い、ジョギングシューズなどがいい。日差しが強いので、サングラスと日焼け止めもお忘れなく。

景色を楽しむフローティングも楽しい

乗　馬

馬に揺られて森や湖を巡る乗馬ツアーは、人気のあるアクティビティのひとつだ。経験がなくても大丈夫。リーダーに率いられて1グループ10人前後で列をなして歩く。景色はとてもワイド。

ツアーの申し込み

国立公園のビジターセンターや、公園内のロッジのツアーデスクなどで申し込みができる。ピークシーズンは混雑するので、公園に着いたらすぐに申し込みをしよう。料金は2時間ツアーで＄60〜80程度。申し込みの際に乗馬経験の有無、身長、体重などを聞かれるので、フィートとポンドで換算しておくといい。

当日は出発の30分前に行く。乗馬時の注意事項の説明がある。

乗馬のテクニックと服装

馬を割り当てられたときに、馬の扱い方についてのアドバイスがある。スタートは軽くアブミで馬の脇腹を蹴る。右に行くときは右手の手綱を引いて馬の顔を右に向け、左に行くときは左に引く。止めるときは両手の手綱を軽く後ろに引く。道端の草を食べ始めて動かなくなったときは、手綱を思いっきり引き上げて、頭を正面に向かせる。初めてでも堂々とした態度で馬を扱うといい。

服装に特別の指定はないが、ショートパンツは避け、しっかりとしたジーンズが一番だ。半袖もあまりおすすめできない。馬は平気で枝をかき分けて進んで行くので、腕や足を出していると傷だらけになってしまう。

馬の背から見ると雄大さがより感じられる

ウインタースポーツ

クロスカントリー

冬の大自然を肌で感じるなら、スキーを履いて雪の上を滑り歩くのが一番だ。雪の上に残る動物たちの足跡、雪と氷の樹々が造り出した芸術、真っ白な冬毛がかわいらしいウサギ、エサを求めて集まった野生動物。ドキリとするほど感動的な場面にきっと出合える。場所にもよるが、シーズンは11〜4月。夏のシーズン中にトレイルだったところが、雪が降るとクロスカントリーのコースとなる。

見渡す限りの雪景色の中で道に迷ったら最悪。一日中誰にも会わないことすらある。トレイルマップを必ずもらい、レンジャーの注意事項を聞く。天候が下り坂のときや雪の予報が出ているときは避けたほうがいい。人気の国立公園ではガイド付きツアーも行われているので、初心者はこれに参加するのがいい。

用具はロッジやスポーツショップで借りられる。スキー、シューズ、ストックなどのセットで1日＄30程度。服装は、動きやすいパンツと雪が染み込まないジャケットがあればいい。スキー用もしくは厚手の手袋と、サングラスかゴーグルを用意しよう。

フィート、ポンドへの換算
メートル表示の身長に3.28をかけ、1の位がフィート、残った小数点以下には12をかけてインチを出す。例えば身長170cmとすると、1.7×3.28＝5.576。0.576×12＝7で、5フィート7インチとなる。
体重はkg表示のものに2.2をかける。例えば60kgとすると60×2.2＝132で132ポンドだ

よく調教されていても
馬は、ビクビクした人が乗っていると、馬鹿にしてまったく歩こうとしなくなったり、突然走り出したりすることがある

ショートパンツはNG
ショートパンツだと、馬の汗を直接肌に感じることになる。気持ちが悪いし、内股が擦れて痛くなる

スノーシューハイク
ウインタースポーツでもうひとつ人気が、スノーシューハイク。雪の季節もゲートが開いている公園なら、たいてい行われているアクティビティ。柔らかい新雪でももぐらないカンジキのような靴を履いて、レンジャーと一緒に森の中などを歩く。ビジターセンターでスケジュールをチェックしよう。スノーシューズはロッジやビジターセンターで借りることができる。マウントレニエ、クレーターレイク、イエローストーンなどで楽しめる

旅の技術

チップとマナー

アメリカではサービスを受けたらチップを渡す習慣がある。レストラン、ホテル、タクシー、ツアーなどケース・バイ・ケースなので、次のことを覚えておくといい。

チップについて

国立公園のなかではレンジャープログラムほかさまざまな場面でパークレンジャーにお世話になるが、パークレンジャーにチップを渡す習慣はない。国立公園局のレンジャーは名誉職というべき立場にあり、子供たちの憧れの存在。そういう人にチップを渡すのは、かえって失礼になる。レンジャーに似たジャケットを着たボランティアの人や、シャトルバスのドライバーの場合も、非常にお世話になった、大きな迷惑をかけたというときだけ、お礼の気持ちとして渡せばいいだろう。

なお、園内であっても民間業者が行うバスツアーやロッジの従業員（ピローチップなど）にはチップが必要。

● レストランでのチップ

ウエーター、ウエートレスへのチップは支払い後、会計伝票（請求書）を載せてきたトレーに残す。会計伝票の見方も覚えておこう。売り上げ金額の下にタックス（税金）の欄がある。チップは飲食費の合計金額に対しての20％程度を置き、タックス分は対象にしなくていい。クレジットカードで支払う場合は、"Gratuity"、または "Tip" の欄にチップの額を書き込み、請求金額（飲食代と飲食税の合計）とチップを合計した金額を一番下の空欄に書き込む。なお、小額でもあっても＄1以上のチップを手渡したい。

マナーについて

アメリカで必要なマナーとは「他人との接し方」に尽きる。日本と違って、多民族が住むアメリカでは、他人に対するマナーがことのほか重要視される。最低限のルールを守ろう。

● あいさつ

道を歩いていて人に触れたり、人ごみで先に進みたいときは「Excuse me」。もし、ひどくぶつかってしまったり、足を踏んでしまったら「I'm sorry」。無言は大変失礼になる。お店に入って、店員に「Hi!」と声をかけられたら、「Hi」または「Hello」の返事を。話をするときは、真っすぐ人の目を見よう。

● 飲酒とタバコ

州によって異なるが、アメリカでは21歳未満の飲酒と、屋外での飲酒は法律で禁じられている。酒屋、クラブなどでは、アルコール購入の際ID（身分証明書）の提示を求められる。特に公園や公道でのアルコールは厳禁。

タバコを取り巻く環境となると、さらに厳しい。ほとんどのレストランは禁煙。ホテルも禁煙ルームのほうが断然多い。場所もわきまえずに吸ったり、ポイ捨ては慎しまなければならない。

チップの目安

●ホテルメイドへ

ベッドサイドテーブルの上などにはっきりわかるように置く。滞在中のお客の部屋に入るメイドは、お客の持ち物がなくなることに対して極めて神経質なので、紛らわしい置き方だと持っていかないことが多い

●タクシーで

チップは単体で手渡すのでなく、メーターの表示額に自分でチップを加えて支払うことになる。メーター料金の15％とされるが、気持ちよくドライブできたら多めにチップをはずんであげたり、細かい端数は切り上げて支払うのが一般的だ

●ルームサービスで

ルームサービスを頼んだ場合、まず伝票を見る。サービス料金が記入されていれば伝票のチップは不要。サービス料金が加算されていなければ伝票にチップの金額を書く。さらに合計金額を書く。現金でもOK。メッセージや届け物などは＄1～2

●観光ツアーで

大型の観光バスのドライバー兼ガイド＄3～5、小型バンのドライバー兼ガイド＄10

気をつけたいマナー

●列の並び方

アメリカではキャッシャーやATM、トイレなどで並ぶときは、1列に並んで空いた所から入っていくという、フォーク型の並び方が定着している

●子供連れの場合

レストランや公共の場などで騒いだら、落ち着くまで外に出ていること。また、ホテル室内や車の中に子供だけを置き去りにしたり、子供をしつけるつもりでたたいたりすると、同様に警察に通報されるので特に日本人は要注意だ

487

アメリカ国内への電話のかけ方

●市内通話（Local Call）

　同じ市外局番（エリアコード）内の市内通話の場合、最低通話料金は50¢が一般的だ。受話器を持ち上げ、コインを入れ、エリアコードを除いた下7ケタの番号を押す。投入した金額では不足の場合、オペレーターの声で"50 cents, please"などと指示があるので、その額のコインを投入する。

●市外通話（Long Distance Call）

　最初に"1"をダイヤルしてから、市外局番、相手先番号と10ケタの番号を押す。オペレーターが"Please deposit one dollar and 80 cents for the first one minute"などと料金を言うので、それに従いコインを入れる。指定額が入ると回線がつながる。公衆電話からかける長距離通話は意外に高いので、プリペイドカード（下記）を使うのが一般的。

●プリペイドカード

　日本のテレホンカードのように直接電話機に挿入して使うシステムではなく、カードに記された各カード固有の番号をダイヤル入力することによって、通話ができるというもの。利用方法は、まず専用のアクセス番号（カードに表記されている）をプッシュ。操作案内があるので、それに従って自分のカード番号、相手先電話番号をプッシュしていけばよい。このプリペイドカードは日本やアメリカの空港、ドラッグストアのレジなどで販売されている。アメリカ国内でも日本へも、購入金額に達するまで通話できる。

トールフリーとは
　トールフリー Free はアメリカ国内通話料無料の電話番号。(1-800)、(1-888)、(1-877)、(1-866)、(1-855)で始まる。なお、日本からかける場合は有料となるから要注意。アメリカ国内で携帯電話から利用する場合も、通話料がかかる

アルファベットの電話番号
　アメリカの電話機には、数字とともにアルファベットが書き込まれている。これによって数字の代わりに単語で電話番号を記憶できる
ABC→2　　　DEF→3
GHI→4　　　JKL→5
MNO→6　　　PQRS→7
TUV→8　　　WXYZ→9

アメリカで利用できる日本で販売のプリペイドカード
　空港などで販売している
●KDDI（スーパーワールドカード）
●NTTコミュニケーションズ（ワールドプリペイドカード）

アメリカから日本へ電話をかける場合　　例：（03）1234-5678 へかける場合※1

011 国際電話識別番号	+	**81** 日本の国番号	+	**3** 市外局番の最初の0を取る※2	+	**1234-5678** 相手先の番号

※1：公衆電話から日本にかける場合は上記の通り。ホテルの部屋からは、外線につながる番号を頭に付ける。
※2：携帯電話などへかける場合も、[090][080] などの最初の0を除く。

日本からアメリカへ電話をかける場合　　例：（333）444-5555 へかける場合

KDDI　　　　　　　　**001**※1　au（携帯）　　　**005345**※2 NTTコミュニケーションズ**0033**※1　NTT ドコモ（携帯）**009130**※3 ソフトバンクテレコム**0061**※1　ソフトバンク（携帯）　**0046**※4 国際電話会社の番号	+	**010** 国際電話 識別番号※2	+	**1** アメリカの 国番号	+	**333** 市外局番 （エリアコード）	+	**444-5555** 相手先 の番号

※1：「マイライン」の国際区分に登録している場合は不要。詳細は URL www.myline.org
※2：au は、010 不要
※3：NTT ドコモは事前登録が必要。009130 をダイヤルしなくてもかけられる
※4：ソフトバンクは、0046 をダイヤルしなくてもかけられる

ホテルの部屋から電話をかける

まず外線発信番号（多くの場合8または9）を最初にダイヤルする。あとは通常のかけ方と同じだ。ただし、ホテルの部屋からの通話にはサービスチャージが加算される。トールフリー（無料電話 Free ）の番号でも、チャージするところが多い。また、市外通話や国際通話をかける際、たとえ相手が電話に出なくても、一定時間（あるいは回数）以上呼び出し続けていると、それだけで手数料がかかってしまうケースもある。

●ダイヤル直通

自分で料金を払う最も基本的なもの。オペレーターを通さずに直接、日本の相手先の電話番号とつながる。国際通話の場合は相当数のコインが必要となり、あまり現実的ではない。前述のプリペイドカード（→P.488）を使うのが一般的。

アメリカから日本への国際電話のかけ方

●日本語オペレーターに申し込むサービス

オペレーターを介して通話するもので、料金は自分のカードを使って引き落とすか、あるいはコレクトコールのいずれかだ。料金は高いが、すべて日本語でこと足りるので安心。

●国際クレジットカード通話

日本語アナウンスに従ってクレジットカード番号、暗証番号、日本の電話番号をダイヤルする。支払いは自分のクレジットカードからの引き落としになる。

海外で携帯電話を利用するには

海外で携帯電話を利用するには、日本で使用している携帯電話を海外でそのまま利用する方法やレンタル携帯電話を利用する方法がある。おもに次の3社がサービスを提供している。利用方法やサービス内容など詳しい情報は、各携帯電話会社に問い合わせを。

●料金や通話エリアの詳細

au　　　　　　URL www.au.kddi.com
NTTドコモ　　URL www.nttdocomo.co.jp/service/world
ソフトバンク　URL mb.softbank.jp/mb

●携帯電話を紛失した際のアメリカからの連絡先（利用停止の手続き。全社24時間対応）

au　　　　　　☎ (011) +81+3+6670-6944　※1
NTTドコモ　　☎ (011) +81+3+6832-6600　※2
ソフトバンク　☎ (011) +81+3+5351-3491　（有料）
※1　auの携帯から無料、一般電話からは有料
※2　NTTドコモの携帯から無料、一般電話からは有料

日本語オペレーターに申し込むコレクトコールサービスアクセス番号
●KDDI（ジャパンダイレクト）
Free (1-877)533-0051

国際クレジットカード通話
各社アクセス番号
●KDDI（スーパージャパンダイレクト）
Free (1-877)533-0081
●NTTコミュニケーションズ（国際クレジットカード通話）
Free (1-866)506-0033

日本での国際電話に関する問い合わせ先
KDDI
無料 局番なしの0057
NTTコミュニケーションズ
無料 0120-506506
ソフトバンクテレコム
無料 0120-03-0061
au
無料 0077-7-111
NTTドコモ
無料 0120-800-000
ソフトバンク
無料 157（ソフトバンクの携帯から無料）

郵便とインターネット　Travel Tips

切手の購入

切手は郵便局の窓口かUS Mailのマークのある販売機であれば、額面どおりの額で買えるが、おみやげ店やホテルなどにある小さな販売機は割高だ。もし、どうしても見当たらなかったらホテルで尋ねてみるのもいい

別送品の配送サービスを行っている宅配業者

●ヤマト運輸（国際宅急便）
YAMATO TRANSPORT (USA) INC
URL www.yamatoamerica.com
●日本通運（海外ペリカン便）
URL www.nittsu.co.jp/sky/express

帰国時の申告を忘れずに

郵便にしろ、国際宅配便にしろ、アメリカから日本へ物を郵送した場合は、「携帯品・別送品申告書」を帰国時に2枚記入して、税関審査時に渡すのを忘れないように（→P.474）

パソコンの保管

パソコンは、室内金庫に必ず保管しよう。ない場合スーツケースに入れて施錠するなど、目立たないように工夫をすること

スマートフォンのインターネット利用に注意

アメリカで、スマートフォンの通話でなく、インターネット（海外ローミング）で利用した場合、高額となるケースがある。日本を出る前に、どのような設定にするか、必ず確認をしておくこと

旅の便り、重い荷物は郵便を活用

アメリカから日本への所要日数は、エアメールでだいたい1週間前後。料金は普通サイズのハガキ、封書とも＄1.10が基本となっている。

かさばる書籍類やおみやげなどの荷物は、郵便で日本に送ってしまえばあとがラク。大きな郵便局ならクッション入りの大型封筒、郵送用の箱なども売っている。

送る方法としては航空便Air Mailのみ。約1週間で届く。あて先住所は日本語で書いて構わない（国名"JAPAN"は英語）が、差出人住所氏名としては自分のものを英語で書く。印刷物を送る場合はそれを示すPrinted Matters、書籍の場合はBookの表示も書き加える（この場合、中に手紙は入れないこと）。

アメリカのインターネット環境

旅行者がインターネットを利用する場所として最も便利なのがホテル。アメリカのホテルやモーテルのほとんどがWi-Fiで、高級ホテルは情報漏洩を避けたい宿泊客用に有線LANのコードを客室に用意している。高級ホテルも客室のインターネットは有料だが、ロビーやレストランといったパブリックエリアPublic Areaは無料のWi-Fiがとおっていることが多い。

国立公園内でインターネットや携帯電話が使えるのは大きな公園に限られる。通信手段はビジターセンターの外に設置された公衆電話（24時間使用可）のみと思ったほうがいい。

グランドキャニオン・サウスリムでは携帯が通じるが、そのほかの公園ではほとんど期待できない。

園内のロッジのなかにはWi-Fiが使えるところもあるが、アクセスはたいてい宿泊者に限られる。

日本への郵便料金

（2013年1月現在）

Air Mail （First-Class International Mail） 航空便	
封書 Letters	1オンス（28g）＄1.10、1オンスごとに95¢を加算。 最大重量3.5オンス（約99g）
ハガキ Post Card	＄1.10
書籍・印刷物 (Printed Matter) エム・バッグ M-bags	11ポンドまで＄66、1ポンドごとに＄6加算。 最大重量66ポンド（約30kg）
定額封書 Flat-Rate Envelope	24 x 31.8cmの封筒に入るだけ＄23.95。 最大重量4ポンド（約1.8kg）
定額小包 Flat-Rate Box：Large	30.5×30.5×14cmの箱に入るだけ＄77.95。 最大重量20ポンド（約9kg）
小包 Parcel	1ポンドまで＄42.50、以降1ポンドごとに加算、最大66ポンド＄221.65まで。 最大重量66ポンド（約30kg）

M-bagsという郵送方法は、大きな袋に無造作に荷物を入れられ、紛失や破損に対して何の補償もされない方法。
※小包、定額封書、定額小包はPriority Mail（配達に6～10日要する）を利用した場合。

490

旅のトラブルと安全対策 Travel Tips

アメリカの治安

「アメリカは危ない」という話を一度は耳にしたことがあるだろう。確かにアメリカは日本と比較して犯罪の発生率が高い。しかも銃社会で、麻薬も大きな社会問題だ。しかし、漠然と「危険」の影におびえながら旅をするなんてつまらない。要は注意すべきことは何かを知ること。そして、「ここは日本ではない、アメリカである」という意識を常にもって行動することだ。世界一安全といわれる日本の感覚をもって旅をしないように。

スリ、置き引きの多い場所とは

駅、空港、ホテルのロビー、観光名所、ショッピング街や店内、ファストフード店の中などでは、ほかのことに気を取られがち。「ついうっかり」や「全然気付かぬスキに」被害に遭うことが多い。ツアーバスに乗ったときもバスに貴重品を置いたまま外へ出ないこと。貴重品は必ず身に付けること。

● スリや泥棒のターゲットにならないために

スリや置き引きの被害に遭うのはスキのある人。ぼんやりしていたり、落ち着きのない人はすぐカモにされる。海外では、一度手から離したものは戻ってこないと思ってよい。また、安全といわれる国立公園でも夜はひとりで歩かない、昼間のハイキングもできる限り単独行動はしないようにしたい。

こんなふうにお金は盗まれる

犯罪者たちは単独行動ではなく、必ずグループで犯行に及ぶ。例えば、ひとりが写真撮影で夢中になっているときもうひとりがカバンを奪って逃げていくという具合に、ひとりがカモになる人の気を引いているのだ。彼らは、いかにも犯罪者という風貌はしておらず、きちんとした身なりで感じもよかったりする。人を疑うのもいやなことだが、用心の上にも用心を。

● 親しげな人に注意

向こうから、親しげに話しかけてくる人、日本語で話しかけてくる人も注意。たいていはカモになる人を探している。例えば、「お金を落としてしまって困っている」と話しながら、うまくお金を巻き上げていく人も多い。それに気付かない日本人も多いのが実情だ。

本当に大切なものは肌身離さず

なくなったらその旅が不可能になる、パスポート、お金（T/Cやクレジットカード）などは常に携帯し、パスポート番号など備忘録は貴重品とは別にしまっておこう。中級以上のホテルなら、ホテルのセーフティボックスに預けるのもよい。万一、手荷物をなくしても、前述2点の貴重品があれば旅行はできる。衣類や日用品などは現地調達も簡単なのだから。

荷物は少なくまとめること

両手がふさがるほど荷物を持って歩いているときは注意力も散漫になりがちだ。スリに狙われやすく、落とし物もしやすくなる。大きな荷物は行動範囲をせばめる原因でもある

よいとされる荷物の持ち方

● ショルダー式バッグ

常にバッグを身に付けたまま用が足せる。斜めにかけてファスナーや止め具にいつも手を置くようにする

● デイパック

背負わずに片方の肩だけにかけ、前で抱え込むようにすればなおよい

● ウエストバッグ

バッグをおなかの前に。背中部分の止め具が外されることが心配なので、上着を着てその下に付けておく

● 上着の内側ポケット

バッグを持たず、服のポケット2～3ヵ所に分散させて入れる

トラブルに遭ってしまったら

安全な旅を目指して（事後対応編）盗難に遭ったら

すぐ警察に届ける。所定の事故報告書があるので記入しサインする。暴行をともなわない置き引きやスリ程度の被害では、被害額がよほど高額でない限り捜索はしてくれない。報告書は、自分がかけている保険の請求に必要な手続きと考えたほうがよい。報告書が作成されると、控えか報告書の処理番号（Complaint Number）をくれる。それを保険請求の際に添えること。

在アメリカ合衆国日本大使館
📧2520 Massachusetts Ave. NW, Washington, DC20008
☎ (404)238-6700（緊急の場合は24時間対応）
🔗 www.us.emb-japan.go.jp/j
窓口受付：月〜金9:15〜16:30（12:30〜13:30は昼休み）
電話受付：月〜金9:00〜17:00（12:30〜13:30は昼休み）
🈺土・日、祝日
　州によって総領事館の管轄が異なる。ワシントンDCの日本大使館で確認を

● パスポートをなくしたら

パスポートをなくしたら、すぐ在外公館（大使館→左記）へ電話をし、管轄の領事館を教えてもらおう。最寄りの各領事館で、新規発給の手続きをすることになる。

申請に必要なものは、①顔写真（2枚）、②パスポート紛失証明書（現地の警察に発行してもらう）、③戸籍謄本または抄本、④旅行の日程などが確認できる書類。

発給までには、写真を日本に送り本人かどうかを確認するため約1週間かかる。また発給の費用は、10年用は＄198、5年用は＄136（12歳未満＄74）が必要。なお、帰国便の搭乗地国ないし、その国へ向かう途中でなくした場合は、「帰国のための渡航書」（＄31）を発行してもらい帰ることはできる。必要日数は2〜3日。やはり写真と申請書が必要。

● トラベラーズチェックをなくしたら

再発行の手続きは、持っていたT/Cを発行している銀行や金融機関のアメリカ各都市の支店に行くのが一番早い。必要な書類は、①紛失証明書（近くの警察で発行）、②T/C発行証明書（T/Cを買ったときに銀行がくれた「T/C購入者用控」）、③未使用T/Cのナンバー。

再発行はカウンターサイン（2度目のサイン）がしていない未使用の分だけ。よって、購入者控の何番から何番までを使っていないと報告できるよう、旅行中は常にT/Cの使用記録をつけなければいけない。

クレジットカードの連絡先がわからない！
　万一、連絡先がわからない場合は、自分の持っているカードの国際カードの提携会社（ほとんどVISAかMasterCardのどちらかのはず）に連絡を。その連絡先はホテルや警察、電話帳や番号案内で簡単に調べられる。こんなときのためにも、パスポート番号、クレジットカードなどの番号をメモしたものや、そのコピーを取っておきたい

● クレジットカードをなくしたら

大至急クレジットカード会社の緊急連絡センター（→P.497）に電話し、カードを無効にしてもらう。警察に届けるより前に、この連絡をする。アメリカでは、通信販売、電話での通話などに悪用されることがあるからだ。

● お金をすべてなくしたら

盗難、紛失、使い切りなど、万一に備えて、現金の保管は分散することをおすすめする。それでも、現金をなくしてしまったときのためにも、キャッシングサービスのあるクレジットカードはぜひとも持っていきたい。なすすべのない人は、日本総領事館に飛び込んで相談に乗ってもらうしかない。

病気やケガになったら

旅先でのカゼや下痢の原因は、気候や生活の変化に対応しきれずに起こることが多く、精神的なストレスなども原因となる。とにかく休息すること。ホテルなどの緊急医や救急病院のほかは、医者は予約制。薬を買うには医者の処方箋が必要だが、痛み止め、カゼ薬などは処方箋なしで買える。こんなときに頼りになるのが、出発前に加入した海外旅行保険の現地サービスだ。

空港で荷物が出てこないとき

荷物が出尽くしても自分の荷物が出てこない場合、バゲージクレーム内の航空会社のカウンターで、諸手続きを行うことになる。クレームタグの半券を示しながら、事情説明と書類記入をする。聞かれることは、右記のとおり。

荷物発見後の配送先は、この先数日の滞在ホテルだが、ホテルの予約なしで動くつもりの人はちょっと問題。いっそ荷物を日本に送り返してもらい、必要最低限の品を現地で買い揃えて旅を続けるという手段もある。荷物紛失のため生じた費用の負担については、あらかじめ航空会社に確認すること。

ドライブ中のトラブル

旅行者の犯しやすい違反が、駐車違反とスピード違反。アメリカでは駐車違反の取り締まりはかなり厳しい。無料の駐車場の少ない都市部では、駐車違反のチケットをあっという間にきられる。

スピード違反のとき、パトカーは違反車の後ろにつけると、赤と青のフラッシャーの点滅で停止を指示する。車は右に寄せて停車。警官が降りて近づいてくる間、ハンドルに手を置いて、同乗者とともにじっと待つ。このとき手を動かさないこと。警官が声をかけてきたら、日本の運転免許証、国外（国際）運転免許証とレンタル契約書を見せ、聞かれた質問に答えればいい。

事故や故障の場合は、ひとまずレンタカー会社へ連絡をしよう。次は警察へ。相手の免許証番号、車のナンバー、保険の契約番号、連絡先を控えておく。あとは警察やレンタカー会社の指示に従う。また、車を返却するときには必ず申し出て事故報告書を提出すること。

故障の場合、自走できるときは、レンタカー会社に連絡して修理する。自走できないなら、けん引サービスを呼んで対処しよう。

● 交通罰則金を支払う

駐車違反、スピード違反の罰金の支払い方法は、電話によるクレジットカードの引き落としか、現在はウエブサイトにアクセスして、クレジットカードでの引き落としが一般的。締め切りがあるので、必ずそれに間に合うように処理をしよう。

なお、罰金の処理を怠ると、レンタカー会社を通じて追跡調査が行われる。またアメリカの有料道路（トールToll）で未払いした場合も同様なので、気を付けよう。

海外旅行保険のサービスを利用する
日本語を話せる医者を紹介してくれたり、病院の予約を取ってくれる（→P.497）

航空会社の係員に聞かれるおもな事柄
● 便名の確認
● 預けた空港の確認
● フライト何分前のチェックインか
● カバンの形と色
● 外ポケットや一番上の内容物
● 発見されたときの配送先

感染症の知識 Travel Tips

アメリカには、日本ではほとんど見られない感染症が存在する。いずれも旅行者の感染例は極めて少なく、決して神経質になる必要はない。野生動物に手を出さない、なるべく虫に刺されない、体調を整えておく、この3点に気を付ければ、重大な事態になる可能性は低い。しかし、だからといって何の知識もないと、初期症状を見逃し、命にかかわることになりかねない。以下を読んで、ぜひ頭の隅に入れておいてほしい。

狂犬病（恐水病）
Rabies

潜伏期間：9日～6年（1、2ヵ月が多い）
初期症状：頭痛、発熱、咬まれた場所の痛み、かゆみなどだが、症状が出たときには手遅れ！

発病したら最後、数日以内にほぼ100％死亡する。アメリカでは毎年数人が犠牲になっている。アメリカでの感染例が最も多いのがコウモリ、アライグマ、スカンクだが、リスやキツネなどすべての哺乳類が感染源となる。アリゾナ州だけでも年平均30人がコウモリやスカンクに咬まれ、狂犬病ワクチンを打っている。ペットも毎年数百頭が死亡しており、犬より猫のほうが多いそうだ。決して動物にエサを与えたり、触ろうとしてはいけない。

狂犬病を発症した動物は攻撃的になっているので、何もしていないのに突然咬みつかれることがある。コウモリのような小動物の場合、蚊に刺されたような小さな傷しか残らずに、見過ごしてしまうことがあるので注意。コウモリが人間にぶつかってきたり、手の届く所にいたら、狂犬病を疑うべきだ。

アメリカで動物に咬まれたら、すぐに石けんと水で傷口をていねいに洗い、一刻も早く病院へ行き（大きな国立公園には診療所がある）、必ず数時間以内に狂犬病＆破傷風ワクチンを接種してもらおう。咬まれた当日から90日後まで

で、6回ワクチンを接種することによって、発病の確率をグンと減らすことができる。2本目以後の接種は帰国後でも可。

破傷風
Tetanus

潜伏期間：3～21日
初期症状：首筋や肩がこる、寝汗をかく、口が開けにくくなる、顔がひきつるなど

世界中に分布する感染症。傷口に土、木屑、砂利などが付いて感染する。重症になると激痛をともなう強直性けいれん、呼吸困難などを起こす。致死率40％。傷口を放っておかないことがたいせつ。子供の頃に3種混合ワクチンを接種してから10年以上経っている人は、旅行前に追加接種しておくと安心。ただし1ヵ月以上の間隔を開けて2回または3回の接種が必要。

ペスト（黒死病）
Plague

潜伏期間：2～7日
初期症状：腺ペストの場合は頭痛、突然の高熱、筋肉痛、嘔吐、リンパ節肥大など。肺ペストの場合は紫斑など

その昔、ヨーロッパなどで2500万人の犠牲者を出したといわれるペストは、現在でもロッキー地方、ニューメキシコ、アリゾナ、カリフォルニアなどで発生している。2007年にはグランド

キャニオンで、生物学者がペストによって急死した。

ノミによる感染が8割を占めるが、ダニに刺されたり、プレーリードッグなどとの接触、弱っている動物や死体に手を触れるなどが原因で感染することもある。

昔と違って、現在は早期に治療を受ければ完治するが、治療開始が遅れると発病後1週間以内にほとんど死亡する。症状が似ていて間違えられやすい感染症に野兎病 Francisella tularensis、レプトスピラ症 Leptospira などがある。

ライム病
Lyme Borreliosis

潜伏期間：数日～数週間
初期症状：刺された場所の紅斑、発熱など

北海道や長野でも発生している感染症で、アメリカでは春から秋にかけて北西部やカナダに多く発生する。マダニから感染する。ダニがヒトの体に付いて吸血を始めてから感染までに24時間以上かかるといわれているので、森や野原をハイキングした日には、入浴時に全身をチェックするといい。ダニを見つけた場合、上手に取らないとかえって危険なので、病院で取ってもらおう。初期のうちなら抗生剤で完治するが、放置すると脳炎、関節炎、顔面麻痺、心疾患などを引き起こす。

同じく標高の高い地方でダニから感染するものにロッキー山紅斑熱、コロラドダニ熱がある。

コクシジオイデス症
Coccidioidomycosis

潜伏期間：1週間～数十年
初期症状：せき、関節痛、胸痛、発熱、頭痛、下腿部の発疹

　西部砂漠地帯の風土病。カリフォルニア、ネバダ、アリゾナ、ユタ、ニューメキシコに多く、年に約10万人が感染しているといわれる。valley fever、desert fever とも呼ばれる。

　コクシジオイデスは湿度の低い場所を好むカビの一種で、その毒性はペストに匹敵する。土の表面にいるカビ（真菌）の芽胞が強風、土木工事などで空中に舞い上がり、これを吸い込んで肺感染を起こす。吸い込んだ人の約4割が発症し、ほとんどは風邪のような症状だけで治るが、200人に1人程度、感染が全身に広がるケースがあり、その半数が死亡する。なかには20年後に発病するタイプもある。傷口から感染した場合は潰瘍ができ、花キャベツのような腫瘍となる。下腿部の発疹は女性に多い。白人よりも有色人種のほうが致死率が高く、女性ホルモンが菌の成長を促すといわれる。

　サンホアキンバレーで多発していて、ベイカーズフィールド郊外で1977年、砂嵐が吹いたあとに2600人が発病。1994年には地震による地滑りで土ぼこりを吸い込んだ住民に大流行した。

　万一、上記のような症状が出た場合、医師にアメリカ西部の砂漠地帯で砂ぼこりを吸い込んだことを申告し、コクシジオイデス症の検査を受けよう。日本人も毎年数名が発症している。

ハンタウイルス肺症候群
Hantavirus Pulmonary Syndrome

潜伏期間：1～8週間
初期症状：発熱、せき、筋肉痛、呼吸困難など

　ネズミの糞尿から飛散したウイルスを吸い込んで感染する。肺水腫に進むと24時間以内に死亡する。致死率40%以上で、成人男性に多い。1993年にナバホ族居留地で流行して以後、2012年にヨセミテで2人が死亡するなど全米で130人以上が死亡している。リスやネズミに接触しないこと。キャンプなどの際、ネズミが近寄らないよう、食品の保管に気を付けよう。

ウエストナイルウイルス
West Nile Virus

潜伏期間：2～15日
初期症状：39℃以上の急激な発熱、異常な精神状態、頭痛、首や背中の痛み、発疹、発汗、めまい、手足の筋力低下など

　ヨーロッパや東南アジアで散発的に流行していた感染症だが、1999年にニューヨーク市内で流行して以後、わずか数年で全米に拡大。2006年は43州で4269人の患者が確認され、うち177人が死亡した。流行はいったん下火になったが、2012年に急増し、テキサスを中心に243人が亡くなった。9月頃に急に患者が増えるのが特徴。

　ウイルスに感染しても約8割の人は無症状。残り2割が高熱などの症状を呈するが、1週間ほどの治療で治る。感染者の約1%が脳炎、髄膜炎、肝炎、膵炎、心筋症などを起こして重篤になり、うち3～15%が死亡する。50歳以上の人や子供、免疫力が落ちている人は重くなりやすい。

　予防法は蚊に刺されないこと。虫除けスプレーの使用と、白っぽい服装や長袖シャツをおすすめ。

　万一、蚊に刺されてから数日後に上記のような症状が現れたら、すぐに病院で診察を受けよう。帰国後の場合、こちらから「アメリカで蚊に刺されたので、ウエストナイルウイルスの検査をしてほしい」と申し出るとよい。

　症状が似ているものにセントルイス脳炎 St. Louis Encephalitis がある。

サル痘
Monkeypox

潜伏期間：7～21日
初期症状：頭痛、発熱、リンパ腺の腫れ、発疹

　アフリカで稀に見られる感染症だったが、2003年にアメリカで初めての患者が確認された。プレーリードッグなどの小動物の飼い主を中心に、71人の患者（疑い例を含む）が発生。症状は天然痘に似ていて、種痘はサル痘にも有効。致死率は1%以下といわれる。

デング熱
Dengue Fever

潜伏期間：2～15日
初期症状：激しい頭痛、発熱、関節痛、嘔吐、発疹

　2010年にカリブ海地域で大流行し、マイアミやキーウエストでも20名以上が感染している。多くは軽症で済むが、デング出血熱に進むと致死率が高い。流行地域を旅する際には蚊に刺されないよう気を付けよう。デング熱が流行している場所では、同時にマラリアが発生していることもある。発熱などの症状が出たら、すぐに診察を受けよう。

感染症についての問い合わせ

東京検疫所
☎ (03)3599-1515
URL www.forth.go.jp
成田空港検疫所
☎ (0476)34-2310
関西空港検疫所
☎ (072)455-1283

緊急時の医療英会話

●ホテルで薬をもらう

具合が悪い。

アイ フィール イル
I feel ill.

下痢止めの薬はありますか。

ドゥ ユー ハヴァ ア アンティダイリエル メディスン
Do you have a antidiarrheal medicine?

●病院へ行く

近くに病院はありますか。

イズ ゼア ア ホスピタル ニア ヒア
Is there a hospital near here?

日本人のお医者さんはいますか?

アー ゼア エニィ ジャパニーズ ドクターズ
Are there any Japanese doctors?

病院へ連れて行ってください。

クッデュー テイク ミー トゥ ザ ホスピタル
Could you take me to the hospital?

●病院での会話

診察を予約したい。

アイドゥライク トゥ メイク アン アポイントメント
I'd like to make an appointment.

グリーンホテルからの紹介で来ました。

グリーン ホテル イントロデュースド ユー トゥ ミー
Green Hotel introduced you to me.

私の名前が呼ばれたら教えてください。

プリーズ レッ ミー ノウ ウェン マイ ネイム イズ コールド
Please let me know when my name is called.

●診察室にて

入院する必要がありますか。

ドゥ アイ ハフ トゥ ビー アドミッテド
Do I have to be admitted?

次はいつ来ればいいですか。

ホェン シュッダイ カム ヒア ネクスト
When should I come here next?

通院する必要がありますか。

ドゥ アイ ハフ トゥ ゴー トゥ ホスピタル レギュラリー
Do I have to go to hospital regularly?

ここにはあと2週間滞在する予定です。

アイルステイ ヒア フォー アナザー トゥ ウィークス
I'll stay here for another two weeks.

●診察を終えて

診察代はいくらですか。

ハウ マッチイズイットフォー ザ ドクターズ フィー
How much is it for the doctor's fee?

保険が使えますか。

ダズ マイ インシュアランス カバー イット
Does my insurance cover it?

クレジットカードでの支払いができますか。

キャナイ ペイイットウィズ マイ クレジット カード
Can I pay it with my credit card?

保険の書類にサインをしてください。

プリーズ サイン オン ザ インシュアランス ペーパー
Please sign on the insurance papar.

※該当する症状があれば、チェックをしてお医者さんに見せよう

☐吐き気 nausea	☐悪寒 chill	☐食欲不振 poor appetite
☐めまい dizziness	☐動悸 palpitation	
☐熱 fever	☐脇の下で計った armpit	＿＿＿＿℃／℉
	☐口中で計った oral	＿＿＿＿℃／℉
☐下痢 diarrhea	☐便秘 constipation	
☐水様便 watery stool	☐軟便 loose stool	1日に　　回　times a day
☐時々 sometimes	☐頻繁に frequently	絶え間なく continually
☐カゼ common cold		
☐鼻詰まり stuffy nose	☐鼻水 running nose	☐くしゃみ sneeze
☐咳 cough	☐痰 sputum	☐血痰 bloody sputum
☐耳鳴り tinnitus	☐難聴 loss of hearing	☐耳だれ ear discharge
☐目やに eye discharge	☐目の充血 eye injection	☐見えにくい visual disturbance

※下記の単語を指さしてお医者さんに必要なことを伝えましょう

●どんな状態のものを食べた
生の raw
野生の wild
油っこい oily
よく火が通っていない
　uncooked
調理後時間が経った
　a long time after it was cooked
●ケガをした
刺された・噛まれた bitten
切った cut
転んだ fall down
打った hit
ひねった twist

落ちた fall
やけどした burn
●痛み
ヒリヒリする buming
刺すように sharp
鋭く keen
ひどく severe
●原因
蚊 mosquito
ハチ wasp
アブ gadfly
毒虫 poisonous insect
サソリ scorpion
くらげ jellyfish

毒蛇 viper
リス squirrel
(野)犬 (stray) dog
●何をしているときに
ジャングルに行った
　went to the jungle
ダイビングをした
　diving
キャンプをした
　went camping
登山をした
　went hiking (climbling)
川で水浴びをした
　swimming in the river

旅のイエローページ　　Travel Tips

緊急時

- ●警察、消防署、救急車　☎911
- ●日本大使館　☎(202)238-6800(領事部)／☎(202)238-6700(緊急24時間)
- ●在シアトル総領事館(ワシントン、モンタナの各州、アイダホ州のアイダホ郡以北)　☎(206)682-9107
- ●在ポートランド出張駐在官事務所(オレゴン州、アイダホ州のシアトル総領事館管轄外)　☎(503)221-1811
- ●ロスアンゼルス総領事館(アリゾナ州、カリフォルニア州のロスアンゼルス、オレンジ、サンディエゴ、インペリアル、リバーサイド、サンバーナディノ、ベンチュラ、サンタバーバラ、サン・ルイ・オビスポの各郡)　☎(213)617-6700
- ●在サンフランシスコ総領事館(ネバダ州、カリフォルニア州のロスアンゼルス総領事館管轄外)　☎(415)777-3533
- ●在デンバー総領事館(コロラド、ユタ、ワイオミング、ニューメキシコ各州)　☎(303)534-1151
- ●在シカゴ総領事館(サウスダコタ州など)　☎(312)280-0400
- ●在マイアミ総領事館(フロリダ州)　☎(305)530-9090

航空会社

- ●全日空　Free 1800-235-9262
- ●日本航空　Free 1800-525-3663
- ●アメリカン航空　Free 1800-237-0027(日本語)
- ●デルタ航空　Free 1800-327-2850(日本語)
- ●ユナイテッド航空　Free 1800-537-3366(日本語)

空港・交通(レンタカー除く)

- ●デンバー国際空港　☎(303)342-2000
- ●ロスアンゼルス国際空港　☎(310)646-5252
- ●サンフランシスコ国際空港　☎(650)821-8211
- ●シータック空港　☎(206)787-3000
- ●ポートランド国際空港　☎(503)460-4234
- ●ラスベガス・マッカラン国際空港　☎(702)261-5211

- ●フェニックス・スカイハーバー国際空港　☎(602)273-3300
- ●アムトラック(鉄道)　Free 1800-872-7245
- ●グレイハウンド(長距離バス)　Free 1800-231-2222
- ●AAA(アメリカ自動車協会)全米　Free 1800-222-4357

レンタカー会社

- ●アラモ　Free 1800-803-4444
- ●エイビス　Free 1800-352-7900
- ●ダラー　Free 1800-800-5252
- ●ハーツ　Free 1877-826-8782
- ●バジェット　Free 1800-214-6094

クレジットカード会社

- ●アメリカン・エキスプレス　Free 1800-766-0106
- ●ダイナースクラブ　☎+81-45-523-1196(コレクトコールを利用)
- ●JCBカード　Free 1800-606-8871
- ●マスターカード　Free 1800-627-8372
- ●VISAカード　Free 1800-670-0955

トラベラーズチェック発行会社(紛失時の再発行)

- ●アメリカン・エキスプレス・リファンドセンター　Free (1-800)221-7282

旅行保険会社(アメリカ国内)

- ●損保ジャパン　Free 1800-233-2203　上記番号がつながらない場合、コレクトコールで　☎+81-3-3811-8127
- ●東京海上日動　Free 1800-446-5571
- ●AIU　Free 1800-874-0119

国立公園局

- ●National Park Service　URL www.nps.gov

帰国後の旅行窓口相談

- ●日本旅行業協会 JATA　旅行会社で購入した旅行サービスについての相談は「消費者相談室」まで　☎(03)3592-1266　URL www.jata-net.or.jp

国立公園のシステムと現状　　Travel Tips

アメリカの国立公園の機能

アメリカの国立公園の体系は、大学制度とともに、アメリカが最も世界に誇れる制度といわれている。

アメリカの国立公園の任務はおもに3つある。第一は、原生自然景観の維持と、自然や歴史的建造物の保全を行うこと。第二は、国民が平等に利用できるレクリエーション施設の建設と機能的な運営。そして第三には、利用者に自然と歴史への理解を深めてもらうことである。パークレンジャーは各国立公園の顔として、園内の人命救助、森林パトロール、消火活動、動植物保護と監視パトロール、そして園内のツアーガイドなどを行う。

国立公園局は原生自然の保護はもちろん、公園の生態系を注意深く観察し、保護している。人的原因による山火事はすぐに消火作業を行うが、自然発火した山火事は適当と思われる規模までは消火しないで、エコシステムの活力を維持する「管理燃焼」という方法を取っている。これは近年、生き生きとした生態系を維持するのに山火事が不可欠であることがわかったからだ。

国立公園は、どの州においても連邦政府の直轄地であるため、州政府からは独立している。つまり各州警察の権限も及ばない地域であり、国立公園レンジャーが任務のひとつとして警察行為も行っている。レンジャーは、必要があれば銃も所持できるし、逮捕権もある。容疑者を収容する仮留置場もある。ただし、国立公園内で殺人事件が起きた場合はFBI（連邦捜査局）に連絡する。

管理と運営

国立公園は限られた予算内で運営しているので、ホテルやレストランの運営は国立公園ごとに民間業者に依託している。国立公園局は依託契約会社を選定し、ロッジ、キャンプ場、レストラン、ツアーバスなどの運営を任せてい

パークレンジャーになるためには厳しい試験を突破しなければならない

るわけだ。指定された業者はコンセッショナー concessionaire と呼ばれる。例を挙げると、ヨセミテ国立公園は Delaware North Companies Parks and Resorts社、グランドキャニオン国立公園サウスリムは Xanterra Parks & Resorts

子供向けのイベントも大切な仕事のひとつ

社がコンセッショナーとなっている。

国立公園局は契約会社と協議しながら、観光資源の効果的な運営を行う。国民が平等に利用できることが原則なので、一部の富裕層だけが利用できるような高い料金は設定できない。物価指数とかけ離れてはいけないので、公園内のデラックスホテルでも、大都市の一流ホテルなどと比べると安価な料金で泊まれる。

また、公園内の安全を守る施設の保全は、もちろん最優先されるが、なるべく自然のままにするという方針で運営されている。植物も動物も特に管理せず、自然界の法則で動物の数が自然にバランスが保たれるよう配慮している。この高い原始性を保つため、運営には細心の注意が必要である。

国立公園の管理、運営は、このような環境保護政策と、入園者への便宜の板挟みで常に難しい。それでもアメリカの国立公園制度は、いまもって他国の国立公園組織の追随を許さない質と規模を誇っている。

国立公園の現状

アメリカの国立公園は、どこも増加する入園者の扱いに頭を痛めている。なかでもヨセミテ、グランドキャニオン、イエローストーンなどは宿泊施設の不足が深刻化。それでも1966年に完了した国立公園整備10ヵ年計画（ミッション'66）で宿泊設備などが整備されて以来、ほとんどの公園で宿泊施設は増設されていないし、今後の予定もない。自然保護の観点から、これ以上は不可能とされているためである。

国立公園のシステムと現状

初期の国立公園の様子がわかるイエローストーンのパークレンジャー博物館

国立公園を旅する際の心がけ

国立公園を旅する人は、アメリカの国立公園がアメリカ人にとって聖域であるとともに、国民の努力によって100年以上も維持されている場所だということを知ってほしい。アメリカの人々は、国立公園を人類共有の財産としてたいせつに保護しているのだ。

「写真だけをお撮りください。足跡だけを残してください」。このスローガンに代表される精神は近年すっかり浸透し、草花ひとつ摘むのはもちろん、決められた場所以外にゴミを捨てることも許されない。これを守れない人は、国立公園の門をくぐる資格はないといえるだろう。

また、アメリカの国立公園は、原生自然景観を保持する政策があるため、交通機関は極めて不便。利便性と自然性は反比例するものだから仕方がない。すばらしい原生景観を目にするためには、利便性を犠牲にする覚悟がほしい。

アメリカの国立公園は、公園ごとのテーマをもっている。もし訪れたい公園があれば、事前に地理学的特徴などを調べておくとよい。そうすれば、原生景観を目の前にしたときの感動はより熱く、深くなるはずだ。大自然の殿堂に入るには、まず心を美しくしておきたい。

ビジターセンターの活用

どの国立公園にもビジターセンターが必ずあり、旅行者の必要とするあらゆる情報が集まるようになっている。ビジターセンターの壁を探せば、どこかにきっと掲示板がある。その日の日の出、日の入りの時刻、気温、天候、ハイキングトレイルの状態、その日行われるイベント（レンジャー引率によるツアーや自然講座など）のスケジュール、キャンプ場やロッジの空き状況などが示されているはず。園内の地図や公園の新聞などは料金ゲートでももらえるが、ハイキングトレイルの詳細ガイドや、園内で見られる動植物の案内などは、ビジターセンターでもらおう。

ビジターセンターには、パークレンジャーが必ずいる。彼らはその公園についてのあらゆる質問に答えてくれるプロフェッショナルだ。また、一人ひとりがいくつかの専門分野をもっており、例えばレンジャーA氏は地質学について、B氏はグリズリーベアの生態について、といった具合に得意分野があり、質問によってはかなり突っ込んだ答えも期待できる。もちろん、『4時間しかないけれどおすすめのトレイルは？』とか、『あの湖の写真を撮るにはどの場所からがいい？』といった類の質問にも親切に答えてくれる。

大きな展示室や劇場を備えているところも少なくない。展示室を見学し、上映されるビデオやスライドを見て、公園についての基礎知識を得ておくと理解が深まる。

園内のほかの施設が乏しいところでは、トイレ、飲料水などもビジターセンターが頼りになる。

また、ギフトショップを併設しているところも多い。絵ハガキ、ポスターなどは、周辺の町で売っているものよりもすぐれたものが多いし、専門的な書籍も売られている。公園を離れる前にも、もう一度立ち寄ってみるといい。

アメリカ国立公園の歴史　Travel Tips

伝説の中の秘境

コロンブスのアメリカ大陸発見以来、ヨーロッパ列強国は次々とアメリカ大陸に進出した。アメリカの西部地域の開拓の歴史は、フランス人が、ニューファンドランドから五大湖を越え、ミシシッピ川を下り、1718年、ニューオリンズに新開拓地を建設したことに始まる。

当時ビーバーなどの毛皮貿易は、ボロもうけに近い利益をもたらす事業であった。そこで命知らずのフランス系猟師や毛皮商人たちは、ミズーリ川をさかのぼって先住民の土地に入っていった。

彼らの見た大自然は、まさに驚異そのものであった。果てしない大草原、氷河を頂く山々、大峡谷、大森林、大瀑布。どれをとっても、とてつもないスケールであった。

ルイス・クラーク探検隊

1803年、第3代大統領トーマス・ジェファーソンは、対英戦争の準備に大わらわのナポレオンにつけこんで、全ルイジアナ地方（現在のルイジアナ州だけでなく、ミシシッピ川流域の広大な地域を指す）約83万エーカーを、わずか1500万ドルで購入することに成功。ジェファーソンは、ルイジアナの西に広がる、当時奥地と呼ばれていた広大な地域の真の姿を見極めなければならないと思った。そしてただちに、先住民との戦争のエキスパートだったメルウェザー・ルイス大尉とウィリアム・クラーク大尉のふたりをリーダーとする、ルイス・クラーク探検隊を組織させた。

1804年5月、探検隊は現在のセントルイス近郊のミズーリ川の岸辺を出発。一行はプラット川、スネーク川、コロンビア川などの流域に広がる地域を探検した。そしてついに1805年11月、探検隊は現在のポートランド近郊に達し、アメリカ大陸の横断調査に成功した。このとき彼らはイエローストーンの北方を通過したが、イエローストーンの発見にはいたらなかった。

イエローストーンのキャッスルガイザー

この探検隊の一員であったジョン・コルターは、帰路、ルイスとクラークの許可を得て、毛皮資源の調査のため単身でワイオミングを通過。1807年、正式な記録としては、白人として初めてイエローストーンを発見したとされている。

その頃イエローストーン地域には、クロウ、ブラックフット、クーリーなどの先住民が狩猟生活を送っていた。彼らはイエローストーンの熱水現象を神秘的なものとしてあがめていたようだ。

その後、1870年にヘンリー・ウォシュバーンとラングフォード探検隊が再びこの地に入り、ワイオミング一帯の壮大な大自然の全容が明らかになった。オールドフェイスフル・ガイザー、キャッスルガイザーなどの名前を付けたのも彼らだ。

ヘイデン調査隊

イエローストーン、ヨセミテなどの壮大な原生景観が明らかになる一方で、開拓は自然破壊をもたらすという概念が芽生えたが、一般の人々にとっては、それらの大景観もホラ話や夢物語にすぎなかった。

この頃、内務省地理調査部長ヘイデン博士は、原生景観を保護するためには、これらの地域を国有化するしかないと考えていた。そして、この計画に反対する人々を説得させる材料を集めるために、J・W・バロー大尉を隊長としたヘイデン調査隊を組織する。この調査隊には、計画を成功に導くふたりの異色の隊員が含まれていた。写真家のウィリアム・ヘンリー・ジャクソンと、有名な画家のトーマス・モランだ。

ジャクソンとモラン

当時実用化されたばかりの写真技術をもったジャクソンと、画家のモランは協力しあった。当時の写真では記録できない色彩をモランが絵で描き、ジャクソンが絵に記録できない迫真性と現実感、自然の驚異を写真にした。特にモランの描いた絵はすばらしい色彩で原生自然を描き、高い評価を得た。

イエローストーン公園法制定の公聴会で公開されたジャクソンの写真とモランの絵は、メンバーの心をたちまち魅了してしまった。今まで冷笑的だった反対派の議員も一斉に態度を変え、この法律に反対する議員はいなくなっ

©NPS

トーマス・モランが描いたイエローストーンのマンモス・ホットスプリングス

ジョン・ミュアの遺した功績は計り知れない

©Sierra Club

た。アメリカ東部に伝説的に伝えられていた秘境の景観が、ホラ話ではなかったことが証明されたのである。

イエローストーン国立公園の誕生

　1872年、時の大統領ユリシーズ・グラントがイエローストーン公園法に署名して、ここに世界初の国立公園が誕生した。とはいうものの、イエローストーンは東部からはあまりにも遠く、また、旅行産業は芽生えてさえもいなかった。公園を維持する予算すらなかったのである。

　国立公園はできたものの、その管理はないに等しかった。公園を守っていたのは騎兵隊だった。公園内の景観や動植物を保護する法律さえもなかった。無法者や無謀なハンターが公園の一部を占拠する事件が起こったとき、これを解決したのは国防長官の命を受けた騎兵隊だ。また、少しずつ入り始めた観光客も温泉の石灰石を壊したり、持ち去ったりしていた。公園側はなんらかの手を打たなければならなかった。

ジョン・ミュアとシエラクラブ

　幼年期にスコットランドからアメリカに移住してきたジョン・ミュアは、29歳のとき、「大自然の大学」に学ぶために徒歩で旅に出た。そして1868年、彼が自然保護運動の思想を打ち出すことになるヨセミテバレーに到達する。ミュアはこの地の雄大で神秘的な美しさに魅了され、小屋を建ててバレーに住み着いた。そして、この地のすばらしさを全米に知らせる活動を始めた。

　1890年、ヨセミテ、セコイア、キングスキャニオンのグラントグローブが国立公園に指定された。その後もこの地域は、牧畜業者との間で開発か保護かの難問に直面したが、ジョ

ン・ミュアが1892年に設立したシエラクラブの運動によって、自然破壊はギリギリのところでストップし、アメリカの自然保護政策は軌道に乗った。

セオドア・ルーズベルトの長征

　第26代大統領セオドア・ルーズベルトは、自然やハンティングが好きな行動派であった。彼はアメリカ西部の国立公園をその目で見るために視察旅行に旅立った。グランドキャニオン、イエローストーンなどを視察し、ヨセミテでジョン・ミュアと自然保護について語り明かして（→P.198）深い感銘を受けた彼は、このような原生景観を保護すると同時に、アメリカ国民にこれらをいかに楽しんでもらおうかと考えた。そしてルーズベルト政権は本格的な国立公園政策を始め、各公園の宿泊施設の建設、自動車道路の整備などを行った。ようやく国立公園としての体制が整い始めたのだ。

国立公園局の発足

　1915年、とある湖の入江のヨットの中で、ふたりの男が話し合っていた。次期内務長官に任命されたフランク・レーンと、米国地理学協会（ナショナルジオグラフィック）会長ギルバート・グロブナーであった。ふたりの話題の核心は、世界的にも稀有なアメリカの原生景観を、いかにしてブルドーザーやチェーンソーの破壊から守るかであった。そのためには、保護するだけでなく、一般の国民にその景観のすばらしさを見てもらい、自然の保護がいかに大切かを認識してもらわなければならなかった。ふたりは国立公園の施設をさらに充実させることで意見が一致。このアイデアがもとになり、自然保護のマグナカルタと呼ばれる、アメリカ国立公園実施法が1916年に制定され、国立公園局が発足した。

旅の技術

アメリカ国立公園の歴史

国立公園が次々と誕生

イエローストーン、ヨセミテなどに加え、1910年にはモンタナ州のグレイシャー、1915年にはコロラド州のロッキーマウンテン、国立公園局が発足した1916年にはハワイ火山、ラッセン火山（カリフォルニア州）、翌1917年にはアラスカ（当時はまだ州ではなかった）のマウントマッキンレー（現デナリ）、1919年にはグランドキャニオン、ザイオンなどの公園が次々に誕生した。

イエローストーンの南の山岳地帯も、ジョン・D・ロックフェラー・ジュニアの国家への寄贈に助けられ、グランドティトン国立公園として発足する。現在、グランドティトンからイエローストーンに通じる道路がロックフェラー・パークウエイと呼ばれているのはこのためである。

このほか、米国地理学協会がセコイアの森林を地主から買収して国家へ寄贈したり、ドール・グループのアケーディア地域の寄贈、メロン財団のケープハッテラス国立海浜地域の寄贈などにより、組織は充実していった。

初代国立公園局長スティーヴン・マーザー

内務長官フランク・レーンは、国立公園局に送られてきた苦情の手紙の中に、カリフォルニア大学でともに学んだ同級生、スティーヴン・マーザーからの手紙を見つけた。マーザーはヨセミテ国立公園やセコイア国立公園の嘆かわしい状態について「道路はほとんど通れないし、家畜が入り込み、貴重な巨木が伐採業者に売られている」と報告した。レーンの返事はこうだった。「スティーヴ、今の国立公園局のやり方が気にくわないなら、ワシントンに来て、君自身で国立公園局を運営してみないか？」。こうして初代アメリカ国立公園局長スティーヴン・マーザーが誕生した。彼は1916年から1928年まで12年間局長を務め、レンジャー制度の確立や公園ゲートへの道路建設、宿泊施設の整備などを行い、自然景観を、誰もがいつでも利用できる公園組織を確立するなど多くの業績を残した。

初代局長スティーヴン・マーザー

サンタフェ鉄道を再現したグランドキャニオン鉄道

鉄道会社の参入

西部の国立公園は、東部からはあまりにも遠かったが、鉄道会社の発展とともに身近になっていった。鉄道会社はその資金力にモノをいわせ、国立公園の契約会社となったり、そのパートナーとなって公園の運営参入を始めた。グレートノーザン鉄道がグレイシャーへ、ノーザンパシフィック鉄道がイエローストーンへ、ユニオンパシフィック鉄道がザイオンとブライスキャニオンへ、サンタフェ鉄道がグランドキャニオンへと参入してロッジの建設などを進めた結果、各公園の入園者数は飛躍的に増えた。

しかし、1941年12月7日の真珠湾攻撃は、25年間発展し続けてきた国立公園組織にも大きく影を落とすことになった。戦時中は国防費が最優先となるのはやむを得ず、国立公園局の予算と職員は削減され、活動は停止状態となった。

戦後のモータリゼーションと旅行ブーム

終戦後、アメリカには爆発的な大衆消費社会が出現し、自動車性能の向上により旅行ブームが生まれた。キャンピングカーなどによって国立公園は入園者であふれるようになる。しかし、1950年に起きた朝鮮戦争によって、再び国立公園局の予算は削減されてしまう。園内の道路は、あちらこちらで危険な状態になり、施設は老朽化し、職員用住宅なども不足していた。朝鮮戦争が終わると再び旅行ブームが始まったが、公園の状態は、それを受け入れられないところまで低下していた。

ミッション '66

1951年に国立公園局長に就任したコンラッド・L・ワースは、1955年、このような状況のなか、本来国立公園はどうあるべきなのか、いい状態にするにはどのくらいの予算がかか

アメリカ国立公園の歴史

環境問題も深刻だ。どこの公園でもビジターセンターや園内シャトルバスのエコ化に積極的に取り組んでいる

るのかを調べるプロジェクトチームを作った。その結果、費用は＄8000万〜1億、期間は10年かかると計算された。そしてこの計画を、当時のアイゼンハワー政権に承認してもらうため、1956年にプロジェクトを発足。プロジェクトは、国立公園局誕生50周年にあたる1966年に完了することから「ミッション'66」と呼ばれることになった。

1956年2月27日、ホワイトハウスでこのプロジェクトのプレゼンテーションが行われた。プレゼンテーションが終わり、内務長官ダグラス・マッケイはおそるおそる「何かご質問はありますか」と聞いた。するとアイゼンハワー大統領は言った。「ひとつ質問がある。なぜこの提案が、私が大統領になった1953年になされなかったのかね」

こうしてミッション'66は、アイゼンハワー政権の全面協力を得たのであった。これにより、道路の新設、整備、宿泊施設の改善や、130ヵ所のビジターセンターの開設、2000戸の職員用宿舎の建設、レンジャー訓練所の開設など、予算に関してはかなり超過したものの、1966年に予定どおり完了した。ここにアメリカが世界に誇る国立公園組織が完成したのであった。

新たな改革の時代へ

ミッション'66から50年近くが経ち、国立公園は再び危機に面している。年々増える一方の入園者数に、公園側の対応が追いつけなくなっているのだ。そこへさらにイラク戦争が追い討ちをかけた。国立公園局の予算が削られ、ビジターセンターの開館時間は、逆に縮小された。

入園者の自然への認識もまた低下した。テロの標的になりかねないテーマパークへ行くのを避け、代わりに国立公園を訪れる家族連れが増えたが、テーマパークと同じ感覚で入園してくることから、野生動物にエサを与えるなどの規則違反も目に付くようになった。

2008年、退任を間近に控えたブッシュ大統領は、国立公園局に対する大幅な予算増額を行った。公園局創設100周年を迎える2016年に向けて、総額24億ドル（約2200億円）が約束され、110のプロジェクトが進行中。ピークシーズンだけのレンジャー3000人が新たに雇用されたのもうれしいニュースだ。

オバマ大統領は2009年、「包括的公有地管理法2009」に署名し、新たに3ヵ所の史跡などを国立公園局のユニットに加えた。2013年1月にはカリフォルニア州にピナクルス国立公園も誕生した。アメリカ経済の低迷が続くなか、地球温暖化対策は待ったなしだ。世界に誇るアメリカの国立公園の明日は、2期目を迎えた大統領の手腕にかかっている。

海外旅行の最新で最大級の情報源はここに！ 地球の歩き方 検索

地球の歩き方 ホームページの使い方

海外旅行の最新情報満載の「地球の歩き方ホームページ」！ガイドブックの更新情報はもちろん、132カ国の基本情報、エアラインプロフィール、海外旅行の手続きと準備、格安航空券、海外ホテルの予約、「地球の歩き方」が厳選したスーツケースや旅行用品もご紹介。クチコミ情報や旅日記、掲示板、現地特派員ブログもあります。

🔗 http://www.arukikata.co.jp/

■ 多彩なサービスであなたの海外旅行、海外留学をサポートします！

「地球の歩き方」の電子掲示板（BBS）

「地球の歩き方」の源流ともいえる旅行者投稿。世界中を歩き回った数万人の旅行者があなたの質問を待っています。目からウロコの新発見も多く、やりとりを読んでいるだけでも楽しい旅行情報の宝庫です。

🔗 http://bbs.arukikata.co.jp/

ヨーロッパ個人旅行の様々な手配が可能

 地球の歩き方 旅プラザ

「旅プラザ」ではヨーロッパ個人旅行のあらゆる手配ができます。ユーレイルパス・寝台車など鉄道旅行の即日発券が可能なほか、航空券、ホテル、現地発ツアー、保険、etc. 様々な複合手配が可能です。

🔗 http://tabiplaza.arukikata.com/

旅行記、クチコミなどがアップできる「旅スケ」

🛫 旅スケ

WEB上で観光スポットやホテル、ショップなどの情報を確認しながら旅行スケジュールが作成できるサービス。旅行後は、写真に文章を添えた旅行記、観光スポットやレストランなどのクチコミ情報の投稿もできます。

🔗 http://tabisuke.arukikata.co.jp/

旅行用品の専門通販ショップ

地球の歩き方ストア STORE

「地球の歩き方ストア」は「地球の歩き方」直営の旅行用品専門店。厳選した旅行用品全般を各種取り揃えています。「地球の歩き方」読者からの意見や感想を取り入れたオリジナル商品は大人気です。

🔗 http://www.arukikata.co.jp/shop/

航空券の手配がオンラインで可能

地球の歩き方 arukikat.com

航空券のオンライン予約なら「アルキカタ・ドット・コム」。成田・羽田他、全国各地ポート発着の航空券が手配できます。読者割引あり、航空券新規電話受付時に「地球の歩き方ガイドブックを見た」とお伝えいただくと、もれなくお一人様1,000円off。

🔗 http://www.arukikata.com/

留学・ワーキングホリデーの手続きはおまかせ

 地球の歩き方 成功する留学 GIO CLUB Study Abroad

「成功する留学」は「地球の歩き方」の留学部門として、20年以上エージェント活動を続けています。世界9カ国、全15都市に現地相談デスクを設置し、留学生やワーホリ渡航者の生活をバックアップしています。

🔗 http://www.studyabroad.co.jp/

海外ホテルをオンライン予約

地球の歩き方 Travel

地球の歩き方トラベルが運営する海外ホテル予約サイト。世界3万都市、13万軒のホテルをラインナップ。ガイドブックご覧の方には特別割引で宿泊料金3%off。

🔗 http://hotel.arukikata.com/

ヨーロッパ鉄道チケットがWebで購入できる「ヨーロッパ鉄道の旅」オンライン

ヨーロッパ鉄道の旅 Travelling by Train

地球の歩き方トラベルのヨーロッパ鉄道チケット販売サイト。オンラインで鉄道パスや乗車券、座席指定券などを24時間いつでも購入いただけます。利用区間や日程がお決まりの方にお勧めです。

🔗 http://rail.arukikata.com/

地球の歩き方 シリーズ年度一覧

地球の歩き方ガイドブックは1～2年で改訂されます。改訂時には価格が変わることがあります。表示価格は定価(税込)です。
●最新情報は、ホームページでもご覧いただけます。URL www.diamond.co.jp/arukikata/

地球の歩き方 ガイドブック

A ヨーロッパ

A01	ヨーロッパ	2012～2013 ￥1890
A02	イギリス	2012～2013 ￥1785
A03	ロンドン	2013～2014 ￥1680
A04	湖水地方&スコットランド	2012～2013 ￥1785
A05	アイルランド	2012～2013 ￥1785
A06	フランス	2012～2013 ￥1785
A07	パリ&近郊の町	2012～2013 ￥1785
A08	南仏プロヴァンス コート・ダジュール&モナコ	2013～2014 ￥1680
A09	イタリア	2013～2014 ￥1785
A10	ローマ	2012～2013 ￥1680
A11	ミラノ、ヴェネツィアと湖水地方	2011～2012 ￥1680
A12	フィレンツェとトスカーナ	2012～2013 ￥1680
A13	南イタリアとマルタ	2012～2013 ￥1785
A14	ドイツ	2012～2013 ￥1785
A15	南ドイツ	2012～2013 ￥1680
A17	ウィーンとオーストリア	2013～2014 ￥1785
A18	スイス	2012～2013 ￥1785
A19	オランダ／ベルギー／ルクセンブルク	2012～2013 ￥1680
A20	スペイン	2013～2014 ￥1785
A21	マドリッド&日帰りで行く世界遺産の町	2013～2014 ￥1680
A22	バルセロナ&近郊の町とイビサ・マヨルカ島	2012～2013 ￥1680
A23	ポルトガル	2012～2013 ￥1680
A24	ギリシアとエーゲ海の島々&キプロス	2012～2013 ￥1785
A25	中欧	2012～2013 ￥1890
A26	チェコ／ポーランド／スロヴァキア	2012～2013 ￥1785
A27	ハンガリー	2013～2014 ￥1680
A28	ブルガリア／ルーマニア	2012～2013 ￥1785
A29	北欧	2013～2014 ￥1785
A30	バルトの国々	2011～2012 ￥1785
A31	ロシア	2012～2013 ￥1995
A32	シベリア&シベリア鉄道とサハリン	2013～2014 ￥1890
A34	クロアチア／スロヴェニア	2013～2014 ￥1680

B 南北アメリカ

B01	アメリカ	2012～2013 ￥1890
B02	アメリカ西海岸	2013～2014 ￥1785
B03	ロスアンゼルス	2013～2014 ￥1680
B04	サンフランシスコ	2013～2014 ￥1785
B05	シアトル&ポートランド	2013～2014 ￥1785
B06	ニューヨーク	2012～2013 ￥1838
B07	ボストン	2012～2013 ￥1890
B08	ワシントンD.C.	2013～2014 ￥1785
B09	ラスベガス セドナ&グランドキャニオンと大西部	2013～2014 ￥1785
B10	フロリダ	2013～2014 ￥1785
B11	シカゴ	2012～2013 ￥1785
B12	アメリカ南部	2012～2013 ￥1890
B13	アメリカの国立公園	2012～2013 ￥1890
B14	テーマで旅するアメリカ	2010～2011 ￥1785
B15	アラスカ	2013～2014 ￥1785
B16	カナダ	2013～2014 ￥1785
B17	カナダ西部	2013～2014 ￥1680
B18	カナダ東部	2012～2013 ￥1680
B19	メキシコ	2012～2013 ￥1890
B20	中米	2011～2012 ￥1995
B21	ブラジル ベネズエラ	2012～2013 ￥2100
B22	アルゼンチン チリ	2012～2013 ￥2100
B23	ペルー ボリビア エクアドル コロンビア	2012～2013 ￥2100
B24	キューバ&カリブの島々	2013～2014 ￥1890
B25	アメリカ・ドライブ	2011～2012 ￥1785

C 太平洋

C01	ハワイ オアフ島&ネイバーアイランド	2012～2013 ￥1890
C02	ハワイII マウイ ハワイ カウアイ モロカイ ラナイ	2012～2013 ￥1680
C03	サイパン	2012～2013 ￥1470
C04	グアム	2013～2014 ￥1470
C05	タヒチ／イースター島	2013～2014 ￥1785
C06	フィジー／サモア／トンガ	2012～2013 ￥1785
C07	ニューカレドニア／バヌアツ	2012～2013 ￥1785
C08	モルディブ	2012～2013 ￥1785
C09	マダガスカル モーリシャス セイシェル	2013～2014 ￥1995
C10	ニュージーランド	2012～2013 ￥1785
C11	オーストラリア	2012～2013 ￥1890
C12	ゴールドコースト&ケアンズ	2012～2013 ￥1785
C13	シドニー&メルボルン	2012～2013 ￥1680

D アジア

D01	中国	2012～2013 ￥1890
D02	上海 杭州・蘇州・水郷古鎮	2013～2014 ￥1785
D03	北京	2013～2014 ￥1680
D04	大連 瀋陽 ハルビン 中国東北地方の自然と文化	2013～2014 ￥1785
D05	広州 アモイ 桂林 珠江デルタと華南地方	2013～2014 ￥1785
D06	成都 九寨溝 麗江 四川 雲南 貴州の自然と民族	2012～2013 ￥1785
D07	西安・敦煌・ウルムチ シルクロードと中国北西部	2011～2012 ￥1785
D08	チベット	2012～2013 ￥1995
D09	香港	2013～2014 ￥1785
D10	台湾	2012～2013 ￥1785
D11	台北	2013～2014 ￥1575
D12	韓国	2012～2013 ￥1785
D13	ソウル	2013～2014 ￥1575
D14	モンゴル	2013～2014 ￥1890
D15	中央アジア サマルカンドとシルクロードの国々	2011～2012 ￥1995
D16	東南アジア	2012～2013 ￥1785
D17	タイ	2013～2014 ￥1785
D18	バンコク	2012～2013 ￥1680
D19	マレーシア ブルネイ	2013～2014 ￥1785
D20	シンガポール	2013～2014 ￥1575
D21	ベトナム	2012～2013 ￥1785
D22	アンコールワットとカンボジア	2013～2014 ￥1785
D23	ラオス	2013～2014 ￥1890
D24	ミャンマー	2013～2014 ￥1995
D25	インドネシア	2013～2014 ￥1785
D26	バリ島	2013～2014 ￥1785
D27	フィリピン	2013～2014 ￥1785
D28	インド	2013～2014 ￥1890
D29	ネパールとヒマラヤトレッキング	2011～2012 ￥1995
D30	スリランカ	2013～2014 ￥1785
D31	ブータン	2012～2013 ￥1890
D32	パキスタン	2007～2008 ￥1869
D33	マカオ	2012～2013 ￥1680
D34	釜山・慶州	2012～2013 ￥1470
D35	バングラデシュ	2013～2014 ￥1995

E 中近東 アフリカ

E01	ドバイとアラビア半島の国々	2012～2013 ￥1890
E02	エジプト	2013～2014 ￥1785
E03	イスタンブールとトルコの大地	2013～2014 ￥1890
E04	ヨルダン／シリア／レバノン	2012～2013 ￥1995
E05	イスラエル	2013～2014 ￥1890
E06	イラン	2012～2013 ￥2100
E07	モロッコ	2012～2013 ￥1785
E08	チュニジア	2012～2013 ￥1995
E09	東アフリカ ウガンダ・エチオピア・ケニア・タンザニア	2012～2013 ￥1995
E10	南アフリカ	2012～2013 ￥1995
E11	リビア	2010～2011 ￥2100

女子旅応援ガイド aruco

1	パリ	￥1260
2	ソウル	￥1260
3	台北	￥1260
4	トルコ	￥1260
5	インド	￥1260
6	ロンドン	￥1260
7	香港	￥1260
8	エジプト	￥1260
9	ニューヨーク	￥1260
10	ホーチミン	￥1260
11	ホノルル	￥1260
12	バリ島	￥1260
13	上海	￥1260
14	モロッコ	￥1260
15	チェコ	￥1260
16	ベルギー	￥1260
17	ウィーン	￥1260
18	イタリア	￥1260
19	スリランカ	￥1260
20	クロアチア	￥1260
21	スペイン	￥1260
22	シンガポール	￥1260

地球の歩き方 リゾート

R01	ワイキキ&オアフ島	￥1785
R02	ハワイ島&オアフ島	￥1785
R03	マウイ島&オアフ島	￥1785
R04	カウアイ島&オアフ島	￥1785
R05	こどもと行くハワイ	￥1575
R06	ハワイ ドライブ・マップ	￥1890
R07	ハワイ バスの旅&レンタルサイクル	￥1155
R08	グアム	￥1575
R09	こどもと行くグアム	￥1575
R10	パラオ	￥1680
R11	世界のダイビング完全ガイド 地球の潜り方	￥1995
R12	プーケット サムイ島 ピピ島 クラビ	￥1785
R13	ペナン・ランカウイ・クアラルンプール	￥1785
R14	バリ島	￥1785
R15	セブ&ボラカイ	￥1785
R16	テーマパークinオーランド	￥1890
R17	カンクン リビエラ・マヤ／コスメル	￥1785
R18	ケアンズとグレートバリアリーフ	￥1785
315	テーマパークinロスアンゼルス	￥1722
322	ゴールドコーストとシドニー	￥1785
324	バリアフリー・ハワイ	￥1838
325	フラで旅するハワイ	￥1995

トラベル・エージェント・インデックス

Travel Agent INDEX

専門旅行会社で新しい旅を発見!

特定の地域やテーマを扱い、
豊富な情報と経験豊かなスタッフが
そろっている専門旅行会社は、
航空券やホテルの手配はもちろん、
現地の生活情報や最新の生きた情報などを
幅広く蓄積しているのが魅力です。
＜トラベル・エージェント・インデックス＞は、
旅のエキスパートぞろいの
専門旅行会社を紹介するページです。

※ 広告に記載されている内容（ツアー料金や催行スケジュールなど）に関しては、直接、各旅行代理店にお問い合わせください。
※ 旅行契約は旅行会社と読者の方との直接の契約になりますので、予めご了承願います。

さくいん

511

この本は、地球に生きる仲間たちとの穏やかな共存と、自然環境の保全を願って作りました。皆さんも人間の小ささを知る旅に出てみませんか？ そして、アメリカの国立公園における環境教育をとおして、私たちの身近で起きている問題にも目を向けてみませんか？

改訂版の制作にあたって、コロラドを中心に活躍なさっている小池清通さんに、ラピッドシティ周辺の撮影と取材をお願いしました。また、北米の自然を撮り続ける小出雅敏さん、動物を追って世界を飛び回る山本つね

おさんにも、すばらしい写真を数多くお借りいたしました。環境法律家でもある弁護士の市川守弘さん、ナキウサギふぁんくらぶの市川利美さんご夫妻には、コロラド留学の経験をもとにコラムをお寄せいただきました。また、貴重な情報をお寄せいただいた読者の皆様にも、この場を借りてお礼を申し上げます。

上記以外の取材、執筆、写真はふじもとたかねと（有）地球堂が担当しました。

ではみなさん、どうぞ良い旅を！

Special Thanks To：Park Rangers and National Park Service, Carlsbad Chamber of Commerce, Colorado Tourism Office, Meteor Crater Enterprises, Inc., Metropolitan Tucson CVB, Moab Area Travel Council, USGS, USPS, Xanterra Parks and Resorts

---

取材協力・写真提供：合衆国内務省国立公園局 NPS、合衆国地質調査局 USGS、合衆国土地管理局 BLM、合衆国郵便公社 USPS、アメリカ西部5州政府観光局、シアトル・ワシントン州観光事務所、星野修、矢野麻衣子、貞安基光（敬称略）

制　　作：土居　浩	Producer：Hiroshi Doi
デザイン：(有)エメ龍夢	Design：EMEryumu, Inc.
表　　紙：日出嶋 昭男	Cover Design：Akio Hidejima
地　　図：ジェオ	Maps：GEO
鳥 瞰 図：黒澤 達矢	Bird's-eye Map：Tatsuya Kurosawa
イラストマップ＆動物イラスト：カモシタハヤト	Illustration of Wildlife and Maps：Hayato Kamoshita
写　　真：小池 清通	Photographers：Kiyomichi Koike
小出 雅敏	Masatoshi Koide
山本 つねお	Tsuneo Yamamoto
校　　正：エッグ舎	Proofreading：Egg-sha
編　　集：ふじもと たかね	Editors：Takane Fujimoto
(有)地球堂	Chikyu-do, Inc.

読者投稿

〒 160-0022　東京都新宿区新宿 3-1-13　京王新宿追分ビル 5 F
株式会社地球の歩き方 T&E
『地球の歩き方』サービスデスク「アメリカの国立公園編」投稿係
FAX (03)5362-7891　http://www.arukikata.co.jp/guidebook/toukou.html

『地球の歩き方ホームページ』（海外旅行の総合情報）
http://www.arukikata.co.jp

ガイドブック『地球の歩き方』（検索と購入、更新情報）
http://www.arukikata.co.jp/guidebook/

地球の歩き方 B13　アメリカの国立公園　2013 ～ 2014 年版

1991 年 4 月 12 日　初版発行
2013 年 3 月 22 日　改訂第 13 版第 1 刷発行

Published by Diamond Big Co.,Ltd.
2-9-1 Hatchobori, Chuo-Ku, Tokyo104-0032, Japan
☎(81-3)3553-6667（Editorial Section)
☎(81-3)3553-6660　FAX(81-3)3553-6693（Advertising Section)

著作編集	「地球の歩き方」編集室
発行所	株式会社ダイヤモンド・ビッグ社
	〒 104-0032　東京都中央区八丁堀 2-9-1　東八重洲ビル
	編集部　☎(03)3553-6667
	広告部　☎(03)3553-6660　FAX(03)3553-6693
発売元	株式会社ダイヤモンド社
	〒 150-8409　東京都渋谷区神宮前 6-12-17
	販売　☎(03)5778-7240
